2025

써니 행정법총론 기출문제집

박준철 편저

완성편

도서출판 지금

Contents | 이 책의 목차

완성편

제 3 편 | 행정절차, 행정공개

제 4 편 | 행정의 실효성 확보수단

제 5 편 | 행정구제 1(행정상 손해전보)

* 제27강은 문제 없음

Contents | 이 책의 목차

2025
써니 행정법총론
기출문제집

Sunny

제 1 편

제 01 강 행 정

1회독	2회독	3회독
/	/	/

⊘정답률 공단기/소방단기 합격예측 풀서비스 통계 데이터 기준 기 기본서 핵 핵심집약

01 권력분립과 행정

기 16~17쪽 핵 T 01

01 하

2010 경행특채 변형

다음 중 실질적 의미, 형식적 의미 모두 행정에 속하는 것은?

□□□ ① 대통령령의 제정
□□□ ② 행정심판의 재결
□□□ ③ 조세체납처분
□□□ ④ 시행규칙 제정
□□□ ⑤ 국회사무총장의 직원임명

행정의 의미를 파악하는 가장 기본적인 문제로서 형식적 의미를 먼저 확인한 후에 실질적 의미를 확인하는 순서로 문제를 해결하면 된다. 여기서 형식적 의미는 행위의 주체가 누구인가를 의미한다. 즉, 행정부가 행위의 주체이면 형식적 의미의 행정이고, 국회가 행위의 주체이면 형식적 의미의 입법이며, 법원이 행위의 주체이면 형식적 의미의 사법이 된다. 이렇게 형식적 의미를 찾은 후에 행위의 내용을 검토하여 실질적 의미를 파악하면 된다.

① ×
대통령령의 제정은 실질적 의미에서는 입법이지만, 형식적 의미에서는 행정에 속한다.

② ×
행정심판의 재결은 실질적 의미에서는 사법이지만, 형식적 의미에서는 행정에 속한다.

③ ○
조세체납처분은 실질적 의미, 형식적 의미 모두 행정에 속한다.

④ ×
시행규칙의 제정은 실질적 의미에서는 입법이지만, 형식적 의미에서는 행정에 속한다.

⑤ ×
국회사무총장의 직원임명은 실질적 의미에서는 행정이지만, 형식적 의미에서는 입법에 속한다.

정답 01 ③

02 통치행위

기 18~24쪽 핵 T 02

02 빈출 중

2024 군무원 5급 변형

통치행위에 관한 판례의 입장으로 옳은 것(○)과 옳지 않은 것(×)을 가장 적절하게 조합한 것은?

□□□ ㉠ 대통령의 「금융실명거래 및 비밀보장에 관한 긴급재정 · 경제명령」은 국가긴급권의 일종으로서 고도의 정치적 결단에 의하여 발동되는 행위이고 그 결단을 존중하여야 할 필요성이 있는 행위라는 의미에서 통치행위이지만 그것이 국민의 기본권침해와 직접 관련되는 경우에는 당연히 헌법재판소의 심판대상이 된다.

□□□ ㉡ 통치행위의 개념을 인정한다고 하더라도 과도한 사법심사의 자제가 기본권을 보장하고 법치주의 이념을 구현하여야 할 법원의 책무를 태만히 하거나 포기하는 것이 되지 않도록 그 인정을 지극히 신중하게 하여야 하며, 그 판단은 오로지 사법부만에 의하여 이루어져야 한다.

□□□ ㉢ 서훈취소는 서훈수여의 경우와는 달리 이미 발생된 서훈대상자 등의 권리 등에 영향을 미치지 않는 행위로서 관련 당사자에게 미치는 불이익의 내용과 정도 등을 고려하면 사법심사의 필요성이 크지 않다. 따라서 서훈취소는 대통령이 국가원수로서 행하는 행위로서 법원이 사법심사를 자제하여야 할 고도의 정치성을 띤 행위라고 볼 수 있다.

① ㉠(×), ㉡(×), ㉢(○) ② ㉠(○), ㉡(×), ㉢(×)
③ ㉠(○), ㉡(○), ㉢(×) ④ ㉠(○), ㉡(○), ㉢(○)

관련기출

㉡

1. 통치행위의 개념을 인정한다고 하더라도 과도한 사법심사의 자제가 기본권을 보장하고 법치주의 이념을 구현하여야 할 법원의 책무를 태만히 하거나 포기하는 것이 되지 않도록 그 인정을 지극히 신중하게 하여야 하며, 그 판단은 오로지 사법부만에 의하여 이루어져야 한다. (○, ×) 2013 지방직 9급
2. 대법원은 통치행위 인정을 지극히 신중하게 하여야 하지만, 그 판단은 오로지 사법부만에 의하여 이루어져야 하는 것은 아니라고 보았다. (○, ×) 2011 국회(속기 · 경위직) 9급

1. ○ 2. ×

㉢

1. 비록 서훈취소가 대통령이 국가원수로서 행하는 행위라고 하더라도 법원이 사법심사를 자제하여야 할 고도의 정치성을 띤 행위라고 볼 수는 없다. (○, ×) 2022 군무원 9급
2. 대법원은 대통령의 서훈 취소행위를 통치행위로 보고 있다. (○, ×) 2020 경행경채, 2016 교육행정직 9급

1. ○ 2. ×

㉠ 빈출 ○

대통령의 긴급재정 · 경제명령은 국가긴급권의 일종으로서 고도의 정치적 결단에 의하여 발동되는 행위이고 그 결단을 존중하여야 할 필요성이 있는 행위라는 의미에서 이른바 통치행위에 속한다고 할 수 있으나, 통치행위를 포함하여 모든 국가작용은 국민의 기본권적 가치를 실현하기 위한 수단이라는 한계를 반드시 지켜야 하는 것이고, 헌법재판소는 헌법의 수호와 국민의 기본권 보장을 사명으로 하는 국가기관이므로 비록 고도의 정치적 결단에 의하여 행해지는 국가작용이라고 할지라도 그것이 국민의 기본권침해와 직접 관련되는 경우에는 당연히 헌법재판소의 심판대상이 된다(헌재 1996. 2. 29, 93헌마186).

㉡ ○

통치행위 여부의 판단은 오로지 사법부만에 의해 이루어져야 한다.
통치행위의 개념을 인정한다고 하더라도 과도한 사법심사의 자제가 기본권을 보장하고 법치주의의 이념을 구현하여야 할 법원의 책무를 태만히 하거나 포기하는 것이 되지 않도록 그 인정을 지극히 신중하게 하여야 하며, 그 판단은 오로지 사법부만에 의하여 이루어져야 한다(대판 2004. 3. 26, 2003도7878).

㉢ ×

서훈취소가 대통령이 국가원수로서 행하는 행위라고 하더라도 법원이 사법심사를 자제하여야 할 고도의 정치성을 띤 행위라고 볼 수는 없다.
서훈취소는 서훈수여의 경우와는 달리 이미 발생된 서훈대상자 등의 권리 등에 영향을 미치는 행위로서 관련 당사자에게 미치는 불이익의 내용과 정도 등을 고려하면 사법심사의 필요성이 크다. 따라서 기본권의 보장 및 법치주의의 이념에 비추어 보면, 비록 서훈취소가 대통령이 국가원수로서 행하는 행위라고 하더라도 법원이 사법심사를 자제하여야 할 고도의 정치성을 띤 행위라고 볼 수는 없다(대판 2015. 4. 23, 2012두26920).

정답 02 ③

03 정답률 80% 하 2018 소방직 9급

통치행위에 관한 설명으로 옳지 않은 것은? (다툼이 있는 경우 판례에 의함)

□□□ ① 통치행위는 정부에 의해 이루어지는 것이 일반적이며, 국회에 의해 이루어질 수도 있다.

□□□ ② 일반사병의 이라크 파견결정은 성격상 국방 및 외교에 관련된 고도의 정치적 결단을 요하는 문제이다.

□□□ ③ 판례는 대통령의 금융실명거래 및 비밀보장에 관한 긴급재정·경제명령의 발령을 통치행위로 보았다.

□□□ ④ 통치행위를 포함하여 모든 국가작용은 국민의 기본권적 가치를 실현하기 위한 수단이라는 한계를 반드시 지켜야 하는 것은 아니다.

① ○

계엄선포, 사면권 행사 등 통치행위는 주로 정부(대통령)가 행사함이 일반적이나, 국회의원의 징계, 제명 등 국회의 자율권 행사와 관련하여서는 국회도 통치행위의 주체가 될 수 있다.

② ○

> 자이툰부대(일반사병) 이라크 파병결정은 고도의 정치적 결단을 요하는 문제로서 헌법재판소가 사법적 기준만으로 이를 심판하는 것은 자제되어야 한다(사법자제설을 따르고 있는 판례).
>
> 이 사건 파견결정은 그 성격상 국방 및 외교에 관련된 고도의 정치적 결단을 요하는 문제로서, 헌법과 법률이 정한 절차를 지켜 이루어진 것임이 명백하므로, 대통령과 국회의 판단은 존중되어야 하고 헌법재판소가 사법적 기준만으로 이를 심판하는 것은 자제되어야 한다(헌재 2004. 4. 29, 2003헌마814).

③ 02 ㉠ 해설 판례 참조 ○

④ 02 ㉠ 해설 판례 참조 ×

04 정답률 85% 하 2017 지방직 9급

통치행위에 대한 판례의 입장으로 옳지 않은 것은?

□□□ ① 고도의 정치적 성격을 지니는 남북정상회담 개최과정에서 정부에 신고하지 아니하거나 협력사업승인을 얻지 아니한 채 북한 측에 사업권의 대가 명목으로 송금한 행위 자체는 사법심사의 대상이 된다.

□□□ ② 기본권보장의 최후 보루인 법원으로서는 사법심사권을 행사함으로써, 대통령의 긴급조치권 행사로 인하여 우리나라 헌법의 근본이념인 자유민주적 기본질서가 부정되는 사태가 발생하지 않도록 그 책무를 다하여야 한다.

□□□ ③ 신행정수도건설이나 수도이전문제는 그 자체로 고도의 정치적 결단을 요하므로 사법심사의 대상에서 제외되고, 그것이 국민의 기본권침해와 관련되는 경우에도 헌법재판소의 심판대상이 될 수 없다.

□□□ ④ 외국에의 국군 파견결정은 그 성격상 국방 및 외교에 관련된 고도의 정치적 결단을 요하는 문제로서, 헌법과 법률이 정한 절차가 지켜진 것이라면 대통령과 국회의 판단은 존중되어야 하고 사법적 기준만으로 이를 심판하는 것은 자제되어야 한다.

① ○

> 1. 남북정상회담 개최는 고도의 정치적 성격을 지니고 있는 행위로서 그 당부를 심판하는 것은 사법권의 내재적·본질적 한계를 넘어서는 것이 된다.
> 2. 남북정상회담의 개최과정에서 재정경제부(현 기획재정부)장관에게 신고하지 아니하거나 통일부장관의 협력사업승인을 얻지 아니한 채 북한 측에 사업권의 대가 명목으로 송금한 행위 자체는 헌법상 법치국가의 원리와 법 앞에 평등원칙 등에 비추어 볼 때 사법심사의 대상이 된다(대판 2004. 3. 26, 2003도7878).

② ○

> 기본권보장의 최후 보루인 법원으로서는 마땅히 긴급조치 제1호에 규정된 형벌법규에 대하여 사법심사권을 행사함으로써, 대통령의 긴급조치권 행사로 인하여 국민의 기본권이 침해되고 나아가 우리나라 헌법의 근본이념인 자유민주적 기본질서가 부정되는 사태가 발생하지 않도록 그 책무를 다하여야 할 것이다(대판 2010. 12. 16, 2010도5986 전합).

③ ×

> 1. 신행정수도건설이나 수도이전의 문제를 국민투표에 부칠지 여부에 관한 대통령의 의사결정이 사법심사의 대상이 될 경우 위 의사결정은 고도의 정치적 결단을 요하는 문제여서 사법심사를 자제함이 바람직하다고는 할 수 있다.
> 2. 그러나 대통령의 위 의사결정이 국민의 기본권침해와 직접 관련되는 경우에는 헌법재판소의 심판대상이 될 수 있고, 이에 따라 위 의사결정과 관련된 법률(「신행정수도의 건설을 위한 특별조치법」)도 헌법재판소의 심판대상이 될 수 있다(헌재 2004. 10. 21, 2004헌마554·556 병합).

④ ○

대통령의 일반사병(자이툰부대) 이라크 파견결정은 그 성격상 국방 및 외교에 관련된 고도의 정치적 결단을 요하는 문제로서, 헌법과 법률이 정한 절차를 지켜 이루어진 것임이 명백하므로, 대통령과 국회의 판단은 존중되어야 하고 헌법재판소가 사법적 기준만으로 이를 심판하는 것은 자제되어야 한다는 것이 헌법재판소의 입장이다(헌재 2004. 4. 29, 2003헌마814).

정답 03 ④ 04 ③

제 02 강 행정법의 의의

1회독	2회독	3회독
/	/	/

⊘정답률 공단기/소방단기 합격예측 풀서비스 통계 데이터 기준 기 기본서 핵 핵심집약

01 행정법의 지도원리 기 28~29쪽 핵 T 03

01 중 2023 소방승진

행정기본법의 규정 내용으로 옳지 않은 것은?

□□□ ① 행정청은 행정작용을 할 때 상대방에게 해당 행정작용과 실질적인 관련이 없는 의무를 부과해서는 아니 된다.

□□□ ② 행정에 관한 다른 법률을 제정하거나 개정하는 경우에는 행정기본법의 목적과 원칙, 기준 및 취지에 부합되어야 한다.

□□□ ③ 국가와 지방자치단체는 소속 공무원이 공공의 이익을 위하여 적극적으로 직무를 수행할 수 있도록 제반 여건을 조성하고, 이와 관련된 시책 및 조치를 추진하여야 한다.

□□□ ④ 국가와 지방자치단체는 국민의 삶의 질을 향상시키기 위하여 적법절차에 따라 공정하고 합리적인 행정을 수행할 책무를 진다.

① ○

행정기본법 제13조【부당결부금지의 원칙】 행정청은 행정작용을 할 때 상대방에게 해당 행정작용과 실질적인 관련이 없는 의무를 부과해서는 아니 된다.

② ×

행정기본법 제5조【다른 법률과의 관계】 ② 행정에 관한 다른 법률을 제정하거나 개정하는 경우에는 이 법의 목적과 원칙, 기준 및 취지에 부합되도록 노력하여야 한다.

③ ○

행정기본법 제4조【행정의 적극적 추진】 ② 국가와 지방자치단체는 소속 공무원이 공공의 이익을 위하여 적극적으로 직무를 수행할 수 있도록 제반 여건을 조성하고, 이와 관련된 시책 및 조치를 추진하여야 한다.

④ ○

행정기본법 제3조【국가와 지방자치단체의 책무】 ① 국가와 지방자치단체는 국민의 삶의 질을 향상시키기 위하여 적법절차에 따라 공정하고 합리적인 행정을 수행할 책무를 진다.

정답 01 ②

02 법치행정의 원리(행정의 법률적합성원칙)

기 30~37쪽 핵 T 03

02 정답률 81% 하 2024 군무원 9급 변형

다음 중 법치행정의 원칙에 대한 설명으로 가장 적절하지 않은 것은? (다툼이 있는 경우 판례에 의함)

□□□ ① 법률유보원칙상 행정권 행사에 요구되는 작용법적 근거는 원칙적으로 개별적 근거를 말한다.

□□□ ② 법률유보원칙은 단순히 행정작용이 법률에 근거를 두기만 하면 충분한 것이 아니라, 국민의 기본권실현과 관련된 영역에 있어서는 국민의 대표자인 입법자가 그 본질적 사항에 대해서 스스로 결정하여야 한다는 요구까지 내포하고 있다.

□□□ ③ 법률우위의 원칙은 공법적 행위에만 적용되고 사법적(私法的) 행위에는 적용되지 않는다.

□□□ ④ 법률우위의 원칙은 행정행위와 같은 구체적인 규율은 물론 법규명령이나 조례와 같은 행정입법에도 적용된다.

관련기출

②

1. 법률유보원칙은 단순히 행정작용이 법률에 근거를 두기만 하면 충분한 것이 아니라, 국가공동체와 그 구성원에게 기본적이고도 중요한 의미를 갖는 영역, 특히 국민의 기본권실현과 관련된 영역에 있어서는 국민의 대표자인 입법자가 그 본질적 사항에 대해서 스스로 결정하여야 한다는 요구까지 내포한다. (○, ×) 2024 소방직 9급
2. 법률유보원칙은 입법자 스스로 국민의 기본권실현에 본질적인 사항을 직접 정해야 하는 의회유보와는 별개의 원칙이다. (○, ×) 2024 국회직 8급
3. 오늘날 법률유보원칙은 국민의 기본권실현과 관련된 영역에 있어서 국민의 대표자인 입법자가 그 본질적 사항에 대해서 스스로 결정하여야 한다는 요구까지 내포하고 있다. (○, ×) 2018 경행경채

1. ○ 2. × 3. ○

① 정답률 12% ○

법률유보의 원칙에서 요구되는 법적 근거는 작용법적 근거를 말한다. 조직법적 근거는 모든 행정권 행사에 있어서 당연히 요구된다. 행정권 행사의 근거가 되는 법(근거규범, 작용법상 권한 규범)은 원칙적으로 법률이지만, 법률에 근거한 명령일 수도 있다. 법률유보의 원칙상 행정권 행사에 요구되는 작용법적 근거는 원칙적으로 개별적 근거를 말한다.

② **빈출** 정답률 3% ○

> 오늘날 '법률유보원칙'은 단순히 행정작용이 법률에 근거를 두기만 하면 충분한 것이 아니라, 국가공동체와 그 구성원에게 기본적이고도 중요한 의미를 갖는 영역, 특히 국민의 기본권실현에 관련된 영역에 있어서는 행정에 맡길 것이 아니라 국민의 대표자인 입법자가 그 본질적 사항에 대해서 스스로 결정하여야 한다는 요구, 즉 의회유보원칙까지 내포하는 것으로 이해되고 있다(헌재 1999. 5. 27, 98헌바70).

③ 정답률 81% ×

④ 정답률 2% ○

법률우위의 원칙은 제한 없이 행정의 모든 영역에 적용된다.

정답 02 ③

03 ㊤ 2024 군무원 5급 변형

법치행정에 관한 다음 판례의 내용 중 옳은 것은 몇 개인가?

□□□ ㉠ 어떠한 사안이 국회가 형식적 법률로 스스로 규정하여야 하는 본질적 사항에 해당되는지는, 구체적 사례에서 관련된 이익 내지 가치의 중요성, 규제 또는 침해의 정도와 방법 등을 고려하여 개별적으로 결정하여야 하므로, 규율대상이 국민의 기본권과 관련한 중요성을 가질수록 그리고 그에 관한 공개적 토론의 필요성 또는 상충하는 이익 사이의 조정 필요성이 클수록, 그것이 국회의 법률에 의하여 직접 규율될 필요성은 더 감소된다.

□□□ ㉡ 국민의 권리 · 의무에 관한 기본적이고 본질적인 사항은 국회가 정하여야 하고, 헌법상 보장된 국민의 자유나 권리를 제한할 때에는 적어도 그 제한의 본질적인 사항에 관하여 국회가 법률로써 스스로 규율하여야 한다.

□□□ ㉢ 텔레비전방송수신료는 대다수 국민의 재산권 보장의 측면이나 한국방송공사에게 보장된 방송자유의 측면에서 국민의 기본권실현에 관련된 영역에 속하지는 않지만 수신료금액의 결정은 납부의무자의 범위 등과 함께 수신료에 관한 본질적인 중요한 사항이므로 국회가 스스로 행하여야 하는 사항에 속하는 것이다.

① 0개　② 1개
③ 2개　④ 3개

관련기출

㉠

1. 규율대상이 국민의 기본권 및 기본적 의무와 관련한 중요성을 가질수록 그리고 그에 관한 공개적 토론의 필요성 또는 상충하는 이익 사이의 조정 필요성이 클수록, 그것이 국회의 법률에 의해 직접 규율될 필요성은 더 증대된다고 보아야 한다. (○, ×) 2023 지방직 · 서울시 9급
2. 국회가 형식적 법률로 직접 규율해야 할 필요성은 규율대상이 기본권 및 기본적 의무와 관련된 중요성을 가질수록, 그에 관한 공개적 토론의 필요성 또는 상충하는 이익 사이의 조정 필요성이 클수록 더 증대된다. (○, ×) 2022 소방직 9급
3. 공개적 토론의 필요성과 상충하는 이익 사이의 조정 필요성이 클수록 국회의 법률에 의하여 직접 규율될 필요성은 증대된다. (○, ×) 2019 국회직 8급

🔒 1. ○　2. ○　3. ○

㉠ **빈출** ×

어떠한 사안이 국회가 형식적 법률로 스스로 규정하여야 하는 본질적 사항에 해당되는지는, 구체적 사례에서 관련된 이익 내지 가치의 중요성, 규제 또는 침해의 정도와 방법 등을 고려하여 개별적으로 결정하여야 하지만, 규율대상이 국민의 기본권 및 기본적 의무와 관련한 중요성을 가질수록 그리고 그에 관한 공개적 토론의 필요성 또는 상충하는 이익 사이의 조정 필요성이 클수록, 그것이 국회의 법률에 의해 직접 규율될 필요성은 더 증대된다(대판 2020. 9. 3, 2016두32992 전합 ; 대판 2015. 8. 20, 2012두23808 전합).

㉡ ○

국민의 권리 · 의무에 관한 기본적이고 본질적인 사항은 국회가 정하여야 하고, 헌법상 보장된 국민의 자유나 권리를 제한할 때에는 적어도 그 제한의 본질적인 사항에 관하여 국회가 법률로써 스스로 규율하여야 한다(대판 2020. 9. 3, 2016두32992 전합).

㉢ **빈출** ×

텔레비전방송수신료는 대다수 국민의 재산권 보장의 측면이나 한국방송공사에게 보장된 방송자유의 측면에서 국민의 기본권실현에 관련된 영역에 속하고, 수신료금액의 결정은 납부의무자의 범위 등과 함께 수신료에 관한 본질적인 중요한 사항이므로 국회가 스스로 행하여야 하는 사항에 속하는 것임에도 불구하고 한국방송공사법 제36조 제1항에서 국회의 결정이나 관여를 배제한 채 한국방송공사로 하여금 수신료금액을 결정해서 문화관광부장관(현 문화체육관광부장관)의 승인을 얻도록 한 것은 법률유보원칙에 위반된다(헌재 1999. 5. 27, 98헌바70).

정답 03 ②

04 ⓢ 2024 국회직 8급 변형

법률유보원칙에 대한 설명으로 옳지 않은 것은? (다툼이 있는 경우 판례에 의함)

□□□ ① 법률유보원칙은 입법자 스스로 국민의 기본권실현에 본질적인 사항을 직접 정해야 하는 의회유보와는 별개의 원칙이다.

□□□ ② 헌법상 법률유보원칙은 법률에 의한 규율만을 요청하는 것이 아니라 법률에 근거한 규율을 요청하는 것이기 때문에 기본권제한의 형식이 반드시 법률의 형식일 필요는 없다.

□□□ ③ 법률의 위임범위를 벗어난 하위법령에 의한 기본권제한은 법률의 근거가 없는 것이 되고 이는 법률유보원칙에 위반된다.

□□□ ④ 헌법상 법치주의의 한 내용인 법률유보원칙은 기본권규범과 관련 없는 경우에까지 준수되도록 요청되는 것은 아니다.

관련기출

②

1. 오늘날의 법률유보원칙은 단순히 행정작용이 법률에 근거를 두기만 하면 충분한 것이 아니라, 국가공동체와 그 구성원에게 기본적이고도 중요한 의미를 갖는 영역, 특히 국민의 기본권실현에 관련된 영역에 있어서는 의회에 맡길 것이 아니고 행정부 스스로 그 본질적 사항에 대하여 결정하여야 한다는 요구, 즉 행정유보원칙까지 내포하는 것으로 이해되고 있다. (○, ×) 2024 군무원 5급
2. 법률유보의 원칙은 '법률에 의한 규율'만을 요청하는 것이 아니라 '법률에 근거한 규율'을 요청하는 것이기 때문에 기본권의 제한에는 법률의 근거가 필요할 뿐이고 기본권제한의 형식이 반드시 법률의 형식일 필요는 없다. (○, ×) 2024 해경승진
3. 기본권제한에 관한 법률유보의 원칙은 '법률에 근거한 규율'뿐만 아니라 '법률에 의한 규율'을 요청하는 것이므로, 기본권의 제한에는 법률의 근거가 필요할 뿐만 아니라 기본권제한의 형식도 법률의 형식일 것을 요한다. (○, ×) 2021 변호사
4. 헌법재판소 결정에 따를 때 기본권제한에 관한 법률유보원칙은 법률에 근거한 규율을 요청하는 것이므로 그 형식이 반드시 법률일 필요는 없더라도 법률상의 근거는 있어야 한다. (○, ×) 2019 서울시 9급
5. 기본권제한에 관한 법률유보원칙은 '법률에 근거한 규율'을 요청하는 것이 아니라 '법률에 의한 규율'을 요청하는 것이다. (○, ×) 2018 경행경채

1. ×(행정유보가 아니라 의회유보이다) 2. ○ 3. × 4. ○ 5. ×

① ×

오늘날의 법률유보원칙은 단순히 행정작용이 법률에 근거를 두기만 하면 충분한 것이 아니라, 국가공동체와 그 구성원에게 기본적이고도 중요한 의미를 갖는 영역, 특히 국민의 기본권실현에 관련된 영역에 있어서는 행정에 맡길 것이 아니고 국민의 대표자인 입법자 스스로 그 본질적 사항에 대하여 결정하여야 한다는 요구, 즉 의회유보원칙까지 내포한다는 것이 판례의 입장이다(대판 2020. 9. 3, 2016두32992 전합).

② **빈출** ○

> 법률유보의 원칙은 '법률에 근거한' 규율을 요청하는 것이다.
> 법률유보의 원칙은 '법률에 의한' 규율만을 뜻하는 것이 아니라 '법률에 근거한' 규율을 요청하는 것이므로 기본권제한의 형식이 반드시 법률의 형식일 필요는 없고 법률에 근거를 두면서 헌법 제75조가 요구하는 위임의 구체성과 명확성을 구비하기만 하면 위임입법에 의하여도 기본권제한을 할 수 있다 할 것이다(헌재 2005. 2. 24, 2003헌마289).

③ ○

> 국민의 기본권은 헌법 제37조 제2항에 의하여 국가안전보장·질서유지 또는 공공복리를 위하여 필요한 경우에 한하여 이를 제한할 수 있으나, 그 제한의 방법은 원칙적으로 법률로써만 가능하고 제한의 정도도 기본권의 본질적 내용을 침해할 수 없으며 필요한 최소한도에 그쳐야 한다. 여기서 기본권제한에 관한 법률유보원칙은 '법률에 근거한 규율'을 요청하는 것이므로, 그 형식이 반드시 법률일 필요는 없다 하더라도 법률상의 근거는 있어야 한다 할 것이다. 따라서 모법의 위임범위를 벗어난 하위법령은 법률의 근거가 없는 것으로 법률유보원칙에 위반된다(헌재 2010. 4. 29, 2007헌마910).

④ ○

> 헌법상 법치주의의 한 내용인 법률유보의 원칙은 국민의 기본권실현에 관련된 영역에 있어서 국가 행정권의 행사에 관하여 적용되는 것이지, 기본권규범과 관련 없는 경우에까지 준수되도록 요청되는 것은 아니라 할 것인데, 청원경찰은 근무의 공공성 때문에 일정한 경우에 공무원과 유사한 대우를 받고 있는 등으로 일반 근로자와 공무원의 복합적 성질을 가지고 있지만, 그 임면주체는 국가 행정권이 아니라 청원경찰법상의 청원주로서 그 근로관계의 창설과 존속 등이 본질적으로 사법상 고용계약의 성질을 가지는바, 청원경찰의 징계로 인하여 사적 고용계약상의 문제인 근로관계의 존속에 영향을 받을 수 있다 하더라도 이는 국가 행정주체와 관련되고 기본권의 보호가 문제되는 것이 아니어서 여기에 법률유보의 원칙이 적용될 여지가 없으므로, 그 징계에 관한 사항을 법률에 정하지 않았다고 하여 법률유보의 원칙에 위반된다 할 수 없다(헌재 2010. 2. 25, 2008헌바160).

정답 04 ①

05 정답률 83% 중 2024 소방직 9급

법률유보의 원칙에 관한 설명으로 옳지 않은 것은? (다툼이 있는 경우 판례에 의함)

□□□ ① 법률유보원칙은 단순히 행정작용이 법률에 근거를 두기만 하면 충분한 것이 아니라, 국가공동체와 그 구성원에게 기본적이고도 중요한 의미를 갖는 영역, 특히 국민의 기본권실현과 관련된 영역에 있어서는 국민의 대표자인 입법자가 그 본질적 사항에 대해서 스스로 결정하여야 한다는 요구까지 내포한다.

□□□ ② 자치조례에 대한 법률의 위임은 법규명령에 대한 법률의 위임과 같이 반드시 구체적으로 범위를 정하여 할 필요가 없으며 포괄적인 것으로 족하다.

□□□ ③ 토지 등 소유자가 도시환경정비사업을 시행하는 경우, 사업시행인가 신청 시 필요한 토지 등 소유자의 동의요건을 정하는 것은 국민의 권리와 의무의 형성에 관한 기본적이고 본질적인 사항이 아니므로 국회의 법률로써 규정해야 할 사항이 아니다.

□□□ ④ 수신료 징수업무를 한국방송공사가 직접 수행할 것인지 제3자에게 위탁할 것인지, 위탁한다면 누구에게 위탁하도록 할 것인지, 위탁받은 자가 자신의 고유업무와 결합하여 징수업무를 할 수 있는지는 징수업무 처리의 효율성 등을 감안하여 결정할 수 있는 사항으로서 국민의 기본권제한에 관한 본질적인 사항이 아니다.

관련기출

②

1. 조례에 대한 법률의 위임은 법규명령에 대한 법률의 위임과 같이 반드시 구체적으로 범위를 정하여 할 필요가 없으며 포괄적인 것으로 족하다. (○, ×) 2020 군무원 7급
2. 조례에 대한 법률의 위임은 반드시 구체적으로 범위를 정하여 해야 한다. (○, ×) 2018 서울시 2회 7급
3. 조례에 대한 법률의 위임은 구체적으로 범위를 정하여 위임하여야 하며 포괄적 위임은 금지된다. (○, ×) 2018 교육행정직 9급
4. 법률이 주민의 권리·의무에 관한 사항에 관하여 구체적으로 범위를 정하지 않은 채 조례로 정하도록 포괄적으로 위임한 경우에도 지방자치단체는 법령에 위반되지 않는 범위 내에서 주민의 권리·의무에 관한 사항을 조례로 제정할 수 있다. (○, ×) 2018 국회직 8급

1. ○ 2. × 3. × 4. ○

④

1. 수신료 징수업무를 한국방송공사가 직접 수행할지 제3자에게 위탁할지 여부는 국민의 기본권제한에 관한 본질적인 사항이 아니다. (○, ×) 2019 사회복지직 9급

1. ○

① 정답률 4% ○

> 오늘날 '법률유보원칙'은 단순히 행정작용이 법률에 근거를 두기만 하면 충분한 것이 아니라, 국가공동체와 그 구성원에게 기본적이고도 중요한 의미를 갖는 영역, 특히 국민의 기본권실현에 관련된 영역에 있어서는 행정에 맡길 것이 아니라 국민의 대표자인 입법자가 그 본질적 사항에 대해서 스스로 결정하여야 한다는 요구, 즉 의회유보원칙까지 내포하는 것으로 이해되고 있다(헌재 1999. 5. 27, 98헌바70).

② **빈출** 정답률 5% 제10강 참조 ○

> 조례에 대한 법률의 위임은 법규명령에 대한 법률의 위임과 같이 반드시 구체적으로 범위를 정하여야 할 필요가 없으며 포괄적인 것으로 족하다.
> 조례의 제정권자인 지방의회는 선거를 통해서 그 지역적인 민주적 정당성을 지니고 있는 주민의 대표기관이고, 헌법이 지방자치단체에 대해 포괄적인 자치권을 보장하고 있는 취지로 볼 때 조례제정권에 대한 지나친 제약은 바람직하지 않으므로 조례에 대한 법률의 위임은 법규명령에 대한 법률의 위임과 같이 반드시 구체적으로 범위를 정하여야 할 필요가 없으며 포괄적인 것으로 족하다고 할 것이다(헌재 1995. 4. 20, 92헌마264 등).

③ **빈출** 정답률 83% ×

토지 등 소유자들이 그 사업을 위한 조합을 따로 설립하지 않고 직접 시행하는 도시환경정비사업에서 사업시행인가처분은 「도시 및 주거환경정비법」상 정비사업을 시행할 수 있는 권한을 가지는 행정주체로서의 지위를 부여하는 일종의 설권적 처분의 성격, 즉 학문상 특허라는 것이 판례의 입장이다(제13강 17 D. 해설 참조). 이런 전제에서 토지 등 소유자가 도시환경정비사업을 시행하는 경우 사업시행인가 신청시 필요한 토지 등 소유자의 동의요건은 행정주체의 지위를 결정하는 문제로서 국민의 권리와 의무의 형성에 관한 기본적이고 본질적인 사항이므로 국회가 스스로 행하여야 하는 사항이라는 것이 판례의 입장이다. 「도시 및 주거환경정비법」상 조합의 사업시행인가 신청시의 동의요건을 조합의 정관에 위임할 수 있는 것과 구별하기 바란다(필수편 제10강 13 ① 해설 참조).

> 토지 등 소유자가 도시환경정비사업을 시행하는 경우 …… 사업시행인가 신청시 요구되는 토지 등 소유자의 동의정족수를 정하는 것은 국민의 권리와 의무의 형성에 관한 기본적이고 본질적인 사항으로 법률유보 내지 의회유보의 원칙이 지켜져야 할 영역이다(헌재 2011. 8. 30, 2009헌바128).

④ 정답률 6% ○

> 수신료 징수업무를 한국방송공사가 직접 수행할 것인지 제3자에게 위탁할 것인지, 위탁한다면 누구에게 위탁하도록 할 것인지, 위탁받은 자가 자신의 고유업무와 결합하여 징수업무를 할 수 있는지는 징수업무처리의 효율성 등을 감안하여 결정할 수 있는 사항으로서 국민의 기본권제한에 관한 본질적인 사항이 아니라 할 것이다. 따라서 방송법 제64조 및 제67조 제2항은 법률유보의 원칙에 위반되지 아니한다(헌재 2008. 2. 28, 2006헌바70).

정답 05 ③

06 중 2024 변호사 변형

법치행정에 관한 설명 중 옳지 않은 것은? (다툼이 있는 경우 판례에 의함)

□□□ ① 오늘날의 법률유보원칙은 단순히 행정작용이 법률에 근거를 두기만 하면 충분한 것이 아니라, 국가공동체와 그 구성원에게 기본적이고도 중요한 의미를 갖는 영역에 있어서는 국민의 대표자인 입법자 스스로 그 본질적 사항에 대하여 결정하여야 한다는 요구까지 내포하는 것으로 이해되고 있다.

□□□ ② 법외노조 통보는 적법하게 설립된 노동조합의 법적 지위를 박탈하는 중대한 침익적 처분으로서 원칙적으로 국민의 대표자인 입법자가 스스로 형식적 법률로써 규정하여야 할 사항이고, 행정입법으로 이를 규정하기 위하여는 반드시 법률의 명시적이고 구체적인 위임이 있어야 한다.

□□□ ③ 법인세, 종합소득세와 같이 납세의무자에게 조세의 납부의무뿐만 아니라 스스로 과세표준과 세액을 계산하여 신고하여야 하는 의무까지 부과하는 경우에, 신고의무이행에 필요한 기본적인 사항과 신고의무불이행 시 납세의무자가 입게 될 불이익 등은 납세의무를 구성하는 기본적, 본질적 내용으로 볼 수 없으므로 반드시 법률로 정하여야 하는 것은 아니다.

□□□ ④ 육군3사관학교 생도는 일반국민보다 상대적으로 기본권이 더 제한될 수 있으나, 그러한 경우에도 법률유보원칙, 과잉금지원칙 등 기본권제한의 헌법상 원칙들이 지켜져야 한다.

관련기출

③

1. 납세의무자에게 조세의 납부의무뿐만 아니라 스스로 과세표준과 세액을 계산하여 신고하여야 하는 의무까지 부과하는 경우에는 신고의무불이행에 따른 불이익의 내용을 법률로 정하여야 한다. (○, ×)
2022 소방직 9급, 2017 국가직 7급

1. ○

④

1. 육군3사관학교의 구성원인 사관생도는 학교 입학일부터 특수한 신분관계에 놓이게 되므로 법률유보원칙은 적용되지 아니한다. (○, ×) 2021 군무원 7급
2. 군인은 국가의 존립과 안전을 보장함을 직접적인 존재의 목적으로 하는 군조직의 구성원인 특수한 신분관계에 있으므로, 그 존립목적을 달성하기 위하여 필요한 한도 내에서 일반국민보다 상대적으로 기본권이 더 제한될 수 있다. (○, ×) 2019 경행경채 2차

1. × 2. ○

① ○

오늘날의 법률유보원칙은 단순히 행정작용이 법률에 근거를 두기만 하면 충분한 것이 아니라, 국가공동체와 그 구성원에게 기본적이고도 중요한 의미를 갖는 영역, 특히 국민의 기본권실현에 관련된 영역에 있어서는 행정에 맡길 것이 아니고 국민의 대표자인 입법자 스스로 그 본질적 사항에 대하여 결정하여야 한다는 요구, 즉 의회유보원칙까지 내포하고 있다는 것이 판례의 입장이다(대판 2020. 9. 3, 2016두32992 전합).

② ○

> 법외노조 통보는 적법하게 설립된 노동조합의 법적 지위를 박탈하는 중대한 침익적 처분으로서 원칙적으로 국민의 대표자인 입법자가 스스로 형식적 법률로써 규정하여야 할 사항이고, 행정입법으로 이를 규정하기 위하여는 반드시 법률의 명시적이고 구체적인 위임이 있어야 한다. 그런데 「노동조합 및 노동관계조정법 시행령」 제9조 제2항은 법률의 위임 없이 법률이 정하지 아니한 법외노조 통보에 관하여 규정함으로써 헌법상 노동3권을 본질적으로 제한하고 있으므로 그 자체로 무효이다. …… 법외노조 통보에 관한 「노동조합 및 노동관계조정법 시행령」 제9조 제2항은 헌법상 법률유보의 원칙에 위반되어 그 자체로 무효이므로 그에 기초한 위 법외노조 통보는 법적 근거를 상실하여 위법하다(대판 2020. 9. 3, 2016두32992 전합).

③ ×

> 헌법 제37조 제2항, 제38조, 제59조, 제75조에 비추어 보면, 국민에게 납세의 의무를 부과하기 위해서는 조세의 종목과 세율 등 납세의무에 관한 기본적 · 본질적 사항은 국민의 대표기관인 국회가 제정한 법률로 규정하여야 하고, 법률의 위임 없이 명령 또는 규칙 등의 행정입법으로 과세요건 등 납세의무에 관한 기본적 · 본질적 사항을 규정하는 것은 헌법이 정한 조세법률주의 원칙에 위배된다. 특히 법인세, 종합소득세와 같이 납세의무자에게 조세의 납부의무뿐만 아니라 스스로 과세표준과 세액을 계산하여 신고하여야 하는 의무까지 부과하는 경우에는 신고의무이행에 필요한 기본적인 사항과 신고의무불이행시 납세의무자가 입게 될 불이익 등은 납세의무를 구성하는 기본적 · 본질적 내용으로서 법률로 정하여야 한다(대판 2015. 8. 20, 2012두23808 전합).

④ **빈출** ○

군인과 같은 특별행정법관계(특별권력관계)의 구성원은 일반국민보다 상대적으로 기본권이 더 제한될 수 있다. 다만 그 경우에도 헌법 제37조 제2항의 기본권제한의 원칙이 지켜져야 한다.

> **육군3사관학교 사관생도의 경우 일반국민보다 기본권이 더 제한될 수 있다. 다만 그 경우에도 법률유보원칙, 과잉금지 원칙 등 기본권제한의 헌법상 원칙들을 지켜야 한다.**
>
> 사관생도는 군 장교를 배출하기 위하여 국가가 모든 재정을 부담하는 특수교육기관인 육군3사관학교의 구성원으로서, 학교에 입학한 날에 육군 사관생도의 병적에 편입하고 준사관에 준하는 대우를 받는 특수한 신분관계에 있다(「육군3사관학교 설치법 시행령」 제3조). 따라서 그 존립목적을 달성하기 위하여 필요한 한도 내에서 일반국민보다 상대적으로 기본권이 더 제한될 수 있으나, 그러한 경우에도 법률유보원칙, 과잉금지원칙 등 기본권제한의 헌법상 원칙들을 지켜야 한다(대판 2018. 8. 30, 2016두60591).

정답 06 ③

07 중 2022 국회직 8급 변형

법률유보와 법률의 위임에 대한 설명으로 옳지 않은 것은? (다툼이 있는 경우 판례에 의함)

□□□ ① 자격이나 신분 등을 취득 또는 부여할 수 없거나 인가, 허가, 지정, 승인, 영업등록, 신고수리 등을 필요로 하는 영업 또는 사업 등을 할 수 없는 사유는 법률로 정하여야 한다.

□□□ ② 텔레비전방송수신료금액의 결정은 납부의무자의 범위와는 달리 수신료에 관한 본질적인 중요한 사항이 아니므로 국회가 스스로 결정할 필요는 없다.

□□□ ③ 토지 등 소유자가 도시환경정비사업을 시행하는 경우, 도시환경정비사업시행인가 신청시 요구되는 토지 등 소유자의 동의정족수를 정하는 것은 법률유보 내지 의회유보의 원칙이 지켜져야 할 영역이다.

□□□ ④ 헌법재판소에 따르면 지방자치단체의 조례에 대한 법률의 위임은 법규명령에 대한 위임과 달리 반드시 구체적으로 범위를 정하여야 할 필요가 없고 포괄적인 것으로 족하다.

□□□ ⑤ 법률이 공법적 단체 등의 정관에 자치법적 사항을 위임한 경우 헌법 제75조가 정하는 포괄적인 위임입법의 금지가 원칙적으로 적용되지 않으며, 위임을 하더라도 그 사항이 국민의 권리 · 의무에 관련되는 것일 경우 적어도 국민의 권리 · 의무에 관한 기본적이고 본질적인 사항은 국회가 정하여야 한다.

관련기출

②

1. 텔레비전방송수신료의 금액은 납부의무자의 범위 등과 함께 수신료에 관한 본질적인 중요한 사항이므로 국회가 스스로 결정 · 관여하여야 한다. (O, ×) 2019 경행경채 2차
2. 헌법재판소는 텔레비전방송수신료는 국민의 기본권실현에 관련된 영역에 속하고, 수신료금액의 결정은 납부의무자의 범위 등과 함께 수신료에 관한 본질적인 중요한 사항이라고 판단한 바 있다. (O, ×) 2016 사회복지직 9급
3. (a) **사안** : 한국방송공사법은 TV수신료의 금액을 국회의 결정이나 관여 없이 한국방송공사가 결정하도록 하는 내용의 규정을 두고 있다.
   (b) **검토의견** : 텔레비전방송수신료는 국민의 기본권실현에 관련된 영역에 속하고, 수신료금액의 결정은 수신료에 관한 본질적인 중요한 사항이므로, 한국방송공사법에서 국회의 결정이나 관여를 배제한 채 한국방송공사로 하여금 수신료금액을 결정하게 한 것은 법률유보원칙에 위반된다. (O, ×) 2010 국회직 8급

1. O 2. O 3. O

③

1. 토지 등 소유자가 도시환경정비사업을 시행하는 경우 사업시행인가 신청에 필요한 토지 등 소유자의 동의정족수를 토지 등 소유자가 자치적으로 정하여 운영하는 규약에 정하도록 한 것은 법률유보원칙에 위반된다. (O, ×) 2022 경찰간부
2. 헌법재판소는 토지 등 소유자가 도시환경정비사업을 시행하는 경우, 사업시행인가 신청시 필요한 토지 등 소유자의 동의정족수를 정하는 것은 국민의 권리와 의무의 형성에 관한 기본적이고 본질적인 사항으로 법률유보 내지 의회유보의 원칙이 지켜져야 할 영역이라고 한다. (O, ×) 2017 국가직 9급

1. O 2. O

① O

행정기본법 내용에 관한 문제이다. 행정기본법의 내용을 묻는 문제는 앞으로 출제가능성이 매우 높으니 기출지문을 잘 정리하기 바란다.

> **행정기본법 제16조【결격사유】** ① 자격이나 신분 등을 취득 또는 부여할 수 없거나 인가, 허가, 지정, 승인, 영업등록, 신고수리 등(이하 '인 · 허가'라 한다)을 필요로 하는 영업 또는 사업 등을 할 수 없는 사유(이하 이 조에서 '결격사유'라 한다)는 법률로 정한다.

② ×

수신료금액의 결정은 납부의무자의 범위 등과 함께 수신료에 관한 본질적인 중요한 사항이므로 국회가 스스로 행하여야 하는 사항이라는 것이 판례의 입장이다(헌재 1999. 5. 27, 98헌바70).

③ O

토지 등 소유자가 도시환경정비사업을 시행하는 경우 …… 사업시행인가 신청시 요구되는 토지 등 소유자의 동의정족수를 정하는 것은 국민의 권리와 의무의 형성에 관한 기본적이고 본질적인 사항으로 법률유보 내지 의회유보의 원칙이 지켜져야 할 영역이라는 것이 판례의 입장이다(헌재 2011. 8. 30, 2009헌바128).

④ O

조례에 대한 법률의 위임은 법규명령에 대한 법률의 위임과 같이 반드시 구체적으로 범위를 정하여야 할 필요가 없으며 포괄적인 것으로 족하다는 것이 판례의 입장이다(헌재 1995. 4. 20, 92헌마264 등). 제10강 참조

⑤ 제10강 참조 O

> 1. 법률이 공법적 단체 등의 정관에 자치법적 사항을 위임한 경우 헌법 제75조가 정하는 포괄위임입법금지원칙은 적용되지 않는다.
> 2. 법률이 공법적 단체 등의 정관에 자치법적 사항을 위임한 경우 국민의 권리 · 의무에 관한 기본적이고 본질적인 사항까지 정관에 위임할 수는 없으며, 국회가 정해야 한다(편저자 주 : 의회유보)(대판 2007. 10. 12, 2006두14476).

정답 07 ②

08 하 2019 사회복지직 9급

법치행정의 원칙에 대한 설명으로 가장 옳지 않은 것은? (다툼이 있는 경우 판례에 따름)

□□□ ① 법률은 원칙적으로 국민의 대표기관인 의회가 제정하여야 한다는 원칙을 포함한다.

□□□ ② 수신료금액 결정은 수신료에 관한 본질적인 사항이 아니므로 국회가 반드시 스스로 행하여야 할 필요는 없다.

□□□ ③ 수신료 징수업무를 한국방송공사가 직접 수행할지 제3자에게 위탁할지 여부는 국민의 기본권제한에 관한 본질적인 사항이 아니다.

□□□ ④ 국민의 기본권실현과 관련된 영역에 있어서는 입법자가 본질적인 사항에 대해서 스스로 결정해야 한다.

① ○

법치주의는 국가권력을 제한하여 국민의 권익을 보호하고자 하는 것으로 법치주의(법치행정의 원리)는 민주주의원리와도 밀접한 관련이 있다. 그런데 오늘날 민주주의는 의회를 통한 민주주의, 즉 대표민주주의를 원칙으로 하고 있으므로 행정권행사의 근거인 법률은 국민의 대표자인 의회가 제정한다는 내용 또한 법치주의(법치행정의 원리)와 관련된다.

② ×

텔레비전방송수신료는 국민의 기본권실현에 관련된 영역에 속하고, 수신료금액의 결정은 납부의무자의 범위 등과 함께 수신료에 관한 본질적인 중요한 사항이므로 국회가 스스로 행하여야 하는 사항이라는 것이 판례의 입장이다(헌재 1999. 5. 27, 98헌바70).

③ ○

> 수신료 징수업무를 한국방송공사가 직접 수행할 것인지 제3자에게 위탁할 것인지, 위탁한다면 누구에게 위탁하도록 할 것인지, 위탁받은 자가 자신의 고유업무와 결합하여 징수업무를 할 수 있는지는 징수업무 처리의 효율성 등을 감안하여 결정할 수 있는 사항으로서 국민의 기본권제한에 관한 본질적인 사항이 아니라 할 것이다. 따라서 방송법 제64조 및 제67조 제2항은 법률유보의 원칙에 위반되지 아니한다(헌재 2008. 2. 28, 2006헌바70).

④ ○

> 이때 입법자가 형식적 법률로 스스로 규율하여야 하는 사항이 어떤 것인가는 일률적으로 획정할 수 없고 구체적인 사례에서 관련된 이익 내지 가치의 중요성, 규제 내지 침해의 정도와 방법 등을 고려하여 개별적으로 결정할 수 있을 뿐이나, 적어도 헌법상 보장된 국민의 자유나 권리를 제한하는 때에는 그 제한의 본질적인 사항에 관한 한 입법자가 법률로써 스스로 규율하여야 할 것이다(헌재 2013. 7. 25, 2012헌바54).

09 하 2018 교육행정직 9급

법치행정에 관한 설명으로 옳지 않은 것은?

□□□ ① 지방의회의원에 대하여 유급보좌인력을 두는 것은 지방의회의 조례로 규정할 사항이다.

□□□ ② 법률유보의 원칙은 행정권의 발동에 있어서 조직규범 외에 작용규범이 요구된다는 것을 의미한다.

□□□ ③ 법률우위의 원칙은 행정의 모든 영역에 적용된다.

□□□ ④ 법률우위의 원칙이란 국가의 행정은 합헌적 절차에 따라 제정된 법률에 위반되어서는 아니 된다는 것을 말한다.

① ×

> 지방의회의원에 대하여 유급보좌인력을 두는 것은 지방의회의원의 신분·지위 및 그 처우에 관한 현행 법령상의 제도에 중대한 변경을 초래하는 것으로서, 이는 개별 지방의회의 조례로써 규정할 사항이 아니라 국회의 법률로써 규정하여야 할 입법사항이다(대판 2013. 1. 16, 2012추84).

② ○

법률유보의 원칙이란 일정한 행정권의 발동에는 법률의 근거가 요구된다는 원칙을 의미하는바, 행정권의 발동에는 조직법적 근거가 반드시 필요하므로 법률유보원칙에서 말하는 법적 근거는 조직규범이 아니라 작용규범(권한규범, 근거규범)을 의미한다.

③ ○

법률우위의 원칙은 행정의 전 영역에 적용된다(행정기본법 제8조). 법률유보의 원칙의 적용범위에 대해 학설이 대립되며 판례는 중요사항유보설(의회유보설)을 따르고 있는 것과 구별하기 바란다.

④ ○

법률우위의 원칙이라 함은 모든 행정작용은 합헌적 절차에 따라 제정된 법률에 위반되어서는 안 된다는 원칙을 말하는 것으로 행정의 법률에의 구속성을 의미한다. 특히 실질적 법치주의에 따라 법률의 내용 그 자체도 헌법상의 기본권보장 정신에 합치해야 하므로 법률의 내용까지 합헌적일 것이 요구된다.

정답 08 ② 09 ①

제 03 강 행정법의 법원과 효력

1회독	2회독	3회독
/	/	/

⊘정답률 공단기/소방단기 합격예측 풀서비스 통계 데이터 기준 기 기본서 핵 핵심집약

01 행정법의 법원 기 40~46쪽 핵 T 04

01 정답률 53% 상 2019 서울시 9급

행정법의 법원(法源)에 대한 설명으로 가장 옳은 것은? (다툼이 있는 경우 판례에 따름)

□□□ ① 인간다운 생활을 할 권리와 같은 헌법상의 추상적인 기본권에 관한 규정은 행정법의 법원이 되지 못한다.

□□□ ② 국제법규도 행정법의 법원이므로, 사인이 제기한 취소소송에서 WTO 협정과 같은 국제협정 위반을 독립된 취소사유로 주장할 수 있다.

□□□ ③ 위법한 행정관행에 대해서도 신뢰보호의 원칙이 적용될 수 있다.

□□□ ④ 행정의 자기구속의 원칙은 처분청이 아닌 제3자 행정청에 대해서도 적용된다.

관련기출

②

1. 회원국 정부의 반덤핑부과처분이 WTO 협정위반이라는 이유만으로 사인이 직접 국내법원에 회원국 정부를 상대로 그 처분의 취소를 구하는 소를 제기할 수 있다. (○, ×) 2017 국가직(하) 9급
2. 사인(私人)은 반덤핑부과처분이 세계무역기구(WTO) 협정위반이라는 이유로 직접 국내법원에 회원국 정부를 상대로 그 처분의 취소를 구하는 소를 제기할 수 있다. (○, ×) 2011 지방직 9급

1. × 2. ×

① ×

헌법은 국가의 최고규범으로 헌법내용 중 행정조직과 행정작용 및 행정구제에 관한 규정, 특히 인간다운 생활을 할 권리와 같은 헌법상의 기본권에 관한 규정은 행정법의 법원 중 가장 기본적 법원이 된다.

② **빈출** ×

> 회원국 정부의 반덤핑부과처분이 WTO 협정위반이라는 이유만으로 사인이 직접 국내법원에 그 처분의 취소를 구하는 소를 제기할 수 없으며, 협정위반을 처분의 독립된 취소사유로 주장할 수 없다.
> 위 협정은 국가와 국가 사이의 권리 · 의무관계를 설정하는 국제협정으로, 그 내용 및 성질에 비추어 이와 관련한 법적 분쟁은 위 WTO 분쟁해결기구에서 해결하는 것이 원칙이고, 사인(私人)에 대하여는 위 협정의 직접 효력이 미치지 아니한다고 보아야 할 것이므로 …… (대판 2009. 1. 30, 2008두17936)

③ ○

신뢰보호의 원칙이 적용되기 위해서는 상대방인 국민에게 신뢰를 주는 행정청의 선행조치가 있어야 하는데, 이러한 선행조치에는 위법한 행정관행도 포함된다.

④ ×

자기구속의 원칙이란 이전에 어떠한 결정을 한 행정청은 동일한 사안에 대해 제3자에게 한 것과 동일한 결정을 상대방에게 하도록 구속을 받는다는 의미이다. 따라서 그 개념에 비추어 볼 때 사안이 다르거나 같은 행정청이 아니라면 자기구속의 원칙은 적용되지 않는다.

정답 01 ③

02 정답률 70% 중 2016 서울시 9급

행정법의 법원(法源)에 대한 설명 중 가장 옳은 것은? (다툼이 있는 경우 판례에 따름)

□□□ ① 헌법재판소 판례에 의하면 감사원규칙은 헌법에 근거가 없으므로 법규명령으로 인정되지 않는다.

□□□ ② 법원(法源)을 법의 인식근거로 보면 헌법은 행정법의 법원이 될 수 없다.

□□□ ③ 관습법은 성문법령의 흠결을 보충하기 때문에 법률유보원칙에서 말하는 법률에 해당한다.

□□□ ④ 행정법의 일반원칙은 다른 법원(法源)과의 관계에서 보충적 역할에 그치지 않으며 헌법적 효력을 갖기도 한다.

① ×

헌법 제75 · 95조에서 법규명령의 형식을 대통령령, 총리령, 부령 등으로 규정하고 있으나 이러한 헌법이 인정하고 있는 위임입법 형식은 한정적이 아니라 예시적이라는 것이 판례의 입장이다. 이런 전제하에 감사원규칙은 헌법이 아니라 감사원법 제52조에서 근거를 두고 있으나 이러한 감사원규칙 또한 법규명령이라는 것이 일반적 견해이다.

> 1. 헌법이 인정하고 있는 위임입법(편저자 주 : 법규명령 중 위임명령을 의미)의 형식은 예시적인 것으로 보아야 할 것이고, 그것은 법률이 행정규칙에 위임하더라도 그 행정규칙은 위임된 사항만을 규율할 수 있으므로, 국회입법의 원칙과 상치되지도 않는다.
> 2. 법률이 입법사항을 대통령령이나 부령이 아닌 고시와 같은 행정규칙의 형식으로 위임하는 것은 헌법 제40 · 75 · 95조 등과의 관계에서 일정한 한계 내에서 허용된다(헌재 2006. 12. 28, 2005헌바59).

② ×

법원(法源)이란 법의 존재형식 또는 인식근거를 의미하는 것으로서 눈에 보이는 조문의 형태로 존재하는 성문법원과 조문이 아닌 관습법 등의 형태로 존재하는 불문법원으로 구분할 수 있다. 이 중 헌법은 국가의 최고규범으로 헌법내용은 행정법을 인식하는 데 가장 기본적인 성문법원이 된다.

③ ×

법률의 유보에 있어서 법률은 원칙적으로 국회에서 법률제정의 절차에 따라 만들어진 형식적 의미의 법률을 의미한다. 따라서 국회의 의결을 거치지 않은 명령이나 불문법원으로서의 관습법은 법률유보원칙에서 말하는 법률에 포함되지 않는다. 다만, 법률유보원칙은 법률에 의한 규율만을 뜻하는 것이 아니라 법률에 근거한 규율을 요구하는 원리이므로 법률에 근거를 두면서 헌법 제75조가 요구하는 위임요건을 구비하기만 하면 위임입법에 의하여도 기본권제한을 할 수 있다.

④ ○

비례의 원칙, 평등의 원칙, 신뢰보호의 원칙 등의 행정법의 일반원칙은 헌법에 근거를 둔 것으로서 법률 등 다른 성문법의 위헌성을 판단하는 근거가 되기도 한다.

정답 02 ④

대표

03 중

2016 행정사 변형

행정법의 법원(法源)에 관한 설명으로 옳지 않은 것은? (다툼이 있으면 판례에 따름)

□□□ ① 행정법의 일반원칙은 법원의 성격을 갖는다.

□□□ ② 위법한 행정처분이라 하더라도 수차례에 걸쳐 반복적으로 행해져 행정관행이 되었다면 행정청에 대하여 자기구속력을 갖는다.

□□□ ③ 대법원의 판례가 법률해석의 일반적인 기준을 제시하였어도 사안이 서로 다른 사건을 재판하는 하급심법원을 직접 기속하는 것은 아니다.

□□□ ④ 「남북 사이의 화해와 불가침 및 교류협력에 관한 합의서」는 국가 간 맺은 조약이 아니므로 국내법과 동일한 효력을 가지는 것은 아니다.

관련기출

③

1. 대법원의 판례가 법률해석의 일반적인 기준을 제시한 경우에 유사한 사건을 재판하는 하급심법원의 법관은 판례의 견해를 존중하여 재판하여야 하는 것이나, 판례가 사안이 서로 다른 사건을 재판하는 하급심법원을 직접 기속하는 효력이 있는 것은 아니다. (○, ×) 2017 경행경채
2. 동종사건에 관하여 대법원의 판례가 있더라도 하급법원은 그 판례와 다른 판단을 하는 것이 가능하다. (○, ×) 2011 국가직 9급
3. 대법원은 "유사사건에 관한 대법원 판례가 하급심법원을 직접 기속한다."고 판시한 바 있다. (○, ×) 2007 국가직 9급

1. ○ 2. ○ 3. ×

④

1. 「남북 사이의 화해와 불가침 및 교류협력에 관한 합의서」는 국가 간의 조약이 아니므로 국내법과 동일한 효력이 인정되는 것이 아니다. (○, ×) 2015 경행특채 1차
2. 「남북 사이의 화해와 불가침 및 교류협력에 관한 합의서」는 남북한 당국이 각기 정치적인 책임을 지고 상호 간에 그 성의 있는 이행을 약속한 것으로 법적 구속력이 인정되는 조약에 해당되어 국내법과 동일한 효력을 갖는다. (○, ×) 2014 경행특채 1차

1. ○ 2. ×

① ○

행정법의 일반원칙은 행정법의 법원(法源)이 된다.

② ×

자기구속의 원칙은 평등의 원칙을 근거로 한다. 그런데 평등의 원칙은 위법한 행정작용에는 적용되지 않는다. 따라서 처분이 위법하다면 그러한 처분이 수차례 반복적으로 행하여졌더라도 행정청에 대해 구속력을 가질 수 없다.

> 위법한 행정처분이 수차례에 걸쳐 반복적으로 행하여졌다 하더라도 그러한 처분이 위법한 것인 때에는 행정청에 대하여 자기구속력을 갖게 된다고 할 수 없다(대판 2009. 6. 25, 2008두13132).

③ **빈출** ○

> 대법원의 판례가 사안이 다른 유사사건을 재판하는 하급심법원을 직접 기속하는 효력이 있는 것은 아니다.
>
> 대법원의 판례가 법률해석의 일반적인 기준을 제시한 경우에 유사한 사건을 재판하는 하급심법원의 법관은 판례의 견해를 존중하여 재판하여야 하는 것이나, 판례가 사안이 서로 다른 사건을 재판하는 하급심법원을 직접 기속하는 효력이 있는 것은 아니다(대판 1996. 10. 25, 96다31307).1

④ **빈출** ○

> 「남북 사이의 화해와 불가침 및 교류협력에 관한 합의서」는 국가 간의 조약이 아니므로 국내법과 동일한 효력이 없다.
>
> 「남북 사이의 화해와 불가침 및 교류협력에 관한 합의서」는 남북관계가 '나라와 나라 사이의 관계가 아닌 통일을 지향하는 과정에서 잠정적으로 형성되는 특수관계'임을 전제로, 조국의 평화적 통일을 이룩해야 할 공동의 정치적 책무를 지는 남북한 당국이 특수관계인 남북관계에 관하여 채택한 합의문서로서, 남북한 당국이 각기정치적인 책임을 지고 상호 간에 그 성의 있는 이행을 약속한 것이기는 하나 법적 구속력이 있는 것은 아니어서 이를 국가 간의 조약 또는 이에 준하는 것으로 볼 수 없고, 따라서 국내법과 동일한 효력이 인정되는 것도 아니다(대판 1999. 7. 23, 98두14525).

정답 03 ②

04 중 2016 교육행정직 9급

행정법의 법원(法源)에 관한 설명으로 옳은 것은? (다툼이 있으면 판례에 따름)

□□□ ① 대법원 확정판결의 효력은 성문법보다 우선한다.
□□□ ② 중앙선거관리위원회규칙은 행정법의 법원이 아니다.
□□□ ③ 지방자치단체의 학생인권조례는 행정법의 법원이 된다.
□□□ ④ 처분이 위법하더라도 그 처분이 수차례 반복적으로 행하여졌다면 그러한 처분은 행정청에 대하여 자기구속력을 갖게 된다.

① ×
영·미 등 판례법 국가에서는 선례구속성의 원칙(판결이 축적된 경우 동종의 다른 사건에도 적용될 수 있다는 원칙)이 적용되어 판례법이 법적 구속력을 갖기 때문에 그것은 행정법의 법원이 되며 유사사건에서 상급심의 판결은 하급심을 구속한다. 그러나 우리나라와 같은 대륙법계의 성문법 국가에서는 이러한 선례구속성의 원칙이 인정되지 않으므로 법원은 법을 해석 및 적용하는 권한만을 갖고 법을 창설하는 권한은 갖지 않는 것이 원칙이다. 따라서 성문법 규정에 명백히 위반되는 판결은 그 효력을 인정하기 어렵다.

② ×
중앙선거관리위원회규칙은 법규명령으로서 행정법의 법원이 된다.

> **헌법 제114조** ⑥ 중앙선거관리위원회는 법령의 범위 안에서 선거관리, 국민투표관리 또는 정당사무에 관한 규칙을 제정할 수 있으며, 법률에 저촉되지 아니하는 범위 안에서 내부규율에 관한 규칙을 제정할 수 있다.

③ ○
행정법의 성문법원에는 헌법, 법률, 조약, 명령, 자치법규(조례와 규칙)가 있다. 자치법규는 지방자치단체가 법령의 범위 안에서 제정하는 자치에 관한 규정을 말하며 지방의회가 제정하는 조례와 지방자치단체의 장이 정하는 규칙이 있다. 따라서 학생인권조례는 행정법의 법원이 된다.

④ ×
위법한 행정처분이 수차례에 걸쳐 반복적으로 행하여졌다 하더라도 그러한 처분이 위법한 것인 때에는 행정청에 대하여 자기구속력을 갖게 된다고 할 수 없다는 것이 판례의 입장이다(대판 2009. 6. 25, 2008두13132).

05 중 2014 지방직 9급

행행정법의 법원(法源)에 대한 설명으로 옳지 않은 것은? (다툼이 있는 경우 판례에 의함)

□□□ ① 「1994년 관세 및 무역에 관한 일반협정(GATT)」이나 「정부조달에 관한 협정(AGP)」에 위반되는 조례는 그 효력이 없다.
□□□ ② 영·미법계 국가에서는 '선례구속의 원칙'이 엄격하게 적용되어 유사사건에서 상급심의 판결은 하급심을 구속한다.
□□□ ③ 수산업법은 민중적 관습법인 입어권의 존재를 명문으로 인정하고 있다.
□□□ ④ 판례는 국세행정상 비과세의 관행을 일종의 행정선례법으로 인정하지 아니한다.

① ○

> 지방자치단체가 제정한 조례가 「1994년 관세 및 무역에 관한 일반협정(General Agreement on Tariffs and Trade 1994)」이나 「정부조달에 관한 협정(Agreement on Government Procurement)」에 위반되는 경우, 그 조례는 무효이다(대판 2005. 9. 9, 2004추10).

② ○
영·미 등 판례법 국가에서는 '선례구속의 원칙(판결이 축적된 경우 동종의 다른 사건에도 적용될 수 있다는 원칙)'이 통용되어 판례가 법적 구속력을 갖는다. 따라서 유사사건에서 상급심의 판결은 하급심을 구속한다.

③ ○
관행어업권(입어권)은 마을주민의 공동이익을 위한 마을어업의 어장에서 수산동·식물을 포획·채취할 수 있는 권리를 말하며, 수산업법에서는 입어권(구 수산업법상의 관행어업권)의 존재를 명문으로 인정하고 있다.

> **수산업법 제39조【입어 등의 제한】** ① 마을어업의 어업권자는 입어자(入漁者)에게 제37조에 따른 어장관리규약으로 정하는 바에 따라 해당 어장에 입어하는 것을 허용하여야 한다.

④ ×
판례는 국세행정상 비과세의 관행을 일종의 행정선례법으로 인정하고 있다.

> 비과세의 사실상태도 행정청의 묵시적 의사표시로 볼 수 있는 경우 국세행정의 관행이 된다.
> 비과세의 사실상태가 장기간에 걸쳐 계속된 경우에 그것이 그 사항에 대하여 과세의 대상으로 삼지 아니한다는 뜻의 과세관청의 묵시적인 의사표시로 볼 수 있는 경우에는 이를 국세행정의 관행이라고 인정할 수 있다(대판 1987. 2. 24, 86누57).

정답 04 ③ 05 ④

06 중 2012 지방직(상) 9급

행정법의 법원에 관한 설명으로 옳지 않은 것은? (다툼이 있는 경우 판례에 의함)

□□□ ① 헌법재판소에 의한 법률의 위헌결정은 국가기관과 지방자치단체를 기속한다는 헌법재판소법 제47조에 의해 법원으로서의 성격을 가진다.

□□□ ② 대법원은 「남북 사이의 화해와 불가침 및 교류협력에 관한 합의서」를 조약이라고 판시하였다.

□□□ ③ 대법원은 초 · 중 · 고등학교의 학교급식을 위해 지방자치단체에서 생산되는 우수농산물을 사용하여 식재료를 만드는 자에게 식재료 구입비의 일부를 지원하는 지방자치단체의 조례안이 「1994년 관세 및 무역에 관한 일반협정(GATT)」에 위반되어 무효라고 판시한 바 있다.

□□□ ④ 헌법재판소는 「신행정수도의 건설을 위한 특별조치법」의 위헌확인사건에서 관습헌법은 성문헌법과 같은 헌법개정절차를 통해서 개정될 수 있다고 판시하였다.

① ○

헌법재판소법에서는 법률의 위헌결정은 법원 기타 국가기관이나 지방자치단체를 기속한다는 명문규정을 두고 있으므로 헌법재판소의 위헌결정은 법원으로서의 성격을 갖는다.

② ×

「남북 사이의 화해와 불가침 및 교류협력에 관한 합의서」는 국가 간의 조약이 아니므로 국내법과 동일한 효력이 없다는 것이 판례의 입장이다(대판 1999. 7. 23, 98두14525).

③ ○

> 학교급식을 위해 국내 우수농산물을 사용하는 자에게 식재료나 구입비의 일부를 지원하는 것 등을 내용으로 하는 지방자치단체의 조례안은 「1994년 관세 및 무역에 관한 일반협정(General Agreement on Tariffs and Trade 1994)」에 위반되어 그 효력이 없다(대판 2005. 9. 9, 2004추10).

④ ○

헌법재판소는 「신행정수도의 건설을 위한 특별조치법」 사건에서 관습헌법도 헌법의 일부로서 성문헌법의 경우와 동일한 효력을 가지기 때문에 그 법규범은 헌법 제130조에 의거한 성문헌법개정의 방법에 의하여 개정될 수 있다고 판시한 바 있다.

> 어느 법규범이 관습헌법으로 인정된다면 그 개정 가능성을 가지게 된다. 관습헌법도 헌법의 일부로서 성문헌법의 경우와 동일한 효력을 가지기 때문에 그 법규범은 최소한 헌법 제130조에 의거한 헌법개정의 방법에 의하여만 개정될 수 있다. 따라서 재적의원 3분의 2 이상의 찬성에 의한 국회의 의결을 얻은 다음(헌법 제130조 제1항) 국민투표에 부쳐 국회의원 선거권자 과반수의 투표와 투표자 과반수의 찬성을 얻어야 한다(헌법 제130조 제3항). 한편 이러한 형식적인 헌법개정 외에도, 관습헌법은 그것을 지탱하고 있는 국민적 합의성을 상실함에 의하여 법적 효력을 상실할 수 있다(헌재 2004. 10. 21, 2004헌마554).

정답 06 ②

02 행정법의 효력

기 47~53쪽 핵 T 05

07

정답률 83% 중

2024 소방직 9급

행정법의 효력에 관한 설명으로 옳은 것만을 고른 것은? (다툼이 있는 경우 판례에 의함)

□□□ ㉠ 처분은 무효인 경우를 제외하고, 권한이 있는 기관이 취소 또는 철회하거나 기간의 경과 등으로 소멸되기 전까지는 유효한 것으로 통용된다.

□□□ ㉡ 조례와 규칙은 특별한 규정이 없으면 공포한 날부터 20일이 지나면 효력을 발생한다.

□□□ ㉢ 개정법령이 기존의 사실 또는 법률관계를 적용대상으로 하면서 국민의 재산권과 관련하여 종전보다 불리한 법률효과를 규정하고 있는 경우에도 그러한 사실 또는 법률관계가 개정법령이 시행되기 이전에 이미 완성 또는 종결된 것이 아니라면 개정법령을 적용하는 것이 헌법상 금지되는 소급입법에 의한 재산권침해라고 할 수는 없다.

□□□ ㉣ 어떠한 법률조항에 대하여 헌법재판소가 헌법불합치결정을 하여 그 법률조항을 합헌적으로 개정 또는 폐지하는 임무를 입법자의 형성 재량에 맡긴 이상, 그 개선입법의 소급적용 여부와 소급적용의 범위는 원칙적으로 입법자의 재량에 달린 것이다.

① ㉠ ② ㉡, ㉣
③ ㉠, ㉡, ㉢ ④ ㉠, ㉡, ㉢, ㉣

㉠ **빈출** 제15강 참조 ○

행정기본법 제15조【처분의 효력】 처분은 권한이 있는 기관이 취소 또는 철회하거나 기간의 경과 등으로 소멸되기 전까지는 유효한 것으로 통용된다. 다만, 무효인 처분은 처음부터 그 효력이 발생하지 아니한다.

㉡ **빈출** ○

지방자치법 제32조【조례와 규칙의 제정절차 등】 ⑧ 조례와 규칙은 특별한 규정이 없으면 공포한 날부터 20일이 지나면 효력을 발생한다.

㉢ ○

이른바 부진정소급으로서 원칙적으로 허용된다.

행정처분의 근거가 되는 개정법령이 그 시행 전에 완성 또는 종결되지 않은 기존의 사실 또는 법률관계를 적용대상으로 하면서 국민의 재산권과 관련하여 종전보다 불리한 법률효과를 규정하고 있는 경우, 개정법령의 적용은 원칙적으로 소급입법에 의한 재산권침해가 아니다(대판 2014. 4. 24, 2013두26552).

㉣ ○

헌법재판소의 헌법불합치결정에 따른 개선입법의 소급적용 여부는 입법자의 재량이다.

어떠한 법률조항에 대하여 헌법재판소가 헌법불합치결정을 하여 그 법률조항을 합헌적으로 개정 또는 폐지하는 임무를 입법자의 형성재량에 맡긴 이상, 그 개선입법의 소급적용 여부와 소급적용의 범위는 원칙적으로 입법자의 재량에 달린 것이다(대판 2008. 1. 17, 2007두21563).

정답 07 ④

08 ㉻ 2023 국회직 9급

행정법의 효력에 대한 설명으로 옳은 것만을 <보기>에서 모두 고르면?

보기

- ㉠ 국회법 제98조 제3항 전단에 따라 하는 국회의장의 법률 공포는 서울특별시에서 발행되는 하나 이상의 일간신문에 게재함으로써 한다.
- ㉡ 속지주의원칙에 의거하여 행정법규는 당해 지역 안에 있는 모든 자에게 적용되므로 자연인 · 법인 · 내국인뿐만 아니라 외교 특권을 가진 외국인도 국내 행정법규의 적용을 받는다.
- ㉢ 대통령령, 총리령 및 부령은 특별한 규정이 없으면 공포한 날부터 20일이 경과함으로써 효력을 발생한다.

① ㉠ ② ㉡
③ ㉢ ④ ㉠, ㉢
⑤ ㉡, ㉢

관련기출

㉢

1. 국민의 권리제한 또는 의무부과와 직접 관련되는 법률, 대통령령, 총리령 및 부령은 긴급히 시행하여야 할 특별한 사유가 있는 경우를 제외하고는 공포일부터 적어도 30일이 경과한 날부터 시행되도록 하여야 한다. (○, ×) 2020 국가직 9급
2. 대통령령, 총리령 및 부령은 특별한 규정이 없으면 공포한 날부터 20일이 경과함으로써 효력을 발생한다. (○, ×) 2018 경행경채

1. ○ 2. ○

㉠ 빈출 ×

「법령 등 공포에 관한 법률」 제11조【공포 및 공고의 절차】② 국회법 제98조 제3항 전단에 따라 하는 국회의장의 법률 공포는 서울특별시에서 발행되는 둘 이상의 일간신문에 게재함으로써 한다.

㉡ ×

국제법상 치외법권이 인정되는 외국원수, 외국사절에 대해서는 우리 행정법이 적용되지 않는다.

㉢ 빈출 ○

「법령 등 공포에 관한 법률」 제13조【시행일】대통령령, 총리령 및 부령은 특별한 규정이 없으면 공포한 날부터 20일이 경과함으로써 효력을 발생한다.

제13조의2【법령의 시행유예기간】국민의 권리제한 또는 의무부과와 직접 관련되는 법률, 대통령령, 총리령 및 부령은 긴급히 시행하여야 할 특별한 사유가 있는 경우를 제외하고는 공포일부터 적어도 30일이 경과한 날부터 시행되도록 하여야 한다.

정답 08 ③

09 중 2021 행정사

법령 등 시행일의 기간계산에 관한 설명으로 옳은 것을 모두 고른 것은?

□□□ ㉠ 법령 등을 공포한 날부터 시행하는 경우에는 공포한 날을 시행일로 한다.
□□□ ㉡ 법령 등을 공포한 날부터 일정기간이 경과한 날부터 시행하는 경우 법령을 공포한 날을 첫날에 산입하지 아니한다.
□□□ ㉢ 법령 등을 공포한 날부터 일정기간이 경과한 날부터 시행하는 경우 그 기간의 말일이 토요일 또는 공휴일인 때에는 그 말일로 기간이 만료한다.
□□□ ㉣ 대통령령은 특별한 규정이 없으면 공포한 날부터 10일이 경과함으로써 효력을 발생한다.

① ㉠, ㉡ ② ㉠, ㉣
③ ㉢, ㉣ ④ ㉠, ㉡, ㉢
⑤ ㉡, ㉢, ㉣

㉠㉡㉢ 빈출 ○

행정기본법 제7조【법령 등 시행일의 기간계산】 법령 등(훈령·예규·고시·지침 등을 포함한다. 이하 이 조에서 같다)의 시행일을 정하거나 계산할 때에는 다음 각 호의 기준에 따른다.
1. 법령 등을 공포한 날부터 시행하는 경우에는 공포한 날을 시행일로 한다(㉠).
2. 법령 등을 공포한 날부터 일정기간이 경과한 날부터 시행하는 경우 법령 등을 공포한 날을 첫날에 산입하지 아니한다(㉡).
3. 법령 등을 공포한 날부터 일정기간이 경과한 날부터 시행하는 경우 그 기간의 말일이 토요일 또는 공휴일인 때에는 그 말일로 기간이 만료한다(㉢).

㉣ ×

「법령 등 공포에 관한 법률」 제13조【시행일】 대통령령, 총리령 및 부령은 특별한 규정이 없으면 공포한 날부터 20일이 경과함으로써 효력을 발생한다.

정답 09 ④

10 **빈출** 정답률 77% 중 2021 지방직 · 서울시 9급

행정법의 법원(法源)의 효력에 대한 설명으로 옳지 않은 것은?

□□□ ① 헌법개정 · 법률 · 조약 · 대통령령 · 총리령 및 부령의 공포는 관보에 게재함으로써 한다.

□□□ ② 국회법에 따라 하는 국회의장의 법률 공포는 서울특별시에서 발행되는 둘 이상의 일간신문에 게재함으로써 한다.

□□□ ③ 법령의 공포일은 해당 법령을 게재한 관보 또는 신문이 발행된 날로 한다.

□□□ ④ 관보의 내용 해석 및 적용 시기 등에 대하여 종이관보가 전자관보보다 우선적 효력을 가진다.

관련기출

①

1. 헌법개정 · 법률 · 조약 · 대통령령 · 총리령 및 부령의 공포와 헌법개정안 · 예산 및 예산 외 국고부담계약의 공고는 관보(官報)에 게재함으로써 한다. (○, ×) 2020 경행경채

1. ○

②

1. 국회법 제98조 제3항 전단에 따라 하는 국회의장의 법률 공포는 수도권에서 발행되는 둘 이상의 일간신문에 게재함으로써 한다. (○, ×) 2020 경행경채

1. ×

④

1. 관보의 내용 해석 및 적용 시기는 전자관보를 우선으로 하며, 종이관보는 부차적인 효력을 가진다. (○, ×) 2020 경행경채

1. ×

①②③ ○

④ ×

「법령 등 공포에 관한 법률」 제11조【공포 및 공고의 절차】 ① 헌법개정 · 법률 · 조약 · 대통령령 · 총리령 및 부령의 공포와 헌법개정안 · 예산 및 예산 외 국고부담계약의 공고는 관보(官報)에 게재함으로써 한다(①).
② 국회법 제98조 제3항 전단에 따라 하는 국회의장의 법률 공포는 서울특별시에서 발행되는 둘 이상의 일간신문에 게재함으로써 한다(②).
③ 제1항에 따른 관보는 종이로 발행되는 관보(이하 '종이관보'라 한다)와 전자적인 형태로 발행되는 관보(이하 '전자관보'라 한다)로 운영한다.
④ 관보의 내용 해석 및 적용 시기 등에 대하여 종이관보와 전자관보는 동일한 효력을 가진다(④).

제12조【공포일 · 공고일】 제11조의 법령 등의 공포일 또는 공고일은 해당 법령 등을 게재한 관보 또는 신문이 발행된 날로 한다(③).

정답 10 ④

11 중 2019 경행경채 2차

행정법의 효력에 대한 설명으로 가장 적절하지 않은 것은? (다툼이 있는 경우 판례에 의함)

□□□ ① 행정처분의 근거법률이 개정된 경우, 국민의 재산권과 관련하여 종전보다 불리한 법률효과를 규정하고 있더라도, 당해 사실 또는 법률관계가 이미 완성 또는 종결된 것이 아니라면, 헌법상 금지되는 소급입법에 의한 재산권침해라고 할 수는 없다.

□□□ ② 개정법률이 부진정소급입법에 해당하더라도, 개정 전 법률의 존속에 대한 국민의 신뢰가 개정법률의 적용에 관한 공익상의 요구보다 더 보호가치가 있다고 인정되는 경우, 그러한 국민의 신뢰를 보호하기 위하여 개정법률의 적용이 제한될 수 있다.

□□□ ③ 개정법률이 진정소급입법에 해당하더라도, 국민이 소급입법을 예상할 수 있었거나 신뢰보호의 요청에 우선하는 심히 중대한 공익상의 사유가 소급입법을 정당화하는 경우 등에는 소급입법이 허용될 수 있다.

□□□ ④ '친일재산을 그 취득 · 증여 등 원인행위시에 국가의 소유로 한다.'고 정한 「친일반민족행위자 재산의 국가귀속에 관한 특별법」 제3조 제1항의 규정은 부진정소급입법에 해당하므로 원칙적으로 허용된다.

관련기출

②

1. 개정법령이 기존의 사실 또는 법률관계를 적용대상으로 하면서 종전보다 불리한 법률효과를 규정하고 있는 경우에도 그러한 사실 또는 법률관계가 개정법률이 시행되기 이전에 이미 종결된 것이 아니라면 이를 헌법상 금지되는 소급입법이라고 할 수는 없다. (○, ×) 2018 국가직 7급

1. ○

① ○

행정처분은 그 근거법령이 개정된 경우에도 경과규정에서 달리 정함이 없는 한 처분 당시 시행되는 개정법령과 그에 정한 기준에 의하는 것이 원칙이고, 그 개정법령이 기존의 사실 또는 법률관계를 적용대상으로 하면서 국민의 재산권과 관련하여 종전보다 불리한 법률효과를 규정하고 있는 경우에도 그러한 사실 또는 법률관계가 개정법령이 시행되기 이전에 이미 완성 또는 종결된 것이 아니라면 이를 헌법상 금지되는 소급입법에 의한 재산권침해라고 할 수는 없다(대판 2009. 9. 10, 2008두9324).

② ○

법령이 개정된 경우에도 경과규정에서 달리 정함이 없는 한 처분 당시 시행되는 개정법령과 그에서 정한 기준에 의하는 것이 원칙이고, 그 개정법령이 기존의 사실 또는 법률관계를 적용대상으로 하면서 종전보다 불리한 법률효과를 규정하고 있는 경우에도 그러한 사실 또는 법률관계가 개정법률이 시행되기 이전에 이미 종결된 것이 아니라면 이를 헌법상 금지되는 소급입법이라고 할 수는 없으며, 그러한 개정법률의 적용과 관련하여서는 개정 전 법령의 존속에 대한 국민의 신뢰가 개정법령의 적용에 관한 공익상의 요구보다 더 보호가치가 있다고 인정되는 경우에 그러한 국민의 신뢰보호를 보호하기 위하여 그 적용이 제한될 수 있는 여지가 있을 따름이다(대판 2010. 3. 11, 2008두15169).

③ ○

진정소급입법은 개인의 신뢰보호와 법적 안정성을 내용으로 하는 법치국가원리에 의하여 특단의 사정이 없는 한 헌법적으로 허용되지 아니하는 것이 원칙이고, 다만 일반적으로 ㉠ 국민이 소급입법을 예상할 수 있었거나 ㉡ 법적 상태가 불확실하고 혼란스러워 보호할 만한 신뢰이익이 적은 경우와 ㉢ 소급입법에 의한 당사자의 손실이 없거나 아주 경미한 경우 그리고 ㉣ 신뢰보호의 요청에 우선하는 심히 중대한 공익상의 사유가 소급입법을 정당화하는 경우 등에는 예외적으로 진정소급입법이 허용된다는 것이 판례의 입장이다(헌재 1999. 7. 22, 97헌바76).

④ ×

친일재산은 취득 · 증여 등 원인행위시에 국가의 소유로 한다고 정한 「친일반민족행위자 재산의 국가귀속에 관한 특별법」 제3조 제1항 본문은 진정소급입법에 해당하지만, …… 친일재산의 소급적 박탈은 일반적으로 소급입법을 예상할 수 있었던 예외적인 사안이고, 진정소급입법을 통해 침해되는 법적 신뢰는 심각하다고 볼 수 없는 데 반해 이를 통해 달성되는 공익적 중대성은 압도적이라고 할 수 있으므로 진정소급입법이 허용되는 경우에 해당한다(대판 2011. 5. 13, 2009다26831 · 26848 · 26855 · 26862).

정답 11 ④

12 중 2016 교육행정직 9급

행정법의 효력에 관한 설명으로 옳지 않은 것은? (다툼이 있으면 판례에 따름)

□□□ ① 특정지역만을 규율대상으로 하는 법률은 무효이다.

□□□ ② 행정법령의 대인적 효력은 속지주의를 원칙으로 한다.

□□□ ③ 대통령령은 특별한 규정이 없으면 공포한 날부터 20일이 경과함으로써 효력을 발생한다.

□□□ ④ 개인의 신뢰보호의 요청에 우선하는 심히 중대한 공익상의 사유가 소급입법을 정당화하는 경우에는 예외적으로 진정소급입법이 허용된다.

① ×

행정법규는 당해 행정법규를 제정하는 기관의 권한이 미치는 지역 내에서 효력을 가지는 것이 원칙이다. 즉, 법률이나 국가의 중앙행정관청이 제정한 명령(대통령령, 총리령, 부령)은 대한민국의 전 영토에 걸쳐 효력을 가지고, 지방자치단체의 조례 · 규칙은 당해 자치단체의 구역 내에서만 효력을 가지는 것이 원칙이다. 그러나 이러한 원칙에 대한 예외로 국가의 법률 또는 명령이면서 영토 내의 일부 지역 내에서만 적용되는 경우가 있는데, 「제주특별자치도 설치 및 국제자유도시 조성을 위한 특별법」, 수도권정비계획법 등이 그 예이다.

② ○

행정법규의 대인적 효력은 원칙적으로 속지주의에 의해 그 영토 또는 관할구역 내에 있는 모든 자연인 · 법인, 내국인 · 외국인에게 효력을 미치는 것이 원칙이다.

③ ○

> 「법령 등 공포에 관한 법률」 제13조【시행일】 대통령령, 총리령 및 부령은 특별한 규정이 없으면 공포한 날부터 20일이 경과함으로써 효력을 발생한다.

④ ○

> 진정소급입법은 원칙적으로 금지되나 개인의 신뢰보호에 우선하는 심히 중대한 공익상의 사유가 있는 경우 등에는 예외적으로 진정소급입법이 허용된다(헌재 1999. 7. 22, 97헌바76).

정답 12 ①

제04강 행정법의 일반원칙

1회독	2회독	3회독
/	/	/

⊘정답률 공단기/소방단기 합격예측 풀서비스 통계 데이터 기준 기 기본서 핵 핵심집약

01 비례의 원칙(과잉금지의 원칙) 기 56~59쪽 핵 T 06

01 정답률 70% 상 2021 소방직 9급

다음 설명 중 옳지 않은 것은? (다툼이 있는 경우 판례에 의함)

□□□ ① 원고가 단지 1회 훈령에 위반하여 요정 출입을 하다가 적발된 정도라면, 면직처분보다 가벼운 징계처분으로서도 능히 위 훈령의 목적을 달성할 수 있다고 볼 수 있는 점에서 이 사건 파면처분은 이른바 비례의 원칙에 어긋난 것으로 위법하다고 판시하였다.

□□□ ② 수입녹용 중 일정성분이 기준치를 0.5% 초과하였다는 이유로 수입녹용 전부에 대하여 전량폐기 또는 반송처리를 지시한 처분은 재량권을 일탈·남용한 경우에 해당한다고 판시하였다.

□□□ ③ 청소년유해매체물로 결정·고시된 만화인 사실을 모르고 있던 도서대여업자가 그 고시일로부터 8일 후에 청소년에게 그 만화를 대여한 것을 사유로 그 도서대여업자에게 금 700만원의 과징금이 부과된 경우, 그 과징금 부과처분은 재량권을 일탈·남용한 것으로서 위법하다고 판시하였다.

□□□ ④ 사법시험 제2차 시험에 과락제도를 적용하고 있는 (구)사법시험령 제15조 제2항은 비례의 원칙, 과잉금지의 원칙, 평등의 원칙에 위반되지 않는다고 판시하였다.

관련기출

①

1. 비례의 원칙에 의할 때 공무원이 단지 1회 훈령에 위반하여 요정 출입을 하였다는 사유만으로 한 파면처분은 위법하다. (O, X) 2018 소방직 9급

1. O

① O

원심이 "원고가 단지 1회 훈령에 위반하여 요정 출입을 하다가 적발된 것만으로는 공무원의 신분을 보유케 할 수 없을 정도로 공무원의 품위를 손상케 한 것이라 단정키 어려운 한편, 원고를 면직에 처함으로써만 위와 같은 훈령의 목적을 달할 수 있다고 볼 사유를 인정할 자료가 없고, 오히려 원고의 비행 정도라면 이보다 가벼운 징계처분으로서도 능히 위 훈령의 목적을 달할 수 있다고 볼 수 있는 점, 징계처분 중 면직처분은 타 징계처분과 달라 공무원의 신분을 박탈하는 것이므로 그 징계사유는 적어도 공무원의 신분을 그대로 보유케 하는 것이 심히 부당하다고 볼 정도의 비행이 있는 경우에 한하는 점 등에 비추어 생각하면 이 사건 파면처분은 이른바 비례의 원칙에 어긋난 것으로서 …… 심히 그 재량권의 범위를 넘어서 한 위법한 처분이라고 아니할 수 없다."고 판시한 점은 정당하다(대판 1967. 5. 2, 67누24).

② X

수입녹용 중 일정성분이 기준치를 0.5% 초과하였다는 이유로 수입녹용 전부에 대해 전량폐기 또는 반송처리를 지시한 처분이 비례원칙을 위반한 것이 아니다(대판 2006. 4. 14, 2004두3854).

③ 제12강 참조 O

청소년유해매체물로 결정·고시된 만화인 사실을 모르고 있던 도서대여업자가 그 고시일로부터 8일 후에 청소년에게 그 만화를 대여한 것을 사유로 그 도서대여업자에게 금 700만원의 과징금이 부과된 경우, 그 도서대여업자에게 청소년유해매체물인 만화를 청소년에게 대여하여서는 아니 된다는 금지의무의 해태를 탓하기는 가혹하므로 그 과징금 부과처분은 재량권을 일탈·남용한 것으로서 위법하다(대판 2001. 7. 27, 99두9490).

④ O

사법시험 제2차 시험에 과락제도를 적용하고 있는 구 사법시험령 제15조 제2항은 비례의 원칙, 과잉금지의 원칙 및 평등의 원칙 등을 위반하였다고 볼 수 없다(대판 2007. 1. 11, 2004두10432).

정답 01 ②

02 신뢰보호의 원칙

기 60~74쪽 핵 T 07

02 중

2024 국회직 8급

법령의 개정과 신뢰보호원칙에 대한 설명으로 옳지 않은 것은? (다툼이 있는 경우 판례에 의함)

□□□ ① 법령의 개정에 있어서 구 법령의 존속에 대한 당사자의 신뢰가 합리적이고도 정당하며, 법령의 개정으로 야기되는 당사자의 손해가 극심하여 새로운 법령으로 달성하고자 하는 공익적 목적이 그러한 신뢰의 파괴를 정당화할 수 없다면, 입법자는 경과규정을 두는 등 당사자의 신뢰를 보호할 적절한 조치를 하여야 한다.

□□□ ② 신뢰보호는 절대적이거나 어느 생활영역에서나 균일한 것은 아니고 개개의 사안마다 관련된 자유나 권리 등에 따라 보호의 정도와 방법이 다를 수 있으며, 새로운 법령을 통하여 실현하고자 하는 공익적 목적이 우월한 때에는 이를 고려하여 제한될 수 있다.

□□□ ③ 신뢰보호원칙의 위배 여부를 판단하기 위하여는 한편으로는 침해받은 이익의 보호가치, 침해의 중한 정도, 신뢰가 손상된 정도, 신뢰침해의 방법 등과 다른 한편으로는 새 법령을 통해 실현하고자 하는 공익적 목적을 종합적으로 비교 · 형량하여야 한다.

□□□ ④ 진정소급입법이라 하더라도 예외적으로 국민이 소급입법을 예상할 수 있었거나 신뢰보호의 요청에 우선하는 심히 중대한 공익상의 사유가 소급입법을 정당화하는 경우 등에는 허용될 수 있다.

□□□ ⑤ 새로운 법령에 의한 신뢰이익의 침해는 새로운 법령이 과거의 사실 또는 법률관계에 소급적용되는 경우에 한하여 문제된다.

관련기출

④

1. 계속 중인 사실이나 그 이후에 발생한 요건사실에 대한 법률적용을 인정하는 부진정소급입법의 경우 개인의 신뢰보호와 법적 안정성을 내용으로 하는 법치국가원리에 의하여 허용되지 않는 것이 원칙이다. (○, ×) 2021 국회직 8급
2. 진정소급입법이라 하더라도 예외적으로 국민이 소급입법을 예상할 수 있었거나 신뢰보호의 요청에 우선하는 심히 중대한 공익상의 사유가 소급입법을 정당화하는 경우 등에는 허용될 수 있다. (○, ×) 2020 국가직 7급
3. 일반적으로 국민이 소급입법을 예상할 수 있었거나 법적 상태가 불확실하고 혼란스러워 보호할 만한 신뢰이익이 적은 경우에도 진정소급입법이 허용되지 않는다. (○, ×) 2015 사회복지직 9급
4. 부진정소급입법은 원칙적으로 허용되지만 소급효를 요구하는 공익상의 사유와 신뢰보호의 요청 사이의 형량과정에서 신뢰보호의 관점이 입법자의 형성권에 제한을 가하게 된다. (○, ×) 2017 국가직 7급

1. × 2. ○ 3. × 4. ○

①②③ ○

⑤ ×

1. 어떤 법령이 장래에도 그대로 존속할 것이라는 합리적이고 정당한 신뢰를 바탕으로 국민이 그 법령에 상응하는 구체적 행위로 나아가 일정한 법적 지위나 생활관계를 형성하여 왔음에도 국가가 이를 전혀 보호하지 않는다면, 법질서에 대한 국민의 신뢰는 무너지고 현재의 행위에 대한 장래의 법적 효과를 예견할 수 없게 되어 법적 안정성이 크게 저해된다 할 것이므로, 입법자는 법령을 개정함에 있어서 이와 같은 신뢰를 적절하게 보호하는 조치를 취함으로써 법적 안정성을 도모하여야 한다는 것이 법치주의 원리가 요청하는 바이라 할 것이다. 물론 이러한 신뢰보호는 절대적이거나 어느 생활영역에서나 균일한 것은 아니고 개개의 사안마다 관련된 자유나 권리, 이익 등에 따라 보호의 정도와 방법이 다를 수 있으며, 새로운 법령을 통하여 실현하고자 하는 공익적 목적이 우월한 때에는 이를 고려하여 제한될 수 있다(②).
   그러므로 법령의 개정에 있어서 구 법령의 존속에 대한 당사자의 신뢰가 합리적이고도 정당하며, 법령의 개정으로 야기되는 당사자의 손해가 극심하여 새로운 법령으로 달성하고자 하는 공익적 목적이 그러한 신뢰의 파괴를 정당화할 수 없다면, 입법자는 경과규정을 두는 등 당사자의 신뢰를 보호할 적절한 조치를 하여야 하며(①), 이와 같은 적절한 조치 없이 새 법령을 그대로 시행하거나 적용하는 것은 허용될 수 없는바, 이는 헌법의 기본원리인 법치주의 원리에서 도출되는 신뢰보호의 원칙에 위배되기 때문이다. 이러한 신뢰보호원칙의 위배 여부를 판단하기 위하여는 한편으로는 침해받은 이익의 보호가치, 침해의 중한 정도, 신뢰가 손상된 정도, 신뢰침해의 방법 등과 다른 한편으로는 새 법령을 통해 실현하고자 하는 공익적 목적을 종합적으로 비교 · 형량하여야 한다(③).
2. 새로운 법령에 의한 신뢰이익의 침해는 새로운 법령이 과거의 사실 또는 법률관계에 소급적용되는 경우에 한하여 문제되는 것은 아니고, 과거에 발생하였지만 완성되지 않고 진행 중인 사실 또는 법률관계 등을 새로운 법령이 규율함으로써 종전에 시행되던 법령의 존속에 대한 신뢰이익을 침해하게 되는 경우에도 신뢰보호의 원칙이 적용될 수 있다(⑤)(대판 2006. 11. 16, 2003두12899 전합).

④ **빈출** ○

진정소급입법은 원칙적으로 금지되나 일정한 경우, 즉 신뢰보호에 우선하는 심히 중대한 공익상의 사유가 있는 경우 등에는 예외적으로 진정소급입법이 허용된다.

소급입법은 새로운 입법으로 이미 종료된 사실관계 또는 법률관계에 작용하게 하는 진정소급입법과 현재 진행 중인 사실관계 또는 법률관계에 작용케 하는 부진정소급입법으로 나눌 수 있는바, 부진정소급입법은 원칙적으로 허용되지만 소급효를 요구하는 공익상의 사유와 신뢰보호의 요청 사이의 교량과정에서 신뢰보호의 관점이 입법자의 형성권에 제한을 가하게 되는 데 반하여, 기존의 법에 의하여 형성되어 이미 굳어진 개인의 법적 지위를 사후입법을 통하여 박탈하는 것 등을 내용으로 하는 진정소급입법은 개인의 신뢰보호와 법적 안정성을 내용으로 하는 법치국가원리에 의하여 특단의 사정이 없는 한 헌법적으로 허용되지 아니하는 것이 원칙이고, 다만 일반적으로 ㉠ 국민이 소급입법을 예상할 수 있었거나 ㉡ 법적 상태가 불확실하고 혼란스러워 보호할 만한 신뢰이익이 적은 경우와 ㉢ 소급입법에 의한 당사자의 손실이 없거나 아주 경미한 경우 그리고 ㉣ 신뢰보호의 요청에 우선하는 심히 중대한 공익상의 사유가 소급입법을 정당화하는 경우 등에는 예외적으로 진정소급입법이 허용된다(헌재 1999. 7. 22, 97헌바76).

정답 02 ⑤

03 ㊥ 2024 소방간부

신뢰보호원칙에 관한 설명으로 옳지 않은 것은? (다툼이 있는 경우 판례에 의함)

□□□ ① 신뢰의 대상이 되는 선행조치는 공적인 견해표명에 국한되지 않는다.

□□□ ② 법령의 개정에서 신뢰보호원칙의 위배 여부를 판단하기 위해서는 침해된 이익의 보호가치, 침해의 중한 정도, 신뢰가 손상된 정도, 신뢰침해의 방법 등과 새 법령을 통해 실현하고자 하는 공익적 목적을 종합적으로 비교 · 형량하여야 한다.

□□□ ③ 행정청의 행위에 대한 신뢰보호원칙의 적용 요건 중 하나인 '행정청의 견해표명이 정당하다고 신뢰한 데에 대하여 그 개인에게 귀책사유가 없을 것'을 판단함에 있어, 귀책사유의 유무는 상대방과 그로부터 신청행위를 위임받은 수임인 등 관계자 모두를 기준으로 판단하여야 한다.

□□□ ④ 행정청은 확약을 한 후에 확약의 내용을 이행할 수 없을 정도로 법령 등이나 사정이 변경된 경우에는 확약에 기속되지 아니한다.

□□□ ⑤ 국민이 가지는 모든 기대 내지 신뢰가 권리로서 보호될 것은 아니고, 그 보호 여부는 기존의 제도를 신뢰한 자의 신뢰를 보호할 필요성과 새로운 제도를 통하여 달성하려고 하는 공익을 비교 · 형량하여 판단하여야 한다.

관련기출

②

1. 법령의 개정에서 신뢰보호원칙의 위배 여부를 판단하기 위하여는 한편으로는 침해받은 이익의 보호가치, 침해의 중한 정도, 신뢰가 손상된 정도, 신뢰침해의 방법 등과 다른 한편으로는 새 법령을 통해 실현하고자 하는 공익적 목적을 종합적으로 비교 · 형량하여야 한다. (○, ×) 2024 국회직 8급, 2023 변호사

🔒 1. ○

③

1. 상대방에게 귀책사유가 있어 그 신뢰의 보호가치가 인정되지 않는다면 신뢰보호의 원칙이 적용되지 않는데, 이때 귀책사유의 유무는 상대방을 기준으로 판단하여야 하고, 상대방으로부터 신청행위를 위임받은 수임인 등의 귀책사유 유무는 고려하지 않는다. (○, ×) 2023 지방직 · 서울시 7급
2. 건축주와 그로부터 건축설계를 위임받은 건축사가 관계법령에서 정하고 있는 건축한계선의 제한이 있다는 사실을 간과한 채 건축설계를 하고 이를 토대로 건축물의 신축 및 증축허가를 받은 경우, 그 신축 및 증축허가가 정당하다고 신뢰한 데에는 귀책사유가 있다. (○, ×) 2022 국가직 9급
3. 신뢰보호의 원칙이 적용되기 위한 요건 중 귀책사유의 유무는 상대방과 그로부터 신청행위를 위임받은 수임인 등 관계자 모두를 기준으로 판단하여야 한다. (○, ×) 2021 국가직 7급
4. 신뢰보호원칙의 적용에 있어서 귀책사유의 유무는 상대방을 기준으로 판단하여야 하며, 상대방으로부터 신청행위를 위임받은 수임인 등 관계자까지 포함시켜 판단할 것은 아니다. (○, ×) 2019 국가직 7급

🔒 1. × 2. ○ 3. ○ 4. ×

① ×

판례는 선행조치를 '공적인 견해표명'에 한정하고 있다.

> 일반적으로 행정상의 법률관계에 있어서 행정청의 행위에 대하여 신뢰보호의 원칙이 적용되기 위해서는, 첫째 행정청이 개인에 대하여 신뢰의 대상이 되는 공적인 견해표명을 하여야 하고……(대판 2006. 2. 24, 2004두13592).

② ○

> 법령의 개정에 있어서 …… 신뢰보호원칙의 위배 여부를 판단하기 위하여는 한편으로는 침해받은 이익의 보호가치, 침해의 중한 정도, 신뢰가 손상된 정도, 신뢰침해의 방법 등과 다른 한편으로는 새 법령을 통해 실현하고자 하는 공익적 목적을 종합적으로 비교 · 형량하여야 한다(대판 2006. 11. 16, 2003두12899 전합).

③ **빈출** ○

> 행정행위의 상대방인 건축주뿐만 아니라 그로부터 위임을 받은 건축설계사 등 관계자에게 귀책사유가 있는 경우에도 신뢰보호원칙이 적용되지 아니한다.
> 귀책사유의 유무는 상대방과 그로부터 신청행위를 위임받은 수임인 등 관계자 모두를 기준으로 판단하여야 한다. 건축주와 그로부터 건축설계를 위임받은 건축사가 상세계획지침에 의한 건축한계선의 제한이 있다는 사실을 간과한 채 건축설계를 하고 이를 토대로 건축물의 신축 및 증축허가를 받은 경우, 그 신축 및 증축허가가 정당하다고 신뢰한 데에 귀책사유가 있다(대판 2002. 11. 8, 2001두1512).

④ ○

> **행정절차법 제40조의2【확약】** ④ 행정청은 다음 각 호의 어느 하나에 해당하는 경우에는 확약에 기속되지 아니한다.
> 1. 확약을 한 후에 확약의 내용을 이행할 수 없을 정도로 법령 등이나 사정이 변경된 경우
> 2. 확약이 위법한 경우

⑤ ○

> 법률의 개정 시 구법 질서에 대한 당사자의 신뢰가 합리적이고도 정당하며, 법률의 개정으로 야기되는 당사자의 손해가 극심하여 새로운 입법으로 달성하고자 하는 공익적 목적이 그러한 신뢰의 파괴를 정당화할 수 없다면 새로운 입법은 신뢰보호의 원칙상 허용될 수 없다. 다만 사회 환경이나 경제 여건의 변화에 따른 필요성에 의하여 법률은 신축적으로 변할 수밖에 없고, 변경된 새로운 법질서와 기존의 법질서 사이에는 이해관계의 상충이 불가피하므로 국민이 가지는 모든 기대 내지 신뢰가 헌법상 권리로서 보호될 것은 아니고, 그 보호 여부는 기존의 제도를 신뢰한 자의 신뢰를 보호할 필요성과 새로운 제도를 통하여 달성하려고 하는 공익을 비교 · 형량하여 판단하여야 한다(헌재 2012. 3. 29, 2010헌마443 · 2011헌마362).

정답 03 ①

04 중 2023 소방승진

신뢰보호의 원칙에 관한 설명으로 옳지 않은 것은? (다툼이 있는 경우 판례에 의함)

□□□ ① 행정청이 공적인 견해에 반하는 행정처분을 함으로써 달성하려는 공익이 행정청의 공적 견해표명을 신뢰한 개인이 그 행정처분으로 인하여 입게 되는 이익의 침해를 정당화할 수 있을 정도로 강한 경우에는 그 행정처분은 위법하지 않다.

□□□ ② 과세관청이 질의회신 등을 통하여 어떤 견해를 대외적으로 표명하였더라도 그것이 중요한 사실관계와 법적인 쟁점을 제대로 드러내지 아니한 채 추상적으로 질의한 데 따른 것이라면, 공적인 견해표명에 의하여 정당한 기대를 가지게 할 만한 신뢰가 부여된 경우로 볼 수 없다.

□□□ ③ 행정청의 공적 견해표명은 보호가치 있는 신뢰의 대상이어야 하므로, 묵시적인 표시만으로는 성립할 수 없고 명시적인 표시가 있었을 것을 요한다.

□□□ ④ 폐기물처리업에 대하여 관할관청의 사전 적정통보를 받고 막대한 비용을 들여 요건을 갖춘 다음 허가신청을 한 경우, 행정청이 청소업자의 난립으로 효율적인 청소 업무의 수행에 지장이 있다는 이유로 불허가처분을 하였다면 신뢰보호의 원칙에 반하여 위법하다.

관련기출

①

1. 행정청이 공적인 견해에 반하는 행정처분을 함으로써 달성하려는 공익이 행정청의 공적 견해표명을 신뢰한 개인이 그 행정처분으로 인하여 입게 되는 이익의 침해를 정당화할 수 있을 정도로 강한 경우에는 그 행정처분은 위법하지 않다. (○, ×) 2022 소방직 9급

1. ○

③

1. 행정기관의 선행조치로서의 공적인 견해표명은 반드시 명시적인 언동이어야 한다. (○, ×) 2019 소방직 9급

1. ×

④

1. 폐기물처리업에 대하여 관할관청의 사전 적정통보를 받고 막대한 비용을 들여 요건을 갖춘 다음 허가신청을 한 경우, 행정청이 청소업자의 난립으로 효율적인 청소업무의 수행에 지장이 있다는 이유로 불허가처분을 하였다 할지라도 신뢰보호의 원칙에 반하지 아니한다. (○, ×) 2022 소방직 9급
2. 폐기물처리업에 대하여 사전에 관할관청으로부터 적정통보를 받아 이를 믿고 법정허가요건을 갖추고, 상당한 자금과 노력을 투자하여 허가신청을 하였으나 불허가한 사안에서 업체의 난립및 과당경쟁방지, 생활폐기물의 적정하고도 안정적인 처리라는 제반 사항을 고려하여 불허가한 것이라면 신뢰보호원칙에 반하지 않는다. (○, ×) 2018 경행경채 3차

1. × 2. ×

① ○

행정청이 앞서 표명한 공적인 견해에 반하는 행정처분을 함으로써 달성하려는 공익이 행정청의 공적 견해표명을 신뢰한 개인이 그 행정처분으로 인하여 입게 되는 이익의 침해를 정당화할 수 있을 정도로 강한 경우에는 신뢰보호의 원칙을 들어 그 행정처분이 위법하다고는 할 수 없다(대판 1998. 11. 13, 98두7343).

② ○

조세법률관계에 있어서 신의성실의 원칙이나 신뢰보호의 원칙 또는 비과세 관행 존중의 원칙은 합법성의 원칙을 희생하여서라도 납세자의 신뢰를 보호함이 정의에 부합하는 것으로 인정되는 특별한 사정이 있을 경우에 한하여 적용되는 예외적인 법 원칙이다. 그러므로 과세관청의 행위에 대하여 신의성실의 원칙 또는 신뢰보호의 원칙을 적용하기 위해서는, 과세관청이 공적인 견해표명 등을 통하여 부여한 신뢰가 평균적인 납세자로 하여금 합리적이고 정당한 기대를 가지게 할 만한 것이어야 한다. 비록 과세관청이 질의회신 등을 통하여 어떤 견해를 표명하였다고 하더라도 그것이 중요한 사실관계와 법적인 쟁점을 제대로 드러내지 아니한 채 질의한 데 따른 것이라면 공적인 견해표명에 의하여 정당한 기대를 가지게 할 만한 신뢰가 부여된 경우라고 볼 수 없다(대판 2013. 12. 26, 2011두5940).

③ ×

공적 견해표명(선행조치)은 명시적 · 묵시적 표시, 적극적 · 소극적 조치를 불문한다.

공적 견해나 의사는 명시적 또는 묵시적으로 표시되어야 하지만, 묵시적 표시가 있다고 하기 위하여는 단순한 과세누락과는 달리 과세관청이 상당기간 불과세 상태에 대하여 과세하지 않겠다는 의사표시를 한 것으로 볼 수 있는 사정이 있어야 하며, 이 경우 특히 과세관청의 의사표시가 일반론적인 견해표명에 불과한 경우에는 위 원칙의 적용을 부정하여야 한다(대판 2001. 4. 24, 2000두5203).

④ ○

폐기물처리업에 대하여 관할관청의 사전 적정통보를 받고 막대한 비용을 들여 허가요건을 갖춘 다음 허가신청을 하였음에도 청소업자의 난립으로 효율적인 청소업무의 수행에 지장이 있다는 이유로 한 불허가처분은 신뢰보호의 원칙을 위반한 위법한 처분이다(대판 1998. 5. 8, 98두4061).

정답 04 ③

05 정답률 84% 중 2023 지방직 · 서울시 7급

다음 사례에 대한 설명으로 옳지 않은 것은? (다툼이 있는 경우 판례에 의함)

> 甲은 폐기물처리업을 경영하기 위하여 폐기물처리업 사업계획서를 제출하여 관할 도지사 乙로부터 사업계획 적합통보를 받았다. 그 후 甲은 폐기물처리시설의 설치가 허용되지 않는 용도지역을 허용되는 용도지역으로 변경하기 위하여 「국토의 계획 및 이용에 관한 법률」에 따라 乙에게 국토이용계획변경신청을 하였으나, 乙은 위 신청을 거부하였다.

□□□ ① 만약 乙이 甲에게 사업계획 부적합통보를 하였다면 이는 항고소송의 대상이 되는 행정처분에 해당한다.

□□□ ② 폐기물처리업 사업계획에 대한 적합통보와 국토이용계획변경은 각기 그 제도적 취지와 결정단계에서 고려해야 할 사항들이 다르다.

□□□ ③ 乙이 폐기물처리업 사업계획에 대하여 적합통보를 한 것은 그 사업부지 토지에 대한 국토이용계획변경신청을 승인하여 주겠다는 취지의 공적인 견해표명을 한 것으로 볼 수 있다.

□□□ ④ 甲이 국토이용계획변경신청의 승인을 받을 것으로 신뢰하였더라도 乙의 거부처분이 신뢰보호의 원칙에 위배된다고 할 수 없다.

관련기출

①

1. 폐기물처리업허가 전의 사업계획에 대한 부적정통보는 행정처분에 해당한다. (○, ×) 2019 서울시 2회 7급
2. 구 폐기물관리법 관계법령상의 폐기물처리업허가를 받기 위한 사업계획에 대한 부적정통보는 허가신청 자체를 제한하는 등 개인의 권리 내지 법률상의 이익을 개별적이고 구체적으로 규제하고 있어 행정처분에 해당한다. (○, ×) 2017 국가직 9급

1. ○ 2. ○

②③④

1. 폐기물관리법령에 따른 관할관청의 폐기물처리업 사업계획에 대한 적정통보는 그 사업부지 토지에 대한 국토이용계획변경신청을 승인하여 주겠다는 취지의 공적인 견해표명을 한 것으로 볼 수 있다. (○, ×) 2022 소방간부
2. 행정청이 폐기물처리업 사업계획에 대하여 적정통보를 한 것만으로 그 사업부지 토지에 대한 국토이용계획변경신청을 승인하여 주겠다는 취지의 공적인 견해표명을 한 것으로 볼 수 없다. (○, ×) 2019 지방직 · 교육행정직 9급
3. 폐기물관리법령에 의한 폐기물처리업사업계획에 대한 적정통보와 국토이용관리법령에 의한 국토이용계획변경은 각기 그 제도적 취지와 결정단계에서 고려해야 할 사항들이 다르므로 폐기물처리업사업계획에 대하여 적정통보를 한 것만으로는 그 사업부지 토지에 대한 국토이용계획변경신청을 승인하여 주겠다는 취지의 공적인 견해표명을 한 것으로 볼 수 없다. (○, ×) 2018 경행경채 3차

1. × 2. ○ 3. ○

① **빈출** 정답률 4% 제18강 참조 ○

> 폐기물관리법 관계법령에 의한 폐기물처리업 허가권자의 부적정통보는 행정처분이다.
>
> 폐기물관리법 관계법령의 규정에 의하면 폐기물처리업의 허가를 받기 위하여는 먼저 사업계획서를 제출하여 허가권자로부터 사업계획에 대한 적정통보를 받아야 하고, 그 적정통보를 받은 자만이 일정기간 내에 시설, 장비, 기술능력, 자본금을 갖추어 허가신청을 할 수 있으므로, 결국 부적정통보는 허가신청 자체를 제한하는 등 개인의 권리 내지 법률상의 이익을 개별적이고 구체적으로 규제하고 있어 행정처분에 해당한다(대판 1998. 4. 28, 97누21086).

② 정답률 3% ④ 정답률 7% ○

③ **빈출** 정답률 84% ×

> (원고가 용도지역이 농림지역 또는 준농림지역인 일정토지 위에 폐기물처리업을 영위할 목적으로 피고에게 폐기물처리업 사업계획서를 제출하였고, 이에 대해 피고가 일정한 조건을 부가하여 사업계획에 대한 적정통보를 한 후 원고가 농림지역을 준도시지역으로 변경하여 달라는 국토이용계획변경신청을 하였으나 피고가 이를 거부한 사건에서) 폐기물관리법령에 의한 폐기물처리업 사업계획에 대한 적정통보와 국토이용관리법령에 의한 국토이용계획변경은 각기 그 제도적 취지와 결정단계에서 고려해야 할 사항들이 다르므로(②), 피고가 위와 같이 폐기물처리업 사업계획에 대하여 적정통보를 한 것만으로 그 사업부지 토지에 대한 국토이용계획변경신청을 승인하여 주겠다는 취지의 공적인 견해표명을 한 것으로 볼 수 없고(③), 그럼에도 불구하고 원고가 그 승인을 받을 것으로 신뢰하였다면 원고에게 귀책사유가 있다 할 것이므로, 이 사건 처분이 신뢰보호의 원칙에 위배된다고 할 수 없다(④)(대판 2005. 4. 28, 2004두8828).

정답 05 ③

06 정답률 84% 중 2022 소방직 9급

신뢰보호의 원칙에 대한 설명으로 옳지 않은 것은? (다툼이 있는 경우 판례에 의함)

□□□ ① 행정청이 공적인 견해에 반하는 행정처분을 함으로써 달성하려는 공익이 행정청의 공적 견해표명을 신뢰한 개인이 그 행정처분으로 인하여 입게 되는 이익의 침해를 정당화할 수 있을 정도로 강한 경우에는 그 행정처분은 위법하지 않다.

□□□ ② 과세관청이 질의회신 등을 통하여 어떤 견해를 대외적으로 표명하였더라도 그것이 중요한 사실관계와 법적인 쟁점을 제대로 드러내지 아니한 채 질의한 데 따른 것이라면, 공적인 견해표명에 의하여 정당한 기대를 가지게 할 만한 신뢰가 부여된 경우로 볼 수 없다.

□□□ ③ 폐기물처리업에 대하여 관할관청의 사전 적정통보를 받고 막대한 비용을 들여 요건을 갖춘 다음 허가신청을 한 경우, 행정청이 청소업자의 난립으로 효율적인 청소업무의 수행에 지장이 있다는 이유로 불허가처분을 하였다 할지라도 신뢰보호의 원칙에 반하지 아니한다.

□□□ ④ 법원이 질서위반행위규제법에 따라서 하는 과태료재판은 원칙적으로 행정소송에서와 같은 신뢰보호의 원칙 위반 여부가 문제되지 아니한다.

① ○

행정청이 앞서 표명한 공적인 견해에 반하는 행정처분을 함으로써 달성하려는 공익이 행정청의 공적 견해표명을 신뢰한 개인이 그 행정처분으로 인하여 입게 되는 이익의 침해를 정당화할 수 있을 정도로 강한 경우에는 신뢰보호의 원칙을 들어 그 행정처분이 위법하다고는 할 수 없다(대판 1998. 11. 13, 98두7343).

② ○

비록 과세관청이 질의회신 등을 통하여 어떤 견해를 표명하였다고 하더라도 그것이 중요한 사실관계와 법적인 쟁점을 제대로 드러내지 아니한 채 질의한 데 따른 것이라면 공적인 견해표명에 의하여 정당한 기대를 가지게 할 만한 신뢰가 부여된 경우라고 볼 수 없다(대판 2013. 12. 26, 2011두5940).

③ ×

폐기물처리업에 대하여 관할관청의 사전 적정통보를 받고 막대한 비용을 들여 허가요건을 갖춘 다음 허가신청을 하였음에도 청소업자의 난립으로 효율적인 청소업무의 수행에 지장이 있다는 이유로 한 불허가처분은 신뢰보호의 원칙을 위반한 위법한 처분이라는 것이 판례의 입장이다(대판 1998. 5. 8, 98두4061).

④ ○

법원이 비송사건절차법에 따라서 하는 과태료재판은 관할관청이 부과한 과태료처분에 대한 당부를 심판하는 행정소송절차가 아니라 법원이 직권으로 개시 · 결정하는 것이므로, 원칙적으로 과태료재판에서는 행정소송에서와 같은 신뢰보호의 원칙 위반 여부가 문제로 되지 아니하고, 다만 위반자가 그 의무를 알지 못하는 것이 무리가 아니었다고 할 수 있어 그것을 정당시 할 수 있는 사정이 있을 때 또는 그 의무의 이행을 그 당사자에게 기대하는 것이 무리라고 하는 사정이 있을 때 등 그 의무해태를 탓할 수 없는 정당한 사유가 있는 때에는 이를 부과할 수 없다(대결 2006. 4. 28, 2003마715).

정답 06 ③

07 중

2022 소방간부

신뢰보호의 원칙에 관한 설명으로 옳은 것은? (다툼이 있는 경우 판례에 의함)

□□□ ① 납세자에게 신뢰의 대상이 되는 공적인 견해가 표명되었다는 사실은 과세처분의 적법성에 대한 증명책임이 있는 과세관청이 주장 · 입증하여야 한다.

□□□ ② 국세기본법 제18조 제3항에서 말하는 비과세관행이 성립하려면 상당한 기간에 걸쳐 과세를 하지 않은 객관적 사실이 존재하면 충분하고, 나아가 과세관청 자신이 그 사항에 관하여 과세할 수 있음을 알면서도 어떤 특별한 사정 때문에 과세하지 않는다는 주관적인 의사까지 요구되는 것은 아니다.

□□□ ③ 폐기물관리법령에 따른 관할관청의 폐기물처리업 사업계획에 대한 적정통보는 그 사업부지 토지에 대한 국토이용계획변경신청을 승인하여 주겠다는 취지의 공적인 견해표명을 한 것으로 볼 수 있다.

□□□ ④ 행정청이 착오로 인하여 국적이탈을 이유로 주민등록을 말소한 행위를 법령에 따라 국적이탈이 처리되었다는 견해를 표명한 것으로 볼 수는 없으며, 상대방이 이러한 주민등록말소를 통하여 자신의 국적이탈이 적법하게 처리된 것으로 신뢰하였다고 하더라도 이는 보호할 가치 있는 신뢰에 해당하지 않는다.

□□□ ⑤ 담당공무원으로부터 국립공원 인근 자연녹지지역에서 토석채취허가가 법적으로 가능할 것이라는 말을 듣고 관련 토지를 매수하는 등 많은 비용을 투자하고 형질변경 및 토석채취허가를 신청한 사람에 대해 관할행정청이, 해당 토지에서 토석채취작업을 하면, 주변의 환경 · 풍치 · 미관 등이 크게 손상될 우려가 있다는 이유를 들어 이를 불허가처분하는 것은 신뢰보호원칙에 반한다고 볼 수 없다.

① ×

과세관청이 납세자에게 신뢰의 대상이 되는 공적인 견해를 표명하였다는 사실에 대한 주장 · 입증책임은 납세자(원고)에게 있다(대판 1992. 3. 31, 91누9824).

② **빈출** ×

1. 국세기본법 제18조 제3항에서 말하는 비과세관행이 성립하려면 상당한 기간에 걸쳐 과세를 하지 아니한 객관적 사실이 존재할 뿐만 아니라 과세관청 자신이 그 사항에 관하여 과세할 수 있음을 알면서도 어떤 특별한 사정 때문에 과세하지 않는다는 의사가 있어야 한다.
2. 한편 공적 견해나 의사는 명시적 또는 묵시적으로 표시되어야 하지만, 묵시적 표시가 있다고 하기 위하여는 단순한 과세누락과는 달리 과세관청이 상당기간 불과세 상태에 대하여 과세하지 않겠다는 의사표시를 한 것으로 볼 수 있는 사정이 있어야 하며, 이 경우 특히 과세관청의 의사표시가 일반론적인 견해표명에 불과한 경우에는 위 원칙(편저자 주 : 신뢰보호의 원칙)의 적용을 부정하여야 한다(대판 2001. 4. 24, 2000두5203).

③ ×

폐기물처리업 사업계획에 대하여 적정통보를 한 것만으로 그 사업부지 토지에 대한 국토이용계획변경신청을 승인하여 주겠다는 취지의 공적인 견해표명을 한 것으로 볼 수 없다는 것이 판례의 입장이다(대판 2005. 4. 28, 2004두8828).

④ ×

동사무소 직원이 행정상 착오로 국적이탈을 사유로 주민등록을 말소한 것을 신뢰하여 만 18세가 될 때까지 별도로 국적이탈신고를 하지 않았던 사람이, 만 18세가 넘은 후 동사무소의 주민등록 직권 재등록 사실을 알고 국적이탈신고를 하자 '병역을 필하였거나 면제받았다는 증명서가 첨부되지 않았다'는 이유로 반려한 처분은 신뢰보호의 원칙에 반하여 위법하다.

행정청이 대외적으로 공신력 있는 주민등록표상 국적이탈을 이유로 원고의 주민등록을 말소한 행위는 원고에게 간접적으로 국적이탈이 법령에 따라 이미 처리되었다는 견해를 표명한 것이라고 보아야 하고 나아가 행정청의 주민등록말소는 주민등록표등 · 초본에 공시되어 대내외적으로 행정행위의 적법한 존재를 추단하는 중요한 근거가 되는 점에 비추어 원고가 위와 같은 주민등록말소를 통하여 자신의 국적이탈이 적법하게 처리된 것으로 신뢰한 것에 대하여 귀책사유가 있다고 할 수 없는바, 따라서 원고는 위와 같은 신뢰를 바탕으로 만 18세가 되기까지 별도로 국적이탈신고절차를 취하지 아니하였던 것이므로, 피고가 원고의 이러한 신뢰에 반하여 원고의 국적이탈신고를 반려한 이 사건 처분은, 신뢰보호의 원칙에 반하여 원고가 만 18세 이전에 국적이탈신고를 할 수 있었던 기회를 박탈한 것으로 위법하다(대판 2008. 1. 17, 2006두10931).

⑤ ○

한려해상국립공원지구 인근의 자연녹지지역에서의 토석채취허가가 법적으로 가능할 것이라는 행정청의 언동을 신뢰한 개인이 많은 비용과 노력을 투자한 후 토석채취허가신청을 하였는데 행정청이 불허가처분을 한 것은 주변의 환경 · 풍치 등의 공익을 보호할 필요가 크므로 신뢰보호의 원칙에 위반되지 않는다(대판 1998. 11. 13, 98두7343).

정답 07 ⑤

08 정답률 74% 중 2019 국가직 7급

신뢰보호의 원칙에 대한 설명으로 옳은 것은? (다툼이 있는 경우 판례에 의함)

① 처분청이 착오로 행정서사업 허가처분을 한 후 20년이 다되어서야 취소사유를 알고 행정서사업 허가를 취소한 경우, 그 허가취소처분은 실권의 법리에 저촉되는 것으로 보아야 한다.

② 법령이나 비권력적 사실행위인 행정지도 등은 신뢰의 대상이 되는 선행조치에 포함되지 않는다.

③ 신뢰보호원칙의 적용에 있어서 귀책사유의 유무는 상대방을 기준으로 판단하여야 하며, 상대방으로부터 신청행위를 위임받은 수임인 등 관계자까지 포함시켜 판단할 것은 아니다.

④ 당초 정구장시설을 설치한다는 도시계획결정을 하였다가 정구장 대신 청소년수련시설을 설치한다는 도시계획변경결정 및 지적승인을 한 경우 당초의 도시계획결정만으로는 도시계획사업의 시행자 지정을 받게 된다는 공적 견해를 표명했다고 할 수 없다.

관련기출

④

1. 당초 정구장시설을 설치한다는 도시계획결정을 하였다가 정구장 대신 청소년수련시설을 설치한다는 도시계획변경결정 및 지적승인을 한 경우, 당초의 도시계획결정에 따른 도시계획사업의 시행자로 지정받을 것을 예상하여 상당한 비용 등을 지출하였다면 정구장 대신 청소년수련시설을 설치한다는 내용의 도시계획변경결정 및 지적승인을 한 것은 신뢰이익을 침해한 것이다. (○, ×) 2018 경행경채 3차

2. 정구장시설 설치의 도시계획결정을 청소년수련시설 설치의 도시계획으로 변경한 경우, 사업시행자로 지정받을 것을 예상하고 정구장 설계비용 등을 지출한 자의 신뢰이익을 침해한 것으로 볼 수 없다. (○, ×) 2012 지방직 7급

1. × 2. ○

① ×

비록 20년이 다되어 허가를 취소하였으나 취소사유를 알고서도 장기간 권리행사를 하지 않은 것이 아니고 취소 직전에 비로소 취소사유를 알고 허가를 취소한 것은 실권의 법리에 위반되는 것이 아니다.

실권 또는 실효의 법리는 법의 일반원리인 신의성실의 원칙에 바탕을 둔 파생원칙인 것이므로 공법관계 가운데 관리관계는 물론이고 권력관계에도 적용되어야 함을 배제할 수는 없다 하겠으나 그것은 본래 권리행사의 기회가 있음에도 불구하고 권리자가 장기간에 걸쳐 그의 권리를 행사하지 아니하였기 때문에 의무자인 상대방은 이미 그의 권리를 행사하지 아니할 것으로 믿을 만한 정당한 사유가 있게 되거나 행사하지 아니할 것으로 추인케 할 경우에 새삼스럽게 그 권리를 행사하는 것이 신의성실의 원칙에 반하는 결과가 될 때 그 권리행사를 허용하지 않는 것을 의미하는 것이므로 이 사건에 관하여 보면 원고(편저자 주 : 행정서사업 허가를 받은 자)가 허가받은 때로부터 20년이 다되어 피고가 그 허가를 취소한 것이기는 하나 피고가 취소사유를 알고서도 그렇게 장기간 취소권을 행사하지 않은 것이 아니고 1985. 9. 중순에 비로소 위에서 본 취소사유를 알고 그에 관한 법적 처리방안에 관하여 다각도로 연구검토가 행해졌고 그러한 사정은 원고도 알고 있었음이 기록상 명백하여 이로써 본다면 상대방인 원고에게 취소권을 행사하지 않을 것이란 신뢰를 심어준 것으로 여겨지지 않으니 피고의 처분이 실권의 법리에 저촉된 것이라고 볼 수 있는 것도 아니다(대판 1988. 4. 27, 87누915).

② ×

신뢰보호의 원칙의 적용요건 중 하나인 행정청의 선행조치는 행정행위뿐만 아니라 법령의 제정(09 ② 해설 참조), 확약, 그리고 행정지도와 같은 사실행위 등을 포함하는 개념이다. 따라서 법령 및 행정지도 등 비권력적 사실행위도 신뢰의 대상이 되는 선행조치에 포함된다.

③ ×

판례는 귀책사유의 유무는 상대방뿐만 아니라 상대방과 그로부터 신청행위를 위임받은 수임인 등 관계자 모두를 기준으로 판단하여야 한다고 본다.

행정행위의 상대방인 건축주뿐만 아니라 그로부터 위임을 받은 건축설계사 등 관계자에게 귀책사유가 있는 경우에도 신뢰보호원칙이 적용되지 아니한다.

귀책사유의 유무는 상대방과 그로부터 신청행위를 위임받은 수임인 등 관계자 모두를 기준으로 판단하여야 한다. 건축주와 그로부터 건축설계를 위임받은 건축사가 상세계획지침에 의한 건축한계선의 제한이 있다는 사실을 간과한 채 건축설계를 하고 이를 토대로 건축물의 신축 및 증축허가를 받은 경우, 그 신축 및 증축허가가 정당하다고 신뢰한 데에 귀책사유가 있다(대판 2002. 11. 8, 2001두1512).

④ ○

정구장시설을 설치한다는 도시계획결정을 하였다가 정구장 대신 청소년수련시설을 설치한다는 도시계획변경결정 및 지적승인을 한 경우, 정구장시설의 도시계획사업 시행자로 지정받을 것을 예상하고 정구장 설계비용 등을 지출한 자의 신뢰 이익을 침해한 것으로 볼 수 없다.

당초 정구장시설을 설치한다는 도시계획결정을 하였다가 정구장 대신 청소년수련시설을 설치한다는 도시계획변경결정 및 지적승인을 한 경우, 당초의 도시계획결정만으로는 도시계획사업의 시행자 지정을 받게 된다는 공적인 견해를 표명하였다고 할 수 없다는 이유로 그 후의 도시계획변경결정 및 지적승인이 도시계획사업의 시행자로 지정받을 것을 예상하고 정구장 설계비용 등을 지출한 자의 신뢰이익을 침해한 것으로 볼 수 없다(대판 2000. 11. 10, 2000두727).

정답 08 ④

09 정답률 78% 중 2018 국가직 7급

신뢰보호의 원칙에 대한 설명으로 옳지 않은 것은? (다툼이 있는 경우 판례에 의함)

□□□ ① 개정법령이 기존의 사실 또는 법률관계를 적용대상으로 하면서 종전보다 불리한 법률효과를 규정하고 있는 경우에도 그러한 사실 또는 법률관계가 개정법률이 시행되기 이전에 이미 종결된 것이 아니라면 이를 헌법상 금지되는 소급입법이라고 할 수는 없다.

□□□ ② 법률에 따른 개인의 행위가 국가에 의하여 일정 방향으로 유인된 신뢰의 행사가 아니라 단지 법률이 부여한 기회를 활용한 것이라 하더라도, 신뢰보호의 이익이 인정된다.

□□□ ③ 확약이 있은 후에 사실적 · 법률적 상태가 변경되었다면, 그 확약은 행정청의 별다른 의사표시를 기다리지 않고 실효된다.

□□□ ④ 행정절차법에 명문의 근거가 있다.

관련기출

②

1. 법령개정에 대한 신뢰와 관련하여, 법령에 따른 개인의 행위가 국가에 의하여 일정한 방향으로 유인된 경우에 특별히 보호가치가 있는 신뢰이익이 인정될 수 있다. (○, ×) 2016 지방직 9급

1. ○

① ○

소급입법금지의 원칙이란 이미 종결된 사실관계 또는 법률관계에 적용하는 것을 내용으로 하는 법을 제정하는 것을 금지하는 원칙이다. 따라서 기존의 사실관계 또는 법률관계가 개정법률이 시행되기 이전에 이미 종결된 것이 아니라면 원칙적으로 헌법상 금지되는 소급입법이라고 할 수 없다.

> 법령이 개정된 경우에도 경과규정에서 달리 정함이 없는 한 처분 당시 시행되는 개정법령과 그에서 정한 기준에 의하는 것이 원칙이고, 그 개정법령이 기존의 사실 또는 법률관계를 적용대상으로 하면서 종전보다 불리한 법률효과를 규정하고 있는 경우에도 그러한 사실 또는 법률관계가 개정법률이 시행되기 이전에 이미 종결된 것이 아니라면 이를 헌법상 금지되는 소급입법이라고 할 수는 없다(대판 2010. 3. 11, 2008두15169).

② ×

사회환경이나 경제여건의 변화에 따른 필요성에 의하여 법률은 그에 상응하여 변할 수밖에 없고, 변경된 새로운 법질서와 기존의 법질서 사이에는 이해관계의 상충이 불가피하다. 따라서 국민이 가지는 기존법에 대한 모든 기대 내지 신뢰가 헌법상 권리로서 보호될 것은 아니다. 이런 전제에서 법령에 따른 개인의 행위가 국가에 의하여 일정 방향으로 유인된 신뢰의 행사가 아니라 단지 법률이 부여한 기회를 활용한 것이라면 국가에 대해 신뢰보호를 주장할 수는 없고 원칙적으로 사적(私的) 위험부담의 범위에 속한다는 것이 판례의 입장이다.

> 법률에 따른 개인의 행위가 단지 법률이 반사적으로 부여하는 기회의 활용을 넘어서 국가에 의하여 일정 방향으로 유인된 것이라면 특별히 보호가치가 있는 신뢰이익이 인정될 수 있다.
>
> 개인의 신뢰이익에 대한 보호가치는 ㉠ 법령에 따른 개인의 행위가 국가에 의하여 일정 방향으로 유인된 신뢰의 행사인지, ㉡ 아니면 단지 법률이 부여한 기회를 활용한 것으로서 원칙적으로 사적 위험부담의 범위에 속하는 것인지 여부에 따라 달라진다. 만일 법률에 따른 개인의 행위가 단지 법률이 반사적으로 부여하는 기회의 활용을 넘어서 국가에 의하여 일정 방향으로 유인된 것이라면 특별히 보호가치가 있는 신뢰이익이 인정될 수 있고, 원칙적으로 개인의 신뢰보호가 국가의 법률개정이익에 우선된다고 볼 여지가 있다.
>
> 그런데 이 사건 법률조항의 경우 국가가 입법을 통하여 개인의 행위를 일정 방향으로 유도하였다고 볼 수는 없고, 따라서 청구인의 징집면제연령에 관한 기대 또는 신뢰는 단지 법률이 부여한 기회를 활용한 것으로서 원칙적으로 사적 위험부담의 범위에 속하는 것이다(헌재 2002. 11. 28, 2002헌바45).

③ 제18강 참조 ○

확약이 있은 후 사실적 · 법률적 상태가 변경되었다면 확약은 행정청의 별다른 의사표시를 기다리지 않고 실효된다. 행정행위는 행위 후 사정변경이 있으면 행정청의 그 행위를 철회할 수 있는 것과 구별하기 바란다.

④ ○

행정절차법은 신의성실 및 신뢰보호원칙에 관한 근거를 두고 있다.

> **행정절차법 제4조【신의성실 및 신뢰보호】** ① 행정청은 직무를 수행할 때 신의(信義)에 따라 성실히 하여야 한다.
> ② 행정청은 법령 등의 해석 또는 행정청의 관행이 일반적으로 국민들에게 받아들여졌을 때에는 공익 또는 제3자의 정당한 이익을 현저히 해칠 우려가 있는 경우를 제외하고는 새로운 해석 또는 관행에 따라 소급하여 불리하게 처리하여서는 아니 된다.

정답 09 ②

10 정답률 74% 중 2017 지방직 7급

신뢰보호의 원칙에 대한 설명으로 옳지 않은 것은? (다툼이 있는 경우 판례에 의함)

① 국세기본법에 따른 비과세관행의 성립요건인 공적 견해나 의사의 묵시적 표시가 있다고 하기 위해서는 과세관청이 상당기간의 불과세 상태에 대하여 과세하지 않겠다는 의사표시를 한 것으로 볼 수 있는 사정이 있어야 한다.

② 과세관청이 납세의무자에게 부가가치세 면세사업자용 사업자등록증을 교부하거나 고유번호를 부여하였다고 하더라도 그가 영위하는 사업에 관하여 부가가치세를 과세하지 않겠다는 언동이나 공적 견해를 표명한 것으로 볼 수 없다.

③ 행정관청이 폐기물처리업 사업계획에 대하여 폐기물관리법령에 의한 적정통보를 한 경우에는, 그 사업부지 토지에 대한 국토이용계획변경신청을 승인하여 주겠다는 취지의 공적 견해를 표명한 것으로 볼 수 있다.

④ 행정청이 지구단위계획을 수립하면서 그 권장용도를 판매 · 위락 · 숙박시설로 결정하여 고시하였다 하더라도 당해 지구 내에서 공익과 무관하게 언제든지 숙박시설에 대한 건축허가가 가능하다는 취지의 공적 견해를 표명한 것으로 볼 수 없다.

① ○

1. 국세기본법 제18조 제3항에서 말하는 비과세관행이 성립하려면 상당한 기간에 걸쳐 과세를 하지 아니한 객관적 사실이 존재할 뿐만 아니라 과세관청 자신이 그 사항에 관하여 과세할 수 있음을 알면서도 어떤 특별한 사정 때문에 과세하지 않는다는 의사가 있어야 한다.
2. 한편 공적 견해나 의사는 명시적 또는 묵시적으로 표시되어야 하지만, 묵시적 표시가 있다고 하기 위하여는 단순한 과세누락과는 달리 과세관청이 상당기간 불과세 상태에 대하여 과세하지 않겠다는 의사표시를 한 것으로 볼 수 있는 사정이 있어야 하며, 이 경우 특히 과세관청의 의사표시가 일반론적인 견해표명에 불과한 경우에는 위 원칙의 적용을 부정하여야 한다(대판 2001. 4. 24, 2000두5203).

② ○

과세관청이 납세의무자에게 부가가치세 면세사업자용 사업자등록증을 교부하거나 고유번호를 부여한 행위는 부가가치세를 과세하지 아니함을 시사하는 언동이나 공적인 견해표명을 한 것으로 볼 수 없다.

부가가치세법상의 사업자등록은 과세관청이 부가가치세의 납세의무자를 파악하고 그 과세자료를 확보하는 데 입법취지가 있고, 이는 단순한 사업사실의 신고로서 사업자가 소관 세무서장에게 소정의 사업자등록신청서를 제출함으로써 성립하며, 사업자등록증의 교부는 이와 같은 등록사실을 증명하는 증서의 교부행위에 불과한 것으로 과세관청이 납세의무자에게 부가가치세 면세사업자용 사업자등록증을 교부하였다고 하더라도 그가 영위하는 사업에 관하여 부가가치세를 과세하지 아니함을 시사하는 언동이나 공적인 견해를 표명한 것으로 볼 수 없으며, 구 부가가치세법 시행령 제8조 제2항에 정한 고유번호의 부여도 과세자료를 효율적으로 처리하기 위한 것에 불과한 것이므로 과세관청이 납세의무자에게 고유번호를 부여한 경우에도 마찬가지이다(대판 2008. 6. 12, 2007두23255).

③ ×

폐기물관리법령에 의한 폐기물처리업 사업계획에 대한 적정통보와 국토이용관리법령에 의한 국토이용계획변경은 각기 그 제도적 취지와 결정단계에서 고려해야 할 사항들이 다르므로, 폐기물처리업 사업계획에 대하여 적정통보를 한 것만으로 그 사업부지 토지에 대한 국토이용계획변경신청을 승인하여 주겠다는 취지의 공적인 견해표명을 한 것으로 볼 수 없다는 것이 판례의 입장이다(대판 2005. 4. 28, 2004두8828).

④ ○

행정청이 지구단위계획을 수립하면서 그 권장용도를 판매 · 위락 · 숙박시설로 결정하여 고시한 행위를 당해 지구 내에서는 공익과 무관하게 언제든지 숙박시설에 대한 건축허가가 가능하리라는 공적 견해를 표명한 것이라고 평가할 수는 없다.

이 사건 처분 당시 시행되던 구 건축법 제8조 제5항에는 숙박시설의 건축을 허가하는 경우에는 주거환경 또는 교육환경 등 주변환경을 감안할 때 부적합하다고 인정하는 경우에는 건축위원회의 심의를 거쳐 건축허가를 하지 아니할 수 있다는 규정이 신설되어 있다(대판 2005. 11. 25, 2004두6822 · 6839 · 6846).

정답 10 ③

03 그 밖의 일반원칙

기 75~85쪽 핵 T 08

11

정답률 87% 하 2020 지방직 · 서울시 9급

행정법의 일반원칙에 대한 설명으로 옳은 것은? (다툼이 있는 경우 판례에 의함)

□□□ ① 비례의 원칙은 행정에만 적용되는 원칙이므로 입법에서는 적용될 여지가 없다.

□□□ ② 신뢰보호의 원칙이 적용되기 위한 요건인 행정권의 행사에 관하여 신뢰를 주는 선행조치가 되기 위해서는 반드시 처분청 자신의 적극적인 언동이 있어야만 한다.

□□□ ③ 동일한 사항을 다르게 취급하는 것은 합리적 이유가 없는 차별이므로, 같은 정도의 비위를 저지른 자들은 비록 개전의 정이 있는지 여부에 차이가 있다고 하더라도 징계종류의 선택과 양정에 있어 동일하게 취급받아야 한다.

□□□ ④ 재량권행사의 준칙인 행정규칙이 그 정한 바에 따라 되풀이 시행되어 행정관행이 이루어지게 되면 평등의 원칙이나 신뢰보호의 원칙에 따라 행정기관은 그 상대방에 대한 관계에서 그 규칙에 따라야 할 자기구속을 받게 된다.

관련기출

③

1. 같은 정도의 비위를 저지른 자들 사이에 있어서 그 직무의 특성 등에 비추어, 개전의 정이 있는지 여부에 따라 징계의 종류의 선택과 양정에 있어서 차별적으로 취급하는 것은, 자의적 취급이라고 할 수 있어서 평등원칙 내지 형평에 반한다. (○, ×) 2023 군무원 9급
2. 같은 정도의 비위를 저지른 자들임에도 불구하고 그 직무의 특성 등에 비추어 개전의 정이 있는지 여부에 따라 징계종류의 선택과 양정에서 다르게 취급하는 것은 평등의 원칙에 반하지 않는다. (○, ×) 2020 군무원 7급

1. × 2. ○

④

1. 재량권행사의 준칙인 행정규칙이 있으면 그에 따른 관행이 없더라도 평등의 원칙에 따라 행정기관은 상대방에 대한 관계에서 그 규칙에 따라야 할 자기구속을 받게 된다. (○, ×) 2019 서울시 1회 7급
2. 헌법재판소는 평등의 원칙이나 신뢰보호의 원칙을 근거로 행정의 자기구속의 원칙을 인정하고 있다. (○, ×) 2018 국가직 9급

1. × 2. ○

① ×

비례의 원칙은 행정에만 적용되는 원칙이 아니라 입법 · 사법 등 모든 국가작용에 적용되는 헌법상의 기본원리이다.

> 비례의 원칙은 법치국가원리에서 당연히 파생되는 헌법상의 기본원리로서, 모든 국가작용에 적용된다. 행정목적을 달성하기 위한 수단은 목적달성에 유효 · 적절하고, 가능한 한 최소침해를 가져오는 것이어야 하며, 아울러 그 수단의 도입에 따른 침해가 의도하는 공익을 능가하여서는 안 된다(대판 2019. 7. 11, 2017두38874).

② ×

행정청의 선행조치는 반드시 처분청 자신의 견해표명일 필요는 없으며 처분청 소속의 보조기관이 행한 조치도 선행조치에 해당한다. 또한 언동은 명시적 표시 · 묵시적 표시, 적극적 · 소극적 조치를 불문한다. 예를 들어, 과세관청이 4년 동안 면허세를 부과할 수 있다는 사정을 알면서도 수출확대라는 공익상 필요에서 한 건도 부과한 일이 없었다면 소극적 언동을 통해 묵시적으로 비과세라는 선행조치를 한 것으로 볼 수 있다.

③ **빈출** ×

> 같은 정도의 비위를 저지른 자들 사이에서도 그 직무의 특성 등에 비추어 개전의 정이 있는지 여부에 따라 징계의 종류의 선택과 양정을 달리할 수 있다.
> 같은 정도의 비위를 저지른 자들 사이에 있어서도 그 직무의 특성 등에 비추어, 개전의 정이 있는지 여부에 따라 징계의 종류의 선택과 양정에 있어서 차별적으로 취급하는 것은, 사안의 성질에 따른 합리적 차별로서 이를 자의적 취급이라고 할 수 없는 것이어서 평등원칙 내지 형평에 반하지 아니한다(대판 1999. 8. 20, 99두2611).

④ **빈출** ○

> 행정규칙인 재량준칙이 정한 바에 따라 행정관행이 이룩되게 되면 평등원칙이나 신뢰보호원칙에 따라 행정기관은 그 규칙에 따라야 할 자기구속을 당하게 되고 그러한 경우 행정규칙은 대외적 구속력을 가지게 된다.
> 행정규칙이 법령의 규정에 의하여 행정관청에 법령의 구체적 내용을 보충할 권한을 부여한 경우, 또는 재량권행사의 준칙인 규칙이 그 정한 바에 따라 되풀이 시행되어 행정관행이 이룩되게 되면, 평등의 원칙이나 신뢰보호의 원칙에 따라 행정기관은 그 상대방에 대한 관계에서 그 규칙에 따라야 할 자기구속을 당하게 되고, 그러한 경우에는 대외적인 구속력을 가지게 된다 할 것이다(헌재 1990. 9. 3, 90헌마13).

정답 11 ④

12 ㊤ 2019 국회직 8급

다음에 제시된 행정법의 기본원칙에 대한 설명으로 옳지 않은 것은? (다툼이 있는 경우 판례에 의함)

> (가) 어떤 행정목적을 달성하기 위한 수단은 그 목적달성에 유효 · 적절하고 또한 가능한 한 최소침해를 가져오는 것이어야 하며 아울러 그 수단의 도입으로 인한 침해가 의도하는 공익을 능가하여서는 안 된다.
> (나) 행정기관은 행정결정에 있어서 동종의 사안에 대하여 이전에 제3자에게 행한 결정과 동일한 결정을 상대방에게 하도록 스스로 구속당한다.
> (다) 개별국민이 행정기관의 어떤 언동의 정당성 또는 존속성을 신뢰한 경우 그 신뢰가 보호받을 가치가 있는 한 그러한 귀책사유 없는 신뢰는 보호되어야 한다.
> (라) 행정주체가 행정작용을 함에 있어서 상대방에게 이와 실질적인 관련이 없는 의무를 부과하거나 그 이행을 강제하여서는 아니 된다.

□□□ ① 자동차를 이용하여 범죄행위를 한 경우 범죄의 경중에 상관없이 반드시 운전면허를 취소하도록 한 규정은 (가)원칙을 위반한 것이다.

□□□ ② 반복적으로 행하여진 행정처분이 위법한 것일 경우 행정청은 (나)원칙에 구속되지 않는다.

□□□ ③ 고속국도 관리청이 고속도로 부지와 접도구역에 송유관 매설을 허가하면서 상대방과 체결한 협약에 따라 송유관 시설을 이전하게 될 경우 그 비용을 상대방에게 부담하도록 한 부관은 (라)원칙에 반하지 않는다.

□□□ ④ 선행조치의 상대방에 대한 신뢰보호의 이익과 제3자의 이익이 충돌하는 경우에는 (다)원칙이 우선한다.

□□□ ⑤ 판례는 (라)원칙의 적용을 긍정하고 있다.

관련기출

③⑤

1. 부당결부금지의 원칙이란 행정주체가 행정작용을 함에 있어서 상대방에게 이와 실질적인 관련이 없는 의무를 부과하거나 그 이행을 강제하여서는 아니 된다는 원칙을 말한다. (○, ×) 2018 경행경채

1. ○

④

1. 신뢰보호의 이익과 공익 또는 제3자의 이익이 상호 충돌하는 경우 신뢰보호의 이익이 우선한다. (○, ×) 2016 사회복지직 9급

1. ×

(가)는 비례의 원칙(과잉금지의 원칙), (나)는 자기구속의 원칙, (다)는 신뢰보호의 원칙, (라)는 부당결부금지의 원칙에 관한 내용이다.

① ○

> 자동차를 이용하여 범죄행위를 한 경우 범죄의 경중에 상관없이 반드시 운전면허를 취소하도록 한 규정은 비례의 원칙 위반이다(헌재 2005. 11. 24, 2004헌가28).

② ○

위법한 행정처분이 수차례에 걸쳐 반복적으로 행하여졌다 하더라도 그러한 처분이 위법한 것인 때에는 행정청에 대하여 자기구속력을 갖게 된다고 할 수 없다는 것이 판례의 입장이다(대판 2009. 6. 25, 2008두13132).

③⑤ ○

> 1. 부당결부금지의 원칙이란 행정주체가 행정작용을 함에 있어서 상대방에게 이와 실질적인 관련이 없는 의무를 부과하거나 그 이행을 강제하여서는 아니 된다는 원칙을 말한다(⑤).
> 2. **고속국도 관리청이 고속도로 부지와 접도구역에 송유관 매설을 허가하면서 상대방과 체결한 협약에 따라 송유관 시설을 이전하게 될 경우 그 비용을 상대방에게 부담하도록 한 경우 위 협약에 포함된 부관이 부당결부금지의 원칙에 반하지 않는다**(③)(대판 2009. 2. 12, 2005다65500).

④ ×

신뢰보호의 이익과 공익이 충돌하는 경우 신뢰보호이익이 우선하는 것이 아니라 양자의 이익을 비교 · 형량하여야 한다.

> **신뢰보호의 이익과 공익이 충돌하는 경우 양자의 이익을 비교 · 형량하여야 한다**(대판 1997. 9. 12, 96누18380).

정답 12 ④

13 중

2015 경행특채 1차

다음 행정법의 일반원칙에 대한 설명 중 가장 적절하지 않은 것은? (다툼이 있으면 판례에 의함)

□□□ ① 징계사유로 삼은 비행의 정도에 비하여 균형을 잃은 과중한 징계처분을 하는 것은 재량권의 한계를 벗어나 위법하다.

□□□ ② 운전면허 취소사유가 그 사람이 가진 여러 면허에 공통된 것이라면 그 면허 전부를 취소할 수 있다.

□□□ ③ 반복적으로 행하여진 행정처분이 위법한 것인 때에는 행정청은 그에 구속되지 않는다.

□□□ ④ 재량권행사의 기준인 행정규칙이 반복적으로 시행되어 행정관행이 성립된 경우라도 그 행정규칙은 내부적 기준에 불과하므로, 이를 위반시 재량권의 일탈·남용에 해당되지 않는다.

① ○

상대방이 법을 위반한 정도에 비해 과중한 제재조치를 하는 것이므로 비례원칙에 위반하여 위법한 행위가 된다.

> 검찰총장의 승인 등을 얻지 않은 채로 근무지를 이탈한 것과 검사가 외부에 자신의 상사를 비판하는 의견을 발표한 행위는 징계사유에 해당하나 그 징계사유인 비행에 이르게 된 동기와 경위 등을 고려해 볼 때, 면직처분을 한 것은 비례의 원칙에 위반된 재량권 남용으로서 위법하다(대판 2001. 8. 24, 2000두7704).

② ○

> 취소사유가 다른 면허와 공통된 것이거나 운전면허를 받은 사람에 관한 것일 경우, 여러 면허를 전부 취소할 수 있다(대판 2012. 5. 24, 2012두1891).

③ ○

위법한 행정처분이 수차례에 걸쳐 반복적으로 행하여졌다 하더라도 그러한 처분이 위법한 것인 때에는 행정청에 대하여 자기구속력을 갖게 된다고 할 수 없다는 것이 판례의 입장이다(대판 2009. 6. 25, 2008두13132).

④ ×

재량권행사의 준칙인 행정규칙이 그 정한 바에 따라 되풀이 시행되어 행정관행이 이루어지게 되면 행정기관은 그 상대방에 대한 관계에서 그 규칙에 따라야 할 자기구속을 받게 되므로, 특별한 사정이 없는 한 그를 위반하는 처분은 평등의 원칙이나 신뢰보호의 원칙에 위배되어 재량권을 일탈·남용한 위법한 처분이 된다는 것이 판례의 입장이다(대판 2009. 12. 24, 2009두7967).

14 중

2009 국회직 8급

관계법령은 민간연수원과 같은 교육시설을 호텔과 같은 숙박시설로 전환하고자 할 경우에는 시설이 소재한 관청으로부터 먼저 용도변경허가를 받은 후 숙박시설을 관할하는 관청으로부터 숙박업의 허가를 얻도록 규정하고 있다. 다음 사례에 관한 설명 중 가장 옳지 않은 것은? (다툼이 있는 경우 판례에 따름)

> 민간연수원을 소유하고 있는 甲은 용도변경허가를 거치지 아니하고 숙박시설을 관할하는 관청으로부터 곧장 숙박업허가를 받아 상당히 많은 투자를 하여 현재 영업을 하고 있다.

□□□ ① 甲이 숙박업허가의 위법성을 알지 못한 것에 과실이 없다면 이익형량상 숙박업허가에 대한 취소가 제한될 수 있다.

□□□ ② 甲에게 귀책사유가 있다면 숙박업허가에 대한 취소는 가능하다고 할 것이다.

□□□ ③ 甲에 대한 숙박업허가에 하자가 있어 처분청이 취소하는 경우 법적 근거는 필요하지 않다.

□□□ ④ 유사한 연수원을 소유한 乙은 평등원칙을 근거로 자신에게도 용도변경허가 없이 소유시설에 대해 숙박업을 허가해 줄 것을 요구할 수 있다.

□□□ ⑤ 甲에게 귀책사유가 없음에도 숙박업허가가 취소된 경우에는 甲은 손실보상을 요구할 수 있다.

① ○

행정청이 숙박업허가를 취소하는 것은 위법한 처분을 취소하여 적법성을 회복하고자 하는 것이므로 법률적합성원칙에 부합된다. 그러나 甲에게 과실이 없는 경우에는 귀책사유가 없으므로 신뢰보호원칙이 적용된다. 이 경우 법률적합성원칙과 신뢰보호원칙의 충돌문제가 발생하는바, 통설은 이에 대해 이익형량설을 취하므로 이익형량상 상대방의 신뢰이익이 더 크다면 숙박업허가에 대한 취소는 제한된다.

② ○

귀책사유가 있다면 신뢰보호원칙이 적용되지 않으므로 숙박업허가에 대한 취소는 가능하다.

③ ○

처분청이 처분을 취소하는 경우 법률의 근거가 없어도 가능하다는 것이 통설 및 판례의 입장이다.

④ ×

평등원칙은 위법한 행정작용에서는 적용되지 않는다. 사안의 경우 甲에 대한 허가는 위법한 허가이므로 乙은 평등원칙을 주장하여 자신에게도 허가해 줄 것을 요구할 수는 없다.

⑤ ○

신뢰보호의 방법으로 존속보장이 원칙이지만 가치보장도 허용될 수 있다. 사안의 경우 허가가 취소된 경우라면 甲은 가치보장(손실보상)을 요구할 수 있다.

정답 13 ④ 14 ④

제 05 강 행정법관계

1회독	2회독	3회독
/	/	/

⊘정답률 공단기/소방단기 합격예측 풀서비스 통계 데이터 기준 기 기본서 핵 핵심집약

01 공법관계와 사법관계 기 88~94쪽 핵 T 09

01 빈출 중 2024 국회직 8급

행정상 법률관계에 대한 설명으로 옳지 않은 것만을 <보기>에서 모두 고르면? (다툼이 있는 경우 판례에 의함)

보기

□□□ ㉠ 주한미군 한국인 직원의료보험조합 직원의 근무관계는 공법관계에 속하는 것이다.

□□□ ㉡ 국유의 일반재산 대부료 납부고지는 사법상 이행청구에 해당하고, 이를 행정처분이라고 할 수 없다.

□□□ ㉢ 「공익사업을 위한 토지 등의 취득 및 보상에 관한 법률」상 협의취득은 공법상 당사자소송의 대상이다.

□□□ ㉣ 국가종합전자조달시스템인 '나라장터' 종합쇼핑몰을 통한 물품구매계약체결시, 구매계약에 계약위반시 거래를 정지한다는 등의 '추가특수조건'을 포함시킨 후, 이 '추가특수조건'에 근거하여 조달청이 거래정지를 한 조치는 행정처분에 해당한다.

① ㉠ ② ㉠, ㉢ ③ ㉡, ㉢
④ ㉡, ㉣ ⑤ ㉡, ㉢, ㉣

관련기출

㉠

1. 주한미군 한국인 직원의료보험조합이 행한 소속직원 징계면직행위는 사법관계의 행위에 해당한다. (○, ×) 2014 서울시 7급

1. ○

㉡

1. 행정재산의 무단점유자에 대한 변상금부과행위는 처분이나, 대부한 일반재산에 대한 사용료부과고지행위는 처분이 아니다. (○, ×) 2017 지방직(하) 9급
2. 국유재산법상 일반재산의 대부는 행정처분이 아니며 그 계약은 사법상 계약이다. (○, ×) 2016 지방직 9급

1. ○ 2. ○

㉢

1. 공익사업을 위한 토지 등의 취득 및 보상에 관한 법령에 의한 협의취득은 사법상의 법률행위이므로, 이에 관한 분쟁은 민사소송의 대상이다. (○, ×) 2019 국가직 9급
2. 「공익사업을 위한 토지 등의 취득 및 보상에 관한 법률」에 따른 협의취득은 공법관계에 해당한다. (○, ×) 2019 소방직 9급

1. ○ 2. ×

㉠ ×

> 주한미군 한국인 직원의료보험조합직원의 근무관계는 사법관계에 속하는 것이므로 동조합 직원에 대한 위 조합의 징계면직처분은 항고소송의 대상이 되는 행정처분이 아니고 사법상의 법률행위라고 보아야 한다(대판 1987. 12. 8, 87누884).

㉡ **빈출** ○

> 국유잡종재산(현 일반재산) 대부행위의 법적 성질은 사법상 계약이고 그 대부료 납부고지의 법적 성질은 사법상의 이행청구에 불과하다(대판 2000. 2. 11, 99다61675).

㉢ **빈출** ×

민사소송의 대상이다.

> 「공익사업을 위한 토지 등의 취득 및 보상에 관한 법률」에 의한 협의취득은 사법(私法)상의 법률행위이다(대판 2012. 2. 23, 2010다91206).

㉣ **빈출** 제37강 참조 ○

> 피고(편저자 주 : 조달청장)가 사법상 계약인 물품구매(제조)계약 추가특수조건에 근거하여 한 나라장터 종합쇼핑몰 거래정지조치는 비록 추가특수조건이라는 사법상 계약에 근거한 것이기는 하지만 행정청인 피고가 행하는 구체적 사실에 관한 법집행으로서의 공권력의 행사로서 그 상대방인 원고의 권리 · 의무에 직접 영향을 미치므로 항고소송의 대상에 해당한다(대판 2018. 11. 29, 2015두52395).

정답 01 ②

02 정답률 83% 중 2023 군무원 9급

행정상 법률관계에 관한 설명으로 옳지 않은 것은? (다툼이 있는 경우 판례에 의함)

① 국유재산의 관리청이 그 무단점유자에 대하여 하는 변상금 부과처분은 순전히 사경제주체로서 행하는 사법상의 법률행위라 할 수 없고, 이는 관리청이 공권력을 가진 우월적 지위에서 행한 것으로서 행정소송의 대상이 되는 행정처분이다.

② 국가나 지방자치단체에 근무하는 청원경찰은 국가공무원법이나 지방공무원법상의 공무원은 아니지만, 다른 청원경찰과는 달리 그 임용권자가 행정기관의 장이고, 국가나 지방자치단체로부터 보수를 받으므로, 그 근무관계는 사법상의 고용계약관계로 보기는 어려우므로 그에 대한 징계처분의 시정을 구하는 소는 행정소송의 대상이지 민사소송의 대상이 아니다.

③ 조세채무는 법률의 규정에 의하여 정해지는 법정채무로서 당사자가 그 내용 등을 임의로 정할 수 없고, 조세채무관계는 공법상의 법률관계이고 그에 관한 쟁송은 원칙적으로 행정사건으로서 행정소송법의 적용을 받는다.

④ 개발부담금 부과처분이 취소된 이상 그 후의 부당이득으로서의 과오납금 반환에 관한 법률관계는 단순한 민사관계라 볼 수 없고, 행정소송 절차에 따라야 하는 행정법관계로 보아야 한다.

관련기출

②

1. 국가나 지방자치단체에 근무하는 청원경찰은 국가공무원법이나 지방공무원법상의 공무원이므로, 그 근무관계를 사법상의 고용계약관계로 보기는 어려워 그에 대한 징계처분의 시정을 구하는 소는 행정소송의 대상이지 민사소송의 대상이 아니다. (○, ×) 2020 경행경채
2. 국가나 지방자치단체에 근무하는 청원경찰은 국가공무원법이나 지방공무원법상의 공무원은 아니므로 그 근무관계는 사법상의 고용계약관계로 볼 수 있다. (○, ×) 2020 군무원 7급

1. × 2. ×

③

1. 조세채무관계는 공법상의 법률관계이고 그에 관한 쟁송은 원칙적으로 행정사건으로서 행정소송법의 적용을 받는다. (○, ×) 2020 군무원 7급

1. ○

① **빈출** ○

국유재산 '무단점유자에 대한 변상금 부과처분'은 관리청이 우월적 지위에서 행한 것으로서 행정처분이다.

국유재산법 제51조 제1항은 국유재산의 무단점유자에 대하여는 대부 또는 사용 · 수익허가 등을 받은 경우에 납부하여야 할 대부료 또는 사용료 상당액 외에도 그 징벌적 의미에서 국가 측이 일방적으로 그 2할 상당액을 추가하여 변상금을 징수토록 하고 있으며 동조 제2항은 변상금의 체납시 국세징수법에 의하여 강제징수토록 하고 있는 점 등에 비추어 보면 국유재산의 관리청이 그 무단점유자에 대하여 하는 변상금 부과처분은 순전히 사경제주체로서 행하는 사법상의 법률행위라 할 수 없고 이는 관리청이 공권력을 가진 우월적 지위에서 행한 것으로서 행정소송의 대상이 되는 행정처분이라고 보아야 한다(대판 1988. 2. 23, 87누1046 · 1047).

② **빈출** ○

국가나 지방자치단체에 근무하는 청원경찰은 국가공무원법이나 지방공무원법상의 공무원은 아니지만, 다른 청원경찰과는 달리 그 임용권자가 행정기관의 장이고, 국가나 지방자치단체로부터 보수를 받으며, 산업재해보상보험법이나 근로기준법이 아닌 공무원연금법에 따른 재해보상과 퇴직급여를 지급받고, 직무상의 불법행위에 대하여도 민법이 아닌 국가배상법이 적용되는 등의 특질이 있으며 그 외 임용자격, 직무, 복무의무 내용 등을 종합하여 볼 때, 그 근무관계를 사법상의 고용계약관계로 보기는 어려우므로 그에 대한 징계처분의 시정을 구하는 소는 행정소송의 대상이지 민사소송의 대상이 아니다(대판 1993. 7. 13, 92다47564).

③ ○

조세채무가 금전채무라는 사실에서 사법상의 채무와 공통점을 갖지만, 조세채무는 법률의 규정에 의하여 정해지는 법정채무로서 당사자가 그 내용 등을 임의로 정할 수 없고, 조세채무관계는 공법상의 법률관계이고 그에 관한 쟁송은 원칙적으로 행정사건으로서 행정소송법의 적용을 받으며, …… (대판 2007. 12. 14, 2005다11848)

④ ×

개발부담금 부과처분이 취소된 경우, 그 과오납금에 대한 부당이득반환청구의 법률관계는 사법관계이다(사법행위).

개발부담금 부과처분이 취소된 이상 그 후의 부당이득으로서의 과오납금 반환에 관한 법률관계는 단순한 민사관계에 불과한 것이고, 행정소송절차에 따라야 하는 관계로 볼 수 없다(대판 1995. 12. 22, 94다51253).

정답 02 ④

03 상

2023 변호사 변형

폐기물처리업의 허가를 받은 甲은 A시 시장 乙과 「지방자치단체를 당사자로 하는 계약에 관한 법률」에 따라 재활용품의 수집 · 운반 업무를 대행하는 계약을 체결하였다. 이에 관한 설명으로 옳은 것을 모두 고른 것은? (다툼이 있는 경우 판례에 의함)

□□□ ㉠ 甲이 乙과 체결한 계약은 공법상 계약에 해당한다.
□□□ ㉡ 甲이 乙과 체결한 계약에 대해서는 법령에 특별한 규정이 없는 한 사적 자치와 계약자유의 원칙 등 사법의 원리가 그대로 적용된다.
□□□ ㉢ 甲이 乙과 체결한 계약은 국가배상법상 국가배상청구의 요건인 공무원의 '직무'에 포함되지 않는다.

① ㉠, ㉡　② ㉠, ㉢
③ ㉡, ㉢　④ ㉠, ㉡, ㉢

㉠ ×
㉡ ○
재활용품의 수집 · 운반 업무의 대행을 위탁하고 그에 대한 대행료를 지급하는 것을 내용으로 하는 용역계약은 사법상 계약에 해당한다.

> 1. 이 사건 최초계약과 변경계약은 피고(전주시)가 원고들에게 음식물류 폐기물의 수집 · 운반, 가로 청소, 재활용품의 수집 · 운반 업무의 대행을 위탁하고 그에 대한 대행료를 지급하는 것을 내용으로 하는 용역계약으로서 이 사건 변경계약에 따른 대행료 정산의무의 존부는 민사 법률관계에 해당하므로 이를 소송물로 다투는 소송은 민사소송에 해당하는 것으로 보아야 한다(㉠).
> 2. 지방자치단체가 일방 당사자가 되는 이른바 '공공계약'이 사경제의 주체로서 상대방과 대등한 위치에서 체결하는 사법상 계약에 해당하는 경우 그에 관한 법령에 특별한 정함이 있는 경우를 제외하고는 사적 자치와 계약자유의 원칙 등 사법의 원리가 그대로 적용된다(㉡)(대판 2018. 2. 13, 2014두11328).

㉢ ○
甲이 乙과 체결한 계약은 사법상 계약이므로(㉠ 해설 참조) 국가배상청구의 요건인 공무원의 '직무'에 포함되지 않는다(제28강 참조).

> 국가배상법이 정한 배상청구의 요건인 공무원의 직무에는 권력적 작용만이 아니라 행정지도와 같은 비권력적 작용도 포함되며, 단지 행정주체가 사경제주체로서 하는 활동만이 제외된다(대판 1998. 7. 10, 96다38971).

04 중

2021 군무원 7급

국유재산에 대한 설명으로 옳지 않은 것은? (단, 다툼이 있는 경우 판례에 의함)

□□□ ① 국가가 국유재산의 무단점유자를 상대로 변상금의 부과징수권의 행사와 별도로 국유재산의 소유자로서 민사상 부당이득반환청구의 소를 제기할 수 있다.
□□□ ② 국유재산의 무단점유자에 대한 변상금 부과는 관리청이 공권력을 가진 우월한 지위에서 행한 것으로 항고소송의 대상이 되는 행정처분의 성격을 갖는다.
□□□ ③ 행정재산의 목적 외 사용 · 수익허가의 법적 성질은 특정인에게 행정재산을 사용할 수 있는 권리를 설정하여 주는 강학상 특허에 해당한다.
□□□ ④ 국유재산법에서는 행정재산의 사용 · 수익의 허가기간은 3년 이내로 한다.

관련기출

①
1. 국가는 국유재산의 무단점유자에 대하여 변상금 부과 · 징수권의 행사와는 별도로 민사상 부당이득반환청구의 소를 제기할 수 없다. (○, ×)
2016 서울시 7급

1. ×

① ○
각론에 해당하는 지문이나 정리해두기 바란다.

> 변상금 부과 · 징수권은 민사상 부당이득반환청구권과 법적 성질을 달리하므로, 국가는 무단점유자를 상대로 변상금 부과 · 징수권의 행사와 별도로 국유재산의 소유자로서 민사상 부당이득반환청구의 소를 제기할 수 있다(대판 2014. 7. 16, 2011다76402).

② ○
국유재산 '무단점유자에 대한 변상금 부과처분'은 관리청이 우월적 지위에서 행한 것으로서 행정처분이라는 것이 판례의 입장이다(대판 1988. 2. 23, 87누1046 · 1047).

③ ○

> 공유재산의 관리청이 행하는 행정재산의 사용 · 수익에 대한 허가는 순전히 사경제주체로서 행하는 사법상의 행위가 아니라 관리청이 공권력을 가진 우월적 지위에서 행하는 행정처분으로서 특정인에게 행정재산을 사용할 수 있는 권리를 설정하여 주는 강학상 특허에 해당한다(공법행위)(대판 1998. 2. 27, 97누1105).

④ ×
각론에 해당하는 지문이다.

> **국유재산법 제35조【사용허가기간】** ① 행정재산의 사용허가기간은 5년 이내로 한다. 다만, 제34조 제1항 제1호의 경우에는 사용료의 총액이 기부를 받은 재산의 가액에 이르는 기간 이내로 한다.

정답 03 ③ 04 ④

05 정답률 75% 중 2020 지방직 · 서울시 9급

공법관계와 사법관계에 대한 설명으로 옳은 것은? (다툼이 있는 경우 판례에 의함)

□□□ ① 행정절차법은 공법관계는 물론 사법관계에 대해서도 적용된다.

□□□ ② 공법관계는 행정소송 중 항고소송의 대상이 되며, 사인 간의 법적 분쟁에 관한 사법관계는 행정소송 중 당사자소송의 대상이 된다.

□□□ ③ 법률관계의 한쪽 당사자가 행정주체인 경우에는 공법관계로 보는 것이 판례의 일관된 입장이다.

□□□ ④ 입찰보증금의 국고귀속조치는 국가가 사법상의 재산권의 주체로서 행위하는 것이지, 공권력을 행사하는 것이거나 공권력작용과 일체성을 가진 것이 아니라 할 것이다.

관련기출

②

1. 행정상 법률관계를 공법관계와 사법관계로 구분하는 것은 각각의 소송절차와도 관련된다. (○, ×) 2018 교육행정직 9급

1. ○

① ×

행정절차법은 공법(公法)상 행정절차에 관한 일반법이므로 사법(私法)관계에는 적용되지 않는다.

> **행정절차법 제3조【적용범위】** ① 처분, 신고, 확약, 위반사실 등의 공표, 행정계획, 행정상 입법예고, 행정예고 및 행정지도의 절차(이하 '행정절차'라 한다)에 관하여 다른 법률에 특별한 규정이 있는 경우를 제외하고는 이 법에서 정하는 바에 따른다.

② ×

공법관계에 관한 분쟁은 행정소송의 대상이 되지만 항고소송으로만 다툴 수 있는 것은 아니다(아래 행정소송법 제3조 참조). 한편, 사인 간의 법적 분쟁에 관한 사법관계는 당사자소송이 아니라 민사소송의 대상이 된다. 당사자소송은 행정소송의 종류 중 하나이다.

> **행정소송법 제3조【행정소송의 종류】** 행정소송은 다음의 네 가지로 구분한다.
> 1. 항고소송 : 행정청의 처분 등이나 부작위에 대하여 제기하는 소송
> 2. 당사자소송 : 행정청의 처분 등을 원인으로 하는 법률관계에 관한 소송 그 밖에 공법상의 법률관계에 관한 소송으로서 그 법률관계의 한쪽 당사자를 피고로 하는 소송
> 3. 민중소송 : 국가 또는 공공단체의 기관이 법률에 위반되는 행위를 한 때에 직접 자기의 법률상 이익과 관계없이 그 시정을 구하기 위하여 제기하는 소송
> 4. 기관소송 : 국가 또는 공공단체의 기관 상호 간에 있어서의 권한의 존부 또는 그 행사에 관한 다툼이 있을 때에 이에 대하여 제기하는 소송. 다만, 헌법재판소법 제2조의 규정에 의하여 헌법재판소의 관장사항으로 되는 소송은 제외한다.

③ ×

법률관계의 한쪽 당사자가 행정주체인 경우라도 사법관계인 경우도 있다.

> 「국가를 당사자로 하는 계약에 관한 법률」에 따라 국가와 사인 간의 관급공사계약체결은 사법상 계약이다(대판 2001. 12. 11, 2001다33604).

④ ○

입찰보증금의 국고귀속조치는 국가가 사법상 재산권의 주체로서 행위하는 것이지 공권력을 행사하는 것이거나 공권력작용과 일체성을 가진 것이 아니라는 것이 판례의 입장이다(대판 1983. 12. 27, 81누366).

정답 05 ④

06 빈출 ⓢ 2020 국회직 8급

공법관계와 사법관계에 대한 설명으로 옳은 것만을 <보기>에서 모두 고른 것은? (다툼이 있는 경우 판례에 의함)

보기

□□□ ㉠ 조달청이 국가종합전자조달시스템인 나라장터 종합쇼핑몰에 거래정지조치를 하는 것은 처분으로서 공법관계에 속한다.

□□□ ㉡ 초·중등교육법상 사립중학교에 대한 중학교 의무교육의 위탁관계는 사법관계에 속한다.

□□□ ㉢ 공용수용의 목적물이 불필요하게 된 경우 피수용자가 다시 수용된 토지의 소유권을 회복할 수 있도록 하는 환매권은 일종의 공권이다.

□□□ ㉣ 사립학교 교원에 대한 징계는 사법관계이나 그에 대한 교원소청심사가 제기되어 그에 대한 결정이 있으면 그 결정은 공법의 문제가 된다.

① ㉠, ㉡ ② ㉠, ㉢
③ ㉠, ㉣ ④ ㉡, ㉣
⑤ ㉡, ㉢, ㉣

관련기출

㉠

1. 조달청이 국가종합전자조달시스템인 나라장터 종합쇼핑몰에서 일부 제품이 계약규격과 다르다는 이유로 거래정지조치를 하는 것은 항고소송의 대상이 되는 행정처분에 해당한다. (○, ×) 2023 해경간부
2. 조달청이 계약대상자에 대하여 나라장터 종합쇼핑몰에서의 거래를 일정기간 정지하는 조치는 사법상 계약에 근거한 것으로서 이에 대해서는 행정소송이 아닌 민사소송을 통해 다투어야 한다. (○, ×) 2023 국회직 9급

1. ○ 2. ×

㉢

1. 「공익사업을 위한 토지 등의 취득 및 보상에 관한 법률」상 환매권은 상대방에 대한 의사표시를 요하는 공법상 형성권의 일종으로서 이러한 환매권의 존부에 관한 확인을 구하는 소송은 당사자소송에 해당한다. (○, ×) 2024 군무원 5급
2. 환매권은 형성권으로서 환매는 국가와 환매권자 간의 공법상 계약이라 할 것이며 환매거부는 공권력의 행사이다. (○, ×) 2024 국회직 8급
3. 「공익사업을 위한 토지 등의 취득 및 보상에 관한 법률」상 환매권의 존부에 관한 확인을 구하는 소송 및 환매금액의 증감을 구하는 소송은 민사소송이다. (○, ×) 2022 국가직 9급
4. 「징발재산정리에 관한 특별조치법」 제20조 소정의 환매권의 행사는 공법관계이다. (○, ×) 2016 경행경채
5. 환매권의 행사는 판례에서 공법상 법률관계로 본다. (○, ×) 2010 경행특채

1. × 2. × 3. ○ 4. × 5. ×

㉠ ○

피고가 사법상 계약인 물품구매(제조)계약 추가특수조건에 근거하여 한 나라장터 종합쇼핑몰 거래정지조치는 비록 추가특수조건이라는 사법상 계약에 근거한 것이기는 하지만 행정청인 피고가 행하는 구체적 사실에 관한 법집행으로서의 공권력의 행사로서 그 상대방인 원고의 권리·의무에 직접 영향을 미치므로 항고소송의 대상에 해당한다(대판 2018. 11. 29, 2015두52395).

㉡ ×

사립중학교에 대한 중학교 의무교육의 위탁관계는 초·중등교육법 제12조 제3항, 제4항 등 관련법령에 의하여 정해지는 공법적 관계이다(대판 2015. 1. 29, 2012두7387).

㉢ ×

1. 환매권은 재판상이든 재판 외이든 그 기간 내에 행사하면 이로써 매매의 효력이 생기고, 위 매매는 「징발재산정리에 관한 특별조치법」 제20조 제1항에 적힌 환매권자와 국가 간의 사법(私法)상의 매매라 할 것이다(대판 1992. 4. 24, 92다4673).
2. 구 「공익사업을 위한 토지 등의 취득 및 보상에 관한 법률」 제91조에 규정된 환매권의 존부에 관한 확인을 구하는 소송 및 같은 조 제4항에 따라 환매금액의 증감을 구하는 소송은 민사소송에 해당한다.
   구 「공익사업을 위한 토지 등의 취득 및 보상에 관한 법률」 제91조에 규정된 환매권은 상대방에 대한 의사표시를 요하는 형성권의 일종으로서 재판상이든 재판 외이든 위 규정에 따른 기간 내에 행사하면 매매의 효력이 생기는바, 이러한 환매권의 존부에 관한 확인을 구하는 소송 및 구 토지보상법 제91조 제4항에 따라 환매금액의 증감을 구하는 소송 역시 민사소송에 해당한다(대판 2013. 2. 28, 2010두22368).

㉣ ○

1. 사립학교 교원과 학교법인은 사법상 관계이므로 사립학교 교원에 대한 학교법인의 해임은 민사소송의 대상이다.
2. 사립학교 교원이 학교법인의 해임처분에 대하여 「교원지위향상을 위한 특별법」(현 「교원의 지위 향상 및 교육활동 보호를 위한 특별법」)에 따라 교육부 내의 교원징계재심위원회(현 교원소청심사위원회)에 재심청구를 한 경우 재심위원회의 결정은 행정소송의 대상인 행정처분이다(대판 1993. 2. 12, 92누13707).

정답 06 ③

07 빈출 중　　2018 경행경채 3차

공법관계에 해당하는 것을 모두 고른 것은? (다툼이 있는 경우 판례에 의함)

보기

□□□ ㉠ 지방자치단체와 그 소속 경력직 공무원인 지방소방공무원 사이의 관계

□□□ ㉡ 국가나 지방자치단체와 이에 근무하는 청원경찰의 관계

□□□ ㉢ 한국조폐공사의 임원과 직원의 근무관계

□□□ ㉣ 농지개량조합과 그 직원과의 관계

□□□ ㉤ 서울특별시지하철공사의 임원과 직원의 근무관계

① ㉠, ㉢, ㉤　　② ㉡, ㉢, ㉣
③ ㉠, ㉡, ㉣　　④ ㉡, ㉢, ㉤

관련기출

1. 한국조폐공사가 행한 소속 직원 파면행위는 우리 판례에 따를 때 사법관계의 행위에 해당한다. (○, ×)　2014 서울시 7급

1. ○

㉣

1. 농지개량조합의 직원에 대한 징계처분은 처분성이 인정된다. (○, ×)　2017 사회복지직 9급
2. 농지개량조합의 직원에 대한 징계처분은 판례에 따를 때, 사법관계에 해당한다. (○, ×)　2015 서울시 9급
3. 판례에 의하면 농지개량조합과 그 직원의 관계는 공법상 특별권력관계이다. (○, ×)　2013 지방직(하) 7급

1. ○　2. ×　3. ○

③ ㉠㉡㉣은 공법관계에 해당하고, ㉢㉤은 사법관계에 해당한다. 단체와 그 소속 직원의 근무관계(특히 징계처분)에 관한 문제는 자주 등장하는 유형이므로 이 문제를 통해 정리해두도록 하자.

㉠　○

> 지방자치단체와 그 소속 경력직 공무원인 지방소방공무원 사이의 관계, 즉 지방소방공무원의 근무관계는 사법상의 근로계약관계가 아닌 공법상의 근무관계에 해당하고, 그 근무관계의 주요한 내용 중 하나인 지방소방공무원의 보수에 관한 법률관계는 공법상의 법률관계라고 보아야 한다(대판 2013. 3. 28, 2012다102629).

㉡　○

국가나 지방자치단체에 근무하는 청원경찰에 대한 징계처분의 시정을 구하는 소는 행정소송의 대상이지 민사소송의 대상이 아니라는 것이 판례의 입장이다(대판 1993. 7. 13, 92다47564).

㉢　×

> 한국조폐공사직원의 근무관계는 사법관계에 속하고 그 직원의 파면행위도 사법상의 행위라고 보아야 한다(대판 1978. 4. 25, 78다414).

㉣ 빈출　○

> 농지개량조합과 그 직원의 관계는 사법상의 근로계약관계가 아닌 공법상의 특별권력관계이고, 그 조합의 직원에 대한 징계처분의 취소를 구하는 소송은 행정소송사항에 속한다(대판 1995. 6. 9, 94누10870).

㉤　×

> 서울특별시지하철공사의 임원과 직원의 근무관계의 성질은 지방공기업법의 모든 규정을 살펴보아도 공법상의 특별권력관계라고는 볼 수 없고 사법관계에 속한다(대판 1989. 9. 12, 89누2103).

정답 07 ③

08 중

2017 국가직(하) 7급

공법관계와 사법관계에 대한 판례의 입장으로 옳은 것으로만 묶은 것은?

□□□ ㉠ 국유재산법상의 국유재산무단사용 변상금의 부과처분 – 공법관계
□□□ ㉡ 개발부담금 부과처분의 직권취소를 이유로 한 부당이득반환청구 – 공법관계
□□□ ㉢ 귀속재산처리법에 의한 귀속재산의 매각행위 – 공법관계
□□□ ㉣ 「도시 및 주거환경정비법」상의 주택재건축정비사업조합이 수립한 관리처분계획안에 대한 조합총회결의 – 사법관계

① ㉠, ㉡ ② ㉠, ㉢
③ ㉠, ㉣ ④ ㉢, ㉣

㉠ ○

국유재산 '무단점유자에 대한 변상금 부과처분'은 관리청이 우월적 지위에서 행한 것으로서 행정처분이라는 것이 판례의 입장이다(대판 1988. 2. 23, 87누1046 · 1047).

㉡ ×

> 개발부담금 부과처분이 취소된 이상 그 후의 부당이득으로서의 과오납금 반환에 관한 법률관계는 단순한 민사관계에 불과한 것이고, 행정소송절차에 따라야 하는 관계로 볼 수 없다(대판 1995. 12. 22, 94다51253).

㉢ ○

귀속재산의 매각은 행정처분이다.

> 행정관청이 국유재산을 매각하는 것은 사법상의 매매계약일 수도 있으나 귀속재산처리법에 의하여 귀속재산을 매각하는 것은 행정처분이지 사법상의 매매가 아니다(대판 1991. 6. 25, 91다10435).

㉣ ×

> 행정주체인 재건축조합을 상대로 관리처분계획안에 대한 조합총회결의의 효력 등을 다투는 소송은 행정처분에 이르는 절차적 요건의 존부나 효력 유무에 관한 소송으로서 그 소송결과에 따라 행정처분의 위법 여부에 직접 영향을 미치는 공법상 법률관계에 관한 것이므로, 이는 행정소송법상의 당사자소송에 해당한다(대판 2009. 9. 17, 2007다2428 전합).

정답 08 ②

09 빈출 정답률 60% 중 2019 서울시 9급

<보기>의 행정상 법률관계 중 행정소송의 대상이 되는 경우만을 모두 고른 것은? (다툼이 있는 경우 판례에 따름)

보기

□□□ ㉠ 지방재정법에 따라 지방자치단체가 당사자가 되어 체결하는 계약에 있어 계약보증금의 귀속조치
□□□ ㉡ 국유재산의 무단점유자에 대한 변상금의 부과
□□□ ㉢ 시립무용단원의 해촉
□□□ ㉣ 행정재산의 사용 · 수익허가 신청의 거부

① ㉠, ㉢ ② ㉡, ㉣
③ ㉠, ㉢, ㉣ ④ ㉡, ㉢, ㉣

④ ㉠은 행정소송의 대상이 되지 않지만, ㉡㉢㉣은 행정소송의 대상이 된다.

㉠ ×

구 예산회계법(현 「국가를 당사자로 하는 계약에 관한 법률」)상 입찰보증금의 국고귀속조치는 민사소송의 대상이 된다는 것이 판례의 입장이다(대판 1983. 12. 27, 81누366). 지문에 제시된 지방재정법(현 「지방자치단체를 당사자로 하는 계약에 관한 법률」)에 따라 지방자치단체가 당사자가 되어 체결하는 계약의 경우도 동일하다.

㉡ ○

국유재산 '무단점유자에 대한 변상금 부과처분'은 관리청이 우월적 지위에서 행한 것으로서 행정처분이라는 것이 판례의 입장이다(대판 1988. 2. 23, 87누1046 · 1047).

㉢ ○

서울시립무용단원의 위촉은 공법상 계약이며 그 해촉에 관한 분쟁은 행정소송인 공법상 당사자소송의 대상이 된다(대판 1995. 12. 22, 95누4636).

㉣ ○

1. 공유재산의 관리청이 행하는 행정재산의 사용 · 수익에 대한 허가는 순전히 사경제주체로서 행하는 사법상의 행위가 아니라 관리청이 공권력을 가진 우월적 지위에서 행하는 행정처분으로서 특정인에게 행정재산을 사용할 수 있는 권리를 설정하여 주는 강학상 특허에 해당한다.
2. 행정재산의 사용 · 수익허가처분의 성질에 비추어 국민에게는 행정재산의 사용 · 수익허가를 신청할 법규상 또는 조리상의 권리가 있다고 할 것이므로 공유재산의 관리청이 행정재산의 사용 · 수익에 대한 허가신청을 거부한 행위 역시 행정처분에 해당한다(대판 1998. 2. 27, 97누1105).

정답 09 ④

10 정답률 32% 상 2016 지방직 7급

공법관계와 사법관계에 대한 설명으로 옳지 않은 것은? (다툼이 있는 경우 판례에 의함)

□□□ ① 국유 일반재산의 대부료 등의 징수에 관하여 국세징수법 규정을 준용한 간이하고 경제적인 특별구제절차가 마련되어 있으므로, 특별한 사정이 없는 한 민사소송의 방법으로 대부료 등의 지급을 구하는 것은 허용되지 아니한다.

□□□ ② 국유재산의 관리청이 그 무단점유자에 대하여 하는 변상금 부과처분은 관리청이 공권력을 가진 우월적 지위로 행한 것으로서 행정소송의 대상이 되는 행정처분이라고 보아야 한다.

□□□ ③ 구 예산회계법에 따라 체결되는 계약에 있어서 입찰보증금의 국고귀속조치에 관한 분쟁은 민사소송의 대상이 되지만, 입찰자격정지에 대해서는 항고소송으로 다투어야 한다.

□□□ ④ 공익사업의 시행으로 인하여 건축허가 등 관계법령에 의한 절차를 진행 중이던 사업이 폐지되는 경우 그 사업 등에 소요된 비용 등의 손실에 대한 쟁송은 민사소송절차에 의해야 한다.

① ○

국유 일반재산의 대부료 등의 지급을 원칙적으로 민사소송의 방법으로 구할 수는 없다.

국유재산법 제42조 제1항, 제73조 제2항 제 2호에 따르면, 국유 일반재산의 관리·처분에 관한 사무를 위탁받은 자는 국유 일반재산의 대부료 등이 납부기한까지 납부되지 아니한 경우에는 국세징수법 제23조(현 제10조)와 같은 법의 체납처분에 관한 규정을 준용하여 대부료 등을 징수할 수 있다. 이와 같이 국유 일반재산의 대부료 등의 징수에 관하여는 국세징수법 규정을 준용한 간이하고 경제적인 특별구제절차가 마련되어 있으므로, 특별한 사정이 없는 한 민사소송의 방법으로 대부료 등의 지급을 구하는 것은 허용되지 아니한다(대판 2014. 9. 4, 2014다203588).

② ○

국유재산 '무단점유자에 대한 변상금 부과처분'은 관리청이 우월적 지위에서 행한 것으로서 행정처분이라는 것이 판례의 입장이다(대판 1988. 2. 23, 87누1046 · 1047).

③ 제37강 참조 ○

판례는 구 예산회계법에 따른 입찰보증금의 국고귀속조치는 민사소송의 대상으로 보지만 입찰참가자격제한조치는 항고소송의 대상인 처분으로 본다.

1. 구 예산회계법(현 「국가를 당사자로 하는 계약에 관한 법률」)상 입찰보증금의 국고귀속조치는 민사소송의 대상이 된다.
2. 입찰금액의 착오기재를 주장하고 공사계약 체결에 불응한 사업자에 대한 입찰참가자격정지처분은 행정소송의 대상이 되는 처분이다(대판 1983. 12. 27, 81누366).

④ ×

구 「공익사업을 위한 토지 등의 취득 및 보상에 관한 법률」 제79조 제2항 등에 따른 사업폐지 등에 대한 보상청구권에 관한 쟁송형태는 행정소송이다.

구 「공익사업을 위한 토지 등의 취득 및 보상에 관한 법률」 제79조 제2항, 「공익사업을 위한 토지 등의 취득 및 보상에 관한 법률 시행규칙」 제57조에 따른 사업폐지 등에 대한 보상청구권은 공익사업의 시행 등 적법한 공권력의 행사에 의한 재산상 특별한 희생에 대하여 전체적인 공평부담의 견지에서 공익사업의 주체가 손해를 보상하여 주는 손실보상의 일종으로 공법상 권리임이 분명하므로 그에 관한 쟁송은 민사소송이 아닌 행정소송절차에 의하여야 한다(대판 2012. 10. 11, 2010다23210).

정답 10 ④

02 행정상 법률관계

기 95~96쪽 핵 T 10

11 상

2018 교육행정직 9급

행정상 법률관계에 관한 설명으로 옳은 것을 <보기>에서 고른 것은?

보기

- ㉠ 공법관계와 사법관계는 1차적으로 관계법령의 규정내용과 성질 등을 기준으로 구별한다.
- ㉡ 행정상 법률관계를 공법관계와 사법관계로 구분하는 것은 각각의 소송절차와도 관련된다.
- ㉢ 초 · 중등교육법상 사립중학교에 대한 중학교 의무교육의 위탁관계는 사법관계에 속한다.
- ㉣ 행정사법(行政私法) 영역에서는 사법이 적용되며, 공법원리는 추가로 적용될 수 없다.

① ㉠, ㉡ ② ㉠, ㉢
③ ㉡, ㉣ ④ ㉢, ㉣

㉠ ○

공법관계와 사법관계는 1차적으로 관계법령의 규정내용과 성질 등을 기준으로 하여 구별한다. 예컨대, 법규가 행정상 강제집행 등을 인정하고 있는 경우 또는 법적 분쟁에 대해 행정상 쟁송을 제기하도록 명문규정을 둔 경우 그 법률관계는 공법관계가 된다. 다만, 법규정의 해석으로도 명확하지 않은 경우에는 2차적 기준으로 주체설, 종속설, 이익설, 귀속설(신주체설)이 대립하며 통설은 각각의 학설의 장점을 종합적으로 고려해야 한다는 복수기준설을 취하고 있다.

㉡ ○

공법관계에서의 분쟁은 행정소송절차에 따라야 하며 사법관계에서의 분쟁은 민사소송절차에 따라야 하므로 공법관계와 사법관계를 구별할 실익은 소송절차와도 관련된다.

㉢ ×

사립중학교에 대한 중학교 의무교육의 위탁관계는 초 · 중등교육법 제12조 제3 · 4항 등 관련법령에 의하여 정해지는 공법적 관계라는 것이 판례의 입장이다(대판 2015. 1. 29, 2012두7387).

㉣ ×

행정사법관계란 행정주체가 공행정작용을 수행함에 있어서 사법(私法)적 형식으로 국민과 맺는 법률관계를 의미한다. 행정사법관계도 사법관계의 일종이므로 원칙적으로 사법에 의해 규율된다. 다만, 공행정작용이라는 실질을 가지고 있으므로 공공성을 보장하기 위해 평등의 원칙, 비례의 원칙 등 해석상 일정한 공법원리가 적용된다.

03 행정법관계의 당사자

기 97~101쪽 핵 T 10

12 중

2022 서울시 지적 7급

공무수탁사인에 대한 설명으로 가장 옳지 않은 것은? (다툼이 있는 경우 판례에 의함)

① 공무수탁사인은 특별한 사정이 없는 한 권한을 부여받은 법령의 범위 내에서 행정주체의 지위를 가진다.
② 공무수탁사인의 업무수행으로 인하여 권리가 침해당한 사인은 공무수탁사인을 상대로 행정소송을 제기할 수 있다.
③ 공무수탁사인의 위법한 공무집행으로 손해를 입은 사인은 국가나 지방자치단체를 상대로 국가배상을 청구할 수 있다.
④ 공무수탁사인으로 공증업무를 수행하는 공증인, 사법상 계약에 의하여 주차위반차량을 견인하는 민간사업자, 교통사고현장에서 경찰의 지시에 따라 경찰을 돕는 보조자 등을 들 수 있다.

①② ○

공무수탁사인은 수탁받은 공무를 수행하는 범위 내에서는 행정주체이고, 행정절차법이나 행정심판법과 행정소송법상으로는 행정청이기도 하다. 즉, 공무수탁사인이 공무를 수행한 경우 그 행위의 법적 효과는 공무수탁사인에게 귀속된다. 또한 행정소송의 피고도 공무를 위임한 행정청이 아니라 공무수탁사인이 된다(행정소송법 제2 · 13조).

③ ○

공무수탁사인의 위법한 침해로 사인이 손해를 입은 경우 국가배상법에 따라 손해배상을 청구할 수 있다. 이때 손해배상의 상대방이 누구인지에 대해서 학설이 대립하나, 다수설은 공무를 위탁한 국가 또는 지방자치단체를 상대로 손해배상을 청구할 수 있다고 한다.

> **국가배상법 제2조【배상책임】** ① 국가나 지방자치단체는 공무원 또는 공무를 위탁받은 사인(이하 '공무원'이라 한다)이 직무를 집행하면서 고의 또는 과실로 법령을 위반하여 타인에게 손해를 입히거나, 「자동차손해배상 보장법」에 따라 손해배상의 책임이 있을 때에는 이 법에 따라 그 손해를 배상하여야 한다.

④ ×

'공증업무를 수행하는 공증인'은 공무수탁사인이다. 그러나 '사법상 계약에 의하여 주차위반차량을 견인하는 민간사업자'는 경찰과의 내부계약상 견인업무를 사실상 수행하는 것에 불과하고 독자적으로 국민과의 관계에서 행정권을 행사하는 것이 아니므로 공무수탁사인과는 구별된다. 또한 교통사고현장에서 경찰의 지시에 따라 경찰을 돕는 보조자도 행정을 자기책임하에 수행하는 것이 아니라 행정청을 위하여 단순히 보조역할을 하는 행정보조인으로서, 역시 공무수탁사인이 아니다.

정답 11 ① 12 ④

13 중 2018 서울시 1회 7급

공무수탁사인에 해당되지 않는 것은?

□□□ ① 도로교통법상 견인업무를 대행하는 자동차견인업자

□□□ ② 「민영교도소 등의 설치 · 운영에 관한 법률」상 교정업무를 수행하는 민영교도소

□□□ ③ 「항공안전 및 보안에 관한 법률」상 경찰임무를 수행하는 항공기의 기장

□□□ ④ 「공익사업을 위한 토지 등의 취득 및 보상에 관한 법률」상 토지수용권을 행사하는 사인

① ×

공무수탁사인은 위탁받은 한도 내에서 스스로가 행정주체로서 사인과 공법상 법률관계를 형성할 수 있다. 공무수탁사인은 사법(私法)상 계약에 의해 일정한 행위의 위탁을 받은 자와는 구별된다. 예컨대 경찰과의 사법상 용역계약에 의해 주차위반차량을 견인하는 민간사업자는 스스로가 행정주체로서 국민과의 관계를 맺는 것이 아니라 법적으로는 경찰기관이 견인업무를 수행하는 것이 되며, 다만 견인업자는 차량 견인행위를 사실상 수행하는 자에 불과하다. 이 경우 공법상의 법률관계는 경찰과 주민 사이에서 이루어지고 공과금 등의 부과 · 징수 등도 경찰과 주민 사이에서 일어난다. 즉, 견인업자는 경찰과의 내부계약상 견인업무를 사실상 수행하는 것에 불과하며 독자적으로 국민과의 관계에서 행정권을 행사하는 것이 아니므로 공무수탁사인과는 구별된다.

②③④ ○

「민영교도소 등의 설치 · 운영에 관한 법률」에 따라 교정업무를 수행하는 교정법인 또는 민영교도소(②), 「항공안전 및 보안에 관한 법률」(현 항공보안법)상 경찰임무를 수행하는 항공기의 기장(③), 「공익사업을 위한 토지 등의 취득 및 보상에 관한 법률」상 사인이 사업시행자로서 토지를 수용하는 경우(④)는 모두 공무수탁사인에 포함된다.

14 정답률 72% 중 2017 서울시 9급

행정상 법률관계의 당사자에 관한 설명으로 옳은 것은? (다툼이 있는 경우 판례에 의함)

□□□ ① 국가나 지방자치단체는 행정청과는 달리 당사자소송의 당사자가 될 수 있고 국가배상책임의 주체가 될 수 있다.

□□□ ② 법인격 없는 단체는 공무수탁사인이 될 수 없다.

□□□ ③ 「도시 및 주거환경정비법」에 따른 주택재건축정비조합은 공법인으로서 행정주체의 지위를 가진다고 보기 어렵다.

□□□ ④ 「민영교도소 등의 설치 · 운영에 관한 법률」상의 민영교도소는 행정보조인(행정보조자)에 해당한다.

관련기출

③

1. 「도시 및 주거환경정비법」에 따른 주택재건축정비사업조합은 행정주체가 될 수 있다. (○, ×) 2013 국가직 9급

1. ○

① ○

당사자소송의 원고 · 피고는 권리주체이어야 하므로 법인격 주체가 아닌 행정청은 당사자소송의 당사자가 될 수 없다. 그런데 국가나 지방자치단체는 행정청과는 달리 권리주체로서 당사자소송의 당사자가 될 수 있다. 또한 국가나 지방자치단체는 국가배상법상 국가배상책임의 주체가 될 수도 있다.

② ×

공무수탁사인은 자연인일 수도 있고, 법인 또는 법인격 없는 공공단체일 수도 있다.

③ ×

> 「도시 및 주거환경정비법」상 주택재건축정비사업조합은 공법인으로서 그 목적범위 내에서 행정주체의 지위를 갖는다.
>
> 「도시 및 주거환경정비법」에 따른 주택재건축정비사업조합은 관할행정청의 감독 아래 위 법상의 주택재건축사업을 시행하는 공법인(동법 제18조)으로서, 그 목적범위 내에서 법령이 정하는 바에 따라 일정한 행정작용을 행하는 행정주체의 지위를 갖는다(대판 2009. 10. 15, 2008다93001).

④ ×

「민영교도소 등의 설치 · 운영에 관한 법률」에 따라 교정업무를 수행하는 민영교도소는 단순한 행정보조자가 아니라 공행정사무를 자신의 이름으로 처리하는 권한을 갖는 공무수탁사인으로서 행정주체이다.

정답 13 ① 14 ①

15 정답률 83% 중 2016 서울시 9급

다음 중 행정주체가 아닌 것은?

□□□ ① 법무부장관
□□□ ② 농지개량조합
□□□ ③ 서울대학교
□□□ ④ 대구광역시

① ×

법무부장관은 행정을 실제로 수행하는 자로서 행정기관 중 행정청이다. 행정에 관한 의사를 결정하여 이를 대외적으로 표시하는 자인 행정청과 그 행위의 법적 효과가 귀속되는 자인 행정주체는 서로 다른 개념이므로 이를 구별하기 바란다.

② ○

농지개량조합(현 한국농어촌공사)은 공공조합(공법상의 사단법인)으로, 행정주체에 해당한다.

③ ○

서울대학교는 현행법상 영조물법인으로, 행정주체에 해당한다.

> 「국립대학법인 서울대학교 설립 · 운영에 관한 법률」 제3조【법인격 등】
> ① 국립대학법인 서울대학교는 법인으로 한다.

④ ○

대구광역시는 광역지방자치단체로, 행정주체에 해당한다.

+ 행정기관과 행정주체의 구별

구 분	행정기관	행정주체
개 념	행정을 실제로 수행하는 자	행정법관계에서 행정권을 행사하고 그 행위의 법적 효과가 궁극적으로 귀속되는 당사자
예	국가의 기관을 구성하는 장관 등 ㉠ 행정청 : 국가 또는 지방자치단체의 의사를 결정 · 표시할 수 있는 행정기관, 항고소송의 피고적격을 가짐. ㉡ 의결기관 : 의사결정권한만 있으며 외부에 표시할 권한은 없음. ㉢ 보조기관(예 차관 · 국장 · 실장 등), 보좌기관(예 차관보 · 비서실 등)	국가, 지방자치단체, 사단법인, 재단법인, 영조물법인, 공무수탁사인
특 징	직무수행의 권한은 있으나 독자적인 권리는 없음(원칙).	행정기관이 한 행위의 법적 효과의 귀속주체는 행정주체임.

정답 15 ①

대표

16 빈출 중 2010 지방직 9급

공무수탁사인에 관한 설명으로 옳지 않은 것은?

□□□ ① 행정임무를 자기책임하에 수행함이 없이 단순한 기술적 집행만을 행하는 사인인 행정보조인과는 구별된다.

□□□ ② 국가가 자신의 임무를 스스로 수행할 것인지 아니면 그 임무의 기능을 민간부문으로 하여금 수행하게 할 것인지에 대하여 입법자에게 광범위한 입법재량 내지 형성의 자유가 인정된다고 보는 것이 판례의 입장이다.

□□□ ③ 소득세법에 의한 원천징수의무자의 원천징수행위는 법령에서 규정된 징수 및 납부의무를 이행하기 위한 것에 불과한 것이지, 공권력의 행사로서의 행정처분에 해당되지 아니한다고 보는 것이 판례의 입장이다.

□□□ ④ 법령에 의하여 공무를 위탁받은 공무수탁사인이 행한 처분에 대하여 항고소송을 제기하는 경우 피고는 위임행정청이 된다.

① ○

행정보조인이란 행정업무를 수행한다는 점에서는 공무수탁사인과는 유사하지만, 독립적인 행정권한이 없고 법률관계의 대외적인 주체가 될 수 없다는 점에서 공무수탁사인과는 구별된다. 행정보조인의 예로는 아르바이트로 우편업무를 수행하는 사인, 사고현장에서 경찰의 부탁에 의해 경찰을 돕는 자 등을 들 수 있다.

② ○

국가가 자신의 임무를 그 스스로 수행할 것인지, 아니면 그 임무의 기능을 민간부문으로 하여금 수행하게 할 것인지 하는 문제, 즉 국가가 어떤 임무수행방법을 선택할 것인가 하는 문제는 그 판단에 관하여는 입법자에게 광범위한 입법재량 내지 형성의 자유가 인정된다(헌재 2007. 6. 28, 2004헌마262).

③ ○

원천징수의무자의 원천징수행위는 공권력행사로서 한 행정처분이 아니다.
원천징수하는 소득세에서는 납세의무자의 신고나 과세관청의 부과결정이 없이 법령이 정하는 바에 따라 그 세액이 자동적으로 확정되고, 원천징수의무자는 소득세법 제142 · 143조의 규정에 의하여 이와 같이 자동적으로 확정되는 세액을 수급자로부터 징수하여 과세관청에 납부하여야 할 의무를 부담하고 있으므로, 원천징수의무자가 비록 과세관청과 같은 행정청이더라도 그의 원천징수행위는 법령에서 규정된 징수 및 납부의무를 이행하기 위한 것에 불과한 것이지, 공권력행사로서의 행정처분을 한 경우에 해당되지 아니한다(대판 1990. 3. 23, 89누4789).

④ ×

항고소송에서 피고는 처분을 행한 행정청이 되는바, 공무수탁사인은 행정주체이면서 동시에 행정절차법, 행정소송법상 행정청이 되므로 공무수탁사인이 행한 처분의 경우 공무를 위임한 행정청이 아니라 공무수탁사인이 항고소송의 피고가 된다.

행정소송법 제13조【피고적격】 ① 취소소송은 다른 법률에 특별한 규정이 없는 한 그 처분 등을 행한 행정청을 피고로 한다. 다만, 처분 등이 있은 뒤에 그 처분 등에 관계되는 권한이 다른 행정청에 승계된 때에는 이를 승계한 행정청을 피고로 한다.

제2조【정의】 ② 이 법을 적용함에 있어서 행정청에는 법령에 의하여 행정권한의 위임 또는 위탁을 받은 행정기관, 공공단체 및 그 기관 또는 사인이 포함된다.

정답 16 ④

제06강 공권과 공의무관계

1회독	2회독	3회독
/	/	/

⊘정답률 공단기/소방단기 합격예측 풀서비스 통계 데이터 기준 기 기본서 핵 핵심집약

01 공권과 공의무(공법관계 – 행정법관계의 내용)

기 104~115쪽 핵 T 11

01 상 2023 해경간부

지위승계에 대한 설명으로 가장 옳지 않은 것은? (다툼이 있는 경우 판례에 의함)

□□□ ① 채석허가에서 수허가자의 지위를 양수받아 명의변경신고를 할 수 있는 양수인의 지위는 산림법령에 의하여 보호되는 직접적이고 구체적인 이익으로서 법률상 이익이라고 할 것이다.

□□□ ② 주택건설 사업주체의 변경승인신청이 된 이후에 행정청이 양도인에 대하여 그 사업계획변경승인의 전제로 되는 사업계획승인을 취소하는 처분을 하였다면, 양수인은 그 처분 이전에 양도인으로부터 토지와 사업승인권을 사실상 양수받아 사업주체의 변경승인신청을 한 자로서 그 취소를 구할 법률상의 이익을 가진다.

□□□ ③ 당사자 등인 법인 등이 합병하였을 때에는 합병 후 존속하는 법인 등이나 합병 후 새로 설립된 법인 등이 당사자 등의 지위를 승계하지 않는다.

□□□ ④ 건축허가는 대물적 성질을 갖는 것이어서 허가대상 건축물에 대한 권리변동에 수반하여 자유로이 양도할 수 있는 것이다.

관련기출

①

1. 채석허가를 받은 자로부터 영업양수 후 명의변경신고 이전에 양도인의 법위반사유를 이유로 채석허가가 취소된 경우, 양수인은 수허가자의 지위를 사실상 양수받았다고 하더라도 그 처분의 취소를 구할 법률상 이익을 가지지 않는다. (○, ×) 2017 국가직(하) 7급
2. 법령상 채석허가를 받은 자의 명의변경제도를 두고 있는 경우, 명의변경신고를 할 수 있는 양수인은 관할행정청이 양도인의 허가를 취소하는 처분에 대해 취소를 구할 법률상 이익이 인정된다. (○, ×) 2013 국가직 7급

1. × 2. ○

②

1. (甲은 영업허가를 받아 영업을 하던 중 자신의 영업을 乙에게 양도하고자 乙과 사업양도 · 양수계약을 체결하고 관련법령에 따라 관할행정청 A에게 지위승계신고를 하였다) 甲과 乙이 사업양도 · 양수계약을 체결하였으나 지위승계신고 이전에 甲에 대해 영업허가가 취소되었다면, 乙은 이를 다툴 법률상 이익이 있다. (○, ×) 2019 서울시 9급

1. ○

① **빈출** 제36강 참조 ○

채석허가를 받은 자에 대한 관할행정청의 채석허가취소처분에 대하여, 수허가자의 지위를 양수한 양수인에게 그 취소처분의 취소를 구할 법률상 이익이 있다.

수허가자의 지위를 양수받아 명의변경신고를 할 수 있는 양수인의 지위는 단순한 반사적 이익이나 사실상의 이익이 아니라 산림법령에 의하여 보호되는 직접적이고 구체적인 이익으로서 법률상 이익이라고 할 것이고, 채석허가가 유효하게 존속하고 있다는 것이 양수인의 명의변경신고의 전제가 된다는 의미에서 관할행정청이 양도인에 대하여 채석허가를 취소하는 처분을 하였다면 이는 양수인의 지위에 대한 직접적 침해가 된다고 할 것이므로 양수인은 채석허가를 취소하는 처분의 취소를 구할 법률상 이익을 가진다(대판 2003. 7. 11, 2001두6289).

② 제36강 참조 ○

주택건설사업의 양수인이 사업주체의 변경승인신청을 한 이후에 행정청이 양도인에 대하여 그 사업계획변경승인의 전제로 되는 사업계획승인을 취소하는 처분을 한 경우, 양수인은 위 처분의 취소를 구할 법률상의 이익을 가진다.

주택건설촉진법 제33조 제1항, 구 같은 법 시행규칙 제20조의 각 규정에 의하면 주택건설 사업주체의 변경승인신청은 양수인이 단독으로 할 수 있고 위 변경승인은 실질적으로 양수인에 대하여 종전에 승인된 사업계획과 동일한 사업계획을 새로이 승인해 주는 행위라 할 것이므로, 사업주체의 변경승인신청이 된 이후에 행정청이 양도인에 대하여 그 사업계획변경승인의 전제로 되는 사업계획승인을 취소하는 처분을 하였다면 양수인은 그 처분 이전에 양도인으로부터 토지와 사업승인권을 사실상 양수받아 사업주체의 변경승인신청을 한 자로서 그 취소를 구할 법률상의 이익을 가진다(대판 2000. 9. 26, 99두646).

③ 제20강 참조 ×

행정절차법 제10조【지위의 승계】 ① 당사자 등이 사망하였을 때의 상속인과 다른 법령 등에 따라 당사자 등의 권리 또는 이익을 승계한 자는 당사자 등의 지위를 승계한다.
② 당사자 등인 법인 등이 합병하였을 때에는 합병 후 존속하는 법인 등이나 합병 후 새로 설립된 법인 등이 당사자 등의 지위를 승계한다.

④ 제12강 참조 ○

건축허가는 대물적 성질을 갖는 것으로서 허가대상 건축물에 대한 권리변동에 수반하여 자유로이 양도할 수 있고, 그에 따라 건축허가의 효과는 허가대상 건축물에 대한 권리변동에 수반하여 이전된다(대판 2015. 10. 29, 2013두11475).

정답 01 ③

02 ⓗ

2015 경행특채 2차

공권 내지 공의무에 관한 설명이다. 다음 중 가장 적절하지 않은 것은? (다툼이 있으면 판례에 의함)

□□□ ① 이행강제금을 부과받은 자가 사망한 경우 이행강제금 납부의무는 상속인에게 승계된다.

□□□ ② 오늘날 행정재량의 영역에서도 일정한 경우 개인적 공권이 성립될 수 있다.

□□□ ③ 환경영향평가대상지역 밖의 주민이라 할지라도 수인한도를 넘는 환경피해를 받거나 받을 우려가 있는 경우에는 환경상 이익에 대한 침해나 우려를 입증함으로써 공유수면매립면허처분을 다툴 수 있다.

□□□ ④ 자연물인 도롱뇽 또는 그를 포함한 자연 그 자체로서는 행정소송을 수행할 당사자능력을 인정할 수 없다.

① 제24강 참조 ×

> 구 건축법상의 이행강제금은 구 건축법의 위반행위에 대하여 시정명령을 받은 후 시정기간 내에 당해 시정명령을 이행하지 아니한 건축주 등에 대하여 부과되는 간접강제의 일종으로서 그 이행강제금 납부의무는 상속인 기타의 사람에게 승계될 수 없는 일신전속적인 성질의 것이다(대결 2006. 12. 8, 2006마470).

② ○

전통적 공권이론에 따르면 개인적 공권은 행정청에 법적 의무를 부과하는 강행규정이 존재할 때에만 인정될 수 있고 행정청에 재량이 부여되어 있을 때에는 법적 의무가 없으므로 개인적 공권은 인정되지 않는다고 보았다. 그러나 실질적 법치주의가 확립된 오늘날에는 개인적 공권의 확대화 경향에 따라 재량행위의 경우에도 일정한 경우 개인적 공권이 성립될 수 있다고 본다. 즉, 재량행위의 경우에도 국민에게는 특정한 처분을 할 것을 요구할 권리는 없지만 적어도 하자 없는 재량행사를 요구할 수 있는 권리인 이른바 무하자재량행사청구권이 성립될 수 있다고 보며 특히 재량이 영(0)으로 수축하는 경우에는 행정개입청구권도 성립될 수 있다고 본다.

③ 제36강 참조 ○

> 환경영향평가대상지역 밖의 주민이라 할지라도 공유수면매립면허처분 등으로 인하여 그 처분 전과 비교하여 수인한도를 넘는 환경피해를 받거나 받을 우려가 있는 경우에는, 공유수면매립면허처분 등으로 인하여 환경상 이익에 대한 침해 또는 침해우려가 있다는 것을 입증함으로써 그 처분 등의 무효확인을 구할 원고적격을 인정받을 수 있다(대판 2006. 3. 16, 2006두330 전합).

④ 제36강 참조 ○

> 자연물인 도롱뇽은 당사자능력이 인정될 수 없다.
> 도롱뇽은 천성산 일원에 서식하고 있는 도롱뇽목 도롱뇽과에 속하는 양서류로서 자연물인 도롱뇽 또는 그를 포함한 자연 그 자체로서는 이 사건을 수행할 당사자능력을 인정할 수 없다고 판단한 것은 정당하고, 위 신청인의 당사자능력에 관한 법리오해 등의 위법이 없다(대결 2006. 6. 2, 2004마1148 · 1149).

03 ⓩ

2010 국가직 9급

다음 사례에서 개인적 공권이 성립할 수 없는 것은?

□□□ ① 서울특별시의 '철거민에 대한 시영아파트특별분양개선지침'에 의한 무허가건물 소유자의 시영아파트 특별분양신청권

□□□ ② 구 수산업법 제40조 소정의 관행어업권

□□□ ③ 도시계획구역 내 토지소유자의 도시계획시설변경입안 요구신청권

□□□ ④ 헌법상 변호인접견권

① ×

> '철거민에 대한 시영아파트특별분양개선지침'은 행정규칙이므로 이로부터 공법상 분양신청권이 도출될 수는 없다(대판 1989. 12. 26, 87누1214).

② ○

개인적 공권은 불문법인 관습법에 의해 성립되기도 하는데 관행어업권을 그 예로 들 수 있다.

③ ○

도시계획구역 내 토지 등을 소유하고 있는 주민은 도시계획입안신청권이 있다는 것이 판례의 입장이다.

> 도시계획구역 내 토지 등을 소유하고 있는 주민으로서는 입안권자에게 도시계획입안을 요구할 수 있는 법규상 또는 조리상의 신청권이 있다고 할 것이고 …… (대판 2004. 4. 28, 2003두1806)

④ ○

행정법상 개인적 공권은 헌법상 기본권 규정에 의해 성립되기도 하는데 변호인접견권을 그 예로 들 수 있다.

정답 02 ① 03 ①

02 무하자재량행사청구권, 행정개입청구권

기 116~121쪽 핵 T 12

04 정답률 78% 중 2022 지방직 7급

대기환경보전법상 개선명령에 관한 다음 조문에 대한 설명으로 옳지 않은 것은? (다툼이 있는 경우 판례에 의함)

> 제1조【목적】이 법은 대기오염으로 인한 국민건강이나 환경에 관한 위해를 예방하고 대기환경을 적정하고 지속가능하게 관리 · 보전하여 모든 국민이 건강하고 쾌적한 환경에서 생활할 수 있게 하는 것을 목적으로 한다.
>
> 제33조【개선명령】환경부장관은 제30조에 따른 신고를 한 후 조업 중인 배출시설에서 나오는 오염물질의 정도가 제16조나 제29조 제3항에 따른 배출허용기준을 초과한다고 인정하면 대통령령으로 정하는 바에 따라 기간을 정하여 사업자(제29조 제2항에 따른 공동 방지시설의 대표자를 포함한다)에게 그 오염물질의 정도가 배출허용기준 이하로 내려가도록 필요한 조치를 취할 것(이하 '개선명령'이라 한다)을 명할 수 있다.

□□□ ① 환경부장관은 위 법률 제33조에서 위임한 사항을 규정한 대통령령을 입법예고를 할 때와 개정하였을 때에는 10일 이내에 이를 국회 소관 상임위원회에 제출하여야 한다.

□□□ ② 환경부장관이 인근 주민의 개선명령 신청에 대해 거부한 행위가 항고소송의 대상이 되는 처분이 되기 위해서는 인근 주민에게 개선명령을 발할 것을 요구할 수 있는 신청권이 있어야 한다.

□□□ ③ 인근 주민이 배출시설에서 나오는 대기오염물질로 인하여 생명과 건강에 심각한 위협을 받고 있다면, 환경부장관의 개선명령에 대한 재량권은 축소될 수 있다.

□□□ ④ 환경부장관에게는 하자 없는 재량행사를 할 의무가 인정되므로, 위 개선명령의 근거 및 관련 조항의 사익보호성 여부를 따질 필요 없이 인근 주민에게는 소위 무하자재량행사청구권이 인정된다.

관련기출

④

1. 일반적인 개인적 공권의 성립요건인 사익보호성은 무하자재량행사청구권이나 행정개입청구권에는 적용되지 않는다. (O, ×) 2015 국가직 9급

1. ×

① 제10강 참조 ○

> 국회법 제98조의2【대통령령 등의 제출 등】① 중앙행정기관의 장은 법률에서 위임한 사항이나 법률을 집행하기 위하여 필요한 사항을 규정한 대통령령 · 총리령 · 부령 · 훈령 · 예규 · 고시 등이 제정 · 개정 또는 폐지되었을 때에는 10일 이내에 이를 국회 소관 상임위원회에 제출하여야 한다. 다만, 대통령령의 경우에는 입법예고를 할 때(입법예고를 생략하는 경우에는 법제처장에게 심사를 요청할 때를 말한다)에도 그 입법예고안을 10일 이내에 제출하여야 한다.

② 제37강 참조 ○

> 국민의 적극적 행위신청에 대한 행정청의 거부행위가 항고소송의 대상이 되는 행정처분이 되기 위해서는 국민에게 법규상 또는 조리상의 신청권이 있어야 한다(대판 2005. 2. 25, 2004두4031).

③ ○

재량행위의 경우에는 행정청에 선택 또는 결정의 자유가 인정됨이 원칙이나, 재량행위임에도 불구하고 예외적으로 행정청이 하나의 결정만을 하여야 하는 특별한 경우가 나타난다. 즉, 예외적인 경우에는 하나의 결정만이 적법한 행위가 되는데 이를 재량권의 영(0)으로의 수축이론이라고 한다. 사람의 생명, 신체 및 재산 등 중요한 법익에 급박하고 현저한 위험이 존재하고, 그러한 위험이 시정명령 등 행정권의 발동에 의해 제거될 수 있는 것이며, 피해자의 개인적인 노력만으로는 권익침해를 막기 어려운 경우라면 재량권이 영(0)으로 수축(축소)된다. 사안과 같이 인근 주민이 배출시설에서 나오는 대기오염물질로 인하여 생명과 건강에 심각한 위협을 받고 있다면, 환경부장관의 개선명령에 대한 재량권은 축소될 수 있다.

④ ×

개인적 공권이 성립하기 위해서는 관련법규가 개인의 사익보호를 목적으로 하는 것이어야 한다. 즉, 법규가 특정인의 이익을 보호하는 경우는 물론 공익과 더불어 특정인의 이익보호(사익보호)를 목적으로 하는 경우에도 사익보호목적은 존재하는 것이 되어 공권이 성립할 수 있다. 무하자재량행사청구권도 개인적 공권이라는 점에서 사익보호성 요건을 충족해야 하므로, 재량법규가 단순한 공익실현이라는 목적 외에 사익의 보호를 의도하고 있어야만 개인에게 무하자재량행사청구권이 성립한다.

정답 04 ④

05 중 2017 교육행정직 9급

개인적 공권에 관한 설명으로 옳은 것은? (단, 다툼이 있는 경우 판례에 따름)

□□□ ① 공법상 계약을 통해서는 개인적 공권이 성립할 수 없다.

□□□ ② 재량권의 영으로의 수축이론은 개인적 공권을 확대하는 이론이다.

□□□ ③ 개인적 공권은 사권처럼 자유롭게 포기할 수 있는 것이 원칙이다.

□□□ ④ 헌법상의 기본권 규정으로부터는 개인적 공권이 바로 도출될 수 없다.

관련기출

③

1. 행정소송에 있어서의 소권은 개인의 국가에 대한 공권이므로 당사자의 합의로써 이를 포기할 수 없다. (○, ×) 2017 경행경채
2. 제3자와 소권(訴權)의 포기에 관한 계약을 체결하더라도 그 계약은 무효이다. (○, ×) 2011 사회복지직 9급
3. 공권은 본인의 포기의사에 의하여 언제든지 포기될 수 있다. (○, ×) 2005 관세사

1. ○ 2. ○ 3. ×

① ×

개인적 공권은 처분의 근거법률규정의 해석에 의해 도출되는 것이 일반적이지만 공법상 계약을 통해서도 당연히 성립될 수 있다. 그 밖에 불문법인 관습법, 조리 등에 의해서도 성립될 수 있다.

② ○

재량행위의 경우 행정청은 하자 없는 재량행사를 해야 할 의무가 있을 뿐 특정한 처분을 하여야 할 의무는 없다. 따라서 상대방인 국민에게는 특정처분을 하도록 청구할 수 있는 권리, 즉 행정개입청구권이 인정되지 않는다. 그러나 재량권이 영(0)으로 수축되는 경우 행정청에게는 선택 및 결정의 여지가 없어지고 특정한 내용의 처분을 하여야 할 의무가 생긴다. 따라서 상대방인 국민에게도 행정행위 발급청구권 내지 행정개입청구권이 인정된다. 그러므로 재량권의 영(0)으로의 수축이론은 개인적 공권을 확대하는 이론이라고 볼 수 있다.

③ **빈출** ×

개인적 공권은 공익과도 관련이 있으므로 사권과 달리 임의로 포기할 수 없는 것이 원칙이다.

> 1. 행정소송에 대한 부제소특약은 무효이다(대판 1998. 8. 21, 98두8919).
> 2. 석탄사업법 시행령 제41조 제4항 제5호 소정의 재해위로금청구권은 개인의 공권으로서 그 공익적 성격에 비추어 당사자의 합의에 의하여 이를 미리 포기할 수 없다(대판 1998. 12. 23, 97누5046).

④ ×

헌법상 기본권은 그 자체가 구체적 내용을 가지고 있어 법률에 의해 구체화되지 않아도 직접 적용될 수 있는 구체적 권리성을 가지는 것과 헌법상 기본권을 구체화하는 법률이 제정되어야 적용될 수 있는 추상적 권리성을 가지는 것이 있다. 사회적 기본권은 법률에 의해 구체화되기 전까지는 그 내용이 추상적 권리성을 가지는 것이므로 행정법상 개인적 공권이 되기 어렵다. 그러나 헌법상 기본권인 자유권, 평등권, 재산권은 그 자체가 구체적 내용을 가지고 있어 법률에 의해 구체화되지 않아도 직접 적용될 수 있다. 따라서 자유권, 평등권과 같은 헌법상의 기본권 규정으로부터는 개인적 공권이 바로 도출될 수 있다.

정답 05 ②

06 하

2015 교육행정직 9급

개인적 공권에 관한 설명으로 옳은 것은? (다툼이 있으면 판례에 따름)

□□□ ① 행정개입청구권은 현행법상 의무이행소송을 통하여 행사될 수 있다.

□□□ ② 처분의 근거법규가 재량규정으로 되어 있는 경우에는 공권이 성립될 수 없다.

□□□ ③ 헌법상의 모든 기본권은 법률에 의해 구체화되지 않더라도 재판상 주장될 수 있는 구체적 공권이다.

□□□ ④ 처분의 직접적인 근거법규뿐만 아니라 관계법규가 사익을 보호하는 것으로 인정되는 경우에도 공권이 성립될 수 있다.

관련기출

④

1. 법률상의 이익이란 당해 처분의 근거법률에 의해 직접 보호되는 구체적인 이익을 말하기 때문에 관련법률까지 고려해서 법률상 이익을 논할 수 없다. (O, ×) 2014 경행특채 1차

1. ×

① 제34강 참조 ×

현행법상 의무이행소송은 인정되지 않기 때문에 개인은 의무이행심판 또는 부작위위법확인소송을 제기하여 행정개입청구권을 행사할 수 있다.

② ×

실질적 법치주의가 발전한 오늘날에는 재량행위의 영역에서도 공권이 성립할 수 있다는 것이 일반적 견해이다. 즉, 재량행위의 경우에도 무하자재량행사청구권이 인정되며 재량이 영(0)으로 수축하는 경우에는 행정개입청구권도 인정될 수 있다.

③ ×

헌법상의 모든 기본권이 법률에 의해 구체화되지 않더라도 재판상 주장될 수 있는 구체적 공권인 것은 아니다. 헌법상 기본권은 그 자체가 구체적 내용을 가지고 있어 법률에 의해 구체화되지 않아도 직접 적용될 수 있는 구체적 권리성을 가지는 것과 헌법상 기본권을 구체화하는 법률이 제정되어야 적용될 수 있는 추상적 권리성을 가지는 것이 있다. 후자의 대표적 예로 사회적 기본권이 있다.

④ ○

법률상 이익이란 처분의 근거법규 및 관련법규에 의해 보호되는 개별적 · 구체적 이익을 말한다.

행정처분의 직접 상대방이 아닌 제3자라 하더라도 당해 행정처분으로 인하여 법률상 보호되는 이익을 침해당한 경우에는 취소소송을 제기하여 그 당부의 판단을 받을 자격이 있다 할 것이고, 여기에서 말하는 법률상 보호되는 이익이라 함은 당해 처분의 근거법규 및 관련법규에 의하여 보호되는 개별적 · 직접적 · 구체적 이익이 있는 경우를 말하는데 …… (대판 2005. 5. 12, 2004두14229)

정답 06 ④

제 07 강 특별권력관계 등

1회독	2회독	3회독
/	/	/

정답률 공단기/소방단기 합격예측 풀서비스 통계 데이터 기준 기 기본서 핵 핵심집약

01 특별권력관계

기 124~129쪽 핵 T 13

01

정답률 63% 하 2015 국가직 7급

특별권력관계를 기본관계와 경영수행관계로 분류할 경우, 기본관계에 대한 설명으로 옳지 않은 것은?

① 기본관계는 공법관계로서 법치행정원리가 적용된다.

② 기본관계가 성립하기 위해서는 상대방의 동의를 필요로 한다.

③ 특별권력관계 자체의 성립 · 변경 · 종료와 관련된 경우는 기본관계에 해당한다.

④ 기본관계에서 이루어지는 법률관계의 변동은 행정처분으로서 행정소송의 대상이 된다.

①④ ○

울레(Ule) 교수는 특별권력관계의 행위를 기본관계와 경영관계로 구분하여 기본관계의 행위는 법치주의의 적용을 받으므로 사법심사의 대상이 되나, 경영관계의 행위는 사법심사의 대상이 되지 않는다고 하였다. 한편 경영관계란 특별권력관계의 목표를 실현하는 데 필요한 관계로서 내부질서를 유지하기 위한 관계를 의미한다. 경영관계의 예로는 공무원에 대한 직무명령, 군인의 훈련, 학생에 대한 강의 등을 들 수 있다.

② ×

기본관계의 성립은 동의에 의해 성립하기도 하지만(예 공무원의 임명), 법률규정에 의해 성립하는 경우도 있다(예 수형자의 교도소 수감(「형의 집행 및 수용자의 처우에 관한 법률」 제1 · 16조), 감염병환자의 강제입원(「감염병의 예방 및 관리에 관한 법률」 제42조) 등).

③ ○

기본관계란 특별권력관계 자체의 성립 · 변경 · 종료 등 구성원의 법적 지위의 본질적 사항에 해당하는 관계를 의미한다.

정답 01 ②

제 08 강 행정법상의 법률요건과 법률사실

1회독	2회독	3회독
/	/	/

⊘정답률 공단기/소방단기 합격예측 풀서비스 통계 데이터 기준 기 기본서 핵 핵심집약

01 행정법상의 사건 기 136~142쪽 핵 T 15

01 상 2024 국회직 8급 변형

행정상의 법률관계에 있어 소멸시효와 제척기간에 대한 설명으로 옳은 것은 몇 개인가? (다툼이 있는 경우 판례에 의함)

□□□ ㉠ 제척기간은 권리자로 하여금 권리를 신속하게 행사하도록 함으로써 그 권리를 중심으로 하는 법률관계를 조속하게 확정하려는 데에 그 제도의 취지가 있는 것으로서, 관계법령에 따라 정당한 사유가 인정되는 등 특별한 사정이 없는 한 그 기간의 경과 자체만으로 곧 권리 소멸의 효과를 발생시킨다.

□□□ ㉡ 제척기간은 권리관계를 조속히 확정시키기 위하여 권리의 행사에 중대한 제한을 가하는 것이므로, 모법인 법률에 의한 위임이 없는 한 시행령이 함부로 제척기간을 규정할 수는 없다고 할 것이다.

□□□ ㉢ 제척기간에 있어서는 그 성질에 비추어 소멸시효와 같이 기간의 중단이나 정지는 있을 수 없다.

① 0개 ② 1개
③ 2개 ④ 3개

㉠㉢ ○

제척기간은 권리자로 하여금 권리를 신속하게 행사하도록 함으로써 그 권리를 중심으로 하는 법률관계를 조속하게 확정하려는 데에 그 제도의 취지가 있는 것으로서, 소멸시효가 일정한 기간의 경과와 권리의 불행사라는 사정에 의하여 그 효과가 발생하는 것과는 달리 관계 법령에 따라 정당한 사유가 인정되는 등 특별한 사정이 없는 한 그 기간의 경과 자체만으로 곧 권리 소멸의 효과를 발생시킨다(㉠). 따라서 추상적 권리행사에 관한 제척기간은 권리자의 권리행사 태만 여부를 고려하지 않으며, 또 당사자의 신청만으로 추상적 권리가 실현되므로 기간 진행의 중단·정지를 상정하기 어렵다(㉢). 이러한 점에서 제척기간은 소멸시효와 근본적인 차이가 있다(대판 2021. 3. 18, 2018두47264 전합).

㉡ ○

일정한 권리에 관하여 법률이 규정한 존속기간을 뜻하는 제척기간은 권리관계를 조속히 확정시키기 위하여 권리의 행사에 중대한 제한을 가하는 것이어서 모법인 법률에 의한 위임이 없는 한 시행령이 함부로 제척기간을 규정할 수는 없다고 할 것이므로, 구 근로기준법(1989. 3. 29, 법률 제4099호로 개정되기 전의 것) 제38조가 그 단서에서 사용자가 노동위원회의 승인을 받아 휴업수당을 지급하지 않을 수 있는 예외를 규정하고 있을 뿐 그 승인을 받을 수 있는 기간을 제한하는 데 관하여 직접 규정하지 않고 있음은 물론 시행령에 위임하지도 아니하였음에도 불구하고, 같은법 시행령 제21조가 정하고 있는 사용자의 노동위원회에 대한 휴업수당지급의 예외 승인신청기간은 제척기간으로 볼 수는 없고 훈시규정으로 보아야 한다(대판 1990. 9. 28. 89누2493).

정답 01 ④

02 정답률 74% 중 2020 소방직 9급

공법상 시효에 대한 설명으로 옳지 않은 것은?

□□□ ① 관세법상 납세자의 과오납금 또는 그 밖의 관세의 환급청구권은 그 권리를 행사할 수 있는 날부터 5년간 행사하지 아니하면 소멸시효가 완성된다.

□□□ ② 판례는 공법상 부당이득반환청구권은 사권(私權)에 해당되며, 그에 관한 소송은 민사소송절차에 따라야 한다고 보고 있다.

□□□ ③ 소멸시효에 대해 국가재정법은 국가의 국민에 대한 금전채권은 물론이고 국민의 국가에 대한 금전채권에도 적용된다.

□□□ ④ 공법의 특수성으로 인해 소멸시효의 중단 · 정지에 관한 민법 규정은 적용되지 않는다.

관련기출

③

1. 금전의 급부를 목적으로 하는 국가의 권리로서 시효에 관하여 다른 법률에 규정이 없는 것은 10년 동안 행사하지 아니하면 소멸한다. (○, ×)
   2016 교육행정직 9급
2. 현행법상 국가에 대한 금전채권의 소멸시효에 대하여는 민법의 규정이 그대로 적용된다. (○, ×) 2016 국가직 9급
3. 국가에 대한 금전채권은 다른 법률에 특별한 규정이 없는 한 5년간 행사하지 않으면 소멸된다. (○, ×) 2009 지방직 9급

1. × 2. × 3. ○

① ○

관세법 제22조【관세징수권 등의 소멸시효】② 납세자의 과오납금 또는 그 밖의 관세의 환급청구권은 그 권리를 행사할 수 있는 날부터 5년간 행사하지 아니하면 소멸시효가 완성된다.

② 제35강 참조 ○

공법상 부당이득반환청구권은 금전관계를 조정하기 위해 인정되는 것으로 사법상 부당이득반환청구권과 구별할 필요가 없으므로, 이를 사권으로 보는 것이 판례의 입장이다. 사권설에 따르면 공법상 부당이득반환청구는 민사소송에 의하고 민사법원이 관할한다.

과세처분의 당연무효를 전제로 한 세금반환청구소송은 민사상의 부당이득반환청구로서 민사소송이다.

조세부과처분이 당연무효임을 전제로 하여 이미 납부한 세금의 반환을 청구하는 것은 민사상의 부당이득반환청구로서 민사소송절차에 따라야 한다는 것이 대법원의 확립된 견해이다(대판 1995. 4. 28, 94다55019).

③ **빈출** ○

국가재정법 제96조【금전채권 · 채무의 소멸시효】① 금전의 급부를 목적으로 하는 국가의 권리로서 시효에 관하여 다른 법률에 규정이 없는 것은 5년 동안 행사하지 아니하면 시효로 인하여 소멸한다.
② 국가에 대한 권리로서 금전의 급부를 목적으로 하는 것도 또한 제1항과 같다.

④ ×

국가재정법 제96조【금전채권 · 채무의 소멸시효】③ 금전의 급부를 목적으로 하는 국가의 권리의 경우 소멸시효의 중단 · 정지, 그 밖의 사항에 관하여 다른 법률의 규정이 없는 때에는 민법의 규정을 적용한다. 국가에 대한 권리로서 금전의 급부를 목적으로 하는 것도 또한 같다.

정답 02 ④

제 09 강 사인의 공법행위

1회독	2회독	3회독
/	/	/

정답률 공단기/소방단기 합격예측 풀서비스 통계 데이터 기준 기 기본서 핵 핵심집약

01 공법행위

기 148~151쪽 핵 T 17

대표

01 **빈출** 정답률 82% 중 2021 지방직 · 서울시 7급

사인의 공법행위에 대한 설명으로 옳지 않은 것은? (다툼이 있는 경우 판례에 의함)

□□□ ① 사인의 공법상 행위는 명문으로 금지되거나 성질상 불가능한 경우가 아닌 한 그에 따른 행정행위가 행하여질 때까지 자유로이 철회할 수 있다.

□□□ ② 수리를 요하는 신고에서 행정청의 수리행위에 신고필증 교부의 행위가 반드시 필요한 것은 아니다.

□□□ ③ 식품위생법에 의하여 허가영업의 양도에 따른 지위승계신고를 수리하는 허가관청의 행위는 사업허가자의 변경이라는 법률효과를 발생시키는 행위이다.

□□□ ④ 사인의 공법행위에 적용되는 일반규정은 없으며, 특별한 규정이 없는 한 민법상 비진의의사표시의 무효에 관한 규정은 사인의 공법행위에 적용된다.

관련기출

②

1. 납골당설치신고는 이른바 '수리를 요하는 신고'이므로 납골당설치신고가 관련 법령 규정의 모든 요건을 충족하는 신고라 하더라도 행정청의 수리처분이 있어야만 그 신고한 대로 납골당을 설치할 수 있다. (○, ×) 2019 국회직 8급
2. 수리를 요하는 신고의 경우, 수리행위에 신고필증 교부 등 행위가 꼭 필요한 것은 아니다. (○, ×) 2018 지방직 7급

1. ○ 2. ○

③

1. 식품위생법에 의한 영업양도에 따른 지위승계신고를 수리하는 허가관청의 행위는 단순히 양도 · 양수인 사이에 이미 발생한 사법상의 사업양도의 법률효과에 의하여 양수인이 그 영업을 승계하였다는 사실의 신고를 접수하는 행위에 그치는 것이 아니라, 영업허가자의 변경이라는 법률효과를 발생시키는 행위이다. (○, ×) 2019 지방직 · 교육행정직 9급
2. 식품위생법에 의해 영업양도에 따른 지위승계신고를 수리하는 행정청의 행위는 단순히 양수인이 그 영업을 승계하였다는 사실의 신고를 접수한 행위에 그친다. (○, ×) 2017 사회복지직 9급

1. ○ 2. ×

① ○

사인의 공법행위는 상대방에게 도달한 후에도 그에 의거한 행정행위가 성립하기 전에는 철회할 수 있음이 원칙이다.

공무원의 사직 의사표시의 철회나 취소는 의원면직처분(사표수리)이 있기 전에는 허용된다.

공무원이 한 사직 의사표시의 철회나 취소는 그에 터잡은 의원면직처분이 있을 때까지 할 수 있는 것이고, 일단 면직처분이 있고 난 이후에는 철회나 취소할 여지가 없다(대판 2001. 8. 24, 99두9971).

② **빈출** ○

1. 납골당설치신고는 이른바 '수리를 요하는 신고'라 할 것이므로 이에 대한 행정청의 수리처분이 있어야만 신고한 대로 납골당을 설치할 수 있다.
2. 수리를 요하는 신고에서 수리란 신고를 유효한 것으로 판단하고 법령에 의하여 처리할 의사로 이를 수령하는 수동적 행위이므로 수리행위에 신고필증 교부 등 행위가 꼭 필요한 것은 아니다.

납골당설치신고는 이른바 '수리를 요하는 신고'라 할 것이므로, 납골당설치신고가 구 장사법 관련 규정의 모든 요건에 맞는 신고라 하더라도 신고인은 곧바로 납골당을 설치할 수는 없고, 이에 대한 행정청의 수리처분이 있어야만 신고한 대로 납골당을 설치할 수 있다. 한편 수리란 신고를 유효한 것으로 판단하고 법령에 의하여 처리할 의사로 이를 수령하는 수동적 행위이므로 수리행위에 신고필증 교부 등 행위가 꼭 필요한 것은 아니다(대판 2011. 9. 8, 2009두6766).

③ **빈출** ○

식품위생법 제25조 제3항에 의한 영업양도에 따른 지위승계신고는 수리를 요하는 신고로서 이를 수리하는 행정청의 행위는 영업자의 변경이라는 법률효과를 발생시키는 행위이다.

식품위생법 제25조 제3항에 의한 영업양도에 따른 지위승계신고를 수리하는 허가관청의 행위는 단순히 양도 · 양수인 사이에 이미 발생한 사법상의 사업양도의 법률효과에 의하여 양수인이 그 영업을 승계하였다는 사실의 신고를 접수하는 행위에 그치는 것이 아니라, 영업허가자의 변경이라는 법률효과를 발생시키는 행위라고 할 것이다(대판 1995. 2. 24, 94누9146).

④ **빈출** ×

(여군 단기복무하사관이 복무연장지원서와 전역지원서를 동시에 제출한 사건에서) 비록 전역지원의 의사표시가 진의 아닌 의사표시라 하더라도 사인의 공법행위에는 민법상의 비진의의사표시의 무효에 관한 규정은 적용되지 않으므로 표시된 대로 유효하다(대판 1994. 1. 11, 93누10057).

참고 민법 제107조【진의 아닌 의사표시】 ① 의사표시는 표의자가 진의 아님을 알고 한 것이라도 그 효력이 있다. 그러나 상대방이 표의자의 진의 아님을 알았거나 이를 알 수 있었을 경우에는 무효로 한다.

정답 01 ④

02 중 2010 국가직 7급

사인의 공법행위에 대한 설명으로 옳은 것은 모두 몇 개인가?

□□□ ㉠ 사인의 공법행위와 행정행위는 모두 공법적 효과의 발생을 목적으로 한다.
□□□ ㉡ 사인의 공법행위도 공정력과 집행력을 갖는다.
□□□ ㉢ 사인의 공법행위에는 원칙적으로 부관을 붙일 수 있다.
□□□ ㉣ 행위무능력자(현 제한능력자)에 의한 사인의 공법행위도 유효한 것이라고 보는 개별법이 있다.

① 1개 ② 2개
③ 3개 ④ 4개

② ㉠㉣이 옳은 내용이다.

㉠ ○
사인의 공법행위와 행정행위는 모두 공법적 행위로서 공법적 효과의 발생을 목적으로 한다는 점에서는 공통점이 있다.

㉡ ×
행정청이 우월적 지위에서 행하는 행정행위에는 행정의 실효성 확보를 위해 공정력, 자력집행력이 인정된다. 그러나 사인의 공법행위는 사인이 우월적 지위에서 행하는 행위가 아니므로, 행정행위에 인정되고 있는 특수한 효력인 공정력, 자력집행력 등이 인정되지 않는다.

㉢ ×
사인의 공법행위에는 명확성 · 법적 안정성을 도모하기 위해 원칙적으로 부관을 붙일 수 없다.

㉣ ○
행위능력에 관해서도 원칙적으로 민법규정이 유추적용된다. 다만, 민법의 행위능력규정의 입법취지는 행위무능력자(현 제한능력자)에 대한 재산적 법률관계의 보호에 있으므로 이와 무관한 사안에 대해서는 민법의 행위능력에 관한 규정이 적용되지 않을 수도 있다. 예컨대 우편법의 경우 행위무능력자(현 제한능력자)가 한 행위도 능력자가 행한 것으로 본다는 규정을 두고 있다.

> **우편법 제10조【제한능력자의 행위에 관한 의제】** 우편물의 발송 · 수취나 그 밖에 우편 이용에 관하여 제한능력자가 우편관서에 대하여 행한 행위는 능력자가 행한 것으로 본다.

정답 02 ②

02 신고와 신청

기 152~165쪽 핵 T 18

03

정답률 78% 중 2022 지방직 7급

사인의 공법행위에 대한 설명으로 옳지 않은 것은? (다툼이 있는 경우 판례에 의함)

□□□ ① 수산업법상 신고어업을 하려면 법령이 정한 바에 따라 관할행정청에 신고하여야 하고, 행정청의 수리가 있을 때에 비로소 법적 효과가 발생하게 된다.

□□□ ② 민법상 비진의의사표시의 무효에 관한 규정은 그 성질상 공무원이 한 사직(일괄사직)의 의사표시와 같은 사인의 공법행위에 적용되지 않는다.

□□□ ③ 행정청은 사인의 신청에 구비서류의 미비와 같은 흠이 있는 경우 신청인에게 보완을 요구하여야 하는바, 이때 보완의 대상이 되는 흠은 원칙상 형식적 · 절차적 요건뿐만 아니라 실체적 발급요건상의 흠을 포함한다.

□□□ ④ 인 · 허가 의제 효과를 수반하는 건축신고는 일반적인 건축신고와는 달리, 특별한 사정이 없는 한 행정청이 그 실체적 요건에 관한 심사를 한 후 수리를 하여야 한다.

관련기출

②

1. 사인의 공법행위에 적용되는 일반규정은 없으며, 특별한 규정이 없는 한 민법상 비진의의사표시의 무효에 관한 규정은 사인의 공법행위에 적용된다. (O, ×) 2021 지방직 · 서울시 7급
2. 1980년의 공직자숙정계획의 일환으로 일괄사표의 제출과 선별수리의 형식으로 공무원에 대한 의원면직처분이 이루어진 경우, 비진의의사표시의 무효에 관한 민법 제107조 제1항 단서 규정을 적용하여 그 의원면직처분을 당연무효라고 주장할 수 있다. (O, ×) 2019 경행경채 2차
3. 판례에 의하면 민법상 비진의의사표시의 무효에 관한 규정은 그 성질상 영업재개신고나 사직의 의사표시와 같은 사인의 공법행위에 적용된다. (O, ×) 2016 서울시 9급
4. 사직원 제출자의 내심의 의사가 사직할 뜻이 없었더라도 민법상 비진의의사표시의 무효에 관한 규정이 적용되지 않으므로 그 사직원을 받아들인 의원면직처분을 당연무효라 볼 수는 없다. (O, ×) 2016 지방직 7급

1. × 2. × 3. × 4. O

① O

수산업법 제44조(현 제48조) 소정의 어업의 신고는 행정청의 수리에 의하여 비로소 그 효과가 발생하는 이른바 '수리를 요하는 신고'라는 것이 판례의 입장이다(대판 2000. 5. 26, 99다37382).

② **빈출** O

이른바 1980년의 공직자숙정계획의 일환으로 일괄사표의 제출과 선별수리의 형식으로 공무원에 대한 의원면직처분이 이루어진 경우, 사직원 제출행위가 강압에 의하여 의사결정의 자유를 박탈당한 상태에서 이루어진 것이라고 할 수 없고 민법상 비진의의사표시의 무효에 관한 규정은 사인의 공법행위에 적용되지 않으므로 그 의원면직처분을 당연무효라고 할 수 없다(대판 2001. 8. 24, 99두9971).

③ ×

보완의 대상이 되는 흠은 보완이 가능한 경우이어야 하고 그 내용도 형식적 · 절차적 요건이어야 하며, 실질적인 요건에 대하여는 원칙상 보완 또는 보정요구를 하여야 하는 것은 아니다. 다만, 실질적인 요건에 흠이 있는 경우라도 그것이 민원인의 단순한 착오나 일시적인 사정에 의한 것이라면 보완의 대상이 될 뿐이다(필수편 06 ③ 해설 참조).

④ O

1. 건축법 제14조 제2항에 의한 인 · 허가 의제 효과를 수반하는 건축신고는 일반적인 건축신고와는 달리 행정청이 그 실체적 요건에 관한 심사를 한 후 수리하여야 하는 이른바 '수리를 요하는 신고'에 해당한다.
2. 「국토의 계획 및 이용에 관한 법률」상의 개발행위허가로 의제되는 건축신고가 개발행위허가의 기준을 갖추지 못한 경우, 행정청이 수리를 거부할 수 있다(대판 2011. 1. 20, 2010두14954 전합).

정답 03 ③

04 중 2022 소방간부

사인(私人)의 공법행위에 관한 설명으로 옳지 않은 것은? (다툼이 있는 경우 판례에 의함)

□□□ ① 사인의 공법행위의 특수한 성격과 어긋나지 않는 범위에서는 민법상의 법률행위에 관한 규정이 적용될 수 있다.

□□□ ② 사인의 공법행위에는 부관을 붙일 수 없다.

□□□ ③ 공무원이 한 사직 의사표시의 철회나 취소는 그에 터잡은 의원면직처분이 있을 때까지 할 수 있는 것이고, 일단 면직처분이 있고 난 이후에는 철회나 취소할 여지가 없다.

□□□ ④ 노인의료복지시설의 폐지신고는 수리를 필요로 하는 신고로서 행정청이 그 신고를 수리하였더라도 위조 등의 사유가 있어 신고행위 자체가 효력이 없다면, 그 수리행위는 수리행위 자체에 중대 · 명백한 하자가 있는지를 따질 것도 없이 당연히 무효이다.

□□□ ⑤ 사업양도 · 양수에 따른 허가관청의 지위승계신고의 수리는 사업양도 · 양수가 존재하지 않거나 무효인 때에는 당연히 무효이고, 사업의 양도행위가 무효라고 주장하는 양도자는 민사쟁송으로 양도 · 양수행위의 무효를 구하여야지 허가관청을 상대로 하여 행정소송으로 위 수리처분의 무효확인을 구할 법률상 이익은 인정되지 않는다.

관련기출

④

1. 장기요양기관의 폐업신고와 노인의료복지시설의 폐지신고는 행정청이 그 신고를 수리한 경우, 신고서 위조 등의 사유가 있더라도 그대로 유효하다. (O, X) 2022 소방직 9급

1. X

① O

사인의 공법행위를 규율하는 일반적 · 통칙적 규정은 없고 예외적으로 개별법에 특별한 규정을 두고 있을 뿐이다. 한편 특별한 규정이 없는 경우, 사인의 공법행위의 성격과 어긋나지 않는 범위에서는 민법 규정이 적용될 수 있다. 예를 들어 민법의 법률행위에 관한 규정 중 의사표시의 효력발생시기(도달주의) 등의 규정은 사인의 공법행위에도 적용된다.

② O

사인의 공법행위에는 행정법관계의 명확성 · 안정성을 도모하기 위해 원칙적으로 부관을 붙일 수 없다. 예컨대, 공무원 사직서를 제출하면서 조건을 붙이는 것은 허용되지 않는다.

③ O

공무원이 한 사직 의사표시의 철회나 취소는 그에 터잡은 의원면직처분이 있을 때까지 할 수 있는 것이고, 일단 면직처분이 있고 난 이후에는 철회나 취소할 여지가 없다는 것이 판례의 입장이다(대판 2001. 8. 24, 99두9971).

④ O

> 장기요양기관의 폐업신고와 노인의료복지시설의 폐지신고는, 행정청이 관계법령이 규정한 요건에 맞는지를 심사한 후 수리하는 이른바 '수리를 필요로 하는 신고'에 해당한다. 그러나 행정청이 그 신고를 수리하였다고 하더라도, 신고서 위조 등의 사유가 있어 신고행위 자체가 효력이 없다면, 그 수리행위는 유효한 대상이 없는 것으로서, 수리행위 자체에 중대 · 명백한 하자가 있는지를 따질 것도 없이 당연히 무효이다(대판 2018. 6. 12, 2018두33593).

⑤ X

> 사업양도 · 양수에 따른 허가관청의 지위승계신고의 수리는 적법한 사업의 양도 · 양수가 있었음을 전제로 하는 것이므로 그 수리대상인 사업양도 · 양수가 존재하지 아니하거나 무효인 때에는 수리를 하였다 하더라도 그 수리는 유효한 대상이 없는 것으로서 당연히 무효라 할 것이고, 사업의 양도행위가 무효라고 주장하는 양도자는 민사쟁송으로 양도 · 양수행위의 무효를 구함이 없이 막바로 허가관청을 상대로 하여 행정소송으로 위 신고수리처분의 무효확인을 구할 법률상 이익이 있다(대판 2005. 12. 23, 2005두3554).

정답 04 ⑤

05 정답률 79% 중 2020 지방직 · 서울시 7급

자영업에 종사하는 甲은 일정요건의 자영업자에게는 보조금을 지급하도록 한 법령에 근거하여 관할행정청에 보조금 지급을 신청하였으나 1차 거부되었고, 이후 다시 동일한 보조금을 신청하였다. 이에 대한 설명으로 옳은 것은? (다툼이 있는 경우 판례에 의함)

□□□ ① 관할행정청이 다시 2차의 거부처분을 하더라도 甲은 2차 거부처분에 대해서는 취소소송으로 다툴 수 없다.

□□□ ② 甲이 보조금을 우편으로 신청한 경우, 특별한 규정이 없다면 신청서를 발송한 때에 신청의 효력이 발생한다.

□□□ ③ 명문으로 금지되거나 성질상 불가능한 경우가 아닌 한, 甲은 신청에 대한 관할행정청의 처분이 있기 전까지 신청의 내용을 변경할 수 있다.

□□□ ④ 甲의 신청에 형식적 요건의 하자가 있었다면 그 하자의 보완이 가능함에도 보완을 요구하지 않고 바로 거부하였다고 하여 그 거부가 위법한 것은 아니다.

관련기출

③

1. 사인의 공법상 행위는 명문으로 금지되거나 성질상 불가능한 경우가 아닌 한, 그에 의거한 행정행위가 행하여질 때까지는 자유로이 철회나 보정이 가능하다. (○, ×) 2014 지방직 9급

1. ○

① 제37강 참조 ×

> 거부처분 이후 동일한 내용의 새로운 신청에 대하여 다시 거부한 경우, 새로운 거부처분이 있는 것으로 볼 수 있다.
>
> 거부처분은 관할행정청이 국민의 처분신청에 대하여 거절의 의사표시를 함으로써 성립되고, 그 이후 동일한 내용의 새로운 신청에 대하여 다시 거절의 의사표시를 한 경우에는 새로운 거부처분이 있는 것으로 보아야 할 것이다(대판 2002. 3. 29, 2000두6084).

② ×

보조금의 신청은 사인의 공법행위에 해당한다. 사인의 공법행위는 법률에 특별한 규정이 없는 한 민법과 마찬가지로 발신주의가 아니라 도달주의에 의함이 원칙이다. 따라서 사안의 경우 甲이 보조금을 우편으로 신청한 경우, 특별한 규정이 없다면 신청서가 관할행정청에 도달한 때에 신청의 효력이 발생하는 것이지 발송한 때에 신청의 효력이 발생하는 것은 아니다.

③ ○

사인의 공법행위는 상대방에게 도달한 후에도 그에 의거한 행정행위가 성립하기 전에는 철회할 수 있음이 원칙이며, 우리 행정절차법도 이와 관련한 규정을 두고 있다. 다만, 법률에 명문규정이 있거나 그 성질상 불가능한 경우(예 선거 등)에는 철회가 인정되지 않는다.

> **행정절차법 제17조【처분의 신청】** ⑧ 신청인은 처분이 있기 전에는 그 신청의 내용을 보완 · 변경하거나 취하(取下)할 수 있다. 다만, 다른 법령 등에 특별한 규정이 있거나 그 신청의 성질상 보완 · 변경하거나 취하할 수 없는 경우에는 그러하지 아니하다.

④ ×

> **행정절차법 제17조【처분의 신청】** ⑤ 행정청은 신청에 구비서류의 미비 등 흠이 있는 경우에는 보완에 필요한 상당한 기간을 정하여 지체 없이 신청인에게 보완을 요구하여야 한다.

정답 05 ③

06 정답률 62% 중 2020 국가직 7급

사인의 공법행위로서의 신고에 대한 설명으로 옳지 않은 것은? (다툼이 있는 경우 판례에 의함)

□□□ ① 부가가치세법상 사업자등록은 단순한 사업사실의 신고에 해당하므로, 과세관청이 직권으로 등록을 말소한 행위는 항고소송의 대상인 행정처분에 해당하지 않는다.

□□□ ② 허가대상 건축물의 양수인이 건축법령에 규정되어 있는 형식적 요건을 갖추어 행정청에 적법하게 건축주 명의변경신고를 한 경우, 행정청은 실체적인 이유를 들어 신고의 수리를 거부할 수 없다.

□□□ ③ 구 「체육시설의 설치 · 이용에 관한 법률」의 규정에 따라 체육시설의 회원을 모집하고자 하는 자의 '회원모집계획서 제출'은 수리를 요하는 신고이며, 이에 대하여 회원모집계획을 승인하는 시 · 도지사 등의 검토결과 통보는 수리행위로서 행정처분에 해당한다.

□□□ ④ 장기요양기관의 폐업신고 자체가 효력이 없음에도 행정청이 이를 수리한 경우, 그 수리행위가 당연무효로 되는 것은 아니다.

관련기출

②

1. 허가대상 건축물의 양수인이 구 건축법 시행규칙에 규정되어 있는 형식적 요건을 갖추어 행정관청에 적법하게 건축주의 명의변경을 신고한 경우, 행정관청은 실체적인 이유를 내세워 신고의 수리를 거부할 수는 없다. (○, ×) 2017 지방직 7급
2. 건축물의 소유권을 둘러싸고 소송이 계속 중이어서 판결로 소유권의 귀속이 확정될 때까지 건축주명의변경신고의 수리를 거부함은 상당하다. (○, ×) 2015 국회직 8급

1. ○ 2. ○

① ○

1. 부가가치세법상의 사업자등록은 과세관청으로 하여금 부가가치세의 납세의무자를 파악하고 그 과세자료를 확보하게 하려는 데 입법취지가 있는 것으로서, 이는 단순한 사업사실의 신고로서 사업자가 소관 세무서장에게 소정의 사업자등록신청서를 제출함으로써 성립되는 것이다.
2. 부가가치세법상의 사업자등록은 단순한 사업사실의 신고로서 과세관청이 직권으로 등록을 말소한 행위는 행정처분이 아니다(대판 2000. 12. 22, 99두6903).

② ○

1. 허가대상 건축물의 양수인이 구 건축법 시행규칙에 규정되어 있는 형식적 요건을 갖추어 시장 · 군수에게 적법하게 건축주의 명의변경을 신고한 때에는 시장 · 군수는 그 신고를 수리하여야지 실체적인 이유를 내세워 신고의 수리를 거부할 수 없다.
2. 다만, 건축물의 소유권을 둘러싸고 소송이 계속 중이어서 판결로 소유권의 귀속이 확정될 때까지 건축주명의변경신고의 수리를 거부함은 상당하다(대판 1993. 10. 12, 93누883).

③ ○

체육시설의 회원을 모집하고자 하는 자의 '회원모집계획서 제출'은 수리를 요하는 신고이며 이에 대한 시 · 도지사 등의 검토결과 통보는 수리행위로서 행정처분에 해당한다(대판 2009. 2. 26, 2006두16243).

④ ×

장기요양기관의 폐업신고와 노인의료복지시설의 폐지신고는, 행정청이 관계법령이 규정한 요건에 맞는지를 심사한 후 수리하는 이른바 '수리를 필요로 하는 신고'에 해당한다. 그러나 행정청이 그 신고를 수리하였다고 하더라도, 신고서 위조 등의 사유가 있어 신고행위 자체가 효력이 없다면, 그 수리행위는 유효한 대상이 없는 것으로서, 수리행위 자체에 중대 · 명백한 하자가 있는지를 따질 것도 없이 당연히 무효이다(대판 2018. 6. 12, 2018두33593).

정답 06 ④

07 빈출 정답률 86% 중 2020 국가직 9급

신고에 대한 설명으로 옳지 않은 것은? (다툼이 있는 경우 판례에 의함)

□□□ ① 건축법상 인 · 허가 의제 효과를 수반하는 건축신고는 특별한 사정이 없는 한 행정청이 그 실체적 요건에 관한 심사를 한 후 수리하여야 하는 이른바 '수리를 요하는 신고'이다.

□□□ ② 건축법상의 착공신고의 경우에는 신고 그 자체로서 법적 절차가 완료되어 행정청의 처분이 개입될 여지가 없으므로, 행정청의 착공신고 반려행위는 항고소송의 대상인 처분에 해당하지 않는다.

□□□ ③ 주민등록의 신고는 행정청에 도달하기만 하면 신고로서의 효력이 발생하는 것이 아니라 행정청이 수리한 경우에 비로소 신고의 효력이 발생한다.

□□□ ④ 행정청이 구 식품위생법상의 영업자지위승계신고 수리처분을 하는 경우, 행정청은 종전의 영업자에 대하여 행정절차법 소정의 행정절차를 실시하여야 한다.

관련기출

②

1. 건축법상 착공신고가 반려될 경우 당사자에게 그 반려행위를 다툴 실익이 없는 것이므로 착공신고 반려행위의 처분성이 인정되지 않는다. (○, ×) 2017 지방직 9급
2. 건축법에 따른 착공신고가 반려되었음에도 당해 건축물의 착공을 개시하면 시정명령, 이행강제금, 벌금 등의 대상이 될 우려가 있으므로 행정청의 착공신고 반려행위는 항고소송의 대상이 된다. (○, ×) 2016 행정사

1. × 2. ○

① ○

건축법 제14조 제2항에 의한 인 · 허가 의제 효과를 수반하는 건축신고는 일반적인 건축신고와는 달리 행정청이 그 실체적 요건에 관한 심사를 한 후 수리하여야 하는 이른바 '수리를 요하는 신고'에 해당하는 것으로 수리거부는 행정소송의 대상이 된다(대판 2011. 1. 20, 2010두14954 전합).

② 빈출 ×

행정청의 건축법상 착공신고 반려행위는 항고소송의 대상이 되는 처분이다.

건축주 등으로서는 착공신고가 반려될 경우, 당해 건축물의 착공을 개시하면 시정명령, 이행강제금, 벌금의 대상이 되거나 당해 건축물을 사용하여 행할 행위의 허가가 거부될 우려가 있어 불안정한 지위에 놓이게 된다. 따라서 착공신고 반려행위가 이루어진 단계에서 당사자로 하여금 반려행위의 적법성을 다투어 법적 불안을 해소한 다음 건축행위에 나아가도록 함으로써 장차 있을지도 모르는 위험에서 미리 벗어날 수 있도록 길을 열어주고, 위법한 건축물의 양산과 철거를 둘러싼 분쟁을 조기에 근본적으로 해결할 수 있게 하는 것이 법치행정의 원리에 부합한다. 그러므로 행정청의 착공신고 반려행위는 항고소송의 대상이 된다고 보는 것이 옳다(대판 2011. 6. 10, 2010두7321).

③ ○

주민등록신고는 수리를 요하는 신고로서 주민등록의 신고는 행정청에 도달하기만 하면 신고로서의 효력이 발생하는 것이 아니라 행정청이 수리한 경우에 비로소 신고의 효력이 발생한다(대판 2009. 1. 30, 2006다17850).

④ 제21강 참조 ○

영업자지위승계신고를 수리하는 처분은 종전 영업자의 권익을 제한하는 처분으로서 종전 영업자에 대해 행정절차법 제21 · 22조 규정의 행정절차를 실시하고 처분을 하여야 한다(대판 2003. 2. 14, 2001두7015).

정답 07 ②

08 정답률 75% 중 2019 지방직 7급

사인의 공법행위로서 신고에 대한 판례의 입장으로 옳지 않은 것은?

□□□ ① 유통산업발전법상 대규모 점포의 개설 등록은 이른바 '수리를 요하는 신고'로서 행정처분에 해당한다.

□□□ ② 의료법에 따라 정신과의원을 개설하려는 자가 법령에 규정되어 있는 요건을 갖추어 개설신고를 한 경우라도 관할 시장 · 군수 · 구청장은 법령에서 정한 요건 이외의 사유를 들어 의원급 의료기관 개설신고의 수리를 거부할 수 있다.

□□□ ③ 인 · 허가 의제 효과를 수반하는 건축신고는 일반적인 건축신고와는 달리, 특별한 사정이 없는 한 행정청이 그 실체적 요건에 관한 심사를 한 후 수리하여야 하는 이른바 '수리를 요하는 신고'에 해당한다.

□□□ ④ 가설건축물 존치기간을 연장하려는 건축주 등이 법령에 규정되어 있는 제반 서류와 요건을 갖추어 행정청에 연장신고를 한 경우, 행정청으로서는 법령에서 요구하고 있지도 아니한 '대지사용승낙서' 등의 서류가 제출되지 아니하였거나, 대지소유권자의 사용승낙이 없다는 등의 사유를 들어 가설건축물 존치기간 연장신고의 수리를 거부하여서는 아니 된다.

관련기출

②

1. 의료법에 따라 정신과의원을 개설하려는 자가 법령에 규정되어 있는 요건을 갖추어 개설신고를 한 경우 행정청은 원칙적으로 이를 수리하여 신고필증을 교부하여야 하고, 법령에서 정한 요건 이외의 사유를 들어 의원급 의료기관 개설신고의 수리를 거부할 수는 없다. (O, ×) 2022 소방직 9급

1. O

④

1. 가설건축물 존치기간을 연장하려는 건축주 등이 법령에 규정되어 있는 제반 서류와 요건을 갖추어 행정청에 연장신고를 한 때에는 행정청은 원칙적으로 이를 수리하여 신고필증을 교부하여야 하고, 법령에서 정한 요건 이외의 사유를 들어 수리를 거부할 수는 없다. (O, ×) 2022 소방직 9급

1. O

① O

구 유통산업발전법 제12조의2 제1항, 제2항, 제3항은 기존의 대규모점포의 등록된 유형 구분을 전제로 '대형마트로 등록된 대규모점포'를 일체로서 규제 대상으로 삼고자 하는 데 취지가 있는 점, …… 등을 고려할 때 대규모점포의 개설 등록은 이른바 '수리를 요하는 신고'로서 행정처분에 해당한다(대판 2015. 11. 19, 2015두295 전합).

② ×

의료법에 따라 정신과의원을 개설하려는 자가 법령에 규정되어 있는 요건을 갖추어 개설신고를 한 때에, 행정청은 원칙적으로 이를 수리하여 신고필증을 교부하여야 하고, 법령에서 정한 요건 이외의 사유를 들어 의원급 의료기관 개설신고의 수리를 거부할 수는 없다(대판 2018. 10. 25, 2018두44302).

③ O

건축법 제14조 제2항에 의한 인 · 허가 의제 효과를 수반하는 건축신고는 일반적인 건축신고와는 달리 행정청이 그 실체적 요건에 관한 심사를 한 후 수리하여야 하는 이른바 '수리를 요하는 신고'에 해당한다는 것이 판례의 입장이다(대판 2011. 1. 20, 2010두14954 전합).

④ O

1. 가설건축물 존치기간을 연장하려는 건축주 등이 법령에 규정되어 있는 제반 서류와 요건을 갖추어 행정청에 연장신고를 한 때에는 행정청은 원칙적으로 이를 수리하여 신고필증을 교부하여야 하고, 법령에서 정한 요건 이외의 사유를 들어 수리를 거부할 수는 없다.
2. 따라서 행정청으로서는 법령에서 요구하고 있지도 아니한 '대지사용승낙서' 등의 서류가 제출되지 아니하였거나, 대지소유권자의 사용승낙이 없다는 등의 사유를 들어 가설건축물 존치기간 연장신고의 수리를 거부하여서는 아니 된다(대판 2018. 1. 25, 2015두35116).

정답 08 ②

09 정답률 78% 상 2019 서울시 9급

甲은 영업허가를 받아 영업을 하던 중 자신의 영업을 乙에게 양도하고자 乙과 사업양도·양수계약을 체결하고 관련법령에 따라 관할행정청 A에게 지위승계신고를 하였다. 이에 대한 설명으로 가장 옳지 않은 것은? (다툼이 있는 경우 판례에 따름)

□□□ ① 甲과 乙 사이의 사업양도·양수계약이 무효이더라도 A가 지위승계신고를 수리하였다면 그 수리는 취소되기 전까지 유효하다.

□□□ ② A가 지위승계신고의 수리를 거부한 경우 甲은 수리거부에 대해 취소소송으로 다툴 수 있다.

□□□ ③ 甲과 乙이 사업양도·양수계약을 체결하였으나 지위승계신고 이전에 甲에 대해 영업허가가 취소되었다면, 乙은 이를 다툴 법률상 이익이 있다.

□□□ ④ 甲과 乙이 관련법령상 요건을 갖춘 적법한 신고를 하였더라도 A가 이를 수리하지 않았다면 지위승계의 효력이 발생하지 않는다.

관련기출

④

1. 액화석유가스충전사업의 지위승계신고를 수리하는 행위는 판례에 의할 때 사실행위에 해당한다. (○, ×) 2015 사회복지직 9급

1. ×

① ×

수리의 대상이 되는 양도·양수계약이 무효라면 수리를 하였더라도 수리는 당연무효이다. 따라서 甲과 乙 사이의 사업양도·양수계약이 무효라면 A가 지위승계신고를 수리하였더라도 그 수리는 무효이다.

> 지위승계신고의 수리대상인 사업양도·양수가 존재하지 아니하거나 무효인 때에는 수리를 하였다 하더라도 그 수리는 당연히 무효이다.
> 사업양도·양수에 따른 허가관청의 지위승계신고의 수리는 적법한 사업의 양도·양수가 있었음을 전제로 하는 것이므로 그 수리대상인 사업양도·양수가 존재하지 아니하거나 무효인 때에는 수리를 하였다 하더라도 그 수리는 유효한 대상이 없는 것으로서 당연히 무효라 할 것이고 …… (대판 2005. 12. 23, 2005두3554)

② ○

영업이 양도된 경우 양수인이 적법한 영업자로서의 지위를 취득하기 위해서는 지위승계신고가 수리되어야 하므로 지위승계신고의 수리 또는 그 거부는 취소소송의 대상이 되는 처분이다. 따라서 A가 지위승계신고의 수리를 거부한 경우 甲은 수리거부에 대해 취소소송으로 다툴 수 있다.

③ ○

지위승계신고 이전이라도 양도계약이 있은 후에 양도인의 영업허가를 취소하게 되면 양수인의 지위승계신고를 할 수 있는 이익이 침해되는바, 이러한 양수인의 이익은 단순한 반사적 이익 또는 사실상 이익이 아니라 법률상 이익이라는 것이 판례의 입장이다. 따라서 甲과 乙이 사업양도·양수계약을 체결하였으나 지위승계신고 이전에 甲에 대해 영업허가가 취소되었다면, 양수인 乙은 이를 다툴 법률상 이익이 있다.

> 채석허가를 받은 자에 대한 관할행정청의 채석허가취소처분에 대하여, 수허가자의 지위를 양수한 양수인은 그 취소처분의 취소를 구할 법률상 이익이 있다(대판 2003. 7. 11, 2001두6289).

④ ○

지위승계신고를 수리를 요하는 신고로 보는 것이 판례의 입장인바(대판 1993. 6. 8, 91누11544), 수리를 요하는 신고의 경우 비록 적법한 신고가 있었다고 하더라도 행정청의 수리가 없다면 신고의 효력은 발생하지 않는다. 따라서 甲과 乙이 관련법령상 요건을 갖춘 적법한 신고를 하였더라도 A가 이를 수리하지 않았다면 지위승계의 효력은 발생하지 않는다.

> 「액화석유가스의 안전 및 사업관리법」(현 「액화석유가스의 안전관리 및 사업법」) 제7조 제2항에 의한 액화석유가스충전사업 지위승계신고 수리행위는 사실행위가 아니라 행정처분에 해당한다.
> 「액화석유가스의 안전 및 사업관리법」 제7조 제2항에 의한 사업양수에 의한 지위승계신고를 수리하는 허가관청의 행위는 단순히 양도·양수자 사이에 발생한 사법상의 사업양도의 법률효과에 의하여 양수자가 사업을 승계하였다는 사실의 신고를 접수하는 행위에 그치는 것이 아니라 실질에 있어서 양도자의 사업허가를 취소함과 아울러 양수자에게 적법히 사업을 할 수 있는 법규상 권리를 설정하여 주는 행위로서 사업허가자의 변경이라는 법률효과를 발생시키는 행위이므로 허가관청이 법 제7조 제2항에 의한 사업양수에 의한 지위승계신고를 수리하는 행위는 행정처분에 해당한다(대판 1993. 6. 8, 91누11544).

정답 09 ①

10 정답률 50% 상 2018 지방직 9급

다음 사례에 대한 설명으로 옳지 않은 것은? (다툼이 있는 경우 판례에 의함)

> 甲은 식품위생법 제37조 제1항에 따라 허가를 받아 식품조사처리업 영업을 하고 있던 중 乙과 영업양도계약을 체결하였다. 당해 계약은 하자 있는 계약이었음에도 불구하고, 乙은 같은 법 제39조에 따라 식품의약품안전처장에게 영업자지위승계신고를 하였다.

□□□ ① 식품의약품안전처장이 乙의 신고를 수리한다면, 이는 실질에 있어서 乙에게는 적법하게 사업을 할 수 있는 권리를 설정하여 주는 행위이다.

□□□ ② 식품의약품안전처장이 乙의 신고를 수리하는 경우에 甲과 乙의 영업양도계약이 무효라면 위 신고수리처분도 무효이다.

□□□ ③ 식품의약품안전처장이 乙의 신고를 수리하기 전에 甲의 영업허가처분이 취소된 경우, 乙이 甲에 대한 영업허가취소처분의 취소를 구하는 소송을 제기할 법률상 이익은 없다.

□□□ ④ 甲은 민사쟁송으로 양도·양수행위의 무효를 구함이 없이 막바로 식품의약품안전처장을 상대로 한 행정소송으로 위 신고수리처분의 무효확인을 구할 법률상 이익이 있다.

① ○

허가업의 지위승계신고를 수리하는 행정청의 행위는 양도인인 기존 영업자의 허가를 취소함과 동시에 양수인에게 영업자로서의 지위를 설정하여 주는 행위이다. 따라서 乙의 사업양수에 의한 지위승계신고를 수리하는 식품의약품안전처장의 행위는 단순히 양수자가 사업을 승계하였다는 사실의 신고를 접수하는 행위에 그치는 것이 아니라, 실질적으로 甲의 사업허가를 취소함과 아울러 乙에게 적법하게 사업을 할 수 있는 법규상 권리를 설정하여 주는 행위라는 것이 판례의 취지이다.

> 「액화석유가스의 안전 및 사업관리법」(현 「액화석유가스의 안전관리 및 사업법」) 제7조 제2항에 의한 사업양수에 의한 지위승계신고를 수리하는 허가관청의 행위는 양수자가 사업을 승계하였다는 사실의 신고를 접수하는 행위에 그치는 것이 아니라 실질에 있어서 양수자에게 적법히 사업을 할 수 있는 법규상 권리를 설정하여 주는 행위로서 사업허가자의 변경이라는 법률효과를 발생시키는 행정처분에 해당한다(대판 1993. 6. 8, 91누11544).

② ○

기본계약이 무효라면 수리가 있었다고 하더라도 그 수리는 당연무효가 된다. 따라서 甲과 乙의 영업양도계약이 무효라면 식품의약품안전처장이 乙의 지위승계신고를 수리했다 하더라도 그 신고수리처분은 당연무효라는 것이 판례의 취지이다.

> 지위승계신고의 수리대상인 사업양도·양수가 존재하지 아니하거나 무효인 때에는 수리를 하였다 하더라도 그 수리는 당연히 무효이다(대판 2005. 12. 23, 2005두3554).

③ ×

양수인의 지위승계신고 후 행정청이 양도인에게 허가를 취소하는 행위는, 비록 허가취소의 상대방은 양도인이지만 그 처분은 동시에 영업자의 지위를 승계할 양수인의 이익을 침해하는 처분이라고 볼 수도 있다. 따라서 양도인의 허가를 취소하는 처분에 대해 양수인은 처분의 취소를 구할 원고적격을 가진다는 것이 판례의 취지이다. 따라서 식품의약품안전처장이 乙의 신고를 수리하기 전에 관할행정청이 甲의 영업허가처분을 취소하였다면 이는 양수인의 지위에 대한 직접적 침해가 된다고 할 것이므로 甲의 지위를 사실상 양수한 乙은 영업허가를 취소하는 처분의 취소를 구할 법률상 이익을 가진다.

④ ○

기본행위, 즉 양도계약이 무효인 경우 지위승계신고를 수리하는 행정청의 행위도 무효가 된다. 이 경우 양도인은 기본행위의 무효를 민사소송으로 구함이 없이 곧바로 수리처분의 무효확인을 행정소송으로 구할 수도 있다는 것이 판례의 취지이다(기본행위가 무효인 경우 인가도 무효가 되지만 기본행위의 무효를 이유로 인가처분의 무효확인소송을 제기하는 것은 허용되지 않는다는 인가와 수리처분의 차이를 구별하기 바란다). 따라서 甲은 사업의 양도·양수행위의 무효를 민사소송으로 구하지 않고 바로 식품의약품안전처장을 상대로 한 행정소송에서 신고수리처분 무효확인의 소를 제기할 법률상 이익이 있다.

> 사업의 양도행위가 무효라고 주장하는 양도자가 양도·양수행위의 무효를 구함이 없이 사업양도·양수에 따른 허가관청의 지위승계신고수리처분의 무효확인을 구할 법률상 이익이 있다(대판 2005. 12. 23, 2005두3554).

정답 10 ③

11 정답률 69% 중 2018 국가직 9급

신고에 대한 설명으로 옳은 것은? (다툼이 있는 경우 판례에 의함)

□□□ ① 신고는 사인이 행하는 공법행위로 행정기관의 행위가 아니므로 행정절차법에는 신고에 관한 규정을 두고 있지 않다.

□□□ ② 신고의 수리는 타인의 행위를 유효한 행위로 받아들이는 행정행위를 말하며, 이는 강학상 법률행위적 행정행위에 해당한다.

□□□ ③ 행정절차법상 사전통지의 상대방인 당사자는 행정청의 처분에 대하여 직접 그 상대가 되는 자를 의미하므로, 식품위생법상의 영업자지위승계신고를 수리하는 행정청은 영업자지위를 이전한 종전의 영업자에 대하여 사전통지를 할 필요가 없다.

□□□ ④ 숙박업을 하고자 하는 자가 법령이 정하는 시설과 설비를 갖추고 행정청에 신고를 하면 행정청은 공중위생관리법령의 규정에 따라 원칙적으로 이를 수리하여야 하므로, 새로 숙박업을 하려는 자가 기존에 다른 사람이 숙박업 신고를 한 적이 있는 시설 등의 소유권 등 정당한 사용권한을 취득하여 법령에서 정한 요건을 갖추어 신고하였다면, 행정청으로서는 특별한 사정이 없는 한 이를 수리하여야 하고, 기존의 숙박업 신고가 외관상 남아 있다는 이유로 이를 거부할 수 없다.

① ×

행정절차법에는 신고에 관한 규정을 두고 있다. 행정절차법에 규정이 있는 것과 없는 것을 묻는 문제는 자주 출제되는 유형이므로 잘 정리하기 바란다.

> **행정절차법 제40조【신고】** ① 법령 등에서 행정청에 일정한 사항을 통지함으로써 의무가 끝나는 신고를 규정하고 있는 경우 신고를 관장하는 행정청은 신고에 필요한 구비서류, 접수기관, 그 밖에 법령 등에 따른 신고에 필요한 사항을 게시(인터넷 등을 통한 게시를 포함한다)하거나 이에 대한 편람을 갖추어 두고 누구나 열람할 수 있도록 하여야 한다. (이하 생략)

② ×

수리란 타인의 행정청에 대한 행위를 유효한 행위로서 수령하는 행위를 말하는 것으로, 수리를 요하는 신고에서 수리는 공증, 통지, 확인과 더불어 준법률행위적 행정행위이다.

③ ×

식품위생법상의 영업자지위승계신고를 수리하는 행위는 종전 영업자의 권익을 제한하는 처분이므로 종전 영업자에 대해 행정절차법 제21조에 따른 사전통지를 하여야 한다는 것이 판례의 입장이다(대판 2009. 2. 26, 2006두16243).

④ ○

> 숙박업을 하고자 하는 자가 법령이 정하는 시설과 설비를 갖추고 행정청에 신고를 하면 행정청은 공중위생관리법령의 위 규정에 따라 원칙적으로 이를 수리하여야 한다. 행정청이 법령이 정한 요건 이외의 사유를 들어 수리를 거부하는 것은 위 법령의 목적에 비추어 이를 거부해야 할 중대한 공익상의 필요가 있다는 등 특별한 사정이 있는 경우에 한한다. 이러한 법리는 이미 다른 사람 명의로 숙박업 신고가 되어 있는 시설 등의 전부 또는 일부에서 새로 숙박업을 하고자 하는 자가 신고를 한 경우에도 마찬가지이다. 기존에 다른 사람이 숙박업 신고를 한 적이 있더라도 새로 숙박업을 하려는 자가 그 시설 등의 소유권 등 정당한 사용권한을 취득하여 법령에서 정한 요건을 갖추어 신고하였다면, 행정청으로서는 특별한 사정이 없는 한 이를 수리하여야 하고, 단지 해당 시설 등에 관한 기존의 숙박업 신고가 외관상 남아 있다는 이유만으로 이를 거부할 수 없다(대판 2017. 5. 30, 2017두34087).

정답 11 ④

12 ⓢ

2017 국가직(하) 7급

판례의 입장에 따를 때 신고의 효과가 발생하는 것(○)과 발생하지 않는 것(×)을 바르게 나열한 것은?

□□□ ㉠ 「체육시설의 설치 · 이용에 관한 법률」상 신고체육시설업에 대한 변경신고를 적법하게 하였으나, 관할행정청이 수리를 거부한 경우

□□□ ㉡ 수산업법상 어업신고를 적법하게 하였으나, 관할행정청이 수리를 거부한 경우

□□□ ㉢ 주민등록법상 전입신고를 적법하게 하였으나, 관할행정청이 수리를 거부한 경우

□□□ ㉣ 축산물위생관리법상 축산물판매업에 대한 부적법한 신고가 있었으나, 관할행정청이 이를 수리한 경우

	㉠	㉡	㉢	㉣
①	○	○	○	○
②	○	○	○	×
③	×	○	○	×
④	○	×	×	×

관련기출

㉠

1. 골프장이용료 변경신고와 같은 구 「체육시설의 설치 · 이용에 관한 법률」 제18조에 의한 신고는 행정청의 수리를 요한다. (○, ×) 2018 경행경채 3차
2. 「체육시설의 설치 · 이용에 관한 법률」 제20조에 의한 변경신고서는 도지사의 수리행위가 있어야만 신고가 있었다고 볼 것이다. (○, ×) 2015 경행특채 1차
3. 구 「체육시설의 설치 · 이용에 관한 법률」에 의한 골프장이용료 변경신고서는 행정청에 제출하여 접수된 때에 신고가 있었다고 볼 것이고, 행정청의 수리행위가 있어야만 하는 것은 아니다. (○, ×) 2014 국가직 9급

1. × 2. × 3. ○

자기완결적 신고의 경우 적법한 신고가 행정기관에 도달하면 행정청의 수리 여부와 무관하게 신고의 효력이 발생한다(㉠). 다만, 자기완결적 신고의 경우라도 부적법한 신고가 있으면 신고의 수리가 있었더라도 아무런 효력이 발생하지 않는다(㉣). 그러나 수리를 요하는 신고(행위요건적 신고)의 경우 신고만으로 신고된 행위의 효과가 발생하는 것이 아니라 행정청의 수리가 있어 그 효과가 발생한다(㉡㉢).

㉠ **빈출** 자기완결적 신고 ○

> 골프장이용료 변경신고와 같은 「체육시설의 설치 · 이용에 관한 법률」 제18조(현 제20조)에 의한 행정청에 대한 신고에는 행정청의 수리행위가 필요 없다.
>
> 행정청에 대한 신고는 일정한 법률사실 또는 법률관계에 관하여 관계행정청에 일방적으로 통고를 하는 것을 뜻하는 것으로서 법에 별도의 규정이 있거나 다른 특별한 사정이 없는 한 행정청에 대한 통고로써 그치는 것이고 그에 대한 행정청의 반사적 결정을 기다릴 필요가 없는 것이므로, 「체육시설의 설치 · 이용에 관한 법률」 제18조에 의한 변경신고서는 그 신고 자체가 위법하거나 그 신고에 무효사유가 없는 한 이것이 도지사에게 제출하여 접수된 때에 신고가 있었다고 볼 것이고, 도지사의 수리행위가 있어야만 신고가 있었다고 볼 것은 아니다(대결 1993. 7. 6, 93마635).

㉡ 수리를 요하는 신고 ×

> 수산업법 제44조(현 제48조) 소정의 어업의 신고는 행정청의 수리에 의하여 비로소 그 효과가 발생하는 이른바 '수리를 요하는 신고'라고 할 것이다(대판 2000. 5. 26, 99다37382).

㉢ 수리를 요하는 신고 ×

> 주민등록전입신고에 대하여 시장은 그 수리 여부를 심사할 수 있다.
>
> 주민들의 거주지 이동에 따른 주민등록전입신고에 대하여 행정청이 이를 심사하여 그 수리를 거부할 수는 있다(대판 2009. 6. 18, 2008두10997 전합).

㉣ 자기완결적 신고 ×

> 축산물위생관리법상 축산물판매업에 대한 신고는 자기완결적 신고이다. 따라서 부적법한 신고가 있었다면 그 신고를 행정청이 수리하였더라도 신고의 효과가 발생하지 않는다(대판 2010. 4. 29, 2009다97925).

정답 12 ④

13 정답률 75% 중 2017 지방직 9급

행정상 법률관계에 대한 설명으로 옳지 않은 것은? (다툼이 있는 경우 판례에 의함)

□□□ ① 공법관계에 있어서 자연인의 주소는 주민등록지이고, 그 수는 1개소에 한한다.

□□□ ② 특별한 규정이 없는 경우, 민법의 법률행위에 관한 규정 중 의사표시의 효력발생시기, 대리행위의 효력, 조건과 기한의 효력 등의 규정은 행정행위에도 적용된다.

□□□ ③ 주민등록의 신고는 행정청에 도달하기만 하면 신고로서의 효력이 발생하는 것이 아니라 행정청이 수리한 경우에 비로소 신고의 효력이 발생한다.

□□□ ④ 건축법상 착공신고가 반려될 경우 당사자에게 그 반려행위를 다툴 실익이 없는 것이므로 착공신고 반려행위의 처분성이 인정되지 않는다.

① ○

행정법상 주소의 경우는 주민등록법에서 통칙적 규정을 두어 주민등록법에 의한 주민등록지가 주소지가 된다고 규정하고 있다. 주민등록법은 주민등록의 신고를 이중으로 하는 것을 금지하고 있다. 따라서 공법상 자연인의 주소는 원칙적으로 1개소에 한정된다.

② ○

사법(私法), 즉 민법규정 중 법원리에 해당하는 규정과 단순한 법기술에 관한 규정(기간계산에 관한 규정 등)은 공법관계 중 관리관계뿐만 아니라 권력관계에도 적용된다. 민법의 법률행위에 관한 규정 중 의사표시의 효력발생시기, 대리행위의 효력, 조건과 기한의 효력 등의 규정은 법률행위에 관한 일반 법원리적 규정이므로 행정행위와 같은 권력적 행정작용에도 적용된다.

③ ○

주민등록신고는 수리를 요하는 신고로서 주민등록의 신고가 행정청에 도달하기만 하면 신고로서의 효력이 발생하는 것이 아니라 행징청이 수리한 경우에 비로소 신고의 효력이 발생한다는 것이 판례의 입장이다(대판 2009. 1. 30, 2006다17850).

④ ×

행정청의 건축법상 착공신고 반려행위는 항고소송의 대상이 되는 처분이라는 것이 판례의 입장이다(대판 2011. 6. 10, 2010두7321).

정답 13 ④

14 중 2015 경행특채 1차

다음 행정법상 신고에 대한 설명 중 가장 적절하지 않은 것은? (다툼이 있으면 판례에 의함)

□□□ ① 건축주명의변경신고 수리거부행위는 취소소송의 대상이 되는 처분이라고 하지 않을 수 없다.

□□□ ② 납골당 설치신고는 수리를 요하는 신고라 할 것이므로, 행정청의 수리처분이 있어야만 신고한 대로 납골당을 설치할 수 있다.

□□□ ③ 「체육시설의 설치 · 이용에 관한 법률」 제20조에 의한 변경신고서는 도지사의 수리행위가 있어야만 신고가 있었다고 볼 것이다.

□□□ ④ 「국토의 계획 및 이용에 관한 법률」상의 개발행위허가로 의제되는 건축신고가 개발행위허가의 기준을 갖추지 못한 경우 행정청은 그 수리를 거부할 수 있다.

관련기출

①

1. 수리를 요하는 신고의 경우 그 신고에 대한 거부행위는 행정소송의 대상이 되는 처분에 해당한다. (○, ×) 2014 국가직 7급
2. 판례는 건축대장상의 건축주명의변경에 대한 신고의 수리거부행위에 대하여 처분성을 인정한다. (○, ×) 2013 국회속기직 9급
3. 건축법상 건축주명의변경신고의 수리를 거부하는 행위는 항고소송의 대상이 되는 처분이다. (○, ×) 2013 국회직 8급

1. ○ 2. ○ 3. ○

① **빈출** ○

1. 건축물 양수인의 건축대장상의 건축주명의변경신고는 행위요건적 신고(수리를 요하는 신고)이다.
2. 건축주명의변경신고에 대한 수리거부행위가 취소소송의 대상이 되는 처분이다(대판 1992. 3. 31, 91누4911).

② ○

납골당 설치신고는 이른바 '수리를 요하는 신고'라 할 것이므로 이에 대한 행정청의 수리처분이 있어야만 신고한 대로 납골당을 설치할 수 있다는 것이 판례의 입장이다(대판 2011. 9. 8, 2009두6766).

③ ×

「체육시설의 설치 · 이용에 관한 법률」 제18조에 의한 변경신고서는 그 신고 자체가 위법하거나 그 신고에 무효사유가 없는 한 이것이 도지사에게 제출하여 접수된 때에 신고가 있었다고 볼 것이고, 도지사의 수리행위가 있어야만 신고가 있었다고 볼 것은 아니다(대결 1993. 7. 6, 93마635).

④ ○

「국토의 계획 및 이용에 관한 법률」상의 개발행위허가로 의제되는 건축신고가 개발행위허가의 기준을 갖추지 못한 경우, 행정청이 수리를 거부할 수 있다(대판 2011. 1. 20, 2010두14954 전합).

정답 14 ③

15 상

2014 국가직 9급

사인(私人)의 경제활동에 대한 행정청의 규제방식을 설명한 것으로 옳지 않은 것은? (다툼이 있는 경우 판례에 의함)

① 행정절차법상 신고요건으로는 신고서의 기재사항에 흠이 없고 필요한 구비서류가 첨부되어 있어야 하며, 신고의 기재사항은 그 진실함이 입증되어야 한다.

② 구 「체육시설의 설치 · 이용에 관한 법률」에 의한 골프장이용료 변경신고서는 행정청에 제출하여 접수된 때에 신고가 있었다고 볼 것이고, 행정청의 수리행위가 있어야만 하는 것은 아니다.

③ 유료노인복지주택의 설치신고를 받은 행정관청은 그 유료노인복지주택의 시설 및 운용기준이 법령에 부합하는지와 설치신고 당시 부적격자들이 입소하고 있는지 여부를 심사할 수 있다.

④ 양도인이 자신의 의사에 따라 양수인에게 영업을 양도하면서 양수인으로 하여금 영업을 하도록 허락하였다면 영업승계신고 및 수리처분이 있기 전에 발생한 양수인의 위반행위에 대한 행정적 책임은 양도인에게 귀속된다.

① ×

행정절차법에 따른 신고는 자기완결적 신고인데 행정절차법에 따르면 신고요건으로 기재사항에 흠이 없을 것, 구비서류가 첨부되어 있을 것 등 형식적 요건을 규정하고 있으며 내용의 진실함을 요건으로 규정하고 있지 않다.

> **행정절차법 제40조【신고】** ② 제1항에 따른 신고가 다음 각 호의 요건을 갖춘 경우에는 신고서가 접수기관에 도달된 때에 신고의무가 이행된 것으로 본다.
> 1. 신고서의 기재사항에 흠이 없을 것
> 2. 필요한 구비서류가 첨부되어 있을 것
> 3. 그 밖에 법령 등에 규정된 형식상의 요건에 적합할 것

② ○

골프장이용료 변경신고와 같은 「체육시설의 설치 · 이용에 관한 법률」 제18조(현 제20조)에 의한 행정청에 대한 신고에는 행정청의 수리행위가 필요 없다는 것이 판례의 입장이다(대결 1993. 7. 6, 93마635).

③ ○

> 구 노인복지법에 의한 유료노인복지주택의 설치신고를 받은 행정관청은 유료노인복지주택의 시설 및 운영기준이 위 법령에 부합하는지와 아울러 그 유료노인복지주택이 적법한 입소대상자에게 분양되었는지와 설치신고 당시 부적격자들이 입소하고 있지는 않은지까지 심사하여 그 신고의 수리 여부를 결정할 수 있다(대판 2007. 1. 11, 2006두14537).

④ ○

> 사실상 영업이 양도 · 양수되었지만 아직 승계신고 및 수리처분이 있기 이전인 경우, 양수인의 영업 중 발생한 위반행위에 대한 행정적인 책임은 영업허가자인 양도인에게 귀속된다.
>
> 사실상 영업이 양도 · 양수되었지만 아직 승계신고 및 그 수리처분이 있기 이전에는 여전히 종전의 영업자인 양도인이 영업허가자이고, 양수인은 영업허가자가 되지 못한다 할 것이어서 행정제재처분의 사유가 있는지 여부 및 그 사유가 있다고 하여 행하는 행정제재처분은 영업허가자인 양도인을 기준으로 판단하여 그 양도인에 대하여 행하여야 할 것이고, 한편 양도인이 그의 의사에 따라 양수인에게 영업을 양도하면서 양수인으로 하여금 영업을 하도록 허락하였다면 그 양수인의 영업 중 발생한 위반행위에 대한 행정적인 책임은 영업허가자인 양도인에게 귀속된다(대판 1995. 2. 24, 94누9146).

정답 15 ①

2025
써니 행정법총론
기출문제집

Sunny

제 2 편

행정작용법

2회 기출 모의고사

제 10 강 법규명령

1회독	2회독	3회독
/	/	/

✓정답률 공단기/소방단기 합격예측 풀서비스 통계 데이터 기준 기 기본서 핵 핵심집약

01 법규명령 기 172~191쪽 핵 T 19~20

01 정답률 88% 중 2024 군무원 9급

다음 중 법규명령에 대한 설명으로 가장 적절하지 않은 것은? (다툼이 있는 경우 판례에 의함)

□□□ ① 일반적 · 추상적 규범으로서의 법규명령은 원칙적으로 항고소송의 대상이 될 수 없다.

□□□ ② 법률이 대통령령으로 규정하도록 되어 있는 사항을 부령으로 정한다면 그 부령은 무효임을 면치 못한다.

□□□ ③ 법령의 위임관계는 반드시 하위법령의 개별조항에서 위임의 근거가 되는 상위법령의 해당 조항을 구체적으로 명시하고 있어야만 하는 것은 아니다.

□□□ ④ 위임의 근거가 없어 무효였던 법규명령은 사후적인 법률에 의해 유효가 될 수 없다.

관련기출

②

1. 법률이 대통령령으로 규정하도록 되어 있는 사항을 부령으로 정했다면 그 부령은 무효이다. (○, ×) 2018 서울시 2회 7급
2. 법령상 대통령령으로 규정하도록 되어 있는 사항을 부령으로 정하더라도 그 부령은 유효하다. (○, ×) 2018 교육행정직 9급

1. ○ 2. ×

③

1. 법령의 위임관계는 반드시 하위법령의 개별조항에서 위임의 근거가 되는 상위법령의 해당 조항을 구체적으로 명시하고 있어야 하는 것은 아니다. (○, ×) 2016 · 2015 지방직 9급

1. ○

① 정답률 3% ○

행정소송법은 취소소송과 무효등확인소송의 대상을 '처분 등'으로 규정하고 있는데, 일반적 · 추상적 규범으로서의 법규명령은 '처분 등'의 개념에 포함되지 않으므로 원칙적으로 항고소송의 대상이 될 수 없다. 다만, 법규명령이 구체성을 갖는 경우, 즉 처분적 성질을 가지는 경우(처분법규)에 항고소송의 대상이 될 수 있을 뿐이다.

② 정답률 3% ○

> 법률 또는 대통령령으로 정할 사항을 부령으로 정한 경우 그러한 부령은 무효이다(대판 1962. 1. 25, 61다9).

③ 정답률 4% ○

> 법령의 위임관계는 반드시 하위법령의 개별조항에서 위임의 근거가 되는 상위법령의 해당 조항을 구체적으로 명시하고 있어야만 하는 것은 아니라고 할 것이다(대판 1999. 12. 24, 99두5658).

④ **빈출** 정답률 88% ×

> 1. 일반적으로 법률의 위임에 의하여 효력을 갖는 법규명령의 경우, 구법에 위임의 근거가 없어 무효였더라도 사후에 법 개정으로 위임의 근거가 부여되면 그때부터는 유효한 법규명령이 된다.
> 2. 그리고 구법의 위임에 의한 유효한 법규명령이 법 개정으로 위임의 근거가 없어지게 되면 그때부터 무효인 법규명령이 된다.
> 3. 따라서 어떤 법령의 위임근거 유무에 따른 유효 여부를 심사하려면 법 개정의 전 · 후에 걸쳐 모두 심사하여야만 그 법규명령의 시기에 따른 유효 · 무효를 판단할 수 있다(대판 1995. 6. 30, 93추83).

정답 01 ④

02 정답률 73% 중 2024 지방직 · 서울시 9급

행정입법에 대한 설명으로 옳지 않은 것은? (다툼이 있는 경우 판례에 의함)

① 위임명령이 위임내용을 구체화하는 단계를 벗어나 새로운 입법을 한 것으로 평가할 수 있다면 이는 위임의 한계를 일탈한 것으로서 허용되지 않는다.

② 교육부장관이 대학입시기본계획에서 내신성적 산정기준에 관한 시행지침을 마련하여 시 · 도교육감에게 통보한 경우, 각 고등학교에서 위 지침에 일률적으로 기속되어 내신성적을 산정할 수밖에 없고 대학에서도 이를 그대로 내신성적으로 인정하여 입학생을 선발할 수밖에 없으므로 내신성적 산정지침은 항고소송의 대상이 되는 행정처분에 해당한다.

③ 법규명령이 법률상 위임의 근거가 없어 무효였더라도 사후에 법 개정으로 위임의 근거가 부여되면 그때부터는 유효한 법규명령이 된다.

④ 행정청이 개인택시운송사업면허발급 여부를 심사함에 있어서 이미 설정된 면허기준의 해석상 당해 신청이 면허발급의 우선순위에 해당함이 명백함에도 면허거부처분을 하였다면 특별한 사정이 없는 한 그 거부처분은 위법한 처분이 된다.

관련기출

①

1. 수권규정에서 사용하고 있는 용어의 의미를 넘어 위임내용을 구체화하는 단계를 벗어나 새로운 입법을 한 것으로 볼 수 있다면 위임의 한계를 넘은 것이다. (○, ×) 2022 경찰간부
2. 법률의 위임규정 자체가 그 의미내용을 정확하게 알 수 있는 용어를 사용하여 위임의 한계를 분명히 하고 있는데도 시행령이 위임규정에서 사용하고 있는 용어의 의미를 넘어 그 범위를 확장하거나 축소함으로써 위임내용을 구체화하는 단계를 벗어나 새로운 입법을 한 것으로 평가할 수 있는 경우라도 이를 위임의 한계를 일탈한 것으로 보기는 어렵다. (○, ×) 2017 국가직(하) 7급

1. ○ 2. ×

②

1. 교육부장관이 시 · 도교육감에게 통보한 내신성적산정지침은 행정조직 내부에서의 내부적 심사기준이라기보다는 그 지침으로 인해 국민의 권익에 대한 직접적 · 구체적 변동을 가져올 수 있는 점에서 항고소송의 대상이 되는 처분으로 보아야 한다. (○, ×) 2024 소방간부
2. 교육부장관이 대학입시기본계획의 내용에서 내신성적산정기준에 관한 시행지침을 정한 경우, 각 고등학교는 이에 따라 내신성적을 산정할 수밖에 없어 이는 행정처분에 해당된다. (○, ×) 2019 국가직 9급
3. 교육부장관이 내신성적산정지침을 시 · 도교육감에게 통보한 것은 행정조직 내부에서 내신성적평가에 관한 심사기준을 시달한 것에 불과하여 위 지침을 행정처분으로 볼 수 없다. (○, ×) 2015 경행특채 1차

1. × 2. × 3. ○

① **빈출** 정답률 5% ○

위임명령이 위임내용을 구체화하는 단계를 벗어나 새로운 입법을 한 것으로 평가할 수 있다면, 이는 위임의 한계를 일탈한 것으로서 허용되지 않는다.

법률이 특정 사안과 관련하여 시행령에 위임을 한 경우 시행령이 위임의 한계를 준수하고 있는지를 판단할 때는 당해 법률규정의 입법목적과 규정내용, 규정의 체계, 다른 규정과의 관계 등을 종합적으로 살펴야 한다. 법률의 위임규정 자체가 그 의미내용을 정확하게 알 수 있는 용어를 사용하여 위임의 한계를 분명히 하고 있는데도 시행령이 그 문언적 의미의 한계를 벗어났다든지, 위임규정에서 사용하고 있는 용어의 의미를 넘어 그 범위를 확장하거나 축소함으로써 위임내용을 구체화하는 단계를 벗어나 새로운 입법을 한 것으로 평가할 수 있다면, 이는 위임의 한계를 일탈한 것으로서 허용되지 않는다(대판 2012. 12. 20, 2011두30878 전합).

② **빈출** 정답률 73% 제37강 참조 ×

교육부장관이 시 · 도 교육감에게 통보한 대학입시기본계획 내의 내신성적산정지침은 항고소송의 대상인 행정처분이 아니다(대판 1994. 9. 10, 94두33).

③ 정답률 7% ○

일반적으로 법률의 위임에 의하여 효력을 갖는 법규명령의 경우, 구법에 위임의 근거가 없어 무효였더라도 사후에 법개정으로 위임의 근거가 부여되면 그때부터는 유효한 법규명령이 된다는 것이 판례의 입장이다(대판 1995. 6. 30, 93추83).

④ 정답률 13% ○

여객자동차 운수사업법에 의한 개인택시운송사업면허는 특정인에게 권리나 이익을 부여하는 행정행위로서 법령에 특별한 규정이 없는 한 재량행위이고, 그 면허를 위하여 정하여진 순위 내에서의 운전경력인정방법의 기준설정 역시 행정청의 재량에 속한다 할 것이지만, 행정청이 면허발급 여부를 심사함에 있어서 이미 설정된 면허기준의 해석상 당해 신청이 면허발급의 우선순위에 해당함이 명백함에도 이를 제외시켜 면허거부처분을 하였다면 특별한 사정이 없는 한 그 거부처분은 재량권을 남용한 위법한 처분이 된다(대판 2010. 1. 28, 2009두19137).

정답 02 ②

03 정답률 80% 중 2024 국가직 9급

행정입법에 대한 설명으로 옳지 않은 것은? (다툼이 있는 경우 판례에 의함)

□□□ ① 정부는 권한 있는 기관에 의하여 위헌으로 결정되어 법령이 헌법에 위반되거나 법률에 위반되는 것이 명백한 경우 등 대통령령으로 정하는 경우에는 해당 법령을 개선하여야 한다.

□□□ ② 헌법 제107조 제2항은 구체적 규범통제를 규정하고 있기 때문에 당사자는 구체적 사건의 심판을 위한 선결문제로서 행정입법의 위법성을 주장하여 법원에 대하여 당해 사건에 대한 적용 여부의 판단을 구할 수 있다.

□□□ ③ 일반적으로 법률의 위임에 따라 효력을 갖는 법규명령의 경우에 위임의 근거가 없어 무효였다면 나중에 법 개정으로 위임의 근거가 부여되었다고 하여 그때부터 유효한 법규명령이 되는 것은 아니다.

□□□ ④ 법률의 시행령은 모법인 법률에 의하여 위임받은 사항이나 법률이 규정한 범위 내에서 법률을 현실적으로 집행하는 데 필요한 세부적인 사항만을 규정할 수 있을 뿐, 법률에 의한 위임이 없는 한 법률이 규정한 개인의 권리·의무에 관한 내용을 변경·보충하거나 법률에 규정되지 아니한 새로운 내용을 규정할 수는 없다.

관련기출

③
1. 법규명령이 법률상 위임의 근거가 없어 무효였더라도 사후에 법 개정으로 위임의 근거가 부여되면 그때부터는 유효한 법규명령이 된다. (○, ×) 2024 지방직·서울시 9급
2. 법률의 위임에 의하여 효력을 갖는 법규명령이 법개정으로 위임의 근거가 없어지게 되더라도 효력을 상실하지 않는다. (○, ×) 2022 국가직 9급
3. 법률의 위임에 따라 효력을 갖는 법규명령의 경우에 위임의 근거가 없어 무효였더라도 나중에 법 개정으로 위임의 근거가 다시 부여된 경우에는 이전부터 소급하여 유효한 법규명령이 있었던 것으로 본다. (○, ×) 2021 국가직 7급
4. 법규명령이 위임의 근거가 없어 무효였더라도 나중에 법 개정으로 위임의 근거가 부여되면, 법규명령 제정 당시로 소급하여 유효한 법규명령이 된다. (○, ×) 2021 지방직·서울시 9급

1. ○ 2. × 3. × 4. ×

① 정답률 4% ○

행정기본법 제39조【행정법제의 개선】① 정부는 권한 있는 기관에 의하여 위헌으로 결정되어 법령이 헌법에 위반되거나 법률에 위반되는 것이 명백한 경우 등 대통령령으로 정하는 경우에는 해당 법령을 개선하여야 한다.

② 정답률 9% ○

헌법 제107조 제2항의 규정에 따르면 행정입법의 심사는 일반적인 재판절차에 의하여 구체적 규범통제의 방법에 의하도록 명시하고 있으므로, 당사자는 구체적 사건의 심판을 위한 선결문제로서 행정입법의 위법성을 주장하여 법원에 대하여 당해 사건에 대한 적용 여부의 판단을 구할 수 있을 뿐 행정입법 자체의 합법성의 심사를 목적으로 하는 독립한 신청을 제기할 수는 없다(대결 1994. 4. 26. 93부32).

③ 정답률 80% ×

1. 일반적으로 법률의 위임에 의하여 효력을 갖는 법규명령의 경우, 구법에 위임의 근거가 없어 무효였더라도 사후에 법 개정으로 위임의 근거가 부여되면 그때부터는 유효한 법규명령이 된다.
2. 그리고 구법의 위임에 의한 유효한 법규명령이 법 개정으로 위임의 근거가 없어지게 되면 그때부터 무효인 법규명령이 된다.
3. 따라서 어떤 법령의 위임근거 유무에 따른 유효 여부를 심사하려면 법개정의 전·후에 걸쳐 모두 심사하여야만 그 법규명령의 시기에 따른 유효·무효를 판단할 수 있다(대판 1995. 6. 30, 93추83).

④ 정답률 5% ○

법률의 시행령은 모법인 법률에 의하여 위임받은 사항이나 법률이 규정한 범위 내에서 법률을 현실적으로 집행하는 데 필요한 세부적인 사항만을 규정할 수 있을 뿐, 법률에 의한 위임이 없는 한 법률이 규정한 개인의 권리·의무에 관한 내용을 변경·보충하거나 법률에 규정되지 아니한 새로운 내용을 규정할 수는 없다(대판 2020. 9. 3, 2016두32992 전합).

정답 03 ③

04 빈출 중 2024 변호사

행정입법에 관한 설명 중 옳지 않은 것은? (다툼이 있는 경우 판례에 의함)

① 법률에서 위임받은 사항에 관하여 대강을 정하고 그 중의 특정사항을 범위를 정하여 하위법령에 다시 위임하는 경우에는 재위임이 허용된다.

② 어떠한 고시가 일반적 · 추상적 성격을 가질 때에는 법규명령 또는 행정규칙에 해당할 것이지만, 다른 집행행위의 매개 없이 그 자체로서 직접 국민의 구체적인 권리의무나 법률관계를 규율하는 성격을 가질 때에는 행정처분에 해당한다.

③ 법률의 위임 없이 명령 또는 규칙 등 행정입법으로 과세요건 등에 관한 사항을 규정하거나 법률에 규정된 내용을 유추 · 확장하는 내용의 해석규정을 마련하는 것은 조세법률주의 원칙에 위배된다.

④ 헌법 제40조와 헌법 제75조, 제95조의 의미를 살펴보면, 국회입법에 의한 수권이 행정기관에게 법률 등으로 구체적인 범위를 정하여 위임하더라도 당해 행정기관이 독자적인 법정립의 권한을 갖는 것은 아니므로 헌법이 인정하고 있는 위임입법의 형식은 한정적인 것으로 보아야 한다.

⑤ 「공익사업을 위한 토지 등의 취득 및 보상에 관한 법률」은 협의취득의 보상액 산정에 관한 구체적 기준을 시행규칙에 위임하고 있고, 그 위임범위 내에서 해당 시행규칙은 토지에 건축물 등이 있는 경우에는 건축물 등이 없는 상태를 상정하여 토지를 평가하도록 규정하고 있는데, 그 시행규칙은 위 법률의 규정과 결합하여 대외적인 구속력을 가진다.

관련기출

③
1. 납세의무자에게 조세의 납부의무뿐만 아니라 스스로 과세표준과 세액을 계산하여 신고하여야 하는 의무까지 부과하는 경우에는 신고의무불이행에 따른 불이익의 내용을 법률로 정하여야 한다. (○, ×)
2022 소방직 9급, 2017 국가직 7급

1. ○

④
1. 헌법이 인정하고 있는 위임입법의 형식은 예시적인 것이다. (○, ×)
2023 행정사
2. 헌법이 인정하고 있는 위임입법의 형식은 예시적인 것으로 보아야 할 것이고, 법률이 행정규칙에 위임하더라도 그 행정규칙은 위임된 사항만을 규율할 수 있으므로 국회입법의 원칙과 상치되지 않는다. (○, ×)
2021 경행경채, 2020 군무원 9급
3. 헌법재판소 판례에 의하면, 헌법상 위임입법의 형식은 열거적이기 때문에, 국민의 권리 · 의무에 관한 사항을 고시 등 행정규칙으로 정하도록 위임한 법률조항은 위헌이다. (○, ×) 2016 서울시 9급

1. ○ 2. ○ 3. ×

① 빈출 ○

법률에서 위임받은 사항을 전혀 규정하지 않고 전면적으로 재위임하는 것은 금지되나 위임받은 사항에 관하여 대강을 정하고 그중의 특정사항을 다시 하위법령에 위임하는 것은 허용될 수 있다(헌재 1996. 2. 29, 94헌마213).

② 빈출 ○

어떠한 고시가 일반적 · 추상적 성격을 가질 때에는 법규명령 또는 행정규칙에 해당할 것이지만, 다른 집행행위의 매개 없이 그 자체로서 직접 국민의 구체적인 권리 · 의무나 법률관계를 규율하는 성격을 가질 때에는 행정처분에 해당한다(대판 2006. 9. 22, 2005두2506).

③ ○

헌법 제37조 제2항, 제38조, 제59조, 제75조에 비추어 보면, 국민에게 납세의 의무를 부과하기 위해서는 조세의 종목과 세율 등 납세의무에 관한 기본적 · 본질적 사항은 국민의 대표기관인 국회가 제정한 법률로 규정하여야 하고, 법률의 위임 없이 명령 또는 규칙 등의 행정입법으로 과세요건 등 납세의무에 관한 기본적 · 본질적 사항을 규정하는 것은 헌법이 정한 조세법률주의 원칙에 위배된다. 특히 법인세, 종합소득세와 같이 납세의무자에게 조세의 납부의무뿐만 아니라 스스로 과세표준과 세액을 계산하여 신고하여야 하는 의무까지 부과하는 경우에는 신고의무이행에 필요한 기본적인 사항과 신고의무불이행시 납세의무자가 입게 될 불이익 등은 납세의무를 구성하는 기본적 · 본질적 내용으로서 법률로 정하여야 한다(대판 2015. 8. 20, 2012두23808 전합).

④ 빈출 ×

1. 국회입법에 의한 수권이 입법기관이 아닌 행정기관에 법률 등으로 구체적인 범위를 정하여 위임한 사항에 관하여는 당해 행정기관에 법정립의 권한을 갖게 되고, 입법자가 규율의 형식도 선택할 수 있다 할 것이다.
2. 따라서 헌법이 인정하고 있는 위임입법의 형식은 예시적인 것으로 보아야 할 것이고, 그것은 법률이 행정규칙에 위임하더라도 그 행정규칙은 위임된 사항만을 규율할 수 있으므로, 국회입법의 원칙과 상치되지도 않는다(헌재 2006. 12. 28, 2005헌바59).

⑤ ○

「공익사업을 위한 토지 등의 취득 및 보상에 관한 법률」 제68조 제3항의 위임에 따라 협의취득의 보상액 산정에 관한 구체적 기준을 정하고 있는 「공익사업을 위한 토지 등의 취득 및 보상에 관한 법률 시행규칙」 제22조는 대외적인 구속력을 가진다.

「공익사업을 위한 토지 등의 취득 및 보상에 관한 법률」(이하 '공익사업법'이라 한다) 제68조 제3항은 협의취득의 보상액 산정에 관한 구체적 기준을 시행규칙에 위임하고 있고, 위임 범위 내에서 공익사업을 위한 「토지 등의 취득 및 보상에 관한 법률 시행규칙」 제22조는 토지에 건축물 등이 있는 경우에는 건축물 등이 없는 상태를 상정하여 토지를 평가하도록 규정하고 있는데, 이는 비록 행정규칙의 형식이나 공익사업법의 내용이 될 사항을 구체적으로 정하여 내용을 보충하는 기능을 갖는 것이므로, 공익사업법 규정과 결합하여 대외적인 구속력을 가진다(대판 2012. 3. 29, 2011다104253).

정답 04 ④

05 중 2023 행정사

행정입법에 관한 설명으로 옳지 않은 것은? (다툼이 있으면 판례에 따름)

□□□ ① 입법 실제에 있어서 통상 대통령령에는 시행령이라는 이름을 붙이고 총리령과 부령에는 시행규칙이라는 이름을 붙인다.

□□□ ② 헌법이 인정하고 있는 위임입법의 형식은 예시적인 것이다.

□□□ ③ 상위 법령이 집행을 위하여 필요한 경우에는 상위 법령의 위임이 없더라도 집행명령으로 새로운 국민의 의무를 정할 수 있다.

□□□ ④ 법원이 구체적 규범통제를 통해 위헌 · 위법으로 선언할 심판대상은 원칙적으로 재판의 전제성이 인정되는 조항에 한정된다.

□□□ ⑤ 고시가 다른 집행행위의 매개 없이 그 자체로서 직접 국민의 구체적인 권리 · 의무나 법률관계를 규율하는 성격을 가질 때에는 항고소송의 대상이 되는 행정처분에 해당한다.

관련기출

④

1. 법원이 법률 하위의 법규명령이 위헌 · 위법인지를 심사하려면 그것이 재판의 전제가 되어야 하는데, 여기에서 재판의 전제란 구체적 사건이 법원에 계속 중이어야 하고, 위헌 · 위법인지가 문제 된 경우에는 그 법규명령의 특정 조항이 해당 소송사건의 재판에 적용되는 것이어야 하며, 그 조항이 위헌 · 위법인지에 따라 그 사건을 담당하는 법원이 다른 판단을 하게 되는 경우를 말한다. (○, ×) 2023 국가직 7급
2. 법원이 구체적 규범통제를 통해 위헌 · 위법으로 선언할 심판대상은, 해당 규정의 전부가 불가분적으로 결합되어 있어 일부를 무효로 하는 경우 나머지 부분이 유지될 수 없는 결과를 가져오는 특별한 사정이 없는 한, 원칙적으로 해당 규정 중 재판의 전제성이 인정되는 조항에 한정된다. (○, ×) 2020 지방직 · 서울시 7급

1. ○ 2. ○

① ○

대통령령은 대통령이 제정하는 법규명령을 말하는바, 보통 'OO법 시행령' 등으로 이름을 붙인다. 총리령과 부령은 각 국무총리와 행정각부의 장이 법률이나 대통령령의 위임 또는 직권으로 발하는 명령을 말하는바, 보통 'OO법 시행규칙' 등으로 이름을 붙인다.

② ○

헌법이 인정하고 있는 위임입법의 형식은 예시적인 것이라는 것이 판례의 입장이다(헌재 2006. 12. 28, 2005헌바59).

③ ×

집행명령은 법률 또는 상위법령의 집행을 위하여 필요한 세부적 · 기술적 사항을 규정하는 명령으로, 신고서의 양식과 법령을 시행하기 위한 세부적 사항을 규정할 뿐 새로운 국민의 권리 · 의무에 관한 사항을 규정할 수는 없다.

④ **빈출** ○

> 법원이 법률 하위의 법규명령, 규칙, 조례, 행정규칙 등(이하 '규정'이라 한다)이 위헌 · 위법인지를 심사하려면 그것이 '재판의 전제'가 되어야 한다. 여기에서 '재판의 전제'란 구체적 사건이 법원에 계속 중이어야 하고, 위헌 · 위법인지가 문제된 경우에는 규정의 특정 조항이 해당 소송사건의 재판에 적용되는 것이어야 하며, 그 조항이 위헌 · 위법인지에 따라 그 사건을 담당하는 법원이 다른 판단을 하게 되는 경우를 말한다. 따라서 법원이 구체적 규범통제를 통해 위헌 · 위법으로 선언할 심판대상은, 해당 규정의 전부가 불가분적으로 결합되어 있어 일부를 무효로 하는 경우 나머지 부분이 유지될 수 없는 결과를 가져오는 특별한 사정이 없는 한, 원칙적으로 해당 규정 중 재판의 전제성이 인정되는 조항에 한정된다(대판 2019. 6. 13, 2017두33985).

⑤ ○

어떠한 고시가 일반적 · 추상적 성격을 가질 때에는 법규명령 또는 행정규칙에 해당할 것이지만, 다른 집행행위의 매개 없이 그 자체로서 직접 국민의 구체적인 권리 · 의무나 법률관계를 규율하는 성격을 가질 때에는 행정처분에 해당한다는 것이 판례의 입장이다(대판 2006. 9. 22, 2005두2506).

정답 05 ③

06 빈출 정답률 52% 중 2023 소방직 9급

행정입법에 관한 설명으로 옳지 않은 것은? (다툼이 있는 경우 판례에 의함)

① 일반적으로 법률의 위임에 의하여 효력을 갖는 법규명령의 경우, 구법에 위임의 근거가 없어 무효였더라도 사후에 법개정으로 위임의 근거가 부여되면 그때부터는 유효한 법규명령이 된다.

② 법령에서 행정처분의 요건 중 일부 사항을 부령으로 정할 것을 위임한 데 따라 시행규칙 등 부령에서 이를 정한 경우에 그 부령의 규정은 국민에 대해서도 구속력이 있는 법규명령에 해당한다.

③ 상급행정기관이 소속 공무원이나 하급행정기관에 대하여 세부적인 업무처리절차나 법령의 해석 · 적용 기준을 정해 주는 행정규칙은 상위법령에 반하지 않는다고 하더라도 상위법령의 구체적 위임이 있지 않는 한, 행정조직 내부적으로도 효력을 가지지 못하고 대외적으로도 국민이나 법원을 구속하는 효력이 없다.

④ 법령보충적 행정규칙은 물론이고, 재량권 행사의 준칙이 되는 행정규칙이 그 정한 바에 따라 되풀이 시행되어 행정관행이 이루어지고 행정의 자기구속원리에 따라 대외적 구속력을 가지는 경우에는 헌법소원의 대상이 될 수 있다.

관련기출

③

1. 상급행정기관이 하급행정기관에 대하여 업무처리지침이나 법령의 해석 · 적용에 관한 기준을 정하여 발하는 이른바 행정규칙은 일반적으로 대외적 구속력을 갖는다. (○, ×) 2020 소방직 9급
2. 상급행정기관이 하급행정기관에 대하여 업무처리지침이나 법령의 해석적용에 관한 기준을 정하여 발하는 행정규칙은 일반적으로 행정조직 내부에서만 효력을 가질 뿐 대외적인 구속력을 갖는 것은 아니다. (○, ×) 2018 서울시 1회 7급
3. 재량준칙은 제정됨으로써 일반적으로 행정조직 내부뿐만 아니라 대외적인 구속력을 갖는다. (○, ×) 2017 국가직(하) 7급

1. × 2. ○ 3. ×

④

1. 법령보충적 행정규칙은 물론이고 재량권행사의 준칙이 되는 행정규칙이 행정의 자기구속원리에 따라 대외적 구속력을 가지는 경우에는 헌법소원의 대상이 될 수 있다. (○, ×) 2023 국가직 9급
2. 행정규칙이 대외적인 구속력을 가지는 경우에는 헌법소원의 대상이 된다. (○, ×) 2019 서울시 2회 7급
3. 헌법재판소 판례에 의하면, 재량준칙인 행정규칙도 행정의 자기구속의 법리에 의거하여 헌법소원심판의 대상이 될 수 있다. (○, ×) 2016 서울시 9급
4. 행정규칙이 재량권행사의 준칙으로서 반복적으로 시행됨으로써 평등원칙이나 신뢰보호원칙에 따라 행정기관이 그 규칙에 따라야 할 자기구속을 당하게 되는 경우에는 그 행정규칙은 대외적인 구속력을 갖게 되어 헌법소원의 대상이 된다. (○, ×) 2008 국가직 7급

1. ○ 2. ○ 3. ○ 4. ○

① ○

일반적으로 법률의 위임에 의하여 효력을 갖는 법규명령의 경우, 구법에 위임의 근거가 없어 무효였더라도 사후에 법개정으로 위임의 근거가 부여되면 그때부터는 유효한 법규명령이 된다는 것이 판례의 입장이다(대판 1995. 6. 30, 93추83).

② ○

지문의 경우 위임명령으로서 법규명령에 해당한다. 부령 형식으로 제재적 처분의 기준을 정하는 것은 행정규칙에 불과하다는 것과 구별하기 바란다.

> 법령에서 행정처분의 요건 중 일부 사항을 부령으로 정할 것을 위임한 데 따라 시행규칙 등 부령에서 이를 정한 경우에 그 부령의 규정은 국민에 대해서도 구속력이 있는 법규명령에 해당한다(대판 2013. 9. 12, 2011두10584).

③ **빈출** ×

내부적으로는 효력을 가진다.

> 상급행정기관이 하급행정기관에 대하여 업무처리지침이나 법령의 해석 · 적용에 관한 기준을 정하여 발하는 이른바 행정규칙은 일반적으로 행정조직 내부에서만 효력을 가질 뿐 대외적인 구속력을 갖는 것은 아니다(대판 1998. 6. 9, 97누19915).

④ ○

> 법령보충규칙 또는 재량준칙이 그 정한 바에 따라 되풀이 시행되어 행정관행이 이룩되게 되면, 평등의 원칙이나 신뢰보호의 원칙에 따라 행정기관은 그 상대방에 대한 관계에서 그 규칙에 따라야 할 자기구속을 당하게 되는 경우에는 대외적인 구속력을 가지게 되며, 이러한 경우에는 헌법소원의 대상이 될 수도 있다(헌재 2001. 5. 31, 99헌마413).

정답 06 ③

대표

07 **빈출** 정답률 87% 하 2022 소방직 9급

행정입법의 사법적 통제에 대한 설명으로 옳지 않은 것은? (다툼이 있는 경우 판례에 의함)

□□□ ① 조례가 집행행위의 개입 없이도 그 자체로서 직접 국민의 권리 · 의무나 법적 이익에 영향을 미치는 등의 법률상 효과를 발생하는 경우 그 조례는 항고소송의 대상이 되는 행정처분에 해당한다.

□□□ ② 행정청이 행정입법 등 추상적인 법령을 제정하지 아니하는 행위는 법률이 시행되지 못하게 됨으로써 행정입법을 통해 구체화되는 개인의 권리를 침해하는 것으로, 항고소송의 대상이 된다.

□□□ ③ 어떠한 처분의 근거나 법적인 효과가 행정규칙에 규정되어 있다고 하더라도, 그 처분이 상대방의 권리 · 의무에 직접 영향을 미치는 행위라면 항고소송의 대상이 되는 행정처분에 해당한다.

□□□ ④ 법령의 규정이 특정 행정기관에게 법령내용의 구체적 사항을 정하도록 권한을 부여하여 특정 행정기관이 행정규칙을 정하였으나 그 행정규칙이 상위법령의 위임범위를 벗어났다면, 그러한 행정규칙은 대외적 구속력을 가지는 법규명령으로서의 효력이 인정되지 않는다.

① ○

(두밀분교폐지조례 사건에서) 조례가 집행행위의 개입 없이도 그 자체로서 직접 국민의 구체적인 권리 · 의무나 법적 이익에 영향을 미치는 등의 법률상 효과를 발생하는 경우 그 조례는 항고소송의 대상이 되는 행정처분에 해당한다는 것이 판례의 입장이다(대판 1996. 9. 20, 95누8003).

② ×

추상적인 법령에 관한 제정 여부 등은 그 자체로서 국민의 구체적 권리 · 의무에 관한 분쟁이 아니어서 부작위위법확인소송의 대상이 될 수 없다는 것이 판례의 입장이다(대판 1992. 5. 8, 91누11261).

③ 제37강 참조 ○

> 어떠한 처분의 근거가 행정규칙에 규정되어 있다고 하더라도, 그 처분이 상대방에게 권리의 설정 또는 의무의 부담을 명하거나 기타 법적인 효과를 발생하게 하는 등으로 그 상대방의 권리 · 의무에 직접 영향을 미치는 행위라면, 이 경우에도 항고소송의 대상이 되는 행정처분에 해당한다(대판 2004. 11. 26, 2003두10251 · 10268).

④ 제11강 참조 ○

> 행정각부의 장이 정하는 고시가 비록 법령에 근거를 둔 것이라고 하더라도 그 규정내용이 법령의 위임범위를 벗어난 것일 경우에는 법규명령으로서의 대외적 구속력을 인정할 여지는 없다(대결 2006. 4. 28, 2003마715).

정답 07 ②

08 중 2022 소방간부

행정입법에 관한 설명으로 옳지 않은 것은? (다툼이 있는 경우 판례에 의함)

□□□ ① 구 「도시 및 주거환경정비법」에서 주택재개발사업시행인가 신청시 토지 등 소유자의 동의요건을 재개발조합의 정관에 포괄적으로 위임하고 있는 것은 헌법 제75조에서 정하고 있는 포괄위임입법금지원칙에 위배된다.

□□□ ② 일반적으로 법률의 위임에 따라 효력을 갖는 법규명령의 경우에 그 위임의 근거가 없어 무효였더라도 나중에 법개정으로 위임의 근거가 부여되면, 그 법규명령이 위임의 한계를 벗어난 해석규정으로 인정되지 않는 한, 그때부터는 유효한 법규명령으로 볼 수 있다.

□□□ ③ 행정규칙의 내용이 상위법령에 반하는 것이라면 법원은 해당 행정규칙이 법질서상 부존재하는 것으로 취급하여 행정기관이 한 조치의 당부를 상위법령의 규정과 입법목적 등에 따라서 판단하여야 한다.

□□□ ④ 법령이 일부 개정된 경우에는 기존 법령 부칙의 경과규정을 개정 또는 삭제하거나 이를 대체하는 별도의 규정을 두는 등의 특별한 조치가 없는 한 개정 법령에 다시 경과규정을 두지 않았다고 하여 기존 법령 부칙의 경과규정이 당연히 실효되는 것은 아니다.

□□□ ⑤ 추상적인 법령에 관한 제정의 여부 등은 그 자체로서 국민의 구체적인 권리 · 의무에 직접적 변동을 초래하는 것이 아니어서 부작위위법확인소송의 대상이 될 수 없다.

관련기출

④

1. 법령이 전문개정된 경우 특별한 사정이 없는 한 종전의 법률 부칙의 경과규정도 모두 실효된다. (○, ×) 2008 국가직 9급

1. ○

① ×

1. 법률이 공법적 단체 등의 정관에 자치법적 사항을 위임한 경우 헌법 제75조가 정하는 포괄위임입법금지원칙은 적용되지 않는다.
2. 법률이 공법적 단체 등의 정관에 자치법적 사항을 위임한 경우 국민의 권리 · 의무에 관한 기본적이고 본질적인 사항까지 정관에 위임할 수는 없으며, 국회가 정해야 한다(편저자 주 : 의회유보).
3. 「도시 및 주거환경정비법」 제28조 제4항 본문이 사업시행인가 신청시의 동의요건을 조합의 정관에 포괄적으로 위임하고 있다고 하더라도 헌법 제75조가 정하는 포괄위임입법금지의 원칙이 적용되지 아니하므로 이에 위배된다고 할 수 없다(대판 2007. 10. 12, 2006두14476).

② ○

일반적으로 법률의 위임에 따라 효력을 갖는 법규명령의 경우에 위임의 근거가 없어 무효였더라도 나중에 법개정으로 위임의 근거가 부여되면 그 때부터는 유효한 법규명령으로 볼 수 있다. 그러나 법규명령이 개정된 법률에 규정된 내용을 함부로 유추 · 확장하는 내용의 해석규정이어서 위임의 한계를 벗어난 것으로 인정될 경우에는 법규명령은 여전히 무효이다(대판 2017. 4. 20, 2015두45700 전합).

③ 제11강 참조 ○

행정규칙의 내용이 상위법령에 반하는 것이라면 법치국가원리에서 파생되는 법질서의 통일성과 모순금지원칙에 따라 그것은 법질서상 당연무효이고, 행정내부적 효력도 인정될 수 없다. 이러한 경우 법원은 해당 행정규칙이 법질서상 부존재하는 것으로 취급하여 행정기관이 한 조치의 당부를 상위법령의 규정과 입법목적 등에 따라서 판단하여야 한다(대판 2019. 10. 31, 2013두20011).

④ ○

법령의 전부 개정과 일부 개정을 구별하여 정리하기 바란다.

법령의 전부 개정은 기존 법령을 폐지하고 새로운 법령을 제정하는 것과 마찬가지여서 특별한 사정이 없는 한 새로운 법령이 효력을 발생한 이후의 행위에 대하여는 기존 법령의 본칙은 물론 부칙의 경과규정도 모두 실효되어 더는 적용할 수 없지만, 법령이 일부 개정된 경우에는 기존 법령 부칙의 경과규정을 개정 또는 삭제하거나 이를 대체하는 별도의 규정을 두는 등의 특별한 조치가 없는 한 개정 법령에 다시 경과규정을 두지 않았다고 하여 기존 법령 부칙의 경과규정이 당연히 실효되는 것은 아니다(대판 2014. 4. 30, 2011두18229).

⑤ ○

추상적인 법령에 관하여 제정의 여부 등은 그 자체로서 국민의 구체적인 권리 · 의무에 직접적 변동을 초래하는 것이 아니어서 부작위위법확인소송의 대상이 될 수 없다는 것이 판례의 입장이다(대판 1992. 5. 8, 91누11261).

정답 08 ①

09 정답률 89% 하 2021 지방직 · 서울시 7급

행정입법에 대한 설명으로 옳지 않은 것은? (다툼이 있는 경우 판례에 의함)

□□□ ① 어느 시행령의 규정이 모법에 저촉되는지가 명백하지 않은 경우에는 모법과 시행령의 다른 규정들과 그 입법취지, 연혁 등을 종합적으로 살펴 모법에 합치된다는 해석도 가능한 경우라면 그 규정을 모법위반으로 무효라고 선언해서는 안 된다.

□□□ ② 법령의 위임이 없음에도 법령에 규정된 처분요건에 해당하는 사항을 부령에서 변경하여 규정한 경우에 처분의 적법 여부는 그러한 부령에서 정한 요건을 기준으로 판단하여야 한다.

□□□ ③ 제재적 행정처분의 기준이 부령의 형식으로 규정되어 있는 경우 그러한 처분기준에 적합하다 하여 곧바로 당해 처분이 적법한 것이라고 할 수는 없다.

□□□ ④ 행정규칙이 이를 정한 행정기관의 재량에 속하는 사항에 관한 것인 때에는 그 규정내용이 객관적 합리성을 결여하였다는 등의 특별한 사정이 없는 한 법원은 이를 존중하는 것이 바람직하다.

관련기출

①

1. 하위법령의 규정이 상위법령의 규정에 저촉되는지 명백하지 않지만 하위법령의 의미를 상위법령에 합치되는 것으로 해석하는 것이 가능한 경우, 하위법령이 상위법령에 위반된다는 이유로 쉽게 무효를 선언할 것은 아니다. (○, ×) 2021 소방간부
2. 어느 시행령의 규정이 모법에 저촉되는지가 명백하지 않은 경우에는 모법과 시행령의 다른 규정들과 그 입법취지, 연혁 등을 종합적으로 살펴 모법에 합치된다는 해석도 가능한 경우라면 그 규정을 모법위반으로 무효라고 선언해서는 안 된다. (○, ×) 2017 지방직(하) 9급

1. ○ 2. ○

① **빈출** ○

어느 시행령의 규정이 모법에 저촉되는지의 여부가 명백하지 아니하는 경우에는 모법과 시행령의 다른 규정들과 그 입법취지, 연혁 등을 종합적으로 살펴 모법에 합치된다는 해석도 가능한 경우라면 그 규정을 모법위반으로 무효라고 선언하여서는 안 된다(대판 2001. 8. 24, 2000두2716).

② ×

법령의 위임이 없음에도 법령에 규정된 처분요건에 해당하는 사항을 부령에서 변경하여 규정한 경우에는 그 부령의 규정은 행정청 내부의 사무처리기준 등을 정한 것으로서 행정조직 내에서 적용되는 행정명령의 성격을 지닐 뿐 국민에 대한 대외적 구속력은 없다.

어떤 행정처분이 그와 같이 법규성이 없는 시행규칙 등의 규정에 위배된다고 하더라도 그 이유만으로 처분이 위법하게 되는 것은 아니라 할 것이고, 또 그 규칙 등에서 정한 요건에 부합한다고 하여 반드시 그 처분이 적법한 것이라고 할 수도 없다. 이 경우 처분의 적법 여부는 그러한 규칙 등에서 정한 요건에 합치하는지 여부가 아니라 일반국민에 대하여 구속력을 가지는 법률 등 법규성이 있는 관계법령의 규정을 기준으로 판단하여야 한다(대판 2013. 9. 12, 2011두10584).

③ 제11강 참조 ○

판례는 부령 형식의 제재처분기준을 행정규칙으로 본다. 따라서 어떠한 처분이 그러한 행정규칙에 적합하다고 하여 곧바로 그 처분이 적법한 것이라고 할 수는 없다는 입장이다(대판 2007. 9. 20, 2007두6946 ; 대판 2018. 5. 15, 2016두57984).

④ 제11강 참조 ○

행정규칙이 이를 정한 행정기관의 재량에 속하는 사항에 관한 것인 때에는 그 규정내용이 객관적 합리성을 결여하였다는 등의 특별한 사정이 없는 한 법원은 이를 존중하는 것이 바람직하다(대판 2020. 5. 28, 2017두66541 ; 대판 2019. 10. 31, 2013두20011).

정답 09 ②

10 정답률 75% 중 2021 지방직 · 서울시 9급

행정입법에 대한 설명으로 옳은 것은? (다툼이 있는 경우 판례에 의함)

□□□ ① 법규명령이 위임의 근거가 없어 무효였더라도 나중에 법개정으로 위임의 근거가 부여되면, 법규명령 제정 당시로 소급하여 유효한 법규명령이 된다.

□□□ ② 법률의 시행령 내용이 모법 조항의 취지에 근거하여 이를 구체화하기 위한 것인 때에는 모법에 직접 위임하는 규정을 두지 않았더라도 이를 무효라고 볼 수 없다.

□□□ ③ 대통령령의 입법부작위에 대한 국가배상책임은 인정되지 않는다.

□□□ ④ 법규명령의 위임근거가 되는 법률에 대하여 위헌결정이 선고되더라도 그 위임에 근거하여 제정된 법규명령은 별도의 폐지행위가 있어야 효력을 상실한다.

관련기출

③

1. 입법부가 법률로써 행정부에게 특정한 사항을 위임했음에도 불구하고, 행정부가 정당한 이유 없이 법률에서 위임한 시행령을 제정하지 않은 것은 그 법률에서 인정된 권리를 침해하는 불법행위가 될 수 있다. (O, ×) 2020 경행경채
2. 입법부가 법률로써 행정부에게 특정한 사항을 위임했음에도 불구하고 행정부가 정당한 이유 없이 이를 이행하지 않는다면 권력분립의 원칙과 법치국가 내지 법치행정의 원칙에 위배되는 것으로서 위법함과 동시에 위헌적인 것이 된다. (O, ×) 2020 군무원 9급, 2017 국가직(하) 7급
3. 입법부가 법률로써 행정부에게 특정한 사항을 위임했음에도 불구하고 행정부가 정당한 이유 없이 이를 이행하지 않는다면 권력분립의 원칙과 법치국가 내지 법치행정의 원칙에 위배된다. (O, ×) 2016 지방직 9급
4. 행정입법부작위로 인하여 손해가 발생한 경우에 국가배상청구가 인정될 수 있다. (O, ×) 2015 서울시 7급
5. 행정입법부작위에 대한 국가배상은 인정되지 않으며, 실무적으로 무명항고소송을 통해 해결하고 있다. (O, ×) 2012 지방직 9급

1. O 2. O 3. O 4. O 5. ×

④

1. 법규명령의 위임의 근거가 되는 법률에 대하여 위헌결정이 선고되면 그 위임규정에 근거하여 제정된 법규명령도 원칙적으로 효력을 상실한다. (O, ×) 2020 군무원 7급, 2014 지방직 7급
2. 법규명령의 위임근거가 되는 법률에 대하여 위헌결정이 선고되더라도 그 법규명령은 특별한 규정이 없는 한 별도의 폐지행위가 있어야 효력을 상실한다. (O, ×) 2008 지방직(하) 7급

1. O 2. ×

① ×

일반적으로 법률의 위임에 의하여 효력을 갖는 법규명령의 경우, 구법에 위임의 근거가 없어 무효였더라도 사후에 법개정으로 위임의 근거가 부여되면 그때부터는 유효한 법규명령이 된다는 것이 판례의 입장이다(대판 1995. 6. 30, 93추83).

② O

법률의 시행령이나 시행규칙의 내용이 모법의 입법취지와 관련조항 전체를 유기적 · 체계적으로 살펴보아 모법의 해석상 가능한 것을 명시한 것에 지나지 않거나 모법 조항의 취지에 근거하여 이를 구체화하기 위한 것인 경우, 모법에 직접 위임하는 규정을 두지 않았다고 하여 무효라고 볼 수는 없다는 것이 판례의 입장이다(대판 2014. 8. 20, 2012두19526).

③ ×

1. 입법부가 법률로써 행정부에게 특정한 사항을 위임했음에도 불구하고 행정부가 정당한 이유 없이 이를 이행하지 않는다면 권력분립의 원칙과 법치국가 내지 법치행정의 원칙에 위배되는 것으로서 위법함과 동시에 위헌적인 것이 된다.
2. 법률에서 군법무관의 보수의 구체적 내용을 시행령에 위임했음에도 불구하고 행정부가 정당한 이유 없이 시행령을 제정하지 않은 것은 불법행위에 해당하여 국가배상청구가 가능하다(대판 2007. 11. 29, 2006다3561).

④ ×

별도의 폐지행위가 없더라도 효력을 상실한다.

법규명령의 위임근거가 되는 법률에 대하여 위헌결정이 선고되면 그 위임에 근거하여 제정된 법규명령도 원칙적으로 효력을 상실한다(대판 2001. 6. 12, 2000다18547).

정답 10 ②

11 중 2021 국회직 8급

행정입법에 대한 설명으로 옳지 않은 것은? (다툼이 있는 경우 판례에 의함)

□□□ ① 법령의 위임이 없음에도 법령에 규정된 처분요건에 해당하는 사항을 부령에서 변경하여 규정한 경우에는 그 부령의 규정은 행정청 내부의 사무처리기준 등을 정한 것으로서 행정조직 내에서 적용되는 행정명령의 성격을 지닐 뿐 국민에 대한 대외적 구속력은 없다.

□□□ ② 중앙행정기관의 장은 법률에서 위임한 사항이나 법률을 집행하기 위하여 필요한 사항을 규정한 훈령이나 예규가 폐지되었을 때에는 10일 이내에 이를 국회 소관 상임위원회에 제출하여야 한다.

□□□ ③ 고시가 위법하게 제정된 경우라도 고시의 제정행위는 일반 · 추상적인 규범의 정립행위이므로 국가배상책임의 대상이 되는 직무행위에 해당한다고 볼 수 없다.

□□□ ④ 시행령의 규정을 위헌 또는 위법하여 무효라고 선언한 대법원의 판결이 선고되지 아니한 상태에서는, 그 시행령 규정의 위헌 내지 위법 여부가 해석상 다툼의 여지가 없을 정도로 명백하였다고 인정되지 아니하는 이상 그 시행령에 근거한 행정처분의 하자는 취소사유에 해당할 뿐 무효사유가 되지 아니한다.

□□□ ⑤ 행정입법부작위가 위헌 또는 위법이라고 하기 위해서는 행정청에게 행정입법을 하여야 할 작위의무를 전제로 하는 것이므로, 만일 하위 행정입법의 제정 없이 상위법령의 규정만으로도 집행이 이루어질 수 있는 경우라면 행정청에게 하위 행정입법을 제정하여야 할 작위의무가 인정되지 않는다.

관련기출

②

1. 국회법에 의하면 중앙행정기관의 장은 법률에서 위임한 사항이나 법률을 집행하기 위하여 필요한 사항을 규정한 대통령령 · 총리령 · 부령 · 훈령 · 예규 · 고시 등이 제정 · 개정 또는 폐지되었을 때에는 10일 이내에 이를 국회 소관 상임위원회에 제출하여야 한다. (○, ×) 2018 경행경채

1. ○

④

1. 일반적으로 시행령이 헌법이나 법률에 위반된다는 사정은 그 시행령 규정을 위헌 또는 위법하여 무효라고 선언한 대법원의 판결이 선고되지 아니한 상태에서는 그 시행령 규정의 위헌 내지 위법 여부가 해석상 다툼의 여지가 없을 정도로 명백하였다고 인정되지 아니하는 이상 객관적으로 명백한 것이라 할 수 없으므로 이러한 시행령에 근거한 행정처분의 하자는 취소사유에 해당할 뿐 무효사유가 된다고 볼 수는 없다. (○, ×) 2023 국회직 8급
2. 행정처분 이후에 처분의 근거법령에 대하여 헌법재판소 또는 대법원이 위헌 또는 위법하다는 결정을 하게 되면, 당해 처분은 법적 근거가 없는 처분으로 하자 있는 처분이고 그 하자는 중대한 것으로 당연무효이다. (○, ×) 2019 사회복지직 9급

1. ○ 2. ×

① ○

법령의 위임이 없음에도 법령에 규정된 처분요건에 해당하는 사항을 부령에서 변경하여 규정한 경우에는 그 부령의 규정은 행정청 내부의 사무처리기준 등을 정한 것으로서 행정조직 내에서 적용되는 행정명령의 성격을 지닐 뿐 국민에 대한 대외적 구속력은 없다는 것이 판례의 입장이다(대판 2013. 9. 12, 2011두10584).

② **빈출** ○

국회법 제98조의2【대통령령 등의 제출 등】 ① 중앙행정기관의 장은 법률에서 위임한 사항이나 법률을 집행하기 위하여 필요한 사항을 규정한 대통령령 · 총리령 · 부령 · 훈령 · 예규 · 고시 등이 제정 · 개정 또는 폐지되었을 때에는 10일 이내에 이를 국회 소관 상임위원회에 제출하여야 한다. 다만, 대통령령의 경우에는 입법예고를 할 때(입법예고를 생략하는 경우에는 법제처장에게 심사를 요청할 때를 말한다)에도 그 입법예고안을 10일 이내에 제출하여야 한다.

③ 제28강 참조 ×

국가배상책임의 대상이 되는 직무행위에는 입법작용, 사법(司法)작용, 법률행위적 행정행위, 준법률행위적 행정행위, 행정지도 등의 사실행위, 재량행위, 부작위가 모두 포함된다는 것이 일반적 견해이다. 따라서 고시가 위법하게 제정된 경우에도 국가배상책임의 대상이 되는 직무행위에 해당할 수 있다.

④ **빈출** ○

위헌 · 위법한 시행령의 무효를 선언한 대법원판결이 없는 상태에서 그러한 시행령에 근거하여 이루어진 처분은 원칙적으로 당연무효라고 할 수 없다.

일반적으로 시행령이 헌법이나 법률에 위반된다는 사정은 그 시행령의 규정을 위헌 또는 위법하여 무효라고 선언한 대법원의 판결이 선고되지 아니한 상태에서는 그 시행령 규정의 위헌 내지 위법 여부가 해석상 다툼의 여지가 없을 정도로 명백하였다고 인정되지 아니하는 이상, 객관적으로 명백한 것이라 할 수 없으므로, 이러한 시행령에 근거한 행정처분의 하자는 취소사유에 해당할 뿐 무효사유가 되지 아니한다(대판 2007. 6. 14, 2004두619).

⑤ ○

행정입법부작위의 위헌 · 위법성과 관련하여 하위 행정입법의 제정 없이 상위법령의 규정만으로도 집행이 이루어질 수 있는 경우라면 하위 행정입법을 제정하여야 할 작위의무는 인정되지 않는다(헌재 2005. 12. 22, 2004헌마66).

정답 11 ③

12 **빈출** 정답률 69% 중 2021 국가직 9급

위임명령의 한계에 대한 설명으로 옳지 않은 것은? (다툼이 있는 경우 판례에 의함)

① 법률이 공법적 단체 등의 정관에 자치법적 사항을 위임한 경우에는 헌법 제75조가 정하는 포괄적인 위임입법의 금지는 원칙적으로 적용되지 않지만, 그 사항이 국민의 권리 · 의무에 관련되는 것일 경우에는 적어도 국민의 권리 · 의무에 관한 기본적이고 본질적인 사항은 국회가 정하여야 한다.

② 헌법에서 채택하고 있는 조세법률주의의 원칙상 과세요건과 징수절차에 관한 사항을 명령 · 규칙 등 하위법령에 구체적 · 개별적으로 위임하여 규정할 수 없다.

③ 법률에서 위임받은 사항에 관하여 대강을 정하고 그 중의 특정사항을 범위를 정하여 하위법령에 다시 위임하는 경우에는 재위임이 허용된다. 이러한 법리는 조례가 지방자치법에 따라 주민의 권리제한 또는 의무부과에 관한 사항을 법률로부터 위임받은 후, 이를 다시 지방자치단체장이 정하는 '규칙'이나 '고시' 등에 재위임하는 경우에도 마찬가지이다.

④ 법률의 시행령이나 시행규칙의 내용이 모법 조항의 취지에 근거하여 이를 구체화하기 위한 것인 때에는 모법의 규율범위를 벗어난 것으로 볼 수 없다. 이러한 경우에는 모법에 이에 관하여 직접 위임하는 규정을 두지 않았다고 하여도 이를 무효라고 볼 수 없다.

① ○

1. 법률이 공법적 단체 등의 정관에 자치법적 사항을 위임한 경우 헌법 제75조가 정하는 포괄위임입법금지원칙은 적용되지 않는다.
2. 법률이 공법적 단체 등의 정관에 자치법적 사항을 위임한 경우 국민의 권리 · 의무에 관한 기본적이고 본질적인 사항까지 정관에 위임할 수는 없으며, 국회가 정해야 한다(편저자 주 : 의회유보)(대판 2007. 10. 12, 2006두14476).

② ×

헌법 제38조, 제59조에서 채택하고 있는 조세법률주의의 원칙은 과세요건과 징수절차 등 조세권행사의 요건과 절차는 국민의 대표기관인 국회가 제정한 법률로써 규정하여야 한다는 것이나, 과세요건과 징수절차에 관한 사항을 명령 · 규칙 등 하위법령에 위임하여 규정하게 할 수 없는 것은 아니고, 이러한 사항을 하위법령에 위임하여 규정하게 하는 경우 구체적 · 개별적 위임만이 허용되며 포괄적 · 백지적 위임은 허용되지 아니하고(과세요건법정주의), 이러한 법률 또는 그 위임에 따른 명령 · 규칙의 규정은 일의적이고 명확하여야 한다(과세요건명확주의)는 것이다(대결 1994. 9. 30, 94부18).

③ ○

1. 법률에서 위임받은 사항을 전혀 규정하지 않고 전면적으로 재위임하는 것은 금지되나 위임받은 사항에 관하여 대강을 정하고 그중의 특정사항을 다시 하위법령에 위임하는 것은 허용될 수 있다(헌재 1996. 2. 29, 94헌마213).
2. 조례가 지방자치법 제22조(현 제28조) 단서에 따라 주민의 권리제한 또는 의무부과에 관한 사항을 법률로부터 위임받은 후, 이를 다시 지방자치단체장이 정하는 '규칙'이나 '고시' 등에 재위임하는 경우에도 위임받은 사항을 전혀 규정하지 않고 재위임하는 것은 허용되지 않는다(대판 2015. 1. 15, 2013두14238).

④ ○

법률의 시행령이나 시행규칙의 내용이 모법의 입법취지와 관련조항 전체를 유기적 · 체계적으로 살펴보아 모법의 해석상 가능한 것을 명시한 것에 지나지 않거나 모법 조항의 취지에 근거하여 이를 구체화하기 위한 것인 경우, 모법에 직접 위임하는 규정을 두지 않았다고 하여 무효라고 볼 수는 없다(대판 2014. 8. 20, 2012두19526).

정답 12 ②

대표

13 **빈출** 정답률 75% 중 2020 국가직 7급

행정입법에 대한 설명으로 옳지 않은 것은? (다툼이 있는 경우 판례에 의함)

□□□ ① 헌법에서 인정한 법규명령의 형식을 예시적으로 이해하는 견해에 의하면 감사원규칙은 법규명령이 아니라고 본다.

□□□ ② 고시가 상위법령과 결합하여 대외적 구속력을 갖고 국민의 기본권을 침해하는 법규명령으로 기능하는 경우 헌법소원의 대상이 된다.

□□□ ③ 집행명령은 상위법령의 집행을 위해 필요한 사항을 규정한 것으로 법규명령에 해당하지만 법률의 수권 없이 제정할 수 있다.

□□□ ④ 상위법령을 시행하기 위하여 하위법령을 제정하거나 필요한 조치를 함에 있어서는 상당한 기간을 필요로 하며 합리적인 기간 내의 지체를 위헌적인 부작위로 볼 수 없다.

관련기출

②

1. 법령보충규칙에 해당하는 고시의 관계규정에 의하여 직접 기본권침해를 받는다고 하여도 이에 대하여 바로 헌법재판소법 제68조 제1항에 의한 헌법소원심판을 청구할 수 없다. (○, ×) 2018 지방직 7급

2. 법령의 직접적인 위임에 따라 위임행정기관이 그 법령을 시행하는 데 필요한 구체적인 사항을 정한 것이라면, 그 제정형식이 고시, 훈령, 예규 등과 같은 행정규칙이더라도 그것이 상위법령의 위임한계를 벗어나지 아니하는 한, 상위법령과 결합하여 대외적 구속력을 가진다. (○, ×) 2017 사회복지직 9급

1. × 2. ○

① ×

헌법은 법규명령의 형식을 대통령령(제75조), 총리령 · 부령(제95조) 등으로 인정하고 있다. 헌법에서 인정한 법규명령의 형식을 한정적으로 보는 견해에 따르면 감사원 규칙은 법규명령으로 볼 수 없다. 왜냐하면 감사원 규칙은 헌법이 아니라 감사원법이라는 법률에서 인정하고 있을 뿐이기 때문이다. 이에 반해 헌법에서 인정한 법규명령의 형식을 예시적으로 보는 통설 · 판례에 따르면 감사원 규칙도 법규명령이 될 수 있다.

② **빈출** ○

> 법령보충규칙에 해당하는 고시의 관계규정에 의하여 직접 기본권침해를 받았다면 헌법재판소법에 따라 헌법소원심판을 청구할 수 있다.
>
> 법령의 직접적인 위임에 따라 위임행정기관이 그 법령을 시행하는 데 필요한 구체적 사항을 정한 것이면, 그 제정형식은 비록 법규명령이 아닌 고시, 훈령, 예규 등과 같은 행정규칙이더라도 그것이 상위법령의 위임한계를 벗어나지 아니하는 한, 상위법령과 결합하여 대외적인 구속력을 갖는 법규명령으로서 기능하게 된다고 보아야 할 것인바, 청구인이 법령과 예규의 관계규정으로 말미암아 직접 기본권침해를 받았다면 이에 대하여 바로 헌법소원심판을 청구할 수 있다(헌재 1992. 6. 26, 91헌마25).

③ ○

법규명령은 새로운 법규사항(국민의 권리 · 의무에 관한 사항)을 정할 수 있는지에 따라 위임명령과 집행명령으로 구분된다. 위임명령은 법률 또는 상위명령에서 구체적으로 범위를 정하여 위임한 사항을 규정하는 명령을 말하며, 위임된 범위 내에서는 새로이 국민의 권리 · 의무에 관한 사항을 규정할 수 있다. 이에 반해, 집행명령은 법률 또는 상위법령의 집행을 위하여 필요한 세부적 · 기술적 사항을 규정하는 명령으로, 신고서의 양식과 법령을 시행하기 위한 세부적 사항을 규정할 뿐 새로이 국민의 권리 · 의무에 관한 사항을 규정할 수는 없다. 또한, 집행명령은 위임명령과 달리 새로운 국민의 권리 · 의무에 관한 사항을 규정하는 것은 아니므로 개별적 · 구체적 법률적 근거(수권)는 필요하지 않다.

④ ○

> 행정권력의 부작위에 대한 헌법소원은 공권력의 주체에게 헌법에서 유래하는 작위의무가 특별히 구체적으로 규정되어 이에 의거하여 기본권의 주체가 행정행위를 청구할 수 있음에도 공권력의 주체가 그 의무를 해태하는 경우에 허용되고, 특히 행정명령의 제정 또는 개정의 지체가 위법으로 되어 그에 대한 법적 통제가 가능하기 위하여는 첫째, 행정청에게 시행명령을 제정(개정)할 법적 의무가 있어야 하고 둘째, 상당한 기간이 지났음에도 불구하고 셋째, 명령제정(개정)권이 행사되지 않아야 한다.
> (편저자 주 : 두 번째 요건과 관련하여) 상위법령을 시행하기 위하여 하위법령을 제정하거나 필요한 조치를 함에 있어서는 상당한 기간을 필요로 하며 합리적인 기간 내의 지체를 위헌적인 부작위로 볼 수 없다(헌재 1998. 7. 16, 96헌마246).

정답 13 ①

14 정답률 66% 중 2020 지방직 · 서울시 9급

조례제정권의 범위와 한계에 대한 설명으로 옳지 않은 것은? (다툼이 있는 경우 판례에 의함)

□□□ ① 지방자치단체는 법령에 위반되지 않는 범위 내에서 자치사무에 관하여 주민의 권리를 제한하거나 의무를 부과하는 사항이 아닌 한 법률의 위임 없이 조례를 제정할 수 있다.

□□□ ② 담배자동판매기의 설치를 금지하고 설치된 판매기를 철거하도록 하는 조례는 기존 담배자동판매기업자의 직업의 자유와 재산권을 제한하는 조례이므로 법률의 위임이 필요하다.

□□□ ③ 영유아 보육시설 종사자의 정년을 조례로 규정하고자 하는 경우에는 법률의 위임이 필요 없다.

□□□ ④ 군민의 출산을 장려하기 위하여 세 자녀 이상 세대 중 세 번째 이후 자녀에게 양육비 등을 지원할 수 있도록 하는 조례의 제정에는 법률의 위임이 필요 없다.

관련기출

①

1. 지방자치단체는 법령의 범위 안에서 그 사무에 관하여 조례를 제정할 수 있으나, 주민의 권리제한 또는 의무부과에 관한 사항이나 벌칙을 정할 때에는 법률의 위임이 있어야 한다. (○, ×) 2019 경행경채 2차

1. ○

④

1. 지방자치단체가 세 자녀 이상의 세대 중 세 번째 이후의 자녀에게 양육비 등을 지원하는 조례제정에 개별적 법률위임이 따로 필요하지 않다. (○, ×) 2009 지방직 7급

1. ○

① ○

지방자치법 제28조에 따르면 주민의 권리제한 또는 의무부과에 관한 사항이나 벌칙을 정할 때에는 법률의 위임이 있어야 조례를 제정할 수 있다. 이 조문을 반대해석하면, 주민의 권리를 제한하거나 의무를 부과하는 사항이 아닌 한 법률의 위임 없이도 조례를 제정할 수 있다.

> **지방자치법 제28조【조례】** ① 지방자치단체는 법령의 범위에서 그 사무에 관하여 조례를 제정할 수 있다. 다만, 주민의 권리제한 또는 의무부과에 관한 사항이나 벌칙을 정할 때에는 법률의 위임이 있어야 한다.

② ○

> 담배소매업을 영위하는 주민들에게 자판기설치를 제한하는 것을 내용으로 하는 조례는 주민의 직업선택의 자유 특히 직업수행의 자유를 제한하는 것이 되어 지방자치법 제15조(현 제28조) 단서 소정의 주민의 권리 · 의무에 관한 사항을 규율하는 조례라고 할 수 있으므로 지방자치단체가 이러한 조례를 제정함에 있어서는 법률의 위임을 필요로 한다(헌재 1995. 4. 20, 92헌마264).

③ ×

영유아 보육시설 종사자의 정년을 조례로 규정하는 것은 주민의 권리를 제한하는 내용으로 볼 수 있으므로 법률의 위임이 있어야 한다.

> 법률의 위임 없이 보육시설 종사자의 정년을 규정한 「서울특별시 중구 영유아보육조례 일부개정조례안」에 대한 재의결은 무효이다.
>
> 영유아보육법이 보육시설 종사자의 정년에 관한 규정을 두거나 이를 지방자치단체의 조례에 위임한다는 규정을 두고 있지 않음에도 보육시설 종사자의 정년을 규정한 「서울특별시 중구 영유아보육조례 일부개정조례안」 제17조 제3항은, 법률의 위임 없이 헌법이 보장하는 직업을 선택하여 수행할 권리의 제한에 관한 사항을 정한 것이어서 그 효력을 인정할 수 없으므로, 위 조례안에 대한 재의결은 무효이다(대판 2009. 5. 28, 2007추134).

④ ○

세 자녀 이상 세대 중 세 번째 이후 자녀에게 양육비 등을 지원할 수 있도록 하는 조례는 주민의 권리를 제한하거나 의무를 부과하는 내용의 조례가 아니므로 법률의 위임은 필요 없다.

> 지방자치단체가 「세 자녀 이상 세대 양육비 등 지원에 관한 조례안」을 제정함에 있어서 법률의 개별적 위임은 필요 없다.
>
> 구 지방자치법 제15조(현 제28조)에 의하면 지방자치단체는 그 내용이 주민의 권리의 제한 또는 의무의 부과에 관한 사항이거나 벌칙에 관한 사항이 아닌 한 법률의 위임이 없더라도 그의 사무에 관하여 조례를 제정할 수 있는바, 지방자치단체의 「세 자녀 이상 세대 양육비 등 지원에 관한 조례안」은 저출산 문제의 국가적 · 사회적 심각성을 십분 감안하여 향후 지방자치단체의 출산을 적극 장려토록 하여 인구정책을 보다 전향적으로 실효성 있게 추진하고자 세 자녀 이상 세대 중 세 번째 이후 자녀에게 양육비 등을 지원할 수 있도록 하는 것으로서, 위와 같은 사무는 지방자치단체 고유의 자치사무 중 주민의 복지증진에 관한 사무를 규정한 지방자치법 제9조(현 제13조) 제2항 제2호 (라)목에서 예시하고 있는 아동 · 청소년 및 부녀의 보호와 복지증진에 해당되는 사무이고, 또한 위 조례안에는 주민의 편의 및 복리증진에 관한 내용을 담고 있어 그 제정에 있어서 반드시 법률의 개별적 위임이 따로 필요한 것은 아니다(대판 2006. 10. 12, 2006추38).

정답 14 ③

15 중 2019 경행경채 2차

행정입법에 대한 설명으로 가장 적절하지 않은 것은? (다툼이 있는 경우 판례에 의함)

□□□ ① 헌법 제107조는 "명령 · 규칙 또는 처분이 헌법이나 법률에 위반되는 여부가 재판의 전제가 된 경우에는 대법원은 이를 최종적으로 심사할 권한을 가진다."고 규정하고 있는데, 이때 규칙에는 지방자치단체의 조례와 규칙도 포함된다.

□□□ ② 법령보충적 행정규칙은 헌법 제107조의 구체적 규범통제대상이 되지만, 법규성이 없는 행정규칙은 헌법 제107조의 통제대상이 되지 않는다.

□□□ ③ 헌법 제107조에 따른 구체적 규범통제의 결과 처분의 근거가 된 명령이 위법하다는 대법원의 관결이 난 경우, 그 명령은 당해 사건에 한하여 적용되지 않는 것이 아니라 일반적으로 효력이 상실된다.

□□□ ④ 헌법 제107조에 따른 구체적 규범통제의 결과 처분의 근거가 된 명령이 위법하다는 대법원의 판결이 난 경우, 일반적으로 당해 처분의 하자는 중대 · 명백설에 따라 취소사유에 해당한다고 보아야 한다.

관련기출

①

1. 구체적 규범통제의 대상이 되는 규칙에는 지방자치단체의 조례는 포함되지 않는다. (○, ×) 2012 서울교행

1. ×

① ○

헌법 제107조 제2항의 규칙에는 지방자치단체의 조례와 규칙이 포함된다 (대판 1995. 8. 22, 94누5694).

② ○

행정규칙 중 법규적 성질을 갖는 것(법령보충적 행정규칙)은 그 행정규칙의 위법 여부가 그에 근거한 처분의 위법 여부를 판단함에 있어서 전제문제가 되므로 헌법 제107조의 구체적 규범통제의 대상이 된다고 보나, 법규성이 없는 행정규칙은 외부적 효력이 없으므로 헌법 제107조의 통제대상이 되지 않는다고 보는 것이 일반적 견해이다.

③ ×

통설은 명령 등이 위법하다고 대법원이 판단한 경우 당해 행정입법은 일반적으로 그 효력을 상실하는 것은 아니고, 당해 사건에 한하여 그 법규명령이 적용되지 않는 것으로 본다. 왜냐하면 법원은 구체적 사건의 심사를 목적으로 하는 것이지 법령의 심사를 목적으로 하는 것이 아니기 때문이다.

④ ○

위헌 · 위법한 시행령에 근거한 행정처분은 그 시행령의 무효를 선언한 대법원판결이 없는 상태라면 특별한 사정이 없는 한 당연무효라 할 수 없다. 일반적으로 시행령이 헌법이나 법률에 위반된다는 사정은 그 시행령의 규정을 위헌 또는 위법하여 무효라고 선언한 대법원의 판결이 선고되지 아니한 상태에서는 그 시행령 규정의 위헌 내지 위법 여부가 해석상 다툼의 여지가 없을 정도로 명백하였다고 인정되지 아니하는 이상, 객관적으로 명백한 것이라 할 수 없으므로, 이러한 시행령에 근거한 행정처분의 하자는 취소사유에 해당할 뿐 무효사유가 되지 아니한다(대판 2007. 6. 14, 2004두619).

16 정답률 53% 상 2018 소방직 9급

행정법의 법원(法源)으로서 헌법이 직접 규정하고 있지 않은 것은?

□□□ ① 감사원규칙

□□□ ② 중앙선거관리위원회규칙

□□□ ③ 지방자치단체의 자치에 관한 규정

□□□ ④ 대통령령, 총리령, 부령

① ×

감사원규칙은 헌법에는 직접적 규정이 없고 감사원법이라는 법률에 근거가 있을 뿐이다. 감사원법에 따르면 감사원은 감사절차, 감사원사무처리규칙을 제정할 수 있다. 이러한 감사원규칙의 성질에 대해서는 법규명령이라는 것이 다수설의 입장이며 또한 행정법의 법원으로서의 성격을 가진다.

② ○

중앙선거관리위원회는 법령의 범위 안에서 선거관리, 국민투표관리 또는 정당사무에 관한 규칙을 제정할 수 있는데, 이는 행정법의 법원이 된다.

헌법 제114조 ⑥ 중앙선거관리위원회는 법령의 범위 안에서 선거관리 · 국민투표관리 또는 정당사무에 관한 규칙을 제정할 수 있으며, 법률에 저촉되지 아니하는 범위 안에서 내부규율에 관한 규칙을 제정할 수 있다.

③ ○

헌법 제117조 ① 지방자치단체는 주민의 복리에 관한 사무를 처리하고 재산을 관리하며, 법령의 범위 안에서 자치에 관한 규정을 제정할 수 있다.

④ ○

헌법 제75조 대통령은 법률에서 구체적으로 범위를 정하여 위임받은 사항과 법률을 집행하기 위하여 필요한 사항에 관하여 대통령령을 발할 수 있다.

제95조 국무총리 또는 행정각부의 장은 소관 사무에 관하여 법률이나 대통령령의 위임 또는 직권으로 총리령 또는 부령을 발할 수 있다.

정답 15 ③ 16 ①

17 중 2017 국가직(하) 7급

행정입법에 대한 판례의 입장으로 옳은 것은?

□□□ ① 입법부가 법률로써 행정부에게 특정한 사항을 위임했음에도 불구하고 행정부가 정당한 이유 없이 이를 이행하지 않는다면 권력분립의 원칙과 법치국가 내지 법치행정의 원칙에 위배되는 것으로서 위법함과 동시에 위헌적인 것이 된다.

□□□ ② 재량준칙은 제정됨으로써 일반적으로 행정조직 내부뿐만 아니라 대외적인 구속력을 갖는다.

□□□ ③ 일반적으로 법률의 위임에 의하여 효력을 갖는 법규명령의 경우, 구법에 위임의 근거가 없어 무효인 경우 사후에 법개정으로 위임의 근거가 부여되더라도 그 때부터 유효한 법규명령이 되는 것은 아니다.

□□□ ④ 법률의 위임규정 자체가 그 의미내용을 정확하게 알 수 있는 용어를 사용하여 위임의 한계를 분명히 하고 있는데도 시행령이 위임규정에서 사용하고 있는 용어의 의미를 넘어 그 범위를 확장하거나 축소함으로써 위임내용을 구체화하는 단계를 벗어나 새로운 입법을 한 것으로 평가할 수 있는 경우라도 이를 위임의 한계를 일탈한 것으로 보기는 어렵다.

① ○

입법부가 법률로써 행정부에게 특정한 사항을 위임했음에도 불구하고 행정부가 정당한 이유 없이 이를 이행하지 않는다면 권력분립의 원칙과 법치국가 내지 법치행정의 원칙에 위배되는 것으로서 위법함과 동시에 위헌적인 것이 된다는 것이 판례의 입장이다(대판 2007. 11. 29, 2006다3561).

② ×

재량준칙이란 행정기관에 재량권이 인정되어 있는 경우 통일적이고 동등한 재량권행사의 확보를 위해 재량권행사의 기준을 정하는 행정규칙을 말한다. 행정규칙은 행정조직 내부에만 효력을 가질 뿐 대외적인 구속력을 갖는 것은 아니다(대판 1998. 6. 9, 97누19915).

③ ×

일반적으로 법률의 위임에 따라 효력을 갖는 법규명령의 경우, 구법에 위임의 근거가 없어 무효였더라도 사후에 법개정으로 위임의 근거가 부여되면 그때부터는 유효한 법규명령이 된다는 것이 판례의 입장이다(대판 1995. 6. 30, 93추83).

④ ×

> 법률이 특정 사안과 관련하여 시행령에 위임을 한 경우 시행령이 위임의 한계를 준수하고 있는지를 판단할 때는 당해 법률규정의 입법목적과 규정내용, 규정의 체계, 다른 규정과의 관계 등을 종합적으로 살펴야 한다. 법률의 위임규정 자체가 그 의미내용을 정확하게 알 수 있는 용어를 사용하여 위임의 한계를 분명히 하고 있는데도 시행령이 그 문언적 의미의 한계를 벗어났다든지, 위임규정에서 사용하고 있는 용어의 의미를 넘어 그 범위를 확장하거나 축소함으로써 위임내용을 구체화하는 단계를 벗어나 새로운 입법을 한 것으로 평가할 수 있다면, 이는 위임의 한계를 일탈한 것으로서 허용되지 않는다(대판 2012. 12. 20, 2011두30878 전합).

18 중 2009 국가직 9급

법규명령에 관한 설명으로 옳지 않은 것은?

□□□ ① 국회전속적 입법사항의 위임이 금지된다는 것이 전적으로 법률로 규율되어야 한다는 것을 의미하지는 않는다.

□□□ ② 법규명령에 대하여는 특정 법규명령의 위헌 · 위법 여부가 구체적 사건에 대한 재판의 전제가 된 경우에 법원이 이를 심리 · 판단하는 선결문제 심리방식에 의한 간접적 통제가 인정되고 있다.

□□□ ③ 법규명령의 근거법령이 소멸된 경우에는 법규명령도 소멸함이 원칙이나, 근거법령이 개정됨에 그친 경우에는 집행명령은 여전히 그 효력을 유지할 수 있다.

□□□ ④ 헌법 제107조 제2항에서 명령 · 규칙에 대한 위헌심사권을 법원에 부여하고 있기 때문에, 헌법재판소는 이에 대한 위헌심사권을 행사할 수 없다는 것이 헌법재판소의 입장이다.

① ○

전속적 입법사항이라도 중요하고 본질적 사항은 국회가 정하여야 하지만, 그렇지 않은 나머지 세부적 사항은 하위명령으로 위임이 가능하다.

② ○

간접적 통제라 함은 직접적으로는 처분 등을 심사하는 과정에서 당해 행정입법의 위헌 · 위법 여부가 선결문제가 되는 경우에 당해 행정입법의 위헌 · 위법 여부를 판단하는 제도로서 부수적 통제라고도 한다. 헌법 제107조 제2항에서는 이러한 간접적 통제를 인정하고 있다.

③ ○

위임명령이든 집행명령이든 모두 법률종속명령이므로 근거법령이 소멸되면 법규명령도 소멸됨이 원칙이다. 한편 집행명령의 경우 근거법령이 개정됨에 그친 경우에는 성질상 근거법령과 모순 · 저촉되지 아니하는 한 개정된 상위법령의 시행을 위한 집행명령이 새로 제정 · 발효될 때까지는 여전히 그 효력을 유지한다는 것이 판례의 입장이다(대판 1989. 9. 12, 88누6962).

④ ×

법규명령 등이 재판의 전제가 되는 것이 아니라, 별도의 집행행위를 기다리지 않고 직접 기본권을 침해하는 것인 때에는 헌법소원심판의 대상이 될 수 있다는 것이 헌법재판소의 입장이다(헌재 1990. 10. 15, 89헌마178).

정답 17 ① 18 ④

19 빈출 중 2010 지방직 9급

행정상 입법에 대한 설명으로 옳지 않은 것은?

□□□ ① 위임명령은 새로운 법규사항을 정할 수 있으나, 집행명령은 상위법령의 집행에 필요한 절차나 형식을 정하는 데 그쳐야 하며 새로운 법규사항을 정할 수 없다.

□□□ ② 대법원은 제재적 처분의 기준이 대통령령의 형식으로 정해진 경우 당해 기준을 법규명령으로 보고 있다.

□□□ ③ 판례는 행정입법부작위에 대하여 헌법소원을 인정하고 있지 않다.

□□□ ④ 법규명령에 대하여 헌법소원을 제기할 수 있는가에 대하여 우리 헌법재판소는 이를 긍정하고 있다.

관련기출

③

1. 행정입법에 대해서 헌법재판소는 헌법소원을 통하여 통제할 수 있으나 시행명령을 제정할 의무가 있음에도 명령제정을 거부하거나 입법부작위가 있는 경우에는 헌법소원의 대상이 되지 않는다. (○, ×) 2012 경행특채

1. ×

① ○

법규명령 중 위임명령은 상위법령에서 개별적 위임을 한 법규명령이므로 새로운 법규사항을 정할 수 있다. 그러나 법규명령 중 집행명령은 상위법령에서 개별적 위임 없이 직권으로 제정하는 법규명령이므로 법치행정의 원칙상 새로운 법규사항을 정할 수 없다.

✚ 위임명령과 집행명령의 비교

구 분	위임명령	집행명령
위 임	법률의 구체적 위임 요함.	법률의 구체적 위임을 요하지 않음.
헌법적 근거	헌법 제75 · 95조	
목 적	법률의 내용 보충	법률의 집행
규율범위	위임의 범위 내에서 새로이 국민의 권리 · 의무에 관한 사항을 규정할 수 있음.	새로이 국민의 권리 · 의무에 관한 사항을 규정할 수 없음.
종속성	법률종속명령	

✚ 위임명령과 집행명령은 실제 입법에서 따로 제정되는 경우는 거의 없으며, 하나의 법규명령에 함께 제정되고 있다.

② ○

판례는 제재적 처분기준이 대통령령 형식으로 정해진 경우 이를 법규명령으로 보아 대외적 구속력을 인정하고 있다.

③ ×

헌법소원의 대상은 공권력의 행사 또는 불행사인데 시행령 등 행정입법을 제정할 법적 의무가 있는 경우에 입법을 하지 않은 부작위는 공권력의 불행사에 해당하므로 헌법소원의 대상이 된다.

> 행정입법부작위도 헌법소원의 대상이 될 수 있다(헌재 1998. 7. 16, 96헌마246).

④ ○

법규명령 등이 별도의 집행행위를 기다리지 않고 직접 기본권을 침해하는 것인 때에는 헌법소원심판의 대상이 될 수 있다는 것이 헌법재판소의 입장이다(헌재 1990. 10. 15, 89헌마178).

정답 19 ③

제 11 강 행정규칙 등

1회독	2회독	3회독
/	/	/

정답률 공단기/소방단기 합격예측 풀서비스 통계 데이터 기준 기 기본서 핵 핵심집약

01 행정규칙

기 194~210쪽 핵 T 21

01 정답률 81% 중 2023 지방직 · 서울시 7급

행정규칙에 대한 설명으로 옳지 않은 것은? (다툼이 있는 경우 판례에 의함)

□□□ ① 「여객자동차 운수사업법」의 위임에 따른 시외버스운송사업의 사업계획변경기준 등에 관한 「여객자동차 운수사업법 시행규칙」의 관련규정은 대외적인 구속력이 있는 법규명령이라고 할 것이다.

□□□ ② 법령에 반하는 위법한 행정규칙은 무효이므로 위법한 행정규칙을 위반한 것은 징계사유가 되지 않는다.

□□□ ③ 법률이 일정한 사항을 고시와 같은 행정규칙에 위임하는 것은 전문적 · 기술적 사항이나 경미한 사항으로서 업무의 성질상 위임이 불가피한 사항에 한정된다.

□□□ ④ 행정각부의 장이 정하는 고시가 법령에 근거를 둔 것이라면, 그 규정내용이 법령의 위임범위를 벗어난 것이라도 법규명령으로서의 대외적 구속력이 인정된다.

관련기출

④

1. 법령의 규정이 특정 행정기관에게 법령내용의 구체적 사항을 정하도록 권한을 부여하여 특정 행정기관이 행정규칙을 정하였으나 그 행정규칙이 상위법령의 위임범위를 벗어났다면, 그러한 행정규칙은 대외적 구속력을 가지는 법규명령으로서의 효력이 인정되지 않는다. (○, ×) 2022 소방직 9급
2. 고시가 비록 법령에 근거를 둔 것이더라도 규정내용이 법령의 위임 범위를 벗어난 것일 경우에는 법규명령으로서의 대외적 구속력을 인정할 여지는 없다. (○, ×) 2021 국가직 7급, 2019 서울시 2회 7급
3. 법령에 근거를 둔 고시는 상위법령의 위임범위를 벗어난 경우에도 법규명령으로서 기능한다. (○, ×) 2018 서울시 9급

1. ○ 2. ○ 3. ×

① 정답률 5% ○

> 구 「여객자동차 운수사업법」 제11조 제4항의 위임에 따라 시외버스운송사업의 사업계획변경에 관한 절차, 인가기준 등을 구체적으로 규정한 구 「여객자동차 운수사업법 시행규칙」 제31조 제2항 제1호, 제2호, 제6호는 대외적인 구속력이 있는 법규명령이라고 할 것이고, 그것을 행정청 내부의 사무처리준칙을 규정한 행정규칙에 불과하다고 할 수는 없다.
> 구 「여객자동차 운수사업법 시행규칙」 제31조 제2항 제1호, 제2호, 제6호는 법 제11조 제4항의 위임에 따라 시외버스운송사업의 사업계획변경에 관한 절차, 인가기준 등을 구체적으로 규정한 것으로서, 대외적인 구속력이 있는 법규명령이라고 할 것이고, 그것을 행정청 내부의 사무처리준칙을 규정한 행정규칙에 불과하다고 할 수는 없는 것이다(대판 2006. 6. 27, 2003두4355).

② 정답률 9% ○

> 법령에 반하는 위법한 행정규칙은 무효이므로 위법한 행정규칙을 위반한 것은 징계사유가 되지 않는다(대판 2020. 11. 26, 2020두42262).

③ **빈출** 정답률 3% ○

> 행정규칙은 법규명령과 같은 엄격한 제정 및 개정절차를 요하지 아니하므로, 재산권 등과 같은 기본권을 제한하는 작용을 하는 법률이 입법위임을 할 때에는 대통령령, 총리령, 부령 등 법규명령에 위임함이 바람직하고, 고시와 같은 형식으로 입법위임을 할 때에는 적어도 법령이 전문적 · 기술적 사항이나 경미한 사항으로서 업무의 성질상 위임이 불가피한 사항에 한정된다 할 것이고, 그러한 사항이라 하더라도 포괄위임금지의 원칙상 법률의 위임은 반드시 구체적 · 개별적으로 한정된 사항에 대하여 행하여져야 한다(헌재 2006. 12. 28, 2005헌바59).

④ **빈출** 정답률 81% ×

법령보충적 행정규칙이 법령의 위임의 범위를 벗어난 경우에는 위임입법의 한계를 벗어나 효력이 없으므로 대외적 구속력이 인정될 수 없다.

> 행정각부의 장이 정하는 고시가 비록 법령에 근거를 둔 것이라고 하더라도 그 규정내용이 법령의 위임범위를 벗어난 것일 경우에는 법규명령으로서의 대외적 구속력을 인정할 여지는 없다(대결 2006. 4. 28, 2003마715).

정답 01 ④

02 정답률 87% 중 2023 국가직 7급

행정입법에 대한 설명으로 옳지 않은 것은? (다툼이 있는 경우 판례에 의함)

□□□ ① 법령의 위임이 없음에도 법령에 규정된 처분 요건에 해당하는 사항을 부령에서 변경하여 규정한 경우에는 그 부령의 규정은 행정청 내부의 사무처리 기준 등을 정한 것으로서 행정조직 내에서 적용되는 행정명령의 성격을 지닐 뿐 국민에 대한 대외적 구속력은 없다.

□□□ ② 법원이 법률 하위의 법규명령이 위헌 · 위법인지를 심사하려면 그것이 재판의 전제가 되어야 하는데, 여기에서 재판의 전제란 구체적 사건이 법원에 계속 중이어야 하고, 위헌 · 위법인지가 문제된 경우에는 그 법규명령의 특정 조항이 해당 소송사건의 재판에 적용되는 것이어야 하며, 그 조항이 위헌 · 위법인지에 따라 그 사건을 담당하는 법원이 다른 판단을 하게 되는 경우를 말한다.

□□□ ③ 재량권행사의 준칙인 행정규칙이 그 정한 바에 따라 되풀이 시행되어 행정관행이 이루어지게 되면, 평등의 원칙이나 신뢰보호의 원칙에 따라 행정기관은 그 상대방에 대한 관계에서 그 행정규칙에 따라야 할 자기구속을 받게 되고, 그러한 경우에는 대외적인 구속력을 가지게 된다.

□□□ ④ 상위법령에서 세부사항 등을 시행규칙으로 정하도록 위임하였음에도 이를 고시 등 행정규칙으로 정한 경우 그 행정규칙은 대외적 구속력을 가지는 법규명령으로서 효력이 인정된다.

관련기출

④

1. 상위법령에서 세부사항 등을 시행규칙으로 정하도록 위임하였음에도 이를 고시 등 행정규칙으로 정한 경우 대외적 구속력을 인정할 수 있다. (○, ×) 2020 지방직 · 서울시 9급
2. 상위법령에서 세부사항 등을 시행규칙으로 정하도록 위임하였음에도 이를 고시 등 행정규칙으로 정하였다면 대외적 구속력을 가지는 법규명령으로서 효력이 인정될 수 없다. (○, ×) 2020 지방직 · 서울시 7급, 2017 서울시 7급
3. 상위법령에서 세부사항 등을 시행규칙으로 정하도록 위임하였으나, 이를 고시 등 행정규칙으로 정하였더라도 이는 대외적 구속력을 가지는 법규명령으로서 효력이 인정된다. (○, ×) 2019 지방직 · 교육행정직 9급

1. × 2. ○ 3. ×

① 정답률 6% ○

법령의 위임이 없음에도 법령에 규정된 처분요건에 해당하는 사항을 부령에서 변경하여 규정한 경우에는 그 부령의 규정은 행정청 내부의 사무처리 기준 등을 정한 것으로서 행정조직 내에서 적용되는 행정명령의 성격을 지닐 뿐 국민에 대한 대외적 구속력은 없다(대판 2013. 9. 12, 2011두10584).

② 정답률 3% 제10강 참조 ○

법원이 법률 하위의 법규명령, 규칙, 조례, 행정규칙 등(이하 '규정'이라 한다)이 위헌 · 위법인지를 심사하려면 그것이 '재판의 전제'가 되어야 한다. 여기에서 '재판의 전제'란 구체적 사건이 법원에 계속 중이어야 하고, 위헌 · 위법인지가 문제된 경우에는 규정의 특정 조항이 해당 소송사건의 재판에 적용되는 것이어야 하며, 그 조항이 위헌 · 위법인지에 따라 그 사건을 담당하는 법원이 다른 판단을 하게 되는 경우를 말한다. 따라서 법원이 구체적 규범통제를 통해 위헌 · 위법으로 선언할 심판대상은, 해당 규정의 전부가 불가분적으로 결합되어 있어 일부를 무효로 하는 경우 나머지 부분이 유지될 수 없는 결과를 가져오는 특별한 사정이 없는 한, 원칙적으로 해당 규정 중 재판의 전제성이 인정되는 조항에 한정된다(대판 2019. 6. 13, 2017두33985).

③ 정답률 2% 제4강 참조 ○

행정규칙인 재량준칙이 정한 바에 따라 행정관행이 이룩되게 되면 평등원칙이나 신뢰보호원칙에 따라 행정기관은 그 규칙에 따라야 할 자기구속을 당하게 되고 그러한 경우 행정규칙은 대외적 구속력을 가지게 된다.

행정규칙이 법령의 규정에 의하여 행정관청에 법령의 구체적 내용을 보충할 권한을 부여한 경우, 또는 재량권행사의 준칙인 규칙이 그 정한 바에 따라 되풀이 시행되어 행정관행이 이룩되게 되면, 평등의 원칙이나 신뢰보호의 원칙에 따라 행정기관은 그 상대방에 대한 관계에서 그 규칙에 따라야 할 자기구속을 당하게 되고, 그러한 경우에는 대외적인 구속력을 가지게 된다 할 것이다(헌재 1990. 9. 3, 90헌마13).

④ 정답률 87% ×

상위법령에서 세부사항 등을 시행규칙으로 정하도록 위임하였음에도 이를 고시 등 행정규칙으로 정한 경우, 대외적 구속력을 가지는 법규명령으로서 효력을 인정할 수는 없다.

법령의 규정이 특정 행정기관에게 법령내용의 구체적 사항을 정할 수 있는 권한을 부여하면서 권한행사의 절차나 방법을 특정하지 아니한 경우에는 수임 행정기관은 행정규칙이나 규정형식으로 법령내용이 될 사항을 구체적으로 정할 수 있다. 이 경우 행정규칙 등은 당해 법령의 위임한계를 벗어나지 않는 한 대외적 구속력이 있는 법규명령으로서 효력을 가지게 되지만, 이는 행정규칙이 갖는 일반적 효력이 아니라 행정기관에 법령의 구체적 내용을 보충할 권한을 부여한 법령규정의 효력에 근거하여 예외적으로 인정되는 것이다. 따라서 그 행정규칙이나 규정이 상위법령의 위임범위를 벗어난 경우에는 법규명령으로서 대외적 구속력을 인정할 여지는 없다. 이는 행정규칙이나 규정 '내용'이 위임범위를 벗어난 경우뿐 아니라 상위법령의 위임규정에서 특정하여 정한 권한행사의 '절차'나 '방식'에 위배되는 경우도 마찬가지이므로, 상위법령에서 세부사항 등을 시행규칙으로 정하도록 위임하였음에도 이를 고시 등 행정규칙으로 정하였다면 그 역시 대외적 구속력을 가지는 법규명령으로서 효력이 인정될 수 없다(대판 2012. 7. 5, 2010다72076).

정답 02 ④

03 빈출 정답률 78% 중 2020 지방직 · 서울시 7급

행정입법에 대한 설명으로 옳은 것은? (다툼이 있는 경우 판례에 의함)

□□□ ① 처분적 조례에 대한 무효확인소송을 제기함에 있어서 피고적격이 있는 처분 등을 행한 행정청은 지방의회이다.

□□□ ② 상위법령에서 세부사항 등을 시행규칙으로 정하도록 위임하였음에도 이를 고시 등 행정규칙으로 정하였다면 대외적 구속력을 가지는 법규명령으로서 효력이 인정될 수 없다.

□□□ ③ 법률의 위임에 따라 효력을 갖는 법규명령이 위임의 근거가 없어 무효였더라도 나중에 법개정으로 위임의 근거가 부여되면 당해 법규명령의 제정시에 소급하여 유효한 법규명령이 된다.

□□□ ④ 의료기관의 명칭표시판에 진료과목을 함께 표시하는 경우 글자크기를 제한하고 있는 구 의료법 시행규칙 제31조는 그 자체로 국민의 구체적 권리 · 의무나 법률관계에 직접적 변동을 초래하므로 항고소송의 대상이 될 수 있다.

① 제36강 참조 ×

> 조례가 항고소송의 대상이 되는 행정처분에 해당되는 경우 피고적격은 공포권자인 지방자치단체의 장에게 있다(대판 1996. 9. 20, 95누8003).

② ○

상위법령에서 세부사항 등을 시행규칙으로 정하도록 위임하였음에도 이를 고시 등 행정규칙으로 정한 경우, 대외적 구속력을 가지는 법규명령으로서 효력을 인정할 수는 없다는 것이 판례의 입장이다(대판 2012. 7. 5, 2010다72076).

③ ×

일반적으로 법률의 위임에 의하여 효력을 갖는 법규명령의 경우, 구법에 위임의 근거가 없어 무효였더라도 사후에 법개정으로 위임의 근거가 부여되면 그때부터는 유효한 법규명령이 된다는 것이 판례의 입장이다(대판 1995. 6. 30, 93추83).

④ 제37강 참조 ×

> 의료기관의 명칭표시판에 진료과목을 함께 표시하는 경우 글자크기를 제한하고 있는 구 의료법 시행규칙 제31조는 법규명령으로서 그 자체가 국민의 구체적인 권리 · 의무나 법률관계에 직접적인 변동을 초래하지 아니하므로 항고소송의 대상이 되는 행정처분이라고 할 수 없다(대판 2007. 4. 12, 2005두15168).

04 중 2014 경행특채 1차

다음은 행정규칙에 대해 설명한 것이다. 가장 적절하지 않은 것은? (다툼이 있으면 판례에 의함)

□□□ ① 행정규칙은 법적 근거를 요한다.

□□□ ② 행정규칙은 원칙적으로 대외적 구속력이 없다.

□□□ ③ 행정규칙 자체는 원칙적으로 행정소송법상 처분에 해당되지 않는다.

□□□ ④ 행정규칙의 종류로는 훈령, 예규, 지시 등이 있다.

① ×

② ○

행정규칙은 대외적인 구속력이 있는 법규가 아니므로(②) 그 제정에는 법적 근거가 필요하지 않다(①). 행정규칙의 제정권은 상급기관의 감독권한에 포함되어 있다고 할 수 있다.

③ ○

행정규칙은 일반적 · 추상적 성질을 갖는 것으로 행정소송법상 처분에 해당하지 않는다. 행정소송법상 처분이 되기 위해서는 구체성을 가져야 한다.

④ ○

행정규칙을 그 형식에 따라 구분할 경우 훈령, 지시, 예규, 일일명령 등으로 구분할 수 있다.

정답 03 ② 04 ①

05 빈출 중 2020 군무원 9급

행정규칙 형식의 법규명령에 대한 설명으로 옳지 않은 것은? (다툼이 있는 경우 판례에 의함)

□□□ ① 헌법이 인정하고 있는 위임입법의 형식은 예시적인 것으로 보아야 할 것이고, 그것은 법률이 행정규칙에 위임하더라도 그 행정규칙은 위임된 사항만을 규율할 수 있으므로, 국회입법의 원칙과 상치되지도 않는다.

□□□ ② 재신권 등과 같은 기본권을 제한하는 작용을 하는 법률이 입법위임을 할 때에는 법규명령에 위임함이 바람직하고, 금융감독위원회의 고시와 같은 행정규칙 형식으로 입법위임을 할 때에는 적어도 행정규제기본법 제4조 제2항 단서에서 정한 바와 같이 법령이 전문적 · 기술적 사항이나 경미한 사항으로서 업무의 성질상 위임이 불가피한 사항에 한정된다.

□□□ ③ 법률이 행정규칙 형식으로 입법위임을 하는 경우에는 행정규칙의 특성상 포괄위임금지의 원칙은 인정되지 않는다.

□□□ ④ 상위법령의 위임에 의하여 정하여진 행정규칙은 위임한계를 벗어나지 아니하는 한 그 상위법령의 규정과 결합하여 대외적인 구속력이 있는 법규명령으로서의 효력을 갖게 된다.

관련기출

②

1. 재산권 등의 기본권을 제한하는 작용을 하는 법률이 구체적으로 범위를 정하여 고시와 같은 형식으로 입법위임을 할 수 있는 사항은 전문적 · 기술적 사항이나 경미한 사항으로서 업무의 성질상 위임이 불가피한 사항에 한정된다. (○, ×)
   2019 국가직 7급
2. 법령보충적 행정규칙은 법령의 수권에 의하여 인정되고, 그 수권은 포괄위임금지의 원칙상 구체적 · 개별적으로 한정된 사항에 대하여 행해져야 한다. (○, ×)
   2019 국가직 7급

1. ○ 2. ○

빈출 ①② ○

③ ×

법률이 행정규칙 형식으로 입법위임을 하는 경우에도 포괄위임금지의 원칙이 적용된다.

1. 국회입법에 의한 수권이 입법기관이 아닌 행정기관에 법률 등으로 구체적인 범위를 정하여 위임한 사항에 관하여는 당해 행정기관에 법정립의 권한을 갖게 되고, 입법자가 규율의 형식도 선택할 수 있다 할 것이다.
2. 따라서 헌법이 인정하고 있는 위임입법의 형식은 예시적인 것으로 보아야 할 것이고, 그것은 법률이 행정규칙에 위임하더라도 그 행정규칙은 위임된 사항만을 규율할 수 있으므로, 국회입법의 원칙과 상치되지도 않는다(①).
3. 법률이 입법사항을 대통령령이나 부령이 아닌 고시와 같은 행정규칙의 형식으로 위임하는 경우에도 포괄위임금지의 원칙은 인정된다(③).
4. 행정규칙은 법규명령과 같은 엄격한 제정 및 개정절차를 요하지 아니하므로, 재산권 등과 같은 기본권을 제한하는 작용을 하는 법률이 입법위임을 할 때에는 대통령령, 총리령, 부령 등 법규명령에 위임함이 바람직하고, 고시와 같은 형식으로 입법위임을 할 때에는 적어도 행정규제기본법 제4조 제2항 단서에서 정한 바와 같이 법령이 전문적 · 기술적 사항이나 경미한 사항으로서 업무의 성질상 위임이 불가피한 사항에 한정된다 할 것이고(②), 그러한 사항이라 하더라도 포괄위임금지의 원칙상 법률의 위임은 반드시 구체적 · 개별적으로 한정된 사항에 대하여 행하여져야 한다(헌재 2006. 12. 28, 2005헌바59).

행정규제기본법 제4조【규제법정주의】 ② 규제는 법률에 직접 규정하되, 규제의 세부적인 내용은 법률 또는 상위법령(上位法令)에서 구체적으로 범위를 정하여 위임한 바에 따라 대통령령 · 총리령 · 부령 또는 조례 · 규칙으로 정할 수 있다. 다만, 법령에서 전문적 · 기술적 사항이나 경미한 사항으로서 업무의 성질상 위임이 불가피한 사항에 관하여 구체적으로 범위를 정하여 위임한 경우에는 고시 등으로 정할 수 있다.

④ ○

이른바 법령보충규칙으로서 법규명령으로서의 성질을 갖는다.

법령의 규정이 특정 행정기관에 그 법령내용의 구체적 사항을 정할 수 있는 권한을 부여하면서 권한행사의 절차나 방법을 특정하고 있지 않은 관계로 수임행정기관이 행정규칙의 형식으로 법령의 내용이 될 사항을 구체적으로 정하고 있는 경우, 그러한 행정규칙, 규정은 행정조직 내부에서만 효력을 가질 뿐 대외적인 구속력을 갖지 않는 행정규칙의 일반적 효력으로서가 아니라, 행정기관에 법령의 구체적 내용을 보충할 권한을 부여한 법령규정의 효력에 의하여 그 내용을 보충하는 기능을 갖게 되고, 따라서 당해 법령의 위임한계를 벗어나지 아니하는 한 그것들과 결합하여 대외적인 구속력이 있는 법규명령으로서의 효력을 갖게 된다(대판 1998. 6. 9, 97누19915).

정답 05 ③

06 중 2019 서울시 1회 7급

행정규칙에 관한 설명으로 가장 옳지 않은 것은? (다툼이 있는 경우 판례에 따름)

① 행정처분이 법규성이 없는 내부지침 등의 규정에 위배된다고 하더라도 그 이유만으로 처분이 위법하게 되는 것은 아니고, 또 그 내부지침 등에서 정한 요건에 부합한다고 하여 반드시 그 처분이 적법한 것이라고 할 수도 없다.

② 법령의 규정이 특정 행정기관에 그 법령내용의 구체적 사항을 정할 수 있는 권한을 부여하면서 그 권한행사의 절차나 방법을 특정하고 있지 아니한 관계로 수임행정기관이 행정규칙의 형식으로 그 법령의 내용이 될 사항을 구체적으로 정하고 있다면 그와 같은 행정규칙은 행정기관에 법령의 구체적 내용을 보충할 권한을 부여한 법령규정의 효력에 의하여 그 내용을 보충하는 기능을 갖게 된다.

③ 재량권행사의 준칙인 행정규칙이 있으면 그에 따른 관행이 없더라도 평등의 원칙에 따라 행정기관은 상대방에 대한 관계에서 그 규칙에 따라야 할 자기구속을 받게 된다.

④ 고시가 법령의 규정을 보충하는 기능을 가지면서 그와 결합하여 대외적인 구속력이 있는 법규명령으로서의 효력을 가지는 경우에도 그 자체가 법령은 아니고 행정규칙에 지나지 않으므로 적당한 방법으로 이를 일반인 또는 관계인에게 표시 또는 통보함으로써 그 효력이 발생한다.

관련기출

①

1. 행정처분이 법규성이 없는 내부지침 등의 규정에 위배된다고 하더라도 그 이유만으로 처분이 위법하게 되는 것은 아니며, 내부지침 등에서 정한 요건에 부합한다고 하여 반드시 그 처분이 적법한 것이라고 할 수도 없다. (○, ×) 2022 소방직 9급

1. ○

④

1. 법령보충적 행정규칙이 법규명령의 효력을 갖기 위하여는 공포되어야 한다. (○, ×) 2008 관세사

1. ×

① ○

1. 행정처분이 법규성이 없는 내부지침 등의 규정에 위배된다고 하더라도 그 이유만으로 처분이 위법하게 되는 것은 아니고, 또 내부지침 등에서 정한 요건에 부합한다고 하여 반드시 그 처분이 적법한 것이라고 할 수도 없다.
2. 처분의 적법 여부는 그러한 내부지침 등에서 정한 요건에 합치하는지 여부가 아니라 일반국민에 대하여 구속력을 가지는 법률 등 법규성이 있는 관계법령의 규정을 기준으로 판단하여야 한다(대판 2018. 6. 15, 2015두40248).

② ○

이른바 법령보충규칙이 법규성을 가지는 것과 관련된 판례이다.

> 법령의 규정이 특정 행정기관에 그 법령내용의 구체적 사항을 정할 수 있는 권한을 부여하면서 권한행사의 절차나 방법을 특정하고 있지 않은 관계로 수임행정기관이 행정규칙의 형식으로 법령의 내용이 될 사항을 구체적으로 정하고 있는 경우, 그러한 행정규칙, 규정은 행정조직 내부에서만 효력을 가질 뿐 대외적인 구속력을 갖지 않는 행정규칙의 일반적 효력으로서가 아니라, 행정기관에 법령의 구체적 내용을 보충할 권한을 부여한 법령규정의 효력에 의하여 그 내용을 보충하는 기능을 갖게 되고, 따라서 당해 법령의 위임한계를 벗어나지 아니하는 한 그것들과 결합하여 대외적인 구속력이 있는 법규명령으로서의 효력을 갖게 된다(대판 1998. 6. 9, 97누19915).

③ ×

판례는 재량준칙이 공표된 것만으로는 자기구속의 원칙이 적용될 수 없고 재량준칙이 되풀이 시행되어 행정관행이 성립한 경우에 자기구속의 원칙이 적용될 수 있다는 입장이다.

> 재량준칙이 되풀이 시행되어 행정관행이 이루어졌다고 볼 수 없다면 자기구속원칙을 위반한 것이 아니다(대판 2009. 12. 24, 2009두7967).

④ ○

> 법령보충규칙은 상위법령과 결합하여 법규성을 가지나 그 자체가 법규명령은 아니므로 적당한 방법으로 일반인에게 표시 또는 통보함으로써 효력이 발생한다.
>
> 수입선다변화품목의 지정 및 그 수입절차 등에 관한 1991. 5. 13.자 상공부(현 산업통상자원부) 고시 제91-21호는 그 근거가 되는 대외무역법 시행령 제35조의 규정을 보충하는 기능을 가지면서 그와 결합하여 대외적인 구속력이 있는 법규명령의 효력을 가지는 것으로서 그 시행절차에 관하여 대외무역관리규정은 아무런 규정을 두고 있지 않으나, 그 자체가 법령은 아니고 행정규칙에 지나지 않으므로 적당한 방법으로 이를 일반인 또는 관계인에게 표시 또는 통보함으로써 그 효력이 발생한다(대판 1993. 11. 23, 93도662).

정답 06 ③

07 정답률 63% 중 2015 지방직 7급

행정입법에 대한 판례의 내용으로 옳지 않은 것은?

□□□ ① 처분의 근거가 행정규칙에 규정되어 있다고 하더라도, 그 처분이 상대방에게 권리설정 또는 의무부담을 명하거나 기타 법적인 효과를 발생하게 하는 등으로 상대방의 권리 · 의무에 직접 영향을 미치는 행위인 경우에는 항고소송의 대상이 되는 행정처분에 해당한다.

□□□ ② 재량권행사의 준칙인 행정규칙이 그 정한 바에 따라 되풀이 시행되어 행정관행이 이루어지게 되면 평등의 원칙이나 신뢰보호의 원칙에 따라 행정기관은 그 상대방에 대한 관계에서 그 규칙에 따라야 할 자기구속을 받게 되므로, 이러한 경우에는 특별한 사정이 없는 한 그를 위반하는 처분은 평등의 원칙이나 신뢰보호의 원칙에 위배되어 재량권을 일탈 · 남용한 위법한 처분이 된다.

□□□ ③ 행정규칙에서 사용하는 개념이 달리 해석될 여지가 있다 하더라도 행정청이 수권의 범위 내에서 법령이 위임한 취지 및 형평과 비례의 원칙에 기초하여 합목적적으로 기준을 설정하여 그 개념을 해석 · 적용하고 있다면, 개념이 달리 해석될 여지가 있다는 것만으로 이를 사용한 행정규칙이 법령의 위임한계를 벗어났다고는 할 수 없다.

□□□ ④ 「국토의 계획 및 이용에 관한 법률」 및 같은 법 시행령이 정한 이행강제금의 부과기준은 단지 상한을 정한 것에 불과한 것이므로 행정청에 이와 다른 이행강제금액을 결정할 재량권이 있다.

① ○

어떠한 처분의 근거가 행정규칙에 규정되어 있다고 하더라도, 그 처분이 상대방에게 권리의 설정 또는 의무의 부담을 명하거나 기타 법적인 효과를 발생하게 하는 등으로 그 상대방의 권리 · 의무에 직접 영향을 미치는 행위라면, 이 경우에도 항고소송의 대상이 되는 행정처분에 해당한다는 것이 판례의 입장이다(대판 2004. 11. 26, 2003두10251 · 10268).

② ○

재량권행사의 준칙인 행정규칙이 그 정한 바에 따라 되풀이 시행되어 행정관행이 이루어지게 되면 평등의 원칙이나 신뢰보호의 원칙에 따라 행정기관은 그 상대방에 대한 관계에서 그 규칙에 따라야 할 자기구속을 받게 되므로, 이러한 경우에는 특별한 사정이 없는 한 그를 위반하는 처분은 평등의 원칙이나 신뢰보호의 원칙에 위배되어 재량권을 일탈 · 남용한 위법한 처분이 된다는 것이 판례의 입장이다(대판 2009. 12. 24, 2009두7967).

③ ○

1. 법령상의 어떤 용어가 별도의 법률상의 의미를 가지지 않으면서 일반적으로 통용되는 의미를 가지고 있다면, 상위규범에 그 용어의 의미에 관한 별도의 정의규정을 두고 있지 않고 권한을 위임받은 하위규범에서 그 용어의 사용기준을 정하고 있다 하더라도 하위규범이 상위규범에서 위임한 한계를 벗어났다고 볼 수 없다.
2. (법령보충)행정규칙에서 사용하는 개념이 달리 해석할 여지가 있다 하더라도 행정청이 수권의 범위 내에서 법령이 위임한 취지 및 형평과 비례의 원칙에 기초하여 합목적적으로 기준을 설정하여 그 개념을 해석 · 적용하고 있다면, 개념이 달리 해석할 여지가 있다는 것만으로 이를 사용한 행정규칙이 법령의 위임한계를 벗어났다고는 할 수 없다(대판 2008. 4. 10, 2007두4841).

④ ×

청소년보호법 시행령이 정한 과징금 부과기준은 정액이 아니라 최고한도액이라는 것과 구별하기 바란다.

행정청에 「국토의 계획 및 이용에 관한 법률 시행령」 제124조의3 제3항에서 정한 토지이용의무를 위반한 자에게 부과할 이행강제금 부과기준과 다른 이행강제금액을 결정할 재량권은 없다.

「국토의 계획 및 이용에 관한 법률」 및 「국토의 계획 및 이용에 관한 법률 시행령」이 정한 이행강제금의 부과기준은 단지 상한을 정한 것에 불과한 것이 아니라, 위반행위 유형별로 계산된 특정 금액을 규정한 것이므로 행정청에 이와 다른 이행강제금액을 결정할 재량권이 없다고 보아야 한다(대판 2014. 11. 27, 2013두8653).

정답 07 ④

제 12 강 행정행위의 기초개념

1회독	2회독	3회독
/	/	/

정답률 공단기/소방단기 합격예측 풀서비스 통계 데이터 기준 기 기본서 핵 핵심집약

01 행정행위의 의의 및 종류

기 214~221쪽 핵 T 22

01 정답률 46% 상 2017 국가직 9급

행정행위에 대한 설명으로 옳은 것은?

□□□ ① 행정행위를 '행정청이 법 아래서 구체적 사실에 대한 법집행으로서 행하는 공법행위'로 정의하면, 공법상 계약과 공법상 합동행위는 행정행위의 개념에서 제외된다.

□□□ ② 강학상 허가와 특허는 의사표시를 요소로 한다는 점과 반드시 신청을 전제로 한다는 점에서 공통점이 있다.

□□□ ③ 행정행위의 효력으로서 구성요건적 효력과 공정력은 이론적 근거를 법적 안정성에서 찾고 있다는 공통점이 있다.

□□□ ④ 행정소송법상 처분의 개념과 강학상 행정행위의 개념이 다르다고 보는 견해는 처분의 개념을 강학상 행정행위의 개념보다 넓게 본다.

① ×

행정행위를 '행정청이 법 아래서 구체적 사실에 대한 법집행으로서 행하는 공법행위'로 정의하는 것은 협의의 개념으로 행정행위를 파악하는 것이다. 협의의 개념에 의하면 행정행위는 권력적 행위일 필요가 없으므로 공법상 계약과 공법상 합동행위가 포함된다. 한편, 통설의 개념(최협의의 개념)에 따르면 행정행위란 '행정청이 법 아래에서 구체적 사실에 관한 법집행으로 행하는 권력적 단독행위로서 공법행위'를 말한다. 따라서 이 설에 따르면 행정청이 우월한 지위에서 행하는 공법상의 행위가 아닌, 공법상 계약, 공법상 합동행위 등은 행정행위가 아니라고 본다.

② ×

허가와 특허는 모두 행정청의 의사표시를 구성요소로 하는 법률행위적 행정행위이다. 그러나 허가는 원칙적으로 신청을 요하지만 신청이 없는 경우도 가능(예 통행금지해제)한 반면, 특허는 반드시 신청을 전제로 한다.

③ ×

공정력과 구성요건적 효력을 구분하는 견해에 따르면 공정력의 이론적 근거는 법적 안정성에서 찾으나, 구성요건적 효력의 이론적 근거는 권력분립에 따른 기관 간 권한존중의 원칙에서 찾는다.

④ ○

다르다고 보는 견해에 따르면 처분개념에는 강학상 행정행위뿐만 아니라 권력적 사실행위도 포함된다.

정답 01 ④

02 ㉦ 2015 교육행정직 9급

행정행위에 관한 설명으로 옳은 것은?

□□□ ① 행정행위는 법적 행위이므로, 행정청이 도로를 보수하는 행위는 행정행위가 아니다.

□□□ ② 행정행위는 당해 행위로써 직접 법적 효과를 가져오는 행위이므로, 행정청이 건축허가의 신청을 반려하는 행위는 행정행위가 아니다.

□□□ ③ 행정행위는 국민에 대하여 법적 효과를 발생시키는 행위이므로, 행정청이 귀화신청인에게 귀화를 허가하는 행위는 행정행위가 아니다.

□□□ ④ 행정행위는 공법상의 행위이므로, 행정청이 특정인에게 어업권과 같이 사권의 성질을 가지는 권리를 설정하는 행위는 행정행위가 아니다.

① ○
행정행위는 '법적 행위'로서 외부에 대하여 직접적인 법적 효과가 발생하는 행위이어야 한다. 그런데 행정청이 도로를 보수하는 행위는 외부에 대하여 직접적인 법적 효과를 발생시키는 '법적 행위'가 아니라 단순한 '사실행위'에 불과하므로 행정행위가 아니다.

② ×
허가 · 특허 등의 신청에 대한 거부처분은 행정행위에 해당한다.

③ ×
귀화허가는 상대방에게 대한민국 국민으로서의 권리를 설정하는 행위로서 법적 효과를 발생시키는 행위이므로 행정행위에 해당한다.

④ ×
행정행위가 공법상의 행위라는 것은 그 행위의 근거가 공법적이라는 것이지 행위의 효과까지 공법적이라는 것을 의미하는 것은 아니다. 어업권을 설정하는 행위는 수산업법에 근거하여 시장, 군수, 구청장이 행하는 것인데 수산업법은 공법이므로 어업권을 설정하는 행위의 근거는 공법적이다. 따라서 비록 어업권은 사권의 성질을 가지지만 어업권을 설정하는 행위 또한 행정행위에 해당한다.

03 ㉻ 2009 지방직 9급

다음과 같은 규율 내용의 법적 성격은?

> 2007년 독일에서 개최된 G8 정상회담 당시, 독일정부는 회담기간 중 행사장 주변지역에서의 모든 옥외집회를 금지하였다.

□□□ ① 개별적 · 구체적 규율

□□□ ② 개별적 · 추상적 규율

□□□ ③ 일반적 · 구체적 규율

□□□ ④ 일반적 · 추상적 규율

③ 이른바 일반처분에 해당하는 것으로서 일반처분은 일반적 · 구체적 규율로서의 성격을 가진다.

정답 02 ① 03 ③

02 기속행위와 재량행위, 불확정개념과 판단여지

기 222~239쪽 핵 T 23~24

04

정답률 86% 중 2024 소방직 9급

기속행위와 재량행위에 관한 설명으로 옳지 않은 것은? (다툼이 있는 경우 판례에 의함)

□□□ ① 기속행위와 재량행위의 구분은 당해 행위의 근거가 된 법규의 체재 · 형식과 그 문언, 당해 행위가 속하는 행정 분야의 주된 목적과 특성, 당해 행위 자체의 개별적 성질과 유형 등을 모두 고려하여 판단하여야 한다.

□□□ ② 재량행위에 대한 사법심사가 이루어지는 경우, 법원은 독자의 결론을 도출하고, 그 결론에 비추어 행정청이 한 판단의 적법 여부를 독자의 입장에서 판정하는 방식에 의해야 한다.

□□□ ③ 건축허가권자는 건축허가신청이 건축법 등 관계법규에서 정하는 어떠한 제한에 배치되지 않는 이상 당연히 같은 법조에서 정하는 건축허가를 하여야 하고, 중대한 공익상의 필요가 없는데도 관계법령에서 정하는 제한사유 이외의 사유를 들어 요건을 갖춘 자에 대한 허가를 거부할 수는 없다.

□□□ ④ 판례는 재량권과 판단여지를 구분하지 않고, 판단여지가 인정되는 경우에도 재량권이 인정되는 것으로 본다.

관련기출

①

1. 기속행위와 재량행위의 구분은 당해 행위의 근거가 된 법규의 체재 · 형식과 그 문언, 당해 행위가 속하는 행정 분야의 주된 목적과 특성, 당해 행위 자체의 개별적 성질과 유형 등을 모두 고려하여 판단하여야 한다. (○, ×)
2023 군무원 9급, 2020 지방직 · 서울시 9급

1. ○

②

1. 행정청의 재량에 기한 공익판단의 여지를 감안하여 법원은 독자의 결론을 도출함이 없이 당해 행위에 재량권의 일탈 · 남용이 있는지 여부만을 심사한다. (○, ×) 2023 소방직 9급
2. 재량행위에 대한 사법심사에 있어서 법원은 사실인정과 관련법규의 해석 · 적용을 통하여 일정한 결론을 도출한 후 그 결론에 비추어 행정청이 한 판단의 적법 여부를 독자의 입장에서 판정하는 방식에 의한다. (○, ×) 2021 국회직 8급
3. 기속행위의 경우 법원이 사실인정과 관련법규의 해석 · 적용을 통하여 일정한 결론을 도출한 후 그 결론에 비추어 행정청이 한 판단의 적법 여부를 독자의 입장에서 판정한다.(○, ×) 2020 국가직 7급
4. 기속행위에 대한 사법심사는 그 법규에 대한 원칙적인 기속성으로 인하여 법원이 사실인정과 관련법규의 해석 · 적용을 통하여 일정한 결론을 도출한 후 그 결론에 비추어 행정청이 한 판단의 적법 여부를 독자의 입장에서 판정하는 방식에 의한다. (○, ×) 2018 경행경채

1. ○ 2. × 3. ○ 4. ○

④

1. 대법원은 교과서검정에 대한 판단, 공무원임용을 위한 면접 등의 사안에서 독일의 판단여지이론을 인정하여 사법심사를 배제하고 있다. (○, ×)
2007 국가직 7급

1. ×

① 정답률 2% ○

행정행위가 그 재량성의 유무 및 범위와 관련하여 이른바 기속행위 내지 기속재량행위와 재량행위 내지 자유재량행위로 구분된다고 할 때, 그 구분은 당해 행위의 근거가 된 법규의 체재 · 형식과 그 문언, 당해 행위가 속하는 행정 분야의 주된 목적과 특성, 당해 행위 자체의 개별적 성질과 유형 등을 모두 고려하여 판단하여야 한다(대판 2001. 2. 9, 98두17593 ; 대판 2020. 10. 15, 2019두45739).

② **빈출** 정답률 86% ×

기속행위의 경우 법원이 일정한 결론을 도출한 후 그 결론에 비추어 행정청이 한 판단의 적법 여부를 독자의 입장에서 판정하는 방식에 의한다. 재량행위의 경우 법원은 독자의 결론을 도출함이 없이 당해 행위에 재량권의 일탈 · 남용이 있는지 여부만을 심사하게 된다.

행정행위가 그 재량성의 유무 및 범위와 관련하여 이른바 기속행위 내지 기속재량행위와 재량행위 내지 자유재량행위로 구분된다고 할 때, 그 구분은 당해 행위의 근거가 된 법규의 체재 · 형식과 그 문언, 당해 행위가 속하는 행정 분야의 주된 목적과 특성, 당해 행위자체의 개별적 성질과 유형 등을 모두 고려하여 판단하여야 하고, 이렇게 구분되는 양자에 대한 사법심사는, 전자(편저자 주 : 기속행위)의 경우 그 법규에 대한 원칙적인 기속성으로 인하여 법원이 사실인정과 관련법규의 해석 · 적용을 통하여 일정한 결론을 도출한 후 그 결론에 비추어 행정청이 한 판단의 적법 여부를 독자의 입장에서 판정하는 방식에 의하게 되나, 후자(편저자 주 : 재량행위)의 경우 행정청의 재량에 기한 공익판단의 여지를 감안하여 법원은 독자의 결론을 도출함이 없이 당해 행위에 재량권의 일탈 · 남용이 있는지 여부만을 심사하게 되고, 이러한 재량권의 일탈 · 남용 여부에 대한 심사는 사실오인, 비례 · 평등의 원칙 위배, 당해 행위의 목적 위반이나 동기의 부정 유무 등을 그 판단대상으로 한다(대판 2001. 2. 9, 98두17593).

③ 정답률 4% 제13강 참조 ○

건축허가권자는 신청이 법령상 요건을 구비한 경우 원칙적으로 건축허가를 하여야 하고, 중대한 공익상의 필요가 없는데도 관계법령에서 정하는 제한사유 이외의 사유를 들어 요건을 갖춘 자에 대한 허가를 거부할 수는 없다.

건축허가권자는 건축허가신청이 건축법 등 관계법규에서 정하는 어떠한 제한에 배치되지 않는 이상 당연히 같은 법조에서 정하는 건축허가를 하여야 하고, 중대한 공익상의 필요가 없음에도 불구하고, 요건을 갖춘 자에 대한 허가를 관계법령에서 정하는 제한사유 이외의 사유를 들어 거부할 수는 없다(대판 2006. 11. 9, 2006두1227 ; 대판 2009. 9. 24, 2009두8946).

④ 정답률 6% ○

대법원은 이른바 판단여지론에서 주장하는 판단여지가 인정되는 영역(교과서검정, 임용을 위한 면접 등)을 판단여지가 아닌 재량의 문제로 보고 있다.

1. 교과서검정은 재량권의 범위를 일탈한 것이 아닌 이상 위법하다고 할 수 없다(재량으로 봄)(대판 1992. 4. 24, 91누6634).
2. 공무원 임용을 위한 면접전형에서 임용신청자의 능력이나 적격성 등에 관한 판단은 면접위원의 자유재량에 속한다(대판 1997. 11. 28, 97누11911).

정답 04 ②

05 정답률 86% 중 2023 지방직 · 서울시 7급

행정행위에 대한 설명으로 옳지 않은 것은? (다툼이 있는 경우 판례에 의함)

□□□ ① 개인택시운송사업의 양도 · 양수가 있고 그에 대한 인가가 있은 후 그 양도 · 양수 이전에 있었던 양도인에 대한 운송사업면허 취소사유(음주운전 등으로 인한 자동차운전면허의 취소)를 들어 양수인의 운송사업면허를 취소한 것은 위법하다.

□□□ ② 공무원 임용을 위한 면접전형에서 임용신청자의 능력이나 적격성 등에 관한 판단은 면접위원의 고도의 교양과 학식, 경험에 기초한 자율적 판단에 의존하는 것으로서 면접위원의 자유재량에 속하고, 그와 같은 판단이 현저하게 재량권을 일탈 · 남용하지 않은 한 이를 위법하다고 할 수 없다.

□□□ ③ 「가축분뇨의 관리 및 이용에 관한 법률」에 따른 가축분뇨 처리방법 변경허가는 허가권자의 재량행위에 해당한다.

□□□ ④ 처분의 근거법령이 행정청에 처분의 요건과 효과 판단에 관하여 일정한 재량을 부여하였는데도, 행정청이 자신에게 재량권이 없다고 오인하여 전혀 비교 · 형량하지 않은 채 처분을 하였다면, 이는 재량권 불행사로서 그 자체로 재량권 일탈 · 남용에 해당한다.

관련기출

②

1. 공무원 임용을 위한 면접전형에 있어서 임용신청자의 능력이나 적격성 등에 관한 판단은 현저하게 재량권을 일탈 내지 남용한 것이 아니라면 이를 위법하다고 할 수 없다. (○, ×) 2023 군무원 7급
2. 판례는 공무원 임용을 위한 면접전형에서 임용신청자의 능력이나 적격성 등에 관한 판단이 면접위원의 자유재량에 속한다고 보고 있다. (○, ×) 2013 지방직(하) 7급

1. ○ 2. ○

④

1. 처분의 근거법령이 행정청에 재량을 부여하였으나 행정청이 처분으로 달성하려는 공익과 처분상대방이 입게 되는 불이익을 전혀 비교형량하지 않은 채 처분을 하였더라도 재량권 일탈 · 남용으로 해당 처분을 취소해야 할 위법사유가 되지는 않는다. (○, ×) 2023 군무원 9급
2. 처분의 근거법령이 행정청에 처분의 요건과 효과 판단에 일정한 재량을 부여하였으나, 행정청이 자신에게 재량권이 없다고 오인하여 처분으로 달성하려는 공익과 그로써 처분상대방이 입게 되는 불이익의 내용과 정도를 전혀 비교형량하지 않은 채 처분을 하였다고 하더라도, 그 자체로 재량권 일탈 · 남용으로 해당 처분을 취소하여야 할 위법사유가 되지는 않는다. (○, ×) 2023 소방직 9급

1. × 2. ×

① 정답률 86% 제13강 참조 ×

개인택시운송사업의 양도 · 양수가 있고 그에 대한 인가가 있은 후 그 양도 · 양수 이전에 있었던 양도인에 대한 운송사업면허취소사유(음주운전 등으로 인한 자동차운전면허의 취소)를 들어 양수인의 운송사업면허를 취소한 것은 정당하다(대판 1998. 6. 26, 96누18960).

② 정답률 2% ○

공무원 임용을 위한 면접전형에서 임용신청자의 능력이나 적격성 등에 관한 판단은 면접위원의 자유재량에 속한다.

공무원 임용을 위한 면접전형에서 임용신청자의 능력이나 적격성 등에 관한 판단은 면접위원의 고도의 교양과 학식, 경험에 기초한 자율적 판단에 의존하는 것으로서 오로지 면접위원의 자유재량에 속하고, 그와 같은 판단이 현저하게 재량권을 일탈 내지 남용한 것이 아니라면 이를 위법하다고 할 수 없다(대판 1997. 11. 28, 97누11911).

③ 정답률 7% ○

「가축분뇨의 관리 및 이용에 관한 법률」(이하 '가축분뇨법'이라 한다)의 입법목적, 가축분뇨법 제11조 제1항 · 제2항, 「가축분뇨의 관리 및 이용에 관한 법률 시행령」 제7조 제1항 · 제2항, 구 「가축분뇨의 관리 및 이용에 관한 법률 시행규칙」 제5조 제1항 제4호의 체제 · 형식과 문언, 특히 가축분뇨법 제11조 제1항 · 제2항에서 배출시설 설치허가와 변경허가의 기준을 따로 구체적으로 정하고 있지는 않은 사정 등을 종합하면, 가축분뇨법에 따른 처리방법 변경허가는 허가권자의 재량행위에 해당한다. 허가권자는 변경허가 신청내용이 가축분뇨법에서 정한 처리시설의 설치기준(제12조의2 제1항)과 정화시설의 방류수 수질기준(제13조)을 충족하는 경우에도 반드시 이를 허가하여야 하는 것은 아니고, 자연과 주변환경에 미칠 수 있는 영향 등을 고려하여 허가 여부를 결정할 수 있다(대판 2021. 6. 30, 2021두35681).

④ **빈출** 정답률 3% ○

처분의 근거법령이 행정청에 처분의 요건과 효과 판단에 일정한 재량을 부여하였는데도, 행정청이 자신에게 재량권이 없다고 오인한 나머지 처분으로 달성하려는 공익과 그로써 처분상대방이 입게 되는 불이익의 내용과 정도를 전혀 비교형량하지 않은 채 처분을 하였다면, 이는 재량권 불행사로서 그 자체로 재량권 일탈 · 남용으로 해당 처분을 취소하여야 할 위법사유가 된다(대판 2019. 7. 11, 2017두38874).

정답 05 ①

06 정답률 88% 중 2023 소방직 9급

재량행위에 관한 설명으로 옳지 않은 것은? (다툼이 있는 경우 판례에 의함)

□□□ ① 행정청의 재량에 기한 공익판단의 여지를 감안하여 법원은 독자의 결론을 도출함이 없이 당해 행위에 재량권의 일탈 · 남용이 있는지 여부만을 심사한다.

□□□ ② 행정청의 전문적인 정성적 평가 결과는 판단의 기초가 된 사실인정에 중대한 오류가 있거나 그 판단이 사회통념상 현저하게 타당성을 잃어 객관적으로 불합리하다는 등의 특별한 사정이 없는 한 법원이 당부를 심사하기에 적절하지 않으므로 가급적 존중되어야 한다.

□□□ ③ 처분의 근거법령이 행정청에 처분의 요건과 효과 판단에 일정한 재량을 부여하였으나, 행정청이 자신에게 재량권이 없다고 오인하여 처분으로 달성하려는 공익과 그로써 처분상대방이 입게 되는 불이익의 내용과 정도를 전혀 비교형량하지 않은 채 처분을 하였다고 하더라도, 그 자체로 재량권 일탈 · 남용으로 해당 처분을 취소하여야 할 위법사유가 되지는 않는다.

□□□ ④ 구 사행행위등규제법에 의한 허가의 경우 허가신청이 적극적 요건에 해당하는지 여부를 판단하는 것은 재량행위라 할 수 있겠으나 허가제한사유에 해당되는 경우에는 적극적 요건에 해당하는지 여부를 판단할 필요는 없다.

① ○

기속행위의 경우 법원이 일정한 결론을 도출한 후 그 결론에 비추어 행정청이 한 판단의 적법 여부를 독자의 입장에서 판정하는 방식에 의한다. 재량행위의 경우 법원은 독자의 결론을 도출함이 없이 당해 행위에 재량권의 일탈 · 남용이 있는지 여부만을 심사하게 된다는 것이 판례의 입장이다(대판 2001. 2. 9, 98두17593).

② ○

> 행정청의 전문적인 정성적 평가 결과는 그 판단의 기초가 된 사실인정에 중대한 오류가 있거나 그 판단이 사회통념상 현저하게 타당성을 잃어 객관적으로 불합리하다는 등의 특별한 사정이 없는 한 법원이 그 당부를 심사하기에 적절하지 않으므로 가급적 존중되어야 한다. 한편 여기에 재량권을 일탈 · 남용한 특별한 사정이 있다는 점은 증명책임분배의 일반원칙에 따라 이를 주장하는 자가 증명하여야 한다(대판 2016. 1. 28, 2013두21120 ; 대판 2018. 6. 15, 2016두57564 참조).

③ ×

처분의 근거법령이 행정청에 처분의 요건과 효과 판단에 일정한 재량을 부여하였는데도, 행정청이 자신에게 재량권이 없다고 오인한 나머지 처분으로 달성하려는 공익과 그로써 처분상대방이 입게 되는 불이익의 내용과 정도를 전혀 비교형량하지 않은 채 처분을 하였다면, 이는 재량권 불행사로서 그 자체로 재량권 일탈 · 남용으로 해당 처분을 취소하여야 할 위법사유가 된다는 것이 판례의 입장이다(대판 2019. 7. 11, 2017두38874).

④ ○

> 구 사행행위규제법(1993. 12. 27, 법률 제4607호로 사행행위등규제및처벌특례법으로 개정되기 전의 것)은 구 복표발행현상기타사행행위단속법과는 달리 사행행위의 종류별로 허가의 요건을 달리하여, 투전기업에 대하여는 제5조 제1항 제3호, 제4호에서 외국인을 상대로 하는 오락시설로서 외화획득에 특히 필요하다고 인정되거나 관광진흥과 관광객의 유치촉진을 위하여 특히 필요하다고 인정될 것을 적극적 요건으로 규정함과 아울러, 제6조 제3호에서는 기타 다른 법령에서 사행행위영업을 할 수 없도록 규정하고 있는 경우 등에 해당할 때에는 허가를 할 수 없도록 규정하고 있으므로, 이 법에 의한 허가의 경우 허가신청이 적극적 요건에 해당하는지 여부를 판단하는 것은 재량행위라 할 수 있겠으나 허가제한사유에 해당되는 경우에는 적극적 요건에 해당하는 여부를 판단할 필요도 없이 당연히 불허가하여야 한다(대판 1994. 8. 23, 94누5410).

정답 06 ③

07 정답률 41% 중 2022 소방직 9급

행정행위에 대한 설명으로 옳지 않은 것은? (다툼이 있는 경우 판례에 의함)

□□□ ① 재량에 의한 행정처분이 그 재량권의 한계를 벗어난 것이어서 위법하다는 점은 그 행정처분의 효력을 다투는 자가 이를 주장 · 입증하여야 하고, 처분청이 그 재량권의 행사가 정당한 것이었다는 점까지 주장 · 입증할 필요는 없다.

□□□ ② 행정청이 제재처분 양정을 하면서 처분 상대방에게 법령에서 정한 임의적 감경사유가 있는 경우, 그 감경사유까지 고려하고도 감경하지 않은 채 개별처분기준에서 정한 상한으로 처분을 한 경우에는 재량권을 일탈 · 남용하였다고 보아야 한다.

□□□ ③ 허가신청 후 허가기준이 변경된 경우에는 원칙적으로 처분시의 기준인 변경된 허가기준에 따라서 처분하여야 한다.

□□□ ④ 학교법인의 임원이 교비회계자금을 법인회계로 부당전출하였고, 업무집행에 있어서 직무를 태만히 하여 학교법인이 이를 시정하기 위한 노력을 하였으나 결과적으로 대부분의 시정요구사항이 이행되지 아니하였던 점 등을 고려하면, 교육부장관의 임원승인취소처분은 재량권을 일탈 · 남용한 것으로 볼 수 없다.

관련기출

②

1. 행정청이 제재처분의 양정을 하면서 공익과 사익의 형량을 전혀 하지 않았거나 이익형량의 고려대상에 마땅히 포함되어야 할 사항을 누락한 경우 또는 이익형량을 하였으나 정당성 · 객관성이 결여된 경우에는 제재처분은 재량권을 일탈 · 남용한 것이라고 보아야 한다. (○, ×) 2021 군무원 7급
2. 법이 과징금 부과처분에 대한 임의적 감경규정을 두었다면 감경 여부는 행정청의 재량에 속한다고 할 것이나, 행정청이 감경사유가 있음에도 이를 전혀 고려하지 않았거나 감경사유에 해당하지 않는다고 오인한 나머지 과징금을 감경하지 않았다면 그 과징금 부과처분은 재량권을 일탈하거나 남용한 위법한 처분으로 보아야 한다. (○, ×) 2020 소방직 9급
3. 제재처분에 대한 임의적 감경규정이 있는 경우 감경 여부는 행정청의 재량에 속하므로 존재하는 감경사유를 고려하지 않았거나 일부 누락시켰다 하더라도 이를 위법하다고 할 수 없다. (○, ×) 2015 국회직 8급

1. ○ 2. ○ 3. ×

④

1. 학교법인의 교비회계자금을 법인회계로 부당전출한 행위에 동조 또는 방조한 임원에 대한 임원취임승인취소처분은 판례에 의할 때 재량의 일탈 또는 남용에 해당한다. (○, ×) 2009 지방직(하) 7급, 2008 국회직 8급

1. ×

① 제39강 참조 ○

> 행정처분이 재량권을 일탈하였다는 것에 대한 입증책임은 처분의 효력을 다투는 원고에게 있다.
>
> 자유재량에 의한 행정처분이 그 재량권의 한계를 벗어난 것이어서 위법하다는 점은 그 행정처분의 효력을 다투는 자가 이를 주장 · 입증하여야 하고 처분청이 그 재량권의 행사가 정당한 것이었다는 점까지 주장 · 입증할 필요는 없다고 할 것인바, …… (대판 1987. 12. 8, 87누861)

② **빈출** ×

> 1. 행정청이 제재처분 양정을 하면서 공익과 사익의 형량을 전혀 하지 않았거나 이익형량의 고려대상에 마땅히 포함하여야 할 사항을 누락한 경우 또는 이익형량을 하였으나 정당성 · 객관성이 결여된 경우에는 제재처분은 재량권을 일탈 · 남용한 것이라고 보아야 한다.
> 2. 처분 상대방에게 법령에서 정한 임의적 감경사유가 있는 경우에, 행정청이 감경사유까지 고려하고도 감경하지 않은 채 개별처분기준에서 정한 상한으로 처분을 한 경우에는 재량권을 일탈 · 남용하였다고 단정할 수는 없으나, 행정청이 감경사유를 전혀 고려하지 않았거나 감경사유에 해당하지 않는다고 오인하여 개별처분기준에서 정한 상한으로 처분을 한 경우에는 마땅히 고려대상에 포함하여야 할 사항을 누락하였거나 고려대상에 관한 사실을 오인한 경우에 해당하여 재량권을 일탈 · 남용한 것이라고 보아야 한다(대판 2020. 6. 25, 2019두52980).

③ 제13강 참조 ○

> 신청 후 허가기준이 변경된 경우에는 원칙적으로 신청시가 아닌 처분시의 법령과 기준에 의해 처리되어야 한다.
>
> 허가 등의 행정처분은 원칙적으로 처분시의 법령과 허가기준에 의하여 처리되어야 하고 허가신청 당시의 기준에 따라야 하는 것은 아니며, 비록 허가신청 후 허가기준이 변경되었다 하더라도 그 허가관청이 허가신청을 수리하고도 정당한 이유 없이 그 처리를 늦추어 그 사이에 허가기준이 변경된 것이 아닌 이상 변경된 허가기준에 따라서 처분을 하여야 할 것인바 …… (대판 1996. 8. 20, 95누10877)

④ **빈출** ○

> 학교법인 임원이 교비회계자금을 법인회계로 부당전출했고, 학교법인이 사실상 행정청의 시정요구 대부분을 이행하지 아니한 경우에 행한 임원취임승인취소처분은 재량권을 일탈 · 남용하였다고 볼 수 없다.
>
> 학교법인의 임원취임승인취소처분에 대한 취소소송에서, 교비회계자금을 법인회계로 부당전출한 위법성의 정도와 임원들의 이에 대한 가공의 정도가 가볍지 아니하고, 학교법인이 행정청의 시정요구에 대하여 이를 시정하기 위한 노력을 하였다고는 하나 결과적으로 대부분의 시정요구사항이 이행되지 아니하였던 사정 등을 참작하여, 위 취소처분이 재량권을 일탈 · 남용하였다고 볼 수 없다(대판 2007. 7. 19, 2006두19297 전합).

정답 07 ②

08 빈출 ㊤ 2021 국회직 8급

기속행위와 재량행위에 대한 설명으로 옳은 것만을 <보기>에서 모두 고르면? (다툼이 있는 경우 판례에 의함)

보기

□□□ ㉠ 주택법상 주택건설사업계획의 승인은 재량행위에 해당하므로, 처분권자는 주택건설사업계획이 법령이 정하는 제한사유에 배치되지 않는 경우에도 공익상 필요가 있으면 사업계획승인 신청에 대하여 불허가결정을 할 수 있다.

□□□ ㉡ 「부동산 실권리자명의 등기에 관한 법률 시행령」 제3조의2 단서는 조세를 포탈하거나 법령에 의한 제한을 회피할 목적이 아닌 경우에 과징금의 100분의 50을 감경할 수 있다고 규정하고 있으므로 감경사유가 존재하더라도 과징금을 감경할 것인지 여부는 과징금 부과관청의 재량에 속한다.

□□□ ㉢ 재량행위이더라도 수익적 행위에 부관을 붙이기 위해서는 특별한 법적 근거가 있어야 한다.

□□□ ㉣ 의료법상 신의료기술의 안전성 · 유효성 평가나 신의료기술의 시술로 국민보건에 중대한 위해가 발생하거나 발생할 우려가 있는지 여부에 대한 판단과 그 경우 행정청이 어떠한 종류와 내용의 지도나 명령을 할 것인지의 판단에 관해서는 행정청에 재량권이 부여되어 있다.

□□□ ㉤ 재량행위에 대한 사법심사에 있어서 법원은 사실인정과 관련법규의 해석 · 적용을 통하여 일정한 결론을 도출한 후 그 결론에 비추어 행정청이 한 판단의 적법 여부를 독자의 입장에서 판정하는 방식에 의한다.

① ㉠, ㉡ ② ㉡, ㉢
③ ㉠, ㉡, ㉣ ④ ㉠, ㉣, ㉤
⑤ ㉢, ㉣, ㉤

관련기출

㉠

1. 구 주택건설촉진법상의 주택건설사업계획의 승인은 상대방에게 수익적 행정처분이므로 법령에 행정처분의 요건에 관하여 일의적으로 규정되어 있더라도 행정청의 재량행위에 속한다. (○, ×) 2021 군무원 7급
2. 구 주택건설촉진법상 주택건설사업계획승인은 재량행위이다. (○, ×) 2016 교육행정직 9급
3. 대법원은 주택건설촉진법상의 주택건설사업계획의 승인은 상대방에게 권리나 이익을 부여하는 효과를 수반하는 수익적 행정처분이라는 점에서 재량행위라고 판단하고 있는데 이것은 이른바 요건재량설에 따른 것이다. (○, ×) 2008 국가직 9급

1. × 2. ○ 3. ×

㉠ 빈출 ○

구 주택건설촉진법 제33조에 의한 주택건설사업계획승인은 재량행위로서 법규에 명문의 근거가 없어도 국토 및 자연의 유지와 환경보전 등 공익상 필요를 이유로 그 승인신청을 불허가할 수 있다(효과재량설을 고려한 판례).

구 주택건설촉진법(2003. 5. 29, 법률 제6916호 주택법으로 전문개정되기 전의 것) 제33조에 의한 주택건설사업계획의 승인은 상대방에게 권리나 이익을 부여하는 효과를 수반하는 이른바 수익적 행정처분으로서 법령에 행정처분의 요건에 관하여 일의적(一義的)으로 규정되어 있지 아니한 이상 행정청의 재량행위에 속하므로, 이러한 승인을 받으려는 주택건설사업계획이 관계법령이 정하는 제한에 배치되는 경우는 물론이고 그러한 제한사유가 없는 경우에도 공익상 필요가 있으면 처분권자는 그 승인신청에 대하여 불허가결정을 할 수 있다(대판 2007. 5. 10, 2005두13315).

㉡ ○

「부동산 실권리자명의 등기에 관한 법률 시행령」 제3조의2 단서는 조세를 포탈하거나 법령에 의한 제한을 회피할 목적이 아닌 경우에 과징금의 100분의 50을 감경할 수 있다고 규정하고 있고, 이는 임의적 감경규정임이 명백하므로, 위와 같은 감경사유가 존재하더라도 과징금을 감경할 것인지 여부는 과징금 부과관청의 재량에 속한다(대판 2007. 7. 12, 2006두4554).

㉢ 빈출 제14강 참조 ×

재량행위는 법령에 명시적 근거가 없더라도 부관을 붙일 수 있다.

일반적으로 이 사건 공유수면매립면허와 같은 기속적 행정행위가 아닌 재량적 행정행위에 있어서는 법령상의 근거가 없다고 하더라도 부관을 붙일 수 있음은 당연하다(대판 1982. 12. 28, 80다731 · 732).

행정기본법 제17조【부관】 ① 행정청은 처분에 재량이 있는 경우에는 부관(조건, 기한, 부담, 철회권의 유보 등을 말한다. 이하 이 조에서 같다)을 붙일 수 있다.

㉣ ○

신의료기술의 안전성 · 유효성 평가나 신의료기술의 시술로 국민보건에 중대한 위해가 발생하거나 발생할 우려가 있는지에 관한 판단은 고도의 의료 · 보건상의 전문성을 요하므로, 이에 대하여 전문적인 판단을 하였다면, 판단의 기초가 된 사실인정에 중대한 오류가 있거나 판단이 객관적으로 불합리하거나 부당하다는 등의 특별한 사정이 없는 한 존중되어야 한다. 또한 행정청이 전문적인 판단에 기초하여 재량권의 행사로서 한 처분은 비례의 원칙을 위반하거나 사회통념상 현저하게 타당성을 잃는 등 재량권을 일탈하거나 남용한 것이 아닌 이상 위법하다고 볼 수 없다(대판 2016. 1. 28, 2013두21120).

㉤ ×

기속행위의 경우 법원이 일정한 결론을 도출한 후 그 결론에 비추어 행정청이 한 판단의 적법 여부를 독자의 입장에서 판정하는 방식에 의한다. 재량행위의 경우 법원은 독자의 결론을 도출함이 없이 당해 행위에 재량권의 일탈 · 남용이 있는지 여부만을 심사하게 된다는 것이 판례의 입장이다(대판 2001. 2. 9, 98두17593).

정답 08 ③

09 빈출 정답률 77% 하 2020 국가직 7급

기속행위와 재량행위에 대한 설명으로 옳지 않은 것은? (다툼이 있는 경우 판례에 의함)

□□□ ① 재량행위는 요건이 충족되어도 공익과의 이익형량을 통하여 법에 정해진 효과를 부여하지 않을 수 있다.

□□□ ② 기속행위의 경우 법원이 사실인정과 관련법규의 해석 · 적용을 통하여 일정한 결론을 도출한 후 그 결론에 비추어 행정청이 한 판단의 적법 여부를 독자의 입장에서 판정한다.

□□□ ③ 의제되는 인 · 허가가 재량행위인 경우에는 주된 인 · 허가가 기속행위인 경우에도 인 · 허가가 의제되는 한도 내에서 재량행위로 보아야 한다.

□□□ ④ 사실의 존부에 대한 판단에도 재량권이 인정될 수 있으므로, 사실을 오인하여 재량권을 행사한 경우라도 처분이 위법한 것은 아니다.

① ○
재량행위의 경우 요건이 충족되어도 공익과의 이익형량을 통하여 법에 정해진 효과를 부여하지 않을 수 있다.

② ○
기속행위의 경우 법원이 일정한 결론을 도출한 후 그 결론에 비추어 행정청이 한 판단의 적법 여부를 독자의 입장에서 판정하는 방식에 의한다는 것이 판례의 입장이다(대판 2001. 2. 9, 98두17593).

③ ○
주된 인 · 허가가 기속행위인 경우라도 의제되는 인 · 허가가 재량행위인 경우에는 인 · 허가가 의제되는 한도 내에서 재량행위로 보아야 한다. 예를 들어 건축허가 등에 의하여 의제되는 인 · 허가가 재량행위인 경우에는 그 한도 내에서 재량권이 인정된다.

④ ×
사실의 존부에 대한 판단에는 재량권이 인정될 수 없으므로 사실을 오인하여 재량권을 행사한 경우라면 그 처분은 위법하게 된다(예를 들어, 공무원에게 비리가 있다고 하여 징계처분을 하였으나 당해 행위를 비리사실로 볼 수 없는 경우와 같이 재량처분의 전제가 되는 요건사실의 인정이 잘못되었다면 그 처분은 위법하다).

> 재량행위에 대한 법원의 사법심사는 당해 행위가 사실오인, 비례 · 평등의 원칙 위배, 당해 행위의 목적 위반이나 부정한 동기 등에 근거하여 이루어짐으로써 재량권의 일탈 · 남용이 있는지 여부만을 심사하게 되는 것이나, 법원의 심사결과 행정청의 재량행위가 사실오인 등에 근거한 것이라고 인정되는 경우에는 이는 재량권을 일탈 · 남용한 것으로서 위법하여 그 취소를 면치 못한다 할 것이다(대판 2001. 7. 27, 99두8589).

정답 09 ④

10 정답률 70% 중 2019 서울시 2회 7급

수익적 행정행위에 대한 설명으로 가장 옳지 않은 것은?

① 배출시설 설치허가의 신청이 구 대기환경보전법에서 정한 허가기준에 부합하고 동 법령상 허가제한사유에 해당하지 아니하는 한 환경부장관은 원칙적으로 허가를 하여야 한다.

② 구 주택건설촉진법에 의한 주택건설사업계획의 승인의 경우 승인받으려는 주택건설사업계획에 관계법령이 정하는 제한사유가 없는 경우에도 공익상 필요가 있으면 처분권자는 그 승인을 받기 위한 신청에 대하여 불허가결정을 할 수 있다.

③ 재량행위와 기속행위의 구분기준에 관한 효과재량설에 따르면 수익적 행정행위는 법규상 또는 해석상 특별한 기속이 없는 한 재량행위이다.

④ 야생동 · 식물보호법령에 따른 용도변경승인의 경우 용도변경이 불가피한 경우에만 용도변경을 할 수 있도록 제한하는 규정을 두고 있으므로 환경부장관의 용도변경승인처분은 기속행위이다.

관련기출

④

1. 야생동 · 식물보호법상 곰의 웅지를 추출하여 비누, 화장품 등의 재료를 사용할 목적으로 곰의 용도를 '사육곰'에서 '식 · 가공품 및 약용 재료'로 변경하겠다는 내용의 국제적 멸종위기종의 용도변경승인행위는 재량행위이다. (○, ×)
2017 지방직(하) 9급

1. ○

① ○

대기환경보전법상 배출시설설치허가는 기속행위이다.

구 대기환경보전법 제2조 제9호, 제23조 제1항, 제5항, 제6항, 같은 법 시행령 제11조 제1항 제1호, 제12조, 같은 법 시행규칙 제4조, [별표 2]와 같은 배출시설 설치허가와 설치제한에 관한 규정들의 문언과 그 체제 · 형식에 따르면 환경부장관은 배출시설 설치허가신청이 구 대기환경보전법 제23조 제5항에서 정한 허가기준에 부합하고 구 대기환경보전법 제23조 제6항, 같은 법 시행령 제12조에서 정한 허가제한사유에 해당하지 아니하는 한 원칙적으로 허가를 하여야 한다. 다만 배출시설의 설치는 국민건강이나 환경의 보전에 직접적으로 영향을 미치는 행위라는 점 …… 등을 고려하면, 환경부장관은 같은 법 시행령 제12조 각 호에서 정한 사유에 준하는 사유로서 환경기준의 유지가 곤란하거나 주민의 건강 · 재산, 동식물의 생육에 심각한 위해를 끼칠 우려가 있다고 인정되는 등 중대한 공익상의 필요가 있을 때에는 허가를 거부할 수 있다고 보는 것이 타당하다(대판 2013. 5. 9, 2012두22799).

비교판례
구 수도권대기환경특별법 제14조 제1항에서 정한 대기오염물질 총량관리사업장 설치의 허가 또는 변경허가는 특정인에게 인구가 밀집되고 대기오염이 심각하다고 인정되는 수도권 대기관리권역에서 총량관리대상 오염물질을 일정량을 초과하여 배출할 수 있는 특정한 권리를 설정하여 주는 행위로서 그 처분의 여부 및 내용의 결정은 행정청의 재량에 속한다(대판 2013. 5. 9, 2012두22799).

② ○

주택건설사업계획승인은 재량행위이므로 처분권자는 법령상 제한사유가 없는 경우에도 공익상 필요에 의하여 불허가결정을 할 수 있다.

주택건설촉진법 제33조에 의한 주택건설사업계획의 승인은 상대방에게 권리나 이익을 부여하는 효과를 수반하는 이른바 수익적 행정처분으로서 법령에 행정처분의 요건에 관하여 일의적으로 규정되어 있지 아니한 이상 행정청의 재량행위에 속한다 할 것이고, 이러한 승인을 받으려는 주택건설사업계획이 관계법령이 정하는 제한에 배치되는 경우는 물론이고 그러한 제한사유가 없는 경우에도 공익상 필요가 있으면 처분권자는 그 승인신청에 대하여 불허가결정을 할 수 있다(대판 2005. 4. 15, 2004두10883).

③ ○

효과재량설은 법이 특별한 규정을 두고 있는 경우를 제외하고는 문제된 행위의 성질을 기준으로 국민의 권리 · 이익을 제한하거나 새로운 의무를 부과하는 침익적 행정행위는 기속행위이고, 국민에게 권리나 이익을 제공하는 수익적 행정행위는 법규상 또는 해석상 특별한 기속이 없는 한 재량행위라고 본다.

④ ×

야생동 · 식물보호법(현「야생생물 보호 및 관리에 관한 법률」) 제16조 제3항에 의한 용도변경승인행위 및 용도변경의 불가피성 판단에 필요한 기준을 정하는 행위는 재량행위이다.

(곰의 웅지를 추출하여 비누, 화장품 등의 재료로 사용할 목적으로 곰의 용도를 '사육곰'에서 '식 · 가공품 및 약용 재료'로 변경하겠다는 내용의 국제적 멸종위기종의 용도변경 승인신청에 대하여, 한강유역환경청장이 '웅담 등을 약재로 사용하는 경우' 외에는 용도변경을 해줄 수 없다며 위 용도변경신청을 거부한 사안에서) 야생동 · 식물보호법 제16조 제3항과 같은 법 시행규칙 제22조 제1항의 체제 또는 문언을 살펴보면 원칙적으로 국제적 멸종위기종 및 그 가공품의 수입 또는 반입 목적 외의 용도로의 사용을 금지하면서 용도변경이 불가피한 경우로서 환경부장관의 용도변경승인을 받은 경우에 한하여 용도변경을 허용하도록 하고 있으므로, 위 법 제16조 제3항에 의한 용도변경승인은 특정인에게만 용도 외의 사용을 허용해주는 권리나 이익을 부여하는 이른바 수익적 행정행위로서 법령에 특별한 규정이 없는 한 재량행위이다(대판 2011. 1. 27, 2010두23033).

정답 10 ④

11 정답률 72% 중 2018 국가직 7급

재량행위와 기속행위에 대한 설명으로 옳지 않은 것은? (다툼이 있는 경우 판례에 의함)

□□□ ① 법규정의 일체성에 의해 요건 판단과 효과 선택의 문제를 구별하기 어렵다고 보는 견해는 재량과 판단여지의 구분을 인정한다.

□□□ ② 구 도시계획법상의 개발제한구역 내에서의 건축물 용도변경에 대한 허가는 예외적 허가로서 재량행위에 해당한다.

□□□ ③ 재량행위에 대한 사법심사는 행정청의 재량에 기한 공익판단의 여지를 감안하여 법원이 독자의 결론을 도출함이 없이 당해 행위에 재량권의 일탈 · 남용이 있는지 여부를 심사한다.

□□□ ④ 사회복지사업법상 사회복지법인의 정관변경을 허가할 것인지 여부는 주무관청의 정책적 판단에 따른 재량에 맡겨져 있다.

① **빈출** ×

재량과 판단여지의 구분을 인정하는 견해는 판단여지는 법규정 중 요건의 판단에서 인정되는 문제인 반면, 재량은 법규정 중 효과의 결정 및 선택에서 인정되는 문제이므로 판단여지를 재량과 구분되는 독자적인 개념으로 인정할 필요가 있다고 한다. 이에 반해 판단여지와 재량의 구분을 부인하는 견해는 법규정은 일체(一體)적으로 보아야 하므로 행위요건의 판단과 효과의 선택의 구분이 어렵다는 점에서 재량과 판단여지의 구별을 부인한다.

② ○

개발제한구역 내의 건축허가 등과 같이 일반적으로 허용되지 않는 행위를 극히 예외적인 경우에 한해 허가해주는 행위는 예외적 허가로서 재량행위에 해당한다.

> 개발제한구역 안의 건축허가는 재량행위이다.
>
> 도시계획법령 등을 종합하여 보면 개발제한구역 안에서는 구역 지정의 목적상 건축물의 건축 등의 개발행위는 원칙적으로 금지되고, 다만 구체적인 경우에 이와 같은 구역 지정의 목적에 위배되지 아니할 경우 예외적으로 허가에 의하여 그러한 행위를 할 수 있게 되어 있음이 그 규정의 체재와 문언상 분명하고, 이러한 예외적인 건축허가는 그 상대방에게 수익적인 것에 틀림이 없으므로 그 법률적 성질은 재량행위 내지 자유재량행위에 속하는 것이다(대판 2003. 3. 28, 2002두11905).

③ ○

재량행위의 경우 행정청의 재량에 기한 공익판단의 여지를 감안하여 법원은 독자의 결론을 도출함이 없이 당해 행위에 재량권의 일탈 · 남용이 있는지 여부만을 심사한다는 것이 판례의 입장이다(대판 2001. 2. 9, 98두17593).

④ ○

> 사회복지법인의 정관변경허가는 재량행위이며 주무관청이 정관변경허가를 하는 경우 부관을 붙일 수 있다.
>
> 사회복지법인의 정관변경을 허가할 것인지의 여부는 주무관청의 정책적 판단에 따른 재량에 맡겨져 있다고 할 것이고, 주무관청이 정관변경허가를 함에 있어서는 비례의 원칙 및 평등의 원칙에 적합하고 행정처분의 본질적 효력을 해하지 않는 한도 내에서 부관을 붙일 수 있다(대판 2002. 9. 24, 2000두5661).

정답 11 ①

12 중 2017 교육행정직 9급

행정행위에 관한 설명으로 옳은 것은? (단, 다툼이 있는 경우 판례에 따름)

□□□ ① 사실을 오인하여 재량권을 행사한 처분은 위법하다.

□□□ ② 어업권면허에 선행하는 우선순위결정은 행정처분이다.

□□□ ③ 납세자가 과세처분의 내용을 미리 알고 있는 경우 납세고지서의 송달은 불필요하다.

□□□ ④ 친일반민족행위자재산조사위원회의 친일재산 국가귀속결정은 법률행위적 행정행위이다.

관련기출

③

1. 납세자가 과세처분의 내용을 이미 알고 있는 경우에도 납세고지서의 송달이 필요하다. (○, ×) 2014 지방직 7급
2. 납세고지서의 교부송달 및 우편송달에 있어서 반드시 납세의무자 또는 그와 일정한 관계에 있는 사람의 현실적인 수령행위를 전제로 하고 있다고 보아야 하며, 납세자가 과세처분의 내용을 이미 알고 있는 경우에도 납세고지서의 송달이 불필요하다고 할 수 없다. (○, ×) 2013 지방직 9급

1. ○ 2. ○

① ○

사실의 존부에 대한 판단에는 재량권이 인정될 수 없으므로 사실을 오인하여 재량권을 행사한 경우에 그 처분은 위법하다. 예컨대, 공무원에게 비리가 있다고 하여 징계처분을 하였으나 당해 행위를 비리사실로 볼 수 없는 경우와 같이 재량처분의 전제가 되는 요건사실의 인정이 잘못되었다면 그 처분은 위법하다.

② 제18강 참조 ×

> 어업권면허처분에 선행하는 우선순위결정은 확약에 불과하고 행정처분이 아니므로 공정력, 불가쟁력과 같은 효력은 인정되지 아니한다(대판 1995. 1. 20, 94누6529).

③ **빈출** 제15강 참조 ×

> 납세고지서(현 납부고지서)의 교부송달 및 우편송달에 있어서 반드시 납세의무자 또는 그와 일정한 관계에 있는 사람의 현실적인 수령행위를 전제로 하는 것이고 납세자가 과세처분의 내용을 이미 알고 있는 경우에도 납세고지서 송달이 필요하다(대판 2004. 4. 9, 2003두13908).

④ 제13강 참조 ×

> 「친일반민족행위자 재산의 국가귀속에 관한 특별법」에 따른 친일반민족행위자재산조사위원회의 친일재산 국가귀속결정은 당해 재산이 친일재산에 해당한다는 사실을 확인하는 준법률행위적 행정행위에 해당한다(대판 2008. 11. 13, 2008두13491).

정답 12 ①

13 정답률 34% 상 2017 국가직 9급

불확정개념과 판단여지 및 기속행위와 재량행위에 대한 설명으로 옳지 않은 것은?

□□□ ① 판단여지를 긍정하는 학설은 판단여지는 법률효과 선택의 문제이고 재량은 법률요건에 대한 인식의 문제라는 점, 양자는 그 인정근거와 내용 등을 달리하는 점에서 구별하는 것이 타당하다고 한다.

□□□ ② 대법원은 재량행위에 대한 사법심사를 하는 경우에 법원은 행정청의 재량에 기한 공익판단의 여지를 감안하여 독자적인 판단을 하여 결론을 도출하지 않고, 당해 처분이 재량권의 일탈 · 남용에 해당하는지의 여부만을 심사하여야 한다고 한다.

□□□ ③ 대법원은 처분을 할 것인지 여부와 처분의 정도에 관하여 재량이 인정되는 과징금 납부명령에 대하여 그 명령이 재량권을 일탈하였을 경우, 법원으로서는 재량권의 일탈 여부만 판단할 수 있을 뿐이지 재량권의 범위 내에서 어느 정도가 적정한 것인지에 관하여는 판단할 수 없어 그 전부를 취소할 수밖에 없고, 법원이 적정하다고 인정하는 부분을 초과한 부분만 취소할 수는 없다고 한다.

□□□ ④ 다수설에 따르면 불확정개념의 해석은 법적 문제이기 때문에 일반적으로 전면적인 사법심사의 대상이 되고, 특정한 사실관계와 관련하여서는 원칙적으로 일의적인 해석(하나의 정당한 결론)만이 가능하다고 본다.

관련기출

③

1. 처분을 할 것인지 여부와 처분의 정도에 관하여 재량이 인정되는 과징금 납부명령에 대하여 그 명령이 재량권을 일탈하였을 경우, 법원은 재량권의 범위 내에서 어느 정도가 적정한 것인지에 관하여 판단할 수 있고 그 일부를 취소할 수 있다. (○, ×) 2020 지방직 · 서울시 9급
2. 재량행위인 과징금 부과처분이 해당 법령이 정한 한도액을 초과하여 부과된 경우 이러한 과징금 부과처분은 법이 정한 한도액을 초과하여 위법하므로 법원으로서는 그 전부를 취소할 수밖에 없고, 그 한도액을 초과한 부분만 취소할 수는 없다. (○, ×) 2018 국가직 9급
3. 과징금 부과처분이 재량행위라고 하더라도 법이 정한 한도액을 초과하여 위법한 경우에는 부과처분의 전부를 취소할 것이 아니라 한도액을 초과한 부분만 취소하여야 한다. (○, ×) 2014 지방직 9급

1. × 2. ○ 3. ×

① ×

판단여지를 재량과는 구별되는 독자적 개념으로 인정하는 견해에 의하면, 판단여지는 법률요건에 대한 인식의 문제로서 법률요건의 포섭단계에서 관련되는 것이며 재량은 법률효과의 결정 내지 선택과 관련되는 문제라는 점에서 양자는 구별된다고 한다.

② ○

재량행위의 경우 행정청의 재량에 기한 공익판단의 여지를 감안하여 법원은 독자의 결론을 도출함이 없이 당해 행위에 재량권의 일탈 · 남용이 있는지 여부만을 심사한다는 것이 판례의 입장이다(대판 2001. 2. 9, 98두17593).

③ **빈출** ○

재량행위인 과징금 부과처분이 해당 법령이 정한 한도액을 초과하여 부과된 경우, 법원으로서는 그 전부를 취소할 수밖에 없고, 그 한도액을 초과한 부분만 취소할 수는 없다.

> 처분을 할 것인지 여부와 처분의 정도에 관하여 재량이 인정되는 과징금 납부명령에 대하여 그 명령이 재량권을 일탈하였을 경우, 법원으로서는 재량권의 일탈 여부만 판단할 수 있을 뿐이지 재량권의 범위 내에서 어느 정도가 적정한 것인지에 관하여는 판단할 수 없어 그 전부를 취소할 수밖에 없고, 법원이 적정하다고 인정하는 부분을 초과한 부분만 취소할 수는 없다(대판 2009. 6. 23, 2007두18062).

④ ○

비록 법률에 불확정개념이 사용된 경우라 하더라도 이는 법개념으로서 구체적 상황과 관련하여서는 하나의 정당한 해석 · 적용만이 있을 뿐이고 법을 해석하는 것은 법원의 권한에 속하므로 원칙적으로 법원의 심사대상이 되어야 한다는 것이 일반적인 견해이다.

정답 13 ①

14 정답률 86% 하 2015 국가직 9급

재량권의 한계에 대한 설명으로 옳은 것은?

□□□ ① 재량권의 일탈이란 재량권의 내적 한계를 벗어난 것을 말하고, 재량권의 남용이란 재량권의 외적 한계를 벗어난 것을 말한다.

□□□ ② 판례는 재량권의 일탈과 재량권의 남용을 명확히 구분하고 있다.

□□□ ③ 재량권의 불행사에는 재량권을 충분히 행사하지 아니한 경우는 포함되지 않는다.

□□□ ④ 개인의 신체, 생명 등 중요한 법익에 급박하고 현저한 침해의 우려가 있는 경우 재량권이 영으로 수축된다.

① ×
재량의 일탈(유월)이란, 재량권의 외적 한계를 넘어 재량권이 행사된 경우를 말한다. 이에 반하여 재량의 남용은 재량권의 외적 한계는 넘지 않았으나 재량권을 부여한 법의 목적이나 평등의 원칙 · 비례의 원칙 등 내적 한계에 위배되는 경우의 재량권행사를 말한다.

② ×
대부분의 판례는 재량의 일탈과 남용을 명확하게 구분하지 않고 있다.

③ ×
재량권의 불행사에는 행정기관이 재량행위를 기속행위로 오인하여 재량권을 행사하지 않은 경우뿐만 아니라 재량을 행사할 때 고려해야 할 사항을 충분히 고려하지 않은 경우(재량의 해태)까지 포함된다는 견해가 유력하다.

④ 제6강 참조 ○
재량행위의 경우에는 행정청에 선택 또는 결정의 자유가 인정됨이 원칙이나 예외적으로 재량행위임에도 불구하고 행정청이 하나의 결정만을 하여야 하는 특별한 경우가 나타나는데 이를 재량권의 영(0)으로의 수축이론이라고 한다. 재량권이 영(0)으로 수축되기 위해서는 일정한 요건이 갖추어져야 하는데 개인의 신체, 생명 등 중요한 법익에 급박하고 현저한 침해의 우려가 있을 것이 그 대표적인 요건이다.

15 중 2011 사회복지직 9급

재량권의 한계에 대한 설명으로 옳은 것은?

□□□ ① 법률에서 정한 액수 이상의 과태료를 부과한 처분은 부당한 처분이다.

□□□ ② 재량의 범위를 넘지는 않았지만 평등원칙에 위반한 처분은 부당한 처분이다.

□□□ ③ 재량권을 수권한 법률상의 목적을 위반한 처분은 위법한 처분이다.

□□□ ④ 고려해야 할 구체적 사정을 고려하지 않고 재량권을 행사한 처분은 부당한 처분이다.

① ×
부당은 재량행위가 위법한 것은 아니나 합목적성과 관련하여 최선의 행위라고 보기 어려운 것을 의미한다. 그런데 지문과 같이 법률에서 정한 액수 이상의 과태료를 부과한 것은 법률의 외적 한계를 넘은 것으로 재량의 일탈에 해당되며 재량을 일탈한 처분은 부당한 처분이 아닌 위법한 처분이다.

② ×
법률의 외적 한계는 넘지 않았으나 재량권을 부여한 법의 목적이나 평등의 원칙 · 비례의 원칙 등 내적 한계에 위배되는 경우의 재량권행사는 재량권의 남용에 해당하며 역시 부당한 처분이 아닌 위법한 처분에 해당한다.

③ ○
재량권을 부여한 법의 목적을 위반한 처분은 재량의 남용이라고 볼 수 있어 위법한 처분이 된다.

④ ×
재량을 행사할 때 고려해야 할 사항을 충분히 고려하지 않은 경우를 재량의 해태라고 하며 부당한 처분이 아니라 위법한 처분이 된다.

정답 14 ④ 15 ③

16 상 2015 사회복지직 9급

행정행위에 대한 판례의 입장으로 옳지 않은 것은?

□□□ ① 행정청이 개인택시운송사업의 면허를 발급함에 있어 '개인택시운송사업면허 사무처리지침'에 따라 택시 운전경력자를 일정 부분 우대하는 처분을 한 경우, 택시 이외의 운전경력자에게 반사적인 불이익이 초래되는 결과가 되므로 그러한 내용의 지침에 따른 처분은 재량권을 일탈·남용한 처분에 해당된다.

□□□ ② 건축허가권자는 건축허가신청이 건축법 등 관계법규에서 정하는 어떠한 제한에 배치되지 않는 이상 당연히 같은 법조에서 정하는 건축허가를 하여야 하고, 중대한 공익상의 필요가 없는데도 관계법령에서 정하는 제한사유 이외의 사유를 들어 요건을 갖춘 자에 대한 허가를 거부할 수는 없다.

□□□ ③ 관세법 소정의 보세구역 설영특허는 공기업의 특허로서 그 특허의 부여 여부는 행정청의 자유재량에 속하고, 설영특허에 특허기간이 부가된 경우 그 기간의 갱신 여부도 행정청의 자유재량에 속한다.

□□□ ④ 전국공무원노동조합 시지부 사무국장이 지방공무원 복무조례 개정안에 대한 의견을 표명하기 위하여 전국공무원노동조합간부들과 함께 시장의 사택을 방문하였고, 이에 징계권자가 시장 개인의 명예와 시청의 위신을 실추시키고 지방공무원법에서 정한 집단행위 금지의무를 위반하였다는 등의 이유로 사무국장을 파면처분한 것은 재량권의 일탈·남용에 해당되지 않는다.

관련기출

①

1. 「여객자동차 운수사업법」에 따른 개인택시운송사업면허는 특정인에게 권리나 이익을 부여하는 재량행위이다. (○, ×) 2024 지방직·서울시 9급
2. 여객자동차 운수사업법에 의한 개인택시운송사업면허는 특정인에게 권리나 이익을 부여하는 행정행위로서 법령에 특별한 규정이 없는 한 재량행위이다. (○, ×) 2020 군무원 7급
3. 자동차운수사업법에 의한 개인택시운송사업면허는 법령에 특별한 규정이 없는 한 재량행위이고, 그 면허를 위하여 필요한 기준을 정하는 것도 행정청의 재량에 속한다. (○, ×) 2019 서울시 1회 7급
4. 개인택시운송사업면허는 특허에 해당한다. (○, ×) 2020 소방직 9급

1. ○ 2. ○ 3. ○ 4. ○

③

1. 특허보세구역을 설치하고자 하는 자는 관세법에 의하여 세관장의 특허를 받아야 한다. 세관장의 특허행위는 행정법학상 형성적 행위로 분류된다. (○, ×) 2009 관세사

1. ○

① 빈출 ×

1. 「여객자동차 운수사업법」에 의한 개인택시운송사업면허는 재량행위이며 그 면허기준 설정행위도 행정청의 재량에 속한다.
2. 행정청이 개인택시운송사업의 면허를 하면서, 택시 운전경력이 버스 등 다른 차종의 운전경력보다 개인택시의 운전업무에 더 유용할 수 있다는 점 등을 고려하여 '개인택시운송사업면허 사무처리지침'에 따라 택시의 운전경력을 다소 우대하는 것이 객관적으로 합리적이 아니라거나 타당하지 않다고 볼 수 없다(대판 2009. 11. 26, 2008두16087).

② ○

건축허가권자는 신청이 법령상 요건을 구비한 경우 원칙적으로 건축허가를 하여야 하고, 중대한 공익상의 필요가 없는데도 관계법령에서 정하는 제한사유 이외의 사유를 들어 요건을 갖춘 자에 대한 허가를 거부할 수는 없다는 것이 판례의 입장이다(대판 2006. 11. 9, 2006두1227 ; 대판 2009. 9. 24, 2009두8946).

③ ○

보세구역 설영특허는 특허로서 특허의 부여 여부 및 기간갱신은 행정청의 재량에 속한다.

관세법 제78조 소정의 보세구역의 설영특허는 보세구역의 설치·경영에 관한 권리를 설정하는 이른바 공기업의 특허로서 그 특허의 부여 여부는 행정청의 자유재량에 속하며, 특허기간이 만료된 때에 특허는 당연히 실효되는 것이어서 특허기간의 갱신은 실질적으로 권리의 설정과 같으므로 그 갱신 여부도 특허관청의 자유재량에 속한다(대판 1989. 5. 9, 88누4188).

④ ○

지방공무원 복무조례개정안에 대한 의견을 표명하기 위하여 전국공무원노동조합 간부 10여 명과 함께 시장의 사택을 방문한 위 노동조합 시지부 사무국장에게 지방공무원법 제58조에 정한 집단행위 금지의무를 위반하였다는 등의 이유로 징계권자가 파면처분을 한 사안에서, 그 징계처분이 사회통념상 현저하게 타당성을 잃거나 객관적으로 명백하게 부당하여 징계권의 한계를 일탈하거나 재량권을 남용하였다고 볼 수 없다(대판 2009. 6. 23, 2006두16786).

정답 16 ①

제 13 강 행정행위의 내용

1회독	2회독	3회독
/	/	/

정답률 공단기/소방단기 합격예측 풀서비스 통계 데이터 기준 기 기본서 핵 핵심집약

01 법률행위적 행정행위 기 242~272쪽 핵 T 25~26

1 하 명

01 하 2008 지방직 9급

행정행위로서의 하명에 관한 설명으로 옳지 않은 것은?

① 하명의 대상은 법률행위뿐만 아니라 사실행위일 수도 있다.
② 하명에 위반한 법률행위의 효과는 무효이다.
③ 하명은 대부분 개별적 · 구체적 규율로서 행하여지나 일반처분으로도 행하여진다.
④ 하명은 법령의 근거를 요하므로 법령이 정한 요건이 갖추어졌을 때에 행할 수 있다.

① ○
하명의 대상은 영업양도금지와 같이 법률행위인 경우도 있고, 통행금지와 같이 사실행위인 경우도 있다.

② ×
하명을 위반한 법률행위의 효력 자체는 유효하며, 다만 처벌의 대상은 될 수 있다. 예컨대, 방문판매가 금지되는 경우 방문판매를 한 자는 처벌될 수 있으나 방문판매행위 자체는 유효하다.

③ ○
대부분의 하명은 조세부과처분과 같이 특정인에 대해 개별적 · 구체적으로 행하여지지만 통행금지와 같이 불특정 다수인을 대상으로 일반처분으로 행하여지는 경우도 있다.

④ ○
하명은 침익적 작용으로서 법치행정의 원리상 법률의 근거가 있어야 한다.

2 허 가

02 중 2021 행정사

행정행위의 법적 성질을 바르게 연결한 것은? (다툼이 있으면 판례에 따름)

> ㉠ 구 자동차관리법상 자동차정비조합설립인가
> ㉡ 구 도시계획법상 개발제한구역 내의 건축허가
> ㉢ 기부금품모집규제법상 기부금품모집허가

① ㉠ 인가, ㉡ 예외적 허가, ㉢ 특허
② ㉠ 인가, ㉡ 허가, ㉢ 특허
③ ㉠ 인가, ㉡ 예외적 허가, ㉢ 허가
④ ㉠ 특허, ㉡ 인가, ㉢ 허가
⑤ ㉠ 허가, ㉡ 특허, ㉢ 인가

관련기출

㉡
1. 개발제한구역 내의 건축물의 용도변경에 대한 예외적 허가는 그 상대방에게 제한적이므로 기속행위에 속하는 것이다. (○, ×) 2021 소방직 9급

1. ×

㉠ 인가에 해당한다.

> 구 자동차관리법 제67조 제1항, 제3항, 제4항, 제5항, 구 자동차관리법 시행규칙 제148조 제1항, 제2항의 내용 및 체계 등을 종합하면, 자동차관리법상 자동차관리사업자로 구성하는 사업자단체인 조합 또는 협회의 설립인가처분은 국토해양부장관(현 국토교통부장관) 또는 시 · 도지사가 자동차관리사업자들의 단체결성행위를 보충하여 효력을 완성시키는 처분(인가)에 해당한다(대판 2015. 5. 29, 2013두635).

㉡ 예외적 허가에 해당한다.

> 구 도시계획법상의 개발제한구역 내의 건축물의 용도변경허가는 예외적 허가로서 재량행위의 성격을 가진다(대판 2001. 2. 9, 98두17593).

㉢ 허가에 해당한다.

> 기부금품모집허가는 허가로서 기속행위이다(대판 1999. 7. 23, 99두3690).

정답 01 ② 02 ③

03 정답률 77% 중 2019 지방직 · 교육행정직 9급

甲은 강학상 허가에 해당하는 식품위생법상 영업허가를 신청하였다. 이에 대한 설명으로 옳은 것은? (다툼이 있는 경우 판례에 의함)

① 甲이 공무원인 경우 허가를 받으면 이는 식품위생법상의 금지를 해제할 뿐만 아니라 국가공무원법상의 영리업무금지까지 해제하여 주는 효과가 있다.

② 甲이 허가를 신청한 이후 관계법령이 개정되어 허가요건을 충족하지 못하게 된 경우, 행정청이 허가신청을 수리하고도 정당한 이유 없이 그 처리를 늦추어 그 사이에 허가기준이 변경된 것이 아닌 이상 甲에게는 불허가처분을 하여야 한다.

③ 甲에게 허가가 부여된 이후 乙에게 또 다른 신규허가가 행해진 경우, 甲에게는 특별한 규정이 없더라도 乙에 대한 신규허가를 다툴 수 있는 원고적격이 인정되는 것이 원칙이다.

④ 甲에 대해 허가가 거부되었음에도 불구하고 甲이 영업을 한 경우, 당해 영업행위는 사법(私法)상 효력이 없는 것이 원칙이다.

관련기출

②

1. 허가신청 후 허가기준이 변경되었다 하더라도 그 허가관청이 허가신청을 수리하고도 정당한 이유 없이 그 처리를 늦추어 그사이에 허가기준이 변경된 것이 아닌 이상 변경되기 이전의 허가기준에 따라서 처분을 하여야 한다. (○, ×) 2023 소방간부
2. 허가의 신청 후 법령의 개정으로 허가기준이 변경된 경우에는 신청할 당시의 법령이 아닌 행정행위 발령 당시의 법령을 기준으로 허가 여부를 판단하는 것이 원칙이다. (○, ×) 2021 소방직 9급
3. 허가 등의 행정처분은 원칙적으로 처분시의 법령과 허가기준에 의하여 처리되어야 하고 허가신청 당시의 기준에 따라야 하는 것은 아니며, 비록 허가신청 후 허가기준이 변경되었다 하더라도 그 허가관청이 허가신청을 수리하고도 정당한 이유 없이 그 처리를 늦추어 그 사이에 허가기준이 변경된 것이 아닌 이상 변경된 허가기준에 따라서 처분을 하여야 한다. (○, ×) 2020 군무원 7급
4. 건축허가신청 후 건축허가기준에 관한 관계법령 및 조례의 규정이 신청인에게 불리하게 개정된 경우, 당사자의 신뢰를 보호하기 위해 처분시가 아닌 신청시 법령에서 정한 기준에 의하여 건축허가 여부를 결정하는 것이 원칙이다. (○, ×) 2018 지방직 9급

1. × 2. ○ 3. ○ 4. ×

③

1. 목욕탕영업허가에 대하여 기존 목욕탕업자는 판례가 취소소송의 원고적격을 부정한다. (○, ×) 2018 소방직 9급

1. ○

① ×

허가는 그 근거가 된 법령에 의한 금지를 해제할 뿐이고 다른 법률에 의한 금지까지 해제하지는 않는 것이 원칙이다. 그러므로 공무원인 甲이 음식점영업허가를 받는다 하더라도 그 허가는 식품위생법상의 금지를 해제할 뿐이지 국가공무원법상의 영리업무금지까지 해제해 주는 것은 아니다.

② **빈출** ○

신청 후 처분 전에 법령이 개정된 경우 그 허가관청이 허가신청을 수리하고도 정당한 이유 없이 그 처리를 늦추어 그 사이에 허가기준이 변경된 것이 아닌 이상 변경된 허가기준에 따라서 처분을 하여야 한다. 사안의 경우 甲이 허가를 신청한 이후 관계법령이 개정되어 허가요건을 충족하지 못하게 된 경우라면, 특별한 사정이 없는 한 행정청은 처분 당시의 법령에 따라야 하므로 甲에게 불허가처분을 하여야 한다.

> 신청 후 허가기준이 변경된 경우에는 원칙적으로 신청시가 아닌 처분시의 법령과 기준에 의해 처리되어야 한다.
>
> 허가 등의 행정처분은 원칙적으로 처분시의 법령과 허가기준에 의하여 처리되어야 하고 허가신청 당시의 기준에 따라야 하는 것은 아니며, 비록 허가신청 후 허가기준이 변경되었다 하더라도 그 허가관청이 허가신청을 수리하고도 정당한 이유 없이 그 처리를 늦추어 그 사이에 허가기준이 변경된 것이 아닌 이상 변경된 허가기준에 따라서 처분을 하여야 할 것인바 …… (대판 1996. 8. 20, 95누10877)

③ **빈출** ×

경업자소송에서, 기존업자가 허가업자인 경우 기존업자가 누리는 영업상 이익은 원칙적으로 반사적 이익에 불과하므로 기존허가업자는 신규영업허가에 대해 취소소송을 제기할 수 있는 원고적격이 없다. 사안의 경우 甲은 허가업자이므로 甲은 특별한 규정이 없는 한 乙에 대한 신규허가를 다툴 수 있는 원고적격이 인정되지 않는다.

> 공중목욕장업 경영허가는 강학상 허가로서 이로 인한 영업상의 이익은 반사적 이익에 불과하다.
>
> 공중목욕장업 경영허가는 사업경영의 권리를 설정하는 형성적 행위가 아니라 경찰금지를 해제하는 명령적 행위로 인한 영업자유의 회복에 불과하므로(편저자 주 : 강학상 허가) 원고가 본건 허가처분에 의하여 사실상 목욕장업에 의한 이익이 감소된다 하여도 원고의 이 영업상 이익은 단순한 사실상의 반사적 이익에 불과하고 법률에 의하여 보호되는 이익이라 할 수 없다(대판 1963. 8. 31, 63누101).

④ ×

허가받아야 할 일을 허가받지 않고 행한 경우 허가를 받지 않고 한 사법(私法)상 행위의 법률상 효력은 유효함이 원칙이다. 그러므로 甲에 대해 허가가 거부되었음에도 불구하고 甲이 영업을 한 경우라도, 그 영업행위는 사법(私法)상으로는 유효하다.

정답 03 ②

04 정답률 63% 중 2019 지방직 · 교육행정직 9급

甲은 관할행정청에 토지의 형질변경행위가 수반되는 건축허가를 신청하였고, 관할행정청은 甲에 대해 '건축기간 동안 자재 등을 도로에 불법적치하지 말 것'이라는 부관을 붙여 건축허가를 하였다. 이에 대한 설명으로 옳은 것은? (다툼이 있는 경우 판례에 의함)

□□□ ① 토지의 형질변경의 허용 여부에 대해 행정청의 재량이 인정되더라도 주된 행위인 건축허가가 기속행위인 경우에는 甲에 대한 건축허가는 기속행위로 보아야 한다.

□□□ ② 위 건축허가에 대해 건축주를 乙로 변경하는 건축주명의변경신고가 관련법령의 요건을 모두 갖추어 행해졌더라도 관할행정청이 신고의 수리를 거부한 경우, 그 수리거부행위는 乙의 권리 · 의무에 직접 영향을 미치는 것으로서 취소소송의 대상이 되는 처분이다.

□□□ ③ 甲이 위 부관을 위반하여 도로에 자재 등을 불법적치한 경우, 관할행정청은 바로 행정대집행법에 따라 불법적치된 자재 등을 제거할 수 있다.

□□□ ④ 甲이 위 부관에 위반하였음을 이유로 관할행정청이 건축허가의 효력을 소멸시키려면 법령상의 근거가 있어야 한다.

① ×

건축허가의 경우 일반적으로 기속행위이지만, 토지의 형질변경행위를 수반하는 건축허가와 같이 기속행위인 허가가 재량행위인 허가를 포함하는 경우에는 그 한도 내에서 재량행위가 된다는 것이 판례의 입장이다.

② ○

> 건축주명의변경신고에 대한 수리거부행위는 취소소송의 대상이 되는 처분이다.
>
> 건축주명의변경신고 수리거부행위는 행정청이 허가대상건축물 양수인의 건축주명의변경신고라는 구체적인 사실에 관한 법집행으로서 그 신고를 수리하여야 할 법령상의 의무를 지고 있음에도 불구하고 그 신고의 수리를 거부함으로써, 양수인이 건축공사를 계속하기 위하여 가지는 구체적인 법적 이익을 침해하는 결과가 되었다고 할 것이므로, 양수인의 권리 · 의무에 직접 영향을 미치는 것으로서 취소소송의 대상이 되는 처분이라고 하지 않을 수 없다(대판 1992. 3. 31, 91누4911).

③ ×

대집행의 대상이 될 수 있는 의무는 작위의무에 한하므로, 부작위의무를 위반한 경우는 원칙적으로 대집행의 대상이 되지 않으며 작위의무로 전환한 이후에 비로소 대집행의 대상이 될 수 있을 뿐이다. 사안의 경우 행정청이 '건축기간 동안 자재 등을 도로에 불법적치하지 말 것'이라는 부작위의무의 부담을 부관으로 부가하였는바, 이에 따라 甲은 불법적치하지 말아야 할 부작위의무가 발생한다. 따라서 甲이 위 부관을 위반하여 도로에 자재 등을 불법적치한 경우라도 행정청은 곧바로 대집행을 할 수는 없고 작위의무로 전환한 이후에 그 의무불이행시 대집행을 할 수 있을 뿐이다.

④ ×

처분 이후에 발생한 사유를 들어 처분의 효력을 소멸시키는 것은 철회에 해당하는바, 철회사유로는 철회권유보사유의 발생, 중대한 공익상 필요의 발생, 부담의 불이행 등을 들 수 있다. 한편 처분청이 철회를 하는 경우 법적 근거는 필요 없다는 것이 판례의 입장이다. 사안의 경우 甲이 부담을 불이행하는 경우라면 행정청은 법령상의 근거가 없더라도 주된 행정행위인 건축허가(사안의 건축허가는 위 ①에서 본 바와 같이 재량행위임)를 철회할 수 있다.

> 처분청은 별도의 법적 근거가 없더라도 행정행위를 철회하거나 변경할 수 있다.
>
> 행정행위를 한 처분청은 그 처분 당시에 그 행정처분에 별다른 하자가 없었고 또 그 처분 후에 이를 취소할 별도의 법적 근거가 없다 하더라도 원래의 처분을 그대로 존속시킬 필요가 없게 된 사정변경이 생겼거나 또는 중대한 공익상의 필요가 발생한 경우에는 별개의 행정행위로 이를 철회하거나 변경할 수 있다(대판 1992. 1. 17, 91누3130 ; 대판 1995. 2. 28, 94누7713 ; 대판 1995. 6. 9, 95누1194).

정답 04 ②

05 중 2019 사회복지직 9급

강학상 허가 · 특허 · 인가 등에 대한 판례의 태도로 가장 옳지 않은 것은?

① 환경의 보전 등 중대한 공익상 필요가 있다고 인정되더라도 법규에 명문의 근거가 없다면 산림훼손기간 연장허가를 거부할 수 없다.

② 건축허가는 수허가자에게 어떤 새로운 권리나 능력을 부여하는 것이 아니다.

③ 출입국관리법상 체류자격 변경허가는 신청인에게 당초의 체류자격과 다른 체류자격에 해당하는 활동을 할 수 있는 권한을 부여하는 일종의 설권적 처분이다.

④ 기본행위인 이사선임결의가 적법 · 유효하고 보충행위인 승인처분 자체에만 하자가 있다면 그 승인처분의 무효확인이나 그 취소를 주장할 수 있다.

관련기출

①

1. 구 산림법령이 규정하는 산림훼손 금지 또는 제한지역에 해당하지 않더라도 환경의 보존 등 중대한 공익상 필요가 인정되는 경우, 허가관청은 법규상 명문의 근거가 없어도 산림훼손허가신청을 거부할 수 있다. (O, ×) 2018 지방직 7급
2. 법규에 명문의 근거가 없음에도 환경보전이라는 중대한 공익상의 이유로 산림훼손허가를 거부하는 것은 법률유보의 원칙에 비추어 허용되지 않는다. (O, ×) 2017 국가직 7급
3. 산림형질변경허가의 경우 중대한 공익상 필요가 있다고 인정되는 때에는 그 허가를 거부할 수 있으며, 다만 그 경우 별도로 명문의 근거가 있어야 한다. (O, ×) 2015 국회직 8급

1. O 2. × 3. ×

① 빈출 ×

> 산림훼손(산림형질변경) 금지 또는 제한지역에 해당하지 않더라도 중대한 공익상 필요가 있다고 인정될 때에는 산림훼손허가(산림형질변경허가)를 거부할 수 있고, 그 경우 법규에 명문의 근거가 없더라도 거부처분을 할 수 있으며 이는 산림훼손기간을 연장하는 경우에도 마찬가지이다.
>
> 산림훼손은 국토 및 자연의 유지와 수질 등 환경의 보전에 직접적으로 영향을 미치는 행위이므로 법령이 규정하는 산림훼손 금지 또는 제한지역에 해당하는 경우는 물론 금지 또는 제한지역에 해당하지 않더라도 허가관청은 산림훼손허가신청 대상 토지의 현상과 위치 및 주위의 상황 등을 고려하여 국토 및 자연의 유지와 환경의 보전 등 중대한 공익상 필요가 있다고 인정될 때에는 허가를 거부할 수 있고, 그 경우 법규에 명문의 근거가 없더라도 거부처분을 할 수 있는 것이며, 이는 산림훼손기간을 연장하는 경우에도 마찬가지이다(대판 1997. 8. 29, 96누15213).

② O

> 건축허가는 상대적 금지를 해제하여 줌으로써 일정한 건축행위를 하여도 좋다는 자유를 회복시켜 주는 행정처분일 뿐 수허가자에게 어떤 새로운 권리나 능력을 부여하는 것이 아니다.
>
> 건축허가는 행정관청이 건축행정상 목적을 수행하기 위하여 수허가자에게 일반적으로 행정관청의 허가 없이는 건축행위를 하여서는 안 된다는 상대적 금지를 관계법규에 적합한 일정한 경우에 해제하여 줌으로써 일정한 건축행위를 하여도 좋다는 자유를 회복시켜 주는 행정처분일 뿐 수허가자에게 어떤 새로운 권리나 능력을 부여하는 것이 아니고, …… (대판 2002. 4. 26, 2000다16350)

③ O

출입국관리법상 체류자격 변경허가는 설권적 처분(특허)의 성격을 가지며 허가권자는 허가 여부를 결정할 재량을 가진다는 것이 판례의 입장이다(대판 2016. 7. 14, 2015두48846).

④ O

기본행위가 무효라면 기본행위의 무효를 이유로 인가처분을 다툴 수는 없으나 기본행위가 적법하고 인가처분에만 하자가 있다면 인가처분의 무효확인이나 취소를 주장할 수 있다는 것이 판례의 입장이다.

> 기본행위인 이사선임결의가 적법 · 유효하고 보충행위인 승인처분 자체에만 하자가 있다면 그 승인처분의 무효확인이나 그 취소를 주장할 수 있다(대판 2002. 5. 24, 2000두3641).

정답 05 ①

06 중 2019 서울시 1회 7급

건축허가와 건축신고에 관한 설명으로 가장 옳지 않은 것은? (다툼이 있는 경우 판례에 따름)

□□□ ① 건축허가는 원칙상 기속행위이지만 중대한 공익상 필요가 있는 경우 예외적으로 건축허가를 거부할 수 있다.

□□□ ② 건축신고는 자기완결적 신고이므로 신고반려행위 또는 수리거부행위는 항고소송의 대상이 되지 않는다.

□□□ ③ 신고대상인 건축물의 건축행위를 하고자 할 경우에는 관계법령에 정해진 적법한 요건을 갖춘 신고만을 하면 그와 같은 건축행위를 할 수 있고, 행정청의 수리처분 등 별도의 조처를 기다릴 필요가 없다.

□□□ ④ 토지의 형질변경허가는 금지요건이 불확정개념으로 규정되어 있어 그 금지요건에 해당하는지 여부를 판단함에 있어서 행정청에게 재량권이 부여되어 있다고 할 것이므로, 같은 법에 의하여 지정된 도시지역 안에서 토지의 형질변경행위를 수반하는 건축허가는 결국 재량행위에 속한다.

① ○

중대한 공익상의 필요가 없음에도 불구하고, 요건을 갖춘 자에 대한 허가를 거부할 수는 없다고 판시하고 있는바, 반대로 해석하면 중대한 공익상의 필요가 있으면 허가를 거부할 수도 있다는 의미이다.

> 건축허가권자는 신청이 법령상 요건을 구비한 경우 원칙적으로 건축허가를 하여야 하고, 중대한 공익상의 필요가 없는데도 관계법령에서 정하는 제한사유 이외의 사유를 들어 요건을 갖춘 자에 대한 허가를 거부할 수는 없다(대판 2006. 11. 9, 2006두1227 ; 대판 2009. 9. 24, 2009두8946).

② ×

건축신고 반려행위는 항고소송의 대상이 된다는 것이 판례의 입장이다(대판 2010. 11. 18, 2008두167).

③ ○

> 주택건설촉진법 제38조 제2항 단서, 공동주택관리령 제6조 제1항 및 제2항, 공동주택관리규칙 제4조 및 제4조의2의 각 규정들에 의하면, 공동주택 및 부대시설 · 복리시설의 소유자 · 입주자 · 사용자 및 관리주체가 건설부령이 정하는 경미한 사항으로서 신고대상인 건축물의 건축행위를 하고자 할 경우에는 그 관계법령에 정해진 적법한 요건을 갖춘 신고만을 하면 그와 같은 건축행위를 할 수 있고, 행정청의 수리처분 등 별단의 조처를 기다릴 필요가 없다고 할 것이며, 또한 이와 같은 신고를 받은 행정청으로서는 그 신고가 같은 법 및 그 시행령 등 관계법령에 신고만으로 건축할 수 있는 경우에 해당하는 여부 및 그 구비서류 등이 갖추어져 있는지 여부 등을 심사하여 그것이 법규정에 부합하는 이상 이를 수리하여야 하고, 같은 법 규정에 정하지 아니한 사유를 심사하여 이를 이유로 신고수리를 거부할 수는 없다(대판 1999. 4. 27, 97누6780).

④ ○

> 토지의 형질변경허가는 그 금지요건이 불확정개념으로 규정되어 있어 그 금지요건에 해당하는지 여부를 판단함에 있어서 행정청에 재량권이 부여되어 있다고 할 것이므로, 「국토의 계획 및 이용에 관한 법률」에 의하여 지정된 도시지역 안에서 토지의 형질변경행위를 수반하는 건축허가는 결국 재량행위에 속한다(대판 2005. 7. 14, 2004두6181).

정답 06 ②

07 중

2019 서울시 1회 7급

행정행위에 관한 설명으로 가장 옳지 않은 것은? (다툼이 있는 경우 판례에 따름)

□□□ ① 주유소허가의 양수인은 양도인의 지위를 승계하므로 양도인에게 그 허가를 취소할 법적 사유가 있는 경우 이를 이유로 양수인에게 응분의 제재조치를 할 수 있다.

□□□ ② 자동차운수사업법에 의한 개인택시운송사업면허는 법령에 특별한 규정이 없는 한 재량행위이고, 그 면허를 위하여 필요한 기준을 정하는 것도 행정청의 재량에 속한다.

□□□ ③ 특허는 주로 특정인을 대상으로 행해지나 이에 한정되지 않으며 불특정 다수인에게 행해지기도 한다.

□□□ ④ 재단법인의 임원취임이 재단법인의 정관에 근거한다 할지라도 이에 대해 주무관청이 당연히 인가하여야 하는 것은 아니며 인가 여부를 재량으로 결정할 수 있다.

관련기출

①

1. 판례는 대물적 영업의 양도의 경우 명시적인 규정이 없는 경우에도 양도 전에 존재하는 영업정지사유를 이유로 양수인에 대해서도 영업정지처분을 할 수 있다고 보고 있다. (○, ×) 2018 소방직 9급
2. 대물적 허가의 성질을 갖는 석유판매업이 양도된 경우, 양도인에게 허가를 취소할 위법사유가 있다면 이를 이유로 양수인에게 제재조치를 취할 수 있다. (○, ×) 2015 경행특채 2차
3. 석유판매업허가는 소위 대인적 허가의 성질을 갖는 것이어서 양도인의 귀책사유는 양수인에게 그 효력이 미치지 않는다. (○, ×) 2013 경행특채
4. 대물적 영업양도의 경우, 명시적인 규정이 없는 경우에도 양도 전에 존재하는 영업정지사유를 이유로 양수인에 대해서도 영업정지처분을 할 수 있다. (○, ×) 2013 국가직 7급

1. ○ 2. ○ 3. × 4. ○

① **빈출** ○

석유판매업허가는 대물적 허가로서 양도가 가능하므로 석유판매업이 양도된 경우, 양도인의 귀책사유로 양수인에게 제재를 가할 수 있다.

석유판매업(주유소)허가는 소위 대물적 허가의 성질을 갖는 것이어서 그 사업의 양도도 가능하고 이 경우 양수인은 양도인의 지위를 승계하게 됨에 따라 양도인의 위 허가에 따른 권리 · 의무가 양수인에게 이전되는 것이므로 만약 양도인에게 그 허가를 취소할 위법사유가 있다면 허가관청은 이를 이유로 양수인에게 응분의 제재조치를 취할 수 있다 할 것이고, 양수인이 그 양수 후 허가관청으로부터 석유판매업허가를 다시 받았다 하더라도 이는 석유판매업의 양도 · 양수를 전제로 한 것이어서 이로써 양도인의 지위승계가 부정되는 것은 아니라 할 것이다(대판 1986. 7. 22, 86누203).

② ○

「여객자동차 운수사업법」에 의한 개인택시운송사업면허는 재량행위이며 그 면허기준 설정행위도 행정청의 재량에 속한다는 것이 판례의 입장이다(대판 2009. 11. 26, 2008두16087).

③ ×

특허는 특정인에 대하여 새로운 권리, 능력 또는 포괄적 법률관계를 설정하는 행위이다. 따라서 특허는 그 개념상 허가와 달리, 불특정인에 대해서는 행해질 수 없고 특정인에 대해서만 가능하다.

④ ○

재단법인의 임원취임이 사법인인 재단법인의 정관에 근거한다 할지라도 이에 대한 행정청의 승인(인가)행위는 법인에 대한 주무관청의 감독권에 연유하는 이상 그 인가행위 또는 인가거부행위는 공법상의 행정처분으로서, 그 임원취임을 인가 또는 거부할 것인지 여부는 주무관청의 권한에 속하는 사항이라고 할 것이고, 재단법인의 임원취임승인신청에 대하여 주무관청이 이에 기속되어 이를 당연히 승인(인가)하여야 하는 것은 아니다(대판 2000. 1. 28, 98두16996).

정답 07 ③

08 빈출 중 2018 경행경채 3차 변형

강학상 허가에 대한 설명으로 가장 적절하지 않은 것은? (다툼이 있는 경우 판례에 의함)

□□□ ① 유료직업소개사업의 허가갱신은 허가취득자에게 종전의 지위를 계속 유지시키는 효과를 갖는 것에 불과하고 갱신 후에는 갱신 전의 법위반사항을 불문에 부치는 효과를 발생하는 것이 아니므로 일단 갱신이 있은 후에도 갱신 전의 법위반사실을 근거로 허가를 취소할 수 있다.

□□□ ② 종전 허가의 유효기간이 지나서 신청한 기간연장신청은 그에 대한 종전의 허가처분을 전제로 하여 단순히 그 유효기간을 연장하여 주는 행정처분을 구하는 것이라기보다는 종전의 허가처분과는 별도의 새로운 허가를 내용으로 하는 행정처분을 구하는 것이라고 보아야 할 것이다.

□□□ ③ 일반적으로 행정처분에 효력기간이 정하여져 있는 경우에는 그 기간의 경과로 그 행정처분의 효력은 상실되나 허가에 붙은 기한이 그 허가된 사업의 성질상 부당하게 짧은 경우에는 이를 허가 자체의 존속기간이라고 볼 수 없으므로 연장신청이 없는 상태에서 허가기간이 만료하였다는 사정만으로 곧바로 그 허가의 효력이 상실되었다고 할 수는 없다.

□□□ ④ 어업에 관한 허가 또는 신고의 경우에는 어업면허와 달리 유효기간연장제도가 마련되어 있지 아니하므로 그 유효기간이 경과하면 그 허가나 신고의 효력이 당연히 소멸하며, 재차 허가를 받거나 신고를 하더라도 허가나 신고의 기간만 갱신되어 종전의 어업허가나 신고의 효력 또는 성질이 계속된다고 볼 수 없고 새로운 허가 내지 신고로서의 효력이 발생한다고 할 것이다.

관련기출

④

1. 어업에 관한 허가의 경우 그 유효기간이 경과하면 그 허가의 효력이 당연히 소멸하지만, 유효기간의 만료 후라도 재차 허가를 받게 되면 그 허가기간이 갱신되어 종전의 어업허가의 효력 또는 성질이 계속된다. (○, ×) 2022 군무원 9급
2. 어업에 관한 허가 또는 신고에 유효기간 연장제도가 마련되어 있지 않은 경우 그 유효기간이 경과하면 그 허가나 신고의 효력이 당연히 소멸하며, 재차 허가를 받거나 신고를 하더라도 허가나 신고의 기간만 갱신되어 종전의 어업허가나 신고의 효력 또는 성질이 계속된다고 볼 수 없고 새로운 허가 내지 신고로서의 효력이 발생한다고 할 것이다. (○, ×) 2018 국회직 8급

1. × 2. ○

① 빈출 ○

유료직업소개사업의 갱신이 있은 후에도 갱신 전의 법위반사실을 근거로 허가를 취소할 수 있다.

유료직업소개사업의 허가갱신은 허가취득자에게 종전의 지위를 계속 유지시키는 효과를 갖는 것에 불과하고 갱신 후에는 갱신 전의 법위반사항을 불문에 부치는 효과를 발생시키는 것이 아니므로 일단 갱신이 있은 후에도 갱신 전의 법위반사실을 근거로 허가를 취소할 수 있다(대판 1982. 7. 27, 81누174).

② 빈출 ○

기한경과 후 유효기간이 지나서 한 신청은 신규허가의 신청이므로 허가요건 적합 여부를 새로이 판단하여 허가 여부를 결정하여야 한다.

옥외광고물등관리법의 각 규정을 종합하여 보면, 이 사건의 경우와 같은 지주이용간판을 설치하고자 하는 자는 …… 그와 같은 기간연장허가를 받지 아니한 경우에는 그 허가는 특단의 사정이 없는 한 기한이 도래함으로써 별도의 행위를 기다릴 것 없이 당연히 효력이 상실되는 것이라 할 것인바, …… 종전의 허가가 기한의 도래로 실효한 이상 원고가 종전 허가의 유효기간이 지나서 신청한 이 사건 기간연장신청은 그에 대한 종전의 허가처분을 전제로 하여 단순히 그 유효기간을 연장하여 주는 행정처분을 구하는 것이라기보다는 종전의 허가처분과는 별도의 새로운 허가를 내용으로 하는 행정처분을 구하는 것이라고 보아야 할 것이어서, 이러한 경우 허가권자는 이를 새로운 허가신청으로 보아 법의 관계규정에 의하여 허가요건의 적합 여부를 새로이 판단하여 그 허가 여부를 결정하여야 할 것이다(대판 1995. 11. 10, 94누11866).

③ 빈출 ×

허가에 붙은 기한이 그 허가된 사업의 성질상 부당하게 짧은 경우 그 기한을 허가 자체의 존속기간이 아닌 허가조건의 존속기간으로 볼 수 있다. 다만, 이 경우라도 허가기간이 연장되기 위해서는 종기가 도래하기 전에 기간의 연장에 관한 신청이 있어야 한다.

일반적으로 행정처분에 효력기간이 정하여져 있는 경우에는 그 기간의 경과로 그 행정처분의 효력은 상실되고, 다만 허가에 붙은 기한이 그 허가된 사업의 성질상 부당하게 짧은 경우에는 이를 그 허가 자체의 존속기간이 아니라 그 허가조건의 존속기간으로 보아 그 기한이 도래함으로써 그 조건의 개정을 고려한다는 뜻으로 해석할 수는 있지만, 그와 같은 경우라 하더라도 그 허가기간이 연장되기 위하여는 그 종기가 도래하기 전에 그 허가기간의 연장에 관한 신청이 있어야 하며, 만일 그러한 연장신청이 없는 상태에서 허가기간이 만료하였다면 그 허가의 효력은 상실된다(대판 2007. 10. 11, 2005두12404).

④ 빈출 ○

어업에 관한 허가 또는 신고의 경우 유효기간이 지나면 당연히 효력이 소멸한다. 이 경우 다시 어업허가를 받거나 신고를 하더라도 종전 허가나 신고의 효력 등이 계속되는 것은 아니다.

어업에 관한 허가 또는 신고의 경우에는 어업면허와 달리 유효기간 연장제도가 마련되어 있지 아니하므로 그 유효기간이 경과하면 그 허가나 신고의 효력이 당연히 소멸하며, 재차 허가를 받거나 신고를 하더라도 허가나 신고의 기간만 갱신되어 종전의 어업허가나 신고의 효력 또는 성질이 계속된다고 볼 수 없고 새로운 허가 내지 신고로서의 효력이 발생한다고 할 것이다(대판 2011. 7. 28, 2011두5728).

정답 08 ③

09 정답률 76% 중 2017 국가직 7급

행정행위에 대한 설명으로 옳은 것은? (다툼이 있는 경우 판례에 의함)

□□□ ① 하명의 대상은 불법광고물의 철거와 같은 사실행위에 한정된다.

□□□ ② 허가의 갱신은 허가취득자에게 종전의 지위를 계속 유지시키는 효과를 갖게 하는 것으로 갱신 후라도 갱신 전 법위반사실을 근거로 허가를 취소할 수 있다.

□□□ ③ 인가처분에 하자가 없더라도 기본행위의 하자를 이유로 행정청의 인가처분의 취소 또는 무효확인을 구할 법률상 이익이 인정된다.

□□□ ④ 제소기간이 이미 도과하여 불가쟁력이 생긴 행정처분에 대하여는, 관계법령의 해석상 그 변경을 요구할 신청권이 인정될 수 있는 경우라 하더라도 국민에게 그 행정처분의 변경을 구할 신청권이 없다.

관련기출

②

1. 유료직업소개사업의 허가갱신은 허가취득자에게 종전의 지위를 계속 유지시키는 효과를 갖는 것이며 갱신 후에는 갱신 전의 법위반사항을 불문에 부치는 효과를 발생하는 것이므로, 갱신이 있은 후에는 갱신 전의 법위반사실을 근거로 허가를 취소할 수 없다. (○, ×) 2017 경행경채

1. ×

① ×

하명의 대상은 통행금지와 같이 사실행위일 수도 있고, 영업양도금지와 같이 법률행위일 수도 있다.

② ○

(유료직업소개사업의) 허가갱신은 허가취득자에게 종전의 지위를 계속 유지시키는 효과를 갖는 것에 불과하고 갱신 후에는 갱신 전의 법위반사항을 불문에 부치는 효과를 발생시키는 것이 아니므로 일단 갱신이 있은 후에도 갱신 전의 법위반사실을 근거로 허가를 취소할 수 있다(대판 1982. 7. 27, 81누174).

③ ×

기본행위에 하자가 있는 경우 기본행위를 다투어야 하며, 기본행위의 하자를 이유로 인가처분의 취소 또는 무효를 소송으로 다툴 이익은 없다.

인가처분에 하자가 없다면 기본행위에 하자가 있다 하더라도 따로 그 기본행위의 하자를 다투는 것은 별론으로 하고 기본행위의 무효를 내세워 바로 그에 대한 행정청의 인가처분의 취소 또는 무효확인을 소구할 법률상의 이익이 있다고 할 수 없다(대판 1994. 10. 14, 93누22753).

④ ×

제소기간이 이미 도과하여 불가쟁력이 생긴 행정처분에 대하여는 개별법규에서 그 변경을 요구할 신청권을 규정하고 있거나 관계법령의 해석상 그러한 신청권이 인정될 수 있는 등 특별한 사정이 없는 한 국민에게 그 행정처분의 변경을 구할 신청권이 있다 할 수 없다(대판 2007. 4. 26, 2005두11104).

참고 한편, 행정기본법 제37조(처분의 재심사)와의 관계에서 이 판례의 의미는 약화될 수 있다.

정답 09 ②

10 정답률 41% 상 2017 서울시 9급

영업허가의 양도와 제재처분의 효과 및 제재사유의 승계에 관한 설명으로 가장 옳지 않은 것은? (다툼이 있는 경우 판례에 의함)

□□□ ① 양도인의 위법행위로 양도인에게 이미 제재처분이 내려진 경우에 영업정지 등 그 제재처분의 효력은 양수인에게 당연히 이전된다.

□□□ ② 주택건설사업이 양도되었으나 그 변경승인을 받기 이전에 행정청이 양수인에 대하여 양도인에 대한 사업계획승인을 취소하였다는 사실을 통지한 경우 이러한 통지는 양수인의 법률상 지위에 변동을 일으키므로 행정처분이다.

□□□ ③ 회사분할시 분할 전 회사에 대한 제재사유가 신설회사에 대하여 승계되지 않으므로 회사의 분할 전 법위반행위를 이유로 과징금을 부과하는 것은 허용되지 않는다.

□□□ ④ 양도인이 위법행위를 한 후 제재를 피하기 위하여 영업을 양도한 경우 그 제재사유의 승계에 관하여 명문의 규정이 없는 경우, 위법행위로 인한 제재사유는 항상 인적 사유이고 경찰책임 중 행위책임의 문제라는 논거는 승계부정설의 논거이다.

관련기출

③
1. 회사분할시 특별한 규정이 없는 한 신설회사에 대하여 분할하는 회사의 분할 전 법위반행위를 이유로 과징금을 부과하는 것은 허용되지 않는다. (O, X) 2023 군무원 7급

1. O

① O

양도인의 위법행위로 제재처분이 내려진 경우에 그 제재처분(허가취소, 영업정지처분 또는 과징금 부과처분)의 효과는 이미 영업자의 지위에 포함된 것이므로 양수인에게 당연히 이전된다고 보아야 한다.

② X

> 주택건설사업이 양도되었으나 그 변경승인을 받기 이전에 행정청이 양수인에 대하여 양도인에 대한 사업계획승인을 취소하였다는 사실을 통지한 경우, 위 통지는 항고소송의 대상이 되는 행정처분이 아니다.
>
> 주택건설촉진법 제33조 제1항, 구 같은 법 시행규칙 제20조의 각 규정에 의한 주택건설사업계획에 있어서 사업주체변경의 승인은 그로 인하여 사업주체의 변경이라는 공법상의 효과가 발생하는 것이므로, 사실상 내지 사법상으로 주택건설사업 등이 양도 · 양수되었을지라도 아직 변경승인을 받기 이전에는 그 사업계획의 피승인자는 여전히 종전의 사업주체인 양도인이고 양수인이 아니라 할 것이어서, 사업계획승인취소처분 등의 사유가 있는지의 여부와 취소사유가 있다고 하여 행하는 취소처분은 피승인자인 양도인을 기준으로 판단하여 그 양도인에 대하여 행하여져야 할 것이므로 행정청이 주택건설사업의 양수인에 대하여 양도인에 대한 사업계획승인을 취소하였다는 사실을 통지한 것만으로는 양수인의 법률상 지위에 어떠한 변동을 일으키는 것은 아니므로 위 통지는 항고소송의 대상이 되는 행정처분이라고 할 수는 없다(대판 2000. 9. 26, 99두646).

③ O

> 회사가 분할된 경우, 원칙적으로 신설회사에 대하여 분할하는 회사의 분할 전 법위반행위를 이유로 과징금을 부과할 수는 없다.
>
> 회사분할시 신설회사 또는 존속회사가 승계하는 것은 분할하는 회사의 권리와 의무이고, 분할하는 회사의 분할 전 법위반행위를 이유로 과징금이 부과되기 전까지는 단순한 사실행위만 존재할 뿐 과징금과 관련하여 분할하는 회사에 승계대상이 되는 어떠한 의무가 있다고 할 수 없으므로, 특별한 규정이 없는 한 신설회사에 대하여 분할하는 회사의 분할 전 법위반행위를 이유로 과징금을 부과하는 것은 허용되지 않는다(대판 2011. 5. 26, 2008두18335).

④ O

양도인이 위법행위를 한 후 제재를 피하기 위하여 영업을 양도한 경우 그 제재사유의 승계에 관하여 명문의 규정이 없는 경우 제재사유의 승계가 인정되는지에 대해서는 견해의 대립이 있다. 승계부정설은 양도인의 법령위반으로 인한 제재사유는 인적 사유이므로 명문의 규정이 없는 한 양수인에게 이전될 수 없으며, 또한 양도인의 위법행위로 인한 제재는 경찰행정법상 행위책임에 속하는 문제이므로 양도인의 위법행위로 인한 제재사유는 명문의 규정이 없는 한 양수인에게 승계되지 않는다고 한다. 그러나 판례와 다수설은 승계를 긍정한다.

정답 10 ②

11 정답률 37% 중 2016 서울시 7급

인 · 허가 의제에 대한 설명으로 가장 옳은 것은? (다툼이 있는 경우 판례에 따름)

□□□ ① 반드시 법률에 명시적인 근거가 있어야 하는 것은 아니다.

□□□ ② 주된 인 · 허가인 건축불허가처분을 하면서 그 처분사유로 의제되는 인 · 허가에 해당하는 형질변경불허가사유를 들고 있다면, 그 건축불허가처분을 받은 자는 형질변경불허가처분에 관해서도 쟁송을 제기하여 다툴 수 있다.

□□□ ③ 신청된 주된 인 · 허가절차만 거치면 되고, 의제되는 인 · 허가를 위하여 거쳐야 하는 주민의견청취 등의 절차를 거칠 필요는 없다.

□□□ ④ 주된 인 · 허가에 관한 사항을 규정하고 있는 A법률에서 주된 인 · 허가가 있으면 B법률에 의한 인 · 허가를 받은 것으로 의제한다는 규정을 둔 경우, B법률에 의하여 인 · 허가를 받았음을 전제로 하는 B법률의 모든 규정이 적용된다.

관련기출

③

1. 건설부장관이 구 주택건설촉진법에 따라 관계기관의 장과의 협의를 거쳐 사업계획승인을 한 이상 허가 · 인가 · 결정 · 승인 등이 있는 것으로 볼 것이고, 그 절차와 별도로 구 도시계획법 소정의 중앙도시계획위원회의 의결이나 주민의 의견청취 등 절차를 거칠 필요는 없다. (○, ×) 2016 국회직 8급
2. (건축법에는 건축허가를 받으면 「국토의 계획 및 이용에 관한 법률」에 의한 토지의 형질변경허가도 받은 것으로 보는 조항이 있다. 이 조항의 적용을 받는 甲이 토지의 형질을 변경하여 건축물을 건축하고자 건축허가신청을 하였다) 甲은 건축허가절차 외에 형질변경허가절차를 별도로 거쳐야 한다. (○, ×) 2015 국가직 9급
3. 집중효의 범위는 절차적 집중에까지 미치므로 법령상 다른 규정이 없는 한 계획행정청은 의제되는 인 · 허가에 관한 모법상의 행정절차를 거칠 필요는 없다. (○, ×) 2008 국회직 8급

1. ○ 2. × 3. ○

① ×

인 · 허가 의제제도는 주된 허가를 담당하는 기관이 의제되는 인 · 허가에 관한 심사도 담당한다는 점에서 행정기관의 권한에 변경을 가져오므로 법률에 명시적 근거가 있어야 한다(필수편 23 ① 해설 참조).

② ×

> 건축불허가처분을 하면서 건축불허가사유 외에 형질변경불허가사유나 농지전용불허가사유를 들고 있는 경우, 그 건축불허가처분에 관한 쟁송에서 형질변경불허가사유나 농지전용불허가사유에 관하여도 다툴 수 있다(대판 2001. 1. 16, 99두10988).

③ **빈출** ○

판례는 의제되는 인 · 허가(관련 인 · 허가)에 규정된 절차는 거칠 필요가 없고 신청된 주된 허가에 관해 규정된 절차만 거치면 족하다고 본다. 행정기본법도 이러한 전제하에, 개별법률에서 인 · 허가 의제시 관련 인 · 허가에 필요한 심의, 의견청취 등 절차를 거친다는 명시적인 규정을 둔 경우에만 이를 거치도록 하고 있다.

> 건설부장관(현 국토교통부장관)이 관계기관의 장과 협의를 거쳐 주택건설사업계획승인을 한 경우 별도로 도시계획법(현 「국토의 계획 및 이용에 관한 법률」) 소정의 중앙도시계획위원회의 의결이나 주민의 의견청취 등의 절차가 필요한 것은 아니다.
> 주택건설촉진법의 목적 및 기본원칙(제1 · 2조)에 비추어 보면 건설부장관이 촉진법 제33조에 따라 관계기관의 장과 협의를 거쳐 사업계획승인을 한 이상 같은 조 제4항의 허가, 인가, 결정, 승인 등이 있는 것으로 볼 것이고, 그 절차와 별도로 도시계획법 제12조 등 소정의 중앙도시계획위원회의 의결이나 주민의 의견청취 등의 절차를 거칠 필요는 없는 것이다(대판 1992. 11. 10, 92누1162).

> **행정기본법 제24조【인 · 허가 의제의 기준】** ⑤ 제3항에 따라 협의를 요청받은 관련 인 · 허가 행정청은 해당 법령을 위반하여 협의에 응해서는 아니 된다. 다만, 관련 인 · 허가에 필요한 심의, 의견청취 등 절차에 관하여는 법률에 인 · 허가 의제시에도 해당 절차를 거친다는 명시적인 규정이 있는 경우에만 이를 거친다.

④ ×

> 주된 인 · 허가에 관한 사항을 규정하고 있는 A법률에서 주된 인 · 허가가 있으면 B법률에 의한 인 · 허가를 받은 것으로 의제한다는 규정을 둔 경우에는, 주된 인 · 허가가 있으면 B법률에 의한 인 · 허가가 있는 것으로 보는 데 그치는 것이고, 거기에서 더 나아가 B법률에 의하여 인 · 허가를 받았음을 전제로 한 B법률의 모든 규정들까지 적용되는 것은 아니다(대판 2015. 4. 23, 2014두2409).

정답 11 ③

❸ 예외적 허가(승인)

12 중 2012 국가직 9급

다음 (가) 그룹과 (나) 그룹에 대한 설명으로 옳지 않은 것은? (다툼이 있는 경우 판례에 의함)

(가)	• 주거지역 내의 건축허가 • 상가지역 내의 유흥주점업 허가
(나)	• 개발제한구역 내의 건축허가 • 학교환경위생정화구역 내의 유흥주점업 허가

	(가) 그룹	(나) 그룹
①	예방적 금지의 해제	억제적 금지의 해제
②	허가	예외적 승인
③	법률행위적 행정행위	준법률행위적 행정행위
④	기속행위	재량행위

①②④ ○

③ ×

(가) 그룹은 일반적인 허가의 예이고, (나) 그룹은 예외적 허가(승인)의 예이다(②). 일반적 허가와 예외적 허가(승인) 모두 법률행위적 행정행위이다(③). 허가와 예외적 허가를 도표로 정리하면 다음과 같다.

허 가	예외적 허가
• 예방적 금지의 해제(①) • 기속행위의 성질(④) • 본래의 자유의 회복	• 억제적 금지의 해제(①) • 재량행위의 성질(④) • 권리의 범위를 확대
모두 법률행위적 행정행위(③)	

1. 개발제한구역 안의 건축허가는 재량행위이다(대판 2003. 3. 28, 2002두11905).
2. 학교보건법 제6조 제1항 단서의 규정에 의한 학교환경위생정화구역 안의 금지행위 및 시설을 해제하거나 해제를 거부하는 조치는 행정청의 재량행위에 속한다(대판 1996. 10. 29, 96누8253).

정답 12 ③

④ 특 허

13 빈출 정답률 61% 하 2020 소방직 9급

다음 중 특허에 해당하지 않는 것은? (다툼이 있는 경우 판례에 의함)

□□□ ① 귀화허가
□□□ ② 공무원임명
□□□ ③ 개인택시운송사업면허
□□□ ④ 사립학교 법인이사의 선임행위

① ○
귀화허가는 특허라는 것이 판례의 입장이다(대판 2010. 7. 15, 2009두19069).

② ○
공무원임용은 포괄적 법률관계를 설정하는 행위로 강학상 특허에 해당한다.

③ ○
개인택시운송사업면허는 특허로서 특별한 규정이 없는 한 재량행위라는 것이 판례의 입장이다(대판 1995. 7. 14, 94누14841 ; 대판 1995. 11. 10, 95누8461 ; 대판 1996. 10. 11, 96누6172).

④ ×
사립학교법인의 이사선임행위는 사법(私法)행위에 해당하며, 이에 대한 감독청의 승인은 강학상 인가에 해당한다.

> 학교법인의 임원에 대한 감독청의 취임승인처분은 학교법인 이사회의 사법상의 유효한 임원선임행위가 존재함을 전제로 그 선임행위의 법률상의 효력을 완성시키는 보충행위로서 성질상 기본행위를 떠나 승인처분 그 자체만으로서는 법률상 아무런 효력도 발생할 수 없는 것이다(대판 1987. 8. 18, 86누152).

14 하 2018 경행경채

아래 ㉠부터 ㉣까지의 행정행위 중 강학상 특허에 해당하는 것(○)과 아닌 것(×)의 표시가 바르게 된 것은? (다툼이 있는 경우 판례에 의함)

> □□□ ㉠ 「도시 및 주거환경정비법」에 따른 주택재건축사업조합의 설립인가
> □□□ ㉡ 출입국관리법에 따른 체류자격 변경허가
> □□□ ㉢ 도로법에 따른 도로점용허가
> □□□ ㉣ 국적법에 따른 귀화허가

① ㉠(○) ㉡(○) ㉢(○) ㉣(○)
② ㉠(×) ㉡(×) ㉢(○) ㉣(○)
③ ㉠(○) ㉡(×) ㉢(×) ㉣(×)
④ ㉠(○) ㉡(○) ㉢(○) ㉣(×)

관련기출

㉢
1. 도로법상 도로점용허가는 특정인에게 일정한 내용의 공물사용권을 설정하는 설권행위로서 공물관리자가 신청인의 적격성, 사용목적 및 공익상의 영향 등을 참작하여 허가를 할 것인지의 여부를 결정하는 재량행위이다. (○, ×) 2014 국가직 7급

1. ○

① ㉠㉡㉢㉣ 모두 강학상 특허에 해당한다.

㉠ ○

> 「도시 및 주거환경정비법」 등 관련법령에 근거하여 행하는 조합설립인가처분은 단순히 사인들의 조합설립행위에 대한 보충행위로서의 성질을 갖는 것에 그치는 것이 아니라 법령상 요건을 갖출 경우 「도시 및 주거환경정비법」상 주택재건축사업을 시행할 수 있는 권한을 갖는 행정주체(공법인)로서의 지위를 부여하는 일종의 설권적 처분의 성격을 갖는다(대판 2009. 9. 24, 2008다60568).

㉡ ○
출입국관리법상 체류자격 변경허가는 설권적 처분(특허)의 성격을 가진다는 것이 판례의 입장이다(대판 2016. 7. 14, 2015두48846).

㉢ ○

> 도로법 제40조 제1항에 의한 도로점용허가는 설권행위(편저자 주 : 특허)로서 재량행위이다.
> 도로점용의 허가는 특정인에게 일정한 내용의 공물사용권을 설정하는 설권행위로서, 공물관리자가 신청인의 적격성, 사용목적 및 공익상의 영향 등을 참작하여 허가를 할 것인지의 여부를 결정하는 재량행위이다(대판 2002. 10. 25, 2002두5795).

㉣ ○
귀화허가는 특허라는 것이 판례의 입장이다(대판 2010. 7. 15, 2009두19069).

정답 13 ④ 14 ①

15 정답률 80% 중 2018 서울시 9급

행정행위와 이에 대한 분류 또는 설명으로 가장 옳지 않은 것은?

□□□ ① 한의사면허 : 진료행위를 할 수 있는 능력을 설정하는 설권행위

□□□ ② 행정재산에 대한 사용허가 : 특정인에게 행정재산을 사용할 권리를 설정하여 주는 행위

□□□ ③ 재개발조합설립에 대한 인가 : 공법인의 지위를 부여하는 설권적 처분

□□□ ④ 재개발조합의 사업시행계획 인가 : 조합의 행위에 대한 보충행위

① ×

'한의사면허'는 학문상 허가에 해당한다. 따라서 진료행위를 할 수 있는 능력을 설정하는 설권행위, 즉 특허가 아니라 일반적 금지를 해제하여 자연적 자유를 회복시켜 주는 행위에 해당한다.

> 한의사면허는 경찰금지를 해제하는 명령적 행위(강학상 허가)에 해당한다(대판 1998. 3. 10, 97누4289).

② ○

> 공유재산의 관리청이 행하는 행정재산의 사용 · 수익에 대한 허가는 순전히 사경제주체로서 행하는 사법상의 행위가 아니라 관리청이 공권력을 가진 우월적 지위에서 행하는 행정처분으로서 특정인에게 행정재산을 사용할 수 있는 권리를 설정하여 주는 강학상 특허에 해당한다(대판 1998. 2. 27, 97누1105).

③ ○

「도시 및 주거환경정비법」 등 관련법령에 근거하여 행하는 조합설립인가처분은 학문상 인가가 아니라 특허에 해당한다는 것이 판례의 입장이다(대판 2009. 9. 24, 2008다60568).

④ ○

「도시 및 주거환경정비법」 등 관련법령에 근거하여 행하는 조합설립인가와 달리 도시환경정비사업조합이 수립한 사업시행계획의 인가, 관리처분계획에 대한 인가는 학문상 인가에 해당한다. 구별하기 바란다.

> 도시환경정비사업조합이 수립한 사업시행계획을 인가하는 행정청의 행위의 법적 성질은 인가이다.
>
> 구 「도시 및 주거환경정비법」에 기초하여 도시환경정비사업조합이 수립한 사업시행계획은 그것이 인가 · 고시를 통해 확정되면 이해관계인에 대한 구속적 행정계획으로서 독립된 행정처분에 해당하므로, 사업시행계획을 인가하는 행정청의 행위는 도시환경정비사업조합의 사업시행계획에 대한 법률상의 효력을 완성시키는 보충행위에 해당한다(대판 2010. 12. 9, 2010두1248).

정답 15 ①

16 빈출 ⓢ

2017 사회복지직 9급

다음 <보기> 중 강학상 특허인 것을 모두 고른 것은? (단, 다툼이 있는 경우 판례에 의함)

보기
- □□□ ㉠ 공유수면매립면허
- □□□ ㉡ 재건축조합설립인가
- □□□ ㉢ 운전면허
- □□□ ㉣ 「여객자동차 운수사업법」에 따른 개인택시운송사업면허
- □□□ ㉤ 귀화허가
- □□□ ㉥ 재단법인의 정관변경허가
- □□□ ㉦ 사립학교 법인임원취임에 대한 승인

① ㉠, ㉢　② ㉡, ㉣, ㉦
③ ㉠, ㉡, ㉤, ㉥　④ ㉠, ㉡, ㉣, ㉤

관련기출

㉠
1. 공유수면매립법에 따른 공유수면매립면허는 강학상 허가의 성질을 가진다. (○, ×) 2014 사회복지직 9급
2. 공유수면매립면허는 설권행위인 특허의 성질을 갖는 것이므로 원칙적으로 행정청의 자유재량에 속한다. (○, ×) 2013 지방직(하) 7급

1. × 2. ○

④ ㉠㉡㉣㉤은 '특허', ㉢은 '허가', ㉥㉦은 '인가'에 해당한다.

㉠ 빈출 ○

공유수면매립면허는 특허로서 재량행위이다(대판 1989. 9. 12, 88누9206).

㉡ ○

「도시 및 주거환경정비법」 등 관련법령에 근거하여 행하는 조합설립인가처분은 행정주체(공법인)로서의 지위를 부여하는 일종의 설권적 처분(특허)의 성격을 갖는다는 것이 판례의 입장이다(대판 2009. 9. 24, 2008다60568).

㉢ ×

허가란 질서유지 · 위험예방 등을 위해 법률로써 개인의 자유를 일반적 · 잠정적으로 제한한 후 행정청이 일정한 요건이 구비된 경우에 그 제한을 해제하여 본래의 자유를 회복시켜 주는 행정행위를 말한다. 허가의 예로는 식품위생법상 일반음식점 영업허가, 건축허가, 주류판매업 면허, 기부금품모집허가, 운전면허 등이 있다.

㉣ ○

개인택시운송사업면허는 특허로서 특별한 규정이 없는 한 재량행위이다(대판 1995. 7. 14, 94누14841 ; 대판 1995. 11. 10, 95누8461 ; 대판 1996. 10. 11, 96누6172).

㉤ ○

특허는 특정인에 대하여 새로운 권리 · 능력 또는 포괄적 법률관계를 설정하는 행위로서 자연적 자유를 회복시키는 허가와 구별되는바, 이러한 이유로 특허를 설권행위라고 부르기도 한다. 특허의 예로는 공무원의 임용, 귀화허가 등이 있다.

㉥ ×

민법상 재단법인(사회복지법인 등) 정관변경허가는 강학상 인가에 해당한다(대판 1996. 5. 16, 95누4810).

㉦ ×

학교법인의 이사장 · 이사 · 감사 등에 대한 관할청의 임원취임승인행위는 보충적 법률행위(인가)이다.

사립학교법 제20조 제1 · 2항은 학교법인의 이사장 · 이사 · 감사 등의 임원은 이사회의 선임을 거쳐 관할청의 승인을 받아 취임하도록 규정하고 있는바, 관할청의 임원취임승인행위는 학교법인의 임원선임행위의 법률상 효력을 완성케 하는 보충적 법률행위라 할 것이다(대판 2007. 12. 27, 2005두9651).

정답 16 ④

17 상 2012 경행특채

법률행위적 행정행위에 관한 다음 설명 중 가장 적절한 것은? (다툼이 있는 경우 판례에 의함)

□□□ ① 특정인을 위해 권리능력 또는 포괄적 법률관계 기타 법상의 힘을 설정 · 변경 · 소멸시키는 행정행위를 특허라 하며, 이러한 특허에는 「여객자동차 운수사업법」에 의한 개인택시면허를 들 수 있다.

□□□ ② 타인의 법률적 행위를 보충하여 그 법률적 효력을 완성시켜 주는 행정행위를 인가라 하며, 인가의 예로는 공유수면매립법상의 공유수면매립면허가 이에 해당한다.

□□□ ③ 다툼의 여지가 있는 일정한 사실이나 법률관계가 존재하는 것인가 아닌가 또는 정당한 것인가 아닌가를 공적으로 판단하여 확정하는 행정행위를 공증이라 하며, 공증의 예로는 토지대장에의 등재가 이에 해당한다.

□□□ ④ 타인의 행위를 유효한 행위로 받아들이는 행정행위를 수리라 하며, 이러한 수리 중 '체육시설업자 등이 제출한 회원모집계획서에 대한 시 · 도지사의 검토결과 통보'의 경우 대법원은 법적 효과를 발생하지 아니하는 수리행위로서 처분성이 인정되지 않는다고 보았다.

① ○
특허의 개념에 관한 설명이며, 개인택시면허는 특허에 해당한다. 운전면허가 허가인 것과 구별할 것을 요한다.

② ×
공유수면매립법상의 공유수면매립면허는 강학상의 특허에 해당한다.

③ ×
다툼의 여지가 있는 일정한 사실이나 법률관계의 존재 여부 등을 공적으로 판단하여 확정하는 행위는 준법률행위적 행정행위 중에서 확인에 해당한다.

④ ×
행정처분에 해당한다고 보았다.

> 체육시설의 회원을 모집하고자 하는 자의 시 · 도지사 등에 대한 회원모집계획서 제출은 수리를 요하는 신고에서의 신고에 해당하며, 시 · 도지사 등의 검토결과 통보는 수리행위로서 행정처분에 해당한다(대판 2009. 2. 26, 2006두16243).

정답 17 ①

5 인가

18 정답률 65% 상 2023 소방직 9급

「도시 및 주거환경정비법」에 관한 설명으로 옳지 않은 것은? (다툼이 있는 경우 판례에 의함)

① 조합설립인가처분은 단순히 사인들의 조합설립행위에 대한 보충행위로서의 성질을 갖는 것에 그치지 않는다.

② 사업시행계획이 무효인 경우 그에 대한 인가처분이 있다고 하더라도 사업시행계획이 유효한 것으로 될 수 없다.

③ 관리처분계획에 대하여 인가·고시가 있는 경우에 총회결의의 하자를 이유로 그 효력 유무를 다투는 확인의 소를 제기하는 것은 특별한 사정이 없는 한 허용된다.

④ 조합원 지위를 상실한 토지 등 소유자는 주택재개발사업에 대한 사업시행계획에 당연무효의 하자가 있는 경우, 사업시행계획의 무효확인 또는 취소를 구할 법률상 이익이 있다.

관련기출

③

1. 주택재개발정비사업을 위한 관리처분계획이 조합원 총회에서 승인되었으나 아직 관할행정청의 인가 전이라면 조합원은 해당 총회결의에 대해서 당사자소송으로 다툴 수 있다. (○, ×) 2020 국회직 8급
2. 「도시 및 주거환경정비법」상 주택재건축정비사업조합을 상대로 관리처분계획안에 대한 조합총회결의의 효력 등을 다투는 소송은 행정소송법상 당사자소송에 해당한다. (○, ×) 2019 국가직 9급, 2016 국가직 7급
3. 「도시 및 주거환경정비법」상 관리처분계획에 대한 인가는 강학상 인가의 성격을 갖고 있으므로 관리처분계획에 대한 인가가 있더라도 관리처분계획안에 대한 총회결의에 하자가 있다면 민사소송으로 총회결의의 하자를 다투어야 한다. (○, ×) 2020 지방직·서울시 9급
4. 「도시 및 주거환경정비법」상 주택재건축정비사업조합을 상대로 관리처분계획안에 대한 조합총회결의의 효력 등을 다투는 소송은 관리처분계획의 인가·고시가 있은 이후라도 특별한 사정이 없는 한 허용되어야 한다. (○, ×) 2019 지방직 7급

1. ○ 2. ○ 3. × 4. ×

① ○

조합설립인가처분은 단순히 사인들의 조합설립행위에 대한 보충행위로서의 성질을 갖는 것에 그치는 것이 아니라 법령상 요건을 갖출 경우 「도시 및 주거환경정비법」상 주택재건축사업을 시행할 수 있는 권한을 갖는 행정주체(공법인)로서의 지위를 부여하는 일종의 설권적 처분의 성격을 갖는다는 것이 판례의 입장이다(대판 2009. 9. 24, 2008다60568).

② ○

기본행위가 성립하지 않거나 무효인 경우에 인가를 받더라도 기본행위가 유효로 되는 것은 아니며 인가 역시 무효로 된다. 즉, 인가는 기본행위의 하자를 치유하지 않는다.

> 기본행위인 사업시행계획이 무효인 경우 그에 대한 인가처분이 있다고 하더라도 그 기본행위인 사업시행계획이 유효한 것으로 될 수 없으며, 기본행위가 적법·유효하고 보충행위인 인가처분 자체에만 하자가 있다면 그 인가처분의 무효나 취소를 주장할 수 있다고 할 것이지만, 인가처분에 하자가 없다면 기본행위에 하자가 있다고 하더라도 따로 그 기본행위의 하자를 다투는 것은 별론으로 하고 기본행위의 무효를 내세워 바로 그에 대한 인가처분의 취소 또는 무효확인을 구할 수 없다(대판 2014. 2. 27, 2011두25173).

③ **빈출** ×

관할행정청의 관리처분계획인가는 사업시행자의 관리처분계획의 효력을 완성시키는 보충행위로서 강학상 인가에 해당한다. 한편, 관리처분계획안에 대한 총회결의에 하자가 있는 경우 ⅰ) 관할행정청의 인가·고시가 있기 전이라면 조합을 상대로 당사자소송으로 총회결의무효확인의 소를 제기해야 하며 ⅱ) 관리처분계획에 대한 관할행정청의 인가·고시가 있은 이후에는 조합을 상대로 항고소송으로 관리처분계획의 취소 또는 무효확인의 소를 제기해야 한다는 것이 판례의 입장이다.

> 1. 「도시 및 주거환경정비법」상의 주택재건축정비사업조합을 상대로 관리처분계획안에 대한 조합총회결의의 효력을 다투는 소송의 법적 성질은 행정소송법상 당사자소송이다.
> 2. 「도시 및 주거환경정비법」상의 주택재건축정비사업조합이 같은 법 제48조에 따라 수립한 관리처분계획에 대하여 관할행정청의 인가·고시가 있은 후에는 행정처분의 효력을 다투는 항고소송의 방법으로 관리처분계획의 취소 또는 무효확인을 구하여야 하고, 그 관리처분계획안에 대한 총회결의의 무효확인을 구할 수는 없다(대판 2009. 9. 17, 2007다2428 전합).

④ ○

> 주택재개발사업에 대한 사업시행계획에 당연무효인 하자가 있는 경우에는 재개발사업조합은 사업시행계획을 새로이 수립하여 관할관청에게서 인가를 받은 후 다시 분양신청을 받아 관리처분계획을 수립하여야 한다. 따라서 분양신청기간 내에 분양신청을 하지 않거나 분양신청을 철회함으로 인해 구 도시정비법 제47조 및 조합 정관 규정에 의하여 조합원의 지위를 상실한 토지 등 소유자도 그때 분양신청을 함으로써 건축물 등을 분양받을 수 있으므로 사업시행계획의 무효확인 또는 취소를 구할 법률상 이익이 있다(대판 2014. 2. 27, 2011두251732).

정답 18 ③

19 정답률 48% 상 2022 지방직 7급

「도시 및 주거환경정비법」상 행정처분에 대한 판례의 입장으로 옳지 않은 것은?

□□□ ① 주택재개발조합설립추진위원회 구성승인처분은 조합의 설립을 위한 주체인 주택재개발조합설립추진위원회의 구성행위를 보충하여 그 효력을 부여하는 처분이다.

□□□ ② 주택재건축조합설립인가처분은 법령상 요건을 갖출 경우 주택재건축사업을 시행할 수 있는 권한을 갖는 행정주체로서의 지위를 부여하는 일종의 설권적 처분의 성격을 갖는다.

□□□ ③ 주택재건축조합의 정관변경에 대한 시장 · 군수 등의 인가는 그 대상이 되는 기본행위를 보충하여 법률상 효력을 완성시키는 행위로서 시장 · 군수 등이 변경된 정관을 인가하면 정관변경의 효력이 총회의 의결이 있었던 때로 소급하여 발생한다.

□□□ ④ 토지 등 소유자들이 도시환경정비사업을 위한 조합을 따로 설립하지 아니하고 직접 그 사업을 시행하고자 하는 경우, 사업시행계획인가처분은 일종의 설권적 처분의 성격을 가지므로 토지 등 소유자들이 작성한 사업시행계획은 독립된 행정처분이 아니다.

① ○

'조합설립추진위원회' 구성승인처분은 조합의 설립을 위한 주체인 추진위원회의 구성행위를 보충하여 그 효력을 부여하는 처분(인가)이라는 것이 판례의 입장이다(대판 2013. 1. 31, 2011두11112).

② ○

조합설립인가처분은 단순히 사인들의 조합설립행위에 대한 보충행위로서의 성질을 갖는 것에 그치는 것이 아니라 법령상 요건을 갖출 경우 「도시 및 주거환경정비법」상 주택재건축사업을 시행할 수 있는 권한을 갖는 행정주체(공법인)로서의 지위를 부여하는 일종의 설권적 처분의 성격을 갖는다는 것이 판례의 입장이다(대판 2009. 9. 24, 2008다60568).

③ ×

> 구 「도시 및 주거환경정비법」 제20조 제3항은 조합이 정관을 변경하고자 하는 경우에는 총회를 개최하여 조합원 과반수 또는 3분의 2 이상의 동의를 얻어 시장 · 군수의 인가를 받도록 규정하고 있다. 여기서 시장 등의 인가는 그 대상이 되는 기본행위를 보충하여 법률상 효력을 완성시키는 행위로서 이러한 인가를 받지 못한 경우 변경된 정관은 효력이 없고, 시장 등이 변경된 정관을 인가하더라도 정관변경의 효력이 총회의 의결이 있었던 때로 소급하여 발생한다고 할 수 없다(대판 2014. 7. 10, 2013도11532).

④ ○

> 1. 토지 등 소유자들이 그 사업을 위한 조합을 따로 설립하지 않고 직접 시행하는 도시환경정비사업에서 사업시행인가처분은 단순히 사업시행계획에 대한 보충행위로서의 성질을 가지는 것이 아니라 구 도시정비법상 정비사업을 시행할 수 있는 권한을 가지는 행정주체로서의 지위를 부여하는 일종의 설권적 처분의 성격을 가진다.
> 2. 조합을 따로 설립하지 아니하고 도시환경정비사업을 직접 시행하려는 토지 등 소유자들은 시장 · 군수로부터 사업시행인가를 받기 전에는 행정주체로서의 지위를 가지지 못한다. 따라서 그가 작성한 사업시행계획은 인가처분의 요건 중 하나에 불과하고 항고소송의 대상이 되는 독립된 행정처분에 해당하지 아니한다고 할 것이다(대판 2013. 6. 13, 2011두19994).

정답 19 ③

20 정답률 83% 중 2021 국가직 7급

강학상 인가에 대한 설명으로 옳지 않은 것은? (다툼이 있는 경우 판례에 의함)

□□□ ① 인가는 당사자의 법률적 행위를 보충하여 그 법률적 효력을 완성시키는 행정주체의 보충적 의사표시로서의 법률행위적 행정행위이다.

□□□ ② 재단법인의 정관변경결의가 적법 · 유효하고 보충행위인 인가처분 자체에만 하자가 있다면 그 인가처분의 무효나 취소를 주장할 수 있다.

□□□ ③ 재단법인의 정관변경결의에 하자가 있더라도, 그에 대한 인가가 있었다면 기본행위인 정관변경결의는 유효한 것으로 된다.

□□□ ④ 재단법인의 임원취임이 사법인인 재단법인의 정관에 근거하였다 할지라도 재단법인의 임원취임승인신청에 대하여 주무관청이 그 신청을 당연히 승인하여야 하는 것은 아니다.

관련기출

④

1. 재단법인의 임원취임을 인가 또는 거부할 것인지 여부는 주무관청의 권한에 속하는 사항이라고 할 것이고, 재단법인의 임원취임승인신청에 대하여 주무관청이 이에 기속되어 이를 당연히 승인(인가)하여야 하는 것은 아니다. (○, ×) 2020 국가직 9급
2. 재단법인의 임원취임이 재단법인의 정관에 근거한다 할지라도 이에 대해 주무관청이 당연히 인가하여야 하는 것은 아니며 인가 여부를 재량으로 결정할 수 있다. (○, ×) 2019 서울시 1회 7급

1. ○ 2. ○

① ○

통설적 견해에 따르면, 법률행위적 행정행위를 명령적 행정행위와 형성적 행정행위로 구분한다. 이 중 명령적 행정행위에는 하명, 허가, 면제가 포함되고, 형성적 행정행위에는 특허, 대리, 인가가 포함된다. 인가란 제3자의 법률적 행위를 보충하여 그 법률상의 효과를 완성시키는 행정행위를 말하며, 이런 점에서 보충행위라고도 한다.

② ○

③ ×

> 인가는 기본행위인 재단법인의 정관변경에 대한 법률상의 효력을 완성시키는 보충행위로서, 그 기본이 되는 정관변경결의에 하자가 있을 때에는 그에 대한 인가가 있었다 하여도 기본행위인 정관변경결의가 유효한 것으로 될 수 없으므로(③) 기본행위인 정관변경결의가 적법 · 유효하고 보충행위인 인가처분 자체에만 하자가 있다면 그 인가처분의 무효나 취소를 주장할 수 있지만(②), 인가처분에 하자가 없다면 기본행위인 정관변경결의에 하자가 있는 경우 기본행위를 다투는 것은 별론으로 하고 기본행위의 무효를 내세워 인가처분의 취소 또는 무효확인을 구할 법률상 이익은 없다(대판 1996. 5. 16, 95누4810 전합).

④ **빈출** ○

재단법인임원취임승인은 재량행위에 해당한다.

> 재단법인의 임원취임이 사법인인 재단법인의 정관에 근거한다 할지라도 이에 대한 행정청의 승인(인가)행위는 법인에 대한 주무관청의 감독권에 연유하는 이상 그 인가행위 또는 인가거부행위는 공법상의 행정처분으로서, 그 임원취임을 인가 또는 거부할 것인지 여부는 주무관청의 권한에 속하는 사항이라고 할 것이고, 재단법인의 임원취임승인신청에 대하여 주무관청이 이에 기속되어 이를 당연히 승인(인가)하여야 하는 것은 아니다(대판 2000. 1. 28, 98두16996).

정답 20 ③

21 정답률 69% 중 2020 국가직 9급

인가에 대한 설명으로 옳지 않은 것은? (다툼이 있는 경우 판례에 의함)

① 공유수면매립면허의 공동명의자 사이의 면허로 인한 권리·의무양도약정은 면허관청의 인가를 받지 않은 이상 법률상 아무런 효력도 발생할 수 없다.

② 재단법인의 임원취임을 인가 또는 거부할 것인지 여부는 주무관청의 권한에 속하는 사항이라고 할 것이고, 재단법인의 임원취임승인신청에 대하여 주무관청이 이에 기속되어 이를 당연히 승인(인가)하여야 하는 것은 아니다.

③ 인가처분에 하자가 없다면 기본행위에 하자가 있다 하더라도 따로 그 기본행위의 하자를 다투는 것은 별론으로 하고 기본행위의 무효를 내세워 바로 그에 대한 행정청의 인가처분의 취소 또는 무효확인을 소구할 법률상의 이익이 없다.

④ 공익법인의 기본재산 처분에 대한 허가의 법률적 성질이 형성적 행정행위로서의 인가에 해당하므로, 그 허가에 조건으로서의 부관의 부과가 허용되지 아니한다.

① ○

공유수면매립면허로 인한 권리·의무양도약정은 면허관청의 인가를 받지 않은 이상 법률상 아무런 효력도 발생할 수 없다는 것이 판례의 입장이다(대판 1991. 6. 25, 90누5184).

② ○

재단법인의 임원취임이 사법인인 재단법인의 정관에 근거한다 할지라도 이에 대한 행정청의 승인(인가)행위는 법인에 대한 주무관청의 감독권에 연유하는 이상 그 인가행위 또는 인가거부행위는 공법상의 행정처분으로서, 그 임원취임을 인가 또는 거부할 것인지 여부는 주무관청의 권한에 속하는 사항이라고 할 것이고, 재단법인의 임원취임승인신청에 대하여 주무관청이 이에 기속되어 이를 당연히 승인(인가)하여야 하는 것은 아니다(대판 2000. 1. 28, 98두16996).

③ ○

인가의 보충성에 비추어 기본행위에 하자가 있는 경우 기본행위를 다투어야 하며 기본행위의 하자를 이유로 인가처분을 다툴 수는 없다는 것이 통설 및 판례의 입장이다.

기본행위인 정관변경결의에 하자가 있는 경우 기본행위를 다투는 것은 별론으로 하고 기본행위의 무효를 내세워 인가처분의 취소 또는 무효확인을 구할 법률상 이익은 없다(대판 1996. 5. 16, 95누4810).

④ ×

공익법인의 기본재산처분허가는 인가로서 이러한 경우에도 부관을 붙일 수 있다.

공익법인의 기본재산의 처분에 관한 「공익법인의 설립·운영에 관한 법률」 제11조 제3항의 규정은 강행규정으로서 이에 위반하여 주무관청의 허가를 받지 않고 기본재산을 처분하는 것은 무효라 할 것인 데, 위 처분허가에 부관을 붙인 경우 그 처분허가의 법률적 성질이 형성적 행정행위로서의 인가에 해당한다고 하여 조건으로서의 부관의 부과가 허용되지 아니한다고 볼 수는 없고, 다만 구체적인 경우에 그것이 조건, 기한, 부담, 철회권의 유보 중 어느 종류의 부관에 해당하는지는 당해 부관의 내용, 경위 기타 제반 사정을 종합하여 판단하여야 할 것이다(대판 2005. 9. 28, 2004다50044).

정답 21 ④

22 정답률 79% 중 2017 서울시 7급

인가에 대한 다음 설명 중 옳지 않은 것은? (다툼이 있는 경우 판례에 의함)

□□□ ① 조합설립추진위원회 구성승인처분은 조합의 설립을 위한 주체인 추진위원회의 구성행위를 보충하여 그 효력을 부여하는 처분으로 인가에 해당한다.

□□□ ② 주택재건축조합설립 인가 후 주택재건축조합설립결의의 하자를 이유로 조합설립인가처분의 무효확인을 구하기 위해서는 직접 항고소송의 방법으로 확인을 구할 수 없으며, 조합설립결의부분에 대한 효력 유무를 민사소송으로 다툰 후 인가의 무효확인을 구해야 한다.

□□□ ③ 도시 및 주거환경정비법령상 조합설립인가처분은 법령상 요건을 갖출 경우 「도시 및 주거환경정비법」상 주택재건축사업을 시행할 수 있는 권한을 갖는 행정주체로서의 지위를 부여하는 설권적 처분의 효력을 갖는다.

□□□ ④ 사립학교법상 관할관청의 임원취임승인행위는 학교법인의 임원선임행위의 법률상 효력을 완성하게 하는 법률행위로 인가에 해당한다.

① ○
'조합설립추진위원회' 구성승인처분은 조합의 설립을 위한 주체인 추진위원회의 구성행위를 보충하여 그 효력을 부여하는 처분(인가)이라는 것이 판례의 입장이다(대판 2013. 1. 31, 2011두11112).

② ×

> 1. 행정청의 조합설립인가처분이 있은 후에 조합설립결의에 하자가 있음을 이유로 소송을 제기하는 경우라면 조합설립인가처분에 대한 항고소송을 제기하여야 한다.
> 2. 조합설립인가처분이 있은 후에 조합설립결의의 하자를 이유로 그 결의부분만을 따로 떼어내어 무효등확인의 소를 제기하는 것은 허용될 수 없다(대판 2009. 9. 24, 2008다60568).

③ ○

> 「도시 및 주거환경정비법」 등 관련법령에 근거하여 행하는 조합설립인가처분은 법령상 요건을 갖출 경우 「도시 및 주거환경정비법」상 주택재건축사업을 시행할 수 있는 권한을 갖는 행정주체(공법인)로서의 지위를 부여하는 일종의 설권적 처분의 성격을 갖는다(대판 2009. 9. 24, 2008다60568).

④ ○
사립학교법 제20조 제1 · 2항은 학교법인의 이사장 · 이사 · 감사 등의 임원은 이사회의 선임을 거쳐 관할청의 승인을 받아 취임하도록 규정하고 있는바, 관할청의 임원취임승인행위는 학교법인의 임원선임행위의 법률상 효력을 완성케 하는 보충적 법률행위라는 것이 판례의 입장이다(대판 2007. 12. 27, 2005두9651).

23 정답률 60% 중 2016 지방직 9급

다음 중 강학상 인가에 해당하는 것을 모두 고른 것은? (다툼이 있는 경우 판례에 의함)

□□□ ㉠ 재단법인 정관변경허가
□□□ ㉡ 주택재건축정비사업조합 설립인가
□□□ ㉢ 건축물 준공검사처분
□□□ ㉣ 주택재건축정비사업조합의 사업시행인가

① ㉠, ㉡ ② ㉠, ㉣
③ ㉡, ㉣ ④ ㉢, ㉣

② ㉠㉣이 강학상 인가에 해당한다.

㉠ ○
민법상 재단법인(사회복지법인 등) 정관변경허가는 강학상 인가에 해당한다는 것이 판례의 입장이다(대판 1996. 5. 16, 95누4810).

㉡ ×
「도시 및 주거환경정비법」 등 관련법령에 근거하여 행하는 조합설립인가처분은 단순히 사인들의 조합설립행위에 대한 보충행위로서의 성질을 갖는 것에 그치는 것이 아니라 법령상 요건을 갖출 경우 「도시 및 주거환경정비법」상 주택재건축사업을 시행할 수 있는 권한을 갖는 행정주체(공법인)로서의 지위를 부여하는 일종의 설권적 처분(특허)의 성격을 갖는다는 것이 판례의 입장이다(대판 2009. 9. 24, 2008다60568).

㉢ ×

> 준공검사처분은 확인의 성격을 가진다.
> 준공검사처분은 건축허가를 받아 건축한 건물이 건축허가사항대로 건축행정목적에 적합한가의 여부를 확인하고, 준공검사필증을 교부하여 줌으로써 허가받은 자로 하여금 건축한 건물을 사용 · 수익할 수 있게 하는 법률효과를 발생시키는 것이므로 허가관청은 특단의 사정이 없는 한 건축허가내용대로 완공된 건축물의 준공을 거부할 수 없다(대판 1992. 4. 10, 91누5358).

㉣ ○
조합설립인가와 조합이 수립한 사업시행계획에 대한 인가를 구별하기 바란다. 전자는 특허이나 후자는 인가이다.

> 도시환경정비사업조합이 수립한 사업시행계획을 인가하는 행정청의 행위의 법적 성질은 인가이다.
> 구 「도시 및 주거환경정비법」에 기초하여 도시환경정비사업조합이 수립한 사업시행계획은 그것이 인가 · 고시를 통해 확정되면 이해관계인에 대한 구속적 행정계획으로서 독립된 행정처분에 해당하므로, 사업시행계획을 인가하는 행정청의 행위는 도시환경정비사업조합의 사업시행계획에 대한 법률상의 효력을 완성시키는 보충행위에 해당한다(대판 2008. 1. 10, 2007두16691).

관련기출

㉢
1. 건축물에 대한 준공검사처분은 허가의 성격을 지닌다. (○, ×)
2011 사회복지직 9급

1. ×

정답 22 ② 23 ②

02 준법률행위적 행정행위 기 273~279쪽 핵 T 27

대표

24 **빈출** 정답률 77% 중 2019 지방직 7급

판례의 입장으로 옳지 않은 것은?

□□□ ① 건축허가관청은 특단의 사정이 없는 한 건축허가내용대로 완공된 건축물의 준공을 거부할 수 없다.

□□□ ② 지적공부 소관청이 토지대장을 직권으로 말소하는 행위는 항고소송의 대상이 되는 행정처분에 해당한다.

□□□ ③ 무허가건물을 무허가건물관리대장에서 삭제하는 행위는 다른 특별한 사정이 없는 한 항고소송의 대상이 되는 행정처분에 해당한다.

□□□ ④ 지목은 토지소유권을 제대로 행사하기 위한 전제요건이므로 지적공부 소관청의 지목변경신청 반려행위는 항고소송의 대상이 되는 행정처분에 해당한다.

관련기출

①

1. 건축물 준공검사처분은 강학상 인가에 해당한다. (○, ×) 2016 지방직 9급

1. ×

③

1. 무허가건물을 무허가건물관리대장에서 삭제하는 행위는 다른 특별한 사정이 없는 한 항고소송의 대상이 되는 행정처분에 해당한다. (○, ×) 2019 · 2012 · 2011 국회직 8급
2. 행정청이 무허가건물관리대장에서 무허가건물을 삭제하는 행위는 처분성이 인정되지 않는다. (○, ×) 2017 국가직 7급

1. × 2. ○

① ○

준공검사처분은 확인의 성격을 가진다.

준공검사처분은 건축허가를 받아 건축한 건물이 건축허가사항대로 건축 행정목적에 적합한가의 여부를 확인하고, 준공검사필증을 교부하여 줌으로써 허가받은 자로 하여금 건축한 건물을 사용 · 수익할 수 있게 하는 법률효과를 발생시키는 것이므로 허가관청은 특단의 사정이 없는 한 건축허가내용대로 완공된 건축물의 준공을 거부할 수 없다(대판 1992. 4. 10, 91누5358).

② ○

지적공부 소관청이 토지대장을 직권으로 말소한 행위는 항고소송의 대상이 되는 행정처분이다(대판 2013. 10. 24, 2011두13286).

③ **빈출** ×

무허가건물등재대장 삭제행위는 행정처분이 아니다.

무허가건물관리대장은, 행정관청이 지방자치단체의 조례 등에 근거하여 무허가건물 정비에 관한 행정상 사무처리의 편의와 사실증명의 자료로 삼기 위하여 작성 · 비치하는 대장으로서 무허가건물을 무허가건물관리대장에 등재하거나 등재된 내용을 변경 또는 삭제하는 행위로 인하여 당해 무허가건물에 대한 실체상의 권리관계에 변동을 가져오는 것이 아니다(대판 2009. 3. 12, 2008두11525).

④ ○

지적공부 소관청의 지목변경신청 반려행위는 항고소송의 대상이 되는 행정처분이다.

지목은 토지소유권을 제대로 행사하기 위한 전제요건으로서 토지소유자의 실체적 권리관계에 밀접하게 관련되어 있으므로 지적공부 소관청의 지목변경신청반려행위는 국민의 권리관계에 영향을 미치는 것으로서 항고소송의 대상이 되는 행정처분에 해당한다(대판 2004. 4. 22, 2003두9015).

정답 24 ③

25 빈출 정답률 60% 중 2019 서울시 2회 7급

준법률행위적 행정행위에 대한 설명으로 가장 옳지 않은 것은?

□□□ ① 토지대장상의 소유자명의변경신청을 거부하는 행위는 실체적 권리관계에 영향을 미치는 사항으로 행정처분이다.

□□□ ② 친일반민족행위자재산조사위원회의 친일재산 국가귀속결정은 문제된 재산이 친일재산에 해당한다는 사실을 확인하는 준법률행위적 행정행위이다.

□□□ ③ 국가공무원법에 근거하여 정년에 달한 공무원에게 발하는 정년퇴직발령은 정년퇴직 사실을 알리는 관념의 통지이다.

□□□ ④ 국세징수법에 의한 가산금과 중가산금의 납부독촉에 절차상 하자가 있는 경우 그 징수처분에 대하여 취소소송에 의한 불복이 가능하다.

관련기출

③

1. 정년에 달한 공무원에 대한 정년퇴직발령은 정년퇴직 사실을 알리는 이른바 관념의 통지에 불과하여 행정소송의 대상이 될 수 없다. (○, ×) 2018 교육행정직 9급
2. 국가공무원법상의 정년에 달한 공무원에게 발하는 정년퇴직발령은 관념의 통지에 불과하므로 행정소송의 대상이 아니다. (○, ×) 2012 서울시 9급

1. ○ 2. ○

① ×

행정청이 토지대장의 소유자명의변경신청을 거부한 행위는 항고소송의 대상이 되는 행정처분이 아니다.

토지대장에 기재된 일정한 사항을 변경하는 행위는, 그것이 지목의 변경이나 정정 등과 같이 토지소유권 행사의 전제요건으로서 토지소유자의 실체적 권리관계에 영향을 미치는 사항에 관한 것이 아닌 한 행정사무집행의 편의와 사실증명의 자료로 삼기 위한 것일 뿐이어서, 그 소유자 명의가 변경된다고 하여도 이로 인하여 당해 토지에 대한 실체상의 권리관계에 변동을 가져올 수 없고 토지 소유권이 지적공부의 기재만에 의하여 증명되는 것도 아니다. 따라서 소관청이 토지대장상의 소유자명의변경신청을 거부한 행위는 이를 항고소송의 대상이 되는 행정처분이라고 할 수 없다(대판 2012. 1. 12, 2010두12354)

② ○

「친일반민족행위자 재산의 국가귀속에 관한 특별법」에 따른 친일반민족행위자재산조사위원회의 친일재산 국가귀속결정은 당해 재산이 친일재산에 해당한다는 사실을 확인하는 준법률행위적 행정행위에 해당한다는 것이 판례의 입장이다(대판 2008. 11. 13, 2008두13491).

③ 빈출 ○

정년퇴직발령은 행정소송의 대상이 아니다(처분성 부정).

국가공무원법 제74조에 의하면 공무원이 소정의 정년에 달하면 그 사실에 대한 효과로서 공무담임권이 소멸되어 당연히 퇴직되고 따로 그에 대한 행정처분이 행하여져야 비로소 퇴직되는 것은 아니라 할 것이며 피고의 원고에 대한 정년퇴직발령은 정년퇴직 사실을 알리는 이른바 관념의 통지에 불과하므로 행정소송의 대상이 되지 아니한다(대판 1983. 2. 8, 81누263).

④ ○

구 국세징수법 제21조, 제22조(현 삭제) 소정의 가산금, 중가산금은 국세체납이 있는 경우에 위 법조에 따라 당연히 발생하고, 그 액수도 확정되는 것이기는 하나, 그에 관한 징수절차를 개시하려면 독촉장에 의하여 그 납부를 독촉함으로써 가능한 것이고 위 가산금 및 중가산금의 납부독촉이 부당하거나 그 절차에 하자가 있는 경우에는 그 징수처분에 대하여도 취소소송에 의한 불복이 가능하다(대판 1986. 10. 28, 86누147).

+ 편저자 주 : 이 판례는 구 국세징수법하의 판례이다. 2020년 1월 1일부터 국세징수법에 따른 가산금과 국세기본법에 따른 납부불성실가산세를 국세기본법상 납부지연가산세로 통합함에 따라 현행 국세징수법에는 가산금, 중가산금 규정이 없다.

정답 25 ①

26 중 2017 지방직(하) 9급

강학상 공증행위에 해당하는 것만을 고른 것은? (다툼이 있는 경우 판례에 의함)

□□□ ㉠ 행정심판의 재결
□□□ ㉡ 의료유사업자 자격증 갱신발급행위
□□□ ㉢ 상표사용권설정등록행위
□□□ ㉣ 건설업 면허증의 재교부
□□□ ㉤ 특허출원의 공고

① ㉠, ㉡, ㉢ ② ㉠, ㉣, ㉤
③ ㉡, ㉢, ㉣ ④ ㉡, ㉣, ㉤

③ ㉡㉢㉣ 공증, ㉠ 확인, ㉤ 통지

+ 준법률행위적 행정행위

구 분	개 념	종 류
확 인	특정한 사실 또는 법률관계의 존재 여부 또는 정당성 여부에 관해 의문이나 다툼이 있는 경우 행정청이 공적인 권위로서 행하는 판단의 표시행위	국가시험합격자의 결정, 당선인의 결정, 도로 · 하천구역의 결정, 발명의 특허, 교과서의 검정, 행정심판의 재결(㉠), 친일재산 국가귀속결정, 국가유공자등록결정, 장애등급결정, 민주화운동관련자 결정, 준공검사처분, 소득세부과를 위한 소득금액의 결정 등
공 증	(의문이나 다툼이 없는 것을 전제로) 특정한 사실 또는 법률관계의 존재를 공적으로 증명하는 인식 행위	의료유사업자 자격증 갱신발급행위(㉡), 상표사용권설정등록행위(㉢), 건설업 면허증의 교부 · 재교부(㉣), 당선증서 · 합격증서 등의 발급, 여권 발급 등
통 지	행정청이 특정인 또는 불특정 다수인에 대해 특정한 사실 또는 의사를 알리는 행위	특허출원의 공고(㉤), 귀화의 고시, 토지수용에 있어 사업인정고시, 대집행의 계고, 납세의 독촉 등
수 리	타인의 행정청에 대한 행위를 유효한 행위로서 수령하는 행위	사직원의 수리 등

27 정답률 80% 중 2017 국가직 7급

처분성이 인정되지 않는 것은? (다툼이 있는 경우 판례에 의함)

□□□ ① 행정청이 무허가건물관리대장에서 무허가건물을 삭제하는 행위
□□□ ② 지방경찰청장(현 시 · 도경찰청장)의 횡단보도설치행위
□□□ ③ 구청장의 건축물 착공신고 반려행위
□□□ ④ 행정청이 건축물대장의 용도변경신청을 거부한 행위

① ×
무허가건물등재대장 삭제행위는 행정처분이 아니라는 것이 판례의 입장이다(대판 2009. 3. 12, 2008두11525).

② ○
지방경찰청장(현 시 · 도경찰청장)이 횡단보도를 설치하여 보행자의 통행방법 등을 규제하는 것은, 행정청이 특정사항에 대하여 의무의 부담을 명하는 행위이고 이는 국민의 권리 · 의무에 직접 관계가 있는 행위로서 행정처분이라고 보아야 한다는 것이 판례의 입장이다(대판 2000. 10. 27, 98두8964).

③ ○
행정청의 건축물 착공신고 반려행위는 항고소송의 대상이 된다는 것이 판례의 입장이다(대판 2011. 6. 10, 2010두7321).

④ ○
행정청이 건축물대장의 용도변경신청을 거부한 행위는 행정처분에 해당한다는 것이 판례의 입장이다(대판 2009. 1. 30, 2007두7277).

정답 26 ③ 27 ①

28 중

2014 사회복지직 9급

준법률행위적 행정행위가 아닌 것은?

□□□ ① 발명특허
□□□ ② 교과서의 검정
□□□ ③ 도로구역의 결정
□□□ ④ 행려병자의 유류품처분

①②③은 모두 준법률행위적 행정행위인 확인에 해당한다.
④ 행려병자의 유류품처분은 법률행위적 행정행위 중 형성적 행위로서 대리에 해당한다. 그 밖에 대리의 예로는 감독청에 의한 정관작성 · 임원임명, 토지수용위원회의 재결, 조세체납처분으로서의 공매행위 등이 있다.

29 상

2009 관세사

행정행위의 효과가 행정청의 의사와 무관하게 직접 법규범에 의하여 발생하는 행정행위에 해당하지 않는 것은?

□□□ ① 재단법인의 정관변경인가
□□□ ② 조세 부과를 위한 소득금액의 결정
□□□ ③ 사직서의 수리
□□□ ④ 납세의 독촉
□□□ ⑤ 행정심판의 재결

행정행위의 효과가 행정청의 의사와 무관하게 직접 법규범에 의하여 발생하는 행정행위는 이른바 준법률행위적 행정행위에 해당한다. ②는 확인, ③은 수리, ④는 통지, ⑤는 확인으로서 준법률행위적 행정행위에 해당한다. 그러나 ①은 인가로서 법률행위적 행정행위 중 형성적 행위에 해당한다.

30 빈출 중

2009 국가직 9급

같은 성질의 행정행위끼리 연결되지 아니한 것은?

□□□ ① 어업면허 - 하천점용허가
□□□ ② 교과서의 검정 - 국가시험합격자 결정
□□□ ③ 발명의 특허 - 광업허가
□□□ ④ 귀화허가 - 공유수면매립면허

① 모두 특허, ② 모두 확인, ④ 모두 특허에 해당한다.
③ 발명특허는 확인에 해당되며, 광업허가는 특허에 해당한다.

정답 28 ④ 29 ① 30 ③

제 14 강 행정행위의 부관

1회독	2회독	3회독
/	/	/

⊘정답률 공단기/소방단기 합격예측 풀서비스 통계 데이터 기준 기 기본서 핵 핵심집약

01 행정행위의 부관 기 282~297쪽 핵 T 28

01 중 2023 군무원 7급

행정행위 부관과 확약에 관한 설명으로 옳은 것은? (다툼이 있는 경우 판례에 의함)

□□□ ① 지방국토관리청장이 공유수면매립준공인가처분 중에서 일부 공유수면매립지에 대하여 한 국가귀속처분은 법률상 효과의 일부를 배제하는 부관으로 독립하여 행정소송의 대상이 된다.

□□□ ② 확약의 취소행위로서 내인가취소는 본인가신청에 대한 거부처분으로 항고소송의 대상이 되는 처분이다.

□□□ ③ 법정부관에 대하여는 행정행위에 부관을 붙일 수 있는 한계에 관한 일반적인 원칙이 적용된다.

□□□ ④ 행정청의 확약 또는 공적인 의사표명 그 자체에서 처분의 발령을 신청하도록 유효기간을 두었을 경우 그 후에 사실적 · 법률적 상태가 변경되었더라도 직권취소나 철회로 효력이 소멸되고 당연히 실효되는 것은 아니다.

관련기출

①

1. 공유수면매립준공인가 중 매립지 일부에 대하여 한 국가귀속처분은 법률효과의 일부를 배제하는 부관에 해당하고, 이러한 부관에 대하여는 독립하여 행정소송의 대상으로 삼을 수 없다. (O, ×) 2022 소방간부
2. 지방국토관리청장이 일부 공유수면매립지를 국가 또는 지방자치단체에 귀속처분한 것은 법률효과의 일부를 배제하는 부관을 붙인 것이므로 이러한 행정행위의 부관은 독립하여 행정쟁송대상이 될 수 없다. (O, ×) 2020 지방직 · 서울시 9급
3. 지방국토관리청장이 일부 공유수면매립지에 대하여 한 국가 또는 직할시(현 광역시) 귀속처분은 법률효과의 일부배제에 해당하는 것으로 행정행위의 부관의 유형으로 볼 수 없다는 것이 판례의 태도이다. (O, ×) 2020 소방직 9급
4. (판례에 따르면) 법률효과의 일부배제는 행정행위의 내용상의 제한으로서, 행정행위와 독립하여 행정소송의 대상으로 삼을 수 없다. (O, ×) 2008 국가직 7급

1. O 2. O 3. × 4. ×

① 빈출 ×

매립지 일부에 대해 국가에 소유권을 귀속시킨 처분은 법률효과의 일부배제라는 부관을 붙인 것이다.

행정행위의 부관은 부담의 경우를 제외하고는 독립하여 행정소송의 대상이 될 수 없는 것인바, 지방 국토관리청장이 일부 공유수면매립지에 대하여 한 국가 또는 직할시 귀속처분은 매립준공인가를 함에 있어서 매립의 면허를 받은 자의 매립지에 대한 소유권취득을 규정한 공유수면매립법 제14조의 효과 일부를 배제하는 부관을 붙인 것이고, 이러한 행정행위의 부관은 위 법리와 같이 독립하여 행정소송 대상이 될 수 없다(대판 1993. 10. 8, 93누2032).

② 제18강 참조 ○

자동차운송사업양도 · 양수인가신청에 대하여 행정청이 내인가를 한 후 그 본인가신청이 있음에도 내인가를 취소한 경우 내인가취소는 행정처분이다.

위 내인가의 법적 성질이 행정행위의 일종으로 볼 수 있든 아니든 그것이 행정청의 상대방에 대한 의사표시임이 분명하고, 피고가 위 내인가를 취소함으로써 다시 본인가에 대하여 따로이 인가 여부의 처분을 한다는 사정이 보이지 않는다면 위 내인가취소를 인가신청을 거부하는 처분으로 보아야 할 것이다(대판 1991. 6. 28, 90누4402).

③ 빈출 ×

법정부관은 부관과는 구별되는 것이어서 부관의 한계에 관한 일반원칙이 적용되지 않는다.

고시에 정한 허가기준에 따라 보존음료수 제조업의 허가에 붙여진 전량 수출 또는 주한외국인에 대한 판매에 한한다는 내용의 조건은 이른바 법정부관으로서 행정청의 의사에 기하여 붙여지는 본래의 의미에서 행정행위의 부관은 아니므로, 이와 같은 법정부관에 대하여는 행정행위에 부관을 붙일 수 있는 한계에 관한 일반적인 원칙이 적용되지는 않는다(대판 1994. 3. 8, 92누1728).

④ 제18강 참조 ×

행정청의 확약 또는 공적인 의사표명이 있은 후 사실적 · 법률적 상태가 변경되었다면 확약은 행정청의 별다른 의사표시를 기다리지 않고 실효된다.

행정청이 상대방에게 장차 어떤 처분을 하겠다고 확약 또는 공적인 의사표명을 하였다고 하더라도, 그 자체에서 상대방으로 하여금 언제까지 처분의 발령을 신청하도록 유효기간을 두었는데도 그 기간 내에 상대방의 신청이 없었다거나 확약 또는 공적인 의사표명이 있은 후에 사실적 · 법률적 상태가 변경되었다면, 그와 같은 확약 또는 공적인 의사표명은 행정청의 별다른 의사표시를 기다리지 않고 실효된다(대판 1996. 8. 20, 95누10877).

정답 01 ②

02 중 2023 행정사 변형

행정행위의 부관에 관한 설명으로 옳지 않은 것은? (다툼이 있으면 판례에 따름)

□□□ ① 부담부 행정행위는 부담을 이행하여야 비로소 그 효력이 발생한다.

□□□ ② 부담을 불이행한 것만으로는 주된 행정행위의 효력이 곧바로 소멸하지는 않는다.

□□□ ③ 부담은 그 자체로서 행정쟁송의 대상이 될 수 있다.

□□□ ④ 행정청은 처분에 재량이 없는 경우에는 법률에 근거가 있는 경우에 부관을 붙일 수 있다.

□□□ ⑤ 어업면허처분 중 면허의 유효기간만 취소하여 달라는 소송을 제기하는 것은 허용될 수 없다.

관련기출

⑤

1. 어업면허처분을 함에 있어 그 면허의 유효기간을 1년으로 정한 경우, 그 유효기간만의 취소를 구하는 행정소송은 허용될 수 없다. (O, ×) 2022 소방간부

1. ○

① ×

부담부 행정행위는 부담의 이행여부와 관계없이 처음부터 효력이 발생한다.

② ○

상대방이 부담을 통해 부과된 의무를 불이행하는 경우, 해제조건이 성취되거나 종기가 도래한 경우와 달리 주된 행정행위의 효력이 당연히 소멸하는 것이 아니며 주된 행정행위의 철회사유가 될 뿐이다.

③ ○

> 부담은 독립하여 행정소송의 대상이 된다.
>
> 행정행위의 부관은 행정행위의 일반적인 효력이나 효과를 제한하기 위하여 의사표시의 주된 내용에 부가되는 종된 의사표시이지 그 자체로서 직접 법적 효과를 발생하는 독립된 처분이 아니므로 현행 행정쟁송제도 아래서는 부관 그 자체만을 독립된 쟁송의 대상으로 할 수 없는 것이 원칙이나 행정행위의 부관 중에서도 부담의 경우에는 다른 부관과는 달리 행정행위의 불가분적 요소가 아니고 그 존속의 본체인 행정행위의 존재를 전제로 하는 것일 뿐이므로, 부담 그 자체로서 행정쟁송의 대상이 될 수 있다(대판 1992. 1. 21, 91누1264).

④ ○

> **행정기본법 제17조【부관】** ① 행정청은 처분에 재량이 있는 경우에는 부관(조건, 기한, 부담, 철회권의 유보 등을 말한다. 이하 이 조에서 같다)을 붙일 수 있다.
> ② 행정청은 처분에 재량이 없는 경우에는 법률에 근거가 있는 경우에 부관을 붙일 수 있다.

⑤ ○

> 어업면허처분을 함에 있어 그 면허의 유효기간을 1년으로 정한 경우, 위 면허의 유효기간은 행정행위의 부관이라 할 것이고, 이러한 행정행위의 부관은 독립하여 행정소송의 대상이 될 수 없는 것이므로 위 어업면허처분 중 그 면허유효기간만의 취소를 구하는 청구는 허용될 수 없다(대판 1986. 8. 19, 86누202).

정답 02 ①

03 중 2023 소방간부

부관에 관한 설명으로 옳은 것은? (다툼이 있는 경우 판례에 의함)

① 부담은 행정청이 행정처분을 하면서 일방적으로 부가할 수도 있지만 부담을 부가하기 이전에 상대방과 협의하여 부담의 내용을 협약의 형식으로 미리 정한 다음 행정처분을 하면서 이를 부가할 수 있다.

② 주된 행정처분의 근거법령이 개정됨으로써 행정청이 더 이상 그 부담을 붙일 수 없게 되었다면 그 부담은 당연무효가 된다.

③ 재량행위에 대해서는 법령상 특별한 근거가 없는 한 부관을 붙일 수 없고 만약 부관을 붙였다고 할지라도 무효이다.

④ 행정처분에 부수하여 그 처분의 상대방에게 일정한 의무를 부과하는 부담은 주된 행정처분과 독립하여 그 자체만으로 행정쟁송의 대상이 될 수 없다.

⑤ 주택재건축사업시행의 인가는 행정청의 기속행위에 속하므로 처분청으로서는 공익상 필요 등에 의하여 필요한 범위 내에서 여러 조건(부담)을 부과할 수 없다.

관련기출

③

1. 기속행위 내지 기속적 재량행위에 해당하는 이사회소집승인행위에 붙인 부관은 무효이다. (○, ×) 2016 국가직 7급
2. 일반적으로 기속행위나 기속적 재량행위에는 부관을 붙일 수 없고, 부관을 붙였다 하더라도 이는 무효의 것이다. (○, ×) 2015 경행특채 2차
3. 재량행위나 기속재량행위에는 부관을 붙인다면 이는 무효이다. (○, ×) 2014 서울시 7급
4. 판례는 일반적으로 기속행위에는 부관을 붙일 수 없다는 입장이다. (○, ×) 2013 지방직(하) 7급
5. 대법원은 '일반적으로 기속행위나 기속적 재량행위에는 부관을 붙일 수 없고 가사 부관을 붙였다 하더라도 이는 취소의 것이다.'라고 판시하였다. (○, ×) 2010 경행특채

1. ○ 2. ○ 3. × 4. ○ 5. ×

⑤

1. 행정청은 수익적 행정처분으로서 재량행위인 주택재건축사업시행인가에 대하여 법령상의 제한에 근거한 것이 아니라 하더라도 공익상 필요 등에 의하여 필요한 범위 내에서 조건(부담)을 부과할 수 있다. (○, ×) 2018 지방직 7급

1. ○

① ○

부담은 행정청이 행정처분을 하면서 일방적으로 부가할 수도 있지만 부담을 부가하기 이전에 상대방과 협의하여 부담의 내용을 협약의 형식으로 미리 정한 다음 행정처분을 하면서 이를 부가할 수도 있다(대판 2009. 2. 12, 2005다65500).

② ×

행정청이 수익적 행정처분을 하면서 부가한 부담의 위법 여부는 처분 당시 법령을 기준으로 판단하여야 하고, 부담이 처분 당시 법령을 기준으로 적법하다면 처분 후 부담의 전제가 된 주된 행정처분의 근거법령이 개정됨으로써 행정청이 더 이상 부관을 붙일 수 없게 되었다 하더라도 곧바로 위법하게 되거나 그 효력이 소멸하게 되는 것은 아니다(대판 2009. 2. 12, 2005다65500).

③ **빈출** ×

지문은 기속행위에 대한 내용이다.

행정기본법 제17조【부관】 ① 행정청은 처분에 재량이 있는 경우에는 부관(조건, 기한, 부담, 철회권의 유보 등을 말한다. 이하 이 조에서 같다)을 붙일 수 있다.
② 행정청은 처분에 재량이 없는 경우에는 법률에 근거가 있는 경우에 부관을 붙일 수 있다.

기속행위에는 법적 근거가 없는 한 부관을 붙일 수 없고 만약 부관을 붙였다 할지라도 무효이다.

이사회소집승인에 있어서의 일시, 장소의 지정을 가리켜 소집승인행위의 부관으로 본다 하더라도, 일반적으로 기속행위에는 부관을 붙일 수 없는 것이고, 위 이사회소집승인행위가 기속행위에 해당함은 위에서 설시한 바에 비추어 분명하므로, 여기에는 부관을 붙이지 못한다 할 것이며, 가사 부관을 붙였다 하더라도 이는 무효의 것으로서 당초부터 부관이 붙지 아니한 소집승인행위가 있었던 것으로 보아야 할 것이다(대판 1988. 4. 27, 87누1106 ; 대판 1988. 4. 27, 87누1107).

④ ×

부담은 독립하여 행정소송의 대상이 된다는 것이 판례의 입장이다(대판 1992. 1. 21, 91누1264).

⑤ ×

주택재건축사업시행인가는 재량행위로서 이에 대하여 법령상의 제한에 근거하지 않더라도 조건(부담)을 부과할 수 있다.

주택재건축사업시행의 인가는 상대방에게 권리나 이익을 부여하는 효과를 가진 이른바 수익적 행정처분으로서 법령에 행정처분의 요건에 관하여 일의적으로 규정되어 있지 아니한 이상 행정청의 재량행위에 속하므로, 처분청으로서는 법령상의 제한에 근거한 것이 아니라 하더라도 공익상 필요 등에 의하여 필요한 범위 내에서 여러 조건(부담)을 부과할 수 있다(대판 2007. 7. 12, 2007두6663).

정답 03 ①

04 ㊤

2022 변호사

甲은 A시가 주민의 복리를 위하여 설치한 시립종합문화회관 내에 일반음식점을 운영하고자 「공유재산 및 물품관리법」에 따라 행정재산에 대한 사용허가를 신청하였다. A시의 시장 乙은 甲에게 사용허가를 하면서 일반음식점 이용고객으로 인한 주차문제를 우려하여 인근에 소재한 甲의 소유 토지에 차량 10대 규모의 주차장을 설치할 것을 내용으로 하는 부담을 부관으로 붙였다. 이에 관한 설명 중 옳은 것은? (다툼이 있는 경우 판례에 의함)

□□□ ① 乙이 甲에게 한 사용허가의 법적 성질은 강학상 특허에 해당한다.

□□□ ② 甲이 자신의 토지에 주차장을 설치하게 하는 부관이 재산권을 과도하게 침해하는 위법한 것임을 이유로 소송상 다투려는 경우, 부관부 행정행위 전체에 대하여 취소를 구하여야 한다.

□□□ ③ 사정변경으로 인하여 甲에게 부담을 부가한 목적을 달성할 수 없게 된 경우에도 법률에 명문의 규정이 있거나 그 변경이 미리 유보되어 있는 경우 또는 甲의 동의가 있는 경우가 아니라면 乙은 甲에게 부가된 부담을 사후적으로 변경할 수 없다.

□□□ ④ 甲에 대한 사용허가 이후에 「공유재산 및 물품관리법」이 개정되어 행정청이 더 이상 부관을 붙일 수 없게 되었다면, 甲에 대한 부관도 당연히 효력이 소멸한다.

□□□ ⑤ 甲에 대한 부담이 재산권을 과도하게 침해하는 것이어서 부관으로 붙일 수 없는 경우라고 하더라도 乙이 甲과 사법상 계약의 형식을 통해 동일한 의무를 부과하는 것은 가능하다.

① 제5강 참조 ○

乙이 甲에게 한 사용허가는 이른바 행정재산의 사용허가에 해당하는데 판례는 이의 성격을 학문상의 특허로 본다.

> 공유재산의 관리청이 행하는 행정재산의 사용·수익에 대한 허가는 순전히 사경제주체로서 행하는 사법상의 행위가 아니라 관리청이 공권력을 가진 우월적 지위에서 행하는 행정처분으로서 특정인에게 행정재산을 사용할 수 있는 권리를 설정하여 주는 강학상 특허에 해당한다(공법행위)(대판 1998. 2. 27, 97누1105).

② ×

문제에서 주차장 설치의 부관을 부담이라고 전제하고 있는바, 부담은 주된 행정행위와 독립하여 행정소송의 대상이 된다. 따라서 甲이 주차장 설치 부관의 위법을 이유로 나투려는 경우, 부관부 행정행위 전체에 대하여 취소소송을 제기할 필요는 없다.

③ ×

사정변경이 있으면 부관의 사후변경이 허용될 수 있다. 따라서 乙은 甲에게 부가된 부담을 사후적으로 변경할 수 있다.

> 부관의 사후변경은, 법률에 명문의 규정이 있거나 그 변경이 미리 유보되어 있는 경우 또는 상대방의 동의가 있는 경우에 한하여 허용되는 것이 원칙이지만, 사정변경으로 인하여 당초에 부담을 부가한 목적을 달성할 수 없게 된 경우에도 그 목적달성에 필요한 범위 내에서 예외적으로 허용된다(대판 1997. 5. 30, 97누2627).

④ ×

처분의 위법 여부는 처분 당시를 기준으로 한다. 따라서 부담의 부과 당시에 그 부담이 적법하였다면 부과 후 법령개정으로 부담을 부가할 수 없게 되었다고 하더라도 위법하게 되는 것은 아니므로 그러한 부담의 효력이 소멸하는 것은 아니다. 사안에서 「공유재산 및 물품관리법」이 개정되어 더 이상 부관을 붙일 수 없게 된 경우라도, 甲에 대한 부관의 효력이 당연히 소멸하지는 않는다.

> 행정청이 수익적 행정처분을 하면서 사전에 상대방과 체결한 협약상의 의무를 부담으로 부가하였는데 부담의 전제가 된 주된 행정처분의 근거법령이 개정되어 부관을 붙일 수 없게 된 경우라도, 위 협약의 효력이 소멸하는 것은 아니다(대판 2009. 2. 12, 2005다65500).

⑤ ×

부관으로 붙일 수 없는 부담은 사법상 계약형식으로 부과할 수도 없다는 것이 판례의 입장이므로 甲에 대한 부담이 재산권을 과도하게 침해하는 것이어서 부관으로 붙일 수 없는 경우라면 乙이 甲과 사법상 계약의 형식을 통해 동일한 의무를 부과하는 것은 허용되지 않는다.

> 1. 행정처분과 실제적 관련성이 없어 부관으로 붙일 수 없는 부담을 사법상 계약의 형식으로 행정처분의 상대방에게 부과할 수는 없다.
> 2. 공무원이 공법상의 제한을 회피할 목적으로 행정처분의 상대방과 사이에 사법상 계약을 체결하는 형식을 취하였다면 이는 법치행정의 원리에 반하는 것으로서 위법하다(대판 2009. 12. 10, 2007다63966).

정답 04 ①

05 빈출 정답률 75% 중 2021 국가직 9급

행정행위의 부관에 대한 설명으로 옳은 것은? (다툼이 있는 경우 판례에 의함)

□□□ ① 행정처분과 부관 사이에 실제적 관련성이 있다고 볼 수 없는 경우, 공무원이 공법상의 제한을 회피할 목적으로 행정처분의 상대방과 사이에 사법상 계약을 체결하는 형식을 취하였더라도 법치행정의 원리에 반하는 것으로서 위법하다고 볼 수 없다.

□□□ ② 처분 당시 법령을 기준으로 처분에 부가된 부담이 적법하였더라도, 처분 후 부담의 전제가 된 주된 행정처분의 근거법령이 개정됨으로써 행정청이 더 이상 부관을 붙일 수 없게 되었다면 그때부터 부담의 효력은 소멸한다.

□□□ ③ 부담의 이행으로서 하게 된 사법상 매매 등의 법률행위는 부담을 붙인 행정처분과는 별개의 법률행위이므로, 그 부담의 불가쟁력의 문제와는 별도로 법률행위가 사회질서위반이나 강행규정에 위반되는지 여부 등을 따져보아 그 법률행위의 유효 여부를 판단하여야 한다.

□□□ ④ 허가에 붙은 기한이 그 허가된 사업의 성질상 부당하게 짧아서 이 기한이 허가 자체의 존속기간이 아니라 허가조건의 존속기간으로 해석되는 경우에는 허가 여부의 재량권을 가진 행정청은 허가조건의 개정만을 고려할 수 있고, 그 후 당초의 기한이 상당 기간 연장되어 그 기한이 부당하게 짧은 경우에 해당하지 않게 된 때라도 더 이상의 기간연장을 불허가할 수는 없다.

관련기출

④

1. 허가에 붙은 기한이 그 허가된 사업의 성질상 부당하게 짧아 이 기한을 그 허가조건의 존속기간으로 해석할 수 있더라도, 그 후 당초의 기한이 상당 기간 연장되어 연장된 기간을 포함한 존속기간 전체를 기준으로 보면 더 이상 허가된 사업의 성질상 부당하게 짧은 경우에 해당하지 않게 된 때에는, 관계법령상 허가 여부의 재량권을 가진 행정청은 허가조건의 개정만을 고려하여야 하는 것은 아니고, 재량권의 행사로서 더 이상의 기간연장을 불허가하여 허가의 효력을 상실시킬 수 있다. (○, ×) 2016 지방직 7급

1. ○

① ×

행정처분과 실제적 관련성이 없어 부관으로 붙일 수 없는 부담을 사법상 계약의 형식으로 행정처분의 상대방에게 부과할 수는 없으며, 공무원이 공법상의 제한을 회피할 목적으로 행정처분의 상대방과 사이에 사법상 계약을 체결하는 형식을 취하였다면 이는 법치행정의 원리에 반하는 것으로서 위법하다는 것이 판례의 입장이다(대판 2009. 12. 10, 2007다63966).

② ×

부담이 처분 당시 법령을 기준으로 적법하다면 처분 후 부담의 전제가 된 주된 행정처분의 근거법령이 개정됨으로써 행정청이 더 이상 부관을 붙일 수 없게 되었다 하더라도 곧바로 위법하게 되거나 그 효력이 소멸하게 되는 것은 아니라는 것이 판례의 입장이다(대판 2009. 2. 12, 2005다65500).

③ ○

> 부담의 이행으로서 하게 된 사법상 매매 등의 법률행위는 부담을 붙인 행정처분과는 어디까지나 별개의 법률행위이므로 그 부담의 불가쟁력의 문제와는 별도로 법률행위가 사회질서위반이나 강행규정에 위반되는지 여부 등을 따져보아 그 법률행위의 유효 여부를 판단하여야 한다(대판 2009. 6. 25, 2006다18174).

④ ×

> 1. 허가에 붙은 기한이 그 허가된 사업의 성질상 부당하게 짧은 경우 그 기한을 허가 자체의 존속기간이 아닌 허가조건의 존속기간으로 볼 수 있다.
> 2. 허가에 붙은 당초의 기한이 상당 기간 연장되어 허가된 사업의 성질상 부당하게 짧은 경우에 해당하지 아니하게 된 경우, 관계법령의 규정에 따라 허가 여부의 재량권을 가진 행정청이 기간연장을 불허가하는 것은 가능하다.
>
> 일반적으로 행정처분에 효력기간이 정하여져 있는 경우에는 그 기간의 경과로 그 행정처분의 효력은 상실되며, 다만 허가에 붙은 기한이 그 허가된 사업의 성질상 부당하게 짧은 경우에는 이를 그 허가 자체의 존속기간이 아니라 그 허가조건의 존속기간으로 보아 그 기한이 도래함으로써 그 조건의 개정을 고려한다는 뜻으로 해석할 수 있지만, 이와 같이 당초에 붙은 기한을 허가 자체의 존속기간이 아니라 허가조건의 존속기간으로 보더라도 그 후 당초의 기한이 상당 기간 연장되어 연장된 기간을 포함한 존속기간 전체를 기준으로 볼 경우 더 이상 허가된 사업의 성질상 부당하게 짧은 경우에 해당하지 않게 된 때에는 관계법령의 규정에 따라 허가 여부의 재량권을 가진 행정청으로서는 그때에도 허가조건의 개정만을 고려하여야 하는 것은 아니고 재량권의 행사로서 더 이상의 기간연장을 불허가할 수도 있는 것이며, 이로써 허가의 효력은 상실된다(대판 2004. 3. 25, 2003두12837).

정답 05 ③

06 빈출 정답률 64% 중 2020 소방직 9급

행정행위의 부관에 대한 설명으로 옳지 않은 것은? (다툼이 있는 경우 판례에 의함)

□□□ ① 사정변경으로 인하여 당초에 부담을 부가한 목적을 달성할 수 없게 된 경우에도 부관의 사후변경은 그 목적달성에 필요한 범위 내에서 예외적으로 허용된다는 것이 판례의 태도이다.

□□□ ② 행정행위의 부관의 유형 중에서 장래의 불확실한 사실에 의해서 행정행위의 효력을 소멸시키는 것은 해제조건이다.

□□□ ③ 지방국토관리청장이 일부 공유수면매립지에 대하여 한 국가 또는 직할시(현 광역시) 귀속처분은 법률효과의 일부배제에 해당하는 것으로 행정행위의 부관의 유형으로 볼 수 없다는 것이 판례의 태도이다.

□□□ ④ 부담과 조건의 구별이 명확하지 않은 경우에는 부담으로 보는 것이 행정행위의 상대방에게 유리하다고 본다.

① ○

부관의 사후변경은 사정변경으로 인하여 당초에 부담을 부가한 목적을 달성할 수 없게 된 경우에도 그 목적달성에 필요한 범위 내에서 예외적으로 허용된다는 것이 판례의 입장이다(대판 1997. 5. 30, 97누2627).

② ○

행정행위의 효과의 소멸을 장래의 불확실한 사실에 의존시키는 것을 해제조건이라고 한다.

③ ×

법률효과의 일부배제는 행정행위의 내용상 제한에 해당하는 것으로 부관으로 볼 수 없다는 견해도 있으나, 다수설 및 판례는 부관의 일종으로 보고 있다.

> 행정행위의 부관은 부담의 경우를 제외하고는 독립하여 행정소송의 대상이 될 수 없는 것인바, 지방국토관리청장이 일부 공유수면매립지에 대하여 한 국가 또는 직할시 귀속처분은 매립준공인가를 함에 있어서 매립의 면허를 받은 자의 매립지에 대한 소유권취득을 규정한 공유수면매립법 제14조의 효과 일부를 배제하는 부관을 붙인 것이고, 이러한 행정행위의 부관은 위 법리와 같이 독립하여 행정소송대상이 될 수 없다(대판 1993. 10. 8, 93누2032).

④ ○

정지조건부 영업허가의 경우 조건이 성취되어야 비로소 허가의 효력이 발생한다. 이에 반해 부담부 영업허가의 경우 처음부터 허가의 효력이 발생한다. 한편 해제조건부 영업허가의 경우 조건이 성취되면 영업허가는 당연히 그 효력을 상실하게 된다. 이에 반해 부담부 영업허가의 경우 부담을 불이행하면 영업허가의 철회사유가 될 뿐이다. 따라서 부담과 조건의 구별이 명확하지 않은 경우에는 부담으로 보는 것이 행정행위의 상대방에게 유리하다고 볼 수 있다.

정답 06 ③

07 정답률 68% 중 2019 지방직 · 교육행정직 9급

행정행위의 부관에 대한 설명으로 옳지 않은 것은? (다툼이 있는 경우 판례에 의함)

□□□ ① 도로점용허가의 점용기간은 행정행위의 본질적인 요소에 해당한다고 볼 것이어서 부관인 점용기간을 정함에 있어서 위법사유가 있다면 이로써 도로점용허가처분 전부가 위법하게 된다.

□□□ ② 부담이 처분 당시 법령을 기준으로 적법하다면 처분 후 부담의 전제가 된 주된 행정처분의 근거법령이 개정됨으로써 행정청이 더 이상 부관을 붙일 수 없게 되었다 하더라도 곧바로 위법하게 되거나 그 효력이 소멸하게 되는 것은 아니다.

□□□ ③ 기선선망어업의 허가를 하면서 운반선, 등선 등 부속선을 사용할 수 없도록 제한한 부관은 그 어업허가의 목적달성을 사실상 어렵게 하여 그 본질적 효력을 해하는 것이다.

□□□ ④ 공유수면매립준공인가처분을 하면서 매립지 일부에 대하여 한 국가 및 지방자치단체에의 귀속처분은 부관 중 부담에 해당하므로 독립하여 행정소송 대상이 될 수 있다.

관련기출

①

1. 도로점용허가의 점용기간은 행정행위의 본질적인 요소에 해당한다고 볼 것이어서 부관인 점용기간을 정함에 있어서 위법사유가 있다면 이로써 도로점용허가처분 전부가 위법하게 된다. (○, ×) 2022 군무원 7급, 2014 국회직 8급
2. 도로점용허가의 점용기간을 정함에 있어 위법사유가 있다면 도로점용허가처분 전부가 위법하게 된다. (○, ×) 2019 국가직 9급

1. ○ 2. ○

① **빈출** ○

> 도로점용허가의 점용기간은 행정행위의 본질적인 요소에 해당한다고 볼 것이어서 부관인 점용기간을 정함에 있어서 위법 사유가 있다면 이로써 도로점용허가처분 전부가 위법하게 된다.
>
> 시가 원고에 대하여 위 상가 등의 사용을 위한 도로점용허가를 함에 있어서는 그 점용기간을 수락한 조건대로 해야 할 것임에도 합리적인 근거 없이 단축한 것은 위법한 처분이라 할 것이며, …… (대판 1985. 7. 9, 84누604)

② ○

부담이 처분 당시 법령을 기준으로 적법하다면 처분 후 부담의 전제가 된 주된 행정처분의 근거법령이 개정됨으로써 행정청이 더 이상 부관을 붙일 수 없게 되었다 하더라도 곧바로 위법하게 되거나 그 효력이 소멸하게 되는 것은 아니라는 것이 판례의 입장이다(대판 2009. 2. 12, 2005다65500).

③ ○

> 기선선망어업의 허가를 하면서 운반선, 등선 등 부속선을 사용할 수 없도록 제한한 부관은 그 어업허가의 목적달성을 사실상 어렵게 하여 그 본질적 효력을 해하는 것이다(대판 1990. 4. 27, 89누6808).

④ ×

판례는 부관 중 부담에 대해서만 주된 행정행위와 독립하여 행정소송의 대상이 될 수 있다고 본다. 그런데 공유수면매립준공인가처분을 하면서 매립지 일부에 대하여 한 국가 및 지방자치단체에의 귀속처분은 부담이 아니라 법률효과의 일부배제에 해당하므로 독립하여 행정소송의 대상이 될 수 없다는 것이 판례의 입장이다(대판 1993. 10. 8, 93누2032).

정답 07 ④

08 중

2019 서울시 1회 7급

행정행위의 부관에 대한 설명으로 가장 옳은 것은? (다툼이 있는 경우 판례에 따름)

□□□ ① 공유수면매립준공인가처분 중 매립지 일부에 대하여 한 국가 및 지방자치단체에의 귀속처분은 독립하여 행정소송의 대상이 될 수 있다.

□□□ ② 부담부 행정행위에 있어서 처분의 상대방이 부담을 이행하지 아니한 경우에 당해 부담부 행정행위는 당연히 효력을 상실하게 된다.

□□□ ③ 부담 이외의 부관으로 인하여 권리를 침해당한 자는 부관부 행정행위 전체에 대해 취소소송을 제기하거나, 행정청에 부관이 없는 행정행위로 변경해 줄 것을 청구한 다음 그것이 거부된 경우 거부처분취소소송을 제기할 수 있다.

□□□ ④ 행정청이 수익적 행정처분을 하면서 부가한 부담이 처분 당시 법령을 기준으로는 적법하였지만 처분 후 부담의 전제가 된 주된 행정처분의 근거법령이 개정됨으로써 행정청이 더 이상 부관을 붙일 수 없게 되었다면 그 부담은 위법하게 된다.

① ×

행정청이 한 공유수면매립준공인가 중 매립지 일부에 대하여 한 국가귀속처분은 매립준공인가를 함에 있어서 매립의 면허를 받은 자의 매립지에 대한 소유권취득을 규정한 공유수면매립법 제14조의 효과 일부를 배제하는 부관을 붙인 것이므로 이러한 행정행위의 부관에 대하여는 독립하여 행정소송의 대상으로 삼을 수 없다는 것이 판례의 입장이다(대판 1991. 12. 13, 90누8503).

② ×

부담부 행정행위는 부담을 이행하지 않더라도 당연히 그 효력이 소멸되지는 않고 행정청이 철회함으로써 행정행위의 효력이 소멸된다. 이 점에서 해제조건의 경우 조건이 성취되면 행정행위는 당연히 효력이 소멸되는 것과 구별된다.

> 부담부 행정처분의 상대방이 그 부담을 이행하지 않은 경우 주된 행정처분을 취소(철회)할 수 있다.
> 부담부 행정행위에 있어서 처분의 상대방이 부담을 이행하지 아니한 경우에 처분행정청으로서는 당해 처분을 취소(철회)할 수 있는 것이다(대판 1989. 10. 24, 89누2431).

③ ○

부담에 대해서는 부담만을 주된 행정행위와 독립하여 취소소송의 대상으로 삼아 다툴 수 있으나, 부담 이외의 부관으로 인하여 권리를 침해당한 자는 부관부 행정행위 전체에 대해 취소소송을 제기하든지, 아니면 행정청에 부관이 없는 행정행위로 변경해 줄 것을 청구한 다음 그것이 거부된 경우에 거부처분취소소송을 제기하여 다툴 수 있을 뿐이다.

④ ×

판례는 부담의 적법 여부는 처분 당시 법령을 기준으로 판단하여야 하고, 부담이 처분 당시 법령을 기준으로 적법하다면 처분 후 부담의 전제가 된 주된 행정처분의 근거법령이 개정됨으로써 행정청이 더 이상 부관을 붙일 수 없게 되었다 하더라도 부담이 곧바로 위법하게 되는 것은 아니라고 한다. 즉, 행정청이 수익적 행정처분을 하면서 부가한 부담의 위법 여부는 처분 당시 법령을 기준으로 판단하여야 하고, 부담이 처분 당시 법령을 기준으로 적법하다면 처분 후 부담의 전제가 된 주된 행정처분의 근거법령이 개정됨으로써 행정청이 더 이상 부관을 붙일 수 없게 되었다 하더라도 곧바로 위법하게 되거나 그 효력이 소멸하게 되는 것은 아니라는 것이 판례의 입장이다(대판 2009. 2. 12, 2005다65500).

정답 08 ③

09 정답률 72% 중 2018 지방직 9급

행정행위의 부관에 대한 설명으로 옳지 않은 것은? (다툼이 있는 경우 판례에 의함)

□□□ ① 행정행위의 부관은 법령이 직접 행정행위의 조건이나 기한 등을 정한 경우와 구별되어야 한다.

□□□ ② 재량행위에는 법령상의 제한에 근거한 것이 아니라 하더라도 공익상 필요에 의하여 부관을 붙일 수 있다.

□□□ ③ 허가에 붙은 기한이 그 허가된 사업의 성질상 부당하게 짧은 경우에 그 기한은 허가조건의 존속기간이 아니라 허가 자체의 존속기간으로 보아야 한다.

□□□ ④ 부담은 독립하여 항고소송의 대상이 될 수 있으며, 부담부 행정행위는 부담의 이행 여부를 불문하고 효력이 발생한다.

관련기출

①

1. 고시에서 정하여진 허가기준에 따라 보존음료수 제조업의 허가에 부가된 조건은 행정행위에 부관을 부가할 수 있는 한계에 관한 일반적인 원칙이 적용되지 아니한다. (O, X) 2019 국회직 8급
2. 법정부관은 엄밀한 의미에서 부관이 아니다. (O, X) 2006 국회직 8급

1. O 2. O

②

1. 재량행위에 있어서는 법령상의 근거가 없다고 하더라도 부관을 붙일 수 있다. (O, X) 2014 국가직 9급
2. 행정청은 법령에 명시적 근거가 없으면 재량행위의 경우에도 부관을 붙일 수 없다. (O, X) 2014 경행특채 1차

1. O 2. X

③

1. 일반적으로 행정처분에 효력기간이 정하여져 있는 경우에는 그 기간의 경과로 그 행정처분의 효력은 상실되며, 다만 허가에 붙은 기한이 그 허가된 사업의 성질상 부당하게 짧은 경우에는 이를 그 허가 자체의 존속기간이 아니라 그 허가조건의 존속기간으로 볼 수 있다. (O, X) 2022 군무원 9급
2. 허가에 붙은 기한이 그 허가된 사업의 성질상 부당하게 짧은 경우에는 이를 그 허가조건의 존속기간으로 보아야한다. (O, X) 2019 서울시 2회 7급

1. O 2. O

① O

본래 의미의 부관이란 행정청에 의해 주된 행정행위에 부가된 조건, 기한 등의 종된 규율을 말한다. 이에 반해 법정부관이란 행정행위의 조건, 기한 등이 행정청의 작용에 의해서 정해지는 것이 아니라 법령이 직접 행정행위의 조건, 기한 등을 정하는 경우를 말한다. 이러한 법정부관은 본래 의미의 부관이 아니므로 행정행위의 부관에 대한 한계 등이 적용되지 않는다는 것이 통설 및 판례의 입장이다.

> 법정부관은 부관과는 구별되는 것이어서 부관의 한계에 관한 일반원칙이 적용되지 않는다.
>
> 고시에 정한 허가기준에 따라 보존음료수 제조업의 허가에 붙여진 전량 수출 또는 주한외국인에 대한 판매에 한한다는 내용의 조건은 이른바 법정부관으로서 행정청의 의사에 기하여 붙여지는 본래의 의미에서 행정행위의 부관은 아니므로, 이와 같은 법정부관에 대하여는 행정행위에 부관을 붙일 수 있는 한계에 관한 일반적인 원칙이 적용되지는 않는다(대판 1994. 3. 8, 92누1728).

② **빈출** O

재량행위에는 법률의 근거가 없더라도 부관을 붙일 수 있다는 것이 판례의 입장이다. 기속행위에는 법률의 근거가 없는 한 부관을 붙일 수 없고 붙였다 하더라도 무효가 된다는 것과 구별하기 바란다.

> 주택재건축사업시행인가는 재량행위로서 이에 대하여 법령상의 제한에 근거하지 않더라도 조건(부담)을 부과할 수 있다.
>
> 주택재건축사업시행의 인가는 상대방에게 권리나 이익을 부여하는 효과를 가진 이른바 수익적 행정처분으로서 법령에 행정처분의 요건에 관하여 일의적으로 규정되어 있지 아니한 이상 행정청의 재량행위에 속하므로, 처분청으로서는 법령상의 제한에 근거한 것이 아니라 하더라도 공익상 필요 등에 의하여 필요한 범위 내에서 여러 조건(부담)을 부과할 수 있다(대판 2007. 7. 12, 2007두6663).

③ X

> 허가에 붙은 기한이 그 허가된 사업의 성질상 부당하게 짧은 경우 그 기한을 허가 자체의 존속기간이 아닌 허가조건의 존속기간으로 볼 수 있다. 다만, 이 경우라도 허가기간이 연장되기 위해서는 종기가 도래하기 전에 기간의 연장에 관한 신청이 있어야 한다.
>
> 일반적으로 행정처분에 효력기간이 정하여져 있는 경우에는 그 기간의 경과로 그 행정처분의 효력은 상실되고, 다만 허가에 붙은 기한이 그 허가된 사업의 성질상 부당하게 짧은 경우에는 이를 그 허가 자체의 존속기간이 아니라 그 허가조건의 존속기간으로 보아 그 기한이 도래함으로써 그 조건의 개정을 고려한다는 뜻으로 해석할 수는 있지만, 그와 같은 경우라 하더라도 그 허가기간이 연장되기 위하여는 그 종기가 도래하기 전에 그 허가기간의 연장에 관한 신청이 있어야 하며, 만일 그러한 연장신청이 없는 상태에서 허가기간이 만료하였다면 그 허가의 효력은 상실된다(대판 2007. 10. 11, 2005두12404).

④ O

부담은 주된 행정행위와 독립하여 행정소송의 대상이 되며, 부담부 행정행위는 부담의 이행 여부와 관계없이 처음부터 행정행위의 효력이 발생한다. 이 점은 정지조건부 행정행위의 경우 일정한 사실, 즉 조건의 성취가 있어야 비로소 행정행위의 효력이 발생하는 것과 구별된다.

정답 09 ③

10 중 2017 지방직(하) 9급

행정행위의 부관에 대한 설명으로 옳지 않은 것은? (다툼이 있는 경우 판례에 의함)

□□□ ① 행정청이 행정행위에 부가한 부관과 달리 법령이 직접 행정행위의 조건을 정한 경우에 그 조건이 위법하면 이는 법률 및 법규명령에 대한 통제제도에 의해 통제된다.

□□□ ② 행정청이 행정처분을 하기 이전에 행정행위의 상대방과 협의하여 의무의 내용을 협약의 형식으로 정한 다음에 행정처분을 하면서 그 의무를 부과하는 것은 부담이라고 할 수 없다.

□□□ ③ 철회권이 유보된 경우에도 철회의 제한이론인 이익형량의 원칙이 적용되나, 행정행위의 계속성에 대한 상대방의 신뢰는 유보된 철회사유에 대해서는 인정되지 않는다.

□□□ ④ 허가에 붙은 기한이 그 허가된 사업의 성질상 부당하게 짧은 경우, 이를 그 허가 자체의 존속기간이 아니라 그 허가조건의 존속기간으로 볼 수 있다.

① ○

행정행위의 조건, 기한 등이 행정청의 작용에 의해서 정해지는 것이 아니라 법령이 직접 행정행위의 조건, 기한 등을 정하는 경우가 있는바, 이를 법정부관이라고 한다. 법정부관은 법령 그 자체이므로 이를 직접 항고소송의 대상으로 하여 소송을 제기할 수는 없는 것이 원칙이다. 따라서 법정부관이 위법한 경우 구체적 후속처분이 있으면 후속처분에 대한 취소소송을 제기하면서 처분의 근거가 된 법정부관을 다투는 형태, 즉 법률 및 법규명령에 대한 규범통제방식(구체적 규범통제)에 의해 통제된다.

② ×

부담은 행정청이 행정처분을 하면서 일방적으로 부가할 수도 있지만 부담을 부가하기 이전에 상대방과 협의하여 부담의 내용을 협약의 형식으로 미리 정한 다음 행정처분을 하면서 이를 부가할 수도 있다는 것이 판례의 입장이다(대판 2009. 2. 12, 2005다65500).

③ ○

철회권을 유보하였다고 하여 항상 행정청이 무제한으로 철회권을 행사할 수 있는 것이 아니고, 철회를 하지 않으면 안 될 공익상의 필요가 있고 행정행위의 목적에 비추어 합리적 이유가 있다고 인정되는 경우에 행사할 수 있는 등 철회의 일반적 요건이 충족되어야 한다는 것이 학설 · 판례의 입장이다. 즉, 철회권이 유보된 경우라도 철회권의 행사는 그 자체만으로는 정당화되지 않고 이익형량을 해야 하는 등의 행정행위의 철회의 제한에 관한 일반원리가 적용된다. 그러나 철회권이 유보된 행정행위의 상대방은 장래 당해 행위가 철회될 수 있음을 예기할 수 있으므로 원칙적으로 신뢰보호원칙에 기한 철회의 제한을 주장하거나 철회로 인한 손실보상을 요구할 수 없다. 이처럼 행정행위의 계속성에 대한 상대방의 신뢰는 유보된 철회사유에 대해서는 인정되지 않는다.

④ ○

허가에 붙은 기한이 그 허가된 사업의 성질상 부당하게 짧은 경우 그 기한을 허가 자체의 존속기간이 아닌 허가조건의 존속기간으로 볼 수 있다는 것이 판례의 입장이다(대판 2007. 10. 11, 2005두12404).

11 정답률 54% 중 2017 지방직 9급

행정행위의 부관에 대한 설명으로 옳은 것은? (다툼이 있는 경우 판례에 의함)

□□□ ① 부담부 행정행위의 경우 부담에서 부과하고 있는 의무의 이행이 있어야 비로소 주된 행정행위의 효력이 발생한다.

□□□ ② 공유재산의 관리청이 기부채납된 행정재산에 대하여 행하는 사용 · 수익허가의 경우, 부관인 사용 · 수익허가의 기간에 위법사유가 있다면 허가 전부가 위법하게 된다.

□□□ ③ 학설의 다수견해는 수정부담의 성격을 부관으로 이해한다.

□□□ ④ 행정행위의 부관은 법령에 명시적 근거가 있는 경우에만 부가할 수 있다.

관련기출

②

1. 기부채납받은 공원시설의 사용 · 수익허가에서 그 허가기간은 행정행위의 본질적 요소에 해당하므로, 부관인 허가기간에 위법사유가 있다면 이로써 공원시설의 사용 · 수익허가 전부가 위법하게 된다. (○, ×) 2016 사회복지직 9급

1. ○

① ×

부담부 행정행위는 처음부터 주된 행정행위의 효력이 발생하며, 다만 상대방은 부담을 이행하여야 할 의무가 발생할 뿐이다. 이 점에서 조건이 성취되어야 비로소 주된 행정행위의 효력이 발생하는 정지조건부 행정행위와 구별된다.

② ○

> 기부채납받은 공원시설의 사용 · 수익허가에서 그 허가기간은 행정행위의 본질적 요소에 해당한다고 볼 것이어서, 부관인 허가기간에 위법사유가 있다면 이로써 이 사건 허가 전부가 위법하게 된다(대판 2001. 6. 15, 99두509).

③ ×

수정부담은 부담과는 구별되는 것으로 신청된 행정행위의 내용 자체를 변경하여 행정행위를 행하는 것에 해당하며, 수정된 행정행위 내지 수정허가로 보는 것이 일반적 견해이다. 즉, 부담은 신청한 대로 허가하면서 부수적으로 일정한 의무를 부과하는 것임에 반하여 수정부담은 신청에 대한 허가를 거부하고 새로운 내용의 행정행위를 행하는 것이다.

④ ×

재량행위에는 법률의 근거가 없더라도 부관을 붙일 수 있다는 것이 행정기본법 및 판례의 입장이므로 법령에 명시적 근거가 있는 경우에만 부관을 부가할 수 있는 것은 아니다.

정답 10 ② 11 ②

12 빈출 중 2016 사회복지직 9급

위법한 부관에 대한 권리구제에 관한 설명으로 옳지 않은 것은? (다툼이 있는 경우 판례에 의함)

□□□ ① 행정행위의 부관 중에서도 행정행위에 부수하여 그 행정행위의 상대방에게 일정한 의무를 부과하는 행정청의 의사표시인 부담은 독립하여 행정쟁송의 대상이 될 수 있다.

□□□ ② 부담을 제외한 나머지 부관에 대해서는 부관이 붙은 행정행위 전체의 취소를 통하여 부관을 다툴 수 있을 뿐, 부관만의 취소를 구할 수는 없다.

□□□ ③ 부담 아닌 부관이 위법할 경우 신청인이 부관부 행정행위의 변경을 청구하고, 행정청이 이를 거부할 경우 동 거부처분의 취소를 구하는 소송을 제기할 수 없다.

□□□ ④ 기부채납받은 공원시설의 사용 · 수익허가에서 그 허가기간은 행정행위의 본질적 요소에 해당하므로, 부관인 허가기간에 위법사유가 있다면 이로써 공원시설의 사용 · 수익허가 전부가 위법하게 된다.

관련기출

②③

1. 행정행위에 부가된 허가기간은 그 자체로서 항고소송의 대상이 될 수 없을 뿐만 아니라 그 기간의 연장신청의 거부에 대하여도 항고소송을 청구할 수 없다. (○, ×) 2017 사회복지직 9급
2. 판례에 따르면 위법한 부담 이외의 부관으로 인해 권리를 침해받은 자는 행정청에 부관이 없는 처분으로의 변경을 청구한 다음 그것이 거부된 경우에는 부작위위법확인소송을 제기하여야 한다. (○, ×) 2009 지방직 7급

1. × 2. ×

① ○

행정행위의 부관 중에서도 부담의 경우에는 다른 부관과는 달리 행정행위의 불가분적 요소가 아니고 그 존속의 본체인 행정행위의 존재를 전제로 하는 것일 뿐이므로, 부담 그 자체로서 행정쟁송의 대상이 될 수 있다는 것이 판례의 입장이다(대판 1992. 1. 21, 91누1264).

② **빈출** ○

③ ×

부담에 대해서는 주된 행정행위와 별개로 부담만을 소송대상으로 하는 일부취소소송이 가능하다는 것이 통설과 판례의 입장이다. 그러나 판례에 따르면 부담 이외의 부관으로 인하여 권리를 침해당한 자는 부관만의 취소를 구할 수는 없고 부관부 행정행위 전체에 대해 취소소송을 제기하든지, 아니면 행정청에 부관이 없는 행정행위로 변경해 줄 것을 청구한 다음 그것이 거부된 경우에 거부처분 취소소송을 제기할 수 있다.

> 기선망어업의 허가를 하면서 부속선을 사용할 수 없도록 제한한 위법한 부관에 대해서는 부속선을 사용할 수 있도록 어업허가사항변경신청을 한 다음 그것이 거부된 경우에 거부처분취소소송을 제기할 수 있다(대판 1990. 4. 27, 89누6808).

④ ○

기부채납받은 공원시설의 사용 · 수익허가에서 그 허가기간은 행정행위의 본질적 요소에 해당한다고 볼 것이어서, 부관인 허가기간에 위법사유가 있다면 이로써 이 사건 허가 전부가 위법하게 된다는 것이 판례의 입장이다(대판 2001. 6. 15, 99두509).

정답 12 ③

13 빈출 중 2015 교육행정직 9급

행정행위의 부관에 관한 설명으로 옳지 않은 것은?

□□□ ① 법률효과의 일부배제는 법률에 근거가 있어야 한다.

□□□ ② 부관은 주된 행정행위와 실질적 관련성이 있어야 한다.

□□□ ③ 부담을 불이행하면 주된 행정행위의 효력이 당연히 소멸한다.

□□□ ④ 장래의 도래가 불확실한 사실에 행정행위의 효력발생을 의존시키는 조건을 정지조건이라 한다.

① ○
법률효과의 일부배제는 법령 자체가 인정한 일반적인 효과를 행정청이 일부배제하는 것이므로 법률에 특별한 근거가 있는 경우에만 이러한 부관을 붙일 수 있다는 것이 일반적 견해이다.

② ○
부관은 주된 행정행위에 부가되는 것이어서 종속적인 지위를 가지므로 주된 행정행위에 의존하고 영향을 받게 되는바, 이를 '부관의 부종성'이라고 한다. 따라서 부관은 주된 행정행위와 실질적 관련성이 있는 경우에만 인정될 수 있다.

> **행정기본법 제17조【부관】** ④ 부관은 다음 각 호의 요건에 적합하여야 한다.
> 1. 해당 처분의 목적에 위배되지 아니할 것
> 2. 해당 처분과 실질적인 관련이 있을 것
> 3. 해당 처분의 목적을 달성하기 위하여 필요한 최소한의 범위일 것

③ ×
부담을 불이행한 경우라도 주된 행정행위는 당연히 그 효력이 소멸하는 것은 아니며 행정청은 부담의 불이행을 이유로 행정행위를 철회할 수 있다.

④ ○
행정행위의 효과의 발생을 장래의 '불확실한 사실'에 의존시키는 부관을 '정지조건'이라고 한다. 이에 반해 행정행위의 효과의 발생을 장래의 '확실한 사실'에 의존시키는 부관을 '시기'라고 한다.

14 빈출 중 2015 사회복지직 9급

행정행위의 부관에 대한 설명으로 옳지 않은 것은? (다툼이 있는 경우 판례에 의함)

□□□ ① 해제조건부 행정행위는 조건사실의 성취에 의하여 당연히 효력이 소멸된다.

□□□ ② 정지조건은 독립하여 취소소송의 대상이 되지 못하는 데 반하여, 부담은 독립하여 취소소송의 대상이 될 수 있다.

□□□ ③ 부담과 조건의 구분이 명확하지 않을 경우, 조건이 당사자에게 부담보다 유리하기 때문에 원칙적으로 조건으로 추정해야 한다.

□□□ ④ 철회권유보의 경우 유보된 사유가 발생하였더라도 철회권을 행사함에 있어서는 이익형량에 따른 제한을 받게 된다.

관련기출

④
1. 철회권이 유보된 경우에도 철회의 제한이론인 이익형량의 원칙이 적용되나, 행정행위의 계속성에 대한 상대방의 신뢰는 유보된 철회사유에 대해서는 인정되지 않는다. (○, ×) 2017 지방직(하) 9급
2. 행정청은 철회권이 유보되어 있는 경우에도 행정행위의 철회에 관한 일반원칙을 준수하여야 한다. (○, ×) 2013 서울시 7급
3. 행정행위의 부관으로 철회권의 유보가 되어 있는 경우라 하더라도 그 철회권의 행사에 대해서는 행정행위의 철회의 제한에 관한 일반원리가 적용된다. (○, ×) 2013 국가직 9급
4. 철회권이 유보되어 있다는 사유만으로 철회를 할 수 있다는 것이 판례의 입장이다. (○, ×) 2008 국회직 8급

1. ○ 2. ○ 3. ○ 4. ×

① ○
해제조건이 붙은 행정행위는 그 조건이 성취됨으로써, 그리고 종기가 붙은 행정행위는 종기가 도래함으로써 행정행위의 효력이 당연히 소멸(실효)된다.

② ○
판례는 부관 중 부담만이 독립하여 항고소송의 대상이 될 수 있으며, 정지조건과 같은 부관의 경우에는 독립하여 항고소송의 대상이 될 수 없다는 입장이다(대판 1992. 1. 21, 91누1264).

③ ×
행정청의 의사가 불분명한 경우 최소침해의 원칙에 따라 상대방에게 유리한 부담으로 보아야 한다.

④ 빈출 ○
철회권을 유보하였다고 하여 항상 행정청이 무제한으로 철회권을 행사할 수 있는 것이 아니고, 철회를 하지 않으면 안 될 공익상의 필요가 있고 행정행위의 목적에 비추어 합리적 이유가 있다고 인정되는 경우에 행사할 수 있는 등 철회의 일반적 요건이 충족되어야 한다는 것이 학설 · 판례의 입장이다. 즉, 철회권의 유보가 있더라도 철회의 행사에 대해서는 이익형량을 해야 하는 등 행정행위의 철회의 제한에 관한 일반원리가 적용된다.

> 철회권을 유보하였더라도 취소(철회)를 필요로 할 만한 공익상의 필요가 있는 경우에만 철회권을 행사할 수 있다.
> 취소(철회)권을 유보한 경우에 있어서도 무조건적으로 취소권을 행사할 수 있는 것이 아니고, 취소를 필요로 할 만한 공익상의 필요가 있는 경우에 한하여 취소권을 행사할 수 있다(대판 1964. 6. 9, 64누40 등).

정답 13 ③ 14 ③

15 상 2012 국회(속기 · 경위직) 9급

부관에 관한 설명으로 옳지 않은 것은? (다툼이 있으면 판례에 의함)

□□□ ① 행정행위의 효력 발생 또는 소멸을 장래의 불확실한 사실에 의존시키는 부관을 '조건'이라고 한다.

□□□ ② '기한'은 행정행위의 시간상의 효력범위를 정하는 점에서 조건과 같으나, 확정기한이든 불확정기한이든 그 도래가 확실하다는 점에서 조건과 구별된다.

□□□ ③ 건축허가를 하면서 일정 토지를 기부채납하도록 하는 내용의 허가조건은 부관을 붙일 수 없는 기속행위 내지 기속적 재량행위인 건축허가에 붙인 부담이거나 또는 법령상 아무런 근거가 없는 부관이어서 무효이다.

□□□ ④ 영업허가를 발급하면서 일정한 시설설치의무를 부가하는 것을 '정지조건'으로 본다면, 시설설치의무를 불이행한 상태에서 한 영업일지라도 적법하다.

□□□ ⑤ 행정청이 종교단체에 대하여 기본재산전환인가를 함에 있어, 인가처분의 효력이 발생하여 기본재산처분행위가 유효하게 이루어진 이후에 비로소 이행할 수 있는 인가조건을 부가하고 그 불이행시 인가를 취소할 수 있도록 하였다면, 인가조건의 의미는 '철회권 유보'에 해당한다.

① ○
행정행위의 효력 발생 또는 소멸을 장래의 불확실한 사실에 의존시키는 부관이 조건이다.

② ○
확정기한(도래하는 시기까지도 확실한 기한, 예 "2020년 12월 31일까지 연금을 지급한다.")이든, 불확정기한(도래할 것은 확실하나 도래하는 시기까지는 확실하지 않은 기한, 예 "사망시까지 연금을 지급한다.")이든 도래가 확실하다는 점에서 조건과는 구별된다.

③ ○

> 건축허가를 하면서 일정 토지를 기부채납하도록 한 허가조건은 기속행위 내지 기속적 재량행위인 건축허가에 붙인 부담이거나 또는 법령상 아무런 근거가 없는 부관이어서 무효이다(대판 1995. 6. 13, 94다56883).

④ ×
정지조건부 영업허가의 경우, 조건이 성취되어야 비로소 행정행위의 효력이 발생하므로 조건의 성취 전에 영업을 하였다면 불법무허가영업이 된다.

⑤ ○

> 행정청이 종교단체에 대하여 기본재산전환인가를 함에 있어 인가조건을 부가하고 그 불이행시 인가를 취소할 수 있도록 한 경우, 인가조건의 의미는 철회권을 유보한 것이다(대판 2003. 5. 30, 2003다6422).

정답 15 ④

16 중

2011 사회복지직 9급

행정행위와 이에 대한 부관의 종류가 바르게 연결되지 않은 것은?

① 공유수면매립준공인가 중 매립지 일부에 대하여 한 국가귀속처분 - 법률효과의 일부배제

② 일정기간 내에 공사에 착수할 것을 조건으로 한 공유수면매립면허 - 정지조건

③ 어업면허처분을 함에 있어 그 면허의 유효기간을 1년으로 정한 경우 - 종기

④ 공장건축허가를 부여하면서 근로자의 정기건강진단 의무를 부과하는 것 - 부담

② ×

사안의 경우 공사에 착수하기 위해서는 공유수면매립면허가 있어야 한다. 따라서 사안의 문장은 공사에 착수하면 비로소 공유수면매립면허의 효력이 발생하는 것으로 해석할 수는 없고, 일단 공유수면매립면허의 효력이 발생하되 공사에 착수하지 않으면 공유수면매립면허의 효력이 상실되는 것으로 해석할 수밖에 없다. 즉, 주된 행정행위(공유수면매립면허)가 일단 효력을 발생하되 장래 도래가 불확실한 사실(일정기간 내에 공사에 착수하지 않은 것)이 발생하면 주된 행정행위의 효력이 소멸하는 부관이 부가된 것으로 보아야 한다. 따라서 일정기간 내에 공사에 착수할 것을 조건으로 한 공유수면매립면허는 정지조건이 아니라 해제조건이다.

17 상

2010 국가직 9급

구 식품위생법은 보건사회부장관(현 보건복지부장관)이 지정하여 고시(告示)하는 영업 또는 품목의 경우는 영업허가를 제한할 수 있다고 규정하였고, 이에 따라 보건사회부장관은 "그 전량을 수출하거나 주한 외국인에게만 판매한다는 요건을 갖춘 경우에만 보존음료수제조업의 허가를 할 수 있다."라는 고시를 발한 바 있었다. 이 고시에 대한 설명으로 옳은 것은?

① 위 고시의 법적 성질을 행정규칙이라고 보는 것이 대법원의 입장이다.

② 위 고시에 정한 허가기준에 따라 보존음료수제조업 허가에 붙여진 전량수출 또는 주한 외국인에 대한 판매에 한한다는 내용의 조건에 대해서는 행정행위에 부관을 붙일 수 있는 한계에 관한 일반원칙이 적용되지 않는다.

③ 위 고시상의 조건을 위반한 행위에 대하여 행정청이 과징금을 부과한 제재적 행정처분은 위법하지 아니하다.

④ 대법원은 행정청이 甲에 대하여 보존음료수제조업허가를 하면서 붙인 위 허가조건이 甲의 영업의 자유의 본질적 내용을 침해한다고 볼 수 없다고 하였다.

① ×

이른바 법령보충규칙으로서 법규명령이라는 것이 판례의 입장이다.

> 식품제조영업허가기준이라는 고시는 공익상의 이유로 허가를 할 수 없는 영업의 종류를 지정할 권한을 부여한 구 식품위생법 제23조의3 제4호에 따라 보건사회부장관(현 보건복지부장관)이 발한 것으로서, 실질적으로 법의 규정내용을 보충하는 기능을 지니면서 그것과 결합하여 대외적으로 구속력이 있는 법규명령의 성질을 가진 것이다(대판 1994. 3. 8, 92누1728).

② ○

법정부관의 경우 부관과는 구별되는 것으로 부관의 한계에 관한 일반적인 원칙이 적용되지 않는다는 것이 판례의 입장이다.

> 고시에 정한 허가기준에 따라 보존음료수제조업의 허가에 붙여진 전량 수출 또는 주한 외국인에 대한 판매에 한한다는 내용의 조건은 이른바 법정부관으로서 행정청의 의사에 기하여 붙여지는 본래의 의미에서 행정행위의 부관은 아니므로, 이와 같은 법정부관에 대하여는 행정행위에 부관을 붙일 수 있는 한계에 관한 일반적인 원칙이 적용되지는 않는다(대판 1994. 3. 8, 92누1728).

③④ ×

위 고시는 헌법상의 기본권인 직업의 자유를 침해하는 것으로 무효가 되며, 따라서 무효인 고시에 따른 과징금처분도 위법하다는 것이 판례의 입장이다.

> 보존음료수의 국내판매를 금지하는 것은, 보존음료수제조업의 허가를 받은 자의 헌법상 보장된 기본권인 직업의 자유를 침해하는 것으로서 헌법에 위반된다고 하지 않을 수 없을 뿐만 아니라 고시가 보존음료수제조업의 허가를 받은 원고들이 보존음료수를 국내판매하지 못하도록 금지하고 있는 것은, 헌법상 보장된 직업의 자유와 국민의 행복추구권을 침해하는 것으로서 헌법에 위반되어 효력이 없는 것이라고 할 수밖에 없고(④), 따라서 피고가 무효인 위 고시가 효력이 있는 것임을 전제로 원고들에 대하여 과징금을 부과한 이 사건 과징금 부과처분은 위법하다고 할 것으로(③) …… (대판 1994. 3. 8, 92누1728)

정답 16 ② 17 ②

02 부관과 이를 기초로 한 후속조치

기 298~299쪽 핵 T 28

18 정답률 74% 중 2024 국가직 9급

행정행위의 부관에 대한 설명으로 옳지 않은 것은? (다툼이 있는 경우 판례에 의함)

① 기부채납받은 행정재산에 대한 사용 · 수익허가에서 공유재산의 관리청이 정한 사용 · 수익허가의 기간은 그 허가의 효력을 제한하기 위한 행정행위의 부관으로서 이러한 사용 · 수익허가의 기간에 대해서는 독립하여 행정소송을 제기할 수 없다.

② 토지소유자가 토지형질변경행위허가에 붙은 기부채납의 부관에 따라 토지를 국가나 지방자치단체에 기부채납(증여)한 경우, 기부채납의 부관이 당연무효이거나 취소되지 아니한 이상 토지소유자는 위 부관으로 인하여 증여계약의 중요부분에 착오가 있음을 이유로 증여계약을 취소할 수 없다.

③ 행정행위의 부관인 부담에 정해진 바에 따라 당해 행정청이 아닌 다른 행정청이 그 부담상의 의무이행을 요구하는 의사표시를 하였을 경우, 이러한 행위가 당연히 항고소송의 대상이 되는 처분에 해당한다고 할 수는 없다.

④ 행정처분에 부담인 부관을 붙인 경우 부관의 무효화에 의하여 본체인 행정처분 자체의 효력에도 영향이 있게 될 수 있으며, 그 처분을 받은 사람이 부담의 이행으로 사법상 매매 등의 법률행위를 한 경우 그 법률행위 자체는 당연무효이다.

관련기출

②

1. 토지소유자가 토지형질변경행위허가에 붙은 기부채납의 부관에 따라 토지를 국가나 지방자치단체에 기부채납한 경우, 기부채납의 부관이 당연무효이거나 취소되지 아니한 이상 토지소유자는 위 부관으로 인하여 기부채납계약의 중요부분에 착오가 있음을 이유로 기부채납계약을 취소할 수 없다. (○, ×) 2023 국가직 9급, 2022 지방직 7급
2. 토지소유자가 토지형질변경행위허가에 붙은 기부채납의 부관에 따라 토지를 국가나 지방자치단체에 기부채납(증여)한 경우, 토지소유자는 원칙적으로 기부채납(증여)의 중요부분에 착오가 있음을 이유로 증여계약을 취소할 수 있다. (○, ×) 2022 군무원 9급

1. ○ 2. ×

① **빈출** 정답률 6% ○

판례는 부관 중에서 부담만이 독립하여 항고소송의 대상이 된다고 본다. 사용 · 수익허가의 기간은 기한에 불과한 것으로 독립하여 항고소송을 제기할 수 없다.

> (행정청이 원고에 대하여 행한 서울랜드 2차시설물에 대한 무상사용허가처분 중 원고가 신청한 무상사용기간 40년 가운데 20년을 초과하는 나머지 신청 부분에 대한 거부처분을 다툰 사건에서, 이러한 기간은 독립하여 소송대상이 될 수 없으므로 각하되어야 한다고 판시하면서) 기부채납받은 행정재산에 대한 사용 · 수익허가에서 사용 · 수익허가의 기간에 대하여 독립하여 행정소송을 제기할 수 없으며 이러한 청구는 부적법하므로 각하된다(대판 2001. 6. 15, 99두509).

② **빈출** 정답률 5% ○

> 토지소유자가 토지형질변경행위허가에 붙은 기부채납의 부관에 따라 토지를 기부채납(증여)한 경우, 기부채납의 부관이 당연무효이거나 취소되지 않은 상태에서 그 부관으로 인하여 증여계약의 중요부분에 착오가 있음을 이유로 증여계약을 취소할 수 없다(대판 1999. 5. 25, 98다53134).

③ 정답률 13% ○

> 행정행위의 부관인 부담에 정해진 바에 따라 '당해 행정청'이 아닌 '다른 행정청'이 그 부담상의 의무이행을 요구하는 의사표시를 하였을 경우, 이러한 행위가 당연히 또는 무조건으로 행정소송법상 항고소송의 대상이 되는 처분에 해당한다고 할 수는 없다(대판 1992. 1. 21, 91누1264).

④ 정답률 74% ×

> 행정처분에 부담인 부관을 붙인 경우 부관의 무효화에 의하여 본체인 행정처분 자체의 효력에도 영향이 있게 될 수는 있지만, 그 처분을 받은 사람이 부담의 이행으로 사법상 매매 등의 법률행위를 한 경우에는 그 부관은 특별한 사정이 없는 한 법률행위를 하게 된 동기 내지 연유로 작용하였을 뿐이므로 이는 법률행위의 취소사유가 될 수 있음은 별론으로 하고 그 법률행위 자체를 당연히 무효화하는 것은 아니다(대판 2009. 6. 25, 2006다18174).

정답 18 ④

19 빈출 정답률 53% ㊤ 2019 지방직 7급

甲은 개발제한구역 내에서의 건축허가를 관할행정청인 乙에게 신청하였고, 乙은 甲에게 일정 토지의 기부채납을 조건으로 이를 허가하였다. 이에 대한 설명으로 옳은 것은? (다툼이 있는 경우 판례에 의함)

□□□ ① 특별한 규정이 없다면 甲에 대한 건축허가는 기속행위로서 건축허가를 하면서 기부채납조건을 붙인 것은 위법하다.

□□□ ② 甲이 부담인 기부채납조건에 대하여 불복하지 않았고, 이를 이행하지도 않은 채 기부채납조건에서 정한 기부채납기한이 경과하였다면 이로써 甲에 대한 건축허가는 효력을 상실한다.

□□□ ③ 기부채납조건이 중대하고 명백한 하자로 인하여 무효라 하더라도 甲의 기부채납 이행으로 이루어진 토지의 증여는 그 자체로 사회질서 위반이나 강행규정 위반 등의 특별한 사정이 없는 한 유효하다.

□□□ ④ 건축허가 자체는 적법하고 부담인 기부채납조건만이 취소사유에 해당하는 위법성이 있는 경우, 甲은 기부채납조건부 건축허가처분 전체에 대하여 취소소송을 제기할 수 있을 뿐이고 기부채납조건만을 대상으로 취소소송을 제기할 수 없다.

① ×

판례에 의하면 개발제한구역 내에서의 건축허가는 예외적 허가로서 재량행위이다. 그런데 재량행위에는 법령상의 근거가 없어도 기부채납조건 등의 부관을 붙일 수 있다는 것이 판례의 취지이다. 따라서 甲에 대해 건축허가를 하면서 기부채납조건을 붙인 것은 위법하다고 볼 수 없다.

> 개발제한구역 내의 건축허가는 상대방에게 수익적인 것이 틀림이 없으므로 그 법률적 성질은 재량행위 내지 자유재량행위에 속하는 것이고, 이러한 재량행위에 있어서는 관계법령에 명시적인 금지규정이 없는 한 행정목적을 달성하기 위하여 조건이나 기한, 부담 등의 부관을 붙일 수 있다(대판 2004. 3. 25, 2003두12837).

② ×

지문에서 설문의 기부채납조건이 부담이라고 하였는바(만일 지문에서 부담이라고 주어지지 않은 경우에도 부관이 부담인지 조건인지가 명확하지 않는 경우에는 부담으로 추정하는 것이 일반적 견해이므로 사안의 부관은 부담에 해당하게 된다), 해제조건과 달리 부담부 행정행위는 상대방이 부담을 이행하지 않은 경우에도 그 효력이 당연히 소멸하지 않는다. 사안에서 甲이 부담인 기부채납조건에 대하여 불복하지 않았고, 이를 이행하지도 않은 채 기부채납조건에서 정한 기부채납기한이 경과하였더라도 건축허가의 효력이 당연히 상실되는 것이 아니며 건축허가의 효력을 상실시키기 위해서는 철회 등의 별도의 행정처분이 필요하다.

③ ○

판례는 부담과 부담의 이행으로 하게 된 기부채납 등의 행위를 별개로 보는바, 부담의 이행으로 하게 된 기부채납 등의 행위를 사법(私法)상의 증여 등으로 본다. 따라서 부담인 기부채납조건이 중대하고 명백한 하자로 인하여 무효라 하더라도 이는 본체인 주된 행정행위에 영향을 미칠 수는 있다고 하더라도 부담의 이행으로 행한 기부채납행위에 직접적 영향을 미치는 것은 아니다. 그러므로 기부채납조건이 중대하고 명백한 하자로 인하여 무효라 하더라도 甲의 기부채납 이행으로 이루어진 토지의 증여는 그 자체로 사회질서 위반이나 강행규정 위반 등의 특별한 사정이 없는 한 유효하다.

> 행정처분에 붙인 부담인 부관이 무효가 되더라도 그 부담의 이행으로 한 사법상 법률행위가 당연히 무효가 되는 것은 아니다.
>
> 행정처분에 부담인 부관을 붙인 경우 부관의 무효화에 의하여 본체인 행정처분 자체의 효력에도 영향이 있게 될 수는 있지만, 그 처분을 받은 사람이 부담의 이행으로 사법상 매매 등의 법률행위를 한 경우에는 그 부관은 특별한 사정이 없는 한 법률행위를 하게 된 동기 내지 연유로 작용하였을 뿐이므로 이는 법률행위의 취소사유가 될 수 있음은 별론으로 하고 그 법률행위 자체를 당연히 무효화하는 것은 아니다(대판 2009. 6. 25, 2006다18174).

④ ×

설문의 기부채납조건은 부담에 해당하는바, 판례는 부관 중에서 부담은 주된 행정행위와 독립하여 행정소송의 대상이 된다고 본다(대판 1992. 1. 21, 91누1264). 따라서 건축허가 자체는 적법하고 기부채납조건만이 취소사유에 해당하는 위법성이 있는 경우에 甲은 기부채납조건만을 대상으로 취소소송을 제기할 수 있다.

정답 19 ③

20 ㊤

2017 국회직 8급

<보기>에 대한 설명으로 옳지 않은 것은? (다툼이 있는 경우 판례에 의함)

보기

행정청 A는 甲에 대하여 주택건설사업계획 승인처분을 하면서 사업부지 중 일부를 공공시설용 토지로 기부채납할 것을 부관으로 하였고, 甲은 그 부관의 이행으로 토지에 대한 소유권이전등기를 마쳤다.

□□□ ① 행정청 A는 법령에 특별한 근거가 없더라도 甲에 대하여 부관을 붙일 수 있다.

□□□ ② 甲은 기부채납 부관에 대하여서 독립하여 취소소송을 제기할 수 있다.

□□□ ③ 甲에 대한 기부채납 부관이 무효가 되더라도 그 부담의 이행으로 한 소유권이전등기가 당연히 무효가 되는 것은 아니다.

□□□ ④ 甲에 대한 기부채납 부관이 제소기간의 도과로 불가쟁력이 발생한 이후에는 그 부담의 이행으로 한 소유권이전등기의 효력을 다툴 수 없다.

□□□ ⑤ 위 기부채납 부관이 처분과 실체적 관련성이 없어 부관으로 붙일 수 없는 경우, 사법상 계약의 형식으로 甲에게 토지이전의무를 부과할 수는 없다.

관련기출

④

1. 부담이 제소기간의 도과로 확정되어 불가쟁력이 생긴 경우 그 부담의 이행으로서 하게 된 사법상 매매 등의 법률행위의 효력도 다툴 수 없다. (○, ×) 2024 변호사
2. 부담의 이행으로서 하게 된 사법상 매매 등의 법률행위는 부담을 붙인 행정처분과는 어디까지나 별개의 법률행위이므로 그 부담의 불가쟁력의 문제와는 별도로 법률행위가 사회질서 위반이나 강행법규에 위반되는지 여부 등을 따져보아 그 법률행위의 유효 여부를 판단하여야 한다. (○, ×) 2023 해경간부, 2021 국가직 9급
3. 행정처분에 부가된 부담이 제소기간의 도과로 불가쟁력이 생긴 경우, 부담의 이행으로 한 사법상 매매 등의 법률행위도 효력이 확정되므로 그 법률행위의 유효 여부를 별도로 다툴 수 없다. (○, ×) 2022 소방간부
4. 행정처분에 붙은 부담인 부관이 불가쟁력이 생겼다 하더라도, 당해 부담이 당연무효가 아닌 이상 그 부담의 이행으로서 하게 된 매매 등 사법상 법률행위의 효력을 민사소송으로 다툴 수는 없다. (○, ×) 2016 지방직 7급

1. × 2. ○ 3. × 4. ×

① ○

재량행위에는 법률에 근거가 없더라도 부관을 붙일 수 있다는 것이 판례의 입장이다. 그런데 주택건설사업계획승인은 재량행위이므로 법률에 근거가 없더라도 부관을 붙일 수 있다. 따라서 행정청 A는 법령에 특별한 근거가 없더라도 甲에 대하여 부관을 붙일 수 있다.

> 주택건설촉진법 제33조에 의한 주택건설사업계획의 승인은 상대방에게 권리나 이익을 부여하는 효과를 수반하는 이른바 수익적 행정처분으로서 법령에 행정처분의 요건에 관하여 일의적으로 규정되어 있지 아니한 이상 행정청의 재량행위에 속한다 할 것이고, 재량행위에 있어서는 법령상의 근거가 없다고 하더라도 부관을 붙일 수 있는데, 그 부관의 내용은 적법하고 이행가능하여야 하며 비례의 원칙 및 평등의 원칙에 적합하고 행정처분의 본질적 효력을 해하지 아니하는 한도의 것이어야 하는바 …… (대판 1997. 3. 14, 96누16698)

② ○

토지를 기부채납하라는 부관은 상대방에게 일정한 의무를 부과하는 것으로서 부관 중 부담에 해당한다. 판례에 따르면 부관 중 부담만은 주된 행정행위와 독립하여 항고소송의 대상이 된다. 따라서 甲은 기부채납 부관에 대하여서 독립하여 취소소송을 제기할 수 있다.

> 1. 주택건설사업계획승인에 붙여진 기부채납의 조건은 행정행위의 부관 중 '부담'에 해당하는 것이다(대판 1996. 1. 23, 95다3541).
> 2. 부담은 독립하여 행정소송의 대상이 된다(대판 1992. 1. 21, 91누1264).

③ ○

④ ×

> 1. 행정처분에 붙인 부담인 부관이 무효가 되더라도 그 부담의 이행으로 한 사법상 법률행위가 당연히 무효가 되는 것은 아니다(③).
> 2. 행정처분에 붙인 부담인 부관에 제소기간 도과로 불가쟁력이 생긴 경우에도 그 부담의 이행으로 한 사법상 법률행위의 효력을 다툴 수 있다(④).
>
> 행정처분에 붙은 부담인 부관이 제소기간의 도과로 확정되어 이미 불가쟁력이 생겼다면 그 하자가 중대하고 명백하여 당연무효로 보아야 할 경우 외에는 누구나 그 효력을 부인할 수 없을 것이지만, 부담의 이행으로서 하게 된 사법상 매매 등의 법률행위는 부담을 붙인 행정처분과는 어디까지나 별개의 법률행위이므로 그 부담의 불가쟁력의 문제와는 별도로 법률행위가 사회질서 위반이나 강행규정에 위반되는지 여부 등을 따져보아 그 법률행위의 유효 여부를 판단하여야 한다(대판 2009. 6. 25, 2006다18174).

⑤ ○

행정처분과 실제적 관련성이 없어 부관으로 붙일 수 없는 부담을 사법상 계약의 형식으로 행정처분의 상대방에게 부과할 수는 없다는 것이 판례의 입장이다(대판 2009. 12. 10, 2007다63966).

정답 20 ④

제 15 강 행정행위의 요건과 효력

1회독	2회독	3회독
/	/	/

⊘정답률 공단기/소방단기 합격예측 풀서비스 통계 데이터 기준 기 기본서 핵 핵심집약

01 행정행위의 성립 및 효력발생요건

기 302~308쪽 핵 T 29

01 빈출 중 2023 해경간부

행정행위의 통지에 대한 설명으로 가장 옳지 않은 것은? (다툼이 있는 경우 판례에 의함)

□□□ ① 처분의 상대방인 원고가 피고인 행정청의 홈페이지에 접속하여 이 사건 처분의 결정내용을 확인하여 알게 되었다면, 피고가 인터넷 홈페이지에 이 사건 처분의 결정내용을 게시한 것만으로도 행정절차법 제14조에서 정한 바에 따라 송달이 이루어졌다고 볼 수 있다.

□□□ ② 처분서가 처분상대방의 주민등록상 주소지로 송달되어 처분상대방의 사무원 등 또는 그 밖에 우편물 수령권한을 위임받은 사람이 수령하면, 처분상대방이 알 수 있는 상태가 되었다고 할 것이다.

□□□ ③ 부당한 수취거부가 없었더라면 상대방이 우편물의 내용을 알 수 있는 객관적 상태에 놓일 수 있었던 때, 즉 수취거부시에 의사표시의 효력이 생긴 것으로 보아야 한다.

□□□ ④ 행정청이 처분을 할 때 당사자 등의 동의가 있는 경우에는 전자문서로 할 수 있다.

관련기출

①

1. 상대방 있는 행정처분은 의사표시에 관한 일반 법리에 따라 상대방에게 고지되어야 효력이 발생함이 원칙이나, 상대방 있는 행정처분이 상대방에게 고지되지 아니한 경우라도 상대방이 다른 경로를 통해 행정처분의 내용을 알게 되었다면 행정처분의 효력이 발생한다고 볼 수 있다. (○, ×) 2024 변호사
2. 상대방 있는 행정처분이 상대방에게 고지되지 아니한 경우에도 상대방이 다른 경로를 통해 행정처분의 내용을 알게 되었다면 행정처분의 효력이 발생한다고 볼 수 있다. (○, ×) 2023 군무원 9급
3. 상대방 있는 행정처분이 상대방에게 고지되지 아니한 경우에는 특별한 규정이 없는 한 상대방이 다른 경로를 통해 행정처분의 내용을 알게 되었다고 하더라도 행정처분의 효력이 발생한다고 볼 수 없다. (○, ×) 2022 국가직 7급

1. × 2. × 3. ○

① 빈출 ×

1. 상대방 있는 행정처분은 상대방에게 고지되어야 원칙적으로 효력이 발생한다.
2. 상대방 있는 행정처분이 상대방에게 고지되지 않았으나 상대방이 다른 경로를 통해 행정처분의 내용을 알게 된 경우라도, 행정처분의 효력이 발생하는 것은 아니다.

상대방 있는 행정처분은 특별한 규정이 없는 한 의사표시에 관한 일반 법리에 따라 상대방에게 고지되어야 효력이 발생하고, 상대방 있는 행정처분이 상대방에게 고지되지 아니한 경우에는 상대방이 다른 경로를 통해 행정처분의 내용을 알게 되었다고 하더라도 행정처분의 효력이 발생한다고 볼 수 없다. 피고가 인터넷 홈페이지에 이 사건 처분의 결정 내용을 게시한 것만으로는 행정절차법 제14조에서 정한 바에 따라 송달이 이루어졌다고 볼 수 없고, 원고가 그 홈페이지에 접속하여 결정내용을 확인하여 알게 되었다고 하더라도 마찬가지이다(대판 2019. 8. 9, 2019두38656).

② ○

행정처분의 효력발생요건으로서의 도달이란 처분상대방이 처분서의 내용을 현실적으로 알았을 필요까지는 없고 처분상대방이 알 수 있는 상태에 놓임으로써 충분하며, 처분서가 처분상대방의 주민등록상 주소지로 송달되어 처분상대방의 사무원 등 또는 그 밖에 우편물 수령권한을 위임받은 사람이 수령하면 처분상대방이 알 수 있는 상태가 되었다고 할 것이다(대판 2017. 3. 9, 2016두60577).

③ ○

상대방이 부당하게 등기취급 우편물의 수취를 거부함으로써 우편물의 내용을 알 수 있는 객관적 상태의 형성을 방해한 경우, 그러한 상태가 형성되지 아니하였다는 사정만으로 발송인의 의사표시 효력을 부정할 수는 없으며 이 경우 의사표시의 효력발생시기는 수취거부시이다.

상대방이 부당하게 등기취급 우편물의 수취를 거부함으로써 우편물의 내용을 알 수 있는 객관적 상태의 형성을 방해한 경우 그러한 상태가 형성되지 아니하였다는 사정만으로 발송인의 의사표시의 효력을 부정하는 것은 신의성실의 원칙에 반하므로 허용되지 아니한다. 이러한 경우에는 부당한 수취거부가 없었더라면 상대방이 우편물의 내용을 알 수 있는 객관적 상태에 놓일 수 있었던 때, 즉 수취거부시에 의사표시의 효력이 생긴 것으로 보아야 한다(대판 2020. 8. 20, 2019두34630).

④ 빈출 ○

행정절차법 제24조【처분의 방식】 ① 행정청이 처분을 할 때에는 다른 법령 등에 특별한 규정이 있는 경우를 제외하고는 문서로 하여야 하며, 다음 각 호의 어느 하나에 해당하는 경우에는 전자문서로 할 수 있다.
1. 당사자 등의 동의가 있는 경우
2. 당사자가 전자문서로 처분을 신청한 경우

정답 01 ①

02 정답률 72% 중 2021 국가직 7급

다음 사례에 관한 설명으로 옳은 것은? (다툼이 있는 경우 판례에 의함)

> 관할행정청은 2019. 4. 17. 청소년보호법의 규정에 따라 ㉠ A주식회사가 운영하는 인터넷 사이트를 청소년유해매체물로 결정하는 내용, ㉡ 일반 불특정 다수인을 상대방으로 하여 일률적으로 표시의무, 포장의무, 청소년에 대한 판매·대여 등의 금지의무 등 각종 의무를 발생시키는 내용, ㉢ 그 결정·고시의 효력발생일을 2019. 4. 24.로 정하는 내용 등을 포함한 「청소년유해매체물 결정·고시」를 하였다.

□□□ ① 위 결정·고시는 항고소송의 대상이 되는 행정처분에 해당하지 않는다.

□□□ ② 관할행정청이 위 결정·고시를 함에 있어서 A주식회사에게 이를 통지하지 않았다고 하여 결정·고시의 효력 자체가 발생하지 않는 것은 아니다.

□□□ ③ A주식회사가 위 결정을 통지받지 못하였다는 것은 취소소송의 제소기간을 준수하지 못한 것에 대한 정당한 사유가 될 수 있다.

□□□ ④ 위 결정·고시에 대한 취소소송의 제소기간을 계산함에 있어서는, A주식회사가 위 결정·고시가 있었다는 사실을 현실적으로 알았는지 여부에 관계없이 고시일인 2019. 4. 17.에 위 결정·고시가 있음을 알았다고 보아야 한다.

관련기출

①②

1. 구 청소년보호법에 따른 청소년유해매체물 결정 및 고시처분은 일반 불특정 다수인을 상대방으로 하는 행정처분이다. (○, ×) 2024 소방간부
2. 청소년유해매체물 결정 및 고시처분은 일반 불특정 다수인에 대하여 청소년에 대한 판매·대여 등의 금지의무 등 각종 의무를 발생시키는 행정처분으로서, 방송통신심의위원회와 여성가족부장관이 특정 인터넷 웹사이트에 대하여 청소년유해매체물 결정 및 고시처분이 있었음을 해당 웹사이트 운영자에게 통지하지 않았더라도 위 처분의 효력이 발생하지 아니한 것으로 볼 수 없다. (○, ×) 2023 변호사

1. ○ 2. ○

④

1. 불특정 다수인에 대한 행정처분을 고시 또는 공고에 의하여 하는 경우에는 그 행정처분에 이해관계를 갖는 사람이 고시 또는 공고가 있었다는 사실을 현실적으로 알았는지 여부에 관계없이 고시 또는 공고가 효력을 발생한 날에 행정처분이 있음을 알았다고 보아야 한다. (○, ×) 2017 지방직(하) 9급
2. 고시에 의한 행정처분의 상대방이 불특정 다수인인 경우, 그 행정처분에 이해관계를 갖는 자는 고시가 있었다는 사실을 현실적으로 알았는지 여부에 관계없이 고시가 효력을 발생하는 날부터 90일 이내에 취소소송을 제기하여야 한다. (○, ×) 2016 지방직 9급

1. ○ 2. ○

① **빈출** ×

② **빈출** ○

판례에 따르면 사례의 「청소년유해매체물 결정·고시」는 A주식회사만을 상대방으로 한 것이 아니라 일반 불특정 다수인을 상대방으로 한 행정처분으로서 A주식회사에 대한 통지 여부와 관계없이 효력발생시기로 명시하여 고시한 2019. 4. 24.에 효력이 발생한다.

> 1. 구 청소년보호법에 따른 청소년유해매체물 결정·고시처분은 행정처분이다.
>
>   구 청소년보호법에 따른 청소년유해매체물 결정 및 고시처분은 당해 유해매체물의 소유자 등 특정인만을 대상으로 한 행정처분이 아니라 일반 불특정 다수인을 상대방으로 하여 일률적으로 표시의무, 포장의무, 청소년에 대한 판매·대여 등의 금지의무 등 각종 의무를 발생시키는 행정처분이다(①).
> 2. 정보통신윤리위원회(현 방송통신심의위원회)가 특정 인터넷 웹사이트를 청소년유해매체물로 결정하고 청소년보호위원회가 효력발생시기를 명시하여 고시함으로써 그 명시된 시점에 효력이 발생하였다.
> 3. 정보통신윤리위원회와 청소년보호위원회가 위 처분이 있었음을 위 웹사이트 운영자에게 제대로 통지하지 아니하였다고 하여 그 효력 자체가 발생하지 아니한 것으로 볼 수는 없다(②)(대판 2007. 6. 14, 2004두619).

③ ×

판례에 따르면 A주식회사가 위 결정을 통지받지 못하였다는 것은 취소소송의 제소기간을 준수하지 못한 것에 대한 정당한 사유가 될 수 없다.

> (인터넷 웹사이트에 대하여 구 청소년보호법에 따른 청소년유해매체물 결정·고시처분을 한 사안에서) 위 결정은 이해관계인이 고시가 있었음을 알았는지 여부에 관계없이 관보에 고시됨으로써 효력이 발생하고, 그가 위 결정을 통지받지 못하였다는 것이 제소기간을 준수하지 못한 것에 대한 정당한 사유가 될 수 없다(대판 2007. 6. 14, 2004두619).

④ **빈출** ×

판례에 따르면 고시일인 2019. 4. 17.이 아니라 효력발생일인 2019. 4. 24.에 위 결정·고시가 있음을 알았다고 보아야 한다.

> 불특정 다수인에게 고시 또는 공고하는 경우 상대방이 고시 또는 공고사실을 현실적으로 알았는지와 무관하게 고시가 효력이 발생하는 날에 처분이 있음을 알았다고 보아야 한다.
>
> 통상 고시 또는 공고에 의하여 행정처분을 하는 경우에는 그 처분의 상대방이 불특정 다수인이고 그 처분의 효력이 불특정 다수인에게 일률적으로 적용되는 것이므로, 그 행정처분에 이해관계를 갖는 자가 고시 또는 공고가 있었다는 사실을 현실적으로 알았는지 여부에 관계없이 고시가 효력을 발생하는 날 행정처분이 있음을 알았다고 보아야 한다(대판 2007. 6. 14, 2004두619).

정답 02 ②

03 정답률 71% 상 2020 국가직 9급 변형

다음 사례에 대한 설명으로 옳은 것은? (다툼이 있는 경우 판례에 의함)

- 2020. 1. 6. 인기 아이돌 가수인 甲의 노래가 수록된 음반이 청소년유해매체물로 결정 및 고시되었는데, 여성가족부장관은 이 고시를 하면서 그 효력발생시기를 구체적으로 밝히지 않았다.
- A시의 시장이 식품위생법 위반을 이유로 乙에 대해 영업허가를 취소하는 처분을 하고자 하나 송달이 불가능하다.

① 「행정업무의 운영 및 혁신에 관한 규정」에 따르면 여성가족부장관의 고시의 효력은 2020. 1. 20.부터 발생한다.

② 甲의 노래가 수록된 음반을 청소년유해매체물로 지정하는 결정 및 고시는 항고소송의 대상이 될 수 없다.

③ A시의 시장이 영업허가취소처분을 송달하려면 乙이 알기 쉽도록 관보, 공보, 게시판, 일간신문 중 하나 이상에 공고하고 인터넷에도 공고하여야 한다.

④ 乙의 영업허가취소처분이 공보에 공고된 경우, 乙이 자신에 대한 영업허가취소처분이 있음을 알고 있지 못하더라도 영업허가취소처분에 대한 취소소송을 제기하려면 공고가 효력을 발생한 날부터 90일 안에 제기해야 한다.

관련기출

④

1. 특정인에 대한 행정처분을 주소불명 등의 이유로 송달할 수 없어 관보 · 공보 · 게시판 · 일간신문 등에 공고한 경우에는, 공고가 효력을 발생하는 날에 상대방이 그 행정처분이 있음을 알았다고 보아야 한다. (○, ×) 2023 변호사
2. 특정인에 대한 처분을 주소불명 등의 이유로 송달할 수 없어 관보 · 공보 · 게시판 · 일간신문 등에 공고(공시송달)한 경우에는 당해 공고가 효력을 발생하는 날이 제소기간의 기산일이 된다. (○, ×) 2010 국회속기직 9급

1. × 2. ×

① ×

「행정업무의 운영 및 혁신에 관한 규정」에 따르면 공고문서(고시 · 공고 등 행정기관이 일정한 사항을 일반에게 알리는 문서를 말함(「행정 효율과 협업 촉진에 관한 규정」 제4조 제3호))는 그 문서에서 효력발생시기를 구체적으로 밝히고 있지 않으면 그 고시 또는 공고 등이 있은 날부터 5일이 경과한 때에 효력이 발생한다. 사례의 경우 여성가족부장관의 고시의 효력은 고시가 있은 2020. 1. 6.부터 5일이 지난 2020. 1. 12.부터 발생한다.

> **「행정업무의 운영 및 혁신에 관한 규정」 제6조【문서의 성립 및 효력발생】**
> ① 문서는 결재권자가 해당 문서에 서명(전자이미지서명, 전자문자서명 및 행정전자서명을 포함한다. 이하 같다)의 방식으로 결재함으로써 성립한다.
> ② 문서는 수신자에게 도달(전자문서의 경우는 수신자가 관리하거나 지정한 전자적 시스템 등에 입력되는 것을 말한다)됨으로써 효력을 발생한다.
> ③ 제2항에도 불구하고 공고문서는 그 문서에서 효력발생시기를 구체적으로 밝히고 있지 않으면 그 고시 또는 공고 등이 있은 날부터 5일이 경과한 때에 효력이 발생한다.

② ×

고시는 행정규칙 또는 법규명령에 해당하는 것이 일반적이지만 구체적 사실을 규율하는 것일 때에는 행정처분일 수도 있다. 판례에 따르면 청소년유해매체물 결정 · 고시처분은 행정처분에 해당하는바, 甲의 노래가 수록된 음반을 청소년유해매체물로 지정하는 결정 및 고시는 항고소송의 대상이 될 수 있다.

> 구 청소년보호법에 따른 청소년유해매체물 결정 및 고시처분은 일반 불특정 다수인을 상대방으로 하여 일률적으로 표시의무, 포장의무, 청소년에 대한 판매 · 대여 등의 금지의무 등 각종 의무를 발생시키는 행정처분이다(대판 2007. 6. 14, 2004두619).

③ ○

행정절차법에 따르면 송달이 불가능한 경우 등에는 송달받을 자가 알기 쉽도록 관보, 공보, 게시판, 일간신문 중 하나 이상에 공고하고 인터넷에도 공고하도록 하고 있다. 따라서 A시의 시장이 영업허가취소처분을 송달하려면 乙이 알기 쉽도록 관보, 공보, 게시판, 일간신문 중 하나 이상에 공고하고 인터넷에도 공고하여야 한다.

> **행정절차법 제14조【송달】** ④ 다음 각 호의 어느 하나에 해당하는 경우에는 송달받을 자가 알기 쉽도록 관보, 공보, 게시판, 일간신문 중 하나 이상에 공고하고 인터넷에도 공고하여야 한다.
> 1. 송달받을 자의 주소 등을 통상적인 방법으로 확인할 수 없는 경우
> 2. 송달이 불가능한 경우

④ ×

판례에 따르면 특정인에 대한 행정처분을 주소불명 등의 이유로 송달할 수 없어 관보 등에 공고 또는 고시한 경우, 상대방이 그 처분이 있음을 안 날은 공고 또는 고시의 효력발생일이 아니라 처분이 있음을 현실적으로 안 날을 의미한다고 본다. 따라서 乙은 공고의 효력발생일로부터 90일 이내가 아니라 영업허가취소처분이 있음을 안 날로부터 90일 이내에 취소소송을 제기하여야 한다.

> 특정인에 대한 행정처분을 주소불명 등의 이유로 송달할 수 없어 관보 등에 공고한 경우, 상대방이 그 처분이 있음을 안 날은 공고가 효력을 발생하는 날이 아닌 상대방이 처분이 있었다는 사실을 현실적으로 안 날이라고 보아야 한다.
> 특정인에 대한 행정처분을 주소불명 등의 이유로 송달할 수 없어 관보 · 공보 · 게시판 · 일간신문 등에 공고한 경우에는, 공고가 효력을 발생하는 날에 상대방이 그 행정처분이 있음을 알았다고 볼 수는 없고, 상대방이 당해 처분이 있었다는 사실을 현실적으로 안 날에 그 처분이 있음을 알았다고 보아야 한다(대판 2006. 4. 28, 2005두14851).

정답 03 ③

04 중 2018 교육행정직 9급

행정행위의 효력발생요건에 관한 설명으로 옳지 않은 것은?

① 정보통신망을 이용한 송달은 송달받을 자가 동의하는 경우에만 한다.

② 송달이 불가능할 경우에는 송달받을 자가 알기 쉽도록 관보, 공보, 게시판, 일간신문, 인터넷 중 하나에 공고하여야 한다.

③ 보통우편으로 발송되었다는 사실만으로는 우편물이 상당기간 내에 도달하였다고 추정할 수 없다.

④ 정보통신망을 이용하여 전자문서로 송달하는 경우에는 송달받을 자가 지정한 컴퓨터 등에 입력된 때에 도달된 것으로 본다.

관련기출

④

1. 송달은 다른 법령 등에 특별한 규정이 있는 경우를 제외하고는 해당 문서가 송달받을 자에게 도달됨으로써 그 효력이 발생한다. (○, ×) 2015 서울시 7급
2. 행정절차법상 송달은 다른 법령 등에 특별한 규정이 있는 경우를 제외하고는 해당 문서가 송달받을 자에게 도달함으로써 효력이 발생하며, 전자문서로 송달하는 경우 송달받을 자가 지정한 컴퓨터 등에 입력된 후 인지하였을 때 도달된 것으로 본다. (○, ×) 2014 경행특채 2차

1. ○ 2. ×

① ○

② ×

행정절차법 제14조【송달】 ③ 정보통신망을 이용한 송달은 송달받을 자가 동의하는 경우에만 한다(①). 이 경우 송달받을 자는 송달받을 전자우편주소 등을 지정하여야 한다.
④ 다음 각 호의 어느 하나에 해당하는 경우에는 송달받을 자가 알기 쉽도록 관보, 공보, 게시판, 일간신문 중 하나 이상에 공고하고 인터넷에도 공고하여야 한다(②).
1. 송달받을 자의 주소 등을 통상적인 방법으로 확인할 수 없는 경우
2. 송달이 불가능한 경우

③ ○

보통우편의 방법으로 발송한 사실만으로는 도달한 것으로 추정할 수 없다.
내용증명우편이나 등기우편과는 달리, 보통우편의 방법으로 발송되었다는 사실만으로는 그 우편물이 상당 기간 내에 도달하였다고 추정할 수 없고, 송달의 효력을 주장하는 측에서 증거에 의하여 도달사실을 입증하여야 한다(대판 2002. 7. 26, 2000다25002).

④ **빈출** ○

행정절차법 제15조【송달의 효력발생】 ① 송달은 다른 법령 등에 특별한 규정이 있는 경우를 제외하고는 해당 문서가 송달받을 자에게 도달됨으로써 그 효력이 발생한다.
② 제14조 제3항에 따라 정보통신망을 이용하여 전자문서로 송달하는 경우에는 송달받을 자가 지정한 컴퓨터 등에 입력된 때에 도달된 것으로 본다.

정답 04 ②

02 행정법령의 적용문제 기 309~312쪽 핵 T 30

05 상 2014 지방직 7급

행정처분의 성립 · 발효요건에 대한 설명으로 옳지 않은 것은? (다툼이 있는 경우 판례에 의함)

□□□ ① 행정청이 처분을 할 때에는 다른 법령 등에 특별한 규정이 없는 한 문서로 하여야 하며, 이에 위반하여 행하여진 행정처분은 원칙적으로 무효사유에 해당한다.

□□□ ② 장해급여지급을 위한 장해등급결정과 같이 행정청이 확정된 법률관계를 확인하는 처분을 하는 경우에는 처분시 법령을 적용하여야 한다.

□□□ ③ 납세자가 과세처분의 내용을 이미 알고 있는 경우에도 납세고지서의 송달이 필요하다.

□□□ ④ 행정처분은 그 근거법령이 개정된 경우에도 경과규정에서 달리 정함이 없는 한, 처분 당시 시행되는 개정 법령과 그에 정한 기준에 의하는 것이 원칙이다.

① ○

> 행정청의 처분의 방식을 규정한 행정절차법 제24조를 위반하여 행해진 행정청의 처분은 그 하자가 중대하고 명백하여 원칙적으로 무효이다.
>
> (집합건물 중 일부 구분건물의 소유자인 피고인이 관할 소방서장으로부터 소방시설불량사항에 관한 시정보완명령을 받고도 따르지 아니하였다는 내용으로 기소된 사안에서) 담당 소방공무원이 행정처분인 위 명령을 구술로 고지한 것은 행정절차법 제24조를 위반한 것으로 하자가 중대하고 명백하여 당연무효이다(대판 2011. 11. 10, 2011도11109).

> **행정절차법 제24조【처분의 방식】** ① 행정청이 처분을 할 때에는 다른 법령 등에 특별한 규정이 있는 경우를 제외하고는 문서로 하여야 하며, 다음 각 호의 어느 하나에 해당하는 경우에는 선사문서로 할 수 있나. (각호 생략)

② ×

사건의 발생시 법령에 따라 이미 법률관계가 확정되고, 행정청이 이를 확인하는 처분, 예컨대 장해등급결정을 하는 경우처럼 법률관계를 확인하는 처분을 하는 경우에는 처분시의 법령을 적용하는 것이 아니라 당해 법률관계의 확정시(지급사유 발생시)의 법령을 적용한다는 것이 판례의 태도이다.

> 개정된 산업재해보상보험법 시행령의 시행 전에 장해급여지급청구권을 취득한 근로자의 장해등급을 결정함에 있어서는 결정시가 아니라 그 지급사유 발생 당시의 법령에 따르는 것이 원칙이다.
>
> 산업재해보상보험법상 장해급여는 근로자가 업무상의 사유로 부상을 당하거나 질병에 걸려 치료종결 후 신체 등에 장해가 있는 경우에 지급되는 것으로서, 치료종결 후 신체 등에 장해가 있을 때 그 지급사유가 발생하고, 그때 근로자는 장해급여지급청구권을 취득하므로, 장해급여지급을 위한 장해등급결정 역시 장해급여지급청구권을 취득할 당시, 즉 그 지급사유 발생 당시의 법령에 따르는 것이 원칙이라 할 것이다(대판 2007. 2. 22, 2004두12957).

③ ○

납세고지서(현 납부고지서)의 교부송달 및 우편송달에 있어서 반드시 납세의무자 또는 그와 일정한 관계에 있는 사람의 현실적인 수령행위를 전제로 하는 것이고 납세자가 과세처분의 내용을 이미 알고 있는 경우에도 납세고지서 송달이 필요하다는 것이 판례의 입장이다(대판 2004. 4. 9, 2003두13908).

④ ○

> 행정처분은 그 근거법령이 개정된 경우에도 경과규정에서 달리 정함이 없는 한 처분 당시 시행되는 개정법령과 그에서 정한 기준에 의하는 것이 원칙이다(대판 1992. 12. 8, 92누13813).

정답 05 ②

03 행정행위의 효력 및 구속력

기 313~325쪽 핵 T 31

06 빈출 정답률 78% 중 2021 지방직 · 서울시 9급

행정행위의 효력에 대한 설명으로 옳지 않은 것은? (다툼이 있는 경우 판례에 의함)

□□□ ① 행정처분이 아무리 위법하다고 하여도 그 하자가 중대하고 명백하여 당연무효라고 보아야 할 사유가 있는 경우를 제외하고는 아무도 그 하자를 이유로 무단히 그 효과를 부정하지 못한다.

□□□ ② 민사소송에 있어서 어느 행정처분의 당연무효 여부가 선결문제로 되는 때에는 이를 판단하여 당연무효임을 전제로 판결할 수 있고 반드시 행정소송 등의 절차에 의하여 그 취소나 무효확인을 받아야 하는 것은 아니다.

□□□ ③ 불가쟁력이 발생한 행정행위로 손해를 입은 국민은 국가배상청구를 할 수 있다.

□□□ ④ 행정행위의 불가변력은 당해 행정행위에 대해서만 인정되는 것이 아니고, 동종의 행정행위라면 그 대상을 달리하더라도 인정된다.

관련기출

④

1. 행정행위의 불가변력은 해당 행정행위에 대해서뿐만 아니라 그 대상을 달리하는 동종의 행정행위에 대해서도 인정된다. (○, ×) 2018 지방직 7급
2. 행정행위의 불가변력은 당해 행정행위에 대하여서만 인정되는 것이고, 동종의 행정행위라 하더라도 그 대상을 달리할 때에는 이를 인정할 수 없다. (○, ×) 2016 국가직 7급, 2004 행정고시

1. × 2. ○

① ○

원래 행정처분이 아무리 위법하다고 하여도 그 하자가 중대하고 명백하여 당연무효라고 보아야 할 사유가 있는 경우를 제외하고는 아무도 그 하자를 이유로 무단히 그 효과를 부정하지 못하는 것이다(대판 1994. 11. 11, 94다28000).

② ○

민사소송에 있어서 어느 행정처분의 당연무효 여부가 선결문제로 되는 때에는 이를 판단하여 당연무효임을 전제로 판결할 수 있고 반드시 행정소송 등의 절차에 의하여 그 취소나 무효확인을 받아야 하는 것은 아니다(대판 2010. 4. 8, 2009다90092).

③ **빈출** ○

불가쟁력이 발생한 행정행위라도 그 하자가 치유되는 것은 아니므로 그러한 행정행위로 인하여 손해를 입은 국민은 국가배상청구를 할 수 있다.

④ **빈출** ×

동종의 행위라도 그 대상을 달리하는 경우 불가변력이 인정되지 않는다.

국민의 권리와 이익을 옹호하고 법적 안정을 도모하기 위하여 특정한 행위에 대하여는 행정청이라 하여도 이것을 자유로이 취소, 변경 및 철회할 수 없다는 행정행위의 불가변력은 당해 행정행위에 대하여서만 인정되는 것이고, 동종의 행정행위라 하더라도 그 대상을 달리할 때에는 이를 인정할 수 없다(대판 1974. 12. 10, 73누129).

정답 06 ④

07 **빈출** 정답률 87% 하 2021 소방직 9급

행정행위의 존속력에 관한 설명으로 옳지 않은 것은? (다툼이 있는 경우 판례에 의함)

□□□ ① 불가변력은 처분청에 미치는 효력이고, 불가쟁력은 상대방 및 이해관계인에게 미치는 효력이다.

□□□ ② 불가쟁력이 생긴 경우에도 국가배상청구를 할 수 있다.

□□□ ③ 불가변력이 있는 행위가 당연히 불가쟁력을 발생시키는 것은 아니다.

□□□ ④ 불가쟁력은 실체법적 효력만 있고, 절차법적 효력은 전혀 가지고 있지 않다.

①③ ○

④ ×

불가쟁력과 불가변력은 행정법관계의 안정을 도모하고 상대방 등의 신뢰를 보호한다는 점에서는 공통된다. 그러나 그 외에 양자는 서로 다른 내용의 효력이다.

구 분	불가쟁력(형식적 존속력)	불가변력(실질적 존속력)
상대방	상대방 및 이해관계인 구속(①)	처분청 등 행정기관 구속(①)
성 질	절차법적 효력(④)	실체법적 효력
효력발생 범위	모든 행정행위	확인 등 일정한 행정행위
효력의 독립성	불가쟁력 발생 ⇨ 불가변력이 발생하는것은 아님(직권취소는 가능).	불가변력 발생 ⇨ 불가쟁력이 발생하는 것은 아님(쟁송제기는 가능)(③).

② ○

행정상 손해배상청구소송은 처분의 효력을 다투는 것이 아니므로 비록 불가쟁력이 발생한 행정행위라도 소멸시효가 완성되지 않는 한 상대방 등은 행정상 손해배상청구소송을 제기할 수 있다.

정답 07 ④

08 빈출 상 2020 국회직 8급 변형

행정행위의 효력에 대한 설명으로 옳지 않은 것은? (다툼이 있는 경우 판례에 의함)

□□□ ① 공정력이란 행정행위의 위법이 중대 · 명백하여 당연무효가 아닌 한 권한 있는 기관에 의해 취소되기까지는 행정의 상대방이나 이해관계자에게 적법하게 통용되는 힘을 말한다.

□□□ ② 공정력을 인정하는 이론적 근거는 법적 안정성설이 통설이다.

□□□ ③ 과세처분에 대해 이의신청을 하고 이에 따라 직권취소가 이루어졌다면 특별한 사정이 없는 한 불가변력이 발생한다.

□□□ ④ 환경영향평가를 거쳐야 함에도 불구하고 환경영향평가를 거치지 않고 개발사업승인을 한 처분에 대해서는 처분이 있은 후 1년이 도과한 경우라도 불가쟁력이 발생하지 않는다.

관련기출

①

1. 공정력이란 행정행위가 위법하더라도 취소되지 않는 한 유효한 것으로 통용되는 효력을 의미하는 것이다. (○, ×) 2022 군무원 7급, 2015 서울시 7급
2. 행정행위는 비록 흠이 있더라도 중대하고 명백하여 당연무효가 아닌 한 권한 있는 기관에 의해 취소될 때까지 잠정적으로 유효하게 통용되는 힘을 가진다. (○, ×) 2009 국가직 9급

1. ○ 2. ○

① **빈출** ×

과거에는 공정력을 행정행위의 위법이 중대 · 명백하여 당연무효가 아닌 한 권한 있는 기관에 의해 취소되기까지는 행정의 상대방이나 이해관계자에게 적법하게 통용되는 힘으로 정의하는 견해도 있었으나 오늘날에는 이러한 견해는 존재하지 않는다. 현재의 통설은 공정력을, 비록 행정행위에 하자가 있는 경우라도 그것이 중대 · 명백하여 당연무효로 인정되는 경우를 제외하고는 권한 있는 기관(처분청 · 감독청, 행정심판위원회 · 취소소송관할법원)에 의하여 취소되기 전까지 다른 누구(상대방, 다른 행정청, 민 · 형사법원)도 그 효력을 부인할 수 없어 일단 유효한 것으로 통용되는 힘으로 정의하고 있으며 행정기본법도 이러한 통설의 입장을 명문화하였다.

> 공정력이란 행정행위가 위법하더라도 취소되지 않는 한 유효한 것으로 통용되는 효력을 의미하는 것이다(대판 1994. 4. 12, 93누21088).

> **행정기본법 제15조【처분의 효력】** 처분은 권한이 있는 기관이 취소 또는 철회하거나 기간의 경과 등으로 소멸되기 전까지는 유효한 것으로 통용된다. 다만, 무효인 처분은 처음부터 그 효력이 발생하지 아니한다.

② ○

공정력의 이론상 근거에 관해 여러 학설이 있으나, 행정법관계의 안정성 유지, 상대방의 신뢰보호(행정행위가 다소 위법하더라도 그 위법성을 모르는 국민은 행정행위를 믿고 따를 수밖에 없음) 등과 같은 정책적 고려에서 구하는 견해인 법적 안정설(행정정책설)이 통설의 입장이다.

③ ○

> 과세처분에 관한 이의신청절차에서 과세관청이 이의신청사유가 옳다고 인정하여 과세처분을 직권으로 취소한 후, 특별한 사유 없이 이를 번복하여 종전 처분과 동일한 내용의 처분을 할 수는 없다.
>
> 과세처분에 관한 불복절차과정에서 불복사유가 옳다고 인정하여 이에 따라 필요한 처분을 하였을 경우에는, 불복제도와 이에 따른 시정방법을 인정하고 있는 국세기본법 취지에 비추어 볼 때 동일사항에 관하여 특별한 사유 없이 이를 번복하고 종전과 동일한 처분을 하는 것은 허용될 수 없다. 따라서 과세관청이 과세처분에 대한 이의신청절차에서 납세자의 이의신청사유가 옳다고 인정하여 과세처분을 직권으로 취소한 경우, 납세자가 허위의 자료를 제출하는 등 부정한 방법에 기초하여 직권취소되었다는 등의 특별한 사유가 없는데도 이를 번복하고 종전과 동일한 과세처분을 하는 것은 위법하다(대판 2017. 3. 9, 2016두56790).
>
> **참고** 행정심판이 아닌 이의신청에 따른 취소는 직권취소이다. 다만, 행정심판법상 행정심판이 아닌 이의신청절차도 불복절차이므로 관련규정의 취지를 고려하여 이의신청에 따른 직권취소에도 특별한 사정이 없는 한 번복할 수 없는 불가변력을 인정한 것이다.

④ ○

불가쟁력이란 쟁송제기기간이 경과하거나 쟁송수단을 다 거친 경우 상대방 또는 이해관계인은 더 이상 행정행위의 효력을 다툴 수 없게 되는 힘을 말하는데 무효인 행정행위는 불가쟁력이 발생하지 않는다. 판례에 의할 때 환경영향평가를 거쳐야 함에도 불구하고 환경영향평가를 거치지 않고 개발사업승인을 한 경우 그러한 처분은 당연무효이다. 따라서 처분이 있은 후 1년이 도과한 경우라도 불가쟁력이 발생하지 않는다.

> 구 환경영향평가법상 환경영향평가를 실시하여야 할 사업에 대하여 환경영향평가를 거치지 아니하였음에도 승인 등 처분을 한 경우, 그 처분은 당연무효이다.
>
> 환경영향평가를 거쳐야 할 대상사업에 대하여 환경영향평가를 거치지 아니하였음에도 불구하고 승인 등 처분이 이루어진다면, 이러한 행정처분의 하자는 법규의 중요한 부분을 위반한 중대한 것이고 객관적으로도 명백한 것이라고 하지 않을 수 없어, 이와 같은 행정처분은 당연무효이다(대판 2006. 6. 30, 2016두56790).

정답 08 ①

09 정답률 72% 상 2019 서울시 9급

<보기>의 행정행위의 하자와 행정소송 상호 간의 관계에 관한 설명으로 옳은 것을 모두 고른 것은? (다툼이 있는 경우 판례에 따름)

보기

㉠ 취소사유 있는 영업정지처분에 대한 취소소송의 제소기간이 도과한 경우 처분의 상대방은 국가배상청구소송을 제기하여 재산상 손해의 배상을 구할 수 있다.

㉡ 취소사유 있는 과세처분에 의하여 세금을 납부한 자는 과세처분취소소송을 제기하지 않은 채 곧바로 부당이득반환청구소송을 제기하더라도 납부한 금액을 반환받을 수 있다.

㉢ 파면처분을 당한 공무원은 그 처분에 취소사유인 하자가 존재하는 경우 파면처분취소소송을 제기하여야 하고 곧바로 공무원지위확인소송을 제기할 수 없다.

㉣ 무효인 과세처분에 의하여 세금을 납부한 자는 납부한 금액을 반환받기 위하여 부당이득반환청구소송을 제기하지 않고 곧바로 과세처분무효확인소송을 제기할 수 있다.

① ㉠, ㉡ ② ㉢, ㉣
③ ㉠, ㉢, ㉣ ④ ㉡, ㉢, ㉣

③ ㉠㉢㉣은 옳고, ㉡은 옳지 않은 설명이다.

㉠ ○

불가쟁력이 발생한 행정행위에 대해서는 쟁송으로 그 취소를 구하는 것이 불가할 뿐이며, 불가쟁력이 발생한 경우라도 행정행위의 하자가 치유되어 행정행위가 적법하게 되는 것은 아니다. 따라서 상대방인 국민은 손해배상청구소송을 제기하여 그 위법성을 주장할 수는 있다. 따라서 문제의 경우와 같이 취소사유 있는 영업정지처분에 대한 취소소송의 제소기간이 도과하여 불가쟁력이 발생한 경우에도 처분의 상대방은 국가배상청구소송을 제기하여 재산상 손해의 배상을 구할 수 있다.

㉡ ×

행정행위의 하자가 취소사유에 불과한 때에는 처분이 취소되지 않는 한 그로 인한 이득은 법률상 원인 없는 이득, 즉 부당이득이 아니다(대판 1994. 11. 11, 94다28000).

㉢ 제35강 참조 ○

행정행위의 공정력으로 인해 단순위법의 하자 있는 행정행위는 취소소송 이외의 소송으로 그 효력을 부인할 수 없다. 당사자소송도 행정소송이긴 하지만 취소소송은 아니므로 행정행위의 하자가 단순위법으로서 취소사유에 불과한 경우에는 그 효력을 부인할 수 없다. 따라서 파면처분을 받은 공무원은 그 파면처분이 단순위법의 처분이라면 파면처분취소소송을 제기하여야 하고, 곧바로 당사자소송으로 공무원지위확인소송을 제기할 수는 없다.

㉣ 제40강 참조 ○

무효인 조세부과처분에 대하여 세금을 납부한 자가 부당이득반환청구소송 등 실질적으로 권익을 구제받고자 하는 다른 소송을 제기하여 그 소송에서 처분의 무효를 주장하여 구제받을 수 있다 하더라도 조세부과처분의 무효확인소송을 독립된 소로서 제기할 수 있다는 것이 판례의 입장이다.

1. 항고소송으로 무효확인소송을 제기하는 경우 무효확인소송의 '보충성'이 요구되는 것은 아니다.
2. 행정소송법 제35조에 규정된 '무효확인을 구할 법률상 이익'이 있는지를 판단할 때 행정처분의 무효를 전제로 한 이행소송 등과 같은 직접적인 구제수단이 있는지를 따져볼 필요가 없다.

   행정처분의 근거법률에 의하여 보호되는 직접적이고 구체적인 이익이 있는 경우에는 행정소송법 제35조에 규정된 '무효확인을 구할 법률상 이익'이 있다고 보아야 하고, 이와 별도로 무효확인소송의 보충성이 요구되는 것은 아니므로 행정처분의 무효를 전제로 한 이행소송 등과 같은 직접적인 구제수단이 있는지 여부를 따질 필요가 없다고 해석함이 상당하다(대판 2008. 3. 20, 2007두6342).

10 정답률 79% 하 2018 소방직 9급

행정행위의 효력에 관한 설명으로 옳지 않은 것은?

① 행정행위의 불가쟁력은 형식적 존속력이라고도 한다.
② 행정심판위원회의 재결에는 불가변력이 인정된다.
③ 불가변력은 행정행위의 상대방 및 이해관계인에 대한 구속력이고, 불가쟁력은 처분청 등 행정기관에 대한 구속력이다.
④ 불가쟁력이 발생한 행정행위일지라도 불가변력이 없는 경우에는 행정청 등 권한 있는 기관은 이를 직권으로 취소할 수 있다.

① ○

불가쟁력을 형식적 존속력, 불가변력을 실질적 존속력이라고 한다.

② ○

행정심판위원회의 재결과 같이 일정한 쟁송절차를 거쳐 행해지는 사법(司法)행위에 준하는 행정행위는, 그 행위가 행해진 후라면 처분청이라도 임의로 이를 취소 또는 철회할 수 없는 힘이 발생하는바 이를 불가변력이라고 한다.

③ ×

반대로 기술되어 있다. 불가쟁력은 행정행위의 상대방 및 이해관계인에 대한 구속력인 반면, 불가변력은 처분청 등 행정기관에 대한 구속력으로 볼 수 있다.

④ ○

불가쟁력과 불가변력은 별개의 효력으로서 불가쟁력이 생긴 행위라도 당연히 불가변력이 발생되는 것은 아니다. 따라서 불가쟁력이 발생한 행정행위도 불가변력이 발생하지 않는 한 처분청 등이 직권으로 취소 · 변경하는 것은 가능하다.

정답 09 ③ 10 ③

11 중 2016 사회복지직 9급

행정행위의 효력에 대한 설명으로 옳은 것은?

□□□ ① 구속력이란 행정행위가 적법요건을 구비하면 법률행위적 행정행위의 경우 법령이 정하는 바에 의해, 준법률행위적 행정행위의 경우 행정청이 표시한 의사의 내용에 따라 일정한 법적 효과가 발생하여 당사자를 구속하는 실체법상 효력이다.

□□□ ② 공정력은 행정청의 권력적 행위뿐 아니라 비권력적 행위, 사실행위, 사법행위에도 인정된다.

□□□ ③ 행정행위에 불가변력이 발생한 경우 행정청은 당해 행정행위를 직권으로 취소할 수 없으나 철회는 가능하다.

□□□ ④ 판례에 의하면 사전에 당해 행정처분의 취소판결이 있어야만 그 행정처분의 위법을 이유로 한 손해배상청구를 할 수 있는 것은 아니다.

관련기출

④

1. 위법한 대집행이 완료되었더라도 미리 그 행정처분의 취소판결이 있어야만, 그 행정처분의 위법을 이유로 한 손해배상청구를 할 수 있다. (O, ×) 2022 서울시 지적 7급
2. 甲이 영업정지처분이 위법하다고 주장하면서 국가를 상대로 손해배상청구소송을 제기한 경우, 법원은 취소사유에 해당하는 것을 인정하더라도 그 처분의 취소판결이 없는 한 손해배상청구를 인용할 수 없다. (O, ×) 2022 군무원 7급
3. 영업허가취소처분으로 손해를 입은 자가 제기한 국가배상청구소송에서 법원은 영업허가취소처분에 취소사유에 해당하는 하자가 있는 경우에는 영업허가취소처분의 위법을 이유로 배상청구를 인용할 수 없다. (O, ×) 2022 지방직 · 서울시 9급
4. 행정처분이 위법임을 이유로 국가배상을 청구하기 위한 전제로서 그 처분이 취소되어야만 하는 것은 아니다. (O, ×) 2019 국가직 9급
5. 위법한 행정행위에 대한 국가배상소송이 제기된 경우, 민사법원은 해당 행정행위가 취소되어야만 그 위법 여부를 심리 · 판단하여 배상을 명할 수 있다. (O, ×) 2018 교육행정직 9급

1. × 2. × 3. × 4. ○ 5. ×

① ×

구속력에 관한 정의 부분은 맞는 내용이다. 다만, 법률행위적 행정행위와 준법률행위적 행정행위에 관한 설명이 바뀌었기 때문에 틀린 지문이 된다.
구속력이란 행정행위가 그 내용에 따라 관계행정청 및 상대방과 이해관계인에 대하여 일정한 법률적 효과를 발생시키는 실체법상의 힘을 말한다. 또한, 법률행위적 행정행위란 행정청의 의사표시(효과의사)를 구성요소로 하고 그 표시된 효과의사의 내용에 따라 법적 효과가 발생하는 행위를 말한다. 이에 반해 준법률행위적 행정행위란 행정청의 의사표시(효과의사) 이외의 정신작용을 구성요소로 하고 행정청의 의사와는 무관하게 법규가 정한 바에 따라 법적 효과가 발생하는 행위를 의미한다.

② ×

공정력은 행정청의 우월적 지위를 전제로 하는 것이므로 비권력적인 공법상 계약, 단순한 사실행위 및 사법(私法)행위에는 공정력이 인정되지 않는다.

③ ×

행정행위가 발해지면 일정한 경우에 행정청 자신도 직권으로 자유로이 이를 취소 또는 철회할 수 없는 힘을 가지는바, 이러한 힘을 불가변력이라고 한다.

④ ○

행정상 손해배상청구권의 발생요건으로는 행정작용의 위법성이 요구될 뿐이며 행정작용이 취소되어야만 하는 것은 아니다. 따라서 처분의 위법을 이유로 손해배상청구소송을 하는 경우 처분의 위법성이 인정되면 손해배상청구를 할 수 있으며 처분의 취소판결이 선행되어야만 하는 것은 아니다. 그런데 손해배상청구소송의 수소(受訴)법원인 민사법원은 행정행위의 공정력으로 인해 처분의 효력을 부인하는 것, 즉 처분을 취소할 수는 없으나, 처분의 위법성 판단은 공정력과 무관하므로 민사법원도 처분의 위법성을 판단할 수는 있다. 따라서 사전에 처분의 취소판결이 있어야만 처분의 위법을 이유로 손해배상청구를 할 수 있는 것은 아니다. 행정처분의 취소판결이 있어야만 그 행정처분이 위법임을 이유로 손해배상청구를 할 수 있는 것은 아니라는 것이 판례의 입장이다(대판 1972. 4. 28, 72다337).

> 행정처분의 취소판결이 있어야만 그 행정처분이 위법임을 이유로 손해배상청구를 할 수 있는 것은 아니다.
>
> 본건 계고처분 행정처분이 위법임을 이유로 배상을 청구하는 취지로 인정될 수 있는 본건에 있어 미리 그 행정처분의 취소판결이 있어야만 그 행정처분의 위법임을 이유로 피고에게 배상을 청구할 수 있는 것은 아니라고 해석함이 상당할 것임에도 불구하고 행정처분의 취소가 있어 그 효력이 상실되어야만 배상을 청구할 수 있는 법리인 것같이 판단한 원판결에는 배상청구와 행정처분 취소판결의 관계에 관한 법리를 오해한 위법이 있다 할 것이다(대판 1972. 4. 28, 72다337).

정답 11 ④

12 중 2015 교육행정직 9급

행정행위의 효력에 관한 설명으로 옳지 않은 것은?

① 불가쟁력은 행정행위의 상대방 및 이해관계인에 대한 구속력이다.

② 상대방에게 일정한 의무를 부과하는 하명은 집행력을 가진다.

③ 구성요건적 효력은 행정행위의 유 · 무효를 불문하고 인정되는 구속력이다.

④ 불가변력이 있는 행정행위도 쟁송제기기간이 경과하기 전에는 쟁송을 제기하여 그 효력을 다툴 수 있다.

① ○
불가쟁력이란 비록 하자 있는 행정행위라 할지라도 쟁송제기기간이 경과하거나 쟁송수단을 다 거친 경우에는 상대방 또는 이해관계인은 더 이상 행정행위의 효력을 다툴 수 없게 되는 힘을 의미한다. 따라서 불가쟁력은 처분의 상대방과 이해관계인에 대한 구속력을 의미한다.

② ○
집행력이란 행정행위에 의해 부과된 '의무'를 상대방이 이행하지 않는 경우에 행정청이 스스로 강제력을 발동하여 그 의무를 실현시키는 힘을 말하는 것으로 상대방에게 의무를 부과하는 하명행위에 인정된다.

③ ×
구성요건적 효력이란 비록 하자 있는 행정행위라고 하더라도 그 하자가 중대 · 명백하여 당연무효가 아닌 한 법원을 포함한 모든 다른 국가기관은 행정행위의 존재와 효과를 존중하여 스스로 판단의 기초 내지 구성요건으로 삼아야 한다는 견해이다. 따라서 무효인 행정행위에는 구성요건적 효력이 인정되지 아니한다.

④ ○
불가변력이 있는 행위가 당연히 불가쟁력을 가지는 것은 아니다. 따라서 불가변력이 있는 행정행위도 쟁송제기기간이 경과하기 전에는 쟁송을 제기하여 그 효력을 다툴 수 있다.

13 정답률 75% 상 2015 서울시 9급

행정행위에 관한 설명으로 옳지 않은 것을 모두 고른 것은? (다툼이 있는 경우 판례에 의함)

> ㉠ 행정권한을 위임받은 사인도 행정청으로서 행정행위를 할 수 있다.
> ㉡ 부하 공무원에 대한 상관의 개별적인 직무명령은 행정행위가 아니다.
> ㉢ 일정한 불복기간이 경과하거나 쟁송수단을 다 거친 후에는 더 이상 행정행위를 다툴 수 없게 되는 효력을 행정행위의 불가변력이라 한다.
> ㉣ 판례에 따르면 행정행위의 집행력은 행정행위의 성질상 당연히 내재하는 효력으로서 별도의 법적 근거를 요하지 않는다.
> ㉤ 지방경찰청장(현 시 · 도경찰청장)이 횡단보도를 설치하여 보행자 통행방법 등을 규제하는 것은 행정행위에 해당한다.

① ㉠, ㉣ ② ㉢, ㉤
③ ㉡, ㉤ ④ ㉢, ㉣

④ ㉠㉡㉤이 옳고, ㉢㉣이 옳지 않은 내용이다.

㉠ ○
행정행위는 행정청이 하는 것인데 사인도 행정권한을 위임받으면 행정청이 될 수 있다. 따라서 행정행위를 할 수 있다.

> **행정절차법 제2조【정의】** 이 법에서 사용하는 용어의 뜻은 다음과 같다.
> 1. '행정청'이란 다음 각 목의 자를 말한다.
>   가. 행정에 관한 의사를 결정하여 표시하는 국가 또는 지방자치단체의 기관
>   나. 그 밖에 법령 또는 자치법규(이하 '법령 등'이라 한다)에 따라 행정권한을 가지고 있거나 위임 또는 위탁받은 공공단체 또는 그 기관이나 사인(私人)

㉡ ○
행정행위는 외부성을 가지는 것으로 행정청이 국민 등 행정의 상대방에게 하는 행위이므로 단순한 직무명령과 같은 행정조직의 내부행위는 행정행위가 아니다.

㉢ ×
불가쟁력에 관한 설명이다. 불가변력이란, 일정한 행정행위의 경우 행정행위가 행해지면 행위를 한 행정청 자신도 직권으로 자유로이 취소 · 변경할 수 없는 효력을 의미한다.

㉣ ×
행정행위의 자력집행력이란 행정행위에 의해 부과된 의무를 상대방이 이행하지 않는 경우에 행정청이 스스로 강제력을 발동하여 그 의무를 실현시키는 힘을 말한다. 이러한 자력집행력은 행정행위의 성질상 당연히 인정되는 효력이 아니라 행정행위의 실효성을 위해 법률상 부여된 힘에 불과하므로 자력집행력이 인정되기 위해서는 행정행위의 근거와는 별도의 법적 근거가 필요하다.

㉤ ○
불특정 다수인을 대상으로 구체적인 규율(장소적으로 특정되어 있음)을 하는 것으로 이른바 일반처분에 해당하며 이러한 일반처분 역시 행정행위에 해당한다. 지방경찰청장(현 시 · 도경찰청장)이 횡단보도를 설치하여 보행자의 통행방법 등을 규제하는 것은, 행정청이 특정사항에 대하여 의무의 부담을 명하는 행위이고 이는 국민의 권리 · 의무에 직접 관계가 있는 행위로서 행정처분이라고 보아야 할 것이라는 것이 판례의 입장이다(대판 2000. 10. 27, 98두8964).

정답 12 ③ 13 ④

14 상

2014 서울시 7급

행정의사의 우월적 지위에 관한 설명 중 옳지 않은 것은?

□□□ ① 행정주체의 의사는 비록 그 성립에 하자가 있을지라도 그 하자가 중대하고 명백하여 무효가 되지 않는 한, 권한 있는 행정기관이나 법원에 의하여 취소될 때까지 유효한 행위로서 통용되는 효력을 공정력이라 한다.

□□□ ② 법무부장관이 A에게 귀화허가를 준 경우 그 귀화허가가 무효가 아니라면, 귀화허가가 모든 국가기관을 구속하여 각부장관이 A를 국민으로 보아야 하는 효력은 행정의사의 존속력에서 나온다.

□□□ ③ 형식적 존속력이 생긴 행위에 대해서도 경우에 따라서는 행정청이 직권으로 취소할 수 있다.

□□□ ④ 실질적 존속력이 발생한 행위라도 형식적 존속력이 발생하지 않은 동안에는 상대방은 그 행위를 다툴 수 있다.

□□□ ⑤ 행정의사의 강제력에는 제재력과 자력집행력이 있는바, 제재에는 행정형벌과 행정질서벌이 있다.

① ○
공정력이란 행정행위가 위법하더라도 취소되지 않는 한 유효한 것으로 통용되는 효력을 의미하는 것이다(행정기본법 제15조).

② ×
존속력(확정력)은 불가쟁력과 불가변력을 말하는데, 사안의 효력은 공정력 내지 구성요건적 효력에 관한 설명이다.

③ ○
형식적 존속력(불가쟁력)이 발생한 경우에도 실질적 존속력(불가변력)이 발생하는 것은 아니다. 따라서 불가쟁력이 발생한 행정행위라도 처분을 한 행정청이 직권으로 취소 또는 철회하는 것은 가능하다.

④ ○
실질적 존속력(불가변력)이 발생한 행정행위라고 하더라도 형식적 존속력(불가쟁력)이 당연히 발생하는 것은 아니다. 따라서 실질적 존속력(불가변력)이 발생한 행정행위도 쟁송제기기간이 경과하기 전에는 상대방은 쟁송을 제기하여 그 효력을 다툴 수 있다.

⑤ ○
행정의사의 강제력에는 제재력과 자력집행력이 있으며 이 중 제재력이란 행정벌을 부과할 수 있는 힘을 말하며 행정벌에는 행정형벌과 행정질서벌이 있다.

15 하

2013 서울시 9급

조세부과처분이 비록 위법하다 하더라도 그 하자가 중대하고 명백한 것이 아닌 한 일단 상대방은 세금을 납부해야 할 의무를 지는 것은 다음의 어느 효력 때문인가?

□□□ ① 집행력

□□□ ② 공정력

□□□ ③ 불가쟁력

□□□ ④ 내용적 구속력

□□□ ⑤ 불가변력

② 공정력이란, 비록 행정행위에 하자가 있는 경우라도 그것이 중대 · 명백하여 당연무효로 인정되는 경우를 제외하고는 권한 있는 기관(처분청, 감독청, 행정심판위원회, 취소소송 관할법원)에 의하여 취소되기 전까지 다른 누구(상대방, 다른 행정청, 민 · 형사법원)도 그 효력을 부인할 수 없어 일단 잠정적으로 유효한 것으로 통용되는 힘을 말한다. 따라서 조세부과처분이 비록 위법하다 하더라도 그 하자가 중대하고 명백하여 당연무효가 아닌 한 일단 상대방은 세금을 납부하여야 할 의무를 지게 되는 것은 행정행위의 공정력과 관련이 있다.

정답 14 ② 15 ②

16 ㊤ 2011 지방직(상) 9급

다음 글에 대한 설명으로 옳지 않은 것은? (다툼이 있는 경우 판례에 의함)

> 甲이 국세를 체납하자 관할 세무서장은 甲소유가옥에 대한 공매절차를 진행하여 낙찰자 乙에게 소유권이전등기가 경료되었다. 그런데 甲은 그로부터 1년이 지난 후에야 위 공매처분에 하자 있음을 발견하였다.
>
> (가) 甲이 공매처분의 하자를 이유로 乙을 상대로 하여 소유권이전등기의 말소등기절차의 이행을 구하는 민사소송을 제기하였다.
>
> (나) 甲이 가옥의 소유권을 상실하는 손해를 입었음을 이유로 바로 국가를 상대로 민사법원에 손해배상청구소송을 제기하였다.

□□□ ① (가)의 경우 공매처분의 하자가 무효사유라면 민사법원은 공매처분의 효력 유무에 대해서 판단이 가능하며, 甲의 등기말소청구는 인용될 수 있다.

□□□ ② (가)의 경우 공매처분의 하자가 취소사유라면 민사법원은 공매처분의 효력을 부인할 수 없으므로 甲의 등기말소청구는 기각될 것이다.

□□□ ③ (나)의 경우 甲의 소송제기는 관할위반의 위법이 없고, 민사법원은 공매처분의 하자에 대해 그 위법성을 심사하여 甲의 손해배상청구를 인용할 수 있다.

□□□ ④ (나)의 경우 공매처분에 대한 취소소송의 제기기간인 1년이 지난 후에 제기한 손해배상청구소송이므로 민사법원은 甲의 청구를 각하해야 할 것이다.

(가) 乙에게 소유권이전등기가 된 것은 세무서장의 공매처분이 법률상의 원인이 된 것이다. 따라서 소유권이전등기가 말소되기 위해서는 공매처분이 무효이거나 권한 있는 기관에 의해 취소되어야 한다. 그런데 甲은 공매처분에 대한 취소소송을 제기하지 않고 곧바로 자신에게 소유권이 있음을 전제로 乙에 대해 소유권이전등기 말소를 민사소송으로 청구하고 있다.

① ○
만약 공매처분이 무효라면 공정력이 없으므로 민사법원도 처분의 효력 유무를 판단할 수 있으며, 이 경우 소유권이전등기는 법률상 원인이 없는 것(공매처분이 효력이 없음)이 되므로 민사법원은 소유권이전등기말소청구를 인용할 수 있다.

② ○
공매처분의 하자가 취소사유라면 취소되기 전까지는 일단 유효하며, 또한 민사법원은 공정력으로 인해 처분을 취소할 수 없으므로 소유권이전등기는 법률상 원인이 있는 것(공매처분이 효력이 있음)이 되므로 민사법원은 소유권이전등기말소청구를 기각할 것이다.

(나) 공매처분의 하자를 이유로 취소소송을 제기하지 않고 곧바로 민사법원에 손해배상청구를 한 사안이다.

③ ○
판례에 따르면 국가배상청구는 민사소송이므로 민사법원에 손해배상청구를 한 것은 관할위반의 위법이 없고, 민사법원은 처분의 위법성은 심사할 수 있으므로 甲의 손해배상청구를 인용할 수 있다.

④ ×
불가쟁력이 발생한 행정행위라도 행정행위의 위법성이 없어지는 것은 아니므로 소멸시효가 완성되지 않는 한 상대방 등은 행정상 손해배상청구소송을 제기하여 구제받을 수 있다.

정답 16 ④

17 상 2010 국가직 7급

행정행위의 구성요건적 효력과 관련이 없는 것은?

□□□ ① 특허심판원이 행하는 심결은 일단 행해지면 그 심결에 흠이 있다 하더라도 특허심판원 스스로 이를 취소할 수 없다.

□□□ ② 행정처분이 위법임을 이유로 배상을 청구하는 경우, 그 행정처분의 취소판결이 있어야만 피고에게 배상을 청구할 수 있는 것은 아니다.

□□□ ③ 국세 등의 부과 및 징수처분에 대한 부당이득반환청구사건에서 행정처분의 하자가 단순한 취소사유에 그칠 때에는 법원은 그 행정처분의 효력을 부인할 수 없다.

□□□ ④ 세관장의 수입면허에 중대하고 명백한 하자가 있는 경우가 아닌 한, 무면허수입죄는 성립되지 않는다.

① ×

지문 그 자체로는 모두 맞는 말이다. 그런데 문제에서 구성요건적 효력과 관련이 없는 것을 물었는바, ①은 불가변력에 관한 내용이므로 정답이 된다.

② ○

행정처분의 취소판결이 있어야만 그 행정처분이 위법임을 이유로 손해배상청구를 할 수 있는 것은 아니라는 것이 판례의 입장이다(대판 1972. 4. 28, 72다337).

③ ○

> 과세처분에 단지 취소할 수 있는 위법사유가 있는 경우, 민사소송절차에서 그 과세처분의 효력을 부인할 수 없다.
>
> 과세처분이 당연무효라고 볼 수 없는 한 과세처분에 취소할 수 있는 위법사유가 있다 하더라도 그 과세처분은 행정행위의 공정력 또는 집행력에 의하여 그것이 적법하게 취소되기 전까지는 유효하다 할 것이므로, 민사소송절차에서 그 과세처분의 효력을 부인할 수 없다(대판 1999. 8. 20, 99다20179).

④ ○

> 사위 기타 부정한 방법으로 수입면허를 받았다 하더라도 그 수입면허가 당연무효가 아닌 한 관세법 소정의 무면허수입죄가 성립될 수 없다(대판 1989. 3. 28, 89도149).

정답 17 ①

제 16 강 행정행위의 하자와 하자승계

1회독	2회독	3회독
/	/	/

✓정답률 공단기/소방단기 합격예측 풀서비스 통계 데이터 기준 기 기본서 핵 핵심집약

01 행정행위의 하자 기 328~349쪽 핵 T 32

01 상 2024 국회직 8급

다음 사례에 대한 설명으로 옳지 않은 것은? (다툼이 있는 경우 판례에 의함)

「소방시설 설치 및 관리에 관한 법률」은 "건축허가 등의 권한이 있는 행정기관은 건축허가 등을 할 때 미리 그 건축물 등의 소재지를 관할하는 소방서장의 동의를 받아야 한다."고 규정하고 있다. 甲은 건물신축을 위해 A시 시장 乙에게 건축법상 건축허가신청을 하였으나, 乙은 A시 소방서장 丙의 동의 거부를 이유로 건축불허가처분을 하였다.

□□□ ① 乙이 건축불허가처분을 하면서 丙의 건축부동의 의견을 들고 있으나 丙이 건축부동의로 삼은 사유가 보완이 가능한 것인 경우, 乙이 보완을 요구하지 아니한 채 곧바로 건축허가 신청을 거부한 것은 재량권의 범위를 벗어난 것이다.

□□□ ② 乙의 건축불허가처분에 불복하여 甲이 제기한 취소소송에서 법원은 丙을 소송에 참가시킬 필요가 있다고 인정하는 경우 丙을 당해 소송에 참가시키는 결정을 할 수 있다.

□□□ ③ 乙의 건축불허가처분에 불복하여 甲이 제기한 취소소송에서 인용판결이 확정되면 丙에게도 판결의 기속력이 발생한다.

□□□ ④ 乙이 건축불허가처분을 하면서 건축불허가사유뿐만 아니라 丙의 건축부동의 사유를 들고 있는 경우, 甲은 건축불허가처분에 관한 쟁송에서 丙의 건축부동의 사유에 관하여는 다툴 수 없다.

□□□ ⑤ 甲이 위 건축불허가처분을 취소소송으로 다투고자 하는 경우 피고는 乙이 된다.

① **빈출** ○

> **행정절차법 제17조【처분의 신청】** ⑤ 행정청은 신청에 구비서류의 미비 등 흠이 있는 경우에는 보완에 필요한 상당한 기간을 정하여 지체 없이 신청인에게 보완을 요구하여야 한다.

> 건축불허가처분을 하면서 그 사유의 하나로 소방시설과 관련된 소방서장의 건축부동의 의견을 들고 있으나 그 보완이 가능한 경우, 보완을 요구하지 아니한 채 곧바로 건축허가신청을 거부한 것은 재량권의 범위를 벗어난 것이다(위법하다는 의미).
>
> 위 규정 소정의 보완의 대상이 되는 흠은 보완이 가능한 경우이어야 함은 물론이고, 그 내용 또한 형식적 · 절차적인 요건이거나, 실질적인 요건에 관한 흠이 있는 경우라도 그것이 민원인의 단순한 착오나 일시적인 사정 등에 기한 경우 등이라야 한다. 건축불허가처분을 하면서 그 사유의 하나로 소방시설과 관련된 소방서장의 건축부동의 의견을 들고 있으나 그 보완이 가능한 경우, 보완을 요구하지 아니한 채 곧바로 건축허가신청을 거부한 것은 재량권의 범위를 벗어난 것이다(대판 2004. 10. 15, 2003두6573).

② 제36강 참조 ○

> **행정소송법 제17조【행정청의 소송참가】** ① 법원은 다른 행정청을 소송에 참가시킬 필요가 있다고 인정할 때에는 당사자 또는 당해 행정청의 신청 또는 직권에 의하여 결정으로써 그 행정청을 소송에 참가시킬 수 있다.

③ 제39강 참조 ○

> **행정심판법 제49조【재결의 기속력 등】** ① 심판청구를 인용하는 재결은 피청구인과 그 밖의 관계행정청을 기속(羈束)한다.

④ ×

⑤ ○

> 건축허가권자가 건축불허가처분을 하면서 그 처분사유로 건축불허가 사유뿐만 아니라 구 소방법 제8조 제1항에 따른 소방서장의 건축부동의 사유를 들고 있다고 하여 그 건축불허가처분 외에 별개로 건축부동의처분이 존재하는 것이 아니므로, 그 건축불허가처분을 받은 사람은 그 건축불허가처분에 관한 쟁송에서 건축법상의 건축불허가 사유뿐만 아니라 소방서장의 부동의 사유에 관하여도 다툴 수 있으며(④), 이 경우 피고는 소방서장이 아닌 건축불허가처분청이 된다(⑤)(대판 2004. 10. 15, 2003두6573).

정답 01 ④

02 **빈출** 정답률 69% 중 2022 소방직 9급

행정행위의 하자로서 무효사유가 아닌 것은? (다툼이 있는 경우 판례에 의함)

□□□ ① 국토계획법령이 정한 도시계획시설사업의 대상토지의 소유와 동의요건을 갖추지 못하였음에도 도시계획시설사업의 사업시행자 지정처분을 한 경우

□□□ ② 조세부과처분의 근거가 되었던 법률규정에 대하여 위헌결정이 내려진 후 체납처분을 한 경우

□□□ ③ 학교환경위생정화위원회의 심의절차를 누락한 채 학교환경위생정화구역에서의 금지행위 및 시설해제 여부에 관한 행정처분을 한 경우

□□□ ④ 납세자가 아닌 제3자의 재산을 대상으로 압류처분을 한 경우

관련기출

①

1. 선행처분인 도시계획시설 사업시행자 지정처분이 처분 요건을 충족하지 못하여 당연무효인 경우에는 사업시행자 지정처분이 유효함을 전제로 이루어진 후행처분인 실시계획 인가처분도 무효라고 보아야 한다. (○, ×) 2023 국회직 8급
2. 도시계획시설사업시행자 지정처분이 처분요건을 충족하지 못하여 당연무효인 경우, 도시계획시설사업의 시행자가 작성한 실시계획을 인가하는 처분도 무효이다. (○, ×) 2022 국가직 9급
3. 선행 도시계획시설사업 시행자 지정처분이 당연무효이면 후행처분인 실시계획 인가처분도 당연무효이다. (○, ×) 2018 서울시 2회 7급
4. 선행처분과 후행처분이 서로 독립하여 별개의 법률효과를 목적으로 하는 경우에 선행처분이 당연무효의 하자가 있다는 이유로 후행처분의 효력을 다툴 수 없다. (○, ×) 2018 서울시 9급

1. ○ 2. ○ 3. ○ 4. ×

① **빈출** ○

1. 국토의 계획 및 이용에 관한 법령이 정한 도시계획시설사업의 대상 토지의 소유와 동의요건을 갖추지 못하였는데도 사업시행자로 지정한 경우, 하자가 중대하고 명백하다.
2. 선행처분인 도시계획시설사업 시행자 지정처분이 처분요건을 충족하지 못하여 당연무효인 경우, 후행처분인 도시계획시설사업의 시행자가 작성한 실시계획을 인가하는 처분도 무효이다.

   선행처분과 후행처분이 서로 독립하여 별개의 법률효과를 목적으로 하는 때에도 선행처분이 당연무효이면 선행처분의 하자를 이유로 후행처분의 효력을 다툴 수 있다. 도시계획시설사업의 시행자가 작성한 실시계획을 인가하는 처분은 도시계획시설사업 시행자에게 도시계획시설사업의 공사를 허가하고 수용권을 부여하는 처분으로서 선행처분인 도시계획시설사업 시행자 지정처분이 처분요건을 충족하지 못하여 당연무효인 경우에는 사업시행자 지정처분이 유효함을 전제로 이루어진 후행처분인 실시계획 인가처분도 무효라고 보아야 한다(대판 2017. 7. 11, 2016두35120).

② ○

과세처분 이후 조세 부과의 근거가 되었던 법률규정에 대하여 위헌결정이 내려진 경우, 그 조세채권의 집행을 위한 체납처분은 당연무효가 된다(대판 2012. 2. 16, 2010두10907 전합).

③ ×

구 학교보건법상 학교환경위생정화구역의 금지행위 및 시설의 해제 여부에 관한 행정처분을 함에 있어 학교환경위생정화위원회의 심의를 누락한 행정처분에는 취소사유가 있다(대판 2007. 3. 15, 2006두15806).

④ ○

납세자가 아닌 제3자의 재산을 대상으로 한 압류처분은 당연무효이다(대판 2012. 4. 12, 2010두4612).

정답 02 ③

03 정답률 69% 상 2022 국가직 9급

다음 사례에 대한 설명으로 옳지 않은 것은? (다툼이 있는 경우 판례에 의함)

> A시 시장은 「학교용지 확보 등에 관한 특례법」 관계 조항에 따라 공동주택을 분양받은 甲, 乙, 丙, 丁 등에게 각각 다른 시기에 학교용지 부담금을 부과하였다. 이후 해당 조항에 대하여 법원의 위헌법률심판제청에 따라 헌법재판소가 위헌결정을 하였다(단, 甲, 乙, 丙, 丁은 모두 위헌법률심판제청신청을 하지 않은 것으로 가정함).

□□□ ① 甲이 부담금을 납부하였고 부담금 부과처분에 불가쟁력이 발생한 상태라면, 해당 조항이 위헌으로 결정되더라도 이미 납부한 부담금을 반환받을 수 없다.

□□□ ② 乙은 부담금을 납부한 후 부담금 부과처분에 대해 행정소송을 제기하였고 현재 소가 계속 중인 경우에도, 乙이 위헌법률심판제청신청을 하지 않았으므로 乙에게 위헌결정의 소급효는 미치지 않는다.

□□□ ③ 丙이 부담금 부과처분에 대한 행정심판청구를 하여 기각재결서를 송달받았으나, 재결서 송달일로부터 90일 이내에 취소소송을 제기하였다면 丙의 청구는 인용될 수 있다.

□□□ ④ 부담금 부과처분에 대한 제소기간이 경과하여 丁의 부담금 납부의무가 확정되었고 위헌결정 전에 丁의 재산에 대한 압류가 이루어진 상태라도, 丁에 대해 부담금 징수를 위한 체납처분을 속행할 수는 없다.

관련기출

②

1. 위헌결정은 원칙적으로 장래효를 가지나, 예외적으로 당해 사건, 동종사건, 병행사건에 효력을 미치며, 위헌결정 이후 제소된 일반사건에서도 소급효의 부인이 정의와 형평에 반하는 경우에는 소급효가 인정된다. (○, ×) 2020 국회직 8급

1. ○

④

1. 위헌법률에 기한 행정처분의 집행이나 집행력을 유지하기 위한 행위는 위헌결정의 기속력에 위반되어 허용되지 않는다. (○, ×) 2018 경행경채
2. 과세처분 이후에 그 근거법률이 위헌결정을 받았으나 이미 과세처분의 불가쟁력이 발생한 경우, 당해 과세처분에 대한 조세채권의 집행을 위한 체납처분의 속행은 적법하다. (○, ×) 2017 지방직 9급
3. 과세처분이 조세부과처분의 근거법령에 대한 위헌결정 전에 이루어졌고 과세처분의 제소기간이 경과하여 조세채권이 확정되었더라도 그 위헌결정 이후 조세채권의 새로운 체납처분에 착수하거나 이를 속행하는 것은 허용되지 않는다. (○, ×) 2017 서울시 7급

1. ○ 2. × 3. ○

① ○

위헌결정의 소급효는 불가쟁력이 발생한 행정처분에는 미치지 않으므로 부담금 부과처분은 확정된 상태이다. 따라서 납부한 부담금은 부당이득이 아니므로 甲은 이미 납부한 부담금을 반환받을 수 없다.

> 이미 취소소송의 제기기간을 경과하여 확정력(불가쟁력)이 발생한 행정처분에는 위헌결정의 소급효가 미치지 않는다.
>
> 위헌결정의 효력은 그 결정 이후에 당해 법률이 재판의 전제가 되었음을 이유로 법원에 제소된 일반사건에도 미치므로, 당해 법률에 근거하여 행정처분이 발하여진 후에 헌법재판소가 그 행정처분의 근거가 된 법률을 위헌으로 결정하였다면 결과적으로 행정처분은 법률의 근거가 없이 행하여진 것과 마찬가지가 되어 하자가 있는 것이 되나, 이미 취소소송의 제기기간을 경과하여 확정력이 발생한 행정처분의 경우에는 위헌결정의 소급효가 미치지 않는다고 보아야 할 것이다(대판 2002. 11. 8, 2001두3181).

② ×

위헌결정의 소급효는 따로 위헌제청신청을 아니하였지만 당해 법률 또는 법률의 조항이 재판의 전제가 되어 법원에 계속 중인 사건(병행사건)에도 미치므로 乙에게도 위헌결정의 소급효가 미친다.

> 헌법재판소의 위헌결정은 당해 사건, 동종사건, 병행사건, 기타 정의와 형평 등을 고려할 필요가 있는 경우에 소급효가 인정된다.
>
> 구체적 규범통제의 실효성의 보장의 견지에서 법원의 제청 · 헌법소원의 청구 등을 통하여 헌법재판소에 법률의 위헌결정을 위한 계기를 부여한 당해 사건(당해 사건), 위헌결정이 있기 전에 이와 동종의 위헌 여부에 관하여 헌법재판소에 위헌제청을 하였거나 법원에 위헌제청신청을 한 경우의 당해 사건(동종사건), 그리고 따로 위헌제청신청을 아니하였지만 당해 법률 또는 법률의 조항이 재판의 전제가 되어 법원에 계속 중인 사건(병행사건)에 대하여는 소급효를 인정하여야 할 것이다. 또 다른 한 가지의 불소급 원칙의 예외로 볼 것은, 당사자의 권리구제를 위한 구체적 타당성의 요청이 현저한 반면에 소급효를 인정하여도 법적 안정성을 침해할 우려가 없고 나아가 구법에 의하여 형성된 기득권자의 이익이 해쳐질 사안이 아닌 경우로서 소급효의 부인이 오히려 정의와 형평 등 헌법적 이념에 심히 배치되는 때라고 할 것으로, 이때에 소급효의 인정은 법(편저자 주 : 헌법재판소법) 제47조 제2항 본문의 근본취지에 반하지 않을 것으로 생각한다(헌재 1993. 5. 13, 92헌가10).

③ ○

행정심판을 청구한 경우의 취소소송 제소기간은 재결서 정본을 송달받은 날로부터 90일이 되므로 丙은 제소기간을 준수하였으며, 丙의 사건도 위헌결정의 소급효가 미치는 병행사건에 해당하므로 丙의 청구는 인용될 수 있다.

> **행정소송법 제20조【제소기간】** ① 취소소송은 처분 등이 있음을 안 날부터 90일 이내에 제기하여야 한다. 다만, 제18조 제1항 단서에 규정한 경우와 그 밖에 행정심판청구를 할 수 있는 경우 또는 행정청이 행정심판청구를 할 수 있다고 잘못 알린 경우에 행정심판청구가 있은 때의 기간은 재결서의 정본을 송달받은 날부터 기산한다.

④ **빈출** ○

헌법재판소의 위헌결정은 기속력이 있으므로 위헌결정 후 처분의 집행이나 집행력을 유지하기 위한 행위는 허용될 수 없다.

> 1. 위헌법률에 기한 행정처분의 집행이나 집행력을 유지하기 위한 행위는 위헌결정의 기속력에 위반되어 허용되지 않는다.
> 2. 위헌결정 이전에 이미 부담금 부과처분과 압류처분 및 이에 기한 압류등기가 이루어지고 위의 각 처분이 확정되었다고 하여도, 위헌결정 이후에는 별도의 행정처분인 매각처분, 분배처분 등 후속 체납처분절차를 진행할 수 없다(대판 2002. 8. 23, 2001두2959).

정답 03 ②

04 **빈출** 정답률 55% 중 2020 소방직 9급

행정행위의 하자에 대한 설명으로 옳은 것은? (다툼이 있는 경우 판례에 의함)

□□□ ① 하자 있는 행정행위의 치유는 원칙적으로 허용되나, 국민의 권리나 이익을 침해하지 않는 범위 내에서 인정된다.

□□□ ② 행정소송에서 행정처분의 위법 여부는 행정처분이 있을 때의 법령과 사실상태를 기준으로 하여 판단하여야 하고 처분 후 법령의 개폐나 사실상태의 변동이 있다면 그러한 법령의 개폐나 사실상태의 변동에 의하여 처분의 위법성이 치유될 수 있다.

□□□ ③ 법률관계나 사실관계에 대하여 그 법률의 규정을 적용할 수 없다는 법리가 명백히 밝혀지지 아니하여 그 해석에 다툼의 여지가 있는 경우에, 행정관청이 이를 잘못 해석하여 행정처분을 하였다면 그 처분의 하자는 객관적으로 명백하다고 볼 것이나, 중대한 것은 아니므로 이를 이유로 무효를 주장할 수는 없다.

□□□ ④ 「도시 및 주거환경정비법」상 주택재건축사업의 추진위원회가 조합을 설립하고자 하는 때에는 토지소유자 등이 일정 수 이상 동의하여야 하는데, 조합설립인가처분이 이러한 요건을 충족하지 못한 상태에서 이루어졌다면 그러한 처분은 위법하고, 토지소유자 등의 추가동의서가 추후에 제출되어 법정요건을 갖추었다 할지라도 설립인가처분의 위법성이 치유되는 것은 아니다.

관련기출

①

1. 인근주민의 동의를 받아야 하는 요건을 결여하였다는 이유로 경원관계에 있는 자가 제기한 허가처분의 취소소송에서, 허가처분을 받은 자가 사후동의를 받은 경우에 하자의 치유를 인정하는 것은 원고에게 불이익하게 되므로 이를 허용할 수 없다. (○, ×) 2014 지방직 7급

1. ○

④

1. 재건축주택조합설립인가처분 당시 동의율을 충족하지 못한 하자는 후에 추가동의서가 제출되었다는 사정만으로 치유될 수 없다. (○, ×) 2023 국회직 8급
2. 재건축조합설립인가처분 당시 동의율을 충족하지 못한 하자는 후에 추가동의서가 제출되었다는 사정만으로도 치유된다. (○, ×) 2023 국가직 9급
3. 재건축주택조합설립인가처분 당시 동의율을 충족하지 못한 하자는 후에 추가동의서가 제출되었다는 사정만으로 치유될 수 없다. (○, ×) 2018 서울시 2회 7급
4. 토지소유자 등의 동의율을 충족하지 못했다는 주택재건축정비사업조합설립인가처분 당시의 하자는 후에 토지소유자 등의 추가동의서가 제출되었다면 치유된다. (○, ×) 2016 지방직 9급

1. ○ 2. × 3. ○ 4. ×

① ×

행정행위의 하자의 치유라 함은 성립 당시에 하자가 있는 행정행위라 하더라도 그 하자의 원인인 법정요건을 사후에 보완하였다든가 또는 그 하자가 취소를 요하지 않을 정도로 경미해진 경우에 그 행위를 적법한 것으로 보아 효력을 유지시키는 것을 의미한다. 이러한 하자의 치유는 행정행위의 성질이나 법치주의의 관점에서 볼 때 원칙적으로 허용될 수 없으나 예외적으로 행정행위의 무용한 반복을 피하고 당사자의 '법적 안정성'을 위해 허용될 수 있는바, 이 경우에도 국민의 권리와 이익을 침해하지 않는 범위에서 인정되어야 한다는 것이 판례의 입장이다.

1. 하자 있는 행정행위의 치유는 원칙적으로 허용될 수 없는 것이고, 예외적으로 법적 안정성을 위해 이를 허용하는 때에도 국민의 권리나 이익을 침해하지 않는 범위에서 구체적 사정에 따라 합목적적으로 인정하여야 할 것이다.
2. 경원관계에 있는 자가 제기한 허가처분의 취소소송에서, 인근주민의 동의를 받아야 하는 요건을 결여하였다가 처분 후에 동의를 받은 경우에 하자의 치유를 인정하는 것은 경원관계에 있는 원고에게 불이익하므로 허용할 수 없다(대판 1992. 5. 8, 91누13274).

② 제39강 참조 ×

행정처분의 위법 여부 판단의 기준시점은 처분시이므로 처분 후 법령의 개폐나 사실상태의 변동에 의하여 위법성이 치유될 수는 없다.

행정처분의 위법 여부 판단의 기준시점은 처분시이다.
행정소송에서 행정처분의 위법 여부는 행정처분이 행하여졌을 때의 법령과 사실상태를 기준으로 하여 판단하여야 하고, 처분 후 법령의 개폐나 사실상태의 변동에 의하여 영향을 받지는 않는다(대판 2007. 5. 11, 2007두1811).

③ ×

그러한 처분의 하자는 객관적으로 명백하다고 볼 수 없다.

1. 행정청이 어느 법률관계나 사실관계에 대하여 어느 법률의 규정을 적용하여 행정처분을 한 경우에 그 법률관계나 사실관계에 대하여는 그 법률의 규정을 적용할 수 없다는 법리가 명백히 밝혀져 그 해석에 다툼의 여지가 없음에도 불구하고 행정청이 위 규정을 적용하여 처분을 한 때에는 그 하자가 중대하고 명백하다고 할 것이다.
2. 그러나 그 법률관계나 사실관계에 대하여 그 법률의 규정을 적용할 수 없다는 법리가 명백히 밝혀지지 아니하여 그 해석에 다툼의 여지가 있는 때에는 행정관청이 이를 잘못 해석하여 행정처분을 하였더라도 이는 그 처분요건사실을 오인한 것에 불과하여 그 하자가 명백하다고 할 수 없다(대판 2014. 5. 16, 2011두27094).

④ **빈출** ○

재건축조합설립인가처분 당시 토지소유자 등의 동의율을 충족하지 못한 하자는 후에 토지소유자 등의 추가동의서가 제출되었다는 사정만으로 치유될 수 없다.
행정행위의 치유는 행정행위의 성질이나 법치주의의 관점에서 볼 때 원칙적으로 허용될 수 없는 것이고, 예외적으로 행정행위의 무용한 반복을 피하고 당사자의 법적 안정성을 위해 이를 허용하는 때에도 국민의 권리나 이익을 침해하지 아니하는 범위에서 구체적 사정에 따라 합목적적으로 인정하여야 할 것이다. 사안의 경우 하자의 치유를 인정하면 토지 등 소유자에게 아무런 손해가 발생하지 않는다고 단정할 수 없다(대판 2013. 7. 11, 2011두27544).

정답 04 ④

05 정답률 76% 하 2019 소방직 9급

행정행위의 하자에 관한 설명으로 옳지 않은 것은?

① 무효인 행정행위에는 공정력, 불가쟁력이 인정되지 않는다.

② 처분의 근거가 되었던 법률규정에 대하여 위헌결정이 내려진 후 행한 처분의 집행행위는 당연무효이다.

③ 선행행위가 무효인 경우에는 후행행위도 당연히 무효이다.

④ 하사 있는 행정행위의 치유는 행정경제를 도모하기 위하여 원칙적으로 허용된다.

① ○

행정행위가 무효라면 행정행위에 인정되는 효력인 공정력, 불가쟁력은 인정될 수 없다.

② ○

과세처분 이후 조세 부과의 근거가 되었던 법률규정에 대하여 위헌결정이 내려진 경우, 그 조세채권의 집행을 위한 체납처분(현 강제징수)은 당연무효가 된다는 것이 판례의 입장이다(대판 2012. 2. 16, 2010두10907 전합).

③ ○

선행행위가 무효인 경우에는 당사자는 선행행위의 무효를 언제나 주장할 수 있고 또한 선행행위의 무효는 당연히 후행 행정행위에 승계되어 후행행위도 무효로 된다.

> 적법한 건축물에 대한 철거명령은 당연무효이고, 그 후행행위인 대집행 계고처분 역시 당연무효이다.
>
> 적법한 건축물에 대한 철거명령은 그 하자가 중대하고 명백하여 당연무효라고 할 것이고, 그 후행행위인 건축물철거 대집행계고처분 역시 당연무효라고 할 것이다(대판 1999. 4. 27, 97누6780).

④ ×

> 하자 있는 행정행위의 치유는 행정행위의 성질이나 법치주의의 관점에서 볼 때 원칙적으로 허용될 수 없는 것이고, 예외적으로 행정행위의 무용한 반복을 피하고 당사자의 법적 안정성을 위해 허용되는 때에도 국민의 권리나 이익을 침해하지 않는 범위 내에서 구체적 사정에 따라 합목적적으로 인정해야 할 것이다(대판 1992. 5. 8, 91누13274).

정답 05 ④

06 빈출 ⓢ

2019 사회복지직 9급 변형

<보기>의 행정행위의 하자에 대한 설명으로 옳은 것을 모두 고르면? (다툼이 있는 경우 판례에 따름)

보기

□□□ ㉠ 행정처분의 위법 여부는 행정처분이 행하여졌을 때의 법령과 사실상태를 기준으로 판단해야 한다.

□□□ ㉡ 행정처분이 당연무효이기 위해서는 그 하자가 법규의 중요한 부분을 위반한 중대한 것으로서 객관적으로 명백한 것이어야 한다.

□□□ ㉢ 명백성은 제3자나 공공의 신뢰를 보호하여야 할 필요가 있는 경우에 보충적으로 요구되는 것으로서 처분 상대방의 권익을 구제하고 위법한 결과를 시정할 필요가 훨씬 더 큰 경우에는 하자가 명백하지 않더라도 중대한 하자를 가진 행정처분은 당연무효라고 보아야 한다는 의견도 있다.

□□□ ㉣ 헌법재판소에 따르면 행정처분을 무효로 하더라도 법적 안정성을 크게 해치지 않는 반면에 그 하자가 중대하여 구제가 필요한 경우에도 그 예외를 인정하여 이를 당연무효사유로 볼 수는 없다.

① ㉠ ② ㉠, ㉡
③ ㉠, ㉡, ㉢ ④ ㉠, ㉡, ㉢, ㉣

관련기출

㉣

1. 행정처분 자체의 효력이 쟁송기간 경과 후에도 존속 중인 경우, 그 행정처분이 위헌인 법률에 근거하여 내려졌고 그 목적달성을 위해 필요한 후행 행정처분이 아직 이루어지지 않았다면 그 하자가 중대하여 그 구제가 필요한 경우에 대하여서는 쟁송기간 경과 후라도 무효확인을 구할 수 있다. (O, ×)
2018 지방직 9급
2. 헌법재판소는 위헌법률에 근거한 행정처분의 효력과 관련하여, 그 행정처분을 무효로 하더라도 법적 안정성을 크게 해치지 않는 반면에 그 하자가 중대하여 그 구제가 필요한 경우에 대해서는 예외적으로 당연무효사유로 보아야 한다는 입장을 취하고 있다. (O, ×) 2015 서울시 7급
3. 헌법재판소는 행정처분 자체의 효력이 쟁송기간 경과 후에도 존속 중이고 그 행정처분의 근거가 된 법규가 위헌으로 선고되는 경우, 그 행정처분을 무효로 하더라도 법적 안정성을 크게 해치지 않는 반면에, 그 하자가 중대하여 그 구제가 필요한 경우에는 당연무효사유로 보아 무효확인을 구할 수 있다고 결정하였다. (O, ×) 2014 지방직 9급

1. O 2. O 3. O

③ ㉠㉡㉢은 옳은 설명이고, ㉣은 올바르지 못한 설명이다.

㉠ O

행정소송에서 행정처분의 위법 여부는 행정처분이 행하여졌을 때의 법령과 사실상태를 기준으로 하여 판단하여야 하고, 처분 후 법령의 개폐나 사실상태의 변동에 의하여 영향을 받지는 않는다는 것이 판례의 입장이다(대판 2007. 5. 11, 2007두1811).

㉡ O

> 하자 있는 행정처분이 당연무효로 되려면 그 하자가 법규의 중요한 부분을 위반한 중대한 것이어야 할 뿐 아니라 객관적으로 명백한 것이어야 한다 (대판 2009. 10. 29, 2007두26285).

㉢ O

이른바 명백성 보충요건설에 관한 설명이다. 이 설에 따르면 하자가 중대하기만 하면 비록 그 하자가 명백하지 않더라도 처분의 상대방 특히 침익적 처분의 상대방을 보호하기 위해 무효가 되는 것이 원칙이나, 제3자나 공공의 신뢰보호가 필요한 경우에만 보충적으로 명백성을 요구한다.

㉣ 빈출 ×

헌법재판소의 태도로서 예외적으로 당연무효로 볼 수 있다고 한다.

> 행정처분 자체의 효력이 쟁송기간 경과 후에도 존속 중인 경우, 그 행정처분이 위헌인 법률에 근거하여 내려졌고 그 목적달성을 위해 필요한 후행 행정처분이 아직 이루어지지 않았다면 그 하자가 중대하여 그 구제가 필요한 경우에 대하여서는 쟁송기간 경과 후라도 무효확인을 구할 수 있다 (헌법재판소).
>
> 판례나 통설은 행정처분이 당연무효인가의 여부는 그 행정처분의 하자가 중대하고 명백한가의 여부에 따라 결정된다고 보고 있지만 행정처분의 근거가 되는 법규범이 상위법 규범에 위반되어 무효인가 하는 점은 그것이 헌법재판소 또는 대법원에 의하여 유권적으로 확정되기 전에는 어느 누구에게도 명백한 것이라고 할 수 없기 때문에 원칙적으로 당연무효사유에는 해당할 수 없게 되는 것이다. 그러나 행정처분 자체의 효력이 쟁송기간 경과 후에도 존속 중인 경우, 특히 그 처분이 위헌법률에 근거하여 내려진 것이고 그 행정처분의 목적달성을 위하여서는 후행(後行) 행정처분이 필요한데 후행 행정처분은 아직 이루어지지 않은 경우, 그 행정처분을 무효로 하더라도 법적 안정성을 크게 해치지 않는 반면에 그 하자가 중대하여 그 구제가 필요한 경우에 대하여서는 그 예외를 인정하여 이를 당연무효사유로 보아서 쟁송기간 경과 후에라도 무효확인을 구할 수 있는 것이라고 봐야 할 것이다. 학설상으로도 중대·명백설 외에 중대한 하자가 있기만 하면 그것이 명백하지 않더라도 무효라고 하는 중대설도 주장되고 있고, 대법원의 판례로도 반드시 하자가 중대·명백한 경우에만 행정처분의 무효가 인정된다고는 속단할 수 없기 때문이다(헌재 1994. 6. 30, 92헌바23).

정답 06 ③

07 중

2018 경행경채

행정행위의 하자에 대한 설명으로 가장 적절하지 않은 것은? (다툼이 있는 경우 판례에 의함)

□□□ ① 위헌법률에 기한 행정처분의 집행이나 집행력을 유지하기 위한 행위는 위헌결정의 기속력에 위반되어 허용되지 않는다.

□□□ ② 절차상 또는 형식상 하자로 인하여 무효인 행정처분이 있은 후 행정청이 관계법령에서 정한 절차 또는 형식을 갖추어 다시 동일한 행정처분을 하였다면 당해 행정처분은 종전의 무효인 행정처분과 관계없이 새로운 행정처분이라고 보아야 한다.

□□□ ③ 민원사무를 처리하는 행정기관이 민원1회방문처리제를 시행하는 절차의 일환으로 민원사항의 심의·조정 등을 위한 민원조정위원회를 개최하면서 사전통지의 흠결로 민원인에게 의견진술의 기회를 주지 아니한 결과 민원조정위원회의 심의과정에서 고려대상에 마땅히 포함시켜야 할 사항을 누락하는 등 재량권의 불행사 또는 해태로 볼 수 있는 구체적 사정이 있다면, 그 거부처분은 재량권을 일탈·남용한 것으로서 위법하다.

□□□ ④ 경찰공무원법에 규정되어 있는 경찰관임용결격사유는 경찰관으로 임용되기 위한 절대적인 소극적 요건으로서 임용 당시 경찰관임용결격사유가 있었다면 비록 임용권자의 과실에 의하여 임용결격자임을 밝혀내지 못하였다 하더라도 그 임용행위는 당연무효로 볼 수 없다.

관련기출

②

1. 절차상 하자로 인하여 무효인 행정처분이 있은 후 행정청이 관계법령에서 정한 절차를 갖추어 다시 동일한 행정처분을 하였다면 당해 행정처분은 종전의 무효인 행정처분과 관계없이 새로운 행정처분이라고 보아야 한다. (○, ×) 2016 국가직 7급

1. ○

④

1. (甲은 국가공무원법에 따라 일반직 공무원으로 임용된 사람이다) 임용 당시 甲에게 임용결격사유가 있었다면 비록 국가의 과실에 의하여 임용결격자임을 밝혀내지 못하였다 하더라도 그 임용행위는 당연무효이다. (○, ×) 2018 국가직 7급
2. 임용 당시 공무원임용결격사유가 있었다 하더라도 국가의 과실에 의하여 임용결격자임을 밝혀내지 못하였다면 그 임용행위는 당연무효라고 할 수 없다. (○, ×) 2016 서울시 7급

1. ○ 2. ×

① ○

위헌법률에 기한 행정처분의 집행이나 집행력을 유지하기 위한 행위는 위헌결정의 기속력에 위반되어 허용되지 않는다(즉, 무효이다)(대판 2002. 8. 23, 2001두2959).

② ○

절차상 또는 형식상 하자로 인하여 무효인 행정처분이 있은 후 행정청이 관계법령에서 정한 절차 또는 형식을 갖추어 다시 동일한 행정처분을 하였다면 당해 행정처분은 종전의 무효인 행정처분과 관계없이 새로운 행정처분이라고 보아야 한다(대판 2014. 3. 13, 2012두1006).

③ ○

민원사무를 처리하는 행정기관이 민원1회방문처리제를 시행하는 절차의 일환으로 민원사항의 심의·조정 등을 위한 민원조정위원회를 개최하면서 민원인에게 회의일정 등을 사전에 통지하지 아니하였다 하더라도, 이러한 사정만으로 곧바로 민원사항에 대한 행정기관의 장의 거부처분에 취소사유에 이를 정도의 흠이 존재한다고 보기는 어렵다. 다만 행정기관의 장의 거부처분이 재량행위인 경우에, 위와 같은 사전통지의 흠결로 민원인에게 의견진술의 기회를 주지 아니한 결과 민원조정위원회의 심의과정에서 고려대상에 마땅히 포함시켜야 할 사항을 누락하는 등 재량권의 불행사 또는 해태로 볼 수 있는 구체적 사정이 있다면, 거부처분은 재량권을 일탈·남용한 것으로서 위법하다(대판 2015. 8. 27, 2013두1560).

④ **빈출** ×

임용 당시 임용결격사유가 있는 경우라면 임용권자의 과실에 의해 임용결격자임을 밝혀내지 못하였다 하더라도 임용행위는 당연무효로 보아야 한다.

경찰공무원법에 규정되어 있는 경찰관임용결격사유는 경찰관으로 임용되기 위한 절대적인 소극적 요건으로서 임용 당시 경찰관임용결격사유가 있었다면 비록 임용권자의 과실에 의하여 임용결격자임을 밝혀내지 못하였다 하더라도 그 임용행위는 당연무효로 보아야 한다(대판 2005. 7. 28, 2003두469).

정답 07 ④

08 중

2017 지방직(하) 9급

행정행위의 하자에 대한 설명으로 옳은 것만을 모두 고른 것은? (다툼이 있는 경우 판례에 의함)

□□□ ㉠ 명백성 보충설에 의하면 무효판단의 기준에 명백성이 항상 요구되지는 아니하므로 중대·명백설보다 무효의 범위가 넓어지게 된다.

□□□ ㉡ 조세부과처분이 무효라 하더라도 그로써 압류 등 체납처분의 효력을 다툴 수는 없다.

□□□ ㉢ 구 학교보건법상 학교환경위생정화구역에서의 금지행위 및 시설의 해제 여부에 관한 행정처분을 함에 있어 학교환경위생정화위원회의 심의절차를 누락한 행정처분은 무효이다.

□□□ ㉣ 선행행위의 하자를 이유로 후행행위를 다투는 경우뿐만 아니라 후행행위의 하자를 이유로 선행행위를 다투는 것도 하자의 승계이다.

① ㉠ ② ㉠, ㉣
③ ㉡, ㉢ ④ ㉡, ㉢, ㉣

관련기출

㉡

1. 조세의 부과처분이 무효인 경우 체납처분도 무효이다. (○, ×)

2011 경행특채

2. 선행행위인 조세 등 부과처분이 무효이거나 취소되어 그 효력을 상실한 경우에도 후행행위인 체납처분이 당연무효가 되는 것은 아니다. (○, ×)

2008 지방직 9급 변형

1. ○ 2. ×

① ㉠만 옳은 내용이다.

㉠ ○

무효와 취소의 구별기준에 관한 학설 중 명백성 보충요건설은, 하자가 중대하기만 하면 무효가 되는 것이 원칙이나, 제3자나 공공의 신뢰보호가 필요한 경우에는 보충적으로 명백성을 요구하는 견해이다. 이에 반해 중대·명백설은 행정행위가 무효가 되기 위하여는 항상 그 하자가 명백할 것을 요구한다. 명백성 보충요건설은 행정행위가 무효가 되기 위해서 항상 명백성을 요구하는 것은 아니라는 점에서 중대·명백설보다 무효의 범위가 넓어지게 된다.

㉡ ×

> 조세의 부과처분과 압류 등의 체납처분(현 강제징수)은 별개의 행정처분으로서 독립성을 가지므로 부과처분에 하자가 있더라도 그 부과처분이 취소되지 아니하는 한 그 부과처분에 의한 체납처분은 위법이라고 할 수는 없지만, 체납처분은 부과처분의 집행을 위한 절차에 불과하므로 그 부과처분에 중대하고도 명백한 하자가 있어 무효인 경우에는 그 부과처분의 집행을 위한 체납처분도 무효라 할 것이다(대판 1987. 9. 22, 87누383).

㉢ ×

구 학교보건법상 학교환경위생정화구역의 금지행위 및 시설의 해제 여부에 관한 행정처분을 함에 있어 학교환경위생정화위원회의 심의를 누락한 행정처분에는 취소사유가 있다는 것이 판례의 입장이다(대판 2007. 3. 15, 2006두15806).

㉣ ×

행정결정이 여러 단계의 행정행위를 거쳐 행해지는 경우에 선행행위가 위법하지만 쟁송제기기간의 경과로 불가쟁력이 발생하여 선행행위의 취소를 구하는 소송을 제기할 수 없는 경우가 있다. 이때 후행행위 그 자체는 적법함에도 불구하고 선행행위의 위법을 이유로 후행행위의 위법을 주장할 수 있는지가 문제되는데, 이것이 이른바 하자의 승계문제이다. 따라서 후행행위의 하자를 이유로 선행행위를 다투는 것은 하자의 승계문제가 아닐뿐더러, 인정될 수도 없다.

> 대집행에 위법이 있다는 사유로 그 선행절차인 계고처분이 부적법한 것으로 되지는 않는다.
> 계고처분의 후속절차인 대집행에 위법이 있다고 하더라도, 그와 같은 후속절차에 위법성이 있다는 점을 들어 선행절차인 계고처분이 부적법하다는 사유로 삼을 수는 없다(대판 1997. 2. 14, 96누15428).

정답 08 ①

09 하

2017 국가직(하) 9급

행정행위의 하자에 대한 설명으로 옳지 않은 것은? (다툼이 있는 경우 판례에 의함)

□□□ ① 행정행위의 내용상의 하자에 대해서는 하자의 치유가 인정되지 않는다.

□□□ ② 행정처분을 한 처분청은 그 처분의 성립에 하자가 있는 경우 이를 취소할 별도의 법적 근거가 없다고 하더라도 직권으로 취소할 수 있다.

□□□ ③ 납세의무자가 부과된 세금을 자진납부하였다고 하더라도 세액산출근거 등의 기재사항이 누락된 납세고지서에 의한 과세처분의 하자는 치유되지 않는다.

□□□ ④ 수익적 행정행위의 거부처분을 함에 있어서 당사자에게 사전통지를 하지 아니하였다면, 그 거부처분은 위법하여 취소를 면할 수 없다.

관련기출

③

1. 과세처분을 하면서 장기간 세액산출근거를 부기하지 아니한 경우에 납세자가 자진납부하였다면 처분의 위법성은 치유된다. (○, ×) 2013 국가직 7급

1. ×

① ○

하자가 행정처분의 내용에 관한 것인 경우에는 치유가 인정되지 않는다는 것이 판례의 입장이다(대판 1991. 5. 28, 90누1359).

② ○

행정처분을 한 처분청은 그 처분의 성립에 하자가 있는 경우 이를 취소할 별도의 법적 근거가 없다고 하더라도 직권으로 이를 취소할 수 있다는 것이 판례의 입장이다(대판 2002. 5. 28, 2001두9653).

③ ○

> 납세의무자가 부과된 세금을 자진납부하였다 하여 세액산출근거가 누락된 납세고지서(현 납부고지서)에 의한 부과처분의 하자가 치유되는 것은 아니다.
>
> 세액산출근거가 기재되지 아니한 납세고지서에 의한 부과처분은 강행법규에 위반하여 취소대상이 된다 할 것이므로 이와 같은 하자는 납세의무자가 전심절차에서 이를 주장하지 아니하였거나, 그 후 부과된 세금을 자진납부하였다거나, 또는 조세채권의 소멸시효기간이 만료되었다 하여 치유되는 것이라고는 할 수 없다(대판 1985. 4. 9, 84누431).

④ 제21강 참조 ×

> 특별한 사정이 없는 한 거부처분은 직접 당사자의 권익을 제한하는 것은 아니어서, 신청에 대한 거부처분은 처분의 사전통지대상이 된다고 할 수 없다.
>
> 행정절차법 제21조 제1항은 …… 신청에 따른 처분이 이루어지지 아니한 경우에는 아직 당사자에게 권익이 부과되지 아니하였으므로 특별한 사정이 없는 한 신청에 대한 거부처분이라고 하더라도 직접 당사자의 권익을 제한하는 것은 아니어서 신청에 대한 거부처분을 여기에서 말하는 '당사자의 권익을 제한하는 처분'에 해당한다고 할 수 없는 것이어서 처분의 사전통지대상이 된다고 할 수 없다(대판 2003. 11. 28, 2003두674).

정답 09 ④

10 정답률 79% 중 2016 서울시 7급

甲은 A법률에 근거하여 부담금 부과처분을 받았으나, 처분 이후에 처분의 근거가 되었던 A법률의 규정이 헌법재판소에 의해 위헌으로 결정되었다. 이에 대한 설명으로 가장 옳은 것은? (다툼이 있는 경우 판례에 따름)

□□□ ① 甲이 부담금을 납부하였고, 부담금 부과처분에 불가쟁력이 발생하였다면 이미 납부한 부담금의 반환청구는 인정되지 않는다.

□□□ ② 甲에 대한 부담금 부과처분은 법적 근거가 없는 것이 되어 일반적으로 당연무효이다.

□□□ ③ 甲이 아직 부담금을 납부하지 않은 상태에서 부담금 부과처분에 불가쟁력이 발생한 경우에는 부담금에 대한 강제집행이 허용된다.

□□□ ④ 甲이 위헌결정을 이유로 부담금 부과처분에 대해 취소소송을 제기하는 경우에는 제소기간의 제한이 적용되지 않는다.

① ○

판례는 위헌결정의 소급효를 넓게 보고 있다. 다만 이미 불가쟁력이 발생한 행정처분의 경우에는 법적 안정성을 고려하여 위헌결정의 소급효가 미치지 않는다고 본다. 따라서 지문의 경우 부담금 부과처분에 불가쟁력이 발생하였으므로 비록 A법률이 위헌결정을 받았더라도 위헌결정의 소급효가 甲에게는 미치지 않는다. 따라서 부담금 부과처분은 그 효력이 있게 되며, 납부한 부담금의 반환청구는 인정되지 않는다.

② ×

> 처분 후 처분의 근거법률에 대해 위헌결정이 내려진 경우 행정처분의 하자는 헌법재판소의 위헌결정이 있기 전에는 객관적으로 명백한 것이라고 할 수는 없으므로 취소사유에 불과할 뿐 당연무효는 아니다(대판 1994. 10. 28, 92누9463).

③ ×

헌법재판소의 위헌결정은 기속력이 있으므로 위헌결정 후 처분의 집행이나 집행력을 유지하기 위한 행위는 허용될 수 없다는 것이 대법원 판례의 입장이다(대판 2002. 8. 23, 2001두2959). 따라서 부담금에 대한 강제집행은 허용되지 않는다.

④ ×

처분 후 처분의 근거가 되는 법률이 위헌결정된 경우 판례에 따르면 그러한 처분은 당연무효가 아니며 취소사유에 불과하다. 따라서 제소기간의 제한이 적용된다.

11 중 2012 지방직(하) 7급

행정행위에 대한 판례의 입장으로 옳은 것은?

□□□ ① 표준지공시지가결정과 수용재결 사이에는 하자의 승계를 인정할 수 없다.

□□□ ② 부담 이외의 부관에 대하여는 진정일부취소소송을 제기하여 다툴 수 없으나, 부진정일부취소소송의 형식으로는 다툴 수 있다.

□□□ ③ 음주운전단속경찰관이 자신의 명의로 운전면허행정처분통지서를 작성 · 교부하여 행한 운전면허정지처분은 위법하며, 취소의 원인이 된다.

□□□ ④ 군수와 주민대표가 선정 · 추천한 전문가를 포함시키지 않은 채 입지선정위원회가 임의로 구성되어 의결을 한 후, 그에 근거하여 이루어진 폐기물처리시설 입지결정처분은 무효이다.

① ×

> 수용보상금의 증액을 구하는 소송에서 선행처분으로서 그 수용대상 토지 가격 산정의 기초가 된 비교표준지공시지가결정의 위법을 독립한 사유로 주장할 수 있다[표준공시지가와 수용재결(보상금산정) 간 하자승계 긍정] (대판 2008. 8. 21, 2007두13845).

② 제14강 참조 ×

부관이 붙은 행정행위 전체를 소송대상으로 하되, 실질적으로는 부관만의 취소를 구하는 소송형태를 부진정일부취소소송이라고 한다. 부담을 제외한 부관에 대해 다수설은 이러한 소송형태를 인정하나, 판례는 부담 이외의 부관에 대해 부진정일부취소소송을 부정한다.

③ ×

무권한자의 행위로 무효이다. 음주운전을 단속한 경찰관 명의로 행한 운전면허정지처분의 효력은 무효라는 것이 판례의 입장이다(대판 1997. 5. 16, 97누2313).

④ ○

의결기관의 의결을 결한 행위는 원칙적으로 무효이다.

> 입지선정위원회의 구성방법과 절차가 주민대표나 주민대표 추천에 의한 전문가의 참여 없이 이루어지는 등 위법한 경우, 입지선정위원회는 의결기관으로서 그러한 의결에 터잡아 이루어진 폐기물처리시설 입지결정처분의 하자는 중대한 것이고 객관적으로도 명백하므로 무효사유에 해당한다(대판 2007. 4. 12, 2006두20150).

정답 10 ① 11 ④

12 중

2009 국회직 8급

하자 있는 행정행위의 치유와 전환에 관한 설명으로 옳지 않은 것은?

□□□ ① 전환 전의 행위와 전환 후의 행위는 목적 · 효과에 있어서 실질적 공통성이 있어야 한다.

□□□ ② 판례에 의하면 하자의 치유는 사실심변론종결시까지 가능하다.

□□□ ③ 전환이 관계자에게 불이익하지 않아야 한다.

□□□ ④ 하자가 치유된 행징행위는 처음부터 직법한 행위가 된다.

□□□ ⑤ 전환이 처분청의 의사에 반하지 않아야 한다.

① ○
전환 전의 행위와 전환 후의 행위가 공통성이 없는 경우에는 전환이 인정되지 않는다.

② ×
판례에 따르면 이유제시의 하자의 치유는 과세처분에 대한 불복 여부의 결정 및 불복신청에 편의를 줄 수 있는 상당한 기간 내에 이루어져야 한다고 판시한 바 있다. 일반적인 견해는 이러한 판례의 태도를 쟁송제기전설을 취하고 있는 것으로 보고 있다. 따라서 쟁송이 제기된 이후에는 하자의 치유가 허용되지 않는다.

③ ○
당사자에게 불이익한 법적 효과를 초래하지 않아야 전환이 인정된다.

④ ○
하자의 치유가 인정되면 그 행위는 치유시부터가 아니라 처음부터 적법한 행위로 된다.

⑤ ○
하자 있는 행정행위를 한 행정청의 의도에 반하는 것이 아니어야 한다. 달리 말하면 행정청이 본래의 행정행위의 위법성을 알았더라면 전환되는 행정행위와 같은 내용의 처분을 하였을 것이 인정되어야 한다.

13 상

2009 관세사 변형

하자 있는 행정행위의 전환에 관한 설명으로 옳지 않은 것은?

□□□ ① 전환 전의 행위와 전환 후의 행위는 본질적인 면에서 목적과 효과가 동일하여야 한다.

□□□ ② 전환이 관계자에게 불이익하지 않아야 한다.

□□□ ③ 전환에 의하여 형성되는 새로운 행정행위의 효력발생을 소급적으로 보아도 무방하다.

□□□ ④ 소송계속 중 행정행위의 전환이 이루어진다 하더라도 처분변경으로 인한 소의 변경은 불가능하다.

① ○
하자 있는 행정행위와 전환되는 행정행위가 요건 · 목적 · 효과 등에서 실질적 공통성이 있어야 하며, 전환되는 행정행위의 성립 · 효력요건을 갖추고 있어야 한다.

② ○
당사자가 그 전환을 의욕하는 것으로 인정되어야 한다. 즉, 당사자에게 불이익한 법적 효과를 초래하지 않아야 한다.

③ ○
하자 있는 행정행위의 치유와 전환은 그 효과가 소급한다.

④ ×
행정행위의 전환은 새로운 행정행위(처분)로 봄이 통설의 입장이다. 따라서 소송계속 중 행정행위의 전환이 이루어지면 소송계속 중 처분이 변경되는 것과 동일한 효과를 가져오므로 처분변경으로 인한 소변경이 행해질 수 있다.

> **행정소송법 제22조【처분변경으로 인한 소의 변경】** ① 법원은 행정청이 소송의 대상인 처분을 소가 제기된 후 변경한 때에는 원고의 신청에 의하여 결정으로써 청구의 취지 또는 원인의 변경을 허가할 수 있다.

정답 12 ② 13 ④

02 행정행위의 하자승계 기 350~357쪽 핵 T 33

14 중 2024 해경승진

다음 중 선행행위와 후행행위 간 하자의 승계가 인정되지 않는 것은? (다툼이 있는 경우 판례에 의함)

□□□ ① 개별공시지가결정과 이에 근거한 개발부담금 부과처분

□□□ ② 신고납세방식의 취득세 신고행위와 징수처분

□□□ ③ 계고처분과 대집행비용납부 명령

□□□ ④ 표준지공시지가결정과 수용재결

① ○

개별공시지가결정과 개발부담금 부과처분은 하자의 승계가 인정된다.

> 개발부담금 정산에 따라 변경된 개발부담금 부과처분의 취소를 구하는 소에서 개별공시지가결정의 위법사유를 독립된 불복사유로 주장할 수 있다(대판 1997. 4. 11, 96누9096).

② ×

> 신고납세방식을 채택하고 있는 취득세에 있어서 과세관청이 납세의무자의 신고에 의하여 취득세의 납세의무가 확정된 것으로 보고 그 이행을 명하는 징수처분으로 나아간 경우, 납세의무자의 신고행위에 하자가 존재하더라도 그 하자가 당연무효 사유에 해당하지 않는 한 그 하자가 후행처분인 징수처분에 그대로 승계되지는 않는 것이고, 납세의무자의 신고행위의 하자가 중대하고 명백하여 당연무효에 해당하는지 여부는 신고행위의 근거가 되는 법규의 목적, 의미, 기능 및 하자 있는 신고행위에 대한 법적 구제수단 등을 목적론적으로 고찰함과 동시에 신고행위에 이르게 된 구체적 사정을 개별적으로 파악하여 합리적으로 판단하여야 한다(대판 2006. 9. 8, 2005두14394).

③ ○

대집행의 각 단계 행위(계고 ⇨ 통지 ⇨ 실행 ⇨ 비용납부명령)는 하자의 승계가 긍정된다. 제24강 참조

> 계고처분과 대집행비용납부명령은 하자가 승계된다.
>
> 계고처분이 위법하다면 후행처분인 비용납부명령 그 자체에는 아무런 하자가 없다고 하더라도 비용납부명령의 취소를 구하는 소송에서 선행행위인 계고처분이 위법하므로 후행처분인 비용납부명령도 위법하다는 것을 주장할 수 있다(대판 1993. 11. 9, 93누14271).

④ ○

> 수용보상금의 증액을 구하는 소송에서 선행처분으로서 그 수용대상 토지가격 산정의 기초가 된 비교표준지공시지가결정의 위법을 독립한 사유로 주장할 수 있다(표준공시지가와 수용재결(보상금 결정) 간 하자승계 긍정).
>
> 위법한 표준지공시지가결정에 대하여 그 정해진 시정절차를 통하여 시정하도록 요구하지 않았다는 이유로 위법한 표준지공시지가를 기초로 한 수용재결 등 후행 행정처분에서 표준지공시지가결정의 위법을 주장할 수 없도록 하는 것은 수인한도를 넘는 불이익을 강요하는 것으로서 국민의 재산권과 재판받을 권리를 보장한 헌법의 이념에도 부합하는 것이 아니다. 따라서 표준지공시지가결정이 위법한 경우에는 그 자체를 행정소송의 대상이 되는 행정처분으로 보아 그 위법 여부를 다툴 수 있음은 물론, 수용보상금의 증액을 구하는 소송에서도 선행처분으로서 그 수용대상 토지가격 산정의 기초가 된 비교표준지공시지가결정의 위법을 독립한 사유로 주장할 수 있다(대판 2008. 8. 21, 2007두13845).

정답 14 ②

15 중 2023 국회직 8급

행정행위의 하자 및 하자승계에 대한 설명으로 옳지 않은 것은? (다툼이 있는 경우 판례에 의함)

□□□ ① 과세처분 이후 조세 부과의 근거가 되었던 법률규정에 대하여 위헌결정이 내려진 후에 행한 그 과세처분의 집행은 당연무효이다.

□□□ ② 구 「부동산 가격공시 및 감정평가에 관한 법률」상 선행처분인 표준지공시지가의 결정에 하자가 있는 경우에 그 하자는 보상금 산정을 위한 수용재결에 승계된다.

□□□ ③ 재건축주택조합설립인가처분 당시 동의율을 충족하지 못한 하자는 후에 추가동의서가 제출되었다는 사정만으로 치유될 수 없다.

□□□ ④ 건물소유자에게 소방시설 불량사항을 시정·보완하라는 명령을 구두로 고지한 것은 행정절차법에 위반한 것으로 하자가 중대하나 명백하지는 않아 취소사유에 해당한다.

□□□ ⑤ 취소사유인 절차적 하자가 있는 당초 과세처분에 대하여 증액경정처분이 있는 경우, 소멸한 당초처분의 절차적 하자는 존속하는 증액경정처분에 승계되지 않는다.

관련기출

④

1. 구 「소방시설설치유지 및 안전관리에 관한 법률」에 따른 소방공무원의 시정보완명령 고지가 구두로 행하여졌다면 그 내용이 적법하다 하더라도 해당 처분은 취소사유에 해당한다. (○, ×) 2023 소방간부
2. 집합건물 중 일부 구분건물의 소유자에 대하여 관할 소방서장이 소방시설 불량사항에 관한 시정보완명령을 구술로 고지한 것은 신속을 요하거나 경미한 경우가 아닌 한 행정절차법을 위반한 것으로 하자가 중대하고 명백하여 당연무효이다. (○, ×) 2021 변호사
3. 건물소유자에게 소방시설 불량사항을 시정·보완하라는 명령을 구두로 고지한 것은 행정절차법에 위반한 것으로 하자가 중대·명백하여 당연무효이다. (○, ×) 2019 국가직 9급
4. 법령상 문서에 의하도록 한 행정행위를 문서에 의해 하지 아니한 때, 그 처분은 하자가 중대하고 명백하여 원칙적으로 무효이다. (○, ×) 2016 서울시 7급

1. × 2. ○ 3. ○ 4. ○

⑤

1. 증액경정처분이 있는 경우, 당초처분은 증액경정처분에 흡수되어 소멸하고, 소멸한 당초처분의 절차적 하자는 존속하는 증액경정처분에 승계되지 아니한다. (○, ×) 2019 지방직 7급

1. ○

① ○

과세처분 이후 조세 부과의 근거가 되었던 법률규정에 대하여 위헌결정이 내려진 경우, 그 조세채권의 집행을 위한 체납처분은 당연무효가 된다는 것이 판례의 입장이다(대판 2012. 2. 16, 2010두10907 전합).

② ○

수용보상금의 증액을 구하는 소송에서 선행처분으로서 그 수용대상 토지가격 산정의 기초가 된 비교표준지공시지가결정의 위법을 독립한 사유로 주장할 수 있다는 것이 판례의 입장이다(표준공시지가와 수용재결(보상금 결정) 간 승계 긍정)(대판 2008. 8. 21, 2007두13845).

③ ○

재건축조합설립인가처분 당시 토지소유자 등의 동의율을 충족하지 못한 하자는 후에 토지소유자 등의 추가동의서가 제출되었다는 사정만으로 치유될 수 없다는 것이 판례의 입장이다(대판 2013. 7. 11, 2011두27544).

④ **빈출** ×

1. 행정청의 처분의 방식을 규정한 행정절차법 제24조를 위반하여 행해진 행정청의 처분은 그 하자가 중대하고 명백하여 원칙적으로 무효이다.
2. (집합건물 중 일부 구분건물의 소유자인 피고인이 관할 소방서장으로부터 소방시설 불량사항에 관한 시정보완명령을 받고도 따르지 아니하였다는 내용으로 기소된 사안에서) 공무원이 소방시설 불량사항을 시정·보완하라는 명령을 구술로 고지한 것은 당연무효이다(대판 2011. 11. 10, 2011도11109).

⑤ ○

당초처분의 절차적 하자가, 존속하는 증액경정처분에 승계되는 것은 아니다.

증액경정처분이 있는 경우 당초처분은 증액경정처분에 흡수되어 소멸하고, 소멸한 당초처분의 절차적 하자는 존속하는 증액경정처분에 승계되지 아니한다(대판 2010. 6. 24, 2007두16493).

정답 15 ④

16 정답률 74% 중 2023 국가직 9급

행정행위의 하자에 대한 설명으로 옳은 것은? (다툼이 있는 경우 판례에 의함)

□□□ ① 과세처분의 취소를 구하는 행정소송에서 선행처분인 개별공시지가결정의 위법을 독립된 위법사유로 주장할 수 있다.

□□□ ② 재건축조합설립인가처분 당시 동의율을 충족하지 못한 하자는 후에 추가동의서가 제출되었다는 사정만으로도 치유된다.

□□□ ③ 적법한 건축물에 대한 철거명령은 그 하자가 중대하고 명백하여 당연무효라고 할 것이지만, 그 후행행위인 건축물철거 대집행계고처분은 당연무효라고 할 수 없다.

□□□ ④ 세액산출근거가 기재되지 아니한 납세고지서에 의한 부과처분은 강행법규에 위반하여 취소대상이 된다고 할 것이지만 이와 같은 하자는 납세의무자가 전심절차에서 이를 주장하지 아니하였거나, 그 후 부과된 세금을 자진납부하였다거나, 또는 조세채권의 소멸시효기간이 만료된 경우 치유된다.

관련기출

④

1. 세액산출근거가 기재되지 아니한 납세고지서에 의한 부과처분은 그 후 부과된 세금을 자진납부하였다거나 또는 조세채권의 소멸시효기간이 만료되었다 하여 하자가 치유되는 것이라고는 할 수 없다. (○, ×) 2021 지방직 · 서울시 9급
2. 납세의무자가 부과된 세금을 자진납부하였다고 하더라도 세액산출근거 등의 기재사항이 누락된 납세고지서(현 납부고지서)에 의한 과세처분의 하자는 치유되지 않는다. (○, ×) 2017 국가직(하) 9급
3. 과세처분을 하면서 장기간 세액산출근거를 부기하지 아니한 경우에 납세자가 자진납부하였다면 처분의 위법성은 치유된다. (○, ×) 2013 국가직 7급
4. 세액산출의 근거가 기재되지 않은 납세고지서(현 납부고지서)에 의한 부과처분은 강행법규에 위반하여 당연무효라고 보는 것이 판례의 태도이다. (○, ×) 2013 국가직 7급

1. ○ 2. ○ 3. × 4. ×

① ○

개별공시지가결정과 과세처분은 비록 별개의 효과를 목적으로 하는 것이기는 하나, 관계인에게 수인한도를 넘는 불이익을 강요하는 것인 경우에는 과세처분에 대한 취소소송에서 개별공시지가결정의 위법을 주장할 수 있다(대판 1994. 1. 25, 93누8542).

② ×

재건축조합설립인가처분 당시 토지소유자 등의 동의율을 충족하지 못한 하자는 후에 토지소유자 등의 추가동의서가 제출되었다는 사정만으로 치유될 수 없다는 것이 판례의 입장이다(대판 2013. 7. 11, 2011두27544).

③ ×

적법한 건축물에 대한 철거명령은 당연무효이고, 그 후행행위인 대집행계고처분 역시 당연무효라는 것이 판례의 입장이다(대판 1999. 4. 27, 97누6780).

④ **빈출** ×

납세의무자가 부과된 세금을 자진납부하였다 하여 세액산출근거가 누락된 납세고지서에 의한 부과처분의 하자가 치유되는 것은 아니다.

세액산출근거가 기재되지 아니한 납세고지서에 의한 부과처분은 강행법규에 위반하여 취소대상이 된다 할 것이므로 이와 같은 하자는 납세의무자가 전심절차에서 이를 주장하지 아니하였거나, 그 후 부과된 세금을 자진납부하였다거나, 또는 조세채권의 소멸시효기간이 만료되었다 하여 치유되는 것이라고는 할 수 없다(대판 1985. 4. 9, 84누431).

정답 16 ①

17 빈출 정답률 54% 상 2021 국가직 9급

다음 사례에 관한 설명으로 옳은 것은? (다툼이 있는 경우 판례에 의함)

- 甲은 자신의 토지에 대한 개별공시지가결정을 통지받은 후 90일이 넘어 과세처분을 받았는데, 과세처분이 위법한 개별공시지가결정에 기초하였다는 이유로 과세처분의 취소를 구하고자 한다.
- 甲은 토지대장에 전(田)으로 기재되어 있는 지목을 대(垈)로 변경하고자 지목변경신청을 하였다.
- 乙은 甲의 토지가 사실은 자신 소유라고 주장하면서 토지대장상의 소유자명의변경을 신청하였으나 거부되었다.

□□□ ① 甲은 과세처분이 있기 전에는 개별공시지가결정에 대해서 취소소송을 제기할 수 없다.

□□□ ② 甲은 과세처분의 위법성이 인정되지 않더라도 과세처분 취소소송에서 개별공시지가결정의 위법을 독립된 위법사유로 주장할 수 있다.

□□□ ③ 토지대장에 등재된 사항을 변경하는 행위는 행정사무집행의 편의와 사실증명의 자료로 삼기 위한 것이므로, 甲은 지목변경신청이 거부되더라도 이에 대하여 취소소송으로 다툴 수 없다.

□□□ ④ 乙에 대한 토지대장상의 소유자명의변경신청 거부는 처분성이 인정된다.

관련기출

②

1. 과세처분의 취소를 구하는 행정소송에서 선행처분인 개별공시지가결정의 위법을 독립된 위법사유로 주장할 수 있다. (○, ×) 2023 국가직 9급
2. 개별공시지가결정과 이를 기초로 한 과세처분인 양도소득세 부과처분에서는 흠의 승계는 긍정된다. (○, ×) 2022 군무원 7급
3. 위법한 개별공시지가결정에 대하여 그 정해진 시정절차를 통하여 시정하도록 요구하지 아니하였다는 이유로 위법한 개별공시지가를 기초로 한 과세처분 등 후행 행정처분에서 개별공시지가결정의 위법을 주장할 수 없도록 하는 것은 수인한도를 넘는 불이익을 강요하는 것이다. (○, ×) 2018 서울시 9급
4. 대법원은 관계인의 수인한도를 넘어 불이익을 강요하는 경우에는 과세처분의 위법사유로서 개별공시지가결정의 위법을 주장할 수 있다고 판시한 바 있다. (○, ×) 2008 국가직 9급

1. ○ 2. ○ 3. ○ 4. ○

① ×

② ○

개별공시지가의 결정에 위법이 있는 경우에는 과세처분이 있기 전이라도 그 자체를 행정소송의 대상이 되는 행정처분으로 보아 그 위법 여부를 다툴 수 있음은 물론(①) 이를 기초로 한 과세처분 등 행정처분의 취소를 구하는 행정소송에서도 선행처분인 개별공시지가결정의 위법을 독립된 위법사유로 주장할 수 있다(②)는 것이 판례의 입장이다.

1. 개별공시지가결정은 이를 기초로 한 과세처분 등과는 별개의 독립된 처분으로서 …… 개별공시지가의 결정에 위법이 있는 경우에는 그 자체를 행정소송의 대상이 되는 행정처분으로 보아 그 위법 여부를 다툴 수 있다(①).
2. 개별공시지가결정과 과세처분은 비록 별개의 효과를 목적으로 하는 것이기는 하나 관계인에게 수인한도를 넘는 불이익을 강요하는 것인 경우에는 과세처분에 대한 취소소송에서 개별공시지가결정의 위법을 주장할 수 있다(개별공시지가결정과 과세처분 간의 하자승계 긍정)(②)(대판 1994. 1. 25, 93누8542).

③ ×

지적공부 소관청의 지목변경신청반려행위는 항고소송의 대상이 되는 행정처분이라는 것이 판례의 입장이다(대판 2004. 4. 22, 2003두9015).

④ ×

행정청이 토지대장의 소유자명의변경신청을 거부한 행위는 항고소송의 대상이 되는 행정처분이 아니라는 것이 판례의 입장이다(대판 2012. 1. 12, 2010두12354)(제37강 참조).

정답 17 ②

18 빈출 정답률 58% 중 2020 지방직 · 서울시 7급

행정행위의 효력에 대한 설명으로 옳지 않은 것은? (다툼이 있는 경우 판례에 의함)

□□□ ① 선행처분과 후행처분이 서로 독립하여 별개의 법률효과를 목적으로 하는 때에도 선행처분이 당연무효이면 선행처분의 하자를 이유로 후행처분의 효력을 다툴 수 있다.

□□□ ② 도시 · 군계획시설결정과 실시계획인가는 서로 결합하여 도시 · 군계획시설사업의 실시라는 하나의 법적 효과를 완성하므로, 도시 · 군계획시설결정의 하자는 실시계획인가에 승계된다.

□□□ ③ 도지사의 인사교류안 작성과 그에 따른 인사교류의 권고가 전혀 이루어지지 않은 상태에서, 관할구역 내 A시의 시장이 인사교류로서 소속 지방공무원인 甲에게 B시 지방공무원으로 전출을 명한 처분은 당연무효이다.

□□□ ④ 물품세 과세대상이 아닌 것을 세무공무원이 직무상 과실로 과세대상으로 오인하여 과세처분을 행함으로 인하여 손해가 발생된 경우에는, 동 과세처분이 취소되지 아니하였다 하더라도, 국가는 이로 인한 손해를 배상할 책임이 있다.

관련기출

④

1. 과세대상이 아닌 것을 세무공무원이 직무상 과실로 과세대상으로 오인하여 과세처분을 행함으로 인하여 손해가 발생된 경우, 동 과세처분이 취소되지 아니하였다 하더라도 국가는 이로 인한 손해를 배상할 책임이 있다. (○, ×)
2018 지방직 7급

1. ○

① ○

선행처분과 후행처분이 서로 독립하여 별개의 법률효과를 목적으로 하는 때에도 선행처분이 당연무효이면 선행처분의 하자를 이유로 후행처분의 효력을 다툴 수 있다는 것이 판례의 입장이다(대판 2017. 7. 11, 2016두35120).

② ×

도시 · 군계획시설결정과 도시 · 군계획시설사업실시계획인가는 하자가 승계되지 않는다.

도시 · 군계획시설결정과 실시계획인가는 도시 · 군계획시설사업을 위하여 이루어지는 단계적 행정절차에서 별도의 요건과 절차에 따라 별개의 법률효과를 발생시키는 독립적인 행정처분이다. 그러므로 선행처분인 도시 · 군계획시설결정에 하자가 있더라도 그것이 당연무효가 아닌 한 원칙적으로 후행처분인 실시계획인가에 승계되지 않는다(대판 2017. 7. 18, 2016두49938).

③ ○

지방공무원법 제30조의2 제2항의 입법취지는 시 · 도지사에게 관할구역 내 지방자치단체 상호 간의 균형 있는 인력배치와 지방자치단체의 행정발전 등을 도모할 수 있도록 하기 위하여 인사교류를 권고할 수 있는 권한을 부여하는 한편 그 권한의 적정한 행사를 보장하기 위하여 인사교류협의회에서 정한 인사교류기준에 따라 작성된 인사교류안에 따르도록 한 것이므로, 이러한 일련의 절차는 위 조항에 의한 인사교류를 함에 있어서 본질적인 것으로서 중대하다고 할 것인바, 경기도지사의 인사교류안의 작성과 그에 따른 인사교류의 권고가 전혀 이루어지지 않은 상태에서 행하여진 이 사건 처분(편저자 주 : 피고 과천시장이 과천시 지방공무원인 원고에 대하여 법 제30조의2 제2항에 의한 인사교류로서 부천시 지방공무원으로 전출을 명한 처분)은 그 하자가 중대한 것으로서 객관적으로 명백하여 당연무효라 할 것이다(대판 2005. 6. 24, 2004두10968).

④ ○

세무공무원이 직무상 과실로 과세대상을 오인하여 과세처분을 한 경우 국가는 손해배상책임이 있다.

물품세 과세대상이 아닌 것을 세무공무원이 직무상 과실로 과세대상으로 오인하여 과세처분을 행함으로 인하여 손해가 발생된 경우에는, 동 과세처분이 취소되지 아니하였다 하더라도, 국가는 이로 인한 손해를 배상할 책임이 있다(대판 1979. 4. 10, 79다262).

정답 18 ②

대표

19

정답률 73% 중 　2018 서울시 9급

행정행위의 하자승계에 대한 설명으로 가장 옳지 않은 것은? (다툼이 있는 경우 판례에 따름)

□□□ ① 위법한 개별공시지가결정에 대하여 그 정해진 시정절차를 통하여 시정하도록 요구하지 아니하였다는 이유로 위법한 개별공시지가를 기초로 한 과세처분 등 후행 행정처분에서 개별공시지가결정의 위법을 주장할 수 없도록 하는 것은 수인한도를 넘는 불이익을 강요하는 것이다.

□□□ ② 사업시행계획과 관리처분계획은 서로 독립하여 별개의 법적 효과를 발생시키는 것으로서 사업시행계획의 수립에 관한 취소사유인 하자가 관리처분계획에 승계되지 아니한다.

□□□ ③ 대집행의 계고, 대집행영장에 의한 통지, 대집행의 실행, 대집행비용의 납부명령은 동일한 행정목적을 달성하기 위하여 일련의 절차로 연속하여 행하여지는 것으로서, 서로 결합하여 하나의 법률효과를 발생시키는 것이다.

□□□ ④ 선행처분과 후행처분이 서로 독립하여 별개의 법률효과를 목적으로 하는 경우에 선행처분이 당연무효의 하자가 있다는 이유로 후행처분의 효력을 다툴 수 없다.

관련기출

②

1. 「도시 및 주거환경정비법」상 사업시행계획에 관한 취소사유인 하자는 관리처분계획에 승계되지 않는다. (○, ×) 　2018 국가직 9급

1. ○

① ○

개별공시지가가 자신에게 유리 또는 불리하게 적용될 것인지도 알기 어려운 것으로서, 이러한 사정하에서 관계인이 그 쟁송기간 내에 당해 처분을 다투지 않았다고 하여 이를 기초로 한 과세처분 등 후행처분에서 그 위법을 주장할 수 없도록 하는 것은 관계인에 수인한도를 넘는 불이익을 강요하는 것이 판례의 입장이다(대판 1994. 1. 25, 93누8542).

② ○

「도시 및 주거환경정비법」상 사업시행계획에 관한 취소사유인 하자는 관리처분계획에 승계되지 않는다.

정기총회에서 사업시행계획수립에 조합원 3분의 2 이상의 동의를 얻지 못한 하자가 있다고 하더라도 그 하자가 객관적으로 명백하다고 보기 어려워 무효사유가 아니라 취소사유에 불과하고, 사업시행계획에 관한 취소사유인 하자는 관리처분계획에 승계되지 아니하여 그 하자를 들어 관리처분계획의 적법 여부를 다툴 수 없다는 이유로, 관리처분계획이 적법하다고 본 원심의 결론은 정당하다(대판 2012. 8. 23, 2010두13463).

③ ○

후행처분인 대집행영장발부통보처분의 취소청구소송에서 선행처분인 계고처분이 위법하다는 이유로 대집행영장발부통보처분도 위법한 것이라는 주장을 할 수 있다(계고처분의 하자는 대집행영장발부통보처분에 승계된다는 판례).

대집행의 계고, 대집행영장에 의한 통지, 대집행의 실행, 대집행에 요한 비용의 납부명령 등은 타인이 대신하여 행할 수 있는 행정의무의 이행을 의무자의 비용부담하에 확보하고자 하는, 동일한 행정목적을 달성하기 위하여 단계적인 일련의 절차로 연속하여 행하여지는 것으로서, 서로 결합하여 하나의 법률효과를 발생시키는 것이므로, 선행처분인 계고처분이 하자가 있는 위법한 처분이라면, …… 후행처분인 대집행영장발부통보처분의 취소를 청구하는 소송에서 청구원인으로 선행처분인 계고처분이 위법한 것이기 때문에 그 계고처분을 전제로 행하여진 대집행영장발부통보처분도 위법한 것이라는 주장을 할 수 있다(대판 1996. 2. 9, 95누12507).

④ ×

선행처분과 후행처분이 서로 독립하여 별개의 법률효과를 목적으로 하는 때에도 선행처분이 당연무효이면 선행처분의 하자를 이유로 후행처분의 효력을 다툴 수 있다는 것이 판례의 입장이다(대판 2017. 7. 11, 2016두35120).

정답 19 ④

20 정답률 64% 중 2018 지방직 9급

행정행위의 하자에 대한 판례의 입장으로 옳지 않은 것은?

□□□ ① 친일반민족행위자로 결정한 최종발표와 그에 따라 그 유가족에 대하여 한 「독립유공자 예우에 관한 법률」 적용배제자 결정은 별개의 법률효과를 목적으로 하는 처분이다.

□□□ ② 무권한의 행위는 원칙적으로 무효라고 할 것이므로, 5급 이상의 국가정보원 직원에 대해 임면권자인 대통령이 아닌 국가정보원장이 행한 의원면직처분은 당연무효에 해당한다.

□□□ ③ 「국가유공자 등 예우 및 지원에 관한 법률」에 따른 여러 개의 상이에 대한 국가유공자 요건 비해당처분에 대한 취소소송에서 그중 일부 상이만이 국가유공자 요건이 인정되는 상이에 해당하는 경우, 국가유공자 요건 비해당처분 중 그 요건이 인정되는 상이에 대한 부분만을 취소하여야 한다.

□□□ ④ 위법하게 구성된 폐기물처리시설 입지선정위원회가 의결을 한 경우, 그에 터잡아 이루어진 폐기물처리시설 입지결정처분의 하자는 무효사유로 본다.

관련기출

①

1. 「일제강점하 반민족행위 진상규명에 관한 특별법」에 따른 친일반민족행위자 결정과 「독립유공자 예우에 관한 법률」에 의한 법적용배제 결정에는 판례가 하자의 승계를 인정한다. (○, ×) 2017 서울시 9급

1. ○

②

1. 판례는 권한유월의 행위는 무권한의 행위로서 원칙적으로 취소사유로 보면서도 의원면직처분에서의 권한유월은 확인적 행정행위의 성격을 갖고 있기 때문에 원칙적으로 무효사유로 보아야 한다는 입장이다. (○, ×) 2017 국회직 8급
2. 행정청이 권한을 유월하여 공무원에 대한 의원면직처분을 하였다면 그러한 처분은 다른 일반적인 행정행위에서의 그것과 같이 보아 당연무효로 보아야 한다. (○, ×) 2016 지방직 7급
3. 임면권자가 아닌 행정청이 소속 공무원에 대하여 행한 의원면직처분은 권한유월의 행위로서 무권한의 행위이므로 당연무효이다. (○, ×) 2015 지방직 7급

1. × 2. × 3. ×

① ○

비록 별개의 효과를 목적으로 하는 처분이지만 판례가 하자의 승계를 인정한 사안이다.

> 甲을 친일반민족행위자로 결정한 친일반민족행위진상규명위원회의 최종결정(선행처분)과 지방보훈지청장이 「독립유공자 예우에 관한 법률」 적용대상자로 보상금 등의 예우를 받던 甲의 유가족 乙 등에 대하여 한 「독립유공자 예우에 관한 법률」 적용배제자 결정(후행처분)의 경우 선행처분과 후행처분은 비록 별개의 법률효과를 목적으로 하는 처분이나 선행처분의 위법을 이유로 후행처분의 효력을 다툴 수 있다.
>
> 두 개 이상의 행정처분을 연속적으로 하는 경우 선행처분과 후행처분이 서로 독립하여 별개의 법률효과를 목적으로 하는 때에는 선행처분에 불가쟁력이 생겨 그 효력을 다툴 수 없게 된 경우에는 선행처분의 하자가 중대하고 명백하여 당연무효인 경우를 제외하고는 선행처분의 하자를 이유로 후행처분의 효력을 다툴 수 없는 것이 원칙이나, 선행처분과 후행처분이 서로 독립하여 별개의 효과를 목적으로 하는 경우에도 선행처분의 불가쟁력이나 구속력이 그로 인하여 불이익을 입게 되는 자에게 수인한도를 넘는 가혹함을 가져오며, 그 결과가 당사자에게 예측가능한 것이 아닌 경우에는 국민의 재판받을 권리를 보장하고 있는 헌법의 이념에 비추어 선행처분의 후행처분에 대한 구속력은 인정될 수 없다(대판 2013. 3. 14, 2012두6964).

② 빈출 ×

> 1. 권한유월의 행위는 원칙적으로 무효이나, 권한을 유월한 의원면직처분은 무효가 아니다.
> 2. 임면권자가 아닌 국가정보원장이 5급 이상의 국가정보원 직원에 대하여 한 의원면직처분은 당연무효가 아니다.
>   행정청의 공무원에 대한 의원면직처분은 공무원의 사직의사를 수리하는 소극적 행정행위에 불과하고, 당해 공무원의 사직의사를 확인하는 확인적 행정행위의 성격이 강하며 재량의 여지가 거의 없기 때문에 의원면직처분에서 행정청의 권한유월행위를 다른 일반적인 행정행위의 그것과 반드시 같이 보아야 할 것은 아니다(대판 2007. 7. 26, 2005두15748).

③ ○

> 1. 외형상 하나의 행정처분이라 하더라도 가분성이 있거나 그 처분대상의 일부가 특정될 수 있다면 그 일부만의 취소도 가능하고 그 일부의 취소는 당해 취소부분에 관하여 효력이 생긴다.
> 2. 여러 개의 상이에 대한 국가유공자 요건 비해당처분에 대한 취소소송에서 그중 일부 상이가 국가유공자 요건이 인정되는 상이에 해당하고 나머지 상이는 해당하지 않는 경우, 국가유공자 요건 비해당처분 중 위 요건이 인정되는 상이에 대한 부분만을 취소하여야 할 것이고, 그 비해당처분 전부를 취소할 수는 없다고 할 것이다(대판 2012. 3. 29, 2011두9263).

④ ○

입지선정위원회의 구성방법과 절차가 주민대표나 주민대표 추천에 의한 전문가의 참여 없이 이루어지는 등 위법한 경우, 입지선정위원회는 '의결기관'으로서 그러한 의결에 터잡아 이루어진 폐기물처리 입지결정처분의 하자는 중대한 것이고 객관적으로도 명백하므로 무효사유에 해당한다는 것이 판례의 입장이다(대판 2007. 4. 12, 2006두20150).

정답 20 ②

21

정답률 65% 중 2018 국가직 9급

행정행위의 하자의 승계에 대한 설명으로 옳지 않은 것은? (다툼이 있는 경우 판례에 의함)

□□□ ① 「도시 및 주거환경정비법」상 사업시행계획에 관한 취소사유인 하자는 관리처분계획에 승계되지 않는다.

□□□ ② 행정대집행법상 선행처분인 계고처분의 하자는 대집행영장발부통보처분에 승계된다.

□□□ ③ 「국토의 계획 및 이용에 관한 법률」상 도시·군계획시설결정과 실시계획인가는 동일한 법률효과를 목적으로 하는 것이므로 선행처분인 도시·군계획시설결정의 하자는 실시계획인가에 승계된다.

□□□ ④ 구 「부동산 가격공시 및 감정평가에 관한 법률」상 선행처분인 표준지공시지가의 결정에 하자가 있는 경우에 그 하자는 보상금 산정을 위한 수용재결에 승계된다.

① ○

> 「도시 및 주거환경정비법」상 사업시행계획에 관한 취소사유인 하자는 관리처분계획에 승계되지 않는다.
>
> 정기총회에서 사업시행계획수립에 조합원 3분의 2 이상의 동의를 얻지 못한 하자가 있다고 하더라도 그 하자가 객관적으로 명백하다고 보기 어려워 무효사유가 아니라 취소사유에 불과하고, 사업시행계획에 관한 취소사유인 하자는 관리처분계획에 승계되지 아니하여 그 하자를 들어 관리처분계획의 적법 여부를 다툴 수 없다는 이유로, 관리처분계획이 적법하다고 본 원심의 결론은 정당하다(대판 2012. 8. 23, 2010두13463).

② ○

> 대집행의 계고, 대집행영장에 의한 통지, 대집행의 실행, 대집행에 요한 비용의 납부명령 등은 타인이 대신하여 행할 수 있는 행정의무의 이행을 의무자의 비용부담하에 확보하고자 하는, 동일한 행정목적을 달성하기 위하여 단계적인 일련의 절차로 연속하여 행하여지는 것으로서, 서로 결합하여 하나의 법률효과를 발생시키는 것이므로, 선행처분인 계고처분이 하자가 있는 위법한 처분이라면, …… 후행처분인 대집행영장발부통보처분의 취소를 청구하는 소송에서 청구원인으로 선행처분인 계고처분이 위법한 것이기 때문에 그 계고처분을 전제로 행하여진 대집행영장발부통보처분도 위법한 것이라는 주장을 할 수 있다(대판 1996. 2. 9, 95누12507).

③ ×

> 도시·군계획시설결정과 실시계획인가는 도시·군계획시설사업을 위하여 이루어지는 단계적 행정절차에서 별도의 요건과 절차에 따라 별개의 법률효과를 발생시키는 독립적인 행정처분이다. 그러므로 선행처분인 도시·군계획시설결정에 하자가 있더라도 그것이 당연무효가 아닌 한 원칙적으로 후행처분인 실시계획인가에 승계되지 않는다(대판 2017. 7. 18, 2016두49938).

④ ○

수용보상금의 증액을 구하는 소송에서 선행처분으로서 그 수용대상 토지가격 산정의 기초가 된 비교표준지공시지가결정의 위법을 독립한 사유로 주장할 수 있다는 것이 판례의 입장이다(표준공시지가와 수용재결(보상금 결정) 간 승계 긍정).

정답 21 ③

22 ㊥

2018 서울시 1회 7급

다음 중 하자의 승계가 인정되는 경우가 아닌 것은? (다툼이 있는 경우 판례에 따름)

□□□ ① 도시계획결정과 수용재결처분

□□□ ② 계고처분과 대집행비용납부명령

□□□ ③ 귀속재산의 임대처분과 후행매각처분

□□□ ④ 한지의사시험자격인정과 한지의사면허처분

관련기출

①

1. 법률에 규정된 공청회를 열지 아니한 하자가 있는 도시계획결정에 불가쟁력이 발생하였다면, 당해 도시계획결정이 당연무효가 아닌 이상 그 하자를 이유로 후행하는 수용재결처분의 취소를 구할 수는 없다. (O, ×)
2016 지방직 7급
2. 도시계획결정과 수용재결처분의 사이에는 하자의 승계가 인정된다.
(O, ×) 2015 경행특채 1차

1. O 2. ×

③

1. 귀속재산의 임대처분과 후행 매각처분 간에는 하자의 승계가 인정된다.
(O, ×) 2010 경북교행 변형

1. O

① **빈출** ×

도시계획결정과 수용재결처분은 하자가 승계되지 않는다.

도시계획의 수립에 있어서 도시계획법 제16조의2 소정의 공청회를 열지 아니하고 「공공용지의 취득 및 손실보상에 관한 특례법」 제8조 소정의 이주대책을 수립하지 아니하였더라도 이는 절차상의 위법으로서 취소사유에 불과하고 그 하자가 도시계획결정 또는 도시계획사업시행인가를 무효라고 할 수 있을 정도로 중대하고 명백하다고는 할 수 없으므로 이러한 위법을 선행처분인 도시계획결정이나 사업시행인가 단계에서 다투지 아니하였다면 그 쟁소기간이 이미 도과한 후인 수용재결단계에 있어서는 도시계획수립 행위의 위와 같은 위법을 들어 재결처분의 취소를 구할 수는 없다고 할 것이다(대판 1990. 1. 23, 87누947).

② O

계고처분과 대집행비용납부명령은 하자가 승계된다는 것이 판례의 입장이다(대판 1993. 11. 9, 93누14271).

③ O

귀속재산의 임대처분과 후행매각처분은 하자가 승계된다.

귀속재산처리법 제29조는 같은 법 제15조를 귀속재산의 임대차 또는 관리에 적용한다 규정하였으므로 귀속재산의 임대차에 관하여 같은 법 제15조가 규정한 우선권자가 있음에도 불구하고 타인에게 임대차한 경우에는 그 임대에는 하자가 있는 경우에 해당하며 그 임대를 취소할 수 있을 뿐만 아니라 그 임대자의 존재를 전제로 한 불하(편저자 주 : 매각)처분도 취소할 수 있는 것이다(대판 1963. 2. 7, 62누215).

④ O

한지의사시험자격인정과 한지의사면허처분은 하자가 승계된다.

한지의사자격시험에 응시하기 위한 응시자격인정의 결정을 사위의 방법으로 받은 이상 이에 터잡아 취득한 한지의사면허처분도 면허를 취득할 수 없는 사람이 취득한 하자 있는 처분이 된다 할 것이므로 보건사회부(현 보건복지부)장관이 그와 같은 하자 있는 처분임을 이유로 원고가 취득한 한지의사 면허를 취소하는 처분을 하였음은 적법하다(대판 1975. 12. 9, 75누123).

정답 22 ①

23

정답률 79% 중 2017 서울시 9급

판례가 행정행위의 하자의 승계를 인정한 것을 모두 고른 것은?

> □□□ ㉠ 행정대집행에서의 계고와 대집행영장의 통지
> □□□ ㉡ 안경사시험합격취소처분과 안경사면허취소처분
> □□□ ㉢ 개별공시지가결정과 과세처분
> □□□ ㉣ 「일제강점하 반민족행위 진상규명에 관한 특별법」에 따른 친일반민족행위자 결정과 「독립유공자 예우에 관한 법률」에 의한 법적용배제 결정
> □□□ ㉤ 공무원의 직위해제처분과 면직처분
> □□□ ㉥ 건물철거명령과 대집행계고처분
> □□□ ㉦ 과세처분과 체납처분

① ㉠, ㉡, ㉢, ㉣　② ㉠, ㉢, ㉣, ㉦
③ ㉠, ㉣, ㉤, ㉦　④ ㉡, ㉢, ㉣, ㉤

① ㉠㉡㉢㉣이 행정행위의 하자승계를 인정한 것이다.

하자승계 긍정	하자승계 부정
㉠ 행정대집행에서의 계고와 대집행영장의 통지(대판 1996. 2. 9, 95누12507) ㉡ 안경사시험합격취소처분과 안경사면허취소처분(대판 1993. 2. 9, 92누4567) ㉢ 개별공시지가결정과 과세처분(대판 1994. 1. 25, 93누8542) ㉣ 「일제강점하 반민족행위 진상규명에 관한 특별법」에 따른 친일반민족행위자 결정과 「독립유공자 예우에 관한 법률」에 의한 법적용배제 결정(대판 2013. 3. 14, 2012두6964)	㉤ 공무원의 직위해제처분과 면직처분(대판 1984. 9. 11, 84누191) ㉥ 건물철거명령과 대집행계고처분(대판 1998. 9. 8, 97누20502) ㉦ 과세처분과 체납처분(현 강제징수)(대판 1961. 10. 26, 4292행상73)

24

정답률 69% 중 2017 지방직 9급

하자의 승계에 대한 설명으로 옳지 않은 것은? (다툼이 있는 경우 판례에 의함)

□□□ ① 선행행위에 무효의 하자가 존재하더라도 선행행위와 후행행위가 결합하여 하나의 법적 효과를 목적으로 하는 경우에는 하자의 승계에 대한 논의의 실익이 있다.

□□□ ② 적정행정의 유지에 대한 요청에서 나오는 하자의 승계를 인정하면 국민의 권리를 보호하고 구제하는 범위가 더 넓어진다.

□□□ ③ 선행행위에 대하여 불가쟁력이 발생하지 않았거나 선행행위와 후행행위가 서로 독립하여 각각 별개의 법률효과를 목적으로 하는 때에는 원칙적으로 선행행위의 하자를 이유로 후행행위의 효력을 다툴 수 없다.

□□□ ④ 선행행위와 후행행위가 서로 독립하여 별개의 법률효과를 목적으로 하는 경우라도 선행행위의 불가쟁력이나 구속력이 그로 인하여 불이익을 입는 자에게 수인한도를 넘는 가혹함을 가져오고 그 결과가 예측가능한 것이 아닌 때에는 하자의 승계를 인정할 수 있다.

① ×

선행행위가 무효인 경우에는 불가쟁력이 없으므로 당사자는 선행행위의 무효를 언제나 주장할 수 있다. 또한 선행행위가 무효인 경우에는 선행행위와 후행행위가 결합하여 하나의 효과를 발생하든 독립하여 별개의 효과를 발생하든 선행행위의 하자는 당연히 후행행정행위에 승계되어 후행행위도 무효가 되므로 하자의 승계를 논의할 실익이 없다.

② ○

하자의 승계를 넓게 인정할수록 국민의 권리구제의 폭이 넓어진다. 처분에 불가쟁력이 발생하면 비록 처분이 위법하더라도 처분에 대한 취소쟁송을 제기할 수 없으므로 국민의 권리구제 면에서는 문제가 있다. 그런데 하자의 승계를 긍정하면 선행처분에 비록 불가쟁력이 발생하였더라도 후행처분을 다투면서 선행처분의 위법성을 주장하여 다툴 수 있으므로 국민의 권리를 보호하고 구제하는 범위가 더 넓어진다.

③ ○

선행행위와 후행행위가 서로 독립하여 각각 별개의 법률효과를 목적으로 하는 때에는 원칙적으로 하자의 승계를 부정하는 것이 통설 및 판례의 입장이므로 원칙적으로 선행행위의 하자를 이유로 후행행위의 효력을 다툴 수 없다. 또한 선행행위에 대해 불가쟁력이 발생하지 않은 경우에는 선행행위를 다툴 수 있으므로 선행행위의 하자를 이유로 후행행위의 효력을 다툴 수 없음이 원칙이다.

④ ○

비록 선행처분과 후행처분이 서로 독립하여 별개의 법률효과를 목적으로 하는 때에도 선행처분의 불가쟁력이나 구속력이 그로 인하여 불이익을 입게 되는 자에게 수인한도를 넘는 가혹함을 가져오며, 그 결과가 당사자에게 예측가능한 것이 아닌 경우에는 하자의 승계를 긍정하는 것이 판례의 취지이다.

> 선행처분과 후행처분이 서로 독립하여 별개의 법률효과를 목적으로 하는 때에는 선행처분에 불가쟁력이 생겨 그 효력을 다툴 수 없게 된 경우에는 선행처분의 하자가 중대하고 명백하여 당연무효인 경우를 제외하고는 선행처분의 하자를 이유로 후행처분의 효력을 다툴 수 없는 것이 원칙이나 선행처분과 후행처분이 서로 독립하여 별개의 효과를 목적으로 하는 경우에도 선행처분의 불가쟁력이나 구속력이 그로 인하여 불이익을 입게 되는 자에게 수인한도를 넘는 가혹함을 가져오며, 그 결과가 당사자에게 예측가능한 것이 아닌 경우에는 국민의 재판받을 권리를 보장하고 있는 헌법의 이념에 비추어 선행처분의 후행처분에 대한 구속력은 인정될 수 없다(대판 1994. 1. 25, 93누8542).

정답 23 ① 24 ①

25 중

2016 교육행정직 9급

행정행위의 하자의 승계에 관한 설명으로 옳지 않은 것은? (다툼이 있으면 판례에 따름)

□□□ ① 대집행계고처분과 대집행영장발부통보처분 사이에는 하자의 승계가 인정된다.

□□□ ② 광고물에 대한 자진철거명령과 대집행영장발부통보처분 사이에는 하자의 승계가 부정된다.

□□□ ③ 하자의 승계가 인정되기 위해서는 선행행위와 후행행위에 모두 불가쟁력이 발생한 경우이어야 한다.

□□□ ④ 하자의 승계가 인정되기 위해서는 선행행위와 후행행위가 모두 항고소송의 대상이 되는 처분이어야 한다.

① ○

> 후행처분인 대집행영장발부통보처분의 취소청구소송에서 선행처분인 계고처분이 위법하다는 이유로 대집행영장발부통보처분도 위법한 것이라는 주장을 할 수 있다(대집행계고처분과 대집행영장발부통보처분 사이의 하자승계를 긍정한 판례)(대판 1996. 2. 9, 95누12507).

② ○

건물철거명령과 같이 의무를 명하는 행위와 대집행의 각 절차(계고 ⇨ (영장에 의한)통지 ⇨ 실행 ⇨ 비용납부명령)들 사이에는 의무부과행위가 당연무효가 아닌 한 하자의 승계가 부정된다(통설 · 판례). 제시된 관련판례는 건물철거명령과 계고처분의 하자의 승계를 부정한 판례이나, 건물철거명령과 대집행영장발부통보처분의 경우도 마찬가지이다.

> 건물철거명령이 당연무효가 아닌 이상 행정심판이나 소송을 제기하여 그 위법함을 소구하는 절차를 거치지 아니하였다면 위 선행행위인 건물철거명령은 적법한 것으로 확정되었다고 할 것이므로 후행행위인 대집행계고처분에서는 그 건물이 무허가건물이 아닌 적법한 건축물이라는 주장이나 그러한 사실인정을 하지 못한다(대판 1998. 9. 8, 97누20502).

③ ×

④ ○

하자의 승계를 논의하기 위한 전제는 다음과 같다.

> ㉠ **선행행위의 위법사유는 무효 아닌 취소사유일 것** : 선행행위가 무효인 경우에는 당사자는 선행행위의 무효를 언제나 주장할 수 있고, 또한 선행행위의 무효는 당연히 후행 행정행위에 승계되어 후행행위도 무효로 됨으로써 하자의 승계를 논의할 실익이 없기 때문이다.
> ㉡ **선행행위에는 불가쟁력이 발생할 것**(③) : 선행행위에 대한 제소기간이 경과하지 않은 경우에는 선행행위의 위법 여부를 직접 다툴 수 있으므로 하자의 승계를 논할 실익이 없다. 한편 후행행위에 불가쟁력이 발생한 경우라면 후행처분에 대해 항고소송의 제기가 불가능하므로 하자의 승계를 논할 실익이 또한 없다.
> ㉢ **후행행위에는 고유한 위법사유가 없을 것** : 후행행위에 고유한 위법사유가 있으면 굳이 하자의 승계이론을 논의하지 않더라도 후행행위를 직접 다투면 된다.
> ㉣ **선행행위와 후행행위 모두 처분성을 가질 것**(④) : 처분성이 없으면 하자승계가 된다 할지라도 소송제기를 못한다는 점에서 처분성이 있어야 한다.

정답 25 ③

26 정답률 65% 상 2015 국가직 7급

행정행위의 하자승계론에서 구속력설(규준력설)의 입장에 대한 설명으로 옳지 않은 것은?

□□□ ① 선행행위의 사실적 · 법적 상태가 유지되는 한도에서 선행행위의 구속력은 인정된다.

□□□ ② 선행행위의 상대방과 후행행위의 상대방이 일치하는 경우에 선행행위의 구속력은 인정된다.

□□□ ③ 선행행위와 후행행위의 목적 및 법효과가 동일한 경우에 선행행위의 구속력은 인정된다.

□□□ ④ 선행행위의 구속력의 법적 결과를 예측할 수 없거나 수인이 불가능한 경우에 선행행위의 구속력은 인정된다.

①②③ ○

④ ×

'선행행위의 후행행위에 대한 구속력설(규준력설)'에서 주장하는 구속력(규준력)이란 선행 행정행위를 더 이상 다투지 못하는 힘인 불가쟁력이 발생한 경우, 후행 행정행위 단계에서 후행 행정행위의 전제가 되는 선행 행정행위에 배치되는 주장을 하지 못하는 효력을 말한다. 그런데 이러한 구속력을 절대적으로 인정하는 경우에는 상대방 및 이해관계인에게 불합리한 결과가 발생할 수 있으므로 일정한 요건 및 범위, 즉 일정한 한계 내에서만 인정된다고 보면서 그 한계로는 다음의 경우를 든다.

1. 선행행위와 후행행위가 동일한 목적을 추구하며 법적 효과가 기본적으로 일치하여야 한다(사물적 한계)(③).
2. 양 행위의 수범자(상대방)가 일치하여야 한다(대인적 한계)(②).
3. 선행행위의 사실 및 법상태가 유지되는 한도 내에서만 미친다(시간적 한계)(①).
4. 선행행위의 후행행위에 대한 구속력을 인정하는 것이 개인에게 지나치게 가혹하여 수인할 수 없거나 선행행위의 구속력의 법적 결과를 예측할 수 없는 경우에는 구속력이 인정되지 않는다(추가적 한계 - 예측가능성, 수인가능성)(④).

정답 26 ④

27 중 2010 국가직 7급

쟁송제기기간이 경과한 개별공시지가결정에 기초한 양도소득세 부과처분에 대하여 취소소송을 제기한 경우에 대한 설명으로 옳은 것은?

□□□ ① 양도소득세 산정의 기초가 되는 개별공시지가결정에 대하여 한 재조사청구에 따른 조정결정을 통지받고서도 더 이상 다투지 않았다 하더라도 위 개별공시지가결정의 위법을 양도소득세 부과처분의 위법사유로 주장할 수 있다.

□□□ ② 개별공시지가결정이 무효인 경우 양도소득세 부과처분의 취소를 주장할 수 없다.

□□□ ③ 당사자의 수인한도를 넘는 불이익이 강요되는 경우에는 개별공시지가결정의 위법을 양도소득세 부과처분의 위법사유로 주장할 수 있다는 것이 판례의 입장이다.

□□□ ④ 개별공시지가결정과 양도소득세 부과처분은 서로 결합하여 하나의 효과를 완성하는 처분이라고 보는 것이 판례의 입장이다.

① ×

개별공시지가결정과 과세처분의 경우 개별공시지가결정의 불가쟁력이나 구속력이 수인가능성이나 예측가능성이 있는 경우에는 선행행위의 위법을 후행행위의 위법사유로 주장할 수 없다(하자의 승계를 부정함. 아래 ③④ 해설 판례와 구별할 것).

> 원고가 이 사건 토지를 매도한 이후에 그 양도소득세 산정의 기초가 되는 1993년도 개별공시지가결정에 대하여 한 재조사청구에 따른 조정결정을 통지받고서도 더 이상 다투지 아니한 경우까지 선행처분인 개별공시지가결정의 불가쟁력이나 구속력이 수인한도를 넘는 가혹한 것이거나 예측불가능하다고 볼 수 없어, 위 개별공시지가결정의 위법을 이 사건 과세처분의 위법사유로 주장할 수 없다(대판 1998. 3. 13, 96누6059).

② ×

선행처분이 무효인 경우 후행처분은 항상 위법하게 된다.

③ ○

④ ×

개별공시지가결정과 양도소득세 부과처분은 비록 서로 독립하여 별개의 법률효과를 발생시키는 것이나(④), 하자의 승계를 부정하는 것이 관계인에게 수인한도를 넘는 불이익을 강요하는 것이 되는 경우 선행 개별공시지가결정의 위법을 이유로 후행 양도소득세 부과처분의 효력을 다툴 수 있다(③)는 것이 판례의 입장이다.

> 개별공시지가결정은 이를 기초로 한 과세처분 등과는 별개의 독립된 처분으로서 서로 독립하여 별개의 법률효과를 목적으로 하는 것이나 당해 결정은 이해관계인에게 개별적으로 고지되는 것도 아니고, 또한 관계인으로서는 이러한 개별공시지가가 자신에게 유리 또는 불리하게 적용될 것인지도 알기 어려운 것으로서, 이러한 사정하에서 관계인이 그 쟁송기간 내에 당해 처분을 다투지 않았다고 하여 이를 기초로 한 과세처분 등 후행처분에서 그 위법을 주장할 수 없도록 하는 것은 관계인에 수인한도를 넘는 불이익을 강요하는 것이므로, 이러한 경우에는 개별공시지가결정과 과세처분은 서로 독립하여 별개의 법률효과를 목적으로 하는 것임에도 불구하고, 관계인은 후행처분인 과세처분의 위법사유로서 선행처분인 개별공시지가결정의 위법을 주장할 수 있다(대판 1994. 1. 25, 93누8542).

정답 27 ③

제 17 강 행정행위의 폐지(취소 · 철회) 및 실효

1회독	2회독	3회독
/	/	/

정답률 공단기/소방단기 합격예측 풀서비스 통계 데이터 기준 기 기본서 핵 핵심집약

01 행정행위의 폐지 기 360~374쪽 핵 T 34~35

1 행정행위의 취소

01 중 2024 국회직 8급

행정행위에 대한 설명으로 옳은 것은? (다툼이 있는 경우 판례에 의함)

□□□ ① 직권취소는 행정행위가 위법한 경우뿐만 아니라, 부당한 경우에도 소급하여 취소할 수 있다.

□□□ ② 직권취소도 원행정행위와 별개의 행정행위이므로 조세부과처분을 취소한 후, 취소에 하자가 있다고 하여 이를 취소하면 원부과처분을 소생시킬 수 있다.

□□□ ③ 구 자동차관리법상 자동차관리사업자로 구성하는 사업자단체인 조합 또는 협회 설립인가처분은 강학상 특허에 해당한다.

□□□ ④ 효력기간이 정해져 있는 제재적 행정처분의 효력이 발생한 후에 별도의 처분으로 효력기간의 시기와 종기를 다시 정했다면, 당초의 제재처분은 실효되고 새로운 처분이 있는 것으로 본다.

□□□ ⑤ 종전처분이 주요 부분을 실질적으로 변경하는 내용의 새로운 처분으로 대체되었다면, 종전처분의 효력은 소급하여 소멸한다.

① ○

행정기본법 제18조【위법 또는 부당한 처분의 취소】① 행정청은 위법 또는 부당한 처분의 전부나 일부를 소급하여 취소할 수 있다. 다만, 당사자의 신뢰를 보호할 가치가 있는 등 정당한 사유가 있는 경우에는 장래를 향하여 취소할 수 있다.

② 빈출 ×

과세관청이 부과의 취소를 다시 취소함으로써 원부과처분을 소생시킬 수 없다(대판 1995. 3. 10, 94누7027).

③ ×

「도시 및 주거환경정비법」에 따른 재건축 · 재개발 조합설립인가가 특허인 것과 구별하기 바란다. 제13강 참조

구 자동차관리법 제67조 제1항, 제3항, 제4항, 제5항, 구 자동차관리법 시행규칙 제148조 제1항, 제2항의 내용 및 체계 등을 종합하면, 자동차관리법상 자동차관리사업자로 구성하는 사업자단체인 조합 또는 협회의 설립인가처분은 국토해양부장관(현 국토교통부장관) 또는 시 · 도지사가 자동차관리사업자들의 단체결성행위를 보충하여 효력을 완성시키는 처분(인가)에 해당한다(대판 2015. 5. 29, 2013두635).

④ 제23강 참조 ×

효력기간이 정해져 있는 제재적 행정처분의 효력이 발생한 이후에도 행정청은 특별한 사정이 없는 한 상대방에 대한 별도의 처분으로써 효력기간의 시기와 종기를 다시 정할 수 있다. 이는 당초의 제재적 행정처분이 유효함을 전제로 그 구체적인 집행시기만을 변경하는 후속 변경처분(일부 변경처분)이다. 이러한 후속 변경처분도 특별한 규정이 없는 한 의사표시에 관한 일반법리에 따라 상대방에게 고지되어야 효력이 발생한다. 위와 같은 후속 변경처분서에 효력기간의 시기와 종기를 다시 특정하는 대신 당초 제재적 행정처분의 집행을 특정 소송사건의 판결시까지 유예한다고 기재되어 있다면, 처분의 효력기간은 원칙적으로 그 사건의 판결선고시까지 그 진행이 정지되었다가 판결이 선고되면 다시 진행된다고 보는 것이 타당하다. 다만 이러한 후속 변경처분권한은 특별한 사정이 없는 한 당초의 제재적 행정처분의 효력이 유지되는 동안에만 인정된다. 당초의 제재적 행정처분에서 정한 효력기간이 경과하면 그로써 처분의 집행은 종료되어 제재처분의 효력이 소멸하는 것이므로(행정소송법 제12조 후문 참조), 그 후 동일한 사유로 다시 제재적 행정처분을 하는 것은 위법한 이중처분에 해당한다(대판 2022. 2. 11, 2021두40720).

⑤ ×

소급하여 소멸하는 것이 아니라 그때부터 효력을 상실한다. 제37강 참조

기존의 행정처분을 변경하는 내용의 행정처분이 뒤따르는 경우, 후속처분이 종전처분을 완전히 대체하는 것이거나 그 주요 부분을 실질적으로 변경하는 내용인 경우에는 특별한 사정이 없는 한 종전처분은 그 효력을 상실하고 후속처분만이 항고소송의 대상이 된다(대판 2015. 11. 19, 2015두295 전합).

정답 01 ①

02 빈출 정답률 74% 중 2024 소방직 9급

행정행위의 취소와 철회에 관한 설명으로 옳은 것은? (다툼이 있는 경우 판례에 의함)

□□□ ① 철회의 효과에 관하여 행정기본법은 소급효에 대해 명시적으로 규정함이 없으나, 판례는 별도의 법적 근거가 있다면 소급효 또한 인정할 수 있다는 입장이다.

□□□ ② 당사자가 거짓이나 그 밖의 부정한 방법으로 처분을 받은 경우 행정청은 처분을 취소하고자 할 때 취소로 달성되는 공익과 당사자가 입게 될 불이익을 비교 · 형량하여야 한다.

□□□ ③ 행정청은 적법한 처분이 법률에서 정한 철회사유에 해당하게 된 경우 그 처분의 전부 또는 일부를 장래를 향해 철회할 수 있는데, 처분을 철회하는 경우 철회로 인하여 당사자가 입게 될 불이익과 철회로 얻게 되는 공익을 비교 · 형량할 필요는 없다.

□□□ ④ 연금의 지급결정과 같은 수익적 행정행위를 취소하는 처분이 적법하더라도, 그 처분에 기초하여 잘못 지급된 급여액에 해당하는 금액을 환수하는 처분은 적법하다.

관련기출

②

1. 행정청은 당사자에게 권리나 이익을 부여하는 처분을 취소하려는 경우, 당사자가 중대한 과실로 처분의 위법성을 알지 못하면 취소로 인하여 입게 될 불이익을 취소로 달성되는 공익과 비교 · 형량하여야 한다. (O, X) 2024 해경승진
2. 당사자가 처분의 위법성을 중대한 과실로 알지 못한 경우에는 행정청은 당사자에게 이익을 부여하는 처분의 취소로 인하여 당사자가 입게 될 불이익을 취소로 달성되는 공익과 비교 · 형량하지 않아도 된다. (O, X) 2023 군무원 9급
3. 처분의 상대방이 처분의 위법성을 알고 있었거나 중대한 과실로 알지 못한 경우에는 행정청이 처분의 상대방에게 권리나 이익을 부여하는 처분을 취소하는 경우에도 취소로 인하여 처분의 상대방이 입게 될 불이익과 취소로 달성되는 공익을 비교 · 형량하지 않아도 된다. (O, X) 2023 국회직 8급

1. X 2. O 3. O

③

1. 행정청은 처분을 철회하려는 경우에는 철회로 인하여 처분의 상대방이 입게 될 불이익과 철회로 달성되는 공익을 비교 · 형량하여야 한다. (O, X) 2023 국회직 8급

1. O

① 빈출 정답률 74% O

행정기본법 제19조【적법한 처분의 철회】① 행정청은 적법한 처분이 다음 각 호의 어느 하나에 해당하는 경우에는 그 처분의 전부 또는 일부를 장래를 향하여 철회할 수 있다.
1. 법률에서 정한 철회사유에 해당하게 된 경우
2. 법령 등의 변경이나 사정변경으로 처분을 더 이상 존속시킬 필요가 없게 된 경우
3. 중대한 공익을 위하여 필요한 경우

영유아보육법 제30조 제5항에 따라 평가인증을 철회하는 처분을 하면서, 원칙적으로 별도의 법적 근거 없이 평가인증의 효력을 과거로 소급하여 상실시킬 수는 없다(대판 2018. 6. 28, 2015두58195).

② 빈출 정답률 8% X

행정기본법 제18조【위법 또는 부당한 처분의 취소】① 행정청은 위법 또는 부당한 처분의 전부나 일부를 소급하여 취소할 수 있다. 다만, 당사자의 신뢰를 보호할 가치가 있는 등 정당한 사유가 있는 경우에는 장래를 향하여 취소할 수 있다.
② 행정청은 제1항에 따라 당사자에게 권리나 이익을 부여하는 처분을 취소하려는 경우에는 취소로 인하여 당사자가 입게 될 불이익을 취소로 달성되는 공익과 비교 · 형량(衡量)하여야 한다. 다만, 다음 각 호의 어느 하나에 해당하는 경우에는 그러하지 아니하다.
1. 거짓이나 그 밖의 부정한 방법으로 처분을 받은 경우
2. 당사자가 처분의 위법성을 알고 있었거나 중대한 과실로 알지 못한 경우

③ 정답률 5% X

행정기본법 제19조【적법한 처분의 철회】① 행정청은 적법한 처분이 다음 각 호의 어느 하나에 해당하는 경우에는 그 처분의 전부 또는 일부를 장래를 향하여 철회할 수 있다. (각 호 생략)
② 행정청은 제1항에 따라 처분을 철회하려는 경우에는 철회로 인하여 당사자가 입게 될 불이익을 철회로 달성되는 공익과 비교 · 형량하여야 한다.

④ 빈출 정답률 11% X

1. 국민연금법이 정한 수급요건을 갖추지 못하였음에도 연금지급결정이 이루어진 경우, 이미 지급된 급여 부분에 대한 환수처분과 별도로 지급결정을 취소할 수 있다.
2. 연금지급결정을 취소하는 처분이 적법한 경우 그에 기초한 환수처분도 반드시 적법하다고 판단해야 하는 것은 아니다.

행정처분을 한 처분청은 처분의 성립에 하자가 있는 경우 별도의 법적 근거가 없더라도 직권으로 이를 취소할 수 있다고 봄이 원칙이므로, 국민연금법이 정한 수급요건을 갖추지 못하였음에도 연금지급결정이 이루어진 경우에는 이미 지급된 급여 부분에 대한 환수처분과 별도로 지급결정을 취소할 수 있다. 이 경우에도 이미 부여된 국민의 기득권을 침해하는 것이므로 취소권의 행사는 지급결정을 취소할 공익상의 필요보다 상대방이 받게 될 불이익 등이 막대한 경우에는 재량권의 한계를 일탈한 것으로서 위법하다고 보아야 한다. 다만, 이처럼 연금지급결정을 취소하는 처분과 그 처분에 기초하여 잘못 지급된 급여액에 해당하는 금액을 환수하는 처분이 적법한지를 판단하는 경우 비교 · 교량할 각 사정이 동일하다고는 할 수 없으므로, 연금지급결정을 취소하는 처분이 적법하다고 하여 환수처분도 반드시 적법하다고 판단하여야 하는 것은 아니다(대판 2017. 3. 30, 2015두43971).

정답 02 ①

03 정답률 79% 중 2023 지방직 · 서울시 7급

행정행위의 취소와 철회에 대한 설명으로 옳지 않은 것은? (다툼이 있는 경우 판례에 의함)

□□□ ① 행정청이 의료법인의 이사에 대한 이사취임승인취소처분(제1처분)을 직권으로 취소(제2처분)한 경우, 제1처분과 제2처분 사이에 법원에 의하여 선임결정된 임시이사들의 지위는 법원의 해임결정이 있어야 소멸된다.

□□□ ② 행정행위를 한 처분청은 비록 그 처분 당시에 별다른 하자가 없었고, 또 그 처분 후에 이를 철회할 별도의 법적 근거가 없다 하더라도 원래의 처분을 존속시킬 필요가 없게 된 사정변경이 생겼거나 또는 중대한 공익상의 필요가 발생한 경우에는 그 효력을 상실케 하는 별개의 행정행위로 이를 철회할 수 있다.

□□□ ③ 조세부과처분이 취소되면 그 조세부과처분은 확정적으로 효력이 상실되므로 나중에 취소처분이 취소되어도 원 조세부과처분의 효력이 회복되지 않는다.

□□□ ④ 행정청은 당사자의 신뢰를 보호할 가치가 있는 등 정당한 사유가 있는 경우에는 위법 또는 부당한 처분의 전부나 일부를 장래를 향하여 취소할 수 있다.

관련기출

①

1. 행정청이 의료법인의 이사에 대한 이사취임승인취소처분을 직권으로 취소하면 이사의 지위가 소급하여 회복된다. (○, ×) 2017 국가직 9급
2. 행정청이 의료법인의 이사에 대한 이사취임승인취소처분을 직권으로 취소한 경우에는 이사가 소급하여 이사의 지위를 회복하게 된다. (○, ×) 2014 서울시 7급

1. ○ 2. ○

① 정답률 79% ×

행정청이 의료법인의 이사에 대한 이사취임승인취소처분을 직권으로 취소한 경우, 그로 인하여 이사가 소급하여 지위를 회복하게 되고 법원에 의하여 선임된 임시이사는 법원의 해임결정이 없더라도 당연히 그 지위가 소멸된다〔수익적 행정행위의 철회(이사취임승인을 취소한 것)의 직권취소를 인정한 판례〕.

행정처분이 취소되면 그 소급효에 의하여 처음부터 그 처분이 없었던 것과 같은 효과를 발생하게 되는바, 행정청이 의료법인의 이사에 대한 이사취임승인취소(편저자 주 : 철회에 해당하는 사안이었음)처분(제1처분)을 직권으로 취소(제2처분)한 경우에는 그로 인하여 이사가 소급하여 이사의 지위를 회복하게 되고, 그 결과 위 제1처분과 제2처분 사이에 법원에 의하여 선임결정된 임시이사들의 지위는 법원의 해임결정이 없더라도 당연히 소멸된다(대판 1997. 1. 21, 96누3401).

② 정답률 4% ○

처분청은 별도의 법적 근거가 없더라도 행정행위를 철회하거나 변경할 수 있다.

행정행위를 한 처분청은 그 처분 당시에 그 행정처분에 별다른 하자가 없었고 또 그 처분 후에 이를 취소할 별도의 법적 근거가 없다 하더라도 원래의 처분을 그대로 존속시킬 필요가 없게 된 사정변경이 생겼거나 또는 중대한 공익상의 필요가 발생한 경우에는 별개의 행정행위로 이를 철회하거나 변경할 수 있다(대판 1992. 1. 17, 91누3130 ; 대판 1995. 2. 28, 94누7713 ; 대판 1995. 6. 9, 95누1194).

③ 정답률 10% ○

과세관청이 부과의 취소를 다시 취소함으로써 원부과처분을 소생시킬 수 없다.

과세관청은 부과의 취소를 다시 취소함으로써 원부과처분을 소생시킬 수는 없고 납세의무자에게 종전의 과세대상에 대한 납부의무를 지우려면 다시 법률에서 정한 부과절차에 좇아 동일한 내용의 새로운 처분을 하는 수밖에 없다(대판 1995. 3. 10, 94누7027).

④ 정답률 6% ○

행정기본법 제18조【위법 또는 부당한 처분의 취소】 ① 행정청은 위법 또는 부당한 처분의 전부나 일부를 소급하여 취소할 수 있다. 다만, 당사자의 신뢰를 보호할 가치가 있는 등 정당한 사유가 있는 경우에는 장래를 향하여 취소할 수 있다.

정답 03 ①

04 정답률 56% 중 2023 소방직 9급

행정처분의 취소와 철회에 관한 설명으로 옳지 않은 것은? (다툼이 있는 경우 판례에 의함)

□□□ ① 행정청은 부당한 처분의 전부나 일부를 소급하여 취소할 수 있다.

□□□ ② 행정청은 인 · 허가 등을 취소하는 처분을 할 때는 원칙적으로 청문을 하여야 한다.

□□□ ③ 행정청은 당사자에게 권리나 이익을 부여하는 처분을 취소하려는 경우, 당사자가 중대한 과실로 처분의 위법성을 알지 못하면 취소로 인하여 입게 될 불이익을 취소로 달성되는 공익과 비교 · 형량하여야 한다.

□□□ ④ 행정청은 중대한 공익을 위하여 필요한 경우 적법한 처분의 전부 또는 일부를 장래를 향하여 철회할 수 있다.

① ○

③ ×

중대한 과실로 처분의 위법성을 알지 못한 경우에는 취소로 인하여 당사자가 입게 될 불이익을 취소로 달성되는 공익과 비교 · 형량하지 않아도 된다.

> **행정기본법 제18조【위법 또는 부당한 처분의 취소】** ① 행정청은 위법 또는 부당한 처분의 전부나 일부를 소급하여 취소할 수 있다(①). 다만, 당사자의 신뢰를 보호할 가치가 있는 등 정당한 사유가 있는 경우에는 장래를 향하여 취소할 수 있다.
> ② 행정청은 제1항에 따라 당사자에게 권리나 이익을 부여하는 처분을 취소하려는 경우에는 취소로 인하여 당사자가 입게 될 불이익을 취소로 달성되는 공익과 비교 · 형량(衡量)하여야 한다. 다만, 다음 각 호의 어느 하나에 해당하는 경우에는 그러하지 아니하다.
> 1. 거짓이나 그 밖의 부정한 방법으로 처분을 받은 경우
> 2. 당사자가 처분의 위법성을 알고 있었거나 중대한 과실로 알지 못한 경우(③)

② 제21강 참조 ○

> **행정절차법 제22조【의견청취】** ① 행정청이 처분을 할 때 다음 각 호의 어느 하나에 해당하는 경우에는 청문을 한다.
> 1. 다른 법령 등에서 청문을 하도록 규정하고 있는 경우
> 2. 행정청이 필요하다고 인정하는 경우
> 3. 다음 각 목의 처분을 하는 경우
>   가. 인 · 허가 등의 취소
>   나. 신분 · 자격의 박탈
>   다. 법인이나 조합 등의 설립허가의 취소

④ ○

> **행정기본법 제19조【적법한 처분의 철회】** ① 행정청은 적법한 처분이 다음 각 호의 어느 하나에 해당하는 경우에는 그 처분의 전부 또는 일부를 장래를 향하여 철회할 수 있다.
> 1. 법률에서 정한 철회사유에 해당하게 된 경우
> 2. 법령 등의 변경이나 사정변경으로 처분을 더 이상 존속시킬 필요가 없게 된 경우
> 3. 중대한 공익을 위하여 필요한 경우

정답 04 ③

05 정답률 74% 중 2019 국가직 7급

행정청의 침익적 행위에 대한 판례의 입장으로 옳지 않은 것은?

□□□ ① 국민연금법상 연금지급결정을 취소하는 처분과 그 처분에 기초하여 잘못 지급된 급여액에 해당하는 금액을 환수하는 처분이 적법한지를 판단하는 경우 비교·교량할 각 사정이 상이하다고는 할 수 없으므로, 연금지급결정을 취소하는 처분이 적법하다면 환수처분도 적법하다고 판단하여야 한다.

□□□ ② 세무조사가 과세자료의 수집 등의 본연의 목적이 아니라 부정한 목적을 위하여 행하여진 것이라면 세무조사에 중대한 위법사유가 있는 경우에 해당하고, 이러한 세무조사에 의하여 수집된 과세자료를 기초로 한 과세처분 역시 위법하다.

□□□ ③ 과세관청이 과세예고 통지 후 과세전적부심사청구나 그에 대한 결정이 있기 전에 과세처분을 한 경우, 특별한 사정이 없는 한 그 과세처분은 절차상 하자가 중대·명백하여 당연무효이다.

□□□ ④ 건축주 등이 장기간 시정명령을 이행하지 아니하였으나 그 기간 중에 시정명령의 이행기회가 제공되지 아니하였다가 뒤늦게 이행기회가 제공된 경우, 이행기회가 제공되지 아니한 과거의 기간에 대한 이행강제금까지 한꺼번에 부과하였다면 그러한 이행강제금 부과처분은 하자가 중대·명백하여 당연무효이다.

관련기출

①

1. 행정처분을 한 처분청은 처분의 성립에 하자가 있는 경우 별도의 법적 근거가 없더라도 직권으로 이를 취소할 수 있다고 봄이 원칙이므로, 국민연금법이 정한 수급요건을 갖추지 못하였음에도 연금지급결정이 이루어진 경우에는 이미 지급된 급여 부분에 대한 환수처분과 별도로 지급결정을 취소할 수 있다. (○, ×) 2021 경행경채
2. 출생연월일 정정으로 특례노령연금 수급요건을 충족하지 못하게 된 자에 대하여 지급결정을 소급적으로 직권취소하고, 이미 지급된 급여를 환수하는 처분은 위법하다. (○, ×) 2018 서울시 2회 7급

1. ○ 2. ×

① ×

1. 국민연금법이 정한 수급요건을 갖추지 못하였음에도 연금지급결정이 이루어진 경우, 이미 지급된 급여 부분에 대한 환수처분과 별도로 지급결정을 취소할 수 있다.
2. 연금지급결정을 취소하는 처분이 적법한 경우 그에 기초한 환수처분도 반드시 적법하다고 판단해야 하는 것은 아니다.

   행정처분을 한 처분청은 처분의 성립에 하자가 있는 경우 별도의 법적 근거가 없더라도 직권으로 이를 취소할 수 있다고 봄이 원칙이므로, 국민연금법이 정한 수급요건을 갖추지 못하였음에도 연금지급결정이 이루어진 경우에는 이미 지급된 급여부분에 대한 환수처분과 별도로 지급결정을 취소할 수 있다. 이 경우에도 이미 부여된 국민의 기득권을 침해하는 것이므로 취소권이 행사는 지급결정을 취소할 공익상의 필요보다 상대방이 받게 될 불이익 등이 막대한 경우에는 재량권의 한계를 일탈한 것으로서 위법하다고 보아야 한다. 다만, 이처럼 연금지급결정을 취소하는 처분과 그 처분에 기초하여 잘못 지급된 급여액에 해당하는 금액을 환수하는 처분이 적법한지를 판단하는 경우 비교·교량할 각 사정이 동일하다고는 할 수 없으므로, 연금지급결정을 취소하는 처분이 적법하다고 하여 환수처분도 반드시 적법하다고 판단하여야 하는 것은 아니다(대판 2017. 3. 30, 2015두43971).

② ○

세무조사가 과세자료의 수집 또는 신고내용의 정확성 검증이라는 본연의 목적이 아니라 부정한 목적을 위하여 행하여진 것이라면 이는 세무조사에 중대한 위법사유가 있는 경우에 해당하고 이러한 세무조사에 의하여 수집된 과세자료를 기초로 한 과세처분 역시 위법하다(대판 2016. 12. 15, 2016두47659).

③ ○

과세관청이 과세예고 통지 후 과세전적부심사청구나 그에 대한 결정이 있기 전에 과세처분을 한 경우, 원칙적으로 절차상 하자가 중대·명백하여 과세처분은 무효가 된다는 것이 판례의 입장이다(대판 2016. 12. 27, 2016두49228).

④ 제23강 참조 ○

1. 건축주 등이 장기간 시정명령을 이행하지 아니하였으나 그 기간 중에 시정명령의 이행기회가 제공되지 아니하였다가 뒤늦게 이행기회가 제공된 경우, 이행기회가 제공되지 아니한 과거의 기간에 대한 이행강제금까지 한꺼번에 부과할 수는 없다.
2. 이를 위반하여 이루어진 이행강제금 부과처분의 하자는 중대하고 명백하다.

   비록 건축주 등이 장기간 시정명령을 이행하지 아니하였더라도, 그 기간 중에는 시정명령의 이행기회가 제공되지 아니하였다가 뒤늦게 시정명령의 이행기회가 제공된 경우라면, 시정명령의 이행기회 제공을 전제로 한 1회분의 이행강제금만을 부과할 수 있고, 시정명령의 이행기회가 제공되지 아니한 과거의 기간에 대한 이행강제금까지 한꺼번에 부과할 수는 없다. 그리고 이를 위반하여 이루어진 이행강제금 부과처분은 과거의 위반행위에 대한 제재가 아니라 행정상의 간접강제수단이라는 이행강제금의 본질에 반하여 구 건축법 제80조 제1·4항 등 법규의 중요한 부분을 위반한 것으로서, 그러한 하자는 중대할 뿐만 아니라 객관적으로도 명백하다고 할 것이다(대판 2016. 7. 14, 2015두46598).

정답 05 ①

06 정답률 49% 중 2019 지방직 · 교육행정직 9급

행정행위의 취소에 대한 설명으로 옳은 것만을 모두 고르면? (다툼이 있는 경우 판례에 의함)

> ㉠ 산업재해보상보험법상 각종 보험급여 등의 지급결정을 변경 또는 취소하는 처분과 처분에 터잡아 잘못 지급된 보험급여액에 해당하는 금액을 징수하는 처분이 적법한지를 판단하는 경우, 지급결정을 변경 또는 취소하는 처분이 적법하다면 그에 터잡은 징수처분도 적법하다고 판단해야 한다.
>
> ㉡ 권한 없는 행정기관이 한 당연무효인 행정처분을 취소할 수 있는 권한은 당해 행정처분을 한 처분청에게 속하고, 당해 행정처분을 할 수 있는 적법한 권한을 가지는 행정청에게 그 취소권이 귀속되는 것이 아니다.
>
> ㉢ 수익적 처분이 상대방의 허위 기타 부정한 방법으로 인하여 행하여졌다면 상대방은 그 처분이 그와 같은 사유로 인하여 취소될 것임을 예상할 수 없었다고 할 수 없으므로, 이러한 경우에까지 상대방의 신뢰를 보호하여야 하는 것은 아니다.

① ㉠, ㉡　　② ㉠, ㉢
③ ㉡, ㉢　　④ ㉠, ㉡, ㉢

관련기출

㉡

1. 권한 없는 행정청이 한 위법한 행정처분을 취소할 수 있는 권한은 그 행정처분을 한 처분청에게 속하는 것이고, 그 행정처분을 할 수 있는 적법한 권한을 가지는 행정청에게 그 취소권이 귀속되는 것은 아니다. (○, ×)
2022 지방직 · 서울시 9급
2. 판례는 권한 없는 행정기관이 한 당연무효의 행정처분을 취소할 수 있는 권한은 당해 행정처분을 한 처분청에게 속한다고 하였다. (○, ×) 2008 관세사

1. ○ **2.** ○

㉢

1. 취소되는 수익적 행정처분의 하자가 당사자의 사실은폐나 기타 사위(詐僞)의 방법에 의한 신청행위에 기인한 것이라면 당사자는 처분에 관한 신뢰이익을 원용할 수 없지만, 행정청이 이를 고려하지 아니한 경우에는 재량권의 일탈 · 남용이 된다. (○, ×) 2024 변호사
2. 수익적 행정처분의 하자가 당사자의 사실은폐에 의한 신청행위에 기인한 것이라면 당사자는 그 처분에 관한 신뢰이익을 원용할 수 없다.(○, ×)
2020 지방직 · 서울시 7급

1. × **2.** ○

③ ㉡㉢이 옳은 설명이다.

㉠ ×

금전급부처분이 소급적으로 취소된 경우 잘못 지급된 급여액에 대해 별도의 징수처분이 행해지는 경우가 있는데, 이 경우 지급결정을 변경 또는 취소하는 처분이 적법하다고 하여 그에 터잡은 징수처분도 반드시 적법하다고 판단해야 하는 것은 아니고, 관련이익을 비교 · 교량하여 징수할 금액을 결정하여야 한다는 것이 판례의 입장이다.

> 산업재해보상보험법상 각종 보험급여 지급결정을 변경 또는 취소하는 처분이 적법한 경우, 그에 터잡은 징수처분도 반드시 적법하다고 판단해야 하는 것은 아니다.
> 산업재해보상보험법상 각종 보험급여 등의 지급결정을 변경 또는 취소하는 처분과 그 처분에 기하여 잘못 지급된 보험급여액에 해당하는 금액을 징수하는 처분이 적법한지를 판단함에 있어 비교 · 교량할 각 사정이 동일하다고는 할 수 없으므로, 지급결정을 변경 또는 취소하는 처분이 적법하다고 하여 그에 기한 징수처분도 반드시 적법하다고 판단하여야 하는 것은 아니다(대판 2014. 7. 24, 2013두27159).

㉡ ○

> 권한 없는 행정기관이 한 당연무효인 행정처분을 취소할 수 있는 권한은 당해 행정처분을 한 처분청에 속하고, 당해 행정처분을 할 수 있는 적법한 권한을 가지는 행정청에 그 취소권이 귀속되는 것이 아니다(대판 1984. 10. 10, 84누463).

㉢ ○

> 수익적 행정처분의 하자가 당사자의 사실은폐나 기타 사위의 방법에 의한 신청행위에 기인한 것이라면 당사자는 처분에 의한 이익이 위법하게 취득되었음을 알아 취소가능성도 예상하고 있었다 할 것이므로, 그 자신이 처분에 관한 신뢰이익을 원용할 수 없음은 물론 행정청이 이를 고려하지 아니하였다고 하여도 재량권의 남용이 되지 않는다(대판 2006. 5. 25, 2003두4669).

정답 06 ③

07 정답률 33% 상 2018 서울시 9급

행정행위의 직권취소 및 철회에 대한 설명으로 가장 옳지 않은 것은? (다툼이 있는 경우 판례에 따름)

□□□ ① 한 사람이 여러 종류의 자동차운전면허를 취득하는 경우뿐 아니라 이를 취소 또는 정지함에 있어서도 서로 별개의 것으로 취급하는 것이 원칙이다.

□□□ ② 처분청은 하자 있는 행정행위의 행위자로서 그 하자를 시정할 지위에 있어 그 취소에 관한 법률의 규정이 없이도 행정행위를 취소할 수 있다.

□□□ ③ 수익적 행정행위의 철회는 법령에 명시적인 규정이 있거나 행정행위의 부관으로 그 철회권이 유보되어 있는 경우, 또는 원래의 행정행위를 존속시킬 필요가 없게 된 사정변경이 생겼거나 또는 중대한 공익상의 필요가 발생한 경우 등의 예외적인 경우에만 허용된다.

□□□ ④ 철회 자체가 행정행위의 성질을 가지는 것은 아니어서 행정절차법상 처분절차를 적용하여야 하는 것은 아니나, 신뢰보호원칙이나 비례원칙과 같은 행정법의 일반원칙은 준수해야 한다.

① ○

> 한 사람이 여러 종류의 자동차운전면허를 취득한 경우 이를 취소 또는 정지할 때 서로 별개의 것으로 취급하는 것이 원칙이다(대판 2012. 5. 24, 2012두1891).

② ○

처분청은 취소에 관한 별도의 법적 근거가 없더라도 행정행위를 취소할 수 있다는 것이 판례의 입장이다(대판 1995. 9. 15, 95누6311). 다만, 최근 제정된 행정기본법에서는 행정청은 위법 또는 부당한 처분의 전부나 일부를 취소할 수 있다는 법적 근거를 마련해 두고 있다(동법 제18조).

③ ○

수익적 행정행위의 철회는 상대방에게 불이익을 기져다주는 것이므로, 침익적 행정행위의 철회가 자유로운 것과 달리 제한적으로 인정된다.

> 수익적 행정행위의 철회는 그 처분 당시 별다른 하자가 없었음에도 불구하고 사후적으로 그 효력을 상실케 하는 행정행위이므로, 법령에 명시적인 규정이 있거나 행정행위의 부관으로 그 철회권이 유보되어 있는 등의 경우가 아니라면, 원래의 행정행위를 존속시킬 필요가 없게 된 사정변경이 생겼거나 또는 중대한 공익상의 필요가 발생한 경우 등의 예외적인 경우에만 허용된다고 할 것이다(대판 2005. 4. 29, 2004두11954).

> **행정기본법 제19조【적법한 처분의 철회】** ① 행정청은 적법한 처분이 다음 각 호의 어느 하나에 해당하는 경우에는 그 처분의 전부 또는 일부를 장래를 향하여 철회할 수 있다.
> 1. 법률에서 정한 철회사유에 해당하게 된 경우
> 2. 법령 등의 변경이나 사정변경으로 처분을 더 이상 존속시킬 필요가 없게 된 경우
> 3. 중대한 공익을 위하여 필요한 경우

④ ×

철회 역시 하나의 행정행위이므로 특별한 규정이 없는 한 일반 행정행위와 같은 절차에 따른다. 따라서 수익적 행정행위의 철회는 권리를 제한하는 처분이므로 사전통지절차(행정절차법 제21조) 등 행정절차법상의 절차를 거쳐야 한다. 또한 수익적 행정행위를 철회하는 경우에 신뢰보호요건이 충족되면 그 철회가 제한되며, 철회가 아닌 다른 경미한 수단으로 그 목적을 달성할 수 있으면 곧바로 철회권을 행사할 수 없는 제한을 받기 때문에 신뢰보호원칙이나 비례원칙과 같은 행정법의 일반원칙은 준수해야 한다.

정답 07 ④

08 빈출 중 2018 서울시 1회 7급 변형

행정행위의 취소에 대한 설명으로 가장 옳지 않은 것은? (다툼이 있는 경우 판례에 따름)

□□□ ① 변상금 부과처분에 대한 취소소송이 진행 중이라도 처분청은 위법한 처분을 스스로 취소하고 그 하자를 보완하여 다시 적법한 부과처분을 할 수 있다.

□□□ ② 수익적 행정처분의 경우 상대방의 신뢰보호와 관련하여 직권취소가 제한되며, 최소해야 할 필요성에 대한 입증책임은 기존 이익과 권리를 침해하는 처분을 한 행정청에 있다.

□□□ ③ 처분청의 행정처분 후 사정변경이 있거나 중대한 공익상 필요가 있는 경우 법적 근거가 없어도 그 처분의 효력을 상실케 하는 별도의 행정행위로 이를 철회할 수 있다.

□□□ ④ 명문의 규정을 불문하고 처분청과 감독청은 철회권을 가진다.

① ○

> 변상금 부과처분에 대한 취소소송이 진행 중이라도 그 부과권자로서는 위법한 처분을 스스로 취소하고 그 하자를 보완하여 다시 적법한 부과처분을 할 수도 있는 것이어서 그 권리행사에 법률상의 장애사유가 있는 경우에 해당한다고 할 수 없다(대판 2006. 2. 10, 2003두5686).

② ○

> **국민에게 일정한 이득과 권리를 취득하게 한 종전 행정처분을 취소하는 경우 취소해야 할 필요성에 대한 증명책임은 행정청에게 있다.**
>
> 일정한 행정처분으로 국민이 일정한 이익과 권리를 취득하였을 경우에 종전 행정처분을 취소하는 행정처분은 이미 취득한 국민의 기존 이익과 권리를 박탈하는 별개의 행정처분으로 취소될 행정처분에 하자 또는 취소해야 할 공공의 필요가 있어야 하고, 나아가 행정처분에 하자 등이 있다고 하더라도 취소해야 할 공익상 필요와 취소로 당사자가 입게 될 기득권과 신뢰보호 및 법률생활안정의 침해 등 불이익을 비교·교량한 후 공익상 필요가 당사자가 입을 불이익을 정당화할 만큼 강한 경우에 한하여 취소할 수 있는 것이며, 하자나 취소해야 할 필요성에 관한 증명책임은 기존 이익과 권리를 침해하는 처분을 한 행정청에 있다(대판 2012. 3. 29, 2011두23375).

③ ○

처분청은 별도의 법적 근거가 없어도 행정행위를 철회나 변경할 수 있다는 것이 판례의 입장이다. 다만 행정기본법은 철회의 일반적 근거규정을 두고 있다.

> **처분청은 별도의 법적 근거가 없더라도 행정행위를 철회하거나 변경할 수 있다.**
>
> 행정행위를 한 처분청은 그 처분 당시에 그 행정처분에 별다른 하자가 없었고 또 그 처분 후에 이를 취소할 별도의 법적 근거가 없다 하더라도 원래의 처분을 그대로 존속시킬 필요가 없게 된 사정변경이 생겼거나 또는 중대한 공익상의 필요가 발생한 경우에는 별개의 행정행위로 이를 철회하거나 변경할 수 있다(대판 1992. 1. 17, 91누3130 ; 대판 1995. 2. 28, 94누7713 ; 대판 1995. 6. 9, 95누1194).

④ **빈출** ×

행정행위의 철회는 처분을 한 행정청만이 할 수 있으며, 감독청은 법률에 근거 없는 한 직접 철회할 수는 없다는 것이 일반적 견해이다. 왜냐하면 만약 법률에 규정이 없음에도 감독청이 처분청의 처분을 사정변경 등을 이유로 철회할 수 있다면 법률에 규정된 처분청의 권한을 감독청이 박탈하는 것이 되기 때문이다.

정답 08 ④

09 정답률 70% 중 2016 서울시 9급

다음 중 행정행위의 취소와 철회에 대한 설명으로 가장 옳은 것은? (다툼이 있는 경우 판례에 따름)

□□□ ① 특별한 사정이 없는 한 부담적 행정행위의 취소는 원칙적으로 자유롭지 않다.

□□□ ② 수익적 행정행위에 대한 철회권유보의 부관은 그 유보된 사유가 발생하여 철회권이 행사된 경우 상대방이 신뢰보호원칙을 원용하는 것을 제한한다는 데 실익이 있다.

□□□ ③ 철회권이 유보된 경우라도 수익적 행정행위의 철회에 있어서는 반드시 법적 근거가 필요하다.

□□□ ④ 판례는 불가쟁력이 생긴 행정처분이라도 공권의 확대화 경향에 따라 이에 대한 취소 또는 변경을 구할 신청권을 적극적으로 인정하고 있다.

① ×
부담적 행정행위의 경우 취소권의 행사는 원칙적으로 자유롭다. 이는 법치행정의 원리도 확보하고 상대방에게도 이익을 주기 때문이다.

② ○
철회권이 유보된 행정행위의 상대방은 장래 당해 행위가 철회될 수 있음을 예기할 수 있으므로 원칙적으로 신뢰보호원칙에 기한 철회의 제한을 주장하거나 철회로 인한 손실보상을 요구할 수 없다.

③ ×
처분청은 별도의 법적 근거가 없더라도 행정행위를 철회하거나 변경할 수 있다는 것이 판례의 입장이다(대판 1992. 1. 17, 91누3130 ; 대판 1995. 2. 28, 94누7713 ; 대판 1995. 6. 9, 95누1194).

④ ×
제소기간이 도과하여 불가쟁력이 생긴 행정처분에 대하여는 법규에서 신청권을 규정하고 있거나 법령해석상 신청권이 인정될 수 있는 등 특별한 사정이 없는 한 신청권이 없다는 것이 판례의 입장이다(대판 2007. 4. 26, 2005두11104).

정답 09 ②

10 정답률 76% 중 2016 서울시 7급

행정행위의 취소와 철회에 대한 판례의 태도로 가장 옳지 않은 것은?

□□□ ① 행정행위를 한 처분청은 별도의 법적 근거가 없다 하더라도 사정변경이 생겼거나 또는 중대한 공익상의 필요가 발생한 경우 그 효력을 상실케 하는 별개의 행정행위로 이를 철회할 수 있다.

□□□ ② 여러 종류의 자동차운전면허는 서로 별개의 것으로 취급하는 것이 원칙이나, 취소사유가 특정 면허에 관한 것이 아니고 다른 면허와 공통된 것이거나 운전면허를 받은 사람에 관한 것일 경우에는 여러 면허를 전부 취소할 수도 있다.

□□□ ③ 수익적 행정처분을 취소 또는 철회하는 경우에는 이미 부여된 그 국민의 기득권을 침해하는 것이 되므로 그 처분으로 인하여 공익상의 필요보다 상대방이 받게 되는 불이익 등이 막대한 경우에는 재량권의 한계를 일탈한 것으로서 그 자체가 위법하다.

□□□ ④ 지방병무청장이 재신체검사 등을 거쳐 보충역편입처분을 제2국민역편입처분으로 변경한 경우, 그 후 새로운 병역처분의 성립에 하자가 있었음을 이유로 하여 이를 취소하게 되면 종전의 병역처분의 효력이 되살아난다.

관련기출

④

1. 지방병무청장이 재신체검사 등을 거쳐 종전의 현역병입영대상편입처분을 보충역편입처분으로 변경한 후에 제소기간의 경과 등으로 보충역편입처분에 형식적 존속력이 생겼다면, 보충역편입처분에 하자가 있다는 이유로 이를 직권으로 취소하더라도 종전의 현역병입영대상편입처분의 효력은 회복되지 않는다. (○, ×) 2022 국회직 8급
2. 병무청장이 재신체검사 등을 거쳐 현역병입영대상편입처분을 보충역편입처분으로 변경하는 경우, 그 후 보충역편입처분의 성립에 중대하나 명백하지 않은 하자가 있었음을 이유로 하여 이를 취소한다고 하더라도 종전의 현역병입영대상편입처분의 효력이 되살아나는 것은 아니다. (○, ×) 2021 변호사
3. 현역병입영대상편입처분을 보충역편입처분으로 변경한 경우, 보충역편입처분에 불가쟁력이 발생한 이후 보충역편입처분이 하자를 이유로 직권취소되었다면 종전의 현역병입영대상편입처분의 효력은 되살아난다. (○, ×) 2014 지방직 9급

1. ○ 2. ○ 3. ×

① ○

처분청은 별도의 법적 근거가 없더라도 행정행위를 철회하거나 변경할 수 있다는 것이 판례의 입장이다(대판 1992. 1. 17, 91누3130 등). 다만, 최근 제정된 행정기본법에서는 행정청은 위법 또는 부당한 처분의 전부나 일부를 취소할 수 있다는 법적 근거를 마련해 두고 있다(동법 제18조).

② ○

1. 한 사람이 여러 종류의 자동차운전면허를 취득한 경우 이를 취소 또는 정지할 때 서로 별개의 것으로 취급하는 것이 원칙이다.
2. 취소사유가 다른 면허와 공통된 것이거나 운전면허를 받은 사람에 관한 것일 경우, 여러 면허를 전부 취소할 수 있다(대판 2012. 5. 24, 2012두1891).

③ ○

수익적 행정처분을 취소 또는 철회하는 경우, 그 처분으로 인하여 공익상의 필요보다 상대방이 받게 되는 불이익 등이 막대한 경우에는 재량권의 한계를 일탈한 것으로서 그 자체가 위법하다.

수익적 행정처분을 취소 또는 철회하는 경우에는 이미 부여된 그 국민의 기득권을 침해하는 것이 되므로, 비록 취소 등의 사유가 있다고 하더라도 그 취소권 등의 행사는 기득권의 침해를 정당화할 만한 중대한 공익상의 필요 또는 제3자의 이익보호의 필요가 있는 때에 한하여 상대방이 받는 불이익과 비교 · 교량하여 결정하여야 하고, 그 처분으로 인하여 공익상의 필요보다 상대방이 받게 되는 불이익 등이 막대한 경우에는 재량권의 한계를 일탈한 것으로서 그 자체가 위법하다(대판 2004. 11. 26, 2003두10251).

④ **빈출** ×

지방병무청장이 현역병입영대상편입처분을 보충역편입처분이나 제2국민역편입처분으로 변경하였다면 그 후 변경된 새로운 병역처분의 성립에 하자가 있었음을 이유로 하여 이를 취소한다고 하더라도 종전의 병역처분의 효력이 되살아난다고 할 수 없다.

지방병무청장이 재신체검사 등을 거쳐 현역병입영대상편입처분을 보충역편입처분이나 제2국민역편입처분으로 변경하거나 보충역편입처분을 제2국민역편입처분으로 변경하는 경우 비록 새로운 병역처분의 성립에 하자가 있다고 하더라도 그것이 당연무효가 아닌 한 일단 유효하게 성립하고 제소기간의 경과 등 형식적 존속력이 생김과 동시에 종전의 병역처분의 효력은 취소 또는 철회되어 확정적으로 상실된다고 보아야 할 것이므로 그 후 새로운 병역처분의 성립에 하자가 있었음을 이유로 하여 이를 취소한다고 하더라도 종전의 병역처분의 효력이 되살아난다고 할 수 없다(대판 2002. 5. 28, 2001두9653).

정답 10 ④

11 ㊤ 2014 서울시 7급

행정행위의 취소에 관한 설명으로 옳지 않은 것은? (다툼이 있을 경우 판례에 의함)

□□□ ① 과세관청은 조세부과처분의 취소에 당연무효사유가 아닌 위법사유가 있는 경우에 이를 다시 취소함으로써 원부과처분을 소생시킬 수 없다.

□□□ ② 「행정권한의 위임 및 위탁에 관한 규정」은 위임기관 및 위탁기관은 수임기관 및 수탁기관의 수임 및 수탁사무처리에 대하여 지휘 · 감독하고, 그 처리가 위법 또는 부당하다고 인정되는 때에는 이를 취소하거나 정지시킬 수 있다고 규정하고 있다.

□□□ ③ 선행 부과처분에 대한 취소소송이 진행 중이더라도 과세관청인 피고로서는 위법한 선행처분을 스스로 취소하거나 그 절차상의 하자를 보완하여 다시 적법한 부과처분을 할 수 있다.

□□□ ④ 행정청이 의료법인의 이사에 대한 이사취임승인취소처분을 직권으로 취소한 경우에는 이사가 소급하여 이사의 지위를 회복하게 된다.

□□□ ⑤ 광업권 취소처분 후 광업권 설정의 선출원이 있는 경우에도 취소처분을 취소하여 광업권을 복구시키는 조처는 적법하다.

① ○

과세관청은 조세부과처분의 취소를 다시 취소함으로써 원부과처분을 소생시킬 수는 없다는 것이 판례의 입장이다(대판 1995. 3. 10, 94누7027).

② ○

「행정권한의 위임 및 위탁에 관한 규정」 제6조【지휘 · 감독】 위임 및 위탁기관은 수임 및 수탁기관의 수임 및 수탁사무 처리에 대하여 지휘 · 감독하고, 그 처리가 위법하거나 부당하다고 인정될 때에는 이를 취소하거나 정지시킬 수 있다.

③ ○

변상금 부과처분에 대한 취소소송이 진행 중이라도 그 부과권자로서는 위법한 처분을 스스로 취소하고 그 하자를 보완하여 다시 적법한 부과처분을 할 수 있다는 것이 판례의 입장이다(대판 2006. 2. 10, 2003두5686).

④ ○

행정청이 의료법인의 이사에 대한 이사취임승인취소처분을 직권으로 취소한 경우, 법원에 의하여 선임된 임시이사는 법원의 해임결정이 없더라도 당연히 그 지위가 소멸되므로 기존이사는 소급하여 이사의 지위를 회복하게 된다는 것이 판례의 입장이다(대판 1997. 1. 21, 96누3401).

⑤ ×

1. 광업권 취소처분 후 새로운 이해관계인이 생기기 전에는 취소처분을 취소하여 광업권을 회복시킬 수 있다.
2. 광업권 허가에 대한 취소처분을 한 후 광업권 설정의 선출원이 있는 경우에는 취소처분을 취소하여 광업권을 복구시키는 조처는 위법하다(대판 1967. 10. 23, 67누126).

정답 11 ⑤

❷ 행정행위의 철회

12 중 2010 경행특채

행정행위의 철회 및 철회권행사의 제한에 관한 판례의 내용으로 옳지 않은 것은?

□□□ ① 운전면허정지기간 중에 운전을 하여 운전면허취소사유에 해당되더라도 3년이나 지나서 면허를 취소한 것은 위법하다.

□□□ ② 택시운송사업자가 중대한 교통사고로 인하여 많은 사상자를 냈다면 사업면허가 취소될 것을 예상할 수 있었다 하더라도 1년 10개월이 지나 사업면허를 취소하였다면 위법하다.

□□□ ③ 처분 후에 원래의 처분을 존속시킬 필요가 없게 된 사정변경이 생겼거나 중대한 공익상의 필요가 발생한 경우 별도의 법적 근거가 없어도 철회·변경할 수 있다.

□□□ ④ 부담부 행정처분에 있어서 처분의 상대방이 부담을 이행하지 아니한 경우 처분행정청은 부담불이행을 이유로 당해 처분을 철회할 수 있다.

① ○

> 운전면허정지기간 중에 운전을 하여 면허취소사유에 해당하는 자에 대해서도 위반 후 3년이 지나 운전면허를 취소하는 행정처분을 하는 경우라면 신뢰보호원칙에 위반된다(대판 1987. 9. 8, 87누373).

② ×

자동차운수사업법(현 「여객자동차 운수사업법」) 제31조 제1항 제5호 소정의 중대한 교통사고를 이유로 사고로부터 1년 10개월 후 사고택시에 대하여 한 운송사업면허의 취소는 신뢰보호원칙에 위반되지 않는 적법한 처분이다.

> 교통사고가 일어난 지 1년 10개월이 지난 뒤 그 교통사고를 일으킨 택시에 대하여 운송사업면허를 취소하였더라도 …… 택시운송사업자로서는 자동차운수사업법의 내용을 잘 알고 있어 교통사고를 낸 택시에 대하여 운송사업면허가 취소될 가능성을 예상할 수도 있었을 터이니, 자신이 별다른 행정조치가 없을 것으로 믿고 있었다 하여 바로 신뢰의 이익을 주장할 수는 없으므로 그 교통사고가 자동차운수사업법 제31조 제1항 제5호 소정의 '중대한 교통사고로 인하여 많은 사상자를 발생하게 한 때'에 해당한다면 그 운송사업면허의 취소가 행정에 대한 국민의 신뢰를 저버리고 국민의 법생활의 안정을 해치는 것이어서 재량권의 범위를 일탈한 것이라고 보기는 어렵다(대판 1989. 6. 27, 88누6283).

③ ○

행정행위를 한 처분청은 별도의 법적 근거가 없다 하더라도 원래의 처분을 그대로 존속시킬 필요가 없게 된 사정변경이 생겼거나 또는 중대한 공익상의 필요가 발생한 경우에는 별개의 행정행위로 이를 철회하거나 변경할 수 있다는 것이 판례의 입장이다(대판 1992. 1. 17, 91누3130 ; 대판 1995. 2. 28, 94누7713 ; 대판 1995. 6. 9, 95누1194).

④ ○

부담부 행정행위에 있어서 처분의 상대방이 부담을 이행하지 아니한 경우에 처분행정청으로서는 당해 처분을 취소(철회)할 수 있다는 것이 판례의 입장이다(대판 1989. 10. 24, 89누2431).

정답 12 ②

02 행정행위의 실효

기 375~377쪽 핵 T 35

대표

13 하

2014 서울시 7급

다음 ㉠, ㉡, ㉢에 해당하는 용어가 바르게 나열된 것은?

> □□□ ㉠ 하자 없이 성립한 행정행위에 대해 그의 효력을 존속시킬 수 없는 새로운 사정이 발생하였음을 이유로 장래에 향하여 그의 효력을 소멸시키는 행정행위
>
> □□□ ㉡ 일단 유효하게 성립한 행정행위를 하자가 있음을 이유로 또는 부당함을 이유로 행정청이 그 효력을 소멸시키는 행정행위
>
> □□□ ㉢ 하자 없이 적법하게 성립한 행정행위가 일정한 사실의 발생에 의하여 당연히 그 효력이 소멸되는 것

	㉠	㉡	㉢
①	철회	실효	취소
②	철회	취소	실효
③	실효	취소	철회
④	실효	철회	취소
⑤	취소	실효	철회

② ㉠은 철회, ㉡은 취소, ㉢은 실효에 관한 설명이다.

㉠
행정행위의 철회란 아무런 하자 없이 성립한 행정행위에 대해 그 효력을 존속시킬 수 없는 새로운 사정이 발생하였음을 이유로 장래에 향하여 그의 효력을 소멸시키는 행정행위를 말한다.

㉡
행정행위의 취소란 그 성립상에 흠이 있음에도 불구하고 일단 유효하게 성립한 행정행위를 추후에 성립상의 하자를 이유로 권한 있는 기관이 그 효력을 소멸시키는 행위를 말한다.

㉢
행정행위의 실효란 아무런 하자 없이 적법하게 성립한 행정행위가 일정한 사실의 발생에 의하여 장래를 향하여 당연히 그 효력이 소멸되는 것을 말한다.

정답 13 ②

제 18 강 확약 등

1회독	2회독	3회독
/	/	/

정답률 공단기/소방단기 합격예측 풀서비스 통계 데이터 기준 기 기본서 핵 핵심집약

01 행정상의 확약

기 380~387쪽 핵 T 36

대표

01

정답률 74% 중 2018 국가직 9급

행정청의 확약에 대한 설명으로 옳은 것은? (다툼이 있는 경우 판례에 의함)

□□□ ① 행정청의 확약은 위법하더라도 중대·명백한 하자가 있어 당연무효가 아닌 한 취소되기 전까지는 유효한 것으로 통용된다.

□□□ ② 재량행위에 대해 상대방에게 확약을 하려면 확약에 대한 법적 근거가 있어야 한다.

□□□ ③ 행정청이 상대방에게 확약을 한 후에 사실적·법률적 상태가 변경되었다면 확약은 행정청의 별다른 의사표시가 없더라도 실효된다.

□□□ ④ 행정청의 확약에 대해 법률상 이익이 있는 제3자는 확약에 대해 취소소송으로 다툴 수 있다.

① ×

비록 행정행위에 하자가 있는 경우라도 그것이 중대·명백하여 당연무효로 인정되는 경우를 제외하고는 권한 있는 기관에 의하여 취소되기 전까지 다른 누구도 그 효력을 부인할 수 없어 일단 유효한 것으로 통용되는 힘은 이른바 공정력이다. 그런데 판례는 확약에 대해 행정처분이 아니므로 공정력 등이 인정되지 않는다고 판시하고 있으므로 위법한 확약은 아무런 효력이 없다.

> 어업권면허처분에 선행하는 우선순위결정은 확약에 불과하고 행정처분이 아니므로 공정력, 불가쟁력과 같은 효력은 인정되지 아니한다(대판 1995. 1. 20, 94누6529).

② ×

본처분(주된 행정행위)을 할 권한에는 본처분에 대한 확약을 할 수 있는 권한도 포함되어 있으므로 본처분에 대한 근거가 있으면 별도의 법적 근거 없이도 확약을 할 수 있다는 것이 다수설의 입장이다.

③ ○

행정행위의 경우 행위 후 사정변경이 있으면 행정행위를 철회할 수 있는 것과 달리, 확약 후 사실적·법률적 상태가 변경되었다면 확약은 행정청의 별다른 의사표시를 기다리지 않고 실효된다(대판 1996. 8. 20, 95누10877 참조).

④ ×

판례는 확약에 대해 처분성을 부정하므로 확약에 대해 취소소송으로 다툴 수는 없다.

정답 01 ③

02 정답률 71% 중 2017 서울시 9급

다음 중 단계별 행정행위에 관한 판례의 태도로서 가장 옳지 않은 것은?

□□□ ① 폐기물처리업에 대하여 관할관청의 사전 적정통보를 받고 막대한 비용을 들여 허가요건을 갖춘 다음 허가신청을 하였음에도 청소업자의 난립으로 효율적인 청소업무의 수행에 지장이 있다는 이유로 한 불허가처분이 신뢰보호의 원칙에 반하여 재량권을 남용한 위법한 처분이다.

□□□ ② 폐기물처리업 사업계획에 대하여 적정통보를 한 것만으로 그 사업부지 토지에 대한 국토이용계획변경신청을 승인하여 주겠다는 취지의 공적인 견해표명을 한 것으로 볼 수 없다.

□□□ ③ 행정청이 내인가를 한 다음 이를 취소하는 행위는 인가신청을 거부하는 처분으로 보아야 한다.

□□□ ④ 구 주택건설촉진법에 의한 주택건설사업계획 사전결정이 있는 경우 주택건설계획 승인처분은 사전결정에 기속되므로 다시 승인 여부를 결정할 수 없다.

① ○

> 폐기물처리업에 대하여 관할관청의 사전 적정통보를 받고 막대한 비용을 들여 허가요건을 갖춘 다음 허가신청을 하였음에도 청소업자의 난립을 이유로 한 불허가처분은 신뢰보호의 원칙을 위반한 위법한 처분이다(대판 1998. 5. 8, 98두4061).

② ○

폐기물처리업 사업계획에 대하여 적정통보를 한 것만으로 그 사업부지 토지에 대한 국토이용계획변경신청을 승인하여 주겠다는 취지의 공적인 견해표명을 한 것으로 볼 수 없다는 것이 판례의 입장이다(대판 2005. 4. 28, 2004두8828).

③ ○

자동차운송사업양도 · 양수인가신청에 대하여 행정청이 내인가를 한 후 그 본인가신청이 있음에도 내인가를 취소한 경우 내인가취소는 행정처분이라는 것이 판례의 입장이다(대판 1991. 6. 28, 90누4402).

④ ×

> 주택건설사업계획승인은 재량행위로서 주택건설사업계획의 사전결정이 있다 하더라도 여전히 재량행위이다. 따라서 주택건설사업계획승인을 함에 있어 비록 사전결정을 하였다고 하더라도 사전결정에 기속되지 않고 사익과 공익을 비교 · 형량하여 그 승인 여부를 결정할 수 있다(대판 1999. 5. 25, 99두1052).

03 정답률 67% 중 2016 서울시 9급

행정행위에 대한 설명으로 옳은 것은? (다툼이 있는 경우 판례에 따름)

□□□ ① 행정행위는 행정주체가 행하는 구체적 사실에 관한 법집행 작용이므로 공법상 계약, 공법상 합동행위도 행정행위에 포함된다.

□□□ ② 구체적 사실을 규율하는 경우라도 불특정 다수인을 상대방으로 하는 처분이라면 행정행위가 아니다.

□□□ ③ 사전결정(예비결정)은 단계화된 행정절차에서 최종적인 행정결정을 내리기 전에 이루어지는 행위이지만, 그 자체가 하나의 행정행위이기도 하다.

□□□ ④ 부분허가(부분승인)는 본허가 권한과 분리되는 독자적인 행정행위이기 때문에 부분허가를 위해서는 본허가 이외에 별도의 법적 근거를 필요로 한다.

① ×

행정행위는 권력적 성질을 가진다. 따라서 상대방과의 합의에 의해 성립하는 행정작용인 공법상 계약(반대방향의 의사의 합치), 공법상 합동행위(동일방향의 의사의 합치)는 행정행위와는 구별된다.

② ×

행정행위는 주로 개별적(사람의 범위가 특정)이며 구체적인 성질을 가지나 일반적(사람의 범위가 불특정)이며 구체적인 성질을 가지기도 한다. 일반적이며 구체적인 성질을 가지는 행정행위를 일반처분이라고 한다. 즉, 행정행위는 구체적 성질을 가져야 하나 반드시 개별적 성질을 가져야 하는 것은 아니다.

> 지방경찰청장(현 시 · 도경찰청장)이 횡단보도를 설치하여 보행자의 통행방법 등을 규제하는 것은, 행정청이 특정사항에 대하여 의무의 부담을 명하는 행위이고 이는 국민의 권리 · 의무에 직접 관계가 있는 행위로서 행정처분이라고 보아야 할 것이다(대판 2000. 10. 27, 98두8964).

③ ○

예비결정이란 종국적인 행정결정이 행해지기 전에 사전적인 단계로서 여러 요건 중 하나 또는 일부에 대해 우선적으로 심사하여 내린 결정을 말하며, 사전결정이라고도 한다. 예비결정(사전결정)은 비록 제한적인 효력을 가지지만 상대방의 권리 · 의무에 영향을 주는 법적 효과를 가진다는 점에서 그 자체로 하나의 완결된 행정행위라는 것이 통설이다. 판례 역시 폐기물처리업 부적정통보 등 예비결정에 대해 처분성을 긍정하고 있다(대판 1998. 4. 28, 97누21086).

④ ×

부분허가란 단계적 행정행위의 일부에 대하여 행하는 허가를 말하는 것으로서, 비록 제한된 사항이지만 그 부분허가가 규율하는 사항에 대해서는 법적 효과가 종국적으로 발생한다는 점에서 행정행위의 성질을 가진다. 부분허가를 함에 있어 별도의 법적 근거가 필요한지가 문제되는데, 부분허가권은 허가권한에 포함되는 것이므로 허가에 대한 권한을 가진 행정청은 부분허가에 대한 별도의 법적 근거가 없더라도 부분허가를 할 수 있다는 것이 일반적 견해이다.

정답 02 ④ 03 ③

04 ㉻ 2014 경행특채 1차 변형

다음은 행정법상의 확약을 설명한 것이다. 가장 적절하지 않은 것은? (다툼이 있으면 판례에 의함)

□□□ ① 현행 행정절차법에는 확약에 관한 규정을 두고 있지 않다.

□□□ ② 판례는 어업면허에 선행하는 우선순위결정은 강학상 확약에 불과하고 행정처분으로 볼 수 없다는 입장이다.

□□□ ③ 예비결정과 확약은 구분된다.

□□□ ④ 확약을 허용하는 명문의 규정이 없더라도 다수설은 본처분권한에 확약에 대한 권한이 포함되어 있다고 보아 별도의 명문의 규정이 없더라도 확약을 할 수 있다는 입장이다.

관련기출

②

1. 어업권면허에 선행하는 우선순위결정은 행정청이 우선권자로 결정된 자의 신청이 있으면 어업권면허처분을 하겠다는 것을 약속하는 행위로서 행정처분이 아니다. (○, ×) 2024 지방직 · 서울시 9급
2. 어업권면허에 선행하는 확약인 우선순위결정은 취소소송의 대상이 된다. (○, ×) 2021 지방직 · 서울시 7급
3. 어업권면허에 선행하는 우선순위결정은 행정청이 우선권자로 결정된 자의 신청이 있으면 어업권면허처분을 하겠다는 것을 약속하는 행위로서 강학상 확약에 불과하다. (○, ×) 2020 군무원 7급
4. 어업권면허에 선행하는 우선순위결정은 강학상 확약에 불과하고 행정처분은 아니므로 우선순위결정에 공정력이나 불가쟁력과 같은 효력은 인정되지 아니한다. (○, ×) 2015 경행특채 1차, 2010 경행특채

1. ○ 2. × 3. ○ 4. ○

① ×

2022년 개정 행정절차법에는 확약에 관한 규정을 두고 있다.

② ○

어업권면허처분에 선행하는 우선순위결정은 확약에 불과하고 행정처분이 아니므로 공정력, 불가쟁력과 같은 효력은 인정되지 아니한다.

어업권면허에 선행하는 우선순위결정은 행정청이 우선권자로 결정된 자의 신청이 있으면 어업권면허처분을 하겠다는 것을 약속하는 행위로서 강학상 확약에 불과하고 행정처분은 아니므로, 우선순위결정에 공정력이나 불가쟁력과 같은 효력은 인정되지 아니하며, 따라서 우선순위결정이 잘못되었다는 이유로 종전의 어업권면허처분이 취소되면 행정청은 종전의 우선순위결정을 무시하고 다시 우선순위를 결정한 다음 새로운 우선순위결정에 기하여 새로운 어업권면허를 할 수 있다(대판 1995. 1. 20, 94누6529).

③ ○

확약은 그 자체로는 종국적 규율(행정행위)에 대한 약속에 불과하나, 예비결정은 적어도 일부 요건에 대해서는 종국적 규율로서의 성격을 가진다는 점에서 구별된다. 예컨대 폐기물처리사업계획서를 제출한 것에 대해 행정청이 폐기물처리사업계획에 대한 적정통보를 하겠다는 약속(확약)을 한 것과 폐기물처리사업계획에 대한 적정통보(예비결정)를 한 것을 비교해보면 전자는 약속에 불과하지만 후자는 적어도 사업계획 그 자체에 대해서는 최종적 결정이다. 판례는 이런 점에서 확약은 처분성을 부정하지만 예비결정인 사업계획 부적정통보에 대해서는 처분성을 긍정한다.

④ ○

확약을 할 수 있다는 개별법상 명문의 규정이 없는 경우에도 본처분을 할 권한에는 본처분에 대한 확약을 할 수 있는 권한도 포함되어 있으므로 본처분에 대한 권한이 있으면 확약도 할 수 있다는 것이 다수설의 입장이다.

정답 04 ①

02 행정계획

기 388~399쪽 핵 T 37

05

정답률 86% 중

2023 군무원 9급

다음 중 행정계획에 관한 설명으로 옳지 않은 것은? (다툼이 있는 경우 판례에 의함)

□□□ ① 국립대학인 서울대학교의 '94학년도 대학입학 고사 주요요강'은 행정계획이므로 헌법소원의 대상이 되는 공권력행사에 해당되지 않는다.

□□□ ② 행정주체가 행정계획을 입안 · 결정하면서 이익형량을 전혀 행하지 않거나 이익형량의 고려대상에 마땅히 포함시켜야 할 사항을 빠뜨린 경우 또는 이익형량을 하였으나 정당성과 객관성이 결여된 경우에는 행정계획결정은 형량에 하자가 있어 위법하게 된다.

□□□ ③ 개발제한구역지정처분은 그 입안 · 결정에 관하여 광범위한 형성의 자유를 가지는 계획재량처분이다.

□□□ ④ 「도시 및 주거환경정비법」에 따른 주택재건축정비사업조합이 행정주체의 지위에서 수립하는 관리처분계획은 구속적 행정계획으로서 주택재건축정비사업조합이 행하는 독립된 행정처분에 해당한다.

관련기출

①

1. 구속력 없는 행정계획안이나 행정지침이라도 국민의 기본권에 직접적으로 영향을 끼치고 법령의 뒷받침에 의하여 그대로 실시될 것이 틀림없을 것으로 예상되는 때에는 예외적으로 헌법소원의 대상이 된다. (○, ×)
2021 국가직 9급, 2017 국가직(하) 9급, 2017 서울시 7급
2. 비구속적 행정계획안이나 행정지침이라도 국민의 기본권에 직접적으로 영향을 끼치고, 앞으로 법령의 뒷받침에 의하여 그대로 실시될 것이 틀림없을 것으로 예상될 수 있을 때에는, 공권력행위로서 헌법소원의 대상이 될 수 있다. (○, ×) 2018 국가직 7급
3. 국민의 기본권에 직접적으로 영향을 끼치고 법령의 뒷받침에 의해 실시될 것이라고 예상될 수 있다 하더라도 비구속적 행정계획안의 경우 헌법소원의 대상이 될 수 없다. (○, ×) 2018 서울시 1회 7급

1. ○ 2. ○ 3. ×

④

1. 도시재개발법에 의한 재개발조합의 관리처분계획은 토지 등의 소유자에게 구체적이고 결정적인 영향을 미치는 것으로서 조합이 행한 처분에 해당한다. (○, ×) 2019 서울시 1회 7급
2. 재건축조합이 행하는 관리처분계획은 일종의 행정처분으로서 이를 다투고자 하면 재건축조합을 피고로 하여 항고소송으로 이를 다투어야 한다. (○, ×) 2016 국회직 8급
3. 재개발조합이 조합원에게 한 관리처분계획에 대한 다툼은 공법상의 당사자소송을 제기하여 그 위법성을 다툴 수 있다. (○, ×) 2015 국회직 8급

1. ○ 2. ○ 3. ×

① 제19강 참조 ×

1. 비구속적 행정계획안이나 행정지침이라도 국민의 기본권에 직접적으로 영향을 끼치고, 앞으로 법령의 뒷받침에 의하여 그대로 실시될 것이 틀림없을 것으로 예상될 수 있을 때에는, 공권력행위로서 예외적으로 헌법소원의 대상이 될 수 있다.
2. 서울대학교의 '94학년도 대학입학고사 주요 요강'은 사실행위에 불과하여 행정처분은 아니지만 헌법소원의 대상이 되는 공권력의 행사에 해당한다.

서울대학교의 '94학년도 대학입학고사 주요 요강'은 행정쟁송의 대상이 될 수 있는 행정처분은 아니지만 그 내용이 국민의 기본권에 직접 영향을 끼치는 내용이고 앞으로 법령의 뒷받침에 의하여 그대로 실시될 것이 틀림없을 것으로 예상되어 그로 인하여 직접적으로 기본권침해를 받게 되는 사람에게는 사실상의 규범작용으로 인한 위험성이 이미 현실적으로 발생하였다고 보아야 할 것이므로 이는 헌법소원의 대상이 되는 헌법재판소법 제68조 제1항 소정의 공권력의 행사에 해당된다(헌재 1992. 10. 1, 92헌마68 등).

② ○

행정주체가 행정계획을 입안 · 결정함에 있어서 이익형량을 전혀 행하지 아니하거나, 이익형량의 고려대상에 마땅히 포함시켜야 할 사항을 누락한 경우 또는 이익형량을 하였으나 정당성과 객관성이 결여된 경우에는 그 행정계획결정은 형량에 하자가 있어 위법하다(대판 2006. 9. 8, 2003두5426).

③ ○

개발제한구역지정처분은 건설부장관(현 국토교통부장관)이 법령의 범위 내에서 도시의 무질서한 확산 방지 등을 목적으로 도시정책상의 전문적 · 기술적 판단에 기초하여 행하는 일종의 행정계획으로서 그 입안 · 결정에 관하여 광범위한 형성의 자유를 가지는 계획재량처분으로 소송대상이 된다(대판 1997. 6. 24, 96누1313).

④ **빈출** ○

재건축조합이 행하는 도시재개발법(현 「도시 및 주거환경정비법」)상의 관리처분계획은 항고소송의 대상이 되는 행정처분이다.

도시재개발법에 의한 재개발조합은 조합원에 대한 법률관계에서 적어도 특수한 존립목적을 부여받은 특수한 행정주체로서 국가의 감독하에 그 존립목적인 특정한 공공사무를 행하고 있다고 볼 수 있는 범위 내에서는 공법상의 권리 · 의무관계에 서 있는 것이므로 분양신청 후에 정하여진 관리처분계획의 내용에 관하여 다툼이 있는 경우에는 그 관리처분계획은 토지 등의 소유자에게 구체적이고 결정적인 영향을 미치는 것으로서 조합이 행한 처분에 해당하므로 항고소송의 방법으로 그 무효확인이나 취소를 구할 수 있다(대판 2002. 12. 10, 2001두6333).

정답 05 ①

06 정답률 85% 중 2023 소방직 9급

행정계획에 관한 설명으로 옳지 않은 것은? (다툼이 있는 경우 판례에 의함)

□□□ ① 구 도시계획법령에 따르면 도시계획의 입안에 있어 해당 도시계획안의 내용을 공고 및 공람하여야 하는데, 이러한 공고 및 공람 절차에 하자가 있으면 도시계획결정은 위법하다.

□□□ ② 국토해양부, 환경부, 문화체육관광부, 농림수산식품부가 합동으로 2009. 6. 8. 발표한 '4대강 살리기 마스터플랜'은 행정기관 내부에서 사업의 기본방향을 제시하는 것일 뿐, 국민의 권리 · 의무에 직접 영향을 미치는 것은 아니라고 할 것이어서 행정처분에 해당하지 아니한다.

□□□ ③ 재건축정비사업조합의 사업시행계획은 행정주체의 지위에서 수립한 구속적 행정계획으로서 인가 · 고시를 통해 확정되면 독립된 행정처분에 해당한다.

□□□ ④ 구 환경정책기본법 제25조의2에 따라 사전환경성검토를 거쳐야 하는 행정계획이나 개발사업에 대하여 사전환경성검토를 거친 경우, 그 부실의 정도가 사전환경성검토 제도를 둔 입법 취지를 달성할 수 없을 정도가 아니더라도 그 부실로 인하여 행정계획은 위법하게 된다.

관련기출

①

1. 도시계획의 입안에 있어 공고 및 공람 절차에 하자가 있는 도시계획결정은 위법하다. (○, ×) 2023 소방간부
2. 구 도시계획법령상 도시계획안의 내용에 대한 공고 및 공람 절차에 하자가 있는 도시계획결정은 위법하다. (○, ×) 2022 국가직 7급
3. 도시계획안의 공고 및 공람 절차에 하자가 있는 도시계획결정은 내용에 하자가 있는 것이 아니라 단지 절차의 하자에 불과하므로 위법하지 않다. (○, ×) 2011 지방직 7급

1. ○ 2. ○ 3. ×

②

1. '4대강 살리기 마스터플랜'은 4대강 정비사업 지역 인근에 거주하는 주민의 권리 · 의무에 직접 영향을 미치는 것이어서 행정처분에 해당한다. (○, ×) 2022 국가직 7급
2. 구체적인 계획을 입안함에 있어 지침이 되거나 특정 사업의 기본방향을 제시하는 내용의 행정계획은 항고소송의 대상인 행정처분에 해당하지 않는다. (○, ×) 2022 국가직 9급
3. '4대강 살리기 마스터플랜'은 행정처분에 해당한다. (○, ×) 2017 교육행정직 9급

1. × 2. ○ 3. ×

① **빈출** ○

도시계획의 입안에 있어 공고 및 공람 절차에 하자가 있는 도시계획결정은 위법하다.

도시계획의 입안에 있어 해당 도시계획안의 내용을 공고 및 공람하게 한 것은 다수 이해관계자의 이익을 합리적으로 조정하여 국민의 권리자유에 대한 부당한 침해를 방지하고 행정의 민주화와 신뢰를 확보하기 위하여 국민의 의사를 그 과정에 반영시키는 데 있는 것이므로 이러한 공고 및 공람 절차에 하자가 있는 도시계획결정은 위법하다(대판 2000. 3. 23, 98두2768).

② **빈출** ○

국토해양부(현 국토교통부), 환경부, 문화체육관광부, 농림수산식품부(현 농림축산식품부)가 합동으로 2009. 6. 8. 발표한 '4대강 살리기 마스터플랜' 등은 행정기관 내부에서 사업의 기본방향을 제시하는 계획일 뿐 국민의 권리 · 의무에 직접 영향을 미치는 것이 아니어서, 행정처분에 해당하지 않는다(대결 2011. 4. 21, 2010무111 전합).

③ ○

구 「도시 및 주거환경정비법」에 기초하여 도시환경정비사업조합이 수립한 사업시행계획은 그것이 인가 · 고시를 통해 확정되면 이해관계인에 대한 구속적 행정계획으로서 독립된 행정처분에 해당하므로, 사업시행계획을 인가하는 행정청의 행위는 도시환경정비사업조합의 사업시행계획에 대한 법률상의 효력을 완성시키는 보충행위에 해당한다(대판 2010. 12. 9, 2010두1248).

④ ×

구 환경정책기본법 제25조 내지 제27조, 구 환경정책기본법 시행령 제7조 내지 제11조의 각 규정을 종합하여 보면, 구 환경정책기본법 제25조의2에 따라 사전환경성검토를 거쳐야 하는 행정계획이나 개발사업에 대하여 사전환경성검토를 거치지 아니하였는데도 행정계획을 수립하거나 개발사업에 대하여 허가 또는 승인 등을 하였다면 그 처분은 위법하다 할 것이나, 그러한 절차를 거쳤다면, 비록 그 사전환경성검토의 내용이 다소 부실하다 하더라도 그 부실의 정도가 사전환경성검토 제도를 둔 입법 취지를 달성할 수 없을 정도이어서 사전환경성검토를 하지 아니한 것과 다를 바 없는 정도의 것이 아닌 이상, 그 부실은 당해 처분에 재량권 일탈 · 남용의 위법이 있는지 여부를 판단하는 하나의 요소로 됨에 그칠 뿐, 그 부실로 인하여 당연히 당해 처분이 위법하게 되는 것은 아니라고 할 것이다(대판 2014. 7. 24, 2012두4616).

참고판례
환경영향평가법령에서 정한 환경영향평가절차를 거쳤으나 그 환경영향평가의 내용이 부실한 경우, 그 부실의 정도가 환경영향평가를 하지 아니한 것과 다를 바 없는 정도의 것이 아닌 이상, 그 부실은 당해 승인 등 처분에 재량권 일탈 · 남용의 위법이 있는지 여부를 판단하는 하나의 요소로 됨에 그칠 뿐, 그 부실로 인하여 당연히 당해 승인 등 처분이 위법하게 되는 것은 아니다(대판 2006. 3. 16, 2006두330 전합).

정답 06 ④

07 중

2023 소방간부

행정계획에 관한 설명으로 옳지 않은 것은? (다툼이 있는 경우 판례에 의함)

① 도시기본계획에 대한 항고소송을 제기할 수 없지만 환지계획에 대해서는 항고소송으로 다툴 수 있다.

② 도시계획의 입안에 있어 공고 및 공람 절차에 하자가 있는 도시계획결정은 위법하다.

③ 국토이용계획변경신청을 거부하는 것이 실질적으로 해당 행정처분 자체를 거부하는 결과가 되는 경우에는 항고소송의 대상이 되는 행정처분에 해당한다.

④ 도시계획구역 내 토지 등을 소유하고 있는 주민에게 도시계획 입안을 요구할 수 있는 법규상 또는 조리상의 신청권이 있는 경우 그 신청에 대한 거부행위는 항고소송의 대상이 된다.

⑤ 행정주체가 행정계획을 입안 · 결정함에 있어서 이익형량을 전혀 행하지 아니하거나 이익형량의 고려대상에 마땅히 포함시켜야 할 사항을 누락한 경우 또는 이익형량을 하였으나 정당성과 객관성이 결여된 경우에 그 행정계획결정은 형량에 하자가 있어 위법하다.

관련기출

①

1. 도시계획법령상의 도시기본계획은 토지형질변경, 건축물의 신축, 개축 또는 증축 등 권리행사에 제한을 가져오므로 일반국민에 대한 직접적인 구속력을 가지는 처분에 해당하여 행정소송의 대상이 된다. (○, ×) 2009 지방직 9급
2. 구 토지구획정리사업법상 환지계획은 환지예정지지정이나 환지처분의 근거가 되어 직접 토지소유자 등의 법률상의 지위를 변동시키므로 항고소송의 대상이 된다. (○, ×) 2018 경행경채 3차
3. 환지계획은 환지예정지지정이나 환지처분의 근거가 될 뿐, 고유한 법률효과를 수반하는 것이 아니어서 항고소송의 대상이 되는 처분에 해당한다고 할 수가 없다. (○, ×) 2016 국회직 8급
4. 환지계획은 판례에 의할 경우 항고소송의 대상이 될 수 있다. (○, ×) 2014 국회직 8급

1. × 2. × 3. ○ 4. ×

① **빈출** ×

1. 도시기본계획은 국민에 대해서 직접적인 구속력이 없으므로 처분이 아니다(대판 1998. 11. 27, 96누13927).
2. 환지계획은 항고소송의 대상이 되는 행정처분에 해당하지 않는다.
   환지계획은 위와 같은 환지예정지 지정이나 환지처분의 근거가 될 뿐 그 자체가 직접 토지소유자 등의 법률상의 지위를 변동시키거나 또는 환지예정지 지정이나 환지처분과는 다른 고유한 법률효과를 수반하는 것이 아니어서 이를 항고소송의 대상이 되는 처분에 해당한다고 할 수가 없다(대판 1999. 8. 20, 97누6889).

② ○

도시계획의 입안에 있어 공고 및 공람 절차에 하자가 있는 도시계획결정은 위법하다는 것이 판례의 입장이다(대판 2000. 3. 23, 98두2768).

③ ○

일정한 행정처분을 구하는 신청을 할 수 있는 법률상 지위에 있는 자의 국토이용계획변경신청을 거부하는 것이 실질적으로 당해 행정처분 자체를 거부하는 결과가 되는 경우에는 예외적으로 그 신청인에게 국토이용계획변경을 신청할 권리가 인정된다(대판 2003. 9. 23, 2001두10936).

④ ○

도시계획구역 내 토지 등을 소유하고 있는 사람과 같이 당해 도시계획시설결정에 이해관계가 있는 주민으로서는 도시시설계획의 입안권자 내지 결정권자에게 도시시설계획의 입안 내지 변경을 요구할 수 있는 법규상 또는 조리상의 신청권이 있고, 이러한 신청에 대한 거부행위는 항고소송의 대상이 되는 행정처분에 해당한다(대판 2015. 3. 26, 2014두42742).

⑤ ○

행정주체가 행정계획을 입안 · 결정함에 있어서 이익형량을 전혀 행하지 아니하거나 이익형량의 고려대상에 마땅히 포함시켜야 할 사항을 누락한 경우 또는 이익형량을 하였으나 정당성 · 객관성이 결여된 경우에는 그 행정계획결정은 형량에 하자가 있어 위법하다는 것이 판례의 입장이다(대판 2006. 9. 8, 2003두5426).

정답 07 ①

08 빈출 중 2022 소방간부

행정계획에 관한 판례의 입장으로 옳지 않은 것은?

□□□ ① 이미 고시된 실시계획에 포함된 상세계획은 대외적 구속력이 있는 행정계획으로서 이에 따라 관리되는 토지 위의 건물의 용도를 상세계획 승인권자의 변경 승인 없이 임의로 변경하여 신청한 영업신고를 수리하지 않고 영업소를 폐쇄한 처분은 적법하다.

□□□ ② 비구속적 행정계획안이라도 국민의 기본권에 직접적으로 영향을 끼치고, 앞으로 법령의 뒷받침에 의하여 그대로 실시될 것이 틀림없을 것으로 예상될 수 있을 때에는 공권력행사로서 헌법소원의 대상이 될 수 있다.

□□□ ③ 도시계획시설의 지정으로 말미암아 당해 토지의 이용가능성이 배제되거나 또는 토지소유자가 토지를 종래 허용된 용도로도 사용할 수 없기 때문에 이로 말미암아 현저한 재산적 손실이 발생하는 경우라 하더라도, 이는 사회적 제약의 범위를 넘지 않는 것으로 국가나 지방자치단체는 이에 대한 보상을 해야 하는 것은 아니다.

□□□ ④ 행정주체가 행정계획을 입안 · 결정함에 있어서 이익형량을 전혀 행하지 아니하거나 이익형량의 고려대상에 마땅히 포함시켜야 할 사항을 누락한 경우 또는 이익형량을 하였으나 정당성과 객관성이 결여된 경우, 그 행정계획결정은 형량에 하자가 있어 위법하게 된다.

□□□ ⑤ 장래 일정한 기간 내에 관계법령이 규정하는 시설 등을 갖추어 일정한 행정처분을 구하는 신청을 할 수 있는 법률상 지위에 있는 자의 국토이용계획변경신청을 거부하는 것이 실질적으로 당해 행정처분 자체를 거부하는 결과가 되는 경우에는 예외적으로 그 신청인에게 국토이용계획변경을 신청할 권리가 인정된다.

관련기출

①

1. 이미 고시된 실시계획에 포함된 상세계획으로 관리되는 토지 위의 건물의 용도를 상세계획승인권자의 변경승인 없이 임의로 판매시설에서 상세계획에 반하는 일반목욕장으로 변경한 사안에서, 그 영업신고를 수리하지 않고 영업소를 폐쇄한 처분은 적법하다고 한 판례가 있다. (○, ×)
   2022 군무원 9급, 2016 사회복지직 9급
2. 이미 고시된 실시계획에 포함된 상세계획으로 관리되는 토지 위의 건물의 용도를 상세계획승인권자의 변경승인 없이 임의로 판매시설에서 상세계획에 반하는 일반목욕장으로 변경한 사안에서, 그 영업신고를 수리하지 않고 영업소를 폐쇄한 처분은 위법하다. (○, ×) 2017 지방직(하) 9급

1. ○ 2. ×

① 빈출 ○

이미 고시된 실시계획에 포함된 상세계획으로 관리되는 토지 위의 건물의 용도를 상세계획 승인권자의 변경 승인 없이 임의로 판매시설에서 상세계획에 반하는 일반목욕장으로 변경한 사안에서, 그 영업신고를 수리하지 않고 영업소를 폐쇄한 처분은 적법하다(대판 2008. 3. 27, 2006두3742).

② 빈출 ○

비구속적 행정계획안이나 행정지침이라도 국민의 기본권에 직접적으로 영향을 끼치고, 앞으로 법령의 뒷받침에 의하여 그대로 실시될 것이 틀림없을 것으로 예상될 수 있을 때에는, 공권력행위로서 예외적으로 헌법소원의 대상이 될 수 있다(헌재 2000. 6. 1, 99헌마538 등).

③ ×

도시계획시설의 지정으로 말미암아 당해 토지의 이용가능성이 배제되거나 또는 토지소유자가 토지를 종래 허용된 용도대로도 사용할 수 없기 때문에 이로 말미암아 현저한 재산적 손실이 발생하는 경우에는, 원칙적으로 사회적 제약의 범위를 넘는 수용적 효과를 인정하여 국가나 지방자치단체는 이에 대한 보상을 해야 한다(헌재 1999. 10. 21, 97헌바26).

④ ○

행정주체가 행정계획을 입안 · 결정함에 있어서 이익형량을 전혀 행하지 아니하거나, 이익형량의 고려대상에 마땅히 포함시켜야 할 사항을 누락한 경우 또는 이익형량을 하였으나 정당성과 객관성이 결여된 경우에는 그 행정계획결정은 형량에 하자가 있어 위법하다는 것이 판례의 입장이다(대판 2006. 9. 8, 2003두5426).

⑤ ○

장래 일정한 기간 내에 관계법령이 규정하는 시설 등을 갖추어 일정한 행정처분을 구하는 신청을 할 수 있는 법률상 지위에 있는 자의 국토이용계획변경신청을 거부하는 것이 실질적으로 당해 행정처분 자체를 거부하는 결과가 되는 경우에는 예외적으로 그 신청인에게 국토이용계획변경을 신청할 권리가 인정된다는 것이 판례의 입장이다(대판 2003. 9. 23, 2001두10936).

정답 08 ③

09 정답률 72% 중 2021 지방직 · 서울시 7급

행정계획에 대한 설명으로 옳지 않은 것은? (다툼이 있는 경우 판례에 의함)

□□□ ① 도시관리계획결정 · 고시와 그 도면에 특정 토지가 도시관리계획에 포함되지 않았음이 명백한데도 도시관리계획을 집행하기 위한 후속계획이나 처분에서 그 토지가 도시관리계획에 포함된 것처럼 표시되어 있는 경우, 이는 원칙적으로 취소사유에 해당한다.

□□□ ② 구 도시계획법상 행정청이 정당하게 도시계획결정의 처분을 하였다고 하더라도 이를 관보에 게재하여 고시하지 아니한 이상 대외적으로는 아무런 효력이 발생하지 않는다.

□□□ ③ 행정주체가 행정계획을 입안 · 결정함에 있어서 이익형량을 하였으나 정당성과 객관성이 결여된 경우 그 행정계획결정은 위법하다.

□□□ ④ 산업단지개발계획상 산업단지 안의 토지소유자로서 산업단지개발계획에 적합한 시설을 설치하여 입주하려는 자는 산업단지지정권자 또는 그로부터 권한을 위임받은 기관에 대하여 산업단지개발계획의 변경을 요청할 수 있는 법규상 또는 조리상 신청권이 있다.

관련기출

②

1. 구 도시계획법상 행정청이 정당하게 도시계획결정의 처분을 하였다고 하더라도 이를 관보에 게재하여 고시하지 아니한 이상 대외적으로는 아무런 효력이 발생하지 않는다. (○, ×) 2014 국가직 7급
2. 권한 있는 행정청이 정당하게 도시계획결정 등의 처분을 하였다면 이를 관보에 게재하여 고시하지 아니하였다 하더라도 대외적으로 효력을 발생한다. (○, ×) 2012 지방직(상) 9급
3. 적법한 절차를 거쳐 도시계획결정 등의 처분을 하였다고 하더라도 이를 관보에 게재하여 고시하지 아니한 이상 대외적으로는 아무런 효력도 발생하지 아니한다. (○, ×) 2012 국회(속기 · 경위직) 9급

1. ○ 2. × 3. ○

① ×

도시관리계획결정은 구속적 행정계획에 해당한다. 따라서 도시관리계획에 포함되지 않은 내용을 후속처분 등에서 포함된 것처럼 표시하더라도 이는 아무런 효력이 없다(당연무효임).

> 도시관리계획결정 · 고시와 그 도면에 특정 토지가 도시관리계획에 포함되지 않았음이 명백한데도 도시관리계획을 집행하기 위한 후속계획이나 처분에서 그 토지가 도시관리계획에 포함된 것처럼 표시되어 있는 경우가 있다. 이것은 실질적으로 도시관리계획결정을 변경하는 것에 해당하여 구 「국토의 계획 및 이용에 관한 법률」 제30조 제5항에서 정한 도시관리계획 변경절차를 거치지 않는 한 당연무효이다(대판 2019. 7. 11, 2018두47783).

② **빈출** ○

> 행정청이 적법한 절차를 거쳐 도시계획결정 등의 처분을 하였다고 하더라도 이를 관보에 게재하여 고시하지 아니한 이상 대외적으로는 아무런 효력이 발생하지 아니한다(대판 1985. 12. 10, 85누186).

③ ○

행정주체가 행정계획을 입안 · 결정함에 있어서 이익형량을 전혀 행하지 아니하거나, 이익형량의 고려대상에 마땅히 포함시켜야 할 사항을 누락한 경우 또는 이익형량을 하였으나 정당성과 객관성이 결여된 경우에는 그 행정계획결정은 형량에 하자가 있어 위법하다는 것이 판례의 입장이다(대판 2006. 9. 8, 2003두5426).

④ ○

> 산업단지개발계획상 산업단지 안의 토지소유자로서 산업단지개발계획에 적합한 시설을 설치하여 입주하려는 자에게 산업단지지정권자 또는 그로부터 권한을 위임받은 기관에 대하여 산업단지개발계획의 변경을 요청할 수 있는 법규상 또는 조리상 신청권이 있다(대판 2017. 8. 29, 2016두44186).

정답 09 ①

10 빈출 정답률 62% 중 2021 군무원 9급

계획재량에 대한 설명으로 옳지 않은 것은?

□□□ ① 통상적인 재량행위와 계획재량은 양적인 점에서 차이가 있을 뿐 질적인 점에서는 차이가 없다는 견해는 형량명령이 계획재량에 특유한 하자이론이라기보다는 비례의 원칙을 계획재량에 적용한 것이라고 한다.

□□□ ② 행정주체는 그 행정계획에 관련되는 자들의 이익을 공익과 사익 사이에서는 물론이고 공익 상호 간과 사익 상호 간에도 정당하게 비교 · 교량하여야 한다는 제한을 받는다.

□□□ ③ 행정주체가 행정계획을 입안 · 결정함에 있어서 이익형량의 고려대상에 마땅히 포함시켜야 할 사항을 누락한 경우 이익형량을 전혀 행하지 아니하는 등의 사정이 없는 한 그 행정계획결정은 형량에 하자가 있다고 보기 어렵다.

□□□ ④ 행정계획과 관련하여 이익형량을 하였으나 정당성과 객관성이 결여된 경우에는 그 행정계획결정은 형량에 하자가 있어 위법하게 된다.

① ○

보통의 행정재량과 계획재량은 동일한 성질의 것인지 아니면 별개의 성질을 가지는 것인지에 관해 ㉠ 일반재량과 계획재량은 규범구조 면에서 차이가 있고, 형량명령이라는 특유의 하자이론이 존재한다는 것을 근거로 질적 차이가 있다는 견해와 ㉡ 규범구조 면의 차이는 질적 차이를 가져올 만큼 본질적인 것이 아니고 형량명령이라는 것도 비례의 원칙의 내용에 해당하는 법원리일 뿐이라는 점을 근거로 질적 차이를 부정하고 양적 차이만 인정하는 견해가 대립하고 있다. 지문은 ㉡ 견해에 대한 설명이다.

②④ ○

③ ×

> 행정주체가 가지는 이와 같은 형성의 자유는 무제한적인 것이 아니라 그 행정계획에 관련되는 자들의 이익을 공익과 사익 사이에서는 물론이고 공익 상호 간과 사익 상호 간에도 정당하게 비교 · 형량하여야 한다는 제한이 있는 것이고(②), 행정주체가 행정계획을 입안 · 결정함에 있어서 이익형량을 전혀 행하지 아니하거나, 이익형량의 고려대상에 마땅히 포함시켜야 할 사항을 누락한 경우(③) 또는 이익형량을 하였으나 정당성과 객관성이 결여된 경우에는 그 행정계획결정은 형량에 하자가 있어 위법하다(④)(대판 2006. 9. 8, 2003두5426).

정답 10 ③

11 빈출 정답률 79% 중 2021 국가직 9급

행정계획에 대한 설명으로 옳지 않은 것은? (다툼이 있는 경우 판례에 의함)

□□□ ① 구 도시계획법상 도시기본계획은 도시의 기본적인 공간구조와 장기발전방향을 제시하는 종합계획으로서 도시계획입안의 지침이 되므로 일반국민에 대한 직접적인 구속력은 없다.

□□□ ② 장래 일정한 기간 내에 관계법령이 규정하는 시설 등을 갖추어 일정한 행정처분을 구하는 신청을 할 수 있는 법률상 지위에 있는 자의 국토이용계획변경신청을 거부하는 것이 실질적으로 당해 행정처분 자체를 거부하는 결과가 되는 경우라도, 구 국토이용관리법상 주민이 국토이용계획의 변경에 대하여 신청을 할 수 있다는 규정이 없으므로 그 신청인에게 국토이용계획변경을 신청할 권리가 인정된다고 볼 수 없다.

□□□ ③ 구속력 없는 행정계획안이나 행정지침이라도 국민의 기본권에 직접적으로 영향을 끼치고 법령의 뒷받침에 의하여 그대로 실시될 것이 틀림없을 것으로 예상되는 때에는 예외적으로 헌법소원의 대상이 된다.

□□□ ④ 도시계획의 결정 · 변경 등에 대한 권한행정청은 이미 도시계획이 결정 · 고시된 지역에 대하여도 다른 내용의 도시계획을 결정 · 고시할 수 있고, 이때에 후행 도시계획에 선행 도시계획과 양립할 수 없는 내용이 포함되어 있다면 특별한 사정이 없는 한 선행 도시계획은 후행 도시계획과 같은 내용으로 변경된다.

관련기출

①

1. 도시계획법령상 도시기본계획은 도시의 장기적 개발방향과 미래상을 제시하는 도시계획입안의 지침이 되는 장기적 · 종합적인 개발계획으로서 행정청뿐만 아니라 대외적으로도 구속력을 갖는다. (○, ×) 2019 서울시 1회 7급
2. 도시기본계획은 일반국민에 대하여 직접적인 구속력은 없다. (○, ×) 2018 교육행정직 9급

1. × 2. ○

① **빈출** ○

도시기본계획은 말 그대로 '기본'계획에 불과하므로 일반국민에 대한 직접적인 구속력은 인정되지 않는다.

> 1. 구 도시계획법(현 「국토의 계획 및 이용에 관한 법률」) 제10조의2 소정의 도시기본계획은 도시계획입안의 지침이 되는 것에 불과할 뿐 일반국민에 대한 직접적인 구속력은 없는 것이다.
>   도시기본계획은 도시의 기본적인 공간구조와 장기발전방향을 제시하는 종합계획으로서 그 계획에는 토지이용계획, 환경계획, 공원녹지계획 등 장래의 도시개발의 일반적인 방향이 제시되지만, 그 계획은 도시계획입안의 지침이 되는 것에 불과하여 일반국민에 대한 직접적인 구속력은 없는 것이므로, …… (대판 2002. 10. 11, 2000두8226)
> 2. 도시기본계획은 국민에 대해서 직접적인 구속력이 없으므로 처분이 아니다(대판 1998. 11. 27, 96누13927).

② ×

장래 일정한 기간 내에 관계법령이 규정하는 시설 등을 갖추어 일정한 행정처분을 구하는 신청을 할 수 있는 법률상 지위에 있는 자의 국토이용계획변경신청을 거부하는 것이 실질적으로 당해 행정처분 자체를 거부하는 결과가 되는 경우에는 예외적으로 그 신청인에게 국토이용계획변경을 신청할 권리가 인정된다는 것이 판례의 입장이다(대판 2003. 9. 23, 2001두10936).

③ ○

> 비구속적 행정계획안이나 행정지침이라도 국민의 기본권에 직접적으로 영향을 끼치고, 앞으로 법령의 뒷받침에 의하여 그대로 실시될 것이 틀림없을 것으로 예상될 수 있을 때에는, 공권력행위로서 예외적으로 헌법소원의 대상이 될 수 있다(헌재 2000. 6. 1, 99헌마538 등).

④ ○

도시계획결정 등에 관한 권한 있는 행정청이 선행 도시계획과 양립할 수 없는 후행 도시계획을 수립한 경우, 특별한 사정이 없는 한 선행 도시계획은 후행 도시계획과 같은 내용으로 변경된 것으로 볼 수 있다는 것이 판례의 입장이다.

> 1. '권한 있는' 행정청이 수립한 후행 도시계획에 선행 도시계획과 서로 양립할 수 없는 내용이 포함되어 있다면 특별한 사정이 없는 한 선행 도시계획은 후행 도시계획과 같은 내용으로 변경된 것으로 볼 수 있다.
> 2. 후행 도시계획의 결정을 하는 행정청이 선행 도시계획의 결정 · 변경 등에 관한 '권한을 가지고 있지 아니한 경우' 선행 도시계획과 양립할 수 없는 내용이 포함된 후행 도시계획결정은 무효이다(대판 2000. 9. 8, 99두11257).

정답 11 ②

12 빈출 정답률 79% 중 2020 국가직 9급

행정계획에 대한 설명으로 옳지 않은 것은? (다툼이 있는 경우 판례에 의함)

□□□ ① 행정주체가 구체적인 행정계획을 입안·결정할 때 가지는 형성의 자유의 한계에 관한 법리는 주민의 입안 제안 또는 변경신청을 받아들여 도시관리계획결정을 하거나 도시계획시설을 변경할 것인지를 결정할 때에도 동일하게 적용된다.

□□□ ② 「도시 및 주거환경정비법」에 기초하여 주택재건축정비사업조합이 수립한 사업시행계획은 인가·고시를 통해 확정되어도 이해관계인에 대한 직접적인 구속력이 없는 행정계획으로서 독립된 행정처분에 해당하지 아니한다.

□□□ ③ 장래 일정한 기간 내에 관계법령이 규정하는 시설 등을 갖추어 일정한 행정처분을 구하는 신청을 할 수 있는 법률상 지위에 있는 자의 국토이용계획변경신청을 거부하는 것이 실질적으로 당해 행정처분 자체를 거부하는 결과가 되는 경우에는 예외적으로 그 신청인에게 국토이용계획변경을 신청할 권리가 인정된다.

□□□ ④ 장기미집행 도시계획시설결정의 실효제도에 의해 개인의 재산권이 보호되는 것은 입법자가 새로운 제도를 마련함에 따라 얻게 되는 법률에 기한 권리일 뿐 헌법상 재산권으로부터 당연히 도출되는 권리는 아니다.

관련기출

①

1. 도시관리계획변경신청에 따른 도시관리계획시설변경결정에는 형량명령이 적용되지 않는다. (○, ×) 2018 교육행정직 9급
2. 행정계획의 수립에 있어서 행정청에게 인정되는 광범위한 형성의 자유, 즉 '계획재량'은 '형량명령의 원칙'에 따라 통제한다. (○, ×) 2018 국회직 8급
3. 행정주체가 구체적인 행정계획을 입안·결정할 때 가지는 형성의 자유의 한계에 관한 법리는 주민의 입안제안 또는 변경신청을 받아들여 도시관리계획결정을 할 때에도 동일하게 적용된다. (○, ×) 2014 국가직 9급

1. × 2. ○ 3. ○

②

1. 주택재건축정비사업조합의 사업시행계획은 항고소송의 대상이 된다. (○, ×) 2018 교육행정직 9급

1. ○

④

1. 장기미집행 도시계획시설결정의 실효제도는 도시계획시설부지로 하여금 도시계획시설결정으로 인한 사회적 제약으로부터 벗어나게 하는 것으로서 이와 같은 보호제도는 헌법상 재산권으로부터 당연히 도출되는 권리이다. (○, ×) 2024 군무원 7급

1. ×

① **빈출** ○

행정계획에 광범위한 형성의 자유, 즉 계획재량이 인정된다 하더라도 이러한 재량 역시 법령 등을 위반할 수가 없으며, 공익과 사익 간, 공익 상호 간 및 사익 상호 간의 정당한 비교·교량(형량)이 행해질 것이 요구되는데, 이를 형량명령이라 한다. 이러한 형량명령의 법리는 행정주체가 스스로 처음부터 행정계획을 수립할 때뿐만 아니라, 주민의 입안 제안 또는 변경신청을 받아들여 도시관리계획결정을 하거나 도시계획시설을 변경할 것인지를 결정할 때에도 동일하게 적용된다는 것이 판례의 입장이다.

> 행정주체가 구체적인 행정계획을 입안·결정할 때 가지는 형성의 자유의 한계에 관한 법리(편저자 주 : 형량명령)는 주민의 입안 제안 또는 변경신청을 받아들여 도시관리계획결정을 하거나 도시계획시설을 변경할 것인지를 결정할 때에도 동일하게 적용된다(대판 2012. 1. 12, 2010두5806).

② ×

> 구 「도시 및 주거환경정비법」에 따른 주택재건축정비사업조합이 수립한 사업시행계획이 인가·고시를 통해 확정된 경우 구속적 행정계획으로서 행정처분에 해당한다(대결 2009. 11. 2, 2009마596).

③ ○

장래 일정한 기간 내에 관계법령이 규정하는 시설 등을 갖추어 일정한 행정처분을 구하는 신청을 할 수 있는 법률상 지위에 있는 자의 국토이용계획변경신청을 거부하는 것이 실질적으로 당해 행정처분 자체를 거부하는 결과가 되는 경우에는 예외적으로 그 신청인에게 국토이용계획변경을 신청할 권리가 인정된다는 것이 판례의 입장이다(대판 2003. 9. 23, 2001두10936).

④ ○

> 장기미집행 도시계획시설결정의 실효제도는 헌법상 재산권으로부터 당연히 도출되는 권리는 아니다.
>
> 장기미집행 도시계획시설결정의 실효제도는 도시계획시설부지로 하여금 도시계획시설결정으로 인한 사회적 제약으로부터 벗어나게 하는 것으로서 결과적으로 개인의 재산권이 더 보호되는 측면이 있는 것은 사실이나, 이와 같은 보호는 입법자가 새로운 제도를 마련함에 따라 얻게 되는 법률에 기한 권리일 뿐 헌법상 재산권으로부터 당연히 도출되는 권리는 아니다(헌재 2005. 9. 29, 2002헌바84·89, 2003헌마678·943 병합).

정답 12 ②

13 빈출 정답률 74% 중 2020 지방직 · 서울시 9급

행정계획에 대한 설명으로 옳지 않은 것은? (다툼이 있는 경우 판례에 의함)

① 도시계획구역 내 토지 등을 소유하고 있는 사람과 같이 당해 도시계획시설결정에 이해관계가 있는 주민은 도시시설계획의 입안권자 내지 결정권자에게 도시시설계획의 입안 내지 변경을 요구할 수 있는 법규상 또는 조리상의 신청권이 있다.

② 구 국토이용관리법상의 국토이용계획은 그 계획이 일단 확정된 후에 어떤 사정의 변동이 있다고 하여 지역주민이나 일반 이해관계인에게 일일이 그 계획의 변경을 신청할 권리를 인정하여 줄 수 없다.

③ 장래 일정한 기간 내에 관계법령이 규정하는 시설 등을 갖추어 일정한 행정처분을 구하는 신청을 할 수 있는 법률상 지위에 있는 자의 국토이용계획변경신청을 거부하는 것이 실질적으로 당해 행정처분 자체를 거부하는 결과가 되는 경우에는 항고소송의 대상이 되는 처분에 해당한다.

④ 문화재보호구역 내의 토지소유자가 문화재보호구역의 지정해제를 신청하는 경우에는 그 신청인에게 법규상 또는 조리상 행정계획변경을 신청할 권리가 인정되지 않는다.

관련기출

②

1. 확정된 행정계획에 대하여 사정변경을 이유로 조리상 변경신청권이 인정된다. (○, ×) 2018 서울시 1회 7급
2. 도시계획이 일단 확정된 후 어떤 사정의 변동이 있다고 하여 해당 지역의 주민에게 그 계획의 변경을 청구할 권리를 인정할 수는 없다. (○, ×) 2014 국회직 8급
3. 구 국토이용관리법상 국토이용계획이 확정된 후 일정한 사정의 변동이 있다면 지역주민에게 일반적으로 계획의 변경 또는 폐지를 청구할 권리가 있다. (○, ×) 2014 국가직 9급

1. × 2. ○ 3. ×

④

1. 문화재보호구역 내에 토지를 소유하고 있는 자가 문화재보호구역의 지정해제를 요구하였으나 거부된 경우, 그 거부행위는 행정처분에 해당한다. (○, ×) 2018 지방직 7급
2. 문화재보호구역 내에 있는 토지소유자 등으로서는 위 보호구역의 지정해제를 요구할 수 있는 법규상 또는 조리상의 신청권이 없다. (○, ×) 2016 경행경채
3. 문화재보호구역 내 토지소유자의 문화재보호구역 지정해제신청에 대한 행정청의 거부행위는 항고소송의 대상이 되는 행정처분에 해당한다. (○, ×) 2008 지방직 7급, 2007 국가직 7급

1. ○ 2. × 3. ○

① ○

도시계획구역 내 토지 등을 소유하고 있는 사람과 같이 당해 도시계획시설결정에 이해관계가 있는 주민으로서는 도시시설계획의 입안권자 내지 결정권자에게 도시시설계획의 입안 내지 변경을 요구할 수 있는 법규상 또는 조리상의 신청권이 있고, 이러한 신청에 대한 거부행위는 항고소송의 대상이 되는 행정처분에 해당한다는 것이 판례의 입장이다(대판 2015. 3. 26, 2014두42742).

② 빈출 ○

> 도시계획법(현 「국토의 계획 및 이용에 관한 법률」)상 주민이 행정청에 대하여 도시계획 및 그 변경에 대하여 어떤 신청을 할 수 있다는 규정이 없고, 도시계획과 같이 장기성 · 종합성이 요구되는 행정계획에 있어서 그 계획이 일단 확정된 후 어떤 사정의 변동이 있다 하여 지역주민에게 일일이 그 계획의 변경을 청구할 권리를 인정해 줄 수도 없는 것이므로 그 변경거부행위를 항고소송의 대상이 되는 행정처분에 해당한다고 볼 수 없다(대판 1994. 1. 28, 93누22029).

③ ○

장래 일정한 기간 내에 관계법령이 규정하는 시설 등을 갖추어 일정한 행정처분을 구하는 신청을 할 수 있는 법률상 지위에 있는 자의 국토이용계획변경신청을 거부하는 것이 실질적으로 당해 행정처분 자체를 거부하는 결과가 되는 경우에는 예외적으로 그 신청인에게 국토이용계획변경을 신청할 권리가 인정된다는 것이 판례의 입장이다(대판 2003. 9. 23, 2001두10936).

④ 빈출 ×

> 문화재보호구역 내 토지소유자의 문화재보호구역 지정해제신청에 대한 행정청의 거부행위는 항고소송의 대상이 되는 행정처분에 해당한다.
>
> 헌법상 개인의 재산권보장의 취지에 비추어 보면, 문화재보호구역 내에 있는 토지소유자 등으로서는 위 보호구역의 지정해제를 요구할 수 있는 법규상 또는 조리상의 신청권이 있다고 할 것이고, 이러한 신청에 대한 거부행위는 항고소송의 대상이 되는 행정처분에 해당한다(대판 2004. 4. 27, 2003두8821).

정답 13 ④

14 정답률 58% 중 2018 지방직 7급

문화재보호법상 문화재보호구역의 지정과 관련한 설명으로 옳은 것은? (다툼이 있는 경우 판례에 의함)

□□□ ① 문화재보호구역 내에 토지를 소유하고 있는 자는 문화재보호구역의 지정에 대해 항고소송을 통해 다툴 수 없다.

□□□ ② 문화재보호구역 내의 국유토지는 국유재산법상 보존재산에 해당하므로 시효취득의 대상이 될 수 있다.

□□□ ③ 문화재보호구역의 확대지정이 공공사업인 택지개발사업의 시행을 직접 목적으로 하여 가하여진 것이 아님이 명백한 이상, 문화재보호구역의 확대지정이 당해 공공사업의 시행 이후에 행해진 경우라 하더라도, 공공사업지구에 포함된 토지에 대한 수용보상액은 문화재보호구역의 확대지정에 의한 공법상 제한을 받지 아니한 것으로 보고 평가하여야 한다.

□□□ ④ 문화재보호구역 내에 토지를 소유하고 있는 자가 문화재보호구역의 지정해제를 요구하였으나 거부된 경우, 그 거부행위는 행정처분에 해당한다.

① ×

구 문화재관리법하의 지방문화재에 대한 보호구역 지정처분도 보호구역 내에 있는 토지소유자에 대하여 권리행사의 제한 또는 의무부담을 주는 행정처분에 해당한다(대판 1993. 6. 29, 91누6986).

② ×

문화재보호구역 내의 국유토지는 보존재산으로서 시효취득의 대상이 아니다(대판 1994. 5. 10, 93다23442).

③ ×

1. 공법상 제한이 당해 공공사업의 시행을 직접 목적으로 하여 가하여진 경우가 아니라면 그러한 제한을 받는 상태 그대로 평가하여야 한다.
2. 문화재보호구역의 확대지정이 당해 공공사업인 택지개발사업의 시행을 직접 목적으로 하여 이루어진 것이 아님이 명백하므로 토지의 수용보상액은 그러한 공법상 제한을 받는 상태대로 평가하여야 한다(대판 2005. 2. 18, 2003두14222).

④ ○

문화재보호구역 내 토지소유자의 문화재보호구역 지정해제신청에 대한 행정청의 거부행위는 항고소송의 대상이 되는 행정처분에 해당한다는 것이 판례의 입장이다(대판 2004. 4. 27, 2003두8821).

정답 14 ④

15 빈출 정답률 70% 중 2015 서울시 7급

행정계획에 관한 판례의 내용 중 옳지 않은 것은?

□□□ ① 도지사가 도(道)내 특정시를 공공기관이 이전할 혁신도시 최종입지로 선정한 행위는 항고소송의 대상이 되는 행정처분이다.

□□□ ② 행정주체가 행정계획을 입안·결정함에 있어서 이익형량을 하였으나 정당성과 객관성이 결여된 경우에는 그 행정계획결정은 위법하다.

□□□ ③ 환지계획인가 후에 수정하고자 하는 내용에 대하여 토지소유자 등 이해관계인의 공람절차를 거치지 아니한 채 수정된 내용에 따라 한 환지예정지지정처분은 당연무효이다.

□□□ ④ 도시관리계획구역 내 토지 등을 소유하고 있는 주민의 납골시설에 관한 도시관리계획의 입안제안을 반려한 군수의 처분은 항고소송의 대상이 된다.

① ×

정부의 수도권 소재 공공기관의 지방이전시책을 추진하는 과정에서 도지사가 도내 특정시를 공공기관이 이전할 혁신도시 최종입지로 선정한 행위는 항고소송의 대상이 되는 행정처분이 아니다.

법과 법 시행령 및 이 사건 지침에는 공공기관의 지방이전을 위한 정부 등의 조치와 공공기관이 이전할 혁신도시 입지선정을 위한 사항 등을 규정하고 있을 뿐 혁신도시입지 후보지에 관련된 지역주민 등의 권리·의무에 직접 영향을 미치는 규정을 두고 있지 않으므로, 피고가 원주시를 혁신도시 최종입지로 선정한 행위는 항고소송의 대상이 되는 행정처분으로 볼 수 없다(대판 2007. 11. 15, 2007두10198).

② ○

행정주체가 행정계획을 입안·결정함에 있어서 이익형량을 전혀 행하지 아니하거나 이익형량의 고려대상에 마땅히 포함시켜야 할 사항을 누락한 경우 또는 이익형량을 하였으나 정당성·객관성이 결여된 경우에는 그 행정계획결정은 재량권을 일탈·남용한 것으로서 위법하다는 것이 판례의 입장이다(대판 1996. 11. 29, 96누8567).

③ ○

환지계획인가 후에 수정하고자 하는 내용에 대하여 토지소유자 등 이해관계인의 공람절차를 거치지 아니한 채 수정된 내용에 따라 한 환지예정지 지정처분은 당연무효이다.

환지계획인가 후에 당초의 환지계획에 대한 공람과정에서 토지소유자 등 이해관계인이 제시한 의견에 따라 수정하고자 하는 내용에 대하여 다시 공람절차 등을 밟지 아니한 채 수정된 내용에 따라 한 환지예정지지정처분은 환지계획에 따르지 아니한 것이거나 환지계획을 적법하게 변경하지 아니한 채 이루어진 것이어서 당연무효라고 할 것이다(대판 1999. 8. 20, 97누6889).

④ ○

도시계획구역 내 토지 등을 소유하고 있는 주민으로서는 입안권자에게 도시계획입안을 요구할 수 있는 법규상 또는 조리상의 신청권이 있다고 할 것이고, 이러한 신청에 대한 거부행위는 항고소송의 대상이 되는 행정처분에 해당한다는 것이 판례의 입장이다(대판 2004. 4. 28, 2003두1806).

정답 15 ①

16 ⓢ 2012 지방직(상) 9급

행정계획에 관한 설명으로 옳은 것은? (다툼이 있는 경우 판례에 의함)

□□□ ① (구)도시재개발법상의 관리처분계획은 처분성이 없다.

□□□ ② 헌법재판소에 의하면 도시계획사업의 시행으로 토지를 수용당한 사람은 도시계획결정과 토지수용이 당연무효가 아닌 한 도시계획결정 자체의 취소를 청구할 법률상의 이익이 없다.

□□□ ③ 공청회와 이주대책이 없는 도시계획수립행위는 당연무효인 행위이다.

□□□ ④ 권한 있는 행정청이 정당하게 도시계획결정 등의 처분을 하였다면 이를 관보에 게재하여 고시하지 아니하였다 하더라도 대외적으로 효력을 발생한다.

관련기출

②

1. 도시계획사업의 시행으로 인한 토지수용에 의하여 토지에 대한 소유권을 상실한 자는 도시계획결정이 당연무효가 아닌 한 그 토지에 대한 도시계획결정의 취소를 청구할 법률상 이익이 인정되지 않는다. (○, ×)

2011 지방직(하) 7급

1. ○

① ×

도시재개발법(현 「도시 및 주거환경정비법」)상의 관리처분계획은 항고소송의 대상이 되는 행정처분이다(대판 2002. 12. 10, 2001두6333).

② ○

도시계획사업의 시행으로 인한 토지수용에 의하여 토지에 대한 소유권을 상실한 자는 도시계획결정이 당연무효라고 볼 만한 특별한 사정이 없는 한 도시계획결정의 취소를 청구할 법률상의 이익이 없다(헌재 2002. 5. 30, 2000헌바58, 2001헌바3 병합).

③ ×

공청회와 이주대책이 없는 도시계획결정은 취소사유에 해당하는 위법이 있다.

도시계획의 수립에 있어서 도시계획법(현 「국토의 계획 및 이용에 관한 법률」) 제16조의2 소정의 공청회를 열지 아니하고 「공공용지의 취득 및 손실보상에 관한 특례법」(현 「공익사업을 위한 토지 등의 취득 및 보상에 관한 법률」) 제8조 소정의 이주대책을 수립하지 아니하였더라도 이는 절차상의 위법으로서 취소사유에 불과하고 그 하자가 도시계획결정 또는 도시계획사업시행인가를 무효라고 할 수 있을 정도로 중대하고 명백하다고는 할 수 없으므로 …… (대판 1990. 1. 23, 87누947)

④ ×

행정청이 적법한 절차를 거쳐 도시계획결정 등의 처분을 하였다고 하더라도 이를 관보에 게재하여 고시하지 아니한 이상 대외적으로는 아무런 효력이 발생하지 않는다는 것이 판례의 입장이다(대판 1985. 12. 10, 85누186).

정답 16 ②

제 19 강 공법상 계약 등

1회독	2회독	3회독
/	/	/

⊘정답률 공단기/소방단기 합격예측 풀서비스 통계 데이터 기준 기 기본서 핵 핵심집약

01 그 밖의 행정의 주요 행정형식 1

기 402~415쪽 핵 T 38~40

❶ 공법상 계약

01 정답률 66% 중 2024 소방직 9급

공법상 계약에 관한 설명으로 옳지 않은 것은? (다툼이 있는 경우 판례에 의함)

□□□ ① 행정기본법에 따르면, 행정청은 법령 등을 위반하지 아니하는 범위에서 공법상 계약을 체결할 수 있으며, 이 경우 계약의 목적 및 내용을 명확하게 적은 계약서를 작성하여야 한다.

□□□ ② 지방자치단체가 일방 당사자가 되는 이른바 '공공계약'이 사경제의 주체로서 상대방과 대등한 위치에서 체결하는 사법상 계약에 해당하는 경우, 그에 관한 법령에 특별한 정함이 있는 경우를 제외하고는 사적 자치와 계약자유의 원칙 등 사법의 원리가 그대로 적용된다.

□□□ ③ 공법상 계약의 한쪽 당사자가 다른 당사자를 상대로 효력을 다투거나 이행을 청구하는 소송은 공법상의 법률관계에 관한 분쟁이므로 분쟁의 실질이 손해배상액의 구체적인 산정방법 · 금액에 국한되는 경우에도 공법상 당사자소송으로 제기하여야 한다.

□□□ ④ 지방자치단체를 당사자로 하는 계약에 관하여는 그 계약의 성질이 사법상 계약인지 공법상 계약인지와 상관없이 원칙적으로 「지방자치단체를 당사자로 하는 계약에 관한 법률」의 규율이 적용된다고 보아야 한다.

관련기출

③

1. 공법상 계약의 한쪽 당사자가 다른 당사자를 상대로 효력을 다투거나 이행을 청구하는 소송은 공법상의 법률관계에 관한 분쟁이므로 분쟁의 실질이 공법상 권리 · 의무의 존부 · 범위에 관한 다툼이 아니라 손해배상액의 구체적인 산정방법 · 금액에 국한되는 등의 특별한 사정이 없는 한 당사자소송으로 제기하여야 한다. (○, ×) 2023 지방직 · 서울시 9급
2. 공법상 계약의 한쪽 당사자가 다른 당사자를 상대로 그 효력을 다투거나 그 이행을 청구하는 소송은 공법상의 법률관계에 관한 분쟁이므로 특별한 사정이 없는 한 공법상 당사자소송으로 제기하여야 한다. (○, ×) 2022 국가직 7급

1. ○ 2. ○

① **빈출** 정답률 3% ○

행정기본법 제27조【공법상 계약의 체결】① 행정청은 법령 등을 위반하지 아니하는 범위에서 행정목적을 달성하기 위하여 필요한 경우에는 공법상 법률관계에 관한 계약(이하 '공법상 계약'이라 한다)을 체결할 수 있다. 이 경우 계약의 목적 및 내용을 명확하게 적은 계약서를 작성하여야 한다.

② **빈출** 정답률 4% ○

지방자치단체가 일방 당사자가 되는 이른바 '공공계약'이 사경제의 주체로서 상대방과 대등한 위치에서 체결하는 사법상 계약에 해당하는 경우 그에 관한 법령에 특별한 정함이 있는 경우를 제외하고는 사적 자치와 계약자유의 원칙 등 사법의 원리가 그대로 적용된다(대판 2018. 2. 13, 2014두11328).

③ **빈출** 정답률 66% ×

판례해석에 따르면 분쟁의 실질이 손해배상액의 구체적인 산정방법 · 금액에 국한되는 등의 사정이 있다면 민사소송에 해당한다.

공법상 당사자소송이란 행정청의 처분 등을 원인으로 하는 법률관계에 관한 소송, 그 밖에 공법상의 법률관계에 관한 소송으로서 그 법률관계의 한쪽 당사자를 피고로 하는 소송을 말한다(행정소송법 제3조 제2호). 공법상 계약이란 공법적 효과의 발생을 목적으로 하여 대등한 당사자 사이의 의사표시의 합치로 성립하는 공법행위를 말한다. 공법상 계약의 한쪽 당사자가 다른 당사자를 상대로 효력을 다투거나 이행을 청구하는 소송은 공법상의 법률관계에 관한 분쟁이므로 분쟁의 실질이 공법상 권리 · 의무의 존부 · 범위에 관한 다툼이 아니라 손해배상액의 구체적인 산정방법 · 금액에 국한되는 등의 특별한 사정이 없는 한 공법상 당사자소송으로 제기하여야 한다(대판 2021. 2. 4, 2019다277133).

④ 정답률 26% ○

지방계약법은 지방자치단체가 당사자인 경우라면 그 계약의 성질이 사법상 계약인지 공법상 계약인지와 상관없이 적용된다.

지방계약법은 지방자치단체를 당사자로 하는 계약에 관한 기본적인 사항을 정함으로써 계약업무를 원활하게 수행할 수 있도록 함을 목적으로 하고(제1조), 지방자치단체가 계약상대자와 체결하는 수입 및 지출의 원인이 되는 계약 등에 대하여 적용하며(제2조), 지방자치단체를 당사자로 하는 계약에 관하여는 다른 법률에 특별한 규정이 있는 경우 외에는 이 법에서 정하는 바에 따른다고 규정하고 있다(제4조). 따라서 다른 법률에 특별한 규정이 있는 경우이거나 또는 지방계약법의 개별 규정의 규율내용이 매매, 도급 등과 같은 특정한 유형 · 내용의 계약을 규율대상으로 하고 있는 경우가 아닌 한, 지방자치단체를 당사자로 하는 계약에 관하여는 그 계약의 성질이 공법상 계약인지 사법상 계약인지와 상관없이 원칙적으로 지방계약법의 규율이 적용된다고 보아야 한다(대판 2020. 12. 10, 2019다234617).

정답 01 ③

02

정답률 48% 중 2022 국가직 7급

공법상 계약에 대한 설명으로 옳지 않은 것은? (다툼이 있는 경우 판례에 의함)

① 행정청은 공법상 계약의 상대방을 선정하고 계약 내용을 정할 때 공법상 계약의 공공성과 제3자의 이해관계를 고려하여야 한다.

② 중소기업 정보화지원사업에 따른 지원금 출연을 위하여 중소 기업청장이 체결하는 협약은 공법상 대등한 당사자 사이의 의사표시의 합치로 성립하는 공법상 계약에 해당하고 그 협약의 해지 및 그에 따른 환수통보는 공법상 계약에 따라 행정청이 대등한 당사자의 지위에서 하는 의사표시이다.

③ 공법상 계약의 한쪽 당사자가 다른 당사자를 상대로 그 효력을 다투거나 그 이행을 청구하는 소송은 공법상의 법률관계에 관한 분쟁이므로 특별한 사정이 없는 한 공법상 당사자소송으로 제기하여야 한다.

④ 민간투자사업 실시협약을 체결한 당사자가 공법상 당사자소송에 의하여 그 실시협약에 따른 재정지원금의 지급을 구하는 경우에, 수소법원은 주무관청이 재정지원금액을 산정한 절차 등에 위법이 있는지 여부를 심사할 수는 있지만 실시협약에 따른 적정한 재정지원금액이 얼마인지를 구체적으로 심리 · 판단할 수 없다.

관련기출

④

1. 「사회기반시설에 대한 민간투자법」에 따라 지방자치단체와 유한회사 간 체결한 터널 민간투자사업 실시협약은 공법상 계약에 해당한다. (○, ×)

2022 국회직 8급

1. ○

① ○

행정기본법 제27조【공법상 계약의 체결】 ② 행정청은 공법상 계약의 상대방을 선정하고 계약 내용을 정할 때 공법상 계약의 공공성과 제3자의 이해관계를 고려하여야 한다.

② ○

(중소기업기술정보진흥원장이 甲주식회사와 중소기업 정보화지원사업 지원대상인 사업의 지원에 관한 협약을 체결하였는데, 협약이 甲회사에 책임이 있는 사업실패로 해지되었다는 이유로 협약에서 정한 대로 지급받은 정부지원금을 반환할 것을 통보한 사안에서) 중소기업 정보화지원사업에 따른 지원금 출연을 위하여 중소기업청장(현 중소벤처기업부장관)이 체결하는 협약은 공법상 대등한 당사자 사이의 의사표시의 합치로 성립하는 공법상 계약에 해당하는 점, …… 등을 종합하면, 중소기업 정보화지원사업을 위한 협약의 해지 및 그에 따른 환수통보는 공법상 계약에 따라 행정청이 대등한 당사자의 지위에서 하는 의사표시로 보아야 하고, 이를 행정청이 우월한 지위에서 행하는 공권력의 행사로서 행정처분에 해당한다고 볼 수는 없다(대판 2015. 8. 27, 2015두41449).

③ ○

공법상 당사자소송이란 행정청의 처분 등을 원인으로 하는 법률관계에 관한 소송 그 밖에 공법상의 법률관계에 관한 소송으로서 그 법률관계의 한쪽 당사자를 피고로 하는 소송을 말한다(행정소송법 제3조 제2호). 공법상 계약이란 공법적 효과의 발생을 목적으로 하여 대등한 당사자 사이의 의사표시의 합치로 성립하는 공법행위를 말한다. 공법상 계약의 한쪽 당사자가 다른 당사자를 상대로 효력을 다투거나 이행을 청구하는 소송은 공법상의 법률관계에 관한 분쟁이므로 분쟁의 실질이 공법상 권리 · 의무의 존부 · 범위에 관한 다툼이 아니라 손해배상액의 구체적인 산정방법 · 금액에 국한되는 등의 특별한 사정이 없는 한 공법상 당사자소송으로 제기하여야 한다(대판 2021. 2. 4, 2019다277133).

행정소송규칙 제19조【당사자소송의 대상】 당사자소송은 다음 각 호의 소송을 포함한다.
4. 공법상 계약에 따른 권리 · 의무의 확인 또는 이행청구 소송

④ ×

「사회기반시설에 대한 민간투자법」에 따라 지방자치단체와 유한회사 간 체결한 터널 민간투자사업 실시협약은 공법상 계약이다.

민간투자사업 실시협약을 체결한 당사자가 공법상 당사자소송에 의하여 그 실시협약에 따른 재정지원금의 지급을 구하는 경우에, 수소법원은 단순히 주무관청이 재정지원금액을 산정한 절차 등에 위법이 있는지 여부를 심사하는 데 그쳐서는 아니 되고, 실시협약에 따른 적정한 재정지원금액이 얼마인지를 구체적으로 심리 · 판단하여야 한다(대판 2019. 1. 31, 2017두46455).

정답 02 ④

03 빈출 중 2022 소방간부

공법상 계약에 관한 설명으로 옳지 않은 것은? (다툼이 있는 경우 판례에 의함)

□□□ ① 계약직 공무원 채용계약해지의 의사표시의 무효확인을 구하는 당사자소송의 경우 즉시확정의 이익이 요구된다.

□□□ ② 서울특별시립무용단 단원의 위촉은 공법상 계약에 해당하며, 따라서 그 단원의 해촉에 대하여는 공법상 당사자소송으로 그 무효확인을 청구할 수 있다.

□□□ ③ 지방계약직 공무원에 대하여는 채용계약상 특별한 약정이 없는 한 지방공무원법, 「지방공무원 징계 및 소청 규정」에 정한 징계절차에 의하지 않고서는 보수를 삭감할 수 없다.

□□□ ④ 국립의료원 부설주차장에 관한 위탁관리용역운영계약은 공법상 계약에 해당한다.

□□□ ⑤ 계약직 공무원 채용계약해지의 의사표시에는 행정절차법에 의한 근거와 이유제시를 하여야 하는 것은 아니다.

관련기출

①

1. 공법상 계약의 무효확인을 구하는 당사자소송의 청구는 당해 소송에서 추구하는 권리구제를 위한 다른 직접적인 구제방법이 있는 이상 소송요건을 구비하지 못한 위법한 청구이다. (○, ×) 2017 국가직 7급
2. 계약직 공무원 채용계약해지의 의사표시의 무효확인을 구하는 소송의 경우 즉시확정의 이익이 요구된다. (○, ×) 2010 국회직 8급

1. ○ 2. ○

②

1. 지방자치단체가 근무기간을 정하여 임용하는 공무원으로 시민옴부즈만을 채용하는 행위는 공법상 계약에 해당한다. (○, ×) 2023 소방간부

1. ○

③

1. 채용계약상 특별한 약정이 없는 한, 지방계약직 공무원에 대하여 지방공무원법, 「지방공무원 징계 및 소청 규정」에 정한 징계절차에 의하지 않고서는 보수를 삭감할 수 없다. (○, ×) 2021 국가직 9급, 2015 지방직 9급, 2015 지방직 7급

1. ○

① ○

확인의 이익(즉시확정의 이익)이란 현재의 권리 또는 법률상 지위에 관하여 당사자 사이에 분쟁이 있고, 그로 인하여 원고의 법적 지위가 불안·위험할 때에 그 불안·위험을 제거함에 확인판결로 판단하는 것이 가장 유효·적절한 수단인 경우에 확인의 소송을 제기할 이익이 있다는 것을 말한다(예컨대 甲이 乙에 대해 3,000만원의 채권이 있는데 乙이 돈을 안 갚는 경우, 甲이 乙에게 돈을 갚을 것을 요구하는 소송(이행소송)을 제기하는 것이 甲이 자신에게 채권이 있다는 채권존재확인의 소송을 제기하는 경우보다 더 실효적이므로 채권존재확인의 소송은 확인의 이익이 없다).
공법상 계약의 무효확인을 구하는 당사자소송은 민사소송상 확인의 소와 마찬가지로 확인의 이익, 확인의 소의 보충성이 필요하다. 따라서 공법상 계약의 무효확인을 구하는 당사자소송의 청구는 다른 직접적인 구제방법이 있는 이상 확인의 이익, 즉 소송요건을 구비하지 못한 위법한 소송이 된다.

> 1. 과거의 법률관계라 할지라도 현재의 권리 또는 법률상 지위에 영향을 미치고 있고 현재의 권리 또는 법률상 지위에 대한 위험이나 불안을 제거하기 위하여 그 법률관계에 관한 확인판결을 받는 것이 유효적절한 수단이라고 인정될 때에는 그 법률관계의 확인소송은 즉시확정의 이익이 있다.
> 2. 당사자소송으로서 법률관계 확인청구소송을 제기하는 경우 확인의 이익이 필요하다(대판 2008. 6. 12, 2006두16328).

② ○

공법상 계약에 관한 분쟁은 이론상 당사자소송으로 해결해야 한다. 판례도 공법상 계약에 관한 소송을 공법상 당사자소송으로 해결해야 한다고 판시하고 있다.

> 서울시립무용단원의 위촉은 공법상 계약이며 그 해촉에 관한 분쟁은 행정소송인 공법상 당사자소송의 대상이 된다(대판 1995. 12. 22, 95누4636).
>
> **참고판례**
> 지방계약직 공무원인 옴부즈만 채용행위는 공법상 대등한 당사자 사이의 의사표시의 합치로 성립하는 공법상 계약에 해당한다(대판 2014. 4. 24, 2013두6244).

③ 빈출 ○

> 지방계약직 공무원에 대하여 특별한 약정이 없는 한 지방공무원법 등에 정한 징계절차에 의하지 않고 보수를 삭감할 수 없다(대판 2008. 6. 12, 2006두16328).

④ ×

> 국립의료원 부설주차장에 관한 위탁관리용역운영계약은 계약이라는 용어에도 불구하고 행정재산의 사용허가로서 강학상 특허에 해당한다(대판 2006. 3. 9, 2004다31074).

⑤ ○

공법상 계약의 해지는 항고소송의 대상이 되는 처분이 아니므로 처분을 규율하고 있는 행정절차법 규정이 적용되지 않는다는 것이 판례의 입장이다.

> 계약직 공무원에 대한 채용계약해지의 의사표시는 행정처분이 아니므로 행정처분과 같이 행정절차법에 의하여 근거와 이유를 제시하여야 하는 것은 아니다(대판 2002. 11. 26, 2002두5948).

정답 03 ④

04 빈출 중

2021 군무원 7급

공법상 계약에 해당하는 것은? (단, 다툼이 있는 경우 판례에 의함)

□□□ ① 지방자치단체가 사인과 체결한 자원회수시설 위탁운영협약

□□□ ② 중소기업 정보화지원사업에 따른 지원금 출연을 위하여 중소기업청장이 체결하는 협약

□□□ ③ 「공익사업을 위한 토지 등의 취득 및 보상에 관한 법률」상의 사업시행자가 토지소유자 및 관계인과 협의가 성립되어 체결하는 계약

□□□ ④ 지방자치단체의 관할구역 내에 있는 각급학교에서 학교회계직원으로 근무하는 것을 내용으로 하는 근로계약

① ×

> 지방자치단체가 사인과 체결한 시설(자원회수시설) 위탁운영협약은 사법상 계약에 해당한다(대판 2019. 10. 17, 2018두60588).

② ○

중소기업 정보화지원사업에 따른 지원금 출연을 위하여 중소기업청장(현 중소벤처기업부장관)이 체결하는 협약은 공법상 대등한 당사자 사이의 의사표시의 합치로 성립하는 공법상 계약에 해당한다는 것이 판례의 입장이다(대판 2015. 8. 27, 2015두41449).

③ ×

「공익사업을 위한 토지 등의 취득 및 보상에 관한 법률」에 의한 협의취득은 사법(私法)상의 법률행위라는 것이 판례의 입장이다(대판 2012. 2. 23, 2010다91206).

④ ×

> 지방자치단체의 관할구역 내에 있는 각급 학교에서 학교회계직원으로 근무하는 것을 내용으로 하는 근로계약은 사법상 계약이다(대판 2018. 5. 11, 2015다237748).

05 중

2011 사회복지직 9급

공법상 계약에 대한 설명으로 옳은 것은? (다툼이 있는 경우 판례에 의함)

□□□ ① 지방자치단체 간의 교육사무위탁은 공법상 계약이다.

□□□ ② 계약직 공무원 채용계약해지의 의사표시는 원인이 공법상 계약이므로 항고소송의 대상이 된다.

□□□ ③ 행정절차법에서 공법상 계약의 절차를 일반적으로 규율하고 있다.

□□□ ④ 행정주체인 사인은 공법상 계약의 일방 당사자가 될 수 없다.

① ○

지방자치단체 간의 교육사무위탁은 행정주체 상호 간의 공법상 계약이다.

② ×

계약직 공무원 채용계약해지의 의사표시는 행정처분이 아니므로 항고소송이 아니라 당사자소송의 대상이 된다.

③ ×

행정절차법에는 공법상 계약에 관한 명문규정을 두고 있지 않다.

④ ×

행정주체인 사인(공무수탁사인)은 공법상 계약의 일방 당사자가 될 수 있다.

정답 04 ② 05 ①

06 정답률 79% 중 2021 지방직 · 서울시 9급

공법상 계약에 대한 설명으로 옳지 않은 것은? (다툼이 있는 경우 판례에 의함)

□□□ ① 공중보건의사 채용계약해지의 의사표시에 대하여는 공법상의 당사자소송으로 그 의사표시의 무효확인을 청구할 수 있다.

□□□ ② 공법상 계약에는 법률우위의 원칙이 적용된다.

□□□ ③ 계약직 공무원 채용계약해지의 의사표시는 항고소송의 대상이 되는 처분 등의 성격을 가진 것으로 행정처분과 같이 행정절차법에 의하여 근거와 이유를 제시하여야 한다.

□□□ ④ 행정청은 공법상 계약의 상대방을 선정하고 계약내용을 정할 때 공법상 계약의 공공성과 제3자의 이해관계를 고려하여야 한다.

관련기출

①

1. 전문직 공무원인 공중보건의사의 채용계약해지의 경우 관할 도지사의 일방적인 의사표시에 의하여 그 신분을 박탈하는 불이익처분이므로 당해 채용계약은 공법상 계약이 아니라 항고소송의 대상이 되는 처분의 성질을 가진다. (○, ×) 2021 국회직 8급
2. 지방전문직 공무원 채용계약해지의 의사표시에 대하여는 공법상 당사자소송으로 그 의사표시의 무효확인을 청구할 수 있다. (○, ×) 2019 국가직 7급
3. 대법원은 구 「농어촌 등 보건의료를 위한 특별조치법」 및 관계법령에 따른 전문직 공무원인 공중보건의사의 채용계약해지의 의사표시는 일반공무원에 대한 징계처분과 같은 성격을 가지며, 따라서 항고소송의 대상이 된다고 본다. (○, ×) 2017 국가직 9급

1. × 2. ○ 3. ×

②

1. 공법상 계약도 공행정작용이므로 역시 법률우위의 원칙하에 놓인다. (○, ×) 2014 서울시 7급

1. ○

① **빈출** ○

1. 지방전문직 공무원(공중보건의사) 채용계약의 해지에 대해서는 당사자소송을 제기하여야 한다.
   지방전문직 공무원 채용계약해지의 의사표시에 대하여는 대등한 당사자 간의 소송형식인 공법상 당사자소송으로 그 의사표시의 무효확인을 청구할 수 있다(대판 1993. 9. 14, 92누4611).
2. 공중보건의사 채용계약해지의 의사표시는 행정처분이 아니므로 공법상 당사자소송의 방식으로 무효확인을 구하여야 한다(대판 1996. 5. 31, 95누10617).

② ○

공법상 계약도 행정작용인 이상, 다른 행정작용과 마찬가지로 법률우위의 원칙이 적용된다. 따라서 헌법을 포함한 성문법, 행정법의 일반원칙 등에 위배되어서는 안 된다. 최근 제정된 행정기본법에서도 법률우위원칙이 공법상 계약에 적용된다는 것을 명시하고 있다.

> 행정기본법 제27조【공법상 계약의 체결】 ① 행정청은 법령 등을 위반하지 아니하는 범위에서 행정목적을 달성하기 위하여 필요한 경우에는 공법상 법률관계에 관한 계약(이하 '공법상 계약'이라 한다)을 체결할 수 있다. 이 경우 계약의 목적 및 내용을 명확하게 적은 계약서를 작성하여야 한다.

③ ×

계약직 공무원에 대한 채용계약해지의 의사표시는 행정처분이 아니므로 행정처분과 같이 행정절차법에 의하여 근거와 이유를 제시하여야 하는 것은 아니라는 것이 판례의 입장이다(대판 2002. 11. 26, 2002두5948).

④ ○

> 행정기본법 제27조【공법상 계약의 체결】 ② 행정청은 공법상 계약의 상대방을 선정하고 계약내용을 정할 때 공법상 계약의 공공성과 제3자의 이해관계를 고려하여야 한다.

정답 06 ③

07 정답률 46% 상 2017 국가직 7급

공법상 계약에 대한 설명으로 옳지 않은 것은? (다툼이 있는 경우 판례에 의함)

□□□ ① 「지방자치단체를 당사자로 하는 계약에 관한 법률」에 따라, 지방자치단체가 당사자가 되는 이른바 공공계약은 본질적인 내용이 사인 간의 계약과 다를 바가 없다.

□□□ ② 공법상 채용계약에 대한 해지의 의사표시는 공무원에 대한 징계처분과 달라서 행정절차법에 의하여 그 근거와 이유를 제시하여야 하는 것은 아니다.

□□□ ③ 택시회사들의 자발적 감차와 그에 따른 감차보상금의 지급 및 자발적 감차조치의 불이행에 따른 행정청의 직권감차명령을 내용으로 하는 택시회사들과 행정청 간의 합의는 대등한 당사자 사이에서 체결한 공법상 계약에 해당하므로, 그에 따른 감차명령은 행정청이 우월한 지위에서 행하는 공권력의 행사로 볼 수 없다.

□□□ ④ 공법상 계약의 무효확인을 구하는 당사자소송의 청구는 당해 소송에서 추구하는 권리구제를 위한 다른 직접적인 구제방법이 있는 이상 소송요건을 구비하지 못한 위법한 청구이다.

① ○

지방재정법에 의하여 준용되는 국가계약법에 따라 지방자치단체가 당사자가 되는 이른바 공공계약은 사경제의 주체로서 상대방과 대등한 위치에서 체결하는 사법상의 계약으로서 그 본질적인 내용은 사인 간의 계약과 다를 바가 없으므로, 그에 관한 법령에 특별한 정함이 있는 경우를 제외하고는 사적 자치와 계약자유의 원칙 등 사법의 원리가 그대로 적용된다는 것이 판례의 입장이다(대결 2006. 6. 19, 2006마117).

② ○

계약직 공무원에 대한 채용계약해지의 의사표시는 행정처분이 아니므로 행정처분과 같이 행정절차법에 의하여 근거와 이유를 제시하여야 하는 것은 아니라는 것이 판례의 입장이다(대판 2002. 11. 26, 2002두5948).

③ ×

1. 피고 행정청과 관내 11개 택시회사들 사이에서 택시공급 과잉 문제를 해결하고자 3년에 걸쳐 업체별로 일정 대수를 감차하기로 약정한 합의는 여객자동차법 제4조 제3항이 정한 '면허조건'을 원고들의 동의하에 사후적으로 부가한 것이다.
2. 일부 택시회사들이 위와 같은 합의를 이행하지 않는다는 이유로 피고 행정청이 그 택시회사들에 대하여 한 직권감차명령은 피고가 우월적 지위에서 여객자동차법 제85조 제1항 제38호에 따라 원고들에게 일정한 법적 효과를 발생하게 하는 것이므로 항고소송의 대상이 되는 처분에 해당한다고 보아야 하고, 단순히 대등한 당사자의 지위에서 형성된 공법상 계약에 근거한 의사표시에 불과한 것으로는 볼 수 없다(대판 2016. 11. 24, 2016두45028).

④ ○

공법상 계약의 무효확인을 구하는 당사자소송은 민사소송상 확인의 소와 마찬가지로 확인의 이익, 확인의 소의 보충성이 필요하다. 따라서 공법상 계약의 무효확인을 구하는 당사자소송의 청구는 다른 직접적인 구제방법이 있는 이상 확인의 이익, 즉 소송요건을 구비하지 못한 위법한 소송이 된다. 항고소송으로 무효확인소송을 제기하는 경우에는 확인의 이익, 즉 무효확인소송의 보충성을 요하지 않는 것과 구별하기 바란다.

당사자소송으로서 법률관계 확인청구소송을 제기하는 경우 확인의 이익이 필요하다.

지방자치단체와 채용계약에 의하여 채용된 계약직 공무원이 그 계약기간 만료 이전에 채용계약해지 등의 불이익을 받은 후 그 계약기간이 만료된 때에는 그 채용계약해지의 의사표시가 무효라고 하더라도 …… 이 사건과 같이 이미 채용기간이 만료되어 소송결과에 의해 법률상 그 직위가 회복되지 않는 이상 채용계약해지의 의사표시의 무효확인만으로는 당해 소송에서 추구하는 권리구제의 기능이 있다고 할 수 없고, 침해된 급료지급청구권이나 사실상의 명예를 회복하는 수단은 바로 급료의 지급을 구하거나 명예훼손을 전제로 한 손해배상을 구하는 등의 이행청구소송으로 직접적인 권리구제방법이 있는 이상 무효확인소송은 적절한 권리구제수단이라 할 수 없어 확인소송의 또 다른 소송요건을 구비하지 못하고 있다 할 것이며, 위와 같이 직접적인 권리구제의 방법이 있는 이상 무효확인소송을 허용하지 않는다고 해서 당사자의 권리구제를 봉쇄하는 것도 아니다(대판 2008. 6. 12, 2006두16328).

비교판례

1. 항고소송으로 무효확인소송을 제기하는 경우 무효확인소송의 '보충성'이 요구되는 것은 아니다.
2. 행정소송법 제35조에 규정된 '무효확인을 구할 법률상 이익'이 있는지를 판단할 때 행정처분의 무효를 전제로 한 이행소송 등과 같은 직접적인 구제수단이 있는지를 따져볼 필요가 없다(대판 2008. 3. 20, 2007두6342 전합).

정답 07 ③

08 중 2017 교육행정직 9급

다음 내용 중 괄호 안에 알맞은 것은?

> (　　)은(는) 공법상의 법률관계의 변경을 가져오는 행정주체를 한쪽 당사자로 하는 양 당사자 사이의 반대방향의 의사표시의 합치를 말한다.

□□□ ① 행정처분
□□□ ② 공법상 계약
□□□ ③ 사법상 계약
□□□ ④ 공법상 합동행위

관련기출

1. 공법상 계약은 사법상 효과의 발생을 목적으로 한다. (○, ×)
2018 교육행정직 9급

1. ×

② 공법상 계약에 관한 내용이다.
행정처분(①)은 권력적 행위로서 양 당사자의 의사표시의 합치를 요소로 하지 않는다. 사법상 계약(③)은 공법상의 법률관계의 변경을 가져오는 것이 아니라 사법(私法)상의 법률관계 변동을 가져온다. 공법상 합동행위(④)는 반대방향의 의사표시의 합치가 아니라 동일방향의 의사표시의 합치이다.

09 정답률 55% 중 2017 국가직 9급

공법상 계약에 대한 설명으로 옳은 것은?

□□□ ① 현행 행정절차법은 공법상 계약에 대한 규정을 두고 있다.
□□□ ② 대법원은 구 「농어촌 등 보건의료를 위한 특별조치법」 및 관계법령에 따른 전문직 공무원인 공중보건의사의 채용계약해지의 의사표시는 일반공무원에 대한 징계처분과 같은 성격을 가지며, 따라서 항고소송의 대상이 된다고 본다.
□□□ ③ 공법상 계약은 행정주체와 사인 간에만 체결 가능하며, 행정주체 상호 간에는 공법상 계약이 성립할 수 없다.
□□□ ④ 다수설에 따르면 공법상 계약은 당사자의 자유로운 의사의 합치에 의하므로 원칙적으로 법률유보의 원칙이 적용되지 않는다고 본다.

① ×
행정절차법에는 공법상 계약에 관한 규정을 두고 있지 않다.

② ×

> 「농어촌 등 보건의료를 위한 특별조치법」 제2조 등 관계법령의 규정내용에 미루어 보면 공중보건의사 채용계약해지의 의사표시는 행정처분이 아니므로 항고소송으로 의사표시의 효력을 다툴 수는 없고 공법상 당사자소송의 방식으로 계약해지의 무효확인을 구하여야 한다(대판 1996. 5. 31, 95누10617).

③ ×
공법상 계약은 행정주체와 사인 간에 행해지는 것이 일반적이지만, 지방자치단체 간의 교육사무위탁 등과 같이 행정주체 상호 간에도 행해진다.

④ ○
법률유보원칙이란 행정작용을 함에 있어서는 법률의 근거가 필요하다는 것을 말한다. 그런데 다수설에 따르면 공법상 계약을 체결함에 있어서는 법률의 근거가 필요한 것은 아니다. 따라서 법률유보의 원칙이 적용되지 않는다.

정답 08 ② 09 ④

❷ 행정상의 사실행위 일반

10 정답률 52% 중 2023 지방직 · 서울시 9급

행정상 사실행위에 대한 설명으로 옳지 않은 것은?

□□□ ① 행정상 사실행위의 예로는 폐기물 수거, 행정지도, 대집행의 실행, 행정상 즉시강제 등이 있다.

□□□ ② 행정청이 위법건축물에 대한 단전 및 전화통화 단절조치를 요청한 것은 항고소송의 대상이 되는 행정처분이라고 볼 수 없다.

□□□ ③ 교도소장이 영치품인 티셔츠 사용을 재소자에게 불허한 행위는 항고소송의 대상이 되는 행정처분에 해당한다.

□□□ ④ 교도소 내 마약류 관련 수형자에 대한 교도소장의 소변강제채취는 권력적 사실행위이나 헌법소원의 대상은 아니다.

관련기출

②

1. 행정청이 위법건축물에 대한 시정명령을 하고 나서 위반자가 이를 이행하지 아니하여 전기 · 전화의 공급자에게 그 위법건축물에 대한 전기 · 전화의 공급을 하지 말아 줄 것을 요청한 행위는 권고적 성격의 행위에 불과한 것으로서 항고소송의 대상이 되는 행정처분이라고 볼 수 없다. (○, ×) 2023 국회직 8급
2. 위법한 건축물에 대한 단전 및 전화통화 단절조치 요청행위는 처분성이 인정되는 행정지도이다. (○, ×) 2021 군무원 9급
3. 전기 · 전화의 공급자에게 위법건축물에 대한 단전 또는 전화통화 단절조치의 요청행위는 판례가 항고소송의 대상인 처분성을 부정한다. (○, ×) 2017 서울시 9급
4. 위법건축물에 대한 단전 및 전화통화 단절조치 요청행위는 처분성이 부인된다. (○, ×) 2013 지방직 9급

🔒 1. ○ 2. × 3. ○ 4. ○

④

1. 교도소 수형자에게 소변을 받아 제출하게 한 것은, 형을 집행하는 우월적인 지위에서 외부와 격리된 채 형의 집행에 관한 지시, 명령을 복종하여야 할 관계에 있는 자에게 행해진 것으로서 권력적 사실행위이다. (○, ×) 2020 군무원 9급

🔒 1. ○

① ○

행정상 사실행위란 법률적 효과의 발생을 직접적 목적으로 하는 것이 아니라, 무기사용, 도로청소 등과 같이 직접적으로는 어떠한 사실상의 효과의 발생을 목적으로 하는 행정주체의 행위를 말한다. 이에는 불법건축물의 강제철거와 같은 대집행의 실행행위, 감염병환자의 강제입원 등 행정상 즉시강제와 같은 권력적 사실행위뿐만 아니라 폐기물 수거, 행정지도 등 비권력적 사실행위가 있다.

② **빈출** ○

> 위법건축물에 대한 단전 및 전화통화 단절조치 요청행위는 권고적 성격에 불과한 것으로 항고소송의 대상이 되는 행정처분이 아니다.
> 행정청이 위법건축물에 대한 시정명령을 하고 나서 위반자가 이를 이행하지 아니하여 전기 · 전화의 공급자에게 그 위법건축물에 대한 전기 · 전화 공급을 하지 말아 줄 것을 요청한 행위는 권고적 성격의 행위에 불과한 것으로서 전기 · 전화공급자나 특정인의 법률상 지위에 직접적인 변동을 가져오는 것은 아니므로 이를 항고소송의 대상이 되는 행정처분이라고 볼 수 없다(대판 1996. 3. 22, 96누433).

③ ○

교도소장이 영치품인 티셔츠 사용을 재소자에게 불허한 행위는 항고소송의 대상이 되는 행정처분이라는 것이 헌법재판소의 입장이며 대법원도 처분성을 인정하는 전제하에 소의 이익 여부를 판단하고 있다.

> 1. 교정시설의 장이 영치품의 사용을 불허하는 내용의 이 사건 처분에 대하여는 행정심판 및 행정소송을 통해 이를 다툴 수 있다(헌재 2010. 7. 13, 2010헌마417).
> 2. 수형자의 영치품(편저자 주 : 긴 팔 티셔츠 2개)에 대한 사용신청 불허처분 후 수형자가 다른 교도소로 이송되었다 하더라도 수형자의 권리와 이익의 침해 등이 해소되지 않은 점 등에 비추어, 위 영치품 사용신청 불허처분의 취소를 구할 이익이 있다(대판 2008. 2. 14, 2007두13203).

④ ×

> 마약류 수용자에 대한 소변채취는 권력적 사실행위로서 헌법재판소법 제68조 제1항의 헌법소원 대상이 되는 공권력행사에 해당한다.
> 교도소 수형자에게 소변을 받아 제출하게 한 것은, 형을 집행하는 우월적인 지위에서 외부와 격리된 채 형의 집행에 관한 지시, 명령을 복종하여야 할 관계에 있는 자에게 행해진 것으로서 그 목적 또한 교도소 내의 안전과 질서유지를 위하여 실시하였고, 일방적으로 강제하는 측면이 존재하며, 응하지 않을 경우 직접적인 징벌 등의 제재는 없다고 하여도 불리한 처우를 받을 수 있다는 심리적 압박이 존재하리라는 것을 충분히 예상할 수 있는 점에 비추어, 권력적 사실행위로서 헌법재판소법 제68조 제1항의 공권력의 행사에 해당하므로 헌법소원의 대상에 해당한다(헌재 2006. 7. 27, 2005헌마277).

정답 10 ④

11 정답률 41% 중 2017 서울시 7급

다음 설명 중 옳지 않은 것은? (다툼이 있는 경우 판례에 의함)

□□□ ① 삼권분립의 원칙, 법치행정의 원칙을 당연한 전제로 하고 있는 우리 헌법하에서 행정권의 행정입법 등 법집행의무는 헌법적 의무라고 보아야 한다.

□□□ ② 국립대학교의 대학입학고사 주요 요강은 공권력의 행사로서 행정쟁송의 대상이 될 수 있는 행정처분이다.

□□□ ③ 입법의 내용 · 범위 · 절차 등의 결함을 이유로 헌법소원을 제기하려면 결함이 있는 당해 입법규정 그 자체를 대상으로 하여 그것이 평등의 원칙에 위배된다는 등 헌법위반을 내세워 적극적인 헌법소원을 제기하여야 하며, 이 경우에는 헌법재판소법 소정의 제소기간을 준수하여야 한다.

□□□ ④ 어떠한 고시가 일반적 · 추상적 성격을 가질 때에는 법규명령 또는 행정규칙에 해당할 것이지만, 다른 집행행위의 매개 없이 그 자체로서 직접 국민의 구체적인 권리 · 의무나 법률관계를 규율하는 성격을 가질 때에는 항고소송의 대상이 되는 행정처분에 해당한다.

관련기출

①

1. 삼권분립의 원칙, 법치행정의 원칙을 당연한 전제로 하고 있는 우리 헌법하에서 행정권의 행정입법 등 법집행의무는 헌법적 의무라고 보아야 한다. (○, ×) 2022 군무원 9급

1. ○

②

1. 국립대학인 서울대학교의 '94학년도 대학입학 고사 주요 요강'은 행정계획이므로 헌법소원의 대상이 되는 공권력행사에 해당되지 않는다. (○, ×) 2023 군무원 9급
2. (헌법재판소는) 국립대학의 대학입학고사 주요 요강을 행정쟁송대상인 처분으로 보지 않으면서도 헌법소원의 대상이 되는 공권력행사로 보고 있다. (○, ×) 2015 국회직 8급
3. 국립대학의 대학입학고사 주요 요강은 행정쟁송의 대상인 행정처분에 해당되지만 헌법소원의 대상인 공권력의 행사에는 해당되지 않는다. (○, ×) 2015 국가직 9급

1. × 2. ○ 3. ×

① ○

삼권분립의 원칙, 법치행정의 원칙을 당연한 전제로 하고 있는 우리 헌법하에서 행정권의 행정입법 등 법집행의무는 헌법적 의무라고 보아야 한다. 왜냐하면 행정입법이나 처분의 개입 없이도 법률이 집행될 수 있거나 법률의 시행 여부나 시행시기까지 행정권에 위임된 경우는 별론으로 하고, 이 사건과 같이 치과전문의제도의 실시를 법률 및 대통령령이 규정하고 있고 그 실시를 위하여 시행규칙의 개정 등이 행해져야 함에도 불구하고 행정권이 법률의 시행에 필요한 행정입법을 하지 아니하는 경우에는 행정권에 의하여 입법권이 침해되는 결과가 되기 때문이다(헌재 1998. 7. 16, 96헌마246).

② **빈출** ×

서울대학교의 '94학년도 대학입학고사 주요 요강'은 사실행위에 불과하여 행정처분은 아니지만 헌법재판의 대상이 되는 공권력의 행사에 해당한다.

서울대학교의 '94학년도 대학입학고사 주요 요강'은 행정쟁송의 대상이 될 수 있는 행정처분은 아니지만 그 내용이 국민의 기본권에 직접 영향을 끼치는 내용이고 앞으로 법령의 뒷받침에 의하여 그대로 실시될 것이 틀림없을 것으로 예상되어 그로 인하여 직접적으로 기본권침해를 받게 되는 사람에게는 사실상의 규범작용으로 인한 위험성이 이미 현실적으로 발생하였다고 보아야 할 것이므로 이는 헌법소원의 대상이 되는 헌법재판소법 제68조 제1항 소정의 공권력의 행사에 해당된다(헌재 1992. 10. 1, 92헌마68 등).

③ ○

1. 넓은 의미의 입법부작위에는, 입법자가 헌법상 입법의무가 있는 어떤 사항에 관하여 전혀 입법을 하지 아니함으로써 '입법행위의 흠결이 있는 경우'와 입법자가 어떤 사항에 관하여 입법은 하였으나 그 입법의 내용 · 범위 · 절차 등이 당해 사항을 불완전, 불충분 또는 불공정하게 규율함으로써 '입법행위에 결함이 있는 경우'가 있는데, 일반적으로 전자를 '진정입법부작위', 후자를 '부진정입법부작위'라고 부르고 있다.
2. 이른바 부진정입법부작위를 대상으로 헌법소원을 제기하려면 그것이 평등의 원칙에 위배된다는 등 헌법위반을 내세워 적극적인 헌법소원을 제기하여야 하며, 이 경우에는 헌법재판소법 소정의 제소기간(청구기간)을 준수하여야 한다(헌재 1996. 10. 31, 94헌마204).

④ ○

어떠한 고시가 일반적 · 추상적 성격을 가질 때에는 법규명령 또는 행정규칙에 해당할 것이지만, 다른 집행행위의 매개 없이 그 자체로서 직접 국민의 구체적인 권리 · 의무나 법률관계를 규율하는 성격을 가질 때에는 행정처분에 해당한다는 것이 판례의 입장이다(대판 2006. 9. 22, 2005두2506).

정답 11 ②

12 중

2011 지방직(하) 7급

공법상 사실행위에 대한 설명으로 옳지 않은 것은? (다툼이 있는 경우 판례에 의함)

① 국가배상법이 정한 배상청구의 요건인 '공무원의 직무'에는 권력작용뿐 아니라 관리작용도 포함된다.

② 수형자의 서신을 교도소장이 검열하는 행위는 행정심판이나 행정소송의 대상이 되는 행정처분으로 볼 수 있다.

③ 지방자치단체의 장에 의한 수도의 공급거부는 사실행위이므로 처분성이 인정되지 않는다.

④ 위법한 행정지도에 따라 행한 사인의 행위는 법령에 명시적으로 정하지 않는 한 그 위법행위가 정당화될 수 없다.

13 중

2011 지방직(상) 9급

다음 글에 대한 설명으로 옳지 않은 것은? (다툼이 있는 경우 판례에 의함)

> 교도소장 X는 복역 중인 甲이 변호사에게 보내기 위하여 발송을 의뢰한 서신을 법령상 검열사유에 해당하지 않음에도 불구하고 발송 전에 이를 검열하였다. 이에 甲은 X의 위와 같은 서신검열행위로 말미암아 통신의 비밀이 침해되었다고 주장하며 다투고자 한다.

① 교도소장 X의 서신검열행위는 이른바 특별권력관계 내부에서의 행위이지만 그에 대한 사법심사는 가능하다.

② 교도소장 X의 서신검열행위는 법률에 근거함이 없이 행하여졌다면 위법하다.

③ 교도소장 X의 서신검열행위는 강학상 행정행위에 해당한다.

④ 甲이 교도소장 X의 서신검열행위에 대해 취소소송을 제기함이 없이 곧바로 국가배상청구소송을 제기한 경우, 수소법원은 그 위법성 여부를 심리 · 판단할 수 있다.

① ○

공행정작용인 이상 권력작용뿐만 아니라 비권력적 작용(관리작용)도 직무행위에 포함된다.

> 국가배상법이 정한 배상청구의 요건인 '공무원의 직무'의 범위에는 행정지도와 같은 비권력적 작용(관리작용)도 포함되나 사경제적 주체로서 하는 활동은 제외된다(대판 1998. 7. 10, 96다38971).

② ○

> 수형자의 서신을 교도소장이 검열하는 행위는 이른바 권력적 사실행위로서 행정심판이나 행정소송의 대상이 되는 행정처분으로 볼 수 있다(헌재 1998. 8. 27, 96헌마398).

③ ×

> **단수처분은 항고소송의 대상이 되는 행정처분에 해당한다.**
> 단수처분을 두고 그것이 항고소송의 대상이 되는가에 관하여 원심이 약간의 의문을 가지고 있었음이 판시이유에서 간취된다 하더라도 결론에 있어 항고소송의 대상이 되는 것 …… (대판 1979. 12. 28, 79누218)

④ ○

> 행정관청이 토지거래계약신고에 관하여 공시된 기준지가를 기준으로 매매가격을 신고하도록 행정지도하여 왔고 그 기준가격 이상으로 매매가격을 신고한 경우에는 거래신고서를 접수하지 않고 반려하는 것이 관행화되어 있다 하더라도 이는 법에 어긋나는 관행이라 할 것이므로 그와 같은 위법한 관행에 따라 허위신고행위에 이르렀다고 하여 그 범법행위가 사회상규에 위배되지 않는 정당한 행위라고는 볼 수 없다(대판 1992. 4. 24, 91도1609).

① ○

오늘날의 통설 및 판례에 따르면 이른바 특별권력관계 내부에서의 행위도 처분성이 긍정되는 한 사법심사의 대상이 된다.

② ○

오늘날의 통설 및 판례에 따르면 이른바 특별권력관계에서도 법률유보원칙이 적용된다.

③ ×

수형자의 서신을 교도소장이 검열하는 행위는 이른바 권력적 사실행위라는 것이 판례의 입장이다(헌재 1998. 8. 27, 96헌마398).

④ ○

민사법원은 처분의 취소판결이 없어도 처분의 위법성을 심사할 수 있다.

> 행정처분의 취소판결이 있어야만 그 행정처분이 위법임을 이유로 손해배상청구를 할 수 있는 것은 아니다(대판 1972. 4. 28, 72다337).

정답 12③ 13③

③ 행정지도

14 중 2023 국회직 8급

행정지도에 대한 설명으로 옳지 않은 것은? (다툼이 있는 경우 판례에 의함)

□□□ ① 행정지도는 의무를 부과하거나 권익을 제한하는 것이 아니므로 행정절차법의 적용을 받지 않는다.

□□□ ② 단순한 행정지도의 한계를 넘어 규제적 · 구속적 성격을 상당히 강하게 갖는 경우에는 헌법소원의 대상이 되는 공권력의 행사라고 볼 수 있다.

□□□ ③ 행정청이 위법 건축물에 대한 시정명령을 하고 나서 위반자가 이를 이행하지 아니하여 전기 · 전화의 공급자에게 그 위법 건축물에 대한 전기 · 전화의 공급을 하지 말아 줄 것을 요청한 행위는 권고적 성격의 행위에 불과한 것으로서 항고소송의 대상이 되는 행정처분이라고 볼 수 없다.

□□□ ④ 행정관청이 토지거래계약신고에 관하여 공시된 기준지가를 기준으로 매매가격을 신고하도록 행정지도하여 왔고 그 기준가격 이상으로 매매가격을 신고한 경우에는 거래신고서를 접수하지 않고 반려하는 것이 관행화되어 있더라도 그와 같은 위법한 관행에 따라 허위신고행위에 이르렀다고 하여 그 범법행위가 사회상규에 위배되지 않는 정당한 행위라고 볼 수 없다.

□□□ ⑤ 행정지도가 강제성을 띠지 않은 비권력적 작용으로서 행정지도의 한계를 일탈하지 않았다면 그로 인하여 상대방에게 어떤 손해가 발생하였다 하더라도 그에 대한 손해배상책임이 없다.

① **빈출** ×

행정절차법에는 행정지도에 관한 규정을 두고 있다.

> **행정절차법 제3조【적용범위】** ① 처분, 신고, 확약, 위반사실 등의 공표, 행정계획, 행정상 입법예고, 행정예고 및 행정지도의 절차(이하 '행정절차'라 한다)에 관하여 다른 법률에 특별한 규정이 있는 경우를 제외하고는 이 법에서 정하는 바에 따른다.

② ○

> 행정지도가 단순한 행정지도의 한계를 넘어 규제적 · 구속적 성격을 상당히 강하게 갖는 것이라면 헌법소원의 대상이 되는 공권력의 행사라고 볼 수 있다(헌재 2003. 6. 26, 2002헌마337 · 2003헌마7 · 8 병합).

③ ○

> 위법건축물에 대한 단전 및 전화통화 단절조치 요청행위는 권고적 성격에 불과한 것으로 항고소송의 대상이 되는 행정처분이 아니다.
>
> 행정청이 위법건축물에 대한 시정명령을 하고 나서 위반자가 이를 이행하지 아니하여 전기 · 전화의 공급자에게 그 위법건축물에 대한 전기 · 전화공급을 하지 말아 줄 것을 요청한 행위는 권고적 성격의 행위에 불과한 것으로서 전기 · 전화공급자나 특정인의 법률상 지위에 직접적인 변동을 가져오는 것은 아니므로 이를 항고소송의 대상이 되는 행정처분이라고 볼 수 없다(대판 1996. 3. 22, 96누433).

④ ○

> 행정관청이 토지거래계약신고에 관하여 공시된 기준지가를 기준으로 매매가격을 신고하도록 행정지도하여 왔고 그 기준가격 이상으로 매매가격을 신고한 경우에는 거래신고서를 접수하지 않고 반려하는 것이 관행화되어 있다 하더라도 이는 법에 어긋나는 관행이라 할 것이므로 그와 같은 위법한 관행에 따라 허위신고행위에 이르렀다고 하여 그 범법행위가 사회상규에 위배되지 않는 정당한 행위라고는 볼 수 없다(대판 1992. 4. 24, 91도1609).

⑤ ○

> 한계를 일탈한 위법한 행정지도로 인하여 상대방이 손해를 입은 경우 행정기관에게 손해를 배상할 책임이 있으나, 한계를 일탈하지 않은 행정지도로 인하여 상대방에게 손해가 발생한 경우라면 행정기관은 손해배상책임을 지지 않는다(대판 2008. 9. 25, 2006다18228).

정답 14 ①

15 빈출 중 2020 군무원 9급

행정지도에 대한 설명으로 옳지 않은 것은? (다툼이 있는 경우 판례에 의함)

□□□ ① 행정지도가 단순한 행정지도로서의 한계를 넘어 규제적 · 구속적 성격을 상당히 강하게 갖는 것이라면 헌법소원의 대상이 되는 공권력의 행사로 볼 수 있다.

□□□ ② 행정관청이 국토이용관리법 소정의 토지거래계약신고에 관하여 공시된 기준시가를 기준으로 매매가격을 신고하도록 행정지도를 하여 그에 따라 피고인이 허위신고를 한 것이라면 그 범법행위는 정당화된다.

□□□ ③ 구 「남녀차별금지 및 구제에 관한 법률」상 국가인권위원회의 성희롱결정과 이에 따른 시정조치의 권고는 성희롱 행위자로 결정된 자의 인격권에 영향을 미침과 동시에 공공기관의 장 또는 사용자에게 일정한 법률상의 의무를 부담시키는 것이므로 국가인권위원회의 성희롱결정 및 시정조치권고는 행정소송의 대상이 되는 행정처분에 해당한다.

□□□ ④ 적법한 행정지도로 인정되기 위해서는 우선 그 목적이 적법한 것으로 인정될 수 있어야 할 것이므로, 행정청이 행한 주식매각의 종용이 정당한 법률적 근거 없이 자의적으로 주주에게 제재를 가하는 것이라면 행정지도의 영역을 벗어난 것이라고 보아야 할 것이다.

관련기출

③

1. 국가인권위원회의 성희롱결정과 이에 따른 시정조치의 권고는 불가분의 일체로 행하여지는 것인데, 이는 비권력적 사실행위로서 행정소송의 대상이 되는 행정처분이 아니다. (O, ×) 2018 소방직 9급
2. 구 「남녀차별금지 및 구제에 관한 법률」상 국가인권위원회가 한 성희롱결정과 이에 따른 시정조치의 권고는 행정소송의 대상인 행정처분에 해당한다. (O, ×) 2017 국가직(하) 9급
3. 「남녀차별금지 및 구제에 관한 법률」에 의한 국가인권위원회의 성희롱결정과 이에 따른 시정조치의 권고는 처분성이 인정되지 않는다. (O, ×) 2015 국회직 8급

1. × 2. O 3. ×

① O

행정지도가 단순한 행정지도의 한계를 넘어 규제적 · 구속적 성격을 상당히 강하게 갖는 것이라면 헌법소원의 대상이 되는 공권력의 행사라고 볼 수 있다는 것이 판례의 입장이다(헌재 2003. 6. 26, 2002헌마337 · 2003헌마7 · 8 병합).

② ×

행정관청이 토지거래계약신고에 관하여 공시된 기준지가를 기준으로 매매가격을 신고하도록 행정지도하여 왔고 그 기준가격 이상으로 매매가격을 신고한 경우에는 거래신고서를 접수하지 않고 반려하는 것이 관행화되어 있다 하더라도 이는 법에 어긋나는 관행이라 할 것이므로 그와 같은 위법한 관행에 따라 허위신고행위에 이르렀다고 하여 그 범법행위가 사회상규에 위배되지 않는 정당한 행위라고는 볼 수 없다(대판 1992. 4. 24, 91도1609).

③ 빈출 O

구 「남녀차별금지 및 구제에 관한 법률」상 국가인권위원회의 성희롱결정 및 시정조치권고는 행정소송의 대상이 되는 행정처분에 해당한다.

국가인권위원회의 성희롱결정과 이에 따른 시정조치의 권고는 불가분의 일체로 행하여지는 것인데 국가인권위원회의 이러한 결정과 시정조치의 권고는 성희롱 행위자로 결정된 자의 인격권에 영향을 미침과 동시에 공공기관의 장 또는 사용자에게 일정한 법률상의 의무를 부담시키는 것이므로 국가인권위원회의 성희롱결정 및 시정조치권고는 행정소송의 대상이 되는 행정처분에 해당한다고 보지 않을 수 없다(대판 2005. 7. 8, 2005두487).

④ O

정부의 주식매각 종용행위가 강박행위에 해당한다면 이는 위법한 것으로 행정지도의 한계를 벗어난 것이다.

적법한 행정지도로 인정되기 위하여는 우선 그 목적이 적법한 것으로 인정될 수 있어야 할 것이므로, 주식매각의 종용이 정당한 법률적 근거 없이 자의적으로 주주에게 제재를 가하는 것이라면 이 점에서 벌써 행정지도의 영역을 벗어난 것이라고 보아야 할 것이고, 만일 이러한 행위도 행정지도에 해당된다고 한다면 이는 행정지도라는 미명하에 법치주의의 원칙을 파괴하는 것이라고 하지 않을 수 없으며, 더구나 그 주주가 주식매각의 종용을 거부한다는 의사를 명백하게 표시하였음에도 불구하고 집요하게 위협적인 언동을 함으로써 그 매각을 강요하였다면, 이는 위법한 강박행위에 해당한다고 하지 않을 수 없다(대판 1994. 12. 13, 93다49482).

정답 15 ②

16 빈출 정답률 86% 하 2020 소방직 9급

행정지도에 대한 내용으로 옳지 않은 것은?

□□□ ① 행정기관은 상대방이 행정지도에 따르지 아니하였다는 이유로 불이익조치를 하여서는 아니 된다.

□□□ ② 행정절차에 소요되는 비용은 원칙적으로 행정청이 부담하도록 규정되어 있다.

□□□ ③ 행정지도의 상대방은 당해 행정지도의 방식 · 내용 등에 관하여 행정기관에 의견을 제출할 수 없다.

□□□ ④ 행정지도는 그 목적달성에 필요한 최소한도에 그쳐야 한다.

관련기출

②

1. 행정절차비용은 원칙적으로 신청인이 부담하고, 예외적으로 행정청이 부담한다. (○, ×) 2005 경북 9급

1. ×

④

1. 행정지도는 그 목적달성에 필요한 최소한도에 그쳐야 하며, 행정지도의 상대방의 의사에 반하여 부당하게 강요하여서는 아니 된다. (○, ×) 2019 사회복지직 9급
2. 행정지도는 그 목적달성에 필요한 최대한도의 조치를 할 수 있으나, 다만 행정지도의 상대방의 의사에 반하여 부당하게 강요하여서는 아니 된다. (○, ×) 2018 경행경채
3. (여름철 식중독예방을 위해 A구의 보건행정 담당공무원 甲이 관내 일반 · 휴게 · 계절 음식점 업주에 대해 위생지도를 실시하고 있다) 甲의 위생지도는 구속력을 갖지 않는 행정지도에 속하지만 행정절차법상의 비례원칙이 적용된다. (○, ×) 2015 서울시 9급

1. ○ 2. × 3. ○

① ○

행정절차법 제48조【행정지도의 원칙】② 행정기관은 행정지도의 상대방이 행정지도에 따르지 아니하였다는 것을 이유로 불이익한 조치를 하여서는 아니 된다.

② ○

행정절차법 제54조【비용의 부담】행정절차에 드는 비용은 행정청이 부담한다. 다만, 당사자 등이 자기를 위하여 스스로 지출한 비용은 그러하지 아니하다.

③ ×

행정절차법 제50조【의견제출】행정지도의 상대방은 해당 행정지도의 방식 · 내용 등에 관하여 행정기관에 의견제출을 할 수 있다.

④ 빈출 ○

행정절차법 제48조【행정지도의 원칙】① 행정지도는 그 목적달성에 필요한 최소한도에 그쳐야 하며, 행정지도의 상대방의 의사에 반하여 부당하게 강요하여서는 아니 된다.

정답 16 ③

17 빈출 ㊦ 2018 경행경채

행정지도에 대한 설명으로 가장 적절한 것은? (다툼이 있는 경우 판례에 의함)

□□□ ① 행정지도는 그 목적달성에 필요한 최대한도의 조치를 할 수 있으나, 다만 행정지도의 상대방의 의사에 반하여 부당하게 강요하여서는 아니 된다.

□□□ ② 행정지도가 말로 이루어지는 경우에 상대방이 서면의 교부를 요구하면 그 행정지도를 하는 자는 반드시 이를 교부하여야 한다.

□□□ ③ 교육인적자원부장관(현 교육부장관)의 학칙시정요구는 대학총장의 임의적인 협력을 통하여 사실상의 효과를 발생시키는 행정지도의 일종이며, 설령 단순한 행정지도로서의 한계를 넘어 규제적 · 구속적 성격을 갖는다 하더라도 공권력의 행사로 볼 수 없다.

□□□ ④ 행정기관이 같은 행정목적을 실현하기 위하여 많은 상대방에게 행정지도를 하려는 경우에는 특별한 사정이 없으면 행정지도에 공통적인 내용이 되는 사항을 공표하여야 한다.

① ×

행정절차법 제48조【행정지도의 원칙】 ① 행정지도는 그 목적달성에 필요한 최소한도에 그쳐야 하며, 행정지도의 상대방의 의사에 반하여 부당하게 강요하여서는 아니 된다.
② 행정기관은 행정지도의 상대방이 행정지도에 따르지 아니하였다는 것을 이유로 불이익한 조치를 하여서는 아니 된다.

② ×

행정절차법 제49조【행정지도의 방식】 ① 행정지도를 하는 자는 그 상대방에게 그 행정지도의 취지 및 내용과 신분을 밝혀야 한다.
② 행정지도가 말로 이루어지는 경우에 상대방이 제1항의 사항을 적은 서면의 교부를 요구하면 그 행정지도를 하는 자는 직무수행에 특별한 지장이 없으면 이를 교부하여야 한다.

③ ×

교육인적자원부장관의 대학총장들에 대한 학칙시정요구는 대학총장의 임의적인 협력을 통하여 사실상의 효과를 발생시키는 행정지도의 일종이지만, 단순한 행정지도의 한계를 넘어 규제적 · 구속적 성격을 상당히 강하게 갖는 것으로서 헌법소원의 대상이 되는 공권력의 행사라고 볼 수 있다 (헌재 2003. 6. 26, 2002헌마337, 2003헌마7 · 8 병합).

④ ○

행정절차법 제51조【다수인을 대상으로 하는 행정지도】 행정기관이 같은 행정목적을 실현하기 위하여 많은 상대방에게 행정지도를 하려는 경우에는 특별한 사정이 없으면 행정지도에 공통적인 내용이 되는 사항을 공표하여야 한다.

정답 17 ④

18 하 2018 교육행정직 9급

행정지도에 관한 설명으로 옳은 것은? (단, 다툼이 있는 경우 판례에 따름)

□□□ ① 행정지도는 법적 효과의 발생을 목적으로 하는 의사표시이다.

□□□ ② 법규에 근거가 없는 행정지도에 대해서는 행정법의 일반원칙이 적용되지 아니한다.

□□□ ③ 토지매매대금의 허위신고가 위법한 행정지도에 따른 것이라 하더라도 그 범법행위가 정당화되지는 않는다.

□□□ ④ 행정지도의 한계일탈로 인해 상대방에게 손해가 발생한 경우 행정기관은 손해배상책임이 없다.

① ×
행정지도는 상대방의 임의적 협력을 전제로 하는 비권력적 '사실행위'로서 그 자체로는 아무런 법적 효과가 발생하지 않는다.

② ×
행정지도도 행정작용인 이상 법률우위의 원칙을 지켜야 하므로 헌법 · 법률 등 성문법뿐만 아니라 행정법의 일반원칙 등 불문법을 위반하지 않아야 한다.

③ ○
토지매매대금의 허위신고가 행정지도에 따른 것이라도 그러한 행정지도가 위법한 행정지도라면 그 범법행위가 사회상규에 위배되지 않는 정당한 행위라고는 볼 수 없다는 것이 판례의 입장이다(대판 1992. 4. 24, 91도1609).

④ ×
한계를 일탈한 위법한 행정지도로 인하여 상대방이 손해를 입은 경우 행정기관에게 손해를 배상할 책임이 있으나, 한계를 일탈하지 않은 행정지도로 인하여 상대방에게 손해가 발생한 경우라면 행정기관은 손해배상책임을 지지 않는다는 것이 판례의 입장이다(대판 2008. 9. 25, 2006다18228).

정답 18 ③

19 상

2017 지방직(하) 9급

행정지도에 대한 판례의 입장으로 옳은 것(○)과 옳지 않은 것(×)을 바르게 조합한 것은?

□□□ ㉠ 행정관청이 구 국토이용관리법 소정의 토지거래계약신고에 관하여 공시된 기준시가를 기준으로 매매가격을 신고하도록 행정지도를 하여 그에 따라 허위신고를 한 것이라 하더라도 이와 같은 행정지도는 법에 어긋나는 것으로서 그 범법행위가 정당화될 수 없다.

□□□ ㉡ 교육인적자원부장관의 국·공립대학총장들에 대한 학칙시정요구는 대학총장의 임의적인 협력을 통하여 사실상의 효과를 발생시키는 행정지도의 일종으로 헌법소원의 대상이 되는 공권력 행사라고 볼 수 없다.

□□□ ㉢ 노동부장관이 공공기관 단체협약내용을 분석하여 불합리한 요소를 개선하라고 요구한 행위는 행정지도로서의 한계를 넘어 규제적·구속적 성격을 강하게 갖는다고 할 수 없어 헌법소원의 대상이 되는 공권력의 행사에 해당한다고 볼 수 없다.

□□□ ㉣ 행정기관의 위법한 행정지도로 일정기간 어업권을 행사하지 못하는 손해를 입은 자가 그 어업권을 타인에게 매도하여 매매대금 상당의 이득을 얻은 경우, 손해배상액의 산정에서 그 이득을 손익상계할 수 있다.

	㉠	㉡	㉢	㉣
①	○	○	○	○
②	○	×	×	×
③	○	×	○	×
④	×	×	○	○

③ ㉠㉢은 옳은 설명이고, ㉡㉣은 옳지 않은 설명이다.

㉠ ○

토지거래계약신고에 관한 행정관청의 위법한 관행에 따라 토지의 매매가격을 허위로 신고한 행위라 하더라도 위법성이 조각되지 않아 형사처벌의 대상이 된다.

행정관청이 토지거래계약신고에 관하여 공시된 기준지가를 기준으로 매매가격을 신고하도록 행정지도하여 왔고 그 기준가격 이상으로 매매가격을 신고한 경우에는 거래신고서를 접수하지 않고 반려하는 것이 관행화되어 있다 하더라도 이는 법에 어긋나는 관행이라 할 것이므로 그와 같은 위법한 관행에 따라 허위신고행위에 이르렀다고 하여 그 범법행위가 사회상규에 위배되지 않는 정당한 행위라고는 볼 수 없다(대판 1992. 4. 24, 91도1609).

㉡ ×

교육인적자원부장관(현 교육부장관)의 대학총장들에 대한 이 사건 학칙시정요구는 고등교육법 제6조 제2항, 동법 시행령 제4조 제3항에 따른 것으로서 그 법적 성격은 대학총장의 임의적인 협력을 통하여 사실상의 효과를 발생시키는 행정지도의 일종이지만, 그에 따르지 않을 경우 일정한 불이익조치를 예정하고 있어 사실상 상대방에게 그에 따를 의무를 부과하는 것과 다를 바 없으므로 단순한 행정지도의 한계를 넘어 규제적·구속적 성격을 상당히 강하게 갖는 것으로서 헌법소원의 대상이 되는 공권력의 행사라고 볼 수 있다(헌재 2003. 6. 26, 2002헌마337, 2003헌마7·8 병합).

㉢ ○

노동부장관(현 고용노동부장관)이 2009. 4. 노동부 산하 7개 공공기관의 단체협약내용을 분석하여 2009. 5. 1.경 불합리한 요소를 개선하라고 요구한 행위(이하 '이 사건 개선요구'라 한다)가 공권력행사에 해당하지 않는다.

이 사건 개선요구는 그 자체로 일정한 법적 효과의 발생을 목적으로 하는 것은 아니고, 노동부가 그 소관 사무의 범위 안에서 이 사건 선진화 계획을 실현하기 위하여 관련 공공기관에게 단체협약에 대하여 개선을 요구하여, 각 해당 공공기관의 장의 임의적 협력을 통하여 사실상의 효과를 발생시키고자 하는 것이므로, 그 법적 성질은 행정지도에 해당한다고 할 것이다. 다만, 단체협약의 분석기준 등을 공공기관 경영실적 평가 및 기관장 평가기준으로 활용한다고 기재한 부분이 있으나, 그와 같이 평가기준으로 활용한다는 것만으로 이 사건 개선요구를 따르지 않을 경우의 불이익을 명시적으로 예정하고 있다고는 보기 어렵고, 달리 단체교섭에 직접 개입하거나 이를 강제하는 내용은 없으며, 그 개선요구의 시행문에서도 '법과 원칙의 테두리 내에서' 개선하라는 일반적·추상적 표현을 하고 있을 뿐이다. 그렇다면, 이 사건 개선요구가 행정지도로서의 한계를 넘어 규제적·구속적 성격을 강하게 갖는다고 보기 어려우므로, 헌법소원의 대상이 되는 공권력의 행사에 해당한다고 볼 수 없다(헌재 2011. 12. 29, 2009헌마330 등).

㉣ ×

행정기관의 위법한 행정지도로 일정기간 어업권을 행사하지 못하는 손해를 입은 자가 그 어업권을 타인에게 매도하여 매매대금 상당의 이득을 얻었더라도 그 이득은 손해배상책임의 원인이 되는 행위인 위법한 행정지도와 상당인과관계에 있다고 볼 수 없고, 행정기관이 배상하여야 할 손해는 위법한 행정지도로 피해자가 일정기간 어업권을 행사하지 못한 데 대한 것임에 반해 피해자가 얻은 이득은 어업권 자체의 매각대금이므로 위 이득이 위 손해의 범위에 대응하는 것이라고 볼 수도 없어, 피해자가 얻은 매매대금 상당의 이득을 행정기관이 배상하여야 할 손해액에서 공제할 수 없다(대판 2008. 9. 25, 2006다18228).

정답 19 ③

20 ⓗ

2017 교육행정직 9급

행정절차법상 행정지도에 관한 설명으로 옳은 것은? (단, 다툼이 있는 경우 판례에 따름)

□□□ ① 행정지도는 반드시 문서로 하여야 한다.

□□□ ② 행정기관은 행정지도에 따르지 아니하였다는 이유로 불이익한 조치를 할 수 있다.

□□□ ③ 행정지도를 하는 자는 그 상대방에게 그 행정지도의 취지 및 내용과 신분을 밝혀야 한다.

□□□ ④ 구 교육인적사원부장관의 국 · 공립대학총장들에 대한 학칙시정요구는 행정지도이므로 헌법소원의 대상인 공권력의 행사로 볼 수 없다.

① ×

③ ○

행정지도는 반드시 문서로 해야 하는 것은 아니며 말로도 할 수 있으며 행정절차법도 말로 행해질 수 있음을 전제로 하여 상대방의 서면교부청구권을 규정하고 있다(①).

> **행정절차법 제49조【행정지도의 방식】** ① 행정지도를 하는 자는 그 상대방에게 그 행정지도의 취지 및 내용과 신분을 밝혀야 한다(③).
> ② 행정지도가 말로 이루어지는 경우에 상대방이 제1항의 사항을 적은 서면의 교부를 요구하면 그 행정지도를 하는 자는 직무수행에 특별한 지장이 없으면 이를 교부하여야 한다(①).

② ×

> **행정절차법 제48조【행정지도의 원칙】** ② 행정기관은 행정지도의 상대방이 행정지도에 따르지 아니하였다는 것을 이유로 불이익한 조치를 하여서는 아니 된다.

④ ×

교육인적자원부장관(현 교육부장관)의 국 · 공립대학총장들에 대한 학칙시정요구는 행정지도의 일종이지만 단순한 행정지도의 한계를 넘어 규제적 · 구속적 성격을 상당히 강하게 갖는 것으로서 헌법소원의 대상이 되는 공권력의 행사라고 볼 수 있다는 것이 판례의 입장이다(헌재 2003. 6. 26, 2002헌마337, 2003헌마7 · 8 병합).

21 정답률 70% ⓩ

2017 국가직 9급

행정지도에 대한 설명으로 옳지 않은 것은? (다툼이 있는 경우 판례에 의함)

□□□ ① 위법한 행정지도에 따라 행한 사인의 행위는 법령에 명시적으로 정함이 없는 한 위법성이 조각된다고 할 수 없다.

□□□ ② 행정지도의 상대방은 행정지도의 내용에 동의하지 않는 경우 이를 따르지 않을 수 있으므로, 행정지도의 내용이나 방식에 대해 의견제출권을 갖지 않는다.

□□□ ③ 행정지도가 말로 이루어지는 경우에 상대방이 행정지도의 취지 및 내용, 행정지도를 하는 자의 신분에 관한 사항을 적은 서면의 교부를 요구하면 그 행정지도를 하는 자는 직무수행에 특별한 지장이 없으면 이를 교부하여야 한다.

□□□ ④ 국가배상법이 정한 배상청구의 요건인 '공무원의 직무'에는 권력적 작용만이 아니라 행정지도와 같은 비권력적 작용도 포함된다.

① ○

위법한 행정지도에 따라 행한 사인의 행위는 법령에 명시적으로 정함이 없는 한 위법성이 조각되지 않는다(없어지지 않는다는 의미이다).

> 행정관청이 국토이용관리법 소정의 토지거래계약신고에 관하여 공시된 기준시가를 기준으로 매매가격을 신고하도록 행정지도를 하여 그에 따라 허위신고를 한 것이라 하더라도 이와 같은 행정지도는 법에 어긋나는 것으로서 그와 같은 위법한 행정지도나 관행에 따라 허위신고행위에 이르렀다고 하여도 이것만 가지고서는 그 범법행위가 정당화될 수 없다(대판 1994. 6. 14, 93도3247).

② ×

> **행정절차법 제50조【의견제출】** 행정지도의 상대방은 해당 행정지도의 방식 · 내용 등에 관하여 행정기관에 의견제출을 할 수 있다.

③ ○

> **행정절차법 제49조【행정지도의 방식】** ① 행정지도를 하는 자는 그 상대방에게 그 행정지도의 취지 및 내용과 신분을 밝혀야 한다.
> ② 행정지도가 말로 이루어지는 경우에 상대방이 제1항의 사항을 적은 서면의 교부를 요구하면 그 행정지도를 하는 자는 직무수행에 특별한 지장이 없으면 이를 교부하여야 한다.

④ ○

국가배상법이 정한 배상청구의 요건인 '공무원의 직무'에는 권력적 작용만이 아니라 행정지도와 같은 비권력적 작용도 포함된다는 것이 판례의 입장이다(대판 1998. 7. 10, 96다38971).

정답 20 ③ 21 ②

2025
써니 행정법총론
기출문제집

Sunny

2025 써니로(SunnyLaw) 합격하는 온라인 모의고사
- QR코드로 기출문제 온라인 모의고사 풀기
- 〈써니로TV〉에서 라이브 테스트 실시 & 해설 강의 제공
- 정답과 취약 단원 파악하기
- 시험 일정은 "[네이버] 써니 행정법 카페"를 확인해 주세요.

제 3 편

행정절차, 행정공개

제 20 강 행정절차법(총칙 등)

1회독	2회독	3회독
/	/	/

⊘정답률 공단기/소방단기 합격예측 풀서비스 통계 데이터 기준 기 기본서 핵 핵심집약

01 행정절차법

기 424~435쪽 핵 T 41

01 빈출 중

2024 군무원 7급

행정절차법이 적용되는 사항은? (다툼이 있는 경우 판례에 의함)

□□□ ① 각급 선거관리위원회의 의결을 거쳐 행하는 사항
□□□ ② 행정기관이 그 소관 사무의 범위에서 일정한 행정목적을 실현하기 위하여 특정인에게 일정한 행위를 하도록 조언 등을 하는 사항
□□□ ③ 감사원이 감사위원회의의 결정을 거쳐 행하는 사항
□□□ ④ 심사청구, 해양안전심판, 조세심판, 특허심판, 행정심판, 그 밖의 불복절차에 따른 사항

①③④ **빈출** ×
② **빈출** ○
행정지도는 행정절차법의 적용대상이다.

> **행정절차법 제2조【정의】** 이 법에서 사용하는 용어의 뜻은 다음과 같다.
> 3. '행정지도'란 행정기관이 그 소관 사무의 범위에서 일정한 행정목적을 실현하기 위하여 특정인에게 일정한 행위를 하거나 하지 아니하도록 지도, 권고, 조언 등을 하는 행정작용을 말한다(②).
>
> **제3조【적용범위】** ① 처분, 신고, 확약, 위반사실 등의 공표, 행정계획, 행정상 입법예고, 행정예고 및 행정지도(②)의 절차(이하 '행정절차'라 한다)에 관하여 다른 법률에 특별한 규정이 있는 경우를 제외하고는 이 법에서 정하는 바에 따른다.
> ② 이 법은 다음 각 호의 어느 하나에 해당하는 사항에 대하여는 적용하지 아니한다.
> 1. 국회 또는 지방의회의 의결을 거치거나 동의 또는 승인을 받아 행하는 사항
> 2. 법원 또는 군사법원의 재판에 의하거나 그 집행으로 행하는 사항
> 3. 헌법재판소의 심판을 거쳐 행하는 사항
> 4. 각급 선거관리위원회의 의결을 거쳐 행하는 사항(①)
> 5. 감사원이 감사위원회의의 결정을 거쳐 행하는 사항(③)
> 6. 형사(刑事), 행형(行刑) 및 보안처분 관계 법령에 따라 행하는 사항
> 7. 국가안전보장 · 국방 · 외교 또는 통일에 관한 사항 중 행정절차를 거칠 경우 국가의 중대한 이익을 현저히 해칠 우려가 있는 사항
> 8. 심사청구, 해양안전심판, 조세심판, 특허심판, 행정심판, 그 밖의 불복절차에 따른 사항(④)
> 9. 병역법에 따른 징집 · 소집, 외국인의 출입국 · 난민인정 · 귀화, 공무원 인사 관계 법령에 따른 징계와 그 밖의 처분, 이해 조정을 목적으로 하는 법령에 따른 알선 · 조정 · 중재(仲裁) · 재정(裁定) 또는 그 밖의 처분 등 해당 행정작용의 성질상 행정절차를 거치기 곤란하거나 거칠 필요가 없다고 인정되는 사항과 행정절차에 준하는 절차를 거친 사항으로서 대통령령으로 정하는 사항

정답 01 ②

02 정답률 74% 중 2023 해경간부

행정응원에 대한 설명으로 가장 옳지 않은 것은?

① 다른 행정청의 응원을 받아 처리하는 것이 보다 능률적이고 경제적인 경우 행정청은 다른 행정청에 행정응원을 요청할 수 있다.

② 행정응원을 요청받은 행정청은 다른 행정청이 보다 능률적이거나 경제적으로 응원할 수 있는 명백한 이유가 있는 경우에는 응원을 거부할 수 있다.

③ 행정응원은 해당 직무를 직접 응원할 수 있는 행정청의 상급관청에 요청하여야 한다.

④ 행정응원을 위하여 파견된 직원은 응원을 요청한 행정청의 지휘 · 감독을 받는다. 다만, 해당 직원의 복무에 관하여 다른 법령 등에 특별한 규정이 있는 경우에는 그에 따른다.

①②④ ○

③ ×

행정절차법 제8조【행정응원】 ① 행정청은 다음 각 호의 어느 하나에 해당하는 경우에는 다른 행정청에 행정응원(行政應援)을 요청할 수 있다.

5. 다른 행정청의 응원을 받아 처리하는 것이 보다 능률적이고 경제적인 경우(①)

② 제1항에 따라 행정응원을 요청받은 행정청은 다음 각 호의 어느 하나에 해당하는 경우에는 응원을 거부할 수 있다.

1. 다른 행정청이 보다 능률적이거나 경제적으로 응원할 수 있는 명백한 이유가 있는 경우(②)
2. 행정응원으로 인하여 고유의 직무 수행이 현저히 지장받을 것으로 인정되는 명백한 이유가 있는 경우

③ 행정응원은 해당 직무를 직접 응원할 수 있는 행정청에 요청하여야 한다(③).

④ 행정응원을 요청받은 행정청은 응원을 거부하는 경우 그 사유를 응원을 요청한 행정청에 통지하여야 한다.

⑤ 행정응원을 위하여 파견된 직원은 응원을 요청한 행정청의 지휘 · 감독을 받는다. 다만, 해당 직원의 복무에 관하여 다른 법령 등에 특별한 규정이 있는 경우에는 그에 따른다(④).

정답 02 ③

03 중 2023 행정사

행정절차법상 행정청의 관할 및 협조에 관한 설명으로 옳지 않은 것은?

① 행정청이 그 관할에 속하지 아니하는 사안을 접수한 경우 지체 없이 이를 관할행정청에 이송하여야 하고 그 사실을 신청인에게 통지하여야 한다.

② 행정응원에 드는 비용은 응원을 하는 행정청이 부담한다.

③ 행정청은 행정의 원활한 수행을 위하여 서로 협조하여야 한다.

④ 행정응원을 요청받은 행정청은 응원을 거부하는 경우 그 사유를 응원을 요청한 행정청에 통지하여야 한다.

⑤ 행정청의 관할이 분명하지 아니한 경우이지만 공통으로 감독하는 상급행정청이 없는 경우에는 각 상급행정청이 협의하여 그 관할을 결정한다.

관련기출

②

1. 행정응원에 드는 비용은 응원을 요청한 행정청이 부담하며, 그 부담금액 및 부담방법은 응원을 하는 행정청이 결정한다. (○, ×)
2022 서울시 7급, 2021 소방직 9급

2. 행정청이 다른 행정청에 행정응원을 요청하는 경우 행정응원에 소요되는 비용은 응원을 요청한 행정청이 부담한다. (○, ×)
2011 국회(속기 · 경위직) 9급

1. × 2. ○

① ○

행정절차법 제6조【관할】① 행정청이 그 관할에 속하지 아니하는 사안을 접수하였거나 이송 받은 경우에는 지체 없이 이를 관할행정청에 이송하여야 하고 그 사실을 신청인에게 통지하여야 한다. 행정청이 접수하거나 이송 받은 후 관할이 변경된 경우에도 또한 같다.

② **빈출** ×

행정절차법 제8조【행정응원】⑥ 행정응원에 드는 비용은 응원을 요청한 행정청이 부담하며, 그 부담금액 및 부담방법은 응원을 요청한 행정청과 응원을 하는 행정청이 협의하여 결정한다.

③ ○

행정절차법 제7조【행정청 간의 협조 등】① 행정청은 행정의 원활한 수행을 위하여 서로 협조하여야 한다.

④ ○

행정절차법 제8조【행정응원】④ 행정응원을 요청받은 행정청은 응원을 거부하는 경우 그 사유를 응원을 요청한 행정청에 통지하여야 한다.

⑤ ○

행정절차법 제6조【관할】② 행정청의 관할이 분명하지 아니한 경우에는 해당 행정청을 공통으로 감독하는 상급행정청이 그 관할을 결정하며, 공통으로 감독하는 상급행정청이 없는 경우에는 각 상급행정청이 협의하여 그 관할을 결정한다.

정답 03 ②

04 정답률 43% 중 2021 소방직 9급

행정절차법에 대한 설명으로 옳지 않은 것은?

① 공청회는 다른 법령 등에서 공청회를 개최하도록 규정하고 있는 경우 또는 당해 처분의 영향이 광범위하여 널리 의견을 수렴할 필요가 있다고 행정청이 인정하는 경우에 개최된다.

② 행정응원을 위하여 파견된 직원은 당해 직원의 복무에 관하여 다른 법령 등에 특별한 규정이 없는 한, 응원을 요청한 행정청의 지휘 · 감독을 받는다.

③ 행정응원에 소요되는 비용은 응원을 요청한 행정청이 부담하며, 그 부담금액 및 부담방법은 응원을 행하는 행정청의 결정에 의한다.

④ 송달이 불가능하여 관보, 공보 등에 공고한 경우에는 다른 법령 등에 특별한 규정이 있는 경우를 제외하고 공고일부터 14일이 경과한 때에 그 효력이 발생한다. 다만, 긴급히 시행하여야 할 특별한 사유가 있어 효력발생시기를 달리 정해 공고한 경우에는 그에 따른다.

① **빈출** 제21강 참조 ○

> **행정절차법 제22조【의견청취】** ② 행정청이 처분을 할 때 다음 각 호의 어느 하나에 해당하는 경우에는 공청회를 개최한다.
> 1. 다른 법령 등에서 공청회를 개최하도록 규정하고 있는 경우
> 2. 해당 처분의 영향이 광범위하여 널리 의견을 수렴할 필요가 있다고 행정청이 인정하는 경우
> 3. 국민생활에 큰 영향을 미치는 처분으로서 대통령령으로 정하는 처분에 대하여 대통령령으로 정하는 수 이상의 당사자 등이 공청회 개최를 요구하는 경우

② ○
③ ×

> **행정절차법 제8조【행정응원】** ⑤ 행정응원을 위하여 파견된 직원은 응원을 요청한 행정청의 지휘 · 감독을 받는다. 다만, 해당 직원의 복무에 관하여 다른 법령 등에 특별한 규정이 있는 경우에는 그에 따른다(②).
> ⑥ 행정응원에 드는 비용은 응원을 요청한 행정청이 부담하며, 그 부담금액 및 부담방법은 응원을 요청한 행정청과 응원을 하는 행정청이 협의하여 결정한다(③).

④ 제15강 참조 ○

> **행정절차법 제14조【송달】** ④ 다음 각 호의 어느 하나에 해당하는 경우에는 송달받을 자가 알기 쉽도록 관보, 공보, 게시판, 일간신문 중 하나 이상에 공고하고 인터넷에도 공고하여야 한다.
> 1. 송달받을 자의 주소 등을 통상적인 방법으로 확인할 수 없는 경우
> 2. 송달이 불가능한 경우
>
> **제15조【송달의 효력발생】** ③ 제14조 제4항의 경우에는 다른 법령 등에 특별한 규정이 있는 경우를 제외하고는 공고일부터 14일이 지난 때에 그 효력이 발생한다. 다만, 긴급히 시행하여야 할 특별한 사유가 있어 효력발생시기를 달리 정하여 공고한 경우에는 그에 따른다.

05 중 2020 군무원 9급

다수의 당사자 등이 공동으로 행정절차에 관한 행위를 할 때에 정하는 대표자에 관한 행정절차법의 규정내용으로 옳지 않은 것은?

① 당사자 등은 대표자를 변경하거나 해임할 수 있다.

② 대표자는 각자 그를 대표자로 선정한 당사자 등을 위하여 행정절차에 관한 모든 행위를 할 수 있다. 다만, 행정절차를 끝맺는 행위에 대하여는 당사자 등의 동의를 받아야 한다.

③ 대표자가 있는 경우에는 당사자 등은 그 대표자를 통하여서만 행정절차에 관한 행위를 할 수 있다.

④ 다수의 대표자가 있는 경우 그중 1인에 대한 행정청의 행위는 모든 당사자 등에게 효력이 있다. 다만, 행정청의 통지는 대표자 1인에게 하여도 그 효력이 있다.

관련기출

④

1. 다수의 대표자가 있는 경우 그중 1인에 대한 행정청의 통지는 모든 당사자 등에게 효력이 있다. (○, ×) 2018 서울시 2회 7급

1. ×

①②③ ○
④ ×

다수의 대표자가 있는 경우, 행정청의 통지는 대표자 모두에게 하여야 효력이 있다(④).

> **행정절차법 제11조【대표자】** ① 다수의 당사자 등이 공동으로 행정절차에 관한 행위를 할 때에는 대표자를 선정할 수 있다.
> ② 행정청은 제1항에 따라 당사자 등이 대표자를 선정하지 아니하거나 대표자가 지나치게 많아 행정절차가 지연될 우려가 있는 경우에는 그 이유를 들어 상당한 기간 내에 3인 이내의 대표자를 선정할 것을 요청할 수 있다. 이 경우 당사자 등이 그 요청에 따르지 아니하였을 때에는 행정청이 직접 대표자를 선정할 수 있다.
> ③ 당사자 등은 대표자를 변경하거나 해임할 수 있다(①).
> ④ 대표자는 각자 그를 대표자로 선정한 당사자 등을 위하여 행정절차에 관한 모든 행위를 할 수 있다. 다만, 행정절차를 끝맺는 행위에 대하여는 당사자 등의 동의를 받아야 한다(②).
> ⑤ 대표자가 있는 경우에는 당사자 등은 그 대표자를 통하여서만 행정절차에 관한 행위를 할 수 있다(③).
> ⑥ 다수의 대표자가 있는 경우 그중 1인에 대한 행정청의 행위는 모든 당사자 등에게 효력이 있다. 다만, 행정청의 통지는 대표자 모두에게 하여야 그 효력이 있다(④).

정답 04 ③ 05 ④

06 중

2018 경행경채 변형

행정절차에 대한 설명으로 가장 적절하지 않은 것은? (다툼이 있는 경우 판례에 의함)

□□□ ① 행정절차법은 공법상 계약에 관해서는 별도의 규정이 없다.

□□□ ② 행정절차법상 당사자 등은 처분 전에 그 처분의 관할 행정청에 서면이나 정보통신망을 이용하여 의견을 제출할 수 있으나, 말로는 할 수 없다.

□□□ ③ 행정절차법은 절차적 규정뿐만 아니라 신뢰보호원칙과 같이 실체적 규정을 포함하고 있다.

□□□ ④ 행정청은 국내에 주소 · 거소 · 영업소 또는 사무소가 없는 외국사업자에 대하여 우편송달의 방법으로 문서를 송달할 수 있다.

① ○

행정절차법은 처분(제17~39조의3), 신고(제40조), 확약(제40조의2), 위반사실 등의 공표(제40조의3), 행정계획(제40조의4), 행정상 입법예고(제41~45조), 행정예고(제46~47조), 행정지도(제48~51조)의 절차에 관하여 명문의 규정을 두고 있으나, 공법상 계약, 행정조사절차 등에 대해서는 규정하지 않고 있다.

② ×

> **행정절차법 제27조【의견제출】** ① 당사자 등은 처분 전에 그 처분의 관할 행정청에 서면이나 말로 또는 정보통신망을 이용하여 의견제출을 할 수 있다.

③ **빈출** ○

행정절차법은 주로 절차적 규정으로 구성되나 신뢰보호의 원칙, 신의성실의 원식 등 일부 실세적 규정도 갖고 있다.

> **행정절차법 제4조【신의성실 및 신뢰보호】** ① 행정청은 직무를 수행할 때 신의(信義)에 따라 성실히 하여야 한다.
> ② 행정청은 법령 등의 해석 또는 행정청의 관행이 일반적으로 국민들에게 받아들여졌을 때에는 공익 또는 제3자의 정당한 이익을 현저히 해칠 우려가 있는 경우를 제외하고는 새로운 해석 또는 관행에 따라 소급하여 불리하게 처리하여서는 아니 된다.

④ ○

국내에 주소 · 거소 · 영업소 또는 사무소가 없는 외국사업자에 대하여 우편송달의 방법으로 문서를 송달할 수 있는지의 여부가 문제되나 판례는 이를 긍정한다.

> 공정거래위원회는 국내에 주소 · 거소 · 영업소 또는 사무소가 없는 외국사업자에 대하여 우편송달의 방법으로 문서를 송달할 수 있다(대판 2006. 3. 24, 2004두11275).

정답 06 ②

07 정답률 42% 상 2018 서울시 2회 7급

행정절차법에서 규정하는 '당사자 등'에 대한 설명으로 가장 옳은 것은?

□□□ ① 행정청이 직권으로 행정절차에 참여하게 한 이해관계인은 당사자 등에 해당하지 않는다.

□□□ ② 법인이 아닌 재단은 당사자 등이 될 수 없다.

□□□ ③ 다수의 대표자가 있는 경우 그중 1인에 대한 행정청의 통지는 모든 당사자 등에게 효력이 있다.

□□□ ④ 당사자 등은 당사자 등의 형제자매를 대리인으로 선임할 수 있다.

① **빈출** ×

행정절차법 제2조【정의】 이 법에서 사용하는 용어의 뜻은 다음과 같다.
4. '당사자 등'이란 다음 각 목의 자를 말한다.
 가. 행정청의 처분에 대하여 직접 그 상대가 되는 당사자
 나. 행정청이 직권으로 또는 신청에 따라 행정절차에 참여하게 한 이해관계인

② ×

행정절차법 제9조【당사자 등의 자격】 다음 각 호의 어느 하나에 해당하는 자는 행정절차에서 당사자 등이 될 수 있다.
1. 자연인
2. 법인, 법인이 아닌 사단 또는 재단(이하 '법인 등'이라 한다)
3. 그 밖에 다른 법령 등에 따라 권리 · 의무의 주체가 될 수 있는 자

③ ×

행정절차법 제11조【대표자】 ⑥ 다수의 대표자가 있는 경우 그중 1인에 대한 행정청의 행위는 모든 당사자 등에게 효력이 있다. 다만, 행정청의 통지는 대표자 모두에게 하여야 그 효력이 있다.

④ ○

행정절차법 제12조【대리인】 ① 당사자 등은 다음 각 호의 어느 하나에 해당하는 자를 대리인으로 선임할 수 있다.
1. 당사자 등의 배우자, 직계 존속 · 비속 또는 형제자매
2. 당사자 등이 법인 등인 경우 그 임원 또는 직원
3. 변호사
4. 행정청 또는 청문 주재자(청문의 경우만 해당한다)의 허가를 받은 자
5. 법령 등에 따라 해당 사안에 대하여 대리인이 될 수 있는 자

정답 07 ④

08 정답률 73% 중 2017 지방직 7급

행정절차법상 처분의 이유제시 및 의견제출절차에 대한 판례의 입장으로 옳지 않은 것은?

□□□ ① 고시 등 불특정 다수인을 상대로 의무를 부과하거나 권익을 제한하는 처분에 있어서는 그 상대방에게 의견제출의 기회를 주어야 하는 것은 아니다.

□□□ ② 가산세 부과처분에 관해서는 국세기본법이나 개별 세법 어디에도 그 납세고지의 방식 등에 관하여 따로 정한 규정이 없으므로, 가산세의 종류와 세액의 산출근거 등을 전혀 밝히지 않고 가산세의 합계액만을 기재한 경우 그 부과처분은 위법하지 않다.

□□□ ③ 행정청이 토지형질변경허가신청을 불허하는 근거규정으로 '도시계획법 시행령 제20조'를 명시하지 아니하고 '도시계획법'이라고만 기재하였으나, 신청인이 자신의 신청이 개발제한구역의 지정목적에 현저히 지장을 초래하는 것이라는 이유로 구 도시계획법 시행령 제20조 제1항 제2호에 따라 불허된 것임을 알 수 있었던 경우에는 그 불허처분이 위법하지 않다.

□□□ ④ 불이익처분의 직접 상대방인 당사자 또는 행정청이 참여하게 한 이해관계인이 아닌 제3자에 대하여는 의견제출에 관한 행정절차법의 규정이 적용되지 아니한다.

① ○

'고시'의 방법으로 불특정 다수인을 상대로 의무를 부과하거나 권익을 제한하는 처분은 성질상 의견제출의 기회를 주어야 하는 상대방을 특정할 수 없으므로, 이와 같은 처분에 있어서까지 행정절차법 제22조 제3항에 의하여 그 상대방에게 의견제출의 기회를 주어야 한다고 해석할 것은 아니다(대판 2014. 10. 27, 2012두7745).

② ×

개별 세법에 납세고지(현 납부고지)에 관한 별도의 규정이 없더라도 국세징수법이 정한 것과 같은 납세고지의 요건을 갖추지 않으면 안 된다는 것이고, 이는 적법절차의 원칙이 과세처분에도 적용됨에 따른 당연한 귀결이다.

가산세 부과처분에 관해서는 국세기본법이나 개별 세법 어디에도 그 납세고지의 방식 등에 관하여 따로 정한 규정이 없다. 그러나 가산세는 …… 일종의 행정상 제재라는 점에서 적법절차의 원칙은 더 강하게 관철되어야 한다. 여러 종류의 가산세를 함께 부과하면서, 납세고지서(현 납부고지서)에 산출근거는 물론 종류조차도 따로 밝히지 않고 단지 가산세의 합계액만을 기재하고는, 납세의무자가 스스로 세법 규정을 잘 살펴보면 무슨 가산세가 부과된 것이고 산출근거가 어떻게 되는지를 알아낼 수 있다고 하는 것으로 그 기재의 흠결을 정당화할 수는 없으며 그러한 부과처분은 위법하다(대판 2012. 10. 18, 2010두12347 전합).

③ ○

1. 행정절차법 제23조 제1항은 행정청은 처분을 하는 때에는 당사자에게 그 근거와 이유를 제시하여야 한다고 규정하고 있는바, 일반적으로 당사자가 근거규정 등을 명시하여 신청하는 인·허가 등을 거부하는 처분을 함에 있어 당사자가 그 근거를 알 수 있을 정도로 상당한 이유를 제시한 경우에는 당해 처분의 근거 및 이유를 구체적 조항 및 내용까지 명시하지 않았더라도 그로 말미암아 그 처분이 위법한 것이 된다고 할 수 없다.
2. 행정청이 토지형질변경허가신청을 불허하는 근거규정으로 '도시계획법 시행령 제20조'를 명시하지 아니하고 '도시계획법'이라고만 기재하였으나, 신청인이 자신의 신청이 개발제한구역의 지정목적에 현저히 지장을 초래하는 것이라는 이유로 구 도시계획법 시행령 제20조 제1항 제2호에 따라 불허된 것임을 알 수 있었던 경우, 그 불허처분이 위법하지 아니하다(대판 2002. 5. 17, 2000두8912).

④ ○

당사자 등이란 처분의 직접 그 상대가 되는 당사자와 행정청이 직권 또는 신청에 의하여 행정절차에 참여하게 한 이해관계인을 말하므로 불이익처분의 직접 상대방인 당사자 또는 행정청이 참여하게 한 이해관계인이 아닌 제3자에 대하여는 의견제출에 관한 행정절차법 규정이 적용되지 않는다.

행정절차법 제27조【의견제출】 ① 당사자 등은 처분 전에 그 처분의 관할 행정청에 서면이나 말로 또는 정보통신망을 이용하여 의견제출을 할 수 있다.

제2조【정의】 이 법에서 사용하는 용어의 뜻은 다음과 같다.
4. '당사자 등'이란 다음 각 목의 자를 말한다.
  가. 행정청의 처분에 대하여 직접 그 상대가 되는 당사자
  나. 행정청이 직권으로 또는 신청에 따라 행정절차에 참여하게 한 이해관계인

정답 08 ②

09 빈출 중

2014 사회복지직 9급

행정절차에 대한 설명으로 옳지 않은 것은? (다툼이 있는 경우 판례에 의함)

□□□ ① 행정절차법은 공법상 계약에 관하여는 규정하고 있지 않다.

□□□ ② 지방의회의 동의를 얻어 행하는 처분에 대해서는 행정절차법이 적용되지 아니한다.

□□□ ③ 행정청은 처분에 오기, 오산 또는 그 밖에 이에 준하는 명백한 잘못이 있을 때에는 직권으로 또는 신청에 따라 지체 없이 정정하고 그 사실을 당사자에게 통지하여야 한다.

□□□ ④ 헌법 제12조 제1항과 제3항은 형사사건의 적법절차에 관한 규정이므로 행정절차에는 적용되지 아니한다.

관련기출

②

1. 지방의회의 동의를 얻어 행하는 처분에 대해서는 행정절차법이 적용되지 아니한다. (○, ×) 2018 국회직 8급

1. ○

① ○

행정절차법은 공법상 계약에 관한 규정을 두고 있지 않다.

② ○

행정절차법 제3조【적용범위】 ② 이 법은 다음 각 호의 어느 하나에 해당하는 사항에 대하여는 적용하지 아니한다.

1. 국회 또는 지방의회의 의결을 거치거나 동의 또는 승인을 받아 행하는 사항

③ ○

행정절차법 제25조【처분의 정정】 행정청은 처분에 오기(誤記), 오산(誤算) 또는 그 밖에 이에 준하는 명백한 잘못이 있을 때에는 직권으로 또는 신청에 따라 지체 없이 정정하고 그 사실을 당사자에게 통지하여야 한다.

④ ×

헌법 제12조의 적법절차원리는 형사절차뿐만 아니라 입법 · 행정 등 국가의 모든 공권력작용에 적용된다.

헌법 제12조 제1항 및 제3항에 규정된 적법절차의 원칙은 일반적 헌법원리로서 모든 공권력의 행사에 적용되는바, 이는 절차의 적법성뿐만 아니라 절차의 적정성까지 보장되어야 한다는 뜻으로 이해된다. 즉, 형식적인 절차뿐만 아니라 실체적 법률내용이 합리성과 정당성을 갖춘 것이어야 한다는 실질적인 의미로 확대 해석되고 있다. 나아가 우리 헌법재판소는 이 적법절차의 원칙의 적용범위를 형사소송절차에 국한하지 않고 모든 국가작용에 대하여 문제된 법률의 실체적 내용이 합리성과 정당성을 갖추고 있는지 여부를 판단하는 기준으로 적용된다고 판시함으로써, 행정절차에도 적법절차의 원칙이 적용됨을 명백히 하고 있다(헌재 2007. 4. 26, 2006헌바10).

정답 09 ④

제 21 강 행정절차법(처분 등)

1회독	2회독	3회독
/	/	/

정답률 공단기/소방단기 합격예측 풀서비스 통계 데이터 기준 기 기본서 핵 핵심집약

01 처분절차

기 438~459쪽 핵 T 42

01

정답률 88% 중 2024 소방직 9급

행정절차법상 행정절차에 관한 설명으로 옳은 것은?

① 행정청은 처분의 신청을 받았을 때에는 항상 그 접수를 처리하여야 하며, 신청을 접수한 경우에는 신청인에게 접수증을 주어야 한다.

② 행정청은 처분의 처리기간을 연장할 수 있는데, 이때 처분의 신청인에게 반드시 연장사유와 처리예정기한을 통지할 필요는 없다.

③ 행정청은 필요한 처분기준을 해당 처분의 성질에 비추어 되도록 구체적으로 정하여 공표하여야 한다. 그러나 처분기준을 변경하는 경우에는 그러하지 아니하다.

④ 처분의 신청인은 처분이 있기 전에는 그 신청의 내용을 보완·변경하거나 취하할 수 있다. 다만, 다른 법령 등에 특별한 규정이 있거나 그 신청의 성질상 보완·변경하거나 취하할 수 없는 경우에는 그러하지 아니하다.

① 정답률 6% ×

행정절차법 제17조【처분의 신청】 ④ 행정청은 신청을 받았을 때에는 다른 법령 등에 **특별한 규정이 있는 경우를 제외하고는** 그 접수를 보류 또는 거부하거나 부당하게 되돌려 보내서는 아니 되며, 신청을 접수한 경우에는 신청인에게 접수증을 주어야 한다. 다만, 대통령령으로 정하는 경우에는 접수증을 주지 아니할 수 있다.

② 정답률 1% ×

행정절차법 제19조【처리기간의 설정·공표】 ① 행정청은 신청인의 편의를 위하여 처분의 처리기간을 종류별로 미리 정하여 공표하여야 한다.
② 행정청은 부득이한 사유로 제1항에 따른 처리기간 내에 처분을 처리하기 곤란한 경우에는 해당 처분의 처리기간의 범위에서 한 번만 그 기간을 연장할 수 있다.
③ 행정청은 제2항에 따라 처리기간을 연장할 때에는 처리기간의 연장사유와 처리예정기한을 지체 없이 신청인에게 통지하여야 한다.

③ 정답률 3% ×

행정절차법 제20조【처분기준의 설정·공표】 ① 행정청은 필요한 처분기준을 해당 처분의 성질에 비추어 되도록 구체적으로 정하여 공표하여야 한다. 처분기준을 변경하는 경우에도 또한 같다.

④ 정답률 88% ○

행정절차법 제17조【처분의 신청】 ⑧ 신청인은 처분이 있기 전에는 그 신청의 내용을 보완·변경하거나 취하(取下)할 수 있다. 다만, 다른 법령 등에 특별한 규정이 있거나 그 신청의 성질상 보완·변경하거나 취하할 수 없는 경우에는 그러하지 아니하다.

정답 01 ④

02 중

2023 서울시 연구사

<보기>에서 행정절차에 대한 설명으로 옳은 것을 모두 고른 것은? (다툼이 있는 경우 판례에 따름)

보기

ㄱ 행정청이 행정절차법 제20조 제1항의 처분기준 사전공표의무를 위반하여 미리 공표하지 아니한 기준을 적용하여 처분을 하였다면, 그러한 사정만으로 곧바로 해당 처분의 취소사유에 이를 정도의 흠이 존재한다고 볼 수는 있을 것이나 그 하자가 중대·명백하여 해당 처분의 무효사유에 이를 정도의 흠이 존재한다고는 볼 수 없다.

ㄴ 행정절차법 제17조 제5항은 신청인이 신청할 때 관계법령에서 필수적으로 첨부하여 제출하도록 규정한 서류를 첨부하지 않은 경우와 같이 쉽게 보완이 가능한 사항을 누락하는 등의 흠이 있을 때 행정청이 곧바로 거부처분을 하는 것보다는 신청인에게 보완할 기회를 주도록 함으로써 행정의 공정성·투명성 및 신뢰성을 확보하고 국민의 권익을 보호하려는 행정절차법의 입법목적을 달성하고자 함이지, 행정청으로 하여금 신청에 대하여 거부처분을 하기 전에 반드시 신청인에게 신청의 내용이나 처분의 실체적 발급요건에 관한 사항까지 보완할 기회를 부여하여야 할 의무를 정한 것은 아니라고 보아야 한다.

ㄷ 행정절차법 시행령 제13조 제2호에서 정한 "법원의 재판 또는 준사법적 절차를 거치는 행정기관의 결정 등에 따라 처분의 전제가 되는 사실이 객관적으로 증명되어 처분에 따른 의견청취가 불필요하다고 인정되는 경우"는 법원의 재판 등에 따라 처분의 전제가 되는 사실이 객관적으로 증명되면 행정청이 반드시 일정한 처분을 해야 하는 경우 등 의견청취가 행정청의 처분 여부나 그 수위 결정에 영향을 미치지 못하는 경우를 의미하고, 처분의 전제가 되는 일부 사실만 증명된 경우이거나 의견청취에 따라 행정청의 처분 여부나 처분 수위가 달라질 수 있는 경우라면 위 예외사유에 해당하지 않는다.

① ㄱ, ㄴ　　② ㄱ, ㄷ
③ ㄴ, ㄷ　　④ ㄱ, ㄴ, ㄷ

ㄱ ×

행정청이 행정절차법 제20조 제1항에 따라 정하여 공표한 처분기준은, 그것이 해당 처분의 근거법령에서 구체적 위임을 받아 제정·공포되었다는 특별한 사정이 없는 한, 원칙적으로 대외적 구속력이 없는 행정 규칙에 해당하는 것으로 보아야 한다. 행정청이 행정절차법 제20조 제1항의 처분기준 사전공표의무를 위반하여 미리 공표하지 아니한 기준을 적용하여 처분하였다고 하더라도, 그러한 사정만으로 곧바로 해당 처분에 취소사유에 이를 정도의 흠이 존재한다고 볼 수는 없다. 다만 해당 처분에 적용한 기준이 상위법령의 규정이나 신뢰보호의 원칙 등과 같은 법의 일반원칙을 위반하였거나 객관적으로 합리성이 없다고 볼 수 있는 구체적인 사정이 있다면 해당 처분은 위법하다고 평가할 수 있다(대판 2020. 12. 24, 2018두45633).

ㄴ ○

행정절차법 제17조 제5항이 행정청으로 하여금 신청에 대하여 거부처분을 하기 전에 반드시 신청인에게 신청의 내용이나 처분의 실체적 발급요건에 관한 사항까지 보완할 기회를 부여하여야 할 의무를 정한 것은 아니다.

행정절차법 제17조에 따르면, 행정청은 신청에 구비서류의 미비 등 흠이 있는 경우에는 보완에 필요한 상당한 기간을 정하여 지체 없이 신청인에게 보완을 요구하여야 하고(제5항), 신청인이 그 기간 내에 보완을 하지 않았을 때에는 그 이유를 구체적으로 밝혀 접수된 신청을 되돌려 보낼 수 있으며(제6항), 신청인은 처분이 있기 전에는 그 신청의 내용을 보완·변경하거나 취하할 수 있다(제8항 본문).

이처럼 행정절차법 제17조가 '**구비서류의 미비 등 흠의 보완**'과 '**신청내용의 보완**'을 분명하게 **구분**하고 있는 점에 비추어 보면, 행정절차법 제17조 제5항은 신청인이 신청할 때 관계법령에서 필수적으로 첨부하여 제출하도록 규정한 서류를 첨부하지 않은 경우와 같이 쉽게 보완이 가능한 사항을 누락하는 등의 흠이 있을 때 행정청이 곧바로 거부처분을 하는 것보다는 신청인에게 보완할 기회를 주도록 함으로써 행정의 공정성·투명성 및 신뢰성을 확보하고 국민의 권익을 보호하려는 행정절차법의 입법목적을 달성하고자 함이지, 행정청으로 하여금 신청에 대하여 거부처분을 하기 전에 반드시 신청인에게 **신청의 내용**이나 처분의 **실체적 발급요건**에 관한 사항까지 **보완할 기회를 부여하여야 할 의무를 정한 것은 아니라고 보아야 한다**(대판 2020. 7. 23, 2020두36007).

ㄷ ○

1. 행정청이 침해적 행정처분을 하면서 당사자에게 행정절차법상의 사전통지를 하거나 의견제출의 기회를 주지 않았다면, 사전통지를 하지 않거나 의견제출의 기회를 주지 않아도 되는 예외적인 경우에 해당하지 않는 한, 그 처분은 위법하여 취소를 면할 수 없다.
2. 행정절차법 시행령 제13조 제2호에서 정한 "법원의 재판 또는 준사법적 절차를 거치는 행정기관의 결정 등에 따라 처분의 전제가 되는 사실이 객관적으로 증명되어 처분에 따른 의견청취가 불필요하다고 인정되는 경우"란 의견청취가 행정청의 처분 여부나 그 수위 결정에 영향을 미치지 못하는 경우를 의미한다.
3. 처분의 전제가 되는 '일부' 사실만 증명된 경우이거나 의견청취에 따라 행정청의 처분 여부나 처분 수위가 달라질 수 있는 경우, 위 예외사유에 해당하지 않는다(대판 2020. 7. 23, 2017두66602).

정답 02 ③

03 빈출 중 2023 국회직 9급

행정절차법상 청문에 대한 설명으로 옳지 않은 것은? (다툼이 있는 경우 판례에 의함)

□□□ ① 행정청이 특히 침해적 행정처분을 할 때 그 처분의 근거법령 등에서 청문을 실시하도록 규정하고 있다면, 행정절차법 등 관련법령상 청문을 실시하지 않아도 되는 예외적인 경우에 해당하지 않는 한 반드시 청문을 실시하여야 한다.

□□□ ② 행정청은 다수 국민의 이해가 상충되는 처분을 하려는 경우에 청문 주재자를 2명 이상으로 선정하여야 한다.

□□□ ③ 행정청은 청문이 시작되는 날부터 7일 전까지 청문 주재자에게 청문과 관련한 필요한 자료를 미리 통지하여야 한다.

□□□ ④ 청문제도의 취지는 행정처분의 사유에 대하여 당사자에게 변명과 유리한 자료를 제출할 기회를 부여함으로써 위법사유의 시정가능성을 고려하고, 처분의 신중과 적정을 기하려는 데 있다.

□□□ ⑤ 청문 주재자는 독립하여 공정하게 직무를 수행하며, 그 직무수행을 이유로 본인의 의사에 반하여 신분상 어떠한 불이익도 받지 아니한다.

①④ ○

행정처분의 근거법령 등에서 청문의 실시를 규정하고 있는 경우, 청문절차를 결여한 처분은 위법하여 취소사유에 해당한다.

행정절차법 제22조 제1항 제1호에 정한 청문제도는 행정처분의 사유에 대하여 당사자에게 변명과 유리한 자료를 제출할 기회를 부여함으로써 위법사유의 시정가능성을 고려하고 처분의 신중과 적정을 기하려는 데 그 취지가 있으므로(④), 행정청이 특히 침해적 행정처분을 할 때 그 처분의 근거법령 등에서 청문을 실시하도록 규정하고 있다면, 행정절차법 등 관련법령상 청문을 실시하지 않아도 되는 예외적인 경우에 해당하지 않는 한 반드시 청문을 실시하여야 하며(①), 그러한 절차를 결여한 처분은 위법한 처분으로서 취소사유에 해당한다(대판 2007. 11. 16, 2005두15700).

② ×

③⑤ ○

행정절차법 제28조【청문 주재자】 ② 행정청은 다음 각 호의 어느 하나에 해당하는 처분을 하려는 경우에는 청문 주재자를 2명 이상으로 **선정할 수 있다**. 이 경우 선정된 청문 주재자 중 1명이 청문 주재자를 대표한다.

1. 다수 국민의 이해가 상충되는 처분(②)
2. 다수 국민에게 불편이나 부담을 주는 처분
3. 그 밖에 전문적이고 공정한 청문을 위하여 행정청이 청문 주재자를 2명 이상으로 선정할 필요가 있다고 인정하는 처분

③ 행정청은 청문이 시작되는 날부터 7일 전까지 청문 주재자에게 청문과 관련한 필요한 자료를 미리 통지하여야 한다(③).

④ 청문 주재자는 독립하여 공정하게 직무를 수행하며, 그 직무수행을 이유로 본인의 의사에 반하여 신분상 어떠한 불이익도 받지 아니한다(⑤).

정답 03 ②

04 정답률 66% 중　　2023 지방직 · 서울시 9급

행정절차법에 대한 설명으로 옳지 않은 것은?

① 처분기준을 공표하는 것이 해당 처분의 성질상 현저히 곤란하거나 공공의 안전 또는 복리를 현저히 해치는 것으로 인정될 만한 상당한 이유가 있는 경우에는 처분기준을 공표하지 아니할 수 있다.

② 행정처분의 상대방에 대한 청문통지서가 반송되었거나 행정처분의 상대방이 청문일시에 불출석하였다는 이유만으로 행정청이 관계법령상 그 실시가 요구되는 청문을 실시하지 아니하고 한 침해적 행정처분은 위법하다.

③ 행정절차법상 사전통지 및 의견제출에 대한 권리를 부여하고 있는 '당사자 등'에는 불이익처분의 직접 상대방인 당사자와 행정청이 직권으로 또는 신청에 따라 행정절차에 참여하게 한 이해관계인, 그 밖에 제3자가 포함된다.

④ 행정청이 처분을 하면서 당사자가 그 근거를 알 수 있을 정도로 이유를 제시한 경우에는 처분의 근거와 이유를 구체적으로 명시하지 않았더라도 그로 말미암아 그 처분이 위법하다고 볼 수는 없다.

관련기출

②

1. 행정처분의 상대방에 대한 청문통지서가 반송되었다거나, 행정처분의 상대방이 청문일시에 불출석하였다는 이유로 청문을 실시하지 아니하고 한 침해적 행정처분은 위법하다. (○, ×)　2021 소방간부
2. 행정청은 행정처분의 상대방에 대한 청문통지서가 반송되었거나, 행정처분의 상대방이 청문일시에 불출석하였다는 이유로 청문절차를 생략하고 침해적 행정처분을 할 수 있다. (○, ×)　2020 국가직 7급
3. 구 공중위생법상 유기장업허가취소처분을 함에 있어서 두 차례에 걸쳐 발송한 청문통지서가 모두 반송되어 온 경우, 처분의 상대방이 청문일시에 불출석하였다는 이유로 청문을 거치지 않고 한 침해적 행정처분은 적법하다. (○, ×)　2019 지방직 · 교육행정직 9급
4. 행정처분의 상대방이 청문일시에 불출석하였다는 이유로 청문을 실시하지 않은 침해적 행정처분은 적법하다. (○, ×)　2017 교육행정직 9급

1. ○ 2. × 3. × 4. ×

① ○

행정절차법 제20조【처분기준의 설정 · 공표】 ① 행정청은 필요한 처분기준을 해당 처분의 성질에 비추어 되도록 구체적으로 정하여 공표하여야 한다. 처분기준을 변경하는 경우에도 또한 같다.
③ 제1항에 따른 처분기준을 공표하는 것이 해당 처분의 성질상 현저히 곤란하거나 공공의 안전 또는 복리를 현저히 해치는 것으로 인정될 만한 상당한 이유가 있는 경우에는 처분기준을 공표하지 아니할 수 있다.

② ○

처분 상대방의 청문일시에 불출석 등은 청문을 실시하지 않아도 되는 예외적 사유가 아니라는 것이 판례의 입장이다.

'의견청취가 현저히 곤란하거나 명백히 불필요하다고 인정될 만한 상당한 이유가 있는지'는 당해 처분의 성질에 비추어 판단하여야 하는 것이지 청문통지서의 반송, 청문일의 불출석 등에 의해 판단할 것은 아니다.
행정처분의 상대방이 통지된 청문일시에 불출석하였다는 이유만으로 행정청이 관계법령상 그 실시가 요구되는 청문을 실시하지 아니한 채 침해적 행정처분을 할 수는 없을 것이므로, 행정처분의 상대방에 대한 청문통지서가 반송되었다거나, 행정처분의 상대방이 청문일시에 불출석하였다는 이유로 청문을 실시하지 아니하고 한 침해적 행정처분은 위법하다(대판 2001. 4. 13, 2000두3337).

③ ×

그 밖에 제3자는 포함되지 않는다.

행정절차법 제2조【정의】 이 법에서 사용하는 용어의 뜻은 다음과 같다.
4. '당사자 등'이란 다음 각 목의 자를 말한다.
가. 행정청의 처분에 대하여 직접 그 상대가 되는 당사자
나. 행정청이 직권으로 또는 신청에 따라 행정절차에 참여하게 한 이해관계인

④ ○

행정청이 처분을 할 때에는 원칙적으로 당사자에게 그 근거와 이유를 제시하여야 한다(행정절차법 제23조 제1항). 이 경우 행정청은 처분의 원인이 되는 사실과 근거가 되는 법령 또는 자치법규의 내용을 구체적으로 명시하여야 한다(행정절차법 시행령 제14조의2). 다만 행정청의 자의적 결정을 배제하고 당사자로 하여금 행정구제절차에서 적절히 대처할 수 있도록 하는 처분의 근거 및 이유제시 제도의 취지에 비추어, 처분을 하면서 당사자가 그 근거를 알 수 있을 정도로 이유를 제시한 경우에는 처분의 근거와 이유를 구체적으로 명시하지 않았더라도 그로 말미암아 그 처분이 위법하다고 볼 수는 없다. 이때 '이유를 제시한 경우'는 처분서에 기재된 내용과 관계법령 및 당해 처분에 이르기까지의 전체적인 과정 등을 종합적으로 고려하여, 처분 당시 당사자가 어떠한 근거와 이유로 처분이 이루어진 것인지를 충분히 알 수 있어서 그에 불복하여 행정구제절차로 나아가는 데 별다른 지장이 없었다고 인정되는 경우를 뜻한다(대판 2019. 1. 31, 2016두64975).

정답 04 ③

05 정답률 84% 중 2023 국가직 9급

행정절차법령상 처분의 신청에 대한 설명으로 옳지 않은 것은?

□□□ ① 행정청은 신청인의 편의를 위하여 다른 행정청에 신청을 접수하게 할 수 있다.

□□□ ② 행정청은 신청에 구비서류의 미비 등 흠이 있는 경우 접수를 거부하여야 한다.

□□□ ③ 행정청은 처리기간이 '즉시'로 되어 있는 신청의 경우에는 접수증을 주지 아니할 수 있다.

□□□ ④ 행정청은 다수의 행정청이 관여하는 처분을 구하는 신청을 접수한 경우에는 관계행정청과의 신속한 협조를 통하여 그 처분이 지연되지 아니하도록 하여야 한다.

빈출 ①③ ○

② ×

행정절차법 제17조【처분의 신청】 ④ 행정청은 신청을 받았을 때에는 다른 법령 등에 특별한 규정이 있는 경우를 제외하고는 그 접수를 보류 또는 거부하거나 부당하게 되돌려 보내서는 아니 되며, 신청을 접수한 경우에는 신청인에게 접수증을 주어야 한다. 다만, 대통령령으로 정하는 경우에는 접수증을 주지 아니할 수 있다.

동법 시행령 제9조【접수증】 법 제17조 제4항 단서에서 '대통령령이 정하는 경우'라 함은 다음 각 호의 1에 해당하는 신청의 경우를 말한다.
1. 구술 · 우편 또는 정보통신망에 의한 신청
2. 처리기간이 '즉시'로 되어 있는 신청(③)
3. 접수증에 갈음하는 문서를 주는 신청

⑤ 행정청은 신청에 구비서류의 미비 등 흠이 있는 경우에는 보완에 필요한 상당한 기간을 정하여 지체 없이 신청인에게 보완을 요구하여야 한다(②).
⑥ 행정청은 신청인이 제5항에 따른 기간 내에 보완을 하지 아니하였을 때에는 그 이유를 구체적으로 밝혀 접수된 신청을 되돌려 보낼 수 있다.
⑦ 행정청은 신청인의 편의를 위하여 다른 행정청에 신청을 접수하게 할 수 있다(①). 이 경우 행정청은 다른 행정청에 접수할 수 있는 신청의 종류를 미리 정하여 공시하여야 한다.

④ ○

행정절차법 제18조【다수의 행정청이 관여하는 처분】 행정청은 다수의 행정청이 관여하는 처분을 구하는 신청을 접수한 경우에는 관계행정청과의 신속한 협조를 통하여 그 처분이 지연되지 아니하도록 하여야 한다.

06 정답률 71% 중 2021 군무원 9급

행정절차법상 청문에 대한 설명으로 옳지 않은 것은?

□□□ ① 청문 주재자에게 공정한 청문 진행을 할 수 없는 사정이 있는 경우 당사자 등은 행정청에 기피신청을 할 수 있다.

□□□ ② 청문 주재자가 청문을 시작할 때에는 먼저 예정된 처분의 내용, 그 원인이 되는 사실 및 법적 근거 등을 설명하여야 한다.

□□□ ③ 청문 주재자는 직권으로 또는 당사자의 신청에 따라 필요한 조사를 할 수 있으며, 당사자 등이 주장하지 아니한 사실에 대하여는 조사할 수 없다.

□□□ ④ 행정청은 청문을 마친 후 처분을 할 때까지 새로운 사정이 발견되어 청문을 재개(再開)할 필요가 있다고 인정할 때에는 청문조서 등을 되돌려 보내고 청문의 재개를 명할 수 있다.

① ○

행정절차법 제29조【청문 주재자의 제척 · 기피 · 회피】 ② 청문 주재자에게 공정한 청문 진행을 할 수 없는 사정이 있는 경우 당사자 등은 행정청에 기피신청을 할 수 있다. 이 경우 행정청은 청문을 정지하고 그 신청이 이유가 있다고 인정할 때에는 해당 청문 주재자를 지체 없이 교체하여야 한다.

② ○

행정절차법 제31조【청문의 진행】 ① 청문 주재자가 청문을 시작할 때에는 먼저 예정된 처분의 내용, 그 원인이 되는 사실 및 법적 근거 등을 설명하여야 한다.

③ ×

행정절차법 제33조【증거조사】 ① 청문 주재자는 직권으로 또는 당사자의 신청에 따라 필요한 조사를 할 수 있으며, 당사자 등이 주장하지 아니한 사실에 대하여도 조사할 수 있다.

④ ○

행정절차법 제36조【청문의 재개】 행정청은 청문을 마친 후 처분을 할 때까지 새로운 사정이 발견되어 청문을 재개(再開)할 필요가 있다고 인정할 때에는 제35조 제4항에 따라 받은 청문조서 등을 되돌려 보내고 청문의 재개를 명할 수 있다. 이 경우 제31조 제5항을 준용한다.

정답 05 ② 06 ③

07 중 2020 군무원 9급

처분의 신청에 관한 행정절차법의 규정내용으로 옳지 않은 것은?

□□□ ① 행정청에 처분을 구하는 신청은 문서로 하여야 한다. 다만, 다른 법령 등에 특별한 규정이 있는 경우와 행정청이 미리 다른 방법을 정하여 공시한 경우에는 그러하지 아니하다.

□□□ ② 행정청은 신청에 필요한 구비서류, 접수기관, 처리기간, 그 밖에 필요한 사항을 게시(인터넷 등을 통한 게시를 포함)하거나 이에 대한 편람을 갖추어 두고 누구나 열람할 수 있도록 하여야 한다.

□□□ ③ 행정청은 신청에 구비서류의 미비 등 흠이 있는 경우에는 보완에 필요한 상당한 기간을 정하여 지체 없이 신청인에게 보완을 요구할 수 있다.

□□□ ④ 행정청은 신청인의 편의를 위하여 다른 행정청에 신청을 접수하게 할 수 있다. 이 경우 행정청은 다른 행정청에 접수할 수 있는 신청의 종류를 미리 정하여 공시하여야 한다.

관련기출

①

1. 행정청에 처분을 구하는 신청은 문서로만 가능하다. (○, ×)
2016 서울시 9급, 2009 지방직(하) 7급

1. ×

②

1. 행정청에 처분을 구하는 신청은 문서로 함이 원칙이며, 행정청은 신청에 필요한 구비서류, 접수기관, 처리기간, 그 밖에 필요한 사항을 게시하거나 이에 대한 편람을 갖추어 두고 누구나 열람할 수 있도록 하여야 한다. (○, ×)
2017 지방직 9급

1. ○

④

1. 행정청은 신청인의 편의를 위하여 다른 행정청에 신청을 접수하게 할 수 있다. (○, ×)
2016 서울시 9급

1. ○

①②④ ○

③ ×

보완을 요구'할 수 있다'가 아니라 요구'하여야 한다'가 맞는 지문이다(③).

행정절차법 제17조【처분의 신청】 ① 행정청에 처분을 구하는 신청은 문서로 하여야 한다. 다만, 다른 법령 등에 특별한 규정이 있는 경우와 행정청이 미리 다른 방법을 정하여 공시한 경우에는 그러하지 아니하다(①).
② 제1항에 따라 처분을 신청할 때 전자문서로 하는 경우에는 행정청의 컴퓨터 등에 입력된 때에 신청한 것으로 본다.
③ 행정청은 신청에 필요한 구비서류, 접수기관, 처리기간, 그 밖에 필요한 사항을 게시(인터넷 등을 통한 게시를 포함한다)하거나 이에 대한 편람을 갖추어 두고 누구나 열람할 수 있도록 하여야 한다(②).
④ 행정청은 신청을 받았을 때에는 다른 법령 등에 특별한 규정이 있는 경우를 제외하고는 그 접수를 보류 또는 거부하거나 부당하게 되돌려 보내서는 아니 되며, 신청을 접수한 경우에는 신청인에게 접수증을 주어야 한다. 다만, 대통령령으로 정하는 경우에는 접수증을 주지 아니할 수 있다.
⑤ 행정청은 신청에 구비서류의 미비 등 흠이 있는 경우에는 보완에 필요한 상당한 기간을 정하여 지체 없이 신청인에게 **보완을 요구하여야 한다**(③).
⑥ 행정청은 신청인이 제5항에 따른 기간 내에 보완을 하지 아니하였을 때에는 그 이유를 구체적으로 밝혀 접수된 신청을 되돌려 보낼 수 있다.
⑦ 행정청은 신청인의 편의를 위하여 다른 행정청에 신청을 접수하게 할 수 있다. 이 경우 행정청은 다른 행정청에 접수할 수 있는 신청의 종류를 미리 정하여 공시하여야 한다(④).
⑧ 신청인은 처분이 있기 전에는 그 신청의 내용을 보완ㆍ변경하거나 취하(取下)할 수 있다. 다만, 다른 법령 등에 특별한 규정이 있거나 그 신청의 성질상 보완ㆍ변경하거나 취하할 수 없는 경우에는 그러하지 아니하다.

정답 07 ③

08 빈출 중 2020 군무원 7급 변형

행정절차에 대한 설명으로 옳지 않은 것은? (다툼이 있는 경우 판례에 의함)

□□□ ① 행정청은 인 · 허가 등의 취소, 신분 · 자격의 박탈, 법인이나 조합 등의 설립허가의 취소에 관한 처분을 하는 경우 청문을 한다.

□□□ ② 행정청은 처분을 함에 있어 국민생활에 큰 영향을 미치는 처분으로서 대통령령으로 정하는 처분에 대하여 대통령령으로 정하는 수 이상의 당사자 등이 공청회 개최를 요구하는 경우 공청회를 개최한다.

□□□ ③ 행정청은 국민생활에 매우 큰 영향을 주는 사항에 대한 정책, 제도 및 계획을 수립 · 시행하거나 변경하려는 경우에 한해 이를 예고할 의무가 있다.

□□□ ④ 판례는 당사자가 신청하는 허가 등을 거부하는 처분을 하면서 당사자가 그 근거를 알 수 있을 정도로 이유를 제시한 경우에는 처분의 근거와 이유를 구체적으로 명시하지 않았더라도 그로 인해 처분이 위법하게 되는 것은 아니라고 보았다.

관련기출

①

1. 인 · 허가 등의 취소를 내용으로 하는 처분의 경우 행정청은 처분의 근거법률에 청문을 하도록 규정되어 있지 않더라도 행정절차법에 따라 청문을 한다. (○, ×) 2020 국회직 8급 변형
2. 인 · 허가 등을 취소하는 경우에는 개별법령상 청문을 하도록 하는 근거규정이 없고 의견제출기한 내에 당사자 등의 신청이 없는 경우에도 청문을 하여야 한다. (○, ×) 2019 서울시 9급
3. 자격의 박탈을 내용으로 하는 처분의 경우 행정청은 처분의 근거법률에 청문을 하도록 규정되어 있지 않더라도 행정절차법에 따라 청문을 한다. (○, ×) 2018 국가직 7급 변형

1. ○ 2. ○ 3. ○

①② **빈출** ○

청문과 공청회의 개최사유는 자주 출제되므로 조문을 정확히 정리해 두어야 한다.

> **행정절차법 제22조【의견청취】** ① 행정청이 처분을 할 때 다음 각 호의 어느 하나에 해당하는 경우에는 청문을 한다.
> 1. 다른 법령 등에서 청문을 하도록 규정하고 있는 경우
> 2. 행정청이 필요하다고 인정하는 경우
> 3. 다음 각 목의 처분을 하는 경우(①)
>   가. 인 · 허가 등의 취소
>   나. 신분 · 자격의 박탈
>   다. 법인이나 조합 등의 설립허가의 취소
>
> ② 행정청이 처분을 할 때 다음 각 호의 어느 하나에 해당하는 경우에는 공청회를 개최한다.
> 1. 다른 법령 등에서 공청회를 개최하도록 규정하고 있는 경우
> 2. 해당 처분의 영향이 광범위하여 널리 의견을 수렴할 필요가 있다고 행정청이 인정하는 경우
> 3. 국민생활에 큰 영향을 미치는 처분으로서 대통령령으로 정하는 처분에 대하여 대통령령으로 정하는 수 이상의 당사자 등이 공청회 개최를 요구하는 경우(②)

③ ×

> **행정절차법 제46조【행정예고】** ① 행정청은 정책, 제도 및 계획(이하 '정책 등'이라 한다)을 수립 · 시행하거나 변경하려는 경우에는 이를 예고하여야 한다. 다만, 다음 각 호의 어느 하나에 해당하는 경우에는 예고를 하지 아니할 수 있다.
> 1. 신속하게 국민의 권리를 보호하여야 하거나 예측이 어려운 특별한 사정이 발생하는 등 긴급한 사유로 예고가 현저히 곤란한 경우
> 2. 법령 등의 단순한 집행을 위한 경우
> 3. 정책 등의 내용이 국민의 권리 · 의무 또는 일상생활과 관련이 없는 경우
> 4. 정책 등의 예고가 공공의 안전 또는 복리를 현저히 해칠 우려가 상당한 경우

④ ○

> 행정절차법 제23조 제1항은 행정청은 처분을 하는 때에는 당사자에게 그 근거와 이유를 제시하여야 한다고 규정하고 있는바, 일반적으로 당사자가 근거규정 등을 명시하여 신청하는 인 · 허가 등을 거부하는 처분을 함에 있어 당사자가 그 근거를 알 수 있을 정도로 상당한 이유를 제시한 경우에는 당해 처분의 근거 및 이유를 구체적으로 명시하지 않았더라도 처분이 위법하다고 할 수 없다(대판 2002. 5. 17, 2000두8912).

정답 08 ③

09 빈출 중

2020 국회직 8급 변형

행정절차에 대한 설명으로 옳지 않은 것은? (다툼이 있는 경우 판례에 의함)

□□□ ① 행정에서 적법절차원리의 헌법적 근거는 형사절차에서의 적법절차를 규정한 헌법 제12조 제3항에 있다.

□□□ ② 침익적 행정처분을 하면서 사전통지 및 의견제출의 기회를 주지 않았다면, 사전통지 및 의견제출절차를 생략해야 할 예외적 사유가 없는 한, 그 처분은 위법하여 취소되어야 한다.

□□□ ③ 수익적 행정행위의 신청에 대해서 이를 거부하면서 사전통지 및 의견제출절차를 거치지 않은 것은 실질적으로 침익적 결과를 초래하였으므로 취소사유에 해당한다.

□□□ ④ 인 · 허가 등의 취소를 내용으로 하는 처분의 경우 행정청은 처분의 근거법률에 청문을 하도록 규정되어 있지 않더라도 행정절차법에 따라 청문을 한다.

□□□ ⑤ 행정청이 처분의 근거법률상 청문절차를 이행하는 과정에서 청문서 도달기간을 다소 어겼지만 당사자가 이의를 제기하지 않고 청문일에 출석하여 의견진술과 변명의 기회를 충분히 가졌다면 청문서 도달기간 미준수의 하자는 치유된 것으로 본다.

관련기출

②

1. 행정청이 침해적 행정처분을 함에 있어서 당사자에게 의견제출의 기회를 주지 아니하였다면, 의견제출의 기회를 주지 아니하여도 되는 예외적인 경우에 해당하지 않는 한 그 처분은 위법하다. (○, ×) 2007 국가직 7급

1. ○

① ○

> 헌법 제12조의 적법절차원리는 형사절차뿐만 아니라 입법 · 행정 등 국가의 모든 공권력작용에 적용된다.
>
> 헌법 제12조 제3항 본문은 동조 제1항과 함께 적법절차원리의 일반조항에 해당하는 것으로서, 형사절차상의 영역에 한정되지 않고 입법 · 행정 등 국가의 모든 공권력의 작용에는 절차상의 적법성뿐만 아니라 법률의 실체적 내용도 합리성과 정당성을 갖춘 실체적인 적법성이 있어야 한다는 적법절차의 원칙을 헌법의 기본원리로 명시한 것이다(헌재 1992. 12. 24, 92헌마78).

② ○

> 행정청이 침해적 행정처분을 함에 있어서 당사자에게 위와 같은 사전통지를 하거나 의견제출의 기회를 주지 아니하였다면 사전통지를 하지 않거나 의견제출의 기회를 주지 아니하여도 되는 예외적인 경우에 해당하지 아니하는 한 그 처분은 위법하여 취소를 면할 수 없다(대판 2004. 5. 28, 2004두1254).

③ ×

특별한 사정이 없는 한 거부처분은 직접 당사자의 권익을 제한하는 것은 아니어서 신청에 대한 거부처분은 처분의 사전통지대상이 된다고 할 수 없다는 것이 판례의 입장이다(대판 2003. 11. 28, 2003두674).

④ ○

2022년 행정절차법 개정으로 행정절차법 제22조 제1항 제3호에 해당하는 경우, 신청 여부를 불문하고 청문을 한다.

> **행정절차법 제22조【의견청취】** ① 행정청이 처분을 할 때 다음 각 호의 어느 하나에 해당하는 경우에는 청문을 한다.
> 1. 다른 법령 등에서 청문을 하도록 규정하고 있는 경우
> 2. 행정청이 필요하다고 인정하는 경우
> 3. 다음 각 목의 처분을 하는 경우
>   가. 인 · 허가 등의 취소
>   나. 신분 · 자격의 박탈
>   다. 법인이나 조합 등의 설립허가의 취소

⑤ 제16강 참조 ○

> 행정청이 식품위생법상의 청문절차를 이행함에 있어 청문서 도달기간을 다소 어겼지만 영업자가 이의하지 아니한 채 청문일에 출석하여 의견을 진술하고 변명하는 등 방어의 기회를 충분히 가졌다면 하자는 치유된다(대판 1992. 10. 23, 92누2844).

정답 09 ③

10 빈출 정답률 56% 상 2019 지방직 7급

행정절차법상 의견청취절차에 대한 설명으로 옳은 것만을 모두 고르면? (다툼이 있는 경우 판례에 의함)

□□□ ㉠ 의견제출제도는 당사자에게 의무를 부과하거나 권익을 제한하는 경우에 적용되고 수익적 행위나 수익적 행위의 신청에 대한 거부에는 적용이 없으며, 일반처분의 경우에도 적용이 없다.

□□□ ㉡ 처분의 상대방에게 이익이 되며 제3자의 권익을 침해하는 이중효과적 행정행위는 행정절차법상 사전통지 · 의견제출의 대상이 된다.

□□□ ㉢ 공무원연금법상 퇴직연금의 환수결정은 당사자에게 의무를 과하는 처분이므로, 퇴직연금의 환수결정에 앞서 당사자에게 행정절차법상의 의견진술의 기회를 주지 아니한 경우 당해 처분은 행정절차법 위반이다.

□□□ ㉣ 행정청과 당사자 사이에 청문의 실시 등 의견청취절차를 배제하는 협약이 있었다 하더라도, 이와 같은 협약의 체결로 청문의 실시에 관한 규정의 적용을 배제할 수 있다고 볼 만한 법령상의 규정이 없는 한, 청문의 실시에 관한 규정의 적용이 배제되지 않으며 청문을 실시하지 않아도 되는 예외적인 경우에 해당하지 아니한다.

① ㉠, ㉡ ② ㉠, ㉣
③ ㉡, ㉢ ④ ㉢, ㉣

② ㉠㉣이 옳은 설명이다.

㉠ ○

의견제출은 의무를 부과하거나 권익을 제한하는 침익적 처분에만 적용되고, 수익적 행위나 그 거부에는 적용되지 않는다. 또한 일반처분은 성질상 의견제출의 기회를 주어야 하는 상대방을 특정할 수 없으므로 의견제출제도의 대상에서 제외된다.

> **행정절차법 제22조【의견청취】** ③ 행정청이 당사자에게 의무를 부과하거나 권익을 제한하는 처분을 할 때 제1항(편저자 주 : 청문) 또는 제2항(편저자 주 : 공청회)의 경우 외에는 당사자 등에게 의견제출의 기회를 주어야 한다.

> '고시'의 방법으로 불특정 다수인을 상대로 의무를 부과하거나 권익을 제한하는 처분은 성질상 의견제출의 기회를 주어야 하는 상대방을 특정할 수 없으므로, 이와 같은 처분에 있어서까지 구 행정절차법 제22조 제3항에 의하여 그 상대방에게 의견제출의 기회를 주어야 한다고 해석할 것은 아니다(대판 2014. 10. 27, 2012두7745).

㉡ ×

행정청은 당사자에게 의무를 부과하거나 권익을 제한하는 처분을 하는 경우에는 미리 처분의 제목, 당사자의 성명 또는 명칭과 주소 등을 당사자 등에게 통지하여야 한다(행정절차법 제21조 제1항). 여기에서 당사자라 함은 처분의 상대방을 의미한다. 따라서 처분의 상대방에게는 이익이 되는 행정행위라면 그 행위가 제3자의 권익을 침해하는 이중효과적 행정행위라도 행정절차법상 사전 통지 · 의견제출의 대상이 되는 것은 아니다.

> **행정절차법 제21조【처분의 사전통지】** ① 행정청은 당사자에게 의무를 부과하거나 권익을 제한하는 처분을 하는 경우에는 미리 다음 각 호의 사항을 당사자 등에게 통지하여야 한다.

㉢ ×

> 퇴직연금의 환수결정은 당사자에게 의무를 과하는 처분이기는 하나, 관련법령에 따라 당연히 환수금액이 정하여지는 것이므로, 퇴직연금의 환수결정에 앞서 당사자에게 의견진술의 기회를 주지 아니하여도 행정절차법 제22조 제3항이나 신의칙에 어긋나지 아니한다(대판 2000. 11. 28, 99두5443).

㉣ ○

> 행정청이 당사자와 사이에 도시계획사업의 시행과 관련한 협약을 체결하면서 관계법령 및 행정절차법에 규정된 청문의 실시 등 의견청취절차를 배제하는 조항을 둔 경우, 청문의 실시에 관한 규정의 적용이 배제되거나 청문을 실시하지 않아도 되는 예외적인 경우에 해당한다고 할 수 없다(대판 2004. 7. 8, 2002두8350).

정답 10 ②

11 빈출 중 2017 국가직(하) 9급 변형

행정절차에 대한 설명으로 옳지 않은 것은? (다툼이 있는 경우 판례에 의함)

□□□ ① 행정청이 정당한 처리기간 내에 처분을 처리하지 아니하였을 때에는 신청인은 해당 행정청 또는 그 감독 행정청에 신속한 처리를 요청할 수 있다.

□□□ ② 행정청은 원칙적으로 행정절차법 제38조에 따른 공청회와 병행하여서만 정보통신망을 이용한 공청회를 실시할 수 있다.

□□□ ③ 퇴직연금의 환수결정은 당사자에게 의무를 과하는 처분이므로 퇴직연금의 환수결정에 앞서 당사자에게 의견진술의 기회를 주지 아니하였다면 위법하다.

□□□ ④ 행정청은 식품위생법 규정에 의하여 영업자지위승계 신고 수리처분을 함에 있어서 종전의 영업자에 대하여 행정절차법상 사전통지를 하고 의견제출기회를 주어야 한다.

① ○

행정절차법 제19조【처리기간의 설정 · 공표】① 행정청은 신청인의 편의를 위하여 처분의 처리기간을 종류별로 미리 정하여 공표하여야 한다.
② 행정청은 부득이한 사유로 제1항에 따른 처리기간 내에 처분을 처리하기 곤란한 경우에는 해당 처분의 처리기간의 범위에서 한 번만 그 기간을 연장할 수 있다.
③ 행정청은 제2항에 따라 처리기간을 연장할 때에는 처리기간의 연장사유와 처리예정기한을 지체 없이 신청인에게 통지하여야 한다.
④ 행정청이 정당한 처리기간 내에 처리하지 아니하였을 때에는 신청인은 해당 행정청 또는 그 감독 행정청에 신속한 처리를 요청할 수 있다.
⑤ 제1항에 따른 처리기간에 산입하지 아니하는 기간에 관하여는 대통령령으로 정한다.

② ○

행정절차법 제38조의2【온라인공청회】① 행정청은 제38조에 따른 공청회와 병행하여서만 정보통신망을 이용한 공청회(이하 '온라인공청회'라 한다)를 실시할 수 있다.
② 제1항에도 불구하고 다음 각 호의 어느 하나에 해당하는 경우에는 온라인공청회를 단독으로 개최할 수 있다.
1. 국민의 생명 · 신체 · 재산의 보호 등 국민의 안전 또는 권익보호 등의 이유로 제38조에 따른 공청회를 개최하기 어려운 경우
2. 제38조에 따른 공청회가 행정청이 책임질 수 없는 사유로 개최되지 못하거나 개최는 되었으나 정상적으로 진행되지 못하고 무산된 횟수가 3회 이상인 경우
3. 행정청이 널리 의견을 수렴하기 위하여 온라인공청회를 단독으로 개최할 필요가 있다고 인정하는 경우. 다만, 제22조 제2항 제1호 또는 제3호에 따라 공청회를 실시하는 경우는 제외한다.

③ ×

퇴직연금의 환수결정은 당사자에게 의무를 과하는 처분이기는 하나, 관련법령에 따라 당연히 환수금액이 정하여지는 것이므로, 퇴직연금의 환수결정에 앞서 당사자에게 의견진술의 기회를 주지 아니하여도 행정절차법 제22조 제3항이나 신의칙에 어긋나지 아니한다는 것이 판례의 입장이다(대판 2000. 11. 28, 99두5443).

④ ○

행정청이 구 식품위생법 규정에 의하여 영업자지위승계신고를 수리하는 처분은 종전의 영업자의 권익을 제한하는 처분이라 할 것이고 따라서 종전의 영업자는 그 처분에 대하여 직접 그 상대가 되는 자에 해당한다고 봄이 상당하므로, 행정청으로서는 위 신고를 수리하는 처분을 함에 있어서 행정절차법 규정 소정의 당사자에 해당하는 종전의 영업자에 대하여 위 규정 소정의 행정절차를 실시하고 처분을 하여야 한다(대판 2003. 2. 14, 2001두7015).

정답 11 ③

12 ㊥ 2016 교육행정직 9급

행정절차법상 행정절차에 관한 설명으로 옳지 않은 것은?

□□□ ① 청문 주재자는 당사자의 신청을 받아 행정청이 선정한다.

□□□ ② 행정절차법은 청문 주재자의 제척 · 기피 · 회피에 관하여 규정하고 있다.

□□□ ③ 청문은 당사자가 공개를 신청하거나 청문 주재자가 필요하다고 인정하는 경우 공개할 수 있다.

□□□ ④ 행정청은 법령상 청문실시의 사유가 있는 경우에도 당사자가 의견진술의 기회를 포기한다는 뜻을 명백히 표시한 경우에는 의견청취를 하지 않을 수 있다.

① ×

당사자의 신청을 받는 것이 아니라 행정청이 직권으로 청문 주재자를 선정한다.

> **행정절차법 제28조【청문 주재자】** ① 행정청은 소속 직원 또는 대통령령으로 정하는 자격을 가진 사람 중에서 청문 주재자를 공정하게 선정하여야 한다.

② ○

> **행정절차법 제29조【청문 주재자의 제척 · 기피 · 회피】** ① 청문 주재자가 다음 각 호의 어느 하나에 해당하는 경우에는 청문을 주재할 수 없다(편저자 주 : 제척).
> 1. 자신이 당사자 등이거나 당사자 등과 민법 제777조 각 호의 어느 하나에 해당하는 친족관계에 있거나 있었던 경우
> 2. 자신이 해당 처분과 관련하여 증언이나 감정(鑑定)을 한 경우
> 3. 자신이 해당 처분의 당사자 등의 대리인으로 관여하거나 관여하였던 경우
> 4. 자신이 해당 처분업무를 직접 처리하거나 처리하였던 경우
> 5. 자신이 해당 처분업무를 처리하는 부서에 근무하는 경우. 이 경우 부서의 구체적인 범위는 대통령령으로 정한다.
>
> ② 청문 주재자에게 공정한 청문 진행을 할 수 없는 사정이 있는 경우 당사자 등은 행정청에 기피신청을 할 수 있다. 이 경우 행정청은 청문을 정지하고 그 신청이 이유가 있다고 인정할 때에는 해당 청문 주재자를 지체 없이 교체하여야 한다.
> ③ 청문 주재자는 제1항 또는 제2항의 사유에 해당하는 경우에는 행정청의 승인을 받아 스스로 청문의 주재를 회피할 수 있다.

③ ○

청문은 당사자가 공개를 신청하거나 청문 주재자가 필요하다고 인정하는 경우 공개할 수 있다는 것이 행정절차법의 태도이다.

④ ○

> **행정절차법 제22조【의견청취】** ④ 제1항부터 제3항까지의 규정에도 불구하고 제21조 제4항 각 호의 어느 하나에 해당하는 경우와 당사자가 의견진술의 기회를 포기한다는 뜻을 명백히 표시한 경우에는 의견청취를 하지 아니할 수 있다.

정답 12 ①

13 정답률 37% 상 2015 서울시 9급

행정청은 당사자에게 의무를 부과하거나 권익을 제한하는 처분을 하는 경우에는 미리 처분의 제목, 당사자의 성명 또는 명칭과 주소 등의 일정한 사항을 당사자 등에게 통지하여야 함이 원칙이지만, 예외적으로 이러한 사전통지가 생략될 수 있다. 다음 중 행정절차법이 규정하고 있는 사전통지 생략사유가 아닌 것은?

□□□ ① 공공의 안전 또는 복리를 위하여 긴급히 처분을 할 필요가 있는 경우

□□□ ② 단순 · 반복적인 처분 또는 경미한 처분으로서 당사자가 그 이유를 명백히 알 수 있는 경우

□□□ ③ 해당 처분의 성질상 의견청취가 현저히 곤란하거나 명백히 불필요하다고 인정될 만한 상당한 이유가 있는 경우

□□□ ④ 법령 등에서 요구된 자격이 없거나 없어지게 되면 반드시 일정한 처분을 하여야 하는 경우에 그 자격이 없거나 없어지게 된 사실이 법원의 재판 등에 의하여 객관적으로 증명된 경우

①③④ ○

> **행정절차법 제21조【처분의 사전통지】** ④ 다음 각 호의 어느 하나에 해당하는 경우에는 제1항에 따른 통지를 하지 아니할 수 있다.
> 1. 공공의 안전 또는 복리를 위하여 긴급히 처분을 할 필요가 있는 경우(①)
> 2. 법령 등에서 요구된 자격이 없거나 없어지게 되면 반드시 일정한 처분을 하여야 하는 경우에 그 자격이 없거나 없어지게 된 사실이 법원의 재판 등에 의하여 객관적으로 증명된 경우(④)
> 3. 해당 처분의 성질상 의견청취가 현저히 곤란하거나 명백히 불필요하다고 인정될 만한 상당한 이유가 있는 경우(③)

② ×

처분의 이유제시의 예외사유에 해당한다.

> **행정절차법 제23조【처분의 이유제시】** ① 행정청은 처분을 할 때에는 다음 각 호의 어느 하나에 해당하는 경우를 제외하고는 당사자에게 그 근거와 이유를 제시하여야 한다.
> 1. 신청내용을 모두 그대로 인정하는 처분인 경우
> 2. 단순 · 반복적인 처분 또는 경미한 처분으로서 당사자가 그 이유를 명백히 알 수 있는 경우
> 3. 긴급히 처분을 할 필요가 있는 경우

14 중 2012 경행특채

행정절차법에 의한 행정절차와 그 법적 효과에 관한 다음 설명 중 가장 적절한 것은? (다툼이 있는 경우 판례에 의함)

□□□ ① 의견제출을 위하여 당사자 등은 행정절차법에 의하여 해당 사안의 조사결과에 관한 문서 기타 해당 처분과 관련되는 문서의 열람 또는 복사를 요청할 수 있다.

□□□ ② 이유제시의 하자는 무효사유와 취소사유의 구별기준에 따라 무효인 하자와 취소할 수 있는 하자가 된다. 판례는 이유제시의 하자를 통상 무효사유로 보고 있다.

□□□ ③ 사전통지 · 의견제출절차의 대상이 되는 처분은 '의무를 부과하거나 권익을 제한하는 처분'인데, 여기에 신청에 대한 거부처분이 당연히 포함되는 것은 아니다.

□□□ ④ 행정청이 어떤 처분을 하였는지가 분명하더라도 처분경위나 처분 이후의 상대방의 태도 등 다른 사정을 고려하여 처분서의 문언과는 달리 다른 처분까지 포함되어 있는 것으로 확대해석할 수 있다.

① ○

종래 행정절차법상 문서의 열람 또는 복사의 요청권은 의견청취절차 중 청문절차에 대해서만 규정하고 있었으나 2022년 개정으로 의견제출절차에도 도입되었다. 따라서 출제 당시에는 옳지 않은 지문이었으나 현재는 옳은 지문이다.

> **행정절차법 제37조【문서의 열람 및 비밀유지】** ① 당사자 등은 의견제출의 경우에는 처분의 사전통지가 있는 날부터 의견제출기한까지, 청문의 경우에는 청문의 통지가 있는 날부터 청문이 끝날 때까지 행정청에 해당 사안의 조사결과에 관한 문서와 그 밖에 해당 처분과 관련되는 문서의 열람 또는 복사를 요청할 수 있다. 이 경우 행정청은 다른 법령에 따라 공개가 제한되는 경우를 제외하고는 그 요청을 거부할 수 없다.

② ×

판례는 이유제시의 하자를 통상 취소사유로 보고 있다.

③ ○

거부처분은 사전통지대상이 아니라는 것이 판례의 입장이다.

④ ×

> 행정처분을 하는 문서의 문언만으로 행정처분의 내용이 분명한 경우, 그 문언과 달리 다른 행정처분까지 포함되어 있다고 확대해석할 수 없다(대판 2005. 7. 28, 2003두469).

정답 13 ② 14 ①③

02 행정절차의 하자

기 460~461쪽 핵 T 42

15 하

2018 교육행정직 9급

행정절차에 관한 설명으로 옳은 것은?

□□□ ① 행정청에서 별도의 수리를 하여야 효력이 발생하는 행정상 신고는 허용되지 않는다.

□□□ ② 행정처분이 절차상 중대한 하자가 있다고 하더라도 실체적 하자가 없다면 취소판결을 할 수 없다.

□□□ ③ 인 · 허가 의제는 관계기관의 권한행사에 제약을 가할 수 있으므로 법령상 명문의 근거규정을 필요로 한다.

□□□ ④ 신청내용을 모두 그대로 인정하는 처분인 경우라 할지라도 이유 · 근거를 구체적으로 제시해야 할 행정청의 의무가 완화되는 것은 아니다.

① ×

신고는 효과에 따라 자기완결적 신고와 행위요건적 신고로 나눌 수 있다. 그중 행위요건적 신고(수리를 요하는 신고)는 법령 등에서 사인이 행정청에 대하여 일정한 사항을 통지하고 행정청이 이를 수리함으로써 법적 효과가 발생하는 신고를 말한다.

② ×

실체적인 면에서 하자가 없고 절차상의 하자만 있는 경우에도 행정행위는 위법하다는 것이 통설 및 판례의 입장이다. 즉, 절차적인 하자는 독자적인 위법사유가 된다.

> 식품위생법 제64조, 같은 법 시행령 제37조 제1항 소정의 청문절차를 전혀 거치지 아니하거나 거쳤다 하더라도 그 절차적 요건을 제대로 준수하지 아니한 경우에는 가사 영업정지사유가 인정된다 할지라도 그 처분은 위법하여 취소를 면할 수 없다(대판 1991. 7. 9, 91누971).

③ ○

인 · 허가 의제제도는 주된 인 · 허가를 담당하는 기관이 의제되는 인 · 허가(관련 인 · 허가)에 관한 심사도 담당한다는 점에서 행정기관의 권한에 변경을 가져오므로 법률에 명시적 근거가 있어야 하며, 의제되는 인 · 허가의 범위도 법령에 명시되어 있어야 한다. 행정기본법도 인 · 허가 의제 법정주의를 취하고 있다.

④ ×

원칙적으로 처분을 하는 경우 처분의 이유를 구체적으로 명시하여야 한다. 그러나 신청내용을 모두 그대로 인정하는 처분인 경우 이유와 근거를 생략할 수 있으므로 행정청의 이유제시 의무가 완화된다고 볼 수 있다.

> **행정절차법 제23조【처분의 이유제시】** ① 행정청은 처분을 할 때에는 다음 각 호의 어느 하나에 해당하는 경우를 제외하고는 당사자에게 그 근거와 이유를 제시하여야 한다.
> 1. 신청내용을 모두 그대로 인정하는 처분인 경우
> 2. 단순 · 반복적인 처분 또는 경미한 처분으로서 당사자가 그 이유를 명백히 알 수 있는 경우
> 3. 긴급히 처분을 할 필요가 있는 경우
>
> ② 행정청은 제1항 제2호 및 제3호의 경우에 처분 후 당사자가 요청하는 경우에는 그 근거와 이유를 제시하여야 한다.

정답 15 ③

제 22 강 정보공개법과 개인정보보호법

1회독	2회독	3회독
/	/	/

정답률 공단기/소방단기 합격예측 풀서비스 통계 데이터 기준 기 기본서 핵 핵심집약

01 정보공개법

기 466~489쪽 핵 T 43

01 상

2024 국회직 8급

「공공기관의 정보공개에 관한 법률」의 내용에 대한 설명으로 옳지 않은 것은? (다툼이 있는 경우 판례에 의함)

□□□ ① 행정안전부장관은 전년도의 정보공개 운영에 관한 보고서를 매년 정기국회 개회 전까지 국회에 제출하여야 한다.

□□□ ② 청구인이 정보공개와 관련한 공공기관의 비공개결정 또는 부분공개결정에 대하여 불복이 있거나 정보공개청구 후 20일이 경과하도록 정보공개결정이 없는 때에는 공공기관으로부터 정보공개 여부의 결정통지를 받은 날 또는 정보공개청구 후 20일이 경과한 날부터 7일 이내에 해당 공공기관에 문서로 이의신청을 할 수 있다.

□□□ ③ 공공기관은 국가의 시책으로 시행하는 공사(工事) 등 대규모 예산이 투입되는 사업에 관한 정보에 대해서는 공개의 구체적 범위, 주기, 시기 및 방법 등을 미리 정하여 정보통신망 등을 통하여 알리고, 이에 따라 정기적으로 공개하여야 한다

□□□ ④ 공공기관은 공개청구된 정보가 공공기관이 보유 · 관리하지 아니하는 정보인 경우, 「민원처리에 관한 법률」에 따른 민원으로 처리할 수 있는 경우에는 민원으로 처리할 수 있다.

□□□ ⑤ 공공기관은 정보공개를 청구하여 정보공개 여부에 대한 결정의 통지를 받은 자가 정당한 사유 없이 해당 정보의 공개를 다시 청구하는 경우에는 정보공개청구 대상정보의 성격, 종전 청구와의 내용적 유사성 · 관련성 등을 종합적으로 고려하여 해당 청구를 종결 처리할 수 있다.

① ○

「공공기관의 정보공개에 관한 법률」 제26조【국회에의 보고】① 행정안전부장관은 전년도의 정보공개 운영에 관한 보고서를 매년 정기국회 개회 전까지 국회에 제출하여야 한다.

② ×

「공공기관의 정보공개에 관한 법률」 제18조【이의신청】① 청구인이 정보공개와 관련한 공공기관의 비공개결정 또는 부분공개결정에 대하여 불복이 있거나 정보공개청구 후 20일이 경과하도록 정보공개결정이 없는 때에는 공공기관으로부터 정보공개 여부의 결정통지를 받은 날 또는 정보공개청구 후 20일이 경과한 날부터 30일 이내에 해당 공공기관에 문서로 이의신청을 할 수 있다.

③ ○

공공기관의 정보공개에 관한 법률 제7조【정보의 사전적 공개 등】① 공공기관은 다음 각 호의 어느 하나에 해당하는 정보에 대해서는 공개의 구체적 범위, 주기, 시기 및 방법 등을 미리 정하여 정보통신망 등을 통하여 알리고, 이에 따라 정기적으로 공개하여야 한다. 다만, 제9조 제1항 각 호의 어느 하나에 해당하는 정보에 대해서는 그러하지 아니하다.
1. 국민생활에 매우 큰 영향을 미치는 정책에 관한 정보
2. 국가의 시책으로 시행하는 공사(工事) 등 대규모 예산이 투입되는 사업에 관한 정보
3. 예산집행의 내용과 사업평가 결과 등 행정감시를 위하여 필요한 정보
4. 그 밖에 공공기관의 장이 정하는 정보

④ ○

「공공기관의 정보공개에 관한 법률」 제11조【정보공개 여부의 결정】⑤ 공공기관은 정보공개청구가 다음 각 호의 어느 하나에 해당하는 경우로서 「민원처리에 관한 법률」에 따른 민원으로 처리할 수 있는 경우에는 민원으로 처리할 수 있다.
1. 공개청구된 정보가 공공기관이 보유 · 관리하지 아니하는 정보인 경우
2. 공개청구의 내용이 진정 · 질의 등으로 이 법에 따른 정보공개청구로 보기 어려운 경우

⑤ ○

「공공기관의 정보공개에 관한 법률」 제11조의2【반복청구 등의 처리】① 공공기관은 제11조에도 불구하고 제10조 제1항 및 제2항에 따른 정보공개청구가 다음 각 호의 어느 하나에 해당하는 경우에는 정보공개청구 대상정보의 성격, 종전 청구와의 내용적 유사성 · 관련성, 종전 청구와 동일한 답변을 할 수밖에 없는 사정 등을 종합적으로 고려하여 해당 청구를 종결 처리할 수 있다. 이 경우 종결처리사실을 청구인에게 알려야 한다.
1. 정보공개를 청구하여 정보공개 여부에 대한 결정의 통지를 받은 자가 정당한 사유 없이 해당 정보의 공개를 다시 청구하는 경우
2. 정보공개청구가 제11조 제5항에 따라 민원으로 처리되었으나 다시 같은 청구를 하는 경우

정답 01 ②

02 정답률 92% 중 2024 소방직 9급

행정정보공개 및 개인정보 보호에 관한 설명으로 옳지 않은 것은? (다툼이 있는 경우 판례에 의함)

① 정보공개청구의 대상이 되는 정보는 반드시 원본이어야 한다.

② 「공공기관의 정보공개에 관한 법률」에 따르면 지방자치단체는 그 소관 사무에 관하여 법령에 위배되지 않는 범위에서 정보공개에 관한 조례를 제정할 수 있다.

③ 개인정보보호법에 따르면 정보주체는 개인정보처리자가 이 법을 위반한 행위로 손해를 입으면 개인정보처리자에게 손해배상을 청구할 수 있다. 이 경우 그 개인정보처리자는 고의 또는 과실이 없음을 입증하지 아니하면 책임을 면할 수 없다.

④ 개인정보보호법에 따르면 개인정보와 관련한 분쟁의 조정을 원하는 자는 개인정보분쟁조정위원회에 조정을 신청할 수 있으며, 개인정보분쟁조정위원회는 그 신청내용을 상대방에게 알려야 하며, 상대방은 특별한 사유가 없는 한 분쟁조정에 응하여야 한다.

관련기출

①

1. 공공기관의 정보공개에 관한 법률」상 공개청구의 대상이 되는 정보란 공공기관이 직무상 작성 또는 취득하여 현재 보유 · 관리하고 있는 문서에 한정되는 것이기는 하나, 그 문서는 반드시 원본일 필요는 없다. (○, ×) 2023 국회직 9급
2. 「공공기관의 정보공개에 관한 법률」상 공개청구의 대상이 되는 정보란 공공기관이 직무상 작성 또는 취득하여 현재 보유 · 관리하고 있는 원본인 문서만을 의미한다. (○, ×) 2021 국가직 9급
3. 「공공기관의 정보공개에 관한 법률」상 공개청구의 대상이 되는 정보는 반드시 원본일 필요는 없고 사본도 가능하다. (○, ×) 2017 국가직 7급

1. ○ 2. × 3. ○

① **빈출** 정답률 92% ×

「공공기관의 정보공개에 관한 법률」상 공개청구의 대상이 되는 정보에 해당하는 문서가 반드시 원본일 필요는 없다.

「공공기관의 정보공개에 관한 법률」상 공개청구의 대상이 되는 정보란 공공기관이 직무상 작성 또는 취득하여 현재 보유 · 관리하고 있는 문서에 한정되는 것이기는 하나, 그 문서가 반드시 원본일 필요는 없다(대판 2006. 5. 25, 2006두3049).

「공공기관의 정보공개에 관한 법률」 제13조【정보공개 여부 결정의 통지】 ④ 공공기관은 제1항에 따라 정보를 공개하는 경우에 그 정보의 원본이 더럽혀지거나 파손될 우려가 있거나 그 밖에 상당한 이유가 있다고 인정할 때에는 그 정보의 사본 · 복제물을 공개할 수 있다.

② 정답률 3% ○

「공공기관의 정보공개에 관한 법률」 제4조【적용 범위】 ② 지방자치단체는 그 소관 사무에 관하여 법령의 범위에서 정보공개에 관한 조례를 정할 수 있다.

③ 정답률 2% ○

개인정보보호법 제39조【손해배상책임】 ① 정보주체는 개인정보처리자가 이 법을 위반한 행위로 손해를 입으면 개인정보처리자에게 손해배상을 청구할 수 있다. 이 경우 그 개인정보처리자는 고의 또는 과실이 없음을 입증하지 아니하면 책임을 면할 수 없다.

④ 정답률 2% ○

개인정보보호법 제43조【조정의 신청 등】 ① 개인정보와 관련한 분쟁의 조정을 원하는 자는 분쟁조정위원회에 분쟁조정을 신청할 수 있다.
② 분쟁조정위원회는 당사자 일방으로부터 분쟁조정 신청을 받았을 때에는 그 신청내용을 상대방에게 알려야 한다.
③ 개인정보처리자가 제2항에 따른 분쟁조정의 통지를 받은 경우에는 특별한 사유가 없으면 분쟁조정에 응하여야 한다.

정답 02 ①

03 ㊥ 2023 해경간부

「공공기관의 정보공개에 관한 법률」상의 비공개대상에 대한 설명으로 가장 옳지 않은 것은? (다툼이 있는 경우 판례에 의함)

□□□ ① 대한주택공사의 아파트 분양원가 산출내역에 관한 정보는 비공개대상에 해당한다.

□□□ ② 학교환경위생구역 내 금지행위(숙박시설)해제결정에 관한 학교환경위생정화위원회의 회의록에 기재된 발언 내용에 대한 해당 발언자의 인적사항 부분에 관한 정보는 구 「공공기관의 정보공개에 관한 법률」 제7조 제1항 제5호 소정의 비공개대상에 해당한다.

□□□ ③ 지방자치단체의 업무추진비 세부항목별 집행내역 및 그에 관한 증빙서류에 포함된 개인에 관한 정보는 공개하는 것이 공익을 위하여 필요하다고 인정되는 정보에 해당하지 않는다.

□□□ ④ 공직자윤리법상의 등록의무자가 구 공직자윤리법 시행규칙 제12조 관련 [별지 14호 서식]에 따라 정부공직자윤리위원회에 제출한 문서에 포함되어 있는 고지거부자의 인적사항은 비공개대상에 해당한다.

관련기출

②

1. 의사결정과정에 제공된 회의관련자료나 의사결정과정이 기록된 회의록은 의사가 결정되거나 의사가 집행된 경우에는 더 이상 의사결정과정에 있는 사항 그 자체라고는 할 수 없으므로 비공개대상정보에 포함될 수 없다. (○, ×) 2022 지방직 7급
2. 의사결정과정에 제공된 회의관련자료나 의사결정과정이 기록된 회의록은 의사가 결정되거나 의사가 집행된 경우에도 비공개대상정보에 포함될 수 있다. (○, ×) 2021 국가직 7급
3. 의사결정과정에 제공된 회의관련자료나 의사결정과정이 기록된 회의록 등은 의사가 결정되거나 의사가 집행된 경우에는 더 이상 의사결정과정에 있는 사항 그 자체라고는 할 수 없으나, 의사결정과정에 있는 사항에 준하는 사항으로서 비공개대상정보에 포함될 수 있다. (○, ×) 2020 군무원 7급, 2020 군무원 9급
4. 학교환경위생구역 내 금지행위(숙박시설)해제결정에 관한 학교환경위생정화위원회의 회의록에 기재된 발언내용에 대한 해당 발언자의 인적사항 부분에 관한 정보는 구 「공공기관의 정보공개에 관한 법률」 제7조 제1항 제5호 소정의 비공개대상에 해당한다고 볼 수 없다. (○, ×) 2020 군무원 9급, 2019 지방직·교육행정직 9급

1. × 2. ○ 3. ○ 4. ×

③

1. 지방자치단체의 업무추진비 세부항목별 집행내역 및 그에 관한 증빙서류에 포함된 개인에 관한 정보는 「공공기관의 정보공개에 관한 법률」 소정의 '공개하는 것이 공익을 위하여 필요하다고 인정되는 정보'에 해당하여 공개대상이 된다. (○, ×) 2019 지방직 · 교육행정직 9급
2. 지방자치단체의 업무추진비 세부항목별 집행내역 및 그에 관한 증빙서류에 포함된 개인에 관한 정보는 비공개대상정보에 해당한다. (○, ×) 2018 서울시 9급

1. × 2. ○

① ×

대한주택공사의 아파트 분양원가 산출내역에 관한 정보는, 그 공개로 위 공사의 정당한 이익을 현저히 해할 우려가 있다고 볼 수 없어 구 공공기관의 정보공개에 관한 법률 제7조 제1항 제7호에서 정한 비공개대상정보에 해당하지 않는다(대판 2007. 6. 1, 2006두20587).

② **빈출** ○

1. 학교환경위생구역 내 금지행위(모텔)해제결정에 관한 학교환경위생정화위원회의 회의록에 기재된 발언 내용에서 해당 발언자의 인적사항 부분에 관한 정보는 의사결정에 있는 사항에 준하는 사항으로서 비공개대상정보에 포함될 수 있다.

   「공공기관의 정보공개에 관한 법률」상 비공개대상정보의 입법취지에 비추어 살펴보면, 같은 법 제7조 제1항 제5호(편저자 주 : 개정 전의 조문내용이고 현재는 제9조 제1항에 해당)의 '감사 · 감독 · 검사 · 시험 · 규제 · 입찰계약 · 기술개발 · 인사관리 · 의사결정과정 또는 내부검토과정에 있는 사항'은 비공개대상정보를 **예시적으로 열거**한 것이라고 할 것이므로 의사결정과정에 제공된 회의관련자료나 의사결정과정이 기록된 회의록 등은 의사가 결정되거나 의사가 집행된 경우에는 더 이상 의사결정과정에 있는 사항 그 자체라고는 할 수 없으나, **의사결정과정에 있는 사항에 준하는 사항**으로서 비공개대상정보에 포함될 수 있다.
2. 학교환경위생구역 내 금지행위(숙박시설) 해제결정에 관한 학교환경위생정화위원회의 회의록에 기재된 발언내용에 대한 해당 발언자의 인적사항 부분에 관한 정보는 정보공개법 제9조 제1항 제5호 소정의 비공개대상에 해당한다.

   …… 정화위원들이 심의에 집중하도록 함으로써 심의의 충실화와 내실화를 도모하기 위하여는 회의록의 발언내용 이외에 해당 발언자의 인적 사항까지 외부에 공개되어서는 아니 된다 할 것이어서, '회의록에 기재된 발언내용에 대한 해당 발언자의 인적 사항' 부분은 그것이 공개될 경우 정화위원회의 심의업무의 공정한 수행에 현저한 지장을 초래한다고 인정할 만한 상당한 이유가 있다(대판 2003. 8. 22, 2002두12946).

③ ○

지방자치단체의 업무추진비 세부항목별 집행내역 및 그에 관한 증빙서류에 포함된 개인에 관한 정보는 '공개하는 것이 공익을 위하여 필요하다고 인정되는 정보'에 해당하지 않는다(사생활 보호를 고려한 판례이다 – 비공개대상).
비공개에 의하여 보호되는 개인의 사생활 보호 등의 이익과 공개에 의하여 보호되는 국정운영의 투명성 확보 등의 공익을 비교 · 교량하여 구체적 사안에 따라 신중히 판단하여야 할 것인바, …… '공개하는 것이 공익을 위하여 필요하다고 인정되는 정보'에 해당하지 않는다고 봄이 상당하다(대판 2003. 3. 11, 2001두6425).

④ ○

공직자윤리법상의 등록의무자가 구 공직자윤리법 시행규칙 제12조에 따라 정부공직자윤리위원회에 제출한 문서에 포함되어 있는 '**고지거부자의 인적사항**'은 구 「공공기관의 정보공개에 관한 법률」 제7조 제1항 제6호 단서 (다)목에 정한 '공개하는 것이 공익을 위하여 필요하다고 인정되는 정보'에 해당하지 않는다(**비공개**)(대판 2007. 12. 13, 2005두13117).

정답 03 ①

04 상 2023 국회직 9급

「공공기관의 정보공개에 관한 법률」상 정보공개에 대한 설명으로 옳은 것만을 <보기>에서 모두 고르면? (다툼이 있는 경우 판례에 의함)

보기

㉠ 청구인이 공공기관에 대하여 정보공개를 청구하였다가 거부처분을 받은 것은 법률상 이익의 침해에 해당하지 않는다.

㉡ 「공공기관의 정보공개에 관한 법률」상 공개청구의 대상이 되는 정보란 공공기관이 직무상 작성 또는 취득하여 현재 보유·관리하고 있는 문서에 한정되는 것이기는 하나, 그 문서는 반드시 원본일 필요는 없다.

㉢ 공공기관의 정보공개담당자는 정보공개업무를 성실하게 수행하여야 하며, 공개 여부의 자의적인 결정, 고의적인 처리지연 또는 위법한 공개 거부 및 회피 등 부당한 행위를 하여서는 아니 된다.

㉣ 공공기관은 공개대상정보의 양이 너무 많아 정상적인 업무수행에 현저한 지장을 초래할 우려가 있는 경우에는 해당 정보를 일정 기간별로 나누어 제공하거나 사본·복제물의 교부 또는 열람과 병행하여 제공할 수 있다.

① ㉠, ㉡ ② ㉠, ㉢ ③ ㉡, ㉣
④ ㉠, ㉡, ㉣ ⑤ ㉡, ㉢, ㉣

관련기출

㉠

1. 청구인이 공공기관에 대하여 정보공개를 청구하였다가 거부처분을 받은 것 자체가 법률상 이익의 침해에 해당한다고 할 것이고, 거부처분을 받은 것 이외에 추가로 어떤 법률상의 이익을 가질 것을 요구하는 것은 아니다. (○, ×) 2021 지방직·서울시 7급
2. 청구인이 공공기관에 대하여 정보공개를 청구하였다가 거부처분을 받은 것 자체가 법률상 이익의 침해에 해당한다. (○, ×) 2021 지방직·서울시 9급, 2020 군무원 7급
3. 정보공개청구권은 법률상 보호되는 구체적인 권리이므로 청구인이 공공기관에 대하여 정보공개를 청구하였다가 거부처분을 받은 것 자체가 법률상 이익의 침해에 해당한다. (○, ×) 2021 국가직 9급

1. ○ 2. ○ 3. ○

㉣

1. 공공기관은 청구인이 사본 또는 복제물의 교부를 원하는 경우에는 이를 교부하여야 한다. 다만, 공개대상정보의 양이 너무 많아 정상적인 업무수행에 현저한 지장을 초래할 우려가 있는 경우에는 해당 정보를 일정 기간별로 나누어 제공하거나 사본·복제물의 교부 또는 열람과 병행하여 제공할 수 있다. (○, ×) 2015 서울시 7급 변형

1. ○

㉠ 빈출 ×

정보공개를 청구하였다가 거부처분을 받은 것 자체가 법률상 이익의 침해에 해당한다.

정보공개청구권은 법률상 보호되는 구체적인 권리이므로 청구인이 공공기관에 대하여 정보공개를 청구하였다가 거부처분을 받은 것 자체가 법률상 이익의 침해에 해당한다(대판 2004. 8. 20, 2003두8302).

㉡ ○

「공공기관의 정보공개에 관한 법률」상 공개청구의 대상이 되는 정보에 해당하는 문서가 반드시 원본일 필요는 없다.

「공공기관의 정보공개에 관한 법률」상 공개청구의 대상이 되는 정보란 공공기관이 직무상 작성 또는 취득하여 현재 보유·관리하고 있는 문서에 한정되는 것이기는 하나, 그 문서가 반드시 원본일 필요는 없다(대판 2006. 5. 25, 2006두3049).

㉢ ○

「공공기관의 정보공개에 관한 법률」 제6조의2【정보공개담당자의 의무】 공공기관의 정보공개담당자(정보공개청구대상정보와 관련된 업무담당자를 포함한다)는 정보공개업무를 성실하게 수행하여야 하며, 공개 여부의 자의적인 결정, 고의적인 처리지연 또는 위법한 공개 거부 및 회피 등 부당한 행위를 하여서는 아니 된다.

㉣ ○

「공공기관의 정보공개에 관한 법률」 제13조【정보공개 여부 결정의 통지】 ② 공공기관은 청구인이 사본 또는 복제물의 교부를 원하는 경우에는 이를 교부하여야 한다.
③ 공공기관은 공개대상정보의 양이 너무 많아 정상적인 업무수행에 현저한 지장을 초래할 우려가 있는 경우에는 해당 정보를 일정 기간별로 나누어 제공하거나 사본·복제물의 교부 또는 열람과 병행하여 제공할 수 있다.

정답 04 ⑤

05 정답률 74% 중 2023 군무원 9급

「공공기관의 정보공개에 관한 법률」상 정보공개제도에 대한 설명으로 옳은 것은? (다툼이 있는 경우 판례에 의함)

□□□ ① 정보의 공개 및 우송에 드는 비용은 모두 정보공개의 무가 있는 공공기관이 부담한다.

□□□ ② 사립대학교는 정보공개를 할 의무가 있는 공공기관에 해당하지 않는다.

□□□ ③ 정보공개청구의 대상이 되는 정보를 공공기관이 보유·관리하고 있다는 점에 관하여는 정보공개를 구하는 사람에게 증명책임이 있다.

□□□ ④ 국내에 사무소를 두고 있는 외국법인 또는 외국단체는 학술·연구를 위한 목적으로만 정보공개를 청구할 수 있다.

관련기출

①

1. 정보의 공개 및 우송 등에 드는 비용은 실비의 범위에서 청구인이 부담한다. (O, ×) 2021 지방직·서울시 9급, 2018 소방직 9급
2. 「공공기관의 정보공개에 관한 법률」상 정보의 공개 및 우송 등에 드는 비용은 정보공개청구를 받은 행정청이 부담한다. (O, ×) 2019 국가직 9급
3. 정보의 공개 및 우송 등에 소요되는 비용은 실비의 범위에서 청구인의 부담으로 한다. 다만, 그 액수가 너무 많아서 청구인에게 과중한 부담을 주는 경우에는 비용을 감면할 수 있다. (O, ×) 2018 서울시 1회 7급
4. 정보의 공개 및 우송 등에 소요되는 비용은 실비의 범위에서 청구인이 부담하나, 공개를 청구하는 정보의 사용목적이 공공복리의 유지·증진을 위하여 필요하다고 인정되는 경우에는 그 비용을 감면할 수 있다. (O, ×) 2015 지방직 9급

1. O 2. × 3. × 4. O

②

1. 사립대학교는 정보공개법 시행령에 따른 정보공개의무를 지는 공공기관에 해당하나, 국비의 지원을 받는 범위 내에서만 그러한 공공기관의 성격을 가진다. (O, ×) 2022 국회직 8급
2. 사립대학교는 국비의 지원을 받는 범위 내에서만 공공기관의 성격을 가지므로 정보가 그에 해당하지 않는 경우 공개청구의 대상이 되지 아니한다. (O, ×) 2022 소방간부
3. 사립대학교는 정보공개 의무기관인 공공기관에 해당하지 않는다. (O, ×) 2021 국회직 8급
4. 사립대학교에 정보공개를 청구하였다가 거부될 경우 사립대학교에 대한 국가의 지원이 한정적·국부적·일시적임을 고려한다면 사립대학교 총장을 피고로 하여 취소소송을 제기할 수 없다. (O, ×) 2020 지방직·서울시 7급
5. 구 「공공기관의 정보공개에 관한 법률 시행령」 제2조 제1호가 정보공개 의무기관으로 사립대학교를 들고 있는 것은 모법의 위임범위를 벗어난 것으로 위법하다. (O, ×) 2015 국가직 9급

1. × 2. × 3. × 4. × 5. ×

① **빈출** ×

「공공기관의 정보공개에 관한 법률」 제17조 【비용부담】 ① 정보의 공개 및 우송 등에 드는 비용은 실비(實費)의 범위에서 청구인이 부담한다.
② 공개를 청구하는 정보의 사용목적이 공공복리의 유지·증진을 위하여 필요하다고 인정되는 경우에는 제1항에 따른 비용을 감면할 수 있다.

② **빈출** ×

1. 구 「공공기관의 정보공개에 관한 법률 시행령」 제2조 제1호가 정보공개의무를 지는 공공기관의 하나로 사립대학교를 들고 있는 것이 모법의 위임범위를 벗어났다거나 사립대학교가 국비의 지원을 받는 범위 내에서만 공공기관의 성격을 가진다고 볼 수 없다(사립대학교는 정보공개법상의 공공기관이다).
   정보공개의 목적, 교육의 공공성 및 공·사립학교의 동질성, 사립대학교에 대한 국가의 재정지원 및 보조 등 여러 사정을 고려해 보면, 사립대학교에 대한 국비 지원이 한정적·일시적·국부적이라는 점을 고려하더라도, 구 「공공기관의 정보공개에 관한 법률 시행령」 제2조 제1호가 정보공개의무를 지는 공공기관의 하나로 사립대학교를 들고 있는 것이 모법의 위임범위를 벗어났다거나 사립대학교가 국비의 지원을 받는 범위 내에서만 공공기관의 성격을 가진다고 볼 수 없다(사립대학교는 정보공개법상의 공공기관이다).
2. 사립대학교에 정보공개를 청구하였다가 거부되면 사립대학교 총장을 피고로 하여 취소소송을 제기할 수 있다(대판 2006. 8. 24, 2004두2783).

③ ○

1. 공개를 구하는 정보를 공공기관이 보유·관리하고 있을 상당한 개연성이 있다는 점에 대하여 원칙적으로 공개청구자에게 증명책임이 있다.
2. 그러나 공개대상정보를 공공기관이 한때 보유·관리하였으나 후에 그 문서 등이 폐기되어 존재하지 않게 된 것이라면, 그 정보를 더 이상 보유·관리하고 있지 아니하다는 점에 대한 입증책임은 공공기관에 있다(대판 2004. 12. 9, 2003두12707).

④ **빈출** ×

학술·연구를 위한 목적에 한정되지 않는다.

「공공기관의 정보공개에 관한 법률」 제5조 【정보공개청구권자】 ② 외국인의 정보공개청구에 관하여는 대통령령으로 정한다.

「공공기관의 정보공개에 관한 법률 시행령」 제3조 【외국인의 정보공개 청구】 법 제5조 제2항에 따라 정보공개를 청구할 수 있는 외국인은 다음 각 호의 어느 하나에 해당하는 자로 한다.
1. 국내에 일정한 주소를 두고 거주하거나 학술·연구를 위하여 일시적으로 체류하는 사람
2. 국내에 사무소를 두고 있는 법인 또는 단체

정답 05 ③

06 ⓗ 2023 국회직 8급

「공공기관의 정보공개에 관한 법률」상 정보공개에 대한 설명으로 옳지 않은 것은? (다툼이 있는 경우 판례에 의함)

□□□ ① 정보비공개결정 취소소송에서 원고인 청구인이 소송과정에서 공공기관이 법원에 제출한 정보의 사본을 송달받은 경우, 그 정보의 비공개결정의 취소를 구할 소의 이익이 소멸한다.

□□□ ② 공공기관은 공개청구된 공개대상정보의 전부 또는 일부가 제3자와 관련이 있다고 인정할 때에는 그 사실을 제3자에게 지체 없이 통지하여야 하며, 필요한 경우에는 그의 의견을 들을 수 있다.

□□□ ③ 정보공개를 청구하여 정보공개 여부에 대한 결정의 통지를 받은 자가 정당한 사유 없이 해당 정보의 공개를 다시 청구하는 경우, 공공기관은 종전 청구와의 내용적 유사성 · 관련성 등을 고려하여 해당 청구를 종결 처리할 수 있다.

□□□ ④ 제3자가 자신과 관련된 정보를 공개하지 아니할 것을 요청하였음에도 불구하고 공공기관이 공개결정을 한 경우, 그 제3자는 해당 공공기관에 문서로 이의신청을 하거나 행정심판 또는 행정소송을 제기할 수 있다.

□□□ ⑤ 어떤 정보를 공공기관이 보유 · 관리하고 있다는 점에 관하여는 입증책임이 정보공개를 구하는 자에게 있으며, 그 입증의 정도는 그러한 정보를 공공기관이 보유 · 관리하고 있을 상당한 개연성이 있다는 점을 증명하는 것으로 족하다.

① ×

청구인이 정보공개거부처분의 취소를 구하는 소송에서 공공기관이 청구정보를 증거 등으로 법원에 제출하여 법원을 통하여 그 사본을 청구인에게 교부 또는 송달되게 하여 결과적으로 청구인에게 정보를 공개하는 셈이 되었다고 하더라도, 이러한 우회적인 방법은 정보공개법이 예정하고 있지 아니한 방법으로서 정보공개법에 의한 공개라고 볼 수는 없으므로, 당해 정보의 비공개결정의 취소를 구할 소의 이익은 소멸되지 않는다(대판 2016. 12. 15, 2012두11409 · 11416 병합).

② ○

「공공기관의 정보공개에 관한 법률」 제11조【정보공개 여부의 결정】 ③ 공공기관은 공개 청구된 공개대상정보의 전부 또는 일부가 제3자와 관련이 있다고 인정할 때에는 그 사실을 제3자에게 지체 없이 통지하여야 하며, 필요한 경우에는 그의 의견을 들을 수 있다.

③ ○

「공공기관의 정보공개에 관한 법률」 제11조의2【반복청구 등의 처리】 ① 공공기관은 제11조에도 불구하고 제10조 제1항 및 제2항에 따른 정보공개청구가 다음 각 호의 어느 하나에 해당하는 경우에는 정보공개청구 대상정보의 성격, 종전 청구와의 내용적 유사성 · 관련성, 종전 청구와 동일한 답변을 할 수밖에 없는 사정 등을 종합적으로 고려하여 해당 청구를 종결 처리할 수 있다. 이 경우 종결 처리사실을 청구인에게 알려야 한다.

1. 정보공개를 청구하여 정보공개 여부에 대한 결정의 통지를 받은 자가 정당한 사유 없이 해당 정보의 공개를 다시 청구하는 경우
2. 정보공개청구가 제11조 제5항에 따라 민원으로 처리되었으나 다시 같은 청구를 하는 경우

④ ○

「공공기관의 정보공개에 관한 법률」 제21조【제3자의 비공개 요청 등】 ① 제11조 제3항에 따라 공개 청구된 사실을 통지받은 제3자는 그 통지를 받은 날부터 3일 이내에 해당 공공기관에 대하여 자신과 관련된 정보를 공개하지 아니할 것을 요청할 수 있다.
② 제1항에 따른 비공개 요청에도 불구하고 공공기관이 공개결정을 할 때에는 공개결정 이유와 공개 실시일을 분명히 밝혀 지체 없이 문서로 통지하여야 하며, 제3자는 해당 공공기관에 문서로 이의신청을 하거나 행정심판 또는 행정소송을 제기할 수 있다. 이 경우 이의신청은 통지를 받은 날부터 7일 이내에 하여야 한다.

⑤ ○

정보공개법에 의한 정보공개제도는 공공기관이 보유 · 관리하는 정보를 그 상태대로 공개하는 제도라는 점 등에 비추어 보면, 해당 정보를 공공기관이 보유 · 관리하고 있다는 점에 관하여 정보공개를 구하는 자에게 증명책임이 있다고 보아야 하나, 그 증명의 정도는 그러한 정보를 공공기관이 보유 · 관리하고 있을 상당한 개연성이 있다는 점을 증명하면 족하다(대판 2010. 12. 23, 2010두14800).

정답 06 ①

07 중 2022 서울시 지적 7급

정보공개에 대한 설명으로 가장 옳은 것은? (다툼이 있는 경우 판례에 의함)

□□□ ① 견책처분을 받은 공무원이 징계위원회 참여위원의 성명과 직위에 대한 정보공개청구를 하였으나 거부처분을 받았는데, 대상 징계처분에 대한 취소소송에서 해당 공무원의 취소청구가 기각된 경우에는 정보공개거부처분의 취소를 구할 법률상 이익이 없다.

□□□ ② 「공공기관의 정보공개에 관한 법률」상 정보공개를 제한하는 타법령상의 근거에는 대통령령과 부령을 포함한다.

□□□ ③ 정보공개를 청구할 수 있는 권리를 가진 자에는 자연인 이외에 법인, 권리능력 없는 사단 및 재단이 포함되며, 법인, 권리능력 없는 사단 및 재단의 경우 정보공개청구 남용방지를 위해 법률상 이익의 존부 판단에 설립목적을 고려하여야 한다.

□□□ ④ 정보공개를 거부한 비공개사유에 해당하는 부분과 그렇지 않은 부분이 혼합되어 있고, 공개청구의 취지상 두 부분을 분리할 수 있는 경우 법원은 공개가 가능한 정보에 국한하여 일부취소를 명할 수 있다.

관련기출

④

1. 정보공개거부처분 취소소송에 있어서 정보의 분리공개가 가능하다 하더라도 원고가 공개가 가능한 정보에 관한 부분만의 일부취소로 청구취지를 변경하지 않았다면 법원은 일부취소를 명할 수 없다. (○, ×) 2022 국회직 8급
2. 법원이 행정기관의 정보공개거부처분의 위법 여부를 심리한 결과 공개를 거부한 정보에 비공개사유에 해당하는 부분과 그렇지 않은 부분이 혼합되어 있고, 공개청구의 취지에 어긋나지 않는 범위 안에서 두 부분을 분리할 수 있음을 인정할 수 있을 때에도 공개가 가능한 정보에 국한하여 정보공개거부처분의 일부취소를 명할 수는 없다. (○, ×) 2021 지방직 · 서울시 7급, 2020 경행경채
3. 정보공개거부처분 취소소송에서 공개를 거부한 정보에 비공개대상 부분과 공개가 가능한 부분이 혼합되어 있는 경우, 공개청구의 취지에 어긋나지 아니하는 범위 안에서 두 부분을 분리할 수 있다면 법원은 청구취지의 변경이 없더라도 공개가 가능한 정보에 관한 부분만의 일부취소를 명할 수 있다. (○, ×) 2018 지방직 9급, 2015 국가직 9급
4. 공개를 거부한 정보에 비공개대상정보에 해당하는 부분과 공개가 가능한 부분이 혼합되어 있는 경우라면 법원은 정보공개거부처분 전부를 취소해야 한다. (○, ×) 2010 국가직 9급

1. × 2. × 3. ○ 4. ×

① ×

견책의 징계처분을 받은 甲이 사단장에게 징계위원회에 참여한 징계위원의 성명과 직위에 대한 정보공개청구를 하였으나 위 정보가 「공공기관의 정보공개에 관한 법률」 제9조 제1항 제1호, 제2호, 제5호, 제6호에 해당한다는 이유로 공개를 거부한 사안에서, 비록 징계처분 취소사건에서 甲의 청구를 기각하는 판결이 확정되었더라도 이러한 사정만으로 정보공개거부처분의 취소를 구할 이익이 없어지지 않고, 사단장이 甲의 정보공개청구를 거부한 이상 甲으로서는 여전히 정보공개거부처분의 취소를 구할 법률상 이익이 있다(대판 2022. 5. 26, 2022두33439).

② ×

부령은 포함되지 않는다.

「공공기관의 정보공개에 관한 법률」 제9조 【비공개대상정보】 ① 공공기관이 보유 · 관리하는 정보는 공개대상이 된다. 다만, 다음 각 호의 어느 하나에 해당하는 정보는 공개하지 아니할 수 있다.
1. 다른 법률 또는 법률에서 위임한 명령(국회규칙 · 대법원규칙 · 헌법재판소규칙 · 중앙선거관리위원회규칙 · **대통령령 및 조례로 한정**한다)에 따라 비밀이나 비공개 사항으로 규정된 정보

③ ×

정보공개청구권을 가지는 국민에는 자연인, 법인, 법인격 없는 사단 등이 모두 포함되며 법인, 법인격 없는 사단 등의 경우에는 설립목적을 불문한다(대판 2003. 12. 12, 2003두8050).

④ **빈출** ○

법원이 행정기관의 정보공개거부처분의 위법 여부를 심리한 결과 공개를 거부한 정보에 비공개사유에 해당하는 부분과 그렇지 않은 부분이 혼합되어 있고, 공개청구의 취지에 어긋나지 않는 범위 안에서 두 부분을 분리할 수 있음을 인정할 수 있을 때에는 공개가 가능한 정보에 국한하여 일부취소를 명할 수 있다(대판 2009. 12. 10, 2009두12785).

「공공기관의 정보공개에 관한 법률」 제14조 【부분공개】 공개청구한 정보가 제9조 제1항 각 호의 어느 하나에 해당하는 부분과 공개 가능한 부분이 혼합되어 있는 경우로서 공개청구의 취지에 어긋나지 아니하는 범위에서 두 부분을 분리할 수 있는 경우에는 제9조 제1항 각 호의 어느 하나에 해당하는 부분을 제외하고 공개하여야 한다.

정답 07 ④

08 빈출 중 2020 군무원 9급 변형

정보공개에 대한 설명으로 옳지 않은 것은?

□□□ ① 정보의 공개를 청구하는 자는 해당 정보를 보유하거나 관리하고 있는 공공기관에 법령상의 요건을 갖춘 정보공개청구서를 제출하거나 말로써 정보의 공개를 청구할 수 있다.

□□□ ② 공공기관은 공개청구된 공개대상정보의 전부 또는 일부가 제3자와 관련이 있다고 인정할 때에는 그 사실을 제3자에게 지체 없이 통지하여야 하며, 필요한 경우에는 그의 의견을 들을 수 있다.

□□□ ③ 「공공기관의 정보공개에 관한 법률」 제11조 제3항에 따라 공개청구된 사실을 통지받은 제3자는 그 통지를 받은 날부터 7일 이내에 해당 공공기관에 대하여 자신과 관련된 정보를 공개하지 아니할 것을 요청할 수 있다.

□□□ ④ 「공공기관의 정보공개에 관한 법률」 제21조 제1항에 따른 비공개 요청에도 불구하고 공공기관이 공개결정을 할 때에는 공개결정이유와 공개실시일을 분명히 밝혀 지체 없이 문서로 통지하여야 하며, 제3자는 해당 공공기관에 문서로 이의신청을 하거나 행정심판 또는 행정소송을 제기할 수 있다.

① ○

「공공기관의 정보공개에 관한 법률」 제10조 **【정보공개의 청구방법】** ① 정보의 공개를 청구하는 자(이하 '청구인'이라 한다)는 해당 정보를 보유하거나 관리하고 있는 공공기관에 다음 각 호의 사항을 적은 정보공개청구서를 제출하거나 **말로써** 정보의 공개를 청구할 수 있다.
1. 청구인의 성명 · 생년월일 · 주소 및 연락처(전화번호 · 전자우편주소 등을 말한다. 이하 이 조에서 같다). 다만, 청구인이 법인 또는 단체인 경우에는 그 명칭, 대표자의 성명, 사업자등록번호 또는 이에 준하는 번호, 주된 사무소의 소재지 및 연락처를 말한다.
2. 청구인의 주민등록번호(본인임을 확인하고 공개 여부를 결정할 필요가 있는 정보를 청구하는 경우로 한정한다)
3. 공개를 청구하는 정보의 내용 및 공개방법

② ○

「공공기관의 정보공개에 관한 법률」 제11조 **【정보공개 여부의 결정】** ③ 공공기관은 공개청구된 공개대상정보의 전부 또는 일부가 제3자와 관련이 있다고 인정할 때에는 그 사실을 제3자에게 지체 없이 통지하여야 하며, 필요한 경우에는 그의 의견을 들을 수 있다.

③ ×

④ ○

「공공기관의 정보공개에 관한 법률」 제21조 **【제3자의 비공개 요청 등】**
① 제11조 제3항에 따라 공개청구된 사실을 통지받은 제3자는 그 통지를 받은 날부터 **3일 이내**에 해당 공공기관에 대하여 자신과 관련된 정보를 공개하지 아니할 것을 요청할 수 있다(③).
② 제1항에 따른 비공개 요청에도 불구하고 공공기관이 공개결정을 할 때에는 공개결정이유와 공개실시일을 분명히 밝혀 지체 없이 문서로 통지하여야 하며, 제3자는 해당 공공기관에 문서로 이의신청을 하거나 행정심판 또는 행정소송을 제기할 수 있다(④). 이 경우 이의신청은 통지를 받은 날부터 7일 이내에 하여야 한다.

정답 08 ③

대표

09 빈출 정답률 76% 중 2020 지방직 · 서울시 9급

정보공개청구에 대한 설명으로 옳은 것은? (다툼이 있는 경우 판례에 의함)

① 공공기관이 공개청구의 대상이 된 정보를 공개는 하되, 청구인이 신청한 공개방법 이외의 방법으로 공개하기로 하는 결정을 한 경우 이는 정보공개방법만을 달리한 것이므로 일부 거부처분이라 할 수 없다.

② 「공공기관의 정보공개에 관한 법률」에 의하면 '다른 법률 또는 법률에서 위임한 명령에 의하여 비밀 또는 비공개사항으로 규정된 정보'는 이를 공개하지 아니할 수 있다고 규정하고 있는바, 여기에서 '법률에 의한 명령'은 정보의 공개에 관하여 법률의 구체적인 위임 아래 제정된 법규명령(위임명령)을 의미한다.

③ 국민의 알권리를 두텁게 보호하기 위해 「공공기관의 정보공개에 관한 법률」 제9조 제1항 제6호 본문의 규정에 따라 비공개대상이 되는 정보는 이름 · 주민등록번호 등 '개인식별정보'로 한정된다.

④ 공개청구의 대상이 되는 정보가 이미 다른 사람에게 공개되어 널리 알려져 있다거나 인터넷 등을 통하여 공개되어 인터넷 검색 등을 통하여 쉽게 알 수 있다면 행정청의 정보비공개결정이 정당화될 수 있다.

관련기출

②

1. 「공공기관의 정보공개에 관한 법률」 제9조 제1항 제1호의 '법률에서 위임한 명령'은 법률의 위임규정에 의하여 제정된 대통령령, 총리령, 부령 전부를 의미한다. (○, ×) 2018 국회직 8급
2. (공공기관이 보유 · 관리하는 정보는 공개하는 것이 원칙이나, 다른 법률 또는 법률이 위임한 명령에 의하여 비밀 또는 비공개사항으로 규정된 정보는 공개하지 아니할 수 있다) 여기서의 '법률이 위임한 명령'이란 법률의 위임에 의하여 제정된 대통령령, 총리령, 부령 전부를 의미하는 것이 아니라 정보의 공개에 관하여 법률의 구체적 위임에 의하여 제정된 법규명령을 의미한다. (○, ×) 2010 지방직 9급
3. 「공공기관의 정보공개에 관한 법률」 제9조 제1항 제1호에서 '법률이 위임한 명령'에 의하여 비밀 또는 비공개사항으로 규정된 정보는 공개하지 아니할 수 있다고 할 때의 '법률이 위임한 명령'이란 정보의 공개에 관하여 법률의 구체적인 위임 아래 제정된 법규명령을 의미한다. (○, ×) 2008 국가직 7급

1. × 2. ○ 3. ○

① ×

공공기관이 공개청구의 대상이 된 정보를 청구인이 신청한 공개방법 이외의 방법으로 공개하기로 하는 결정을 한 경우, 정보공개방법에 관한 부분에 대하여 일부 거부처분을 한 것이며 이에 대하여 항고소송으로 다툴 수 있다는 것이 판례의 입장이다(대판 2016. 11. 10, 2016두44674).

② ○

법률이 위임한 명령은 정보의 공개에 관하여 법률의 구체적인 위임 아래 제정된 법규명령(위임명령)을 의미한다.

「공공기관의 정보공개에 관한 법률」 제1 · 3조, 헌법 제37조의 각 취지와 행정입법으로는 법률이 구체적으로 범위를 정하여 위임한 범위 안에서만 국민의 자유와 권리에 관련된 규율을 정할 수 있는 점 등을 고려할 때, (구) 「공공기관의 정보공개에 관한 법률」 제7조(현 제9조) 제1항 제1호 소정의 '법률에 의한 명령'은 법률의 위임규정에 의하여 제정된 대통령령, 총리령, 부령 전부를 의미한다기보다는 **정보의 공개에 관하여 법률의 구체적인 위임 아래 제정된 법규명령(위임명령)을 의미**한다(대판 2003. 12. 11, 2003두8395).

③ ×

「공공기관의 정보공개에 관한 법률」 제9조 제1항 제6호 본문에서 정한 '당해 정보에 포함되어 있는 이름 · 주민등록번호 등 개인에 관한 사항으로서 공개될 경우 개인의 사생활의 비밀 또는 자유를 침해할 우려가 있다고 인정되는 정보'는 이름 · 주민등록번호 등 정보 형식이나 유형을 기준으로 비공개대상정보에 해당하는지를 판단하는 '개인식별정보'뿐만 아니라 그 외에 정보의 내용을 구체적으로 살펴 '개인에 관한 사항의 공개로 개인의 내밀한 내용의 비밀 등이 알려지게 되고, 그 결과 인격적 · 정신적 내면생활에 지장을 초래하거나 자유로운 사생활을 영위할 수 없게 될 위험성이 있는 정보'도 포함된다고 새겨야 한다(대판 2012. 6. 18, 2011두2361 전합).

④ ×

공개청구의 대상이 되는 정보가 이미 다른 사람에게 공개되어 널리 알려져 있다거나 인터넷이나 관보 등을 통하여 공개되어 인터넷 검색이나 도서관에서의 열람 등을 통하여 쉽게 알 수 있다고 하여 소의 이익이 없다고 볼 수 없고 비공개결정이 정당화될 수도 없다(대판 2008. 11. 27, 2005두15694).

정답 09 ②

10 정답률 77% 중 2019 소방직 9급

「공공기관의 정보공개에 관한 법률」에 관한 설명으로 옳지 않은 것은? (다툼이 있는 경우 판례에 의함)

□□□ ① 국가안전보장 · 국방 · 통일 · 외교관계 분야 업무를 주로 하는 국가기관의 정보공개심의회 구성시 최소한 3분의 1 이상은 외부 전문가로 위촉하여야 한다.

□□□ ② 공개될 경우 부동산 투기로 특정인에게 이익 또는 불이익을 줄 우려가 있다고 인정되는 정보는 비공개대상에 해당한다.

□□□ ③ 학교폭력대책자치위원회의 회의록은 「공공기관의 정보공개에 관한 법률」 제9조 제1항 제1호의 '다른 법률 또는 법률이 위임한 명령에 의하여 비밀 또는 비공개사항으로 규정된 정보'에 해당하지 않는다.

□□□ ④ 정보공개청구에 대하여 공공기관이 비공개결정을 한 경우, 청구인이 이에 불복한다면 이의신청절차를 거치지 않고 행정심판을 청구할 수 있다.

관련기출

④

1. 정보공개청구에 대하여 공공기관이 비공개결정을 한 경우 청구인이 이에 불복한다면 이의신청절차를 거치지 않고 행정심판을 청구할 수 있다. (○, ×) 2017 국가직 9급
2. 비공개결정에 대하여 청구인은 이의신청절차를 거치지 않고서는 행정심판을 청구할 수 없다. (○, ×) 2015 교육행정직 9급
3. 정보공개청구인은 이의신청절차를 거쳐야만 행정심판을 청구할 수 있다. (○, ×) 2007 국가직 9급

1. ○ 2. × 3. ×

① ○

「공공기관의 정보공개에 관한 법률」 제12조【정보공개심의회】 ③ 심의회의 위원은 소속 공무원, 임직원 또는 외부 전문가로 지명하거나 위촉하되, 그중 3분의 2는 해당 국가기관 등의 업무 또는 정보공개의 업무에 관한 지식을 가진 외부 전문가로 위촉하여야 한다. 다만, 제9조 제1항 제2호 및 제4호에 해당하는 업무를 주로 하는 국가기관은 그 국가기관의 장이 외부 전문가의 위촉 비율을 따로 정하되, 최소한 3분의 1 이상은 외부 전문가로 위촉하여야 한다.

제9조【비공개대상정보】 ① 공공기관이 보유 · 관리하는 정보는 공개대상이 된다. 다만, 다음 각 호의 어느 하나에 해당하는 정보는 공개하지 아니할 수 있다.

2. 국가안전보장 · 국방 · 통일 · 외교관계 등에 관한 사항으로서 공개될 경우 국가의 중대한 이익을 현저히 해칠 우려가 있다고 인정되는 정보
4. 진행 중인 재판에 관련된 정보와 범죄의 예방, 수사, 공소의 제기 및 유지, 형의 집행, 교정(矯正), 보안처분에 관한 사항으로서 공개될 경우 그 직무수행을 현저히 곤란하게 하거나 형사피고인의 공정한 재판을 받을 권리를 침해한다고 인정할 만한 상당한 이유가 있는 정보

② ○

「공공기관의 정보공개에 관한 법률」 제9조【비공개대상정보】 ① 공공기관이 보유 · 관리하는 정보는 공개대상이 된다. 다만, 다음 각 호의 어느 하나에 해당하는 정보는 공개하지 아니할 수 있다.

8. 공개될 경우 부동산 투기, 매점매석 등으로 특정인에게 이익 또는 불이익을 줄 우려가 있다고 인정되는 정보

③ ×

'학교폭력대책자치위원회 회의록'은 「공공기관의 정보공개에 관한 법률」 제9조 제1항 제1호의 비공개대상정보에 해당한다(비공개대상).

「학교폭력예방 및 대책에 관한 법률」 제21조 제1항, 제2항, 제3항 및 같은 법 시행령 제17조 규정들의 내용, 「학교폭력예방 및 대책에 관한 법률」의 목적, 입법취지, 특히 「학교폭력예방 및 대책에 관한 법률」 제21조 제3항이 학교폭력대책자치위원회의 회의를 공개하지 못하도록 규정하고 있는 점 등에 비추어, 학교폭력대책자치위원회의 회의록은 「공공기관의 정보공개에 관한 법률」 제9조 제1항 제1호의 '다른 법률 또는 법률이 위임한 명령에 의하여 비밀 또는 비공개사항으로 규정된 정보'에 해당한다(대판 2010. 6. 10, 2010두2913).

④ **빈출** ○

이의신청절차는 임의적 절차에 불과하다.

「공공기관의 정보공개에 관한 법률」 제19조【행정심판】 ② 청구인은 제18조에 따른 이의신청절차를 거치지 아니하고 행정심판을 청구할 수 있다.

정답 10 ③

11 정답률 45% 상 2018 국가직 7급

「공공기관의 정보공개에 관한 법률」에 대한 설명으로 옳지 않은 것은? (다툼이 있는 경우 판례에 의함)

① 공공기관이 공개청구대상정보를 청구인이 신청한 공개방법 이외의 방법으로 공개하는 결정을 한 경우, 정보공개청구 중 정보공개방법 부분에 대하여 일부 거부처분을 한 것이다.

② 정보비공개결정 취소소송에서 공공기관이 청구정보를 증거로 법원에 제출하여 법원을 통하여 그 사본을 청구인에게 교부되게 하여 정보를 공개하게 된 경우에는 비공개결정의 취소를 구할 소의 이익이 소멸한다.

③ 통일에 관한 사항으로서 공개될 경우 국가의 중대한 이익을 현저히 해칠 우려가 있다고 인정되는 정보는 비공개대상정보에 해당한다.

④ 공개하는 것이 공익을 위하여 필요한 경우로서 법령에 따라 국가가 업무의 일부를 위탁 또는 위촉한 개인의 성명·직업은, 공개되면 사생활의 비밀 또는 자유가 침해될 우려가 있다고 인정되더라도 공개대상정보에 해당한다.

① ○

공공기관이 공개청구의 대상이 된 정보를 공개는 하되, 청구인이 신청한 공개방법 이외의 방법으로 공개하기로 하는 결정을 하였다면, 이는 정보공개청구 중 정보공개방법에 관한 부분에 대하여 일부 거부처분을 한 것이고, 청구인은 그에 대하여 항고소송으로 다툴 수 있다는 것이 판례의 입장이다(대판 2016. 11. 10, 2016두44674).

② ×

청구인이 정보공개거부처분의 취소를 구하는 소송에서 공공기관이 청구정보를 증거 등으로 법원에 제출하여 법원을 통하여 그 사본을 청구인에게 교부 또는 송달되게 하여 결과적으로 청구인에게 정보를 공개하는 셈이 되었다고 하더라도, 이러한 우회적인 방법은 정보공개법이 예정하고 있지 아니한 방법으로서 정보공개법에 의한 공개라고 볼 수는 없으므로, 당해 정보의 비공개결정의 취소를 구할 소의 이익은 소멸되지 않는다(대판 2016. 12. 15, 2012두11409·11416 병합).

③④ ○

「공공기관의 정보공개에 관한 법률」 제9조 **【비공개대상정보】** ① 공공기관이 보유·관리하는 정보는 공개대상이 된다. 다만, 다음 각 호의 어느 하나에 해당하는 정보는 공개하지 아니할 수 있다.

2. 국가안전보장·국방·통일·외교관계 등에 관한 사항으로서 공개될 경우 국가의 중대한 이익을 현저히 해칠 우려가 있다고 인정되는 정보(③)
6. 해당 정보에 포함되어 있는 성명·주민등록번호 등 개인정보보호법 제2조 제1호에 따른 개인정보로서 공개될 경우 사생활의 비밀 또는 자유를 침해할 우려가 있다고 인정되는 정보. 다만, 다음 각 목에 열거한 사항은 제외한다.
   라. 직무를 수행한 공무원의 성명·직위
   마. 공개하는 것이 공익을 위하여 필요한 경우로서 법령에 따라 국가 또는 지방자치단체가 업무의 일부를 위탁 또는 위촉한 개인의 성명·직업(④)

정답 11 ②

12 정답률 48% 중 2018 서울시 2회 7급

「공공기관의 정보공개에 관한 법률」에 대한 설명으로 가장 옳은 것은?

□□□ ① 정보공개청구의 거부에 대해서는 의무이행심판을 제기할 수 없다.

□□□ ② 검찰보존사무규칙에서 정한 기록의 열람·등사의 제한은 「공공기관의 정보공개에 관한 법률」에 의한 비공개대상에 해당한다.

□□□ ③ 법인 등의 경영·영업상 비밀은 사업활동에 관한 일체의 비밀사항을 의미한다.

□□□ ④ 국가정보원이 직원에게 지급하는 현금급여 및 월초수당에 대한 정보는 비공개대상에 해당하지 아니한다.

관련기출

③

1. 「공공기관의 정보공개에 관한 법률」상 비공개대상인 '법인 등의 경영·영업상 비밀'은 「부정경쟁방지 및 영업비밀보호에 관한 법률」 제2조 제2호에 규정된 '영업비밀'에 한하지 않고, '타인에게 알려지지 아니함이 유리한 사업활동에 관한 일체의 정보' 또는 '사업활동에 관한 일체의 비밀사항'을 말한다. (○, ×) 2014 지방직 9급

1. ○

④

1. 「공공기관의 정보공개에 관한 법률」상 국가정보원이 그 직원에게 지급하는 현금급여 및 월초수당에 관한 정보는 비공개대상정보에 해당한다. (○, ×) 2014 지방직 9급
2. 국가정보원이 그 직원에게 지급하는 현금급여 및 월초수당에 관한 정보는 공개대상이다. (○, ×) 2014 경행특채 1차

1. ○ 2. ×

① ×

의무이행심판은 당사자의 신청에 대한 행정청의 위법 또는 부당한 거부처분이나 부작위에 대하여 일정한 처분을 하도록 하는 행정심판을 말한다. 따라서 정보공개청구의 거부에 대해서도 행정심판법상 의무이행심판을 제기할 수 있다.

② ×

검찰보존사무규칙의 법적 성질은 행정규칙으로서 그 규칙에서 불기소사건기록 등의 열람·등사를 제한하는 것은 구 「공공기관의 정보공개에 관한 법률」 제7조 제1항 제1호의 '다른 법률 또는 법률에 의한 명령에 의하여 비공개사항으로 규정된 경우'에 해당하지 않는다(대판 2004. 9. 23, 2003두1370).

③ ○

정보공개법 제9조 제1항 제7호 소정의 '법인 등의 경영·영업상 비밀'은 부정경쟁방지법 제2조 제2호 소정의 '영업비밀'에 한하지 않고, '타인에게 알려지지 아니함이 유리한 사업활동에 관한 일체의 정보' 또는 '사업활동에 관한 일체의 비밀사항'으로 해석함이 상당하다(대판 2008. 10. 23, 2007두1798).

④ ×

국가정보원이 직원에게 지급하는 현금급여 및 월초수당에 관한 정보는 「공공기관의 정보공개에 관한 법률」 제9조 제1항 제1호의 비공개대상정보인 '다른 법률에 의하여 비공개사항으로 규정된 정보'에 해당한다(비공개대상)(대판 2010. 12. 23, 2010두14800).

정답 12 ③

13 정답률 81% 중 2018 지방직 9급

「공공기관의 정보공개에 관한 법률」상 정보공개에 대한 설명으로 옳지 않은 것은? (다툼이 있는 경우 판례에 의함)

□□□ ① 공개될 경우 부동산 투기로 특정인에게 이익 또는 불이익을 줄 우려가 있다고 인정되는 정보는 비공개대상에 해당한다.

□□□ ② 공개청구의 대상이 되는 정보가 인터넷에 공개되어 인터넷 검색 등을 통하여 쉽게 알 수 있다면 정보공개청구권자는 공개거부처분의 취소를 구할 법률상의 이익이 없다.

□□□ ③ 불기소처분기록 중 피의자신문조서 등에 기재된 피의자 등의 인적사항 이외의 진술내용이 개인의 사생활의 비밀 또는 자유를 침해할 우려가 인정된다면 비공개대상에 해당한다.

□□□ ④ 정보공개거부처분취소소송에서 공개를 거부한 정보에 비공개대상 부분과 공개가 가능한 부분이 혼합되어 있는 경우, 공개청구의 취지에 어긋나지 아니하는 범위 안에서 두 부분을 분리할 수 있다면 법원은 청구취지의 변경이 없더라도 공개가 가능한 정보에 관한 부분만의 일부취소를 명할 수 있다.

① ○

「공공기관의 정보공개에 관한 법률」 제9조【비공개대상정보】① 공공기관이 보유·관리하는 정보는 공개대상이 된다. 다만, 다음 각 호의 어느 하나에 해당하는 정보는 공개하지 아니할 수 있다.
8. 공개될 경우 부동산 투기, 매점매석 등으로 특정인에게 이익 또는 불이익을 줄 우려가 있다고 인정되는 정보

② ×

공개청구의 대상이 되는 정보가 이미 다른 사람에게 공개되어 널리 알려져 있다거나 인터넷이나 관보 등을 통하여 공개되어 인터넷 검색이나 도서관에서의 열람 등을 통하여 쉽게 알 수 있다고 하여 소의 이익이 없다고 볼 수 없다는 것이 판례의 입장이다(대판 2008. 11. 27, 2005두15694).

③ ○

불기소처분기록이나 내사기록 중 피의자신문조서 등 조서에 기재된 피의자 등의 인적사항 이외의 진술내용이 개인의 사생활의 비밀 또는 자유를 침해할 우려가 인정되는 경우 「공공기관의 정보공개에 관한 법률」 제9조 제1항 제6호 본문에서 정한 비공개대상정보에 해당한다.

(구)「공공기관의 정보공개에 관한 법률」 제9조 제1항 제6호 본문은 "해당 정보에 포함되어 있는 성명·주민등록번호 등 개인에 관한 사항으로서 공개될 경우 사생활의 비밀 또는 자유를 침해할 우려가 있다고 인정되는 정보"를 비공개대상정보의 하나로 규정하고 있다. 여기에서 말하는 비공개대상정보에는 성명·주민등록번호 등 '개인식별정보'뿐만 아니라 그 외에 정보의 내용에 따라 '개인에 관한 사항의 공개로 인하여 개인의 내밀한 내용의 비밀 등이 알려지게 되고, 그 결과 인격적·정신적 내면생활에 지장을 초래하거나 자유로운 사생활을 영위할 수 없게 될 위험성이 있는 정보'도 포함된다. 따라서 불기소처분기록이나 내사기록 중 피의자신문조서 등 조서에 기재된 피의자 등의 인적사항 이외의 진술내용 역시 개인의 사생활의 비밀 또는 자유를 침해할 우려가 인정되는 경우에는 위 비공개대상정보에 해당한다(대판 2017. 9. 7, 2017두44558).

④ ○

법원이 행정기관의 정보공개거부처분의 위법 여부를 심리한 결과 공개를 거부한 정보에 비공개사유에 해당하는 부분과 그렇지 않은 부분이 혼합되어 있고, 공개청구의 취지에 어긋나지 않는 범위 안에서 두 부분을 분리할 수 있음을 인정할 수 있을 때에는 공개가 가능한 정보에 국한하여 일부취소를 명할 수 있다는 것이 판례의 입장이다(대판 2009. 12. 10, 2009두12785).

정답 13 ②

14 ⓢ 2017 지방직(하) 9급

정보공개제도에 대한 판례의 입장으로 옳은 것은?

□□□ ① 정보공개청구의 대상이 되는 공공기관이 보유하는 정보는 공공기관이 직무상 작성 또는 취득한 원본문서이어야 하며 전자적 형태로 보유·관리되는 경우에는 행정기관의 업무수행에 큰 지장을 주지 않는 한도 내에서 검색·편집하여 제공하여야 한다.

□□□ ② 법무부령인 검찰보존사무규칙에서 불기소사건 기록 등의 열람·등사 등을 제한하는 것은 「공공기관의 정보공개에 관한 법률」에 따른 '다른 법률 또는 명령에 의하여 비공개사항으로 규정된 경우'에 해당되어 적법하다.

□□□ ③ '독립유공자서훈 공적심사위원회의 심의·의결 과정 및 그 내용을 기재한 회의록'은 공개될 경우에 업무의 공정한 수행에 현저한 지장을 초래한다고 인정할 만한 상당한 이유가 있는 정보에 해당한다.

□□□ ④ 정보공개제도를 이용하여 사회통념상 용인될 수 없는 부당한 이득을 얻으려 하거나, 오히려 공공기관의 담당공무원을 괴롭힐 목적으로 정보공개청구를 하는 경우라 하더라도 적법한 공개청구 요건을 갖추고 있는 경우라면 정보공개청구권 행사 자체를 권리남용으로 볼 수는 없다.

관련기출

④

1. 국민의 정보공개청구가 오로지 공공기관의 담당공무원을 괴롭힐 목적으로 정보공개청구를 하는 경우처럼 권리의 남용에 해당하는 것이 명백한 경우에는 정보공개청구권의 행사가 허용되지 아니한다. (○, ×) 2023 소방직 9급
2. 오로지 공공기관의 담당공무원을 괴롭힐 목적으로 정보공개청구를 하는 경우에도 정보공개청구권의 행사는 허용되어야 한다. (○, ×) 2021 지방직·서울시 9급
3. 정보를 취득 또는 활용할 의사가 전혀 없이 사회통념상 용인될 수 없는 부당 이득을 얻으려는 목적의 정보공개청구는 권리남용행위로서 허용되지 않는다. (○, ×) 2019 서울시 9급
4. 정보공개신청이 오로지 권리남용의 목적임이 명백하다면 행정청은 공개를 거부할 수 있다. (○, ×) 2018 교육행정직 9급

1. ○ 2. × 3. ○ 4. ○

① ×

지문의 앞부분이 옳지 않다. 공개청구의 대상이 되는 정보는 공공기관이 보유·관리하고 있는 정보에 한정되나, 반드시 원본일 필요는 없다는 것이 판례의 입장이다. 한편 「공공기관의 정보공개에 관한 법률」에 의한 공개는 원칙상 공공기관이 보유하는 정보 그 자체를 공개하는 것이지만, 전자적 형태로 보유·관리되는 정보의 경우에는 행정기관의 업무수행에 큰 지장을 주지 않는 한도 내에서 정보를 탐색하고 편집하여 제공하여야 하는 경우도 있다.

1. 「공공기관의 정보공개에 관한 법률」상 공개청구의 대상이 되는 정보에 해당하는 문서가 반드시 원본일 필요는 없다(대판 2006. 5. 25, 2006두3049).
2. (대학수학능력시험 수험생의 원점수정보에 관한 공개청구를 행정청이 거부한 사안에서) 공공기관에 의하여 전자적 형태로 보유·관리되는 정보가 정보공개청구인이 구하는 대로 되어 있지 않더라도, 청구인이 구하는 대로 편집이 가능하며 그러한 작업이 당해 기관의 업무수행에 큰 지장을 초래하지 아니한다면 공공기관이 공개청구대상정보를 보유·관리하고 있는 것으로 볼 수 있다(편저자 주 : 공개대상이라는 의미)(대판 2010. 2. 11, 2009두6001).

② ×

검찰보존사무규칙의 법적 성질은 행정규칙으로서 그 규칙에서 불기소사건기록 등의 열람·등사를 제한하는 것은 구 「공공기관의 정보공개에 관한 법률」 제7조 제1항 제1호의 '다른 법률 또는 법률에 의한 명령에 의하여 비공개사항으로 규정된 경우'에 해당하지 않는다는 것이 판례의 입장이다(대판 2004. 9. 23, 2003두1370).

③ ○

[甲이 친족인 망 乙 등에 대한 독립유공자 포상신청을 하였다가 독립유공자서훈 공적심사위원회의 심사를 거쳐 포상에 포함되지 못하였다는 내용의 공적심사 결과를 통지받자 국가보훈처장(현 국가보훈부장관)에게 '망인들에 대한 독립유공자서훈 공적심사위원회의 심의·의결 과정 및 그 내용을 기재한 회의록' 등의 공개를 청구하였는데, 국가보훈처장이 공개할 수 없다는 통보를 한 사안에서] '독립유공자서훈 공적심사위원회의 심의·의결 과정 및 그 내용을 기재한 회의록'은 「공공기관의 정보공개에 관한 법률」 제9조 제1항 제5호에서 정한 '공개될 경우 업무의 공정한 수행에 현저한 지장을 초래한다고 인정할 만한 상당한 이유가 있는 정보'에 해당한다(대판 2014. 7. 24, 2013두20301).

④ ×

국민의 정보공개청구가 권리의 남용에 해당하는 것이 명백한 경우, 정보공개청구권의 행사를 허용해야 하는 것은 아니다.

국민의 정보공개청구는 정보공개법 제9조에 정한 비공개대상정보에 해당하지 아니하는 한 원칙적으로 폭넓게 허용되어야 하지만, 실제로는 해당 정보를 취득 또는 활용할 의사가 전혀 없이 정보공개제도를 이용하여 사회통념상 용인될 수 없는 부당한 이득을 얻으려 하거나, 오로지 공공기관의 담당공무원을 괴롭힐 목적으로 정보공개청구를 하는 경우처럼 권리의 남용에 해당하는 것이 명백한 경우에는 정보공개청구권의 행사를 허용하지 아니하는 것이 옳다(대판 2014. 12. 24, 2014두9349).

정답 14 ③

15 상

2017 국가직(하) 9급

甲은 행정청 A가 보유 · 관리하는 정보 중 乙과 관련이 있는 정보를 사본 교부의 방법으로 공개하여 줄 것을 청구하였다. 이에 대한 설명으로 옳은 것은? (다툼이 있는 경우 판례에 의함)

① A는 甲이 청구한 사본 교부의 방법이 아닌 열람의 방법으로 정보를 공개할 수 있는 재량을 가진다.

② A가 정보의 주체인 乙로부터 의견을 들은 결과, 乙이 정보의 비공개를 요청한 경우에는 A는 정보를 공개할 수 없다.

③ A가 내부적인 의사결정과정임을 이유로 정보공개를 거부하였다가 정보공개거부처분 취소소송의 계속 중에 개인의 사생활침해 우려를 공개거부사유로 추가하는 것은 허용되지 않는다.

④ 甲이 공개청구한 정보가 甲과 아무런 이해관계가 없는 경우라면, 정보공개가 거부되더라도 甲은 이를 항고소송으로 다툴 수 있는 법률상 이익이 없다.

① ×

정보공개를 청구하는 자가 공공기관에 대해 정보의 사본 또는 출력물의 교부방법으로 공개방법을 선택하여 정보공개청구를 한 경우, 공개청구를 받은 공공기관은 그 공개방법을 선택할 재량권이 없다(대판 2003. 12. 12, 2003두8050).

② ×

공공기관이 보유 · 관리하고 있는 정보가 제3자와 관련이 있는 경우, 제3자가 비공개를 요청하였다고 하여 「공공기관의 정보공개에 관한 법률」상 정보의 비공개사유에 해당하는 것은 아니다(대판 2008. 9. 25, 2008두8680).

③ 제39강 참조 ○

행정처분의 취소를 구하는 항고소송에 있어서, 처분청은 당초 처분의 근거로 삼은 사유와 기본적 사실관계가 동일성이 있다고 인정되는 한도 내에서만 다른 사유를 추가하거나 변경할 수 있고, 여기서 기본적 사실관계의 동일성 유무는 처분사유를 법률적으로 평가하기 이전의 구체적인 사실에 착안하여 그 기초인 사회적 사실관계가 기본적인 점에서 동일한지 여부에 따라 결정된다. 그런데 법 제7조(편저자 주 : 2004년에 개정되기 전 조문임. 현 제9조) 제1항 제5호는 의사결정과정 또는 내부검토과정에 있는 사항으로서 공개될 경우 업무의 공정한 수행에 현저한 지장을 초래한다고 인정할 만한 상당한 이유가 있는 정보를, 제6호는 당해 정보에 포함되어 있는 이름 · 주민등록번호 등에 의하여 특정인을 식별할 수 있는 개인에 관한 정보를 각 비공개대상정보로 규정하고 있어 그 비공개사유의 요건이 되는 사실을 달리하고 있을 뿐 아니라, 각 정보를 비공개대상정보로 한 근거와 입법취지가 다른 점 등 여러 사정을 합목적적으로 고려하여 보면, 피고가 처분사유로 추가한 법 제7조 제1항 제5호의 사유와 당초의 처분사유인 같은 항 제6호의 사유는 기본적 사실관계가 동일하다고 할 수 없다(대판 2003. 12. 11, 2001두8827).

「공공기관의 정보공개에 관한 법률」 제9조 【비공개대상정보】 ① 공공기관이 보유 · 관리하는 정보는 공개대상이 된다. 다만, 다음 각 호의 어느 하나에 해당하는 정보는 공개하지 아니할 수 있다.

5. 감사 · 감독 · 검사 · 시험 · 규제 · 입찰계약 · 기술개발 · 인사관리에 관한 사항이나 의사결정과정 또는 내부검토과정에 있는 사항 등으로서 공개될 경우 업무의 공정한 수행이나 연구 · 개발에 현저한 지장을 초래한다고 인정할 만한 상당한 이유가 있는 정보. 다만, 의사결정과정 또는 내부검토과정을 이유로 비공개할 경우에는 제13조 제5항에 따라 통지를 할 때 의사결정과정 또는 내부검토과정의 단계 및 종료 예정일을 함께 안내하여야 하며, 의사결정과정 및 내부검토과정이 종료되면 제10조에 따른 청구인에게 이를 통지하여야 한다.
6. 해당 정보에 포함되어 있는 성명 · 주민등록번호 등 개인정보보호법 제2조 제1호에 따른 개인정보로서 공개될 경우 사생활의 비밀 또는 자유를 침해할 우려가 있다고 인정되는 정보

④ ×

정보공개청구권 자체가 법률상 보호되는 구체적 권리이므로 정보공개를 청구했다가 공개거부처분을 받은 자는 개인적 이해관계와 상관없이 공개거부를 다툴 원고적격을 가진다는 것이 판례의 입장이다(대판 2004. 8. 20, 2003두8302).

정답 15 ③

16 정답률 80% 중 2017 지방직 9급

정보공개의무를 부담하는 공공기관에 대한 설명으로 옳지 않은 것은? (다툼이 있는 경우 판례에 의함)

□□□ ① 사립대학교는 「공공기관의 정보공개에 관한 법률 시행령」에 따른 공공기관에 해당하나, 국비의 지원을 받는 범위 내에서만 공공기관의 성격을 가진다.

□□□ ② 한국방송공사는 「공공기관의 정보공개에 관한 법률 시행령」 제2조 제4호에 규정된 '특별법에 따라 설립된 특수법인'에 해당한다.

□□□ ③ 한국증권업협회는 「공공기관의 정보공개에 관한 법률 시행령」 제2조 제4호에 규정된 '특별법에 따라 설립된 특수법인'에 해당하지 아니한다.

□□□ ④ 사립학교에 대하여 「교육관련기관의 정보공개에 관한 특례법」이 적용되는 경우에도 「공공기관의 정보공개에 관한 법률」을 적용할 수 없는 것은 아니다.

관련기출

②

1. 방송법에 의하여 설립 · 운영되는 한국방송공사는 「공공기관의 정보공개에 관한 법률 시행령」 제2조 제4호의 '특별법에 따라 설립된 특수법인'으로서 정보공개의무가 있는 공공기관에 해당한다. (○, ×) 2016 사회복지직 9급
2. 한국방송공사(KBS)는 「공공기관의 정보공개에 관한 법률」에 따라 정보공개의무가 있는 공공기관에 해당하는 반면, 한국증권업협회는 그에 해당하지 아니한다. (○, ×) 2012 지방직(하) 7급

1. ○ 2. ○

③

1. 한국증권업협회는 증권회사 상호 간의 업무질서를 유지하고 유가증권의 공정한 매매거래 및 투자자보호를 위하여 구성된 회원조직으로, 증권거래법 또는 그 법에 의한 명령에 대하여 특별한 규정이 있는 것을 제외하고는 민법 중 사단법인에 관한 규정을 적용받으므로 구 「공공기관의 정보공개에 관한 법률 시행령」상의 '특별법에 의하여 설립된 특수법인'에 해당하지 않는다. (○, ×) 2017 국가직 9급
2. 판례에 의하면 '한국증권업협회'는 정보공개의무를 지는 '특별법에 의하여 설립된 특수법인'에 해당한다. (○, ×) 2011 국가직 7급

1. ○ 2. ×

① ×

사립대학교는 국비의 지원을 받는 범위 내에서만 공공기관의 성격을 가지는 것은 아니라는 것이 판례의 입장이다.

> 구 「공공기관의 정보공개에 관한 법률 시행령」 제2조 제1호가 정보공개의무를 지는 공공기관의 하나로 사립대학교를 들고 있는 것이 모법의 위임범위를 벗어났다거나 사립대학교가 국비의 지원을 받는 범위 내에서만 공공기관의 성격을 가진다고 볼 수 없다(사립대학교는 정보공개법상의 공공기관이다)(대판 2006. 8. 24, 2004두2783 ; 대판 2013. 11. 28, 2011두5049).

② ○

> 한국방송공사(KBS)는 정보공개의무가 있는 공공기관에 해당한다.
>
> 방송법이라는 특별법에 의하여 설립 · 운영되는 한국방송공사(KBS)는 「공공기관의 정보공개에 관한 법률 시행령」 제2조 제4호의 '특별법에 의하여 설립된 특수법인'으로서 정보공개의무가 있는 「공공기관의 정보 공개에 관한 법률」 제2조 제3호의 '공공기관'에 해당한다(대판 2010. 12. 23, 2008두13101).

③ ○

> '한국증권업협회(현 금융투자협회)'는 「공공기관의 정보공개에 관한 법률 시행령」 제2조 제4호의 '특별법에 의하여 설립된 특수법인'에 해당한다고 보기 어렵다(한국증권업협회는 정보공개법상의 공공기관이 아니다).
>
> '한국증권업협회'는 증권회사 상호 간의 업무질서를 유지하고 유가증권의 공정한 매매거래 및 투자자 보호를 위하여 일정 규모 이상인 증권회사 등으로 구성된 회원조직으로서, 증권거래법 또는 그 법에 의한 명령에 대하여 특별한 규정이 있는 것을 제외하고는 민법 중 사단법인에 관한 규정을 준용받는 점, 그 업무가 국가기관 등에 준할 정도로 공동체 전체의 이익에 중요한 역할이나 기능에 해당하는 공공성을 갖는다고 볼 수 없는 점 등에 비추어, 「공공기관의 정보공개에 관한 법률 시행령」 제2조 제4호의 '특별법에 의하여 설립된 특수법인'에 해당한다고 보기 어렵다(대판 2010. 4. 29, 2008두5643).

④ ○

> 학교에 대하여 구 「교육관련기관의 정보공개에 관한 특례법」이 적용되는 경우, 구 「공공기관의 정보공개에 관한 법률」을 적용할 수 없는 것은 아니다.
>
> 구 정보공개법 시행령 제2조 제1호는 대통령령이 정하는 기관에 초 · 중등교육법 및 고등교육법, 그 밖에 다른 법률에 의하여 설치된 각급학교를 포함시키고 있어, 사립대학교는 정보공개의무가 있는 공공기관에 해당하게 되었다. …… 교육기관정보공개법은 공공기관이 직무상 작성 또는 취득하여 관리하고 있는 정보 가운데 교육관련기관이 학교교육과 관련하여 직무상 작성 또는 취득하여 관리하고 있는 정보의 공개에 관하여 특별히 규율하는 법률이므로, 학교에 대하여 교육기관정보공개법이 적용된다고 하여 더 이상 정보공개법을 적용할 수 없게 되는 것은 아니라고 할 것이다(대판 2013. 11. 28, 2011두5049).

정답 16 ①

17 정답률 53% 중 2016 국가직 7급

정보공개제도에 대한 설명으로 옳지 않은 것은? (다툼이 있는 경우 판례에 의함)

□□□ ① 법인 등이 거래하는 금융기관의 계좌번호에 관한 정보는 영업상 비밀에 관한 사항으로서 「공공기관의 정보공개에 관한 법률」상 비공개대상정보에 해당한다.

□□□ ② 직무를 수행한 공무원의 성명과 직위는 「공공기관의 정보공개에 관한 법률」에 의하여 공개대상정보에 해당한다.

□□□ ③ 공공기관이 그 정보를 보유·관리하고 있지 아니한 경우에는 특별한 사정이 없는 한 정보공개를 구하는 자에게 정보공개거부처분의 취소를 구할 법률상의 이익이 없다.

□□□ ④ 「공공기관의 정보공개에 관한 법률」은 모든 국민을 정보공개청구권자로 규정하고 있는데, 이에는 자연인은 물론 법인, 권리능력 없는 사단·재단, 지방자치단체 등이 포함된다.

① ○

법인 등이 거래하는 금융기관의 계좌번호에 관한 정보는 법인 등의 영업상 비밀에 관한 사항으로서 공개될 경우 법인 등의 정당한 이익을 현저히 해할 우려가 있다고 인정되는 정보에 해당한다(비공개대상)(대판 2004. 8. 20, 2003두8302).

② ○

「공공기관의 정보공개에 관한 법률」 제9조【비공개대상정보】 ① 공공기관이 보유·관리하는 정보는 공개대상이 된다. 다만, 다음 각 호의 어느 하나에 해당하는 정보는 공개하지 아니할 수 있다.

6. 해당 정보에 포함되어 있는 성명·주민등록번호 등 개인정보보호법 제2조 제1호에 따른 개인정보로서 공개될 경우 사생활의 비밀 또는 자유를 침해할 우려가 있다고 인정되는 정보. 다만, 다음 각 목에 열거한 사항은 제외한다.
   라. 직무를 수행한 공무원의 성명·직위

③ ○

공공기관이 공개를 구하는 정보의 폐기 등으로 인해 보유·관리하고 있지 아니한 경우, 정보공개거부처분의 취소를 구할 법률상 이익이 없다는 것이 판례의 입장이다(대판 2003. 4. 25, 2000두7087).

④ ×

국민에는 자연인뿐만 아니라 법인, 법인격 없는(권리능력 없는) 사단·재단도 포함된다는 것이 판례의 입장이며, 이해관계 유무를 불문하므로 시민단체 등에 의한 행정감시목적의 정보공개청구도 가능하다. 다만, 지방자치단체는 정보공개의무자에 해당할 뿐 정보공개청구권자인 국민에 해당하지 않는다. 하급심판례이기는 하나 서울행정법원은 지방자치단체는 정보공개청구권자인 국민에 포함되지 아니한다고 판시한 바 있다(서울행법 2005. 10. 12, 2005구합10484).

정답 17 ④

18 정답률 71% 중 2016 국가직 9급

「공공기관의 정보공개에 관한 법률」에 따른 정보공개에 대한 설명으로 옳은 것은? (다툼이 있는 경우 판례에 의함)

① 국 · 공립의 초등학교는 공공기관의 정보공개에 관한 법령상 공공기관에 해당하지만, 사립초등학교는 이에 해당하지 않는다.

② 공개방법을 선택하여 정보공개를 청구하였더라도 공공기관은 정보공개청구자가 선택한 방법에 따라 정보를 공개하여야 하는 것은 아니며, 원칙적으로 그 공개방법을 선택할 재량권이 있다.

③ 정보공개청구에 대해 공공기관의 비공개결정이 있는 경우 이의신청절차를 거치지 않더라도 행정심판을 청구할 수 있다.

④ 정보공개청구자는 정보공개와 관련한 공공기관의 비공개결정에 대해서는 이의신청을 할 수 있지만, 부분공개의 결정에 대해서는 따로 이의신청을 할 수 없다.

① ×

학교의 경우 공 · 사립을 불문한다.

② ×

정보공개를 청구하는 자가 공공기관에 대해 정보의 사본 또는 출력물의 교부방법으로 공개방법을 선택하여 정보공개청구를 한 경우, 공개청구를 받은 공공기관은 그 공개방법을 선택할 재량권이 없다는 것이 판례의 입장이다(대판 2003. 12. 12, 2003두8050).

③ ○

이의신청은 임의적 절차에 불과하다.

④ **빈출** ×

> 「공공기관의 정보공개에 관한 법률」 제18조【이의신청】① 청구인이 정보공개와 관련한 공공기관의 비공개결정 또는 부분공개결정에 대하여 불복이 있거나 정보공개청구 후 20일이 경과하도록 정보공개결정이 없는 때에는 공공기관으로부터 정보공개 여부의 결정 통지를 받은 날 또는 정보공개청구 후 20일이 경과한 날부터 30일 이내에 해당 공공기관에 문서로 이의신청을 할 수 있다.

정답 18 ③

19 빈출 ⓗ 2015 사회복지직 9급

「공공기관의 정보공개에 관한 법률」상 정보공개대상에 대한 판례의 입장으로 옳지 않은 것은?

□□□ ① 공공기관이 직무상 작성 또는 취득하여 현재 보유·관리하고 있는 문서의 경우 사본도 정보공개의 대상이 될 수 있다.

□□□ ② 사법시험 응시자가 자신의 제2차 시험 답안지에 대한 열람청구를 한 경우 그 답안지는 정보공개의 대상이 된다.

□□□ ③ 공무원이 직무와 관련 없이 개인적 자격으로 금품을 수령한 정보는 공개대상이 되는 정보이다.

□□□ ④ 사면대상자들의 사면실시건의서와 그와 관련된 국무회의 안건자료는 공개대상이 되는 정보이다.

관련기출

③

1. 공무원이 직무와 관련 없이 개인적인 자격으로 행사에 참석하고 금품을 수령한 정보는 '공개하는 것이 공익을 위하여 필요하다고 인정되는 정보'에 해당한다. (O, X) 2013 국회직 8급
2. 대법원은 공무원이 직무와 관련 없이 개인적인 자격으로 금품을 수령한 경우에도 해당 정보를 공개하여야 한다고 본다. (O, X) 2011 서울시 9급

1. X 2. X

④

1. 대통령의 사면권 행사는 고도의 정치적 행위이므로 그 정보의 공개가 사면권 자체를 부정하게 될 위험이 있고 해당 정보의 당사자들의 사생활의 비밀도 침해할 우려가 있기 때문에 「공공기관의 정보공개에 관한 법률」상의 비공개사유에 해당된다. (O, X) 2010 국회직 8급

1. X

① O

「공공기관의 정보공개에 관한 법률」상 공개청구의 대상이 되는 정보에 해당하는 문서가 반드시 원본일 필요는 없다는 것이 판례의 입장이다(대판 2006. 5. 25, 2006두3049).

② O

> 사법시험 제2차 시험의 답안지 열람은 시험문항에 대한 채점위원별 채점 결과의 열람과 달리 사법시험업무의 수행에 현저한 지장을 초래한다고 볼 수 없다(공개대상)(대판 2003. 3. 14, 2000두6114).

③ **빈출** X

> 공무원이 '직무와 관련 없이' 개인적인 자격으로 간담회·연찬회 등 행사에 참석하고 금품을 수령한 정보는 「공공기관의 정보공개에 관한 법률」 제7조 제1항 제6호 단서 (다)목 소정의 '공개하는 것이 공익을 위하여 필요하다고 인정되는 정보'에 해당하지 않는다(비공개대상)(대판 2003. 12. 12, 2003두8050).

④ **빈출** O

> 사면대상자들의 사면실시건의서와 그와 관련된 국무회의 안건자료에 관한 정보는 구 「공공기관의 정보공개에 관한 법률」에서 정한 비공개사유에 해당하지 않는다(공개대상).
> 사면대상자들의 사면실시건의서와 그와 관련된 국무회의 안건자료에 관한 정보는 그 공개로 얻는 이익이 그로 인하여 침해되는 당사자들의 사생활의 비밀에 관한 이익보다 더욱 크므로 구 「공공기관의 정보공개에 관한 법률」 제7조 제1항 제6호에서 정한 비공개사유에 해당하지 않는다(대판 2006. 12. 7, 2005두241).

정답 19 ③

20 중 2013 국가직 9급

행정정보공개에 관한 판례의 입장으로 옳은 것은?

① 사법시험 제2차 시험의 답안지와 시험문항에 대한 채점위원별 채점결과는 비공개정보에 해당한다.

② 청주시의회에서 의결한 청주시행정정보공개조례안은 행정에 대한 주민의 알권리의 실현을 그 근본내용으로 하면서도 이로 인한 개인의 권익침해 가능성을 배제하고 있으므로, 이를 들어 주민의 권리를 제한하거나 의무를 부과하는 조례라고는 단정할 수 없고 따라서 그 제정에 있어서 반드시 법률의 개별적 위임이 따로 필요한 것은 아니다.

③ 교도관이 직무 중 발생한 사유에 관하여 작성한 근무보고서는 비공개대상정보에 해당한다.

④ 학교폭력대책자치위원회의 회의록은 공개대상정보에 해당한다.

① ×

> 사법시험 제2차 시험의 답안지 열람은 시험문항에 대한 채점위원별 채점결과의 열람과 달리 사법시험업무의 수행에 현저한 지장을 초래한다고 볼 수 없다(사법시험 제2차 시험 답안지는 공개대상이다)(대판 2003. 3. 14, 2000두6114).

② ○

지방자치법 제28조는 "지방자치단체는 법령의 범위에서 그 사무에 관하여 조례를 제정할 수 있다. 다만, 주민의 권리제한 또는 의무부과에 관한 사항이나 벌칙을 정할 때에는 법률의 위임이 있어야 한다."라고 규정하고 있다. 이 조문을 반대로 해석하면 이러한 내용과 관련 없는 조례, 예컨대 권리를 실현하거나 의무를 해제하는 내용의 조례는 법률의 위임이 없더라도 제정이 가능하다. 그런데 정보공개조례는 권리를 제한하거나 의무를 부과하는 것이 아니라 권리를 실현하는 내용의 조례이므로 법률의 위임이 없더라도 제정이 가능하다.

> 청주시의회에서 의결한 청주시행정정보공개조례안은 주민의 권리를 제한하거나 의무를 부과하는 조례라고는 단정할 수 없어 그 제정에 있어서 반드시 법률의 개별적 위임이 따로 필요한 것은 아니다(대판 1992. 6. 23, 92추17).

③ ×

> '교도관의 근무보고서'는 비공개대상정보에 해당한다고 볼 수 없고, 징벌위원회 회의록 중 비공개 심사 · 의결 부분은 비공개사유에 해당하지만 '징벌절차 진행 부분'은 비공개사유에 해당하지 않는다고 보아 분리공개가 허용된다(대판 2009. 12. 10, 2009두12785).

④ ×

'학교폭력대책자치위원회 회의록'은 「공공기관의 정보공개에 관한 법률」 제9조 제1항 제1호의 비공개대상정보에 해당한다는 것이 판례의 입장이다(대판 2010. 6. 10, 2010두2913).

정답 20 ②

21 ⓢ 2011 국가직 9급

정보공개제도에 대한 설명으로 옳지 않은 것은?

□□□ ① 국내에 학술행사 참석차 방문하여 일시적으로 체류하는 외국학자도 정보공개를 청구할 수 있다.

□□□ ② 지방자치단체의 업무추진비 세부항목별 집행내역 및 증빙서류에 포함된 개인에 관한 정보는 '공개하는 것이 공익을 위하여 필요하다고 인정되는 정보'에 해당된다.

□□□ ③ 정보공개가 결정되고 공개에 오랜 시간이 걸리지 않는 정보는 말로도 공개할 수 있다.

□□□ ④ 정보공개 관련결정에 대하여 행정소송이 제기된 경우에 재판장은 필요시 당사자 없이 비공개로 해당 정보를 열람할 수 있다.

① ○

정보공개법 시행령에 따르면 외국인의 경우라도 국내에 일정한 주소를 두고 거주하거나 학술 · 연구목적으로 일시체류하는 자 또는 국내에 사무소를 두고 있는 법인 또는 단체의 경우라면 정보공개청구권을 가진다.

② ×

지방자치단체의 업무추진비 세부항목별 집행내역 및 그에 관한 증빙서류에 포함된 개인에 관한 정보는 '공개하는 것이 공익을 위하여 필요하다고 인정되는 정보'에 해당하지 않는다(사생활보호를 고려한 판례이다 – 비공개대상)(대판 2003. 3. 11, 2001두6425).

③ ○

「공공기관의 정보공개에 관한 법률」 제16조 【즉시처리가 가능한 정보의 공개】 다음 각 호의 어느 하나에 해당하는 정보로서 즉시 또는 말로 처리가 가능한 정보에 대해서는 제11조에 따른 절차를 거치지 아니하고 공개하여야 한다.

1. 법령 등에 따라 공개를 목적으로 작성된 정보
2. 일반국민에게 알리기 위하여 작성된 각종 홍보자료
3. 공개하기로 결정된 정보로서 공개에 오랜 시간이 걸리지 아니하는 정보
4. 그 밖에 공공기관의 장이 정하는 정보

④ ○

「공공기관의 정보공개에 관한 법률」 제20조 【행정소송】 ② 재판장은 필요하다고 인정하면 당사자를 참여시키지 아니하고 제출된 공개청구정보를 비공개로 열람 · 심사할 수 있다.

정답 21 ②

02 개인정보보호법

개인정보보호법은 2025년 2월에 별도로 진행되는 <2025 개인정보보호법 무료특강>을 듣기 바란다.

22 ㊥ 2023 국회직 9급

개인정보보호에 대한 설명으로 옳지 않은 것만을 <보기>에서 모두 고르면? (다툼이 있는 경우 판례에 의함)

보기

□□□ ㉠ 개인정보보호법에서 '처리'란 개인정보의 수집, 생성, 연계, 연동, 기록, 저장, 보유, 가공, 편집, 검색, 출력, 정정(訂正), 복구, 이용, 제공, 공개, 파기(破棄), 그 밖에 이와 유사한 행위를 말한다.

□□□ ㉡ 개인정보자기결정권은 자신에 관한 정보가 언제 누구에게 어느 범위까지 알려지고 또 이용되도록 할 것인지를 그 정보주체가 스스로 결정할 수 있는 권리를 말한다.

□□□ ㉢ 정보주체는 개인정보처리자가 개인정보보호법을 위반한 행위로 손해를 입으면 개인정보처리자에게 손해배상을 청구할 수 있다. 이 경우 그 개인정보처리자는 고의 또는 과실이 없음을 입증하더라도 책임을 면할 수 없다.

① ㉠ ② ㉡
③ ㉢ ④ ㉠, ㉢
⑤ ㉡, ㉢

㉠ ○

개인정보보호법 제2조 【정의】 이 법에서 사용하는 용어의 뜻은 다음과 같다.
2. '처리'란 개인정보의 수집, 생성, 연계, 연동, 기록, 저장, 보유, 가공, 편집, 검색, 출력, 정정, 복구, 이용, 제공, 공개, 파기, 그 밖에 이와 유사한 행위를 말한다.

㉡ ○

인간의 존엄과 가치, 행복추구권을 규정한 헌법 제10조 제1문에서 도출되는 일반적 인격권 및 헌법 제17조의 사생활의 비밀과 자유에 의하여 보장되는 개인정보자기결정권은 자신에 관한 정보가 언제 누구에게 어느 범위까지 알려지고 또 이용되도록 할 것인지를 그 '정보주체'가 스스로 결정할 수 있는 권리이다. 즉, 정보주체가 개인정보의 공개와 이용에 관하여 스스로 결정할 권리를 말한다(헌재 2005. 7. 21, 2003헌마282 · 425 병합).

㉢ ×

개인정보보호법 제39조 【손해배상책임】 ① 정보주체는 개인정보처리자가 이 법을 위반한 행위로 손해를 입으면 개인정보처리자에게 손해배상을 청구할 수 있다. 이 경우 그 개인정보처리자는 고의 또는 과실이 없음을 입증하지 아니하면 책임을 면할 수 없다.

정답 22 ③

23 정답률 85% 중 2023 군무원 9급

다음 중 개인정보보호법에 관한 내용으로 옳지 않은 것은? (다툼이 있는 경우 판례에 의함)

□□□ ① 개인정보처리자는 개인정보를 익명 또는 가명으로 처리하여도 개인정보 수집목적을 달성할 수 있는 경우 익명처리가 가능한 경우에는 익명에 의하여, 익명처리로 목적을 달성할 수 없는 경우에는 가명에 의하여 처리될 수 있도록 하여야 한다.

□□□ ② 개인정보처리자는 정보주체가 필요한 최소한의 정보 외의 개인정보 수집에 동의하지 아니한다는 이유로 정보주체에게 재화 또는 서비스의 제공을 거부할 수 있다.

□□□ ③ 개인정보처리자는 공공기관이 법령 등에서 정하는 소관 업무의 수행을 위하여 불가피한 경우에는 개인정보를 수집할 수 있으며 그 수집 목적의 범위에서 이용할 수 있다.

□□□ ④ 개인정보처리자는 보유기간의 경과, 개인정보의 처리목적 달성, 가명정보의 처리 기간 경과 등 그 개인정보가 불필요하게 되었을 때에는 지체 없이 그 개인정보를 파기하여야 한다. 다만, 다른 법령에 따라 보존하여야 하는 경우에는 그러하지 아니하다.

① ○

> **개인정보보호법 제3조【개인정보 보호 원칙】** ⑦ 개인정보처리자는 개인정보를 익명 또는 가명으로 처리하여도 개인정보 수집목적을 달성할 수 있는 경우 익명처리가 가능한 경우에는 익명에 의하여, 익명처리로 목적을 달성할 수 없는 경우에는 가명에 의하여 처리될 수 있도록 하여야 한다.

② ×

> **개인정보보호법 제16조【개인정보의 수집 제한】** ③ 개인정보처리자는 정보주체가 필요한 최소한의 정보 외의 개인정보 수집에 동의하지 아니한다는 이유로 정보주체에게 재화 또는 서비스의 제공을 거부하여서는 아니 된다.

③ ○

> **개인정보보호법 제15조【개인정보의 수집·이용】** ① 개인정보처리자는 다음 각 호의 어느 하나에 해당하는 경우에는 개인정보를 수집할 수 있으며 그 수집 목적의 범위에서 이용할 수 있다.
> 1. 정보주체의 동의를 받은 경우
> 2. 법률에 특별한 규정이 있거나 법령상 의무를 준수하기 위하여 불가피한 경우
> 3. 공공기관이 법령 등에서 정하는 소관 업무의 수행을 위하여 불가피한 경우
> 4. 정보주체와 체결한 계약을 이행하거나 계약을 체결하는 과정에서 정보주체의 요청에 따른 조치를 이행하기 위하여 필요한 경우
> 5. 명백히 정보주체 또는 제3자의 급박한 생명, 신체, 재산의 이익을 위하여 필요하다고 인정되는 경우

④ ○

> **개인정보보호법 제21조【개인정보의 파기】** ① 개인정보처리자는 보유기간의 경과, 개인정보의 처리목적 달성, 가명정보의 처리 기간 경과 등 그 개인정보가 불필요하게 되었을 때에는 지체 없이 그 개인정보를 파기하여야 한다. 다만, 다른 법령에 따라 보존하여야 하는 경우에는 그러하지 아니하다.

24 중 2023 행정사

개인정보보호법상 개인정보 보호 원칙에 관한 설명으로 옳지 않은 것은?

□□□ ① 개인정보처리자는 개인정보의 처리 목적에 필요한 범위에서 적합하게 개인정보를 처리하여야 한다.

□□□ ② 개인정보처리자는 개인정보의 처리 목적에 필요한 범위에서 개인정보의 정확성, 완전성 및 최신성이 보장되도록 하여야 한다.

□□□ ③ 개인정보처리자는 정보주체의 사생활 침해를 최소화하는 방법으로 개인정보를 처리하여야 한다.

□□□ ④ 개인정보처리자는 개인정보 처리방침 등 개인정보의 처리에 관한 사항을 공개하여야 한다.

□□□ ⑤ 개인정보처리자는 개인정보를 익명 또는 가명으로 처리하여서는 아니 된다.

①②③④ ○
⑤ ×

> **개인정보보호법 제3조【개인정보 보호 원칙】** ② 개인정보처리자는 개인정보의 처리 목적에 필요한 범위에서 적합하게 개인정보를 처리하여야 하며, 그 목적 외의 용도로 활용하여서는 아니 된다(①).
> ③ 개인정보처리자는 개인정보의 처리 목적에 필요한 범위에서 개인정보의 정확성, 완전성 및 최신성이 보장되도록 하여야 한다(②).
> ⑤ 개인정보처리자는 제30조에 따른 개인정보 처리방침 등 개인정보의 처리에 관한 사항을 공개하여야 하며, 열람청구권 등 정보주체의 권리를 보장하여야 한다(④).
> ⑥ 개인정보처리자는 정보주체의 사생활 침해를 최소화하는 방법으로 개인정보를 처리하여야 한다(③).
> ⑦ 개인정보처리자는 개인정보를 익명 또는 가명으로 처리하여도 개인정보 수집목적을 달성할 수 있는 경우 익명처리가 가능한 경우에는 익명에 의하여, 익명처리로 목적을 달성할 수 없는 경우에는 가명에 의하여 처리될 수 있도록 하여야 한다(⑤).

정답 23 ② 24 ⑤

25 상 2023 국회직 8급

개인정보보호법상 개인정보보호에 대한 설명으로 옳지 않은 것은? (다툼이 있는 경우 판례에 의함)

① 정보주체는 개인정보처리자가 개인정보보호법을 위반한 행위로 손해를 입으면 개인정보처리자에게 손해배상을 청구할 수 있다. 이 경우 그 개인정보처리자는 고의 또는 과실이 없음을 입증하지 아니하면 책임을 면할 수 없다.

② 헌법재판소는 개인정보자기결정권을 사생활의 비밀과 자유, 일반적 인격권, 국민주권원리 등을 이념적 기초로 하는 독자적 기본권으로서 헌법에 명시되지 않은 기본권으로 보고 있다.

③ 개인정보보호법상의 개인정보란 살아 있는 개인에 관한 정보로서 사자(死者)에 관한 정보는 해당되지 않는다.

④ 국가 및 지방자치단체, 개인정보 보호단체는 정보주체의 피해 또는 권리침해가 다수의 정보주체에게 같거나 비슷한 유형으로 발생하는 경우로서 대통령령으로 정하는 사건에 대하여는 분쟁조정위원회에 집단분쟁조정을 의뢰 또는 신청할 수 있다.

⑤ 개인정보처리자가 개인정보보호법 제49조에 따른 집단분쟁조정의 결과를 수락하지 아니한 경우, 소비자기본법 제29조에 따라 공정거래위원회에 등록한 후 1년이 경과한 소비자단체는 법원에 권리침해행위의 중지를 구하는 단체소송을 제기할 수 있다.

① ○

> **개인정보보호법 제39조【손해배상책임】** ① 정보주체는 개인정보처리자가 이 법을 위반한 행위로 손해를 입으면 개인정보처리자에게 손해배상을 청구할 수 있다. 이 경우 그 개인정보처리자는 고의 또는 과실이 없음을 입증하지 아니하면 책임을 면할 수 없다.

② ○

> 개인정보자기결정권은 독자적 기본권으로서 헌법에 명시되지 아니한 기본권이다.
> 개인정보자기결정권의 헌법상 근거로는 헌법 제17조의 사생활의 비밀과 자유, 헌법 제10조 제1문의 인간의 존엄과 가치 및 행복추구권에 근거를 둔 일반적 인격권 또는 위 조문들과 동시에 우리 헌법의 자유민주적 기본질서 규정 또는 국민주권원리와 민주주의원리 등을 고려할 수 있으나, 개인정보자기결정권으로 보호하려는 내용을 위 각 기본권들 및 헌법원리들 중 일부에 완전히 포섭시키는 것은 불가능하다고 할 것이므로, 그 헌법적 근거를 굳이 어느 한두 개에 국한시키는 것은 바람직하지 않은 것으로 보이고, 오히려 개인정보자기결정권은 이들을 이념적 기초로 하는 독자적 기본권으로서 헌법에 명시되지 아니한 기본권이라고 보아야 할 것이다(헌재 2005. 5. 26, 2004헌마190).

③ ○

사자(死者)나 법인의 정보는 개인정보보호법의 대상이 아니다.

> **개인정보보호법 제2조【정의】** 이 법에서 사용하는 용어의 뜻은 다음과 같다.
> 1. '개인정보'란 살아 있는 개인에 관한 정보로서 다음 각 목의 어느 하나에 해당하는 정보를 말한다.
>   가. 성명, 주민등록번호 및 영상 등을 통하여 개인을 알아볼 수 있는 정보
>   나. 해당 정보만으로는 특정 개인을 알아볼 수 없더라도 다른 정보와 쉽게 결합하여 알아볼 수 있는 정보. 이 경우 쉽게 결합할 수 있는지 여부는 다른 정보의 입수 가능성 등 개인을 알아보는 데 소요되는 시간, 비용, 기술 등을 합리적으로 고려하여야 한다.
>   다. 가목 또는 나목을 제1호의2에 따라 가명처리함으로써 원래의 상태로 복원하기 위한 추가 정보의 사용 · 결합 없이는 특정 개인을 알아볼 수 없는 정보(이하 '가명정보'라 한다)
>
> 1의2. '가명처리'란 개인정보의 일부를 삭제하거나 일부 또는 전부를 대체하는 등의 방법으로 추가 정보가 없이는 특정 개인을 알아볼 수 없도록 처리하는 것을 말한다.

④ ○

> **개인정보보호법 제49조【집단분쟁조정】** ① 국가 및 지방자치단체, 개인정보 보호단체 및 기관, 정보주체, 개인정보처리자는 정보주체의 피해 또는 권리침해가 다수의 정보주체에게 같거나 비슷한 유형으로 발생하는 경우로서 대통령령으로 정하는 사건에 대하여는 분쟁조정위원회에 일괄적인 분쟁조정(이하 '집단분쟁조정'이라 한다)을 의뢰 또는 신청할 수 있다.

⑤ ×

> **개인정보보호법 제51조【단체소송의 대상 등】** 다음 각 호의 어느 하나에 해당하는 단체는 개인정보처리자가 제49조에 따른 집단분쟁조정을 거부하거나 집단분쟁조정의 결과를 수락하지 아니한 경우에는 법원에 권리침해행위의 금지 · 중지를 구하는 소송(이하 '단체소송'이라 한다)을 제기할 수 있다.
> 1. 소비자기본법 제29조에 따라 공정거래위원회에 등록한 소비자단체로서 다음 각 목의 요건을 모두 갖춘 단체
>   가. 정관에 따라 상시적으로 정보주체의 권익증진을 주된 목적으로 하는 단체일 것
>   나. 단체의 정회원 수가 1천명 이상일 것
>   다. 소비자기본법 제29조에 따른 등록 후 3년이 경과하였을 것

정답 25 ⑤

26 정답률 64% 중 2022 소방직 9급

개인정보보호법상 개인정보 보호제도에 대한 설명으로 옳은 것은?

□□□ ① 살아 있는 개인에 관하여 알아볼 수 있는 정보라도 가명처리함으로써 원래의 상태로 복원하기 위한 추가 정보의 사용 · 결합 없이는 특정 개인을 알아볼 수 없게 된 정보는 이 법에 따른 개인정보에 해당하지 아니한다.

□□□ ② 개인정보보호위원회는 대통령 직속기관으로 대통령이 직접 지휘 · 감독한다.

□□□ ③ 정보주체가 자신의 개인정보에 대한 열람을 공공기관에 요구하고자 할 때에는 공공기관에 직접 열람을 요구하거나 대통령령으로 정하는 바에 따라 개인정보보호위원회를 통하여 열람을 요구할 수 있다.

□□□ ④ 개인정보처리자는 당초 수집목적과 합리적으로 관련된 범위에서 정보주체에게 불이익이 발생하는지 여부, 암호화 등 안전성 확보에 필요한 조치를 하였는지 여부 등을 고려하더라도 정보주체의 동의 없이는 개인정보를 제3자에게 제공할 수 없다.

① **빈출** ×

> **개인정보보호법 제2조【정의】** 이 법에서 사용하는 용어의 뜻은 다음과 같다.
> 1. '개인정보'란 살아 있는 개인에 관한 정보로서 다음 각 목의 어느 하나에 해당하는 정보를 말한다.
>   다. 가목 또는 나목을 제1호의2에 따라 가명처리함으로써 원래의 상태로 복원하기 위한 추가 정보의 사용 · 결합 없이는 특정 개인을 알아볼 수 없는 정보(이하 '가명정보'라 한다)

② ×

> **개인정보보호법 제7조【개인정보보호위원회】** ① 개인정보 보호에 관한 사무를 독립적으로 수행하기 위하여 국무총리 소속으로 개인정보보호위원회(이하 '보호위원회'라 한다)를 둔다.

③ ○

> **개인정보보호법 제35조【개인정보의 열람】** ① 정보주체는 개인정보처리자가 처리하는 자신의 개인정보에 대한 열람을 해당 개인정보처리자에게 요구할 수 있다.
> ② 제1항에도 불구하고 정보주체가 자신의 개인정보에 대한 열람을 공공기관에 요구하고자 할 때에는 공공기관에 직접 열람을 요구하거나 대통령령으로 정하는 바에 따라 보호위원회를 통하여 열람을 요구할 수 있다.

④ ×

> **개인정보보호법 제17조【개인정보의 제공】** ④ 개인정보처리자는 당초 수집목적과 합리적으로 관련된 범위에서 정보주체에게 불이익이 발생하는지 여부, 암호화 등 안전성 확보에 필요한 조치를 하였는지 여부 등을 고려하여 대통령령으로 정하는 바에 따라 정보주체의 동의 없이 개인정보를 제공할 수 있다.

정답 26 ③

27 빈출 중 2021 국회직 8급

개인정보보호법에 대한 설명으로 옳지 않은 것은? (다툼이 있는 경우 판례에 의함)

□□□ ① 개인정보처리자가 주민등록번호를 처리하기 위해서는 정보주체에게 다른 개인정보의 처리에 대한 동의와 별도로 동의를 받아야 한다.

□□□ ② 가명처리란 개인정보의 일부를 삭제하거나 일부 또는 전부를 대체하는 등의 방법으로 추가 정보가 없이는 특정 개인을 알아볼 수 없도록 처리하는 것을 말한다.

□□□ ③ 개인정보처리자는 당초 수집목적과 합리적으로 관련된 범위에서 정보주체에게 불이익이 발생하는지 여부, 암호화 등 안전성 확보에 필요한 조치를 하였는지 여부 등을 고려하여 대통령령으로 정하는 바에 따라 정보주체의 동의 없이 개인정보를 제공할 수 있다.

□□□ ④ 개인정보처리자는 개인정보처리자의 정당한 이익을 달성하기 위하여 필요한 경우로서 명백하게 정보주체의 권리보다 우선하는 경우에는 개인정보처리자의 정당한 이익과 상당한 관련이 있고 합리적인 범위를 초과하지 않는다면 정보주체의 동의가 없더라도 개인정보를 수집할 수 있다.

□□□ ⑤ 살아 있는 개인에 관한 정보로서 해당 정보만으로는 특정 개인을 알아볼 수 없더라도 다른 정보와 쉽게 결합하여 알아볼 수 있는 정보는 개인정보에 해당한다.

① 빈출 ×

개인정보보호법 제24조【고유식별정보의 처리제한】 ① 개인정보처리자는 다음 각 호의 경우를 제외하고는 법령에 따라 개인을 고유하게 구별하기 위하여 부여된 식별정보로서 대통령령으로 정하는 정보(이하 '고유식별정보'라 한다)를 처리할 수 없다.
1. 정보주체에게 제15조 제2항 각 호 또는 제17조 제2항 각 호의 사항을 알리고 다른 개인정보의 처리에 대한 동의와 별도로 동의를 받은 경우
2. 법령에서 구체적으로 고유식별정보의 처리를 요구하거나 허용하는 경우

제24조의2【주민등록번호 처리의 제한】 ① 제24조 제1항에도 불구하고 개인정보처리자는 다음 각 호의 어느 하나에 해당하는 경우를 제외하고는 주민등록번호를 처리할 수 없다.
1. 법률 · 대통령령 · 국회규칙 · 대법원규칙 · 헌법재판소규칙 · 중앙선거관리위원회규칙 및 감사원규칙에서 구체적으로 주민등록번호의 처리를 요구하거나 허용한 경우
2. 정보주체 또는 제3자의 급박한 생명, 신체, 재산의 이익을 위하여 명백히 필요하다고 인정되는 경우
3. 제1호 및 제2호에 준하여 주민등록번호 처리가 불가피한 경우로서 보호위원회가 고시로 정하는 경우

②⑤ ○

개인정보보호법 제2조【정의】 이 법에서 사용하는 용어의 뜻은 다음과 같다.
1. '개인정보'란 살아 있는 개인에 관한 정보로서 다음 각 목의 어느 하나에 해당하는 정보를 말한다.
   가. 성명, 주민등록번호 및 영상 등을 통하여 개인을 알아볼 수 있는 정보
   나. 해당 정보만으로는 특정 개인을 알아볼 수 없더라도 다른 정보와 쉽게 결합하여 알아볼 수 있는 정보. 이 경우 쉽게 결합할 수 있는지 여부는 다른 정보의 입수 가능성 등 개인을 알아보는 데 소요되는 시간, 비용, 기술 등을 합리적으로 고려하여야 한다(⑤).
   다. 가목 또는 나목을 제1호의2에 따라 가명처리함으로써 원래의 상태로 복원하기 위한 추가 정보의 사용 · 결합 없이는 특정 개인을 알아볼 수 없는 정보(이하 '가명정보'라 한다)

1의2. '가명처리'란 개인정보의 일부를 삭제하거나 일부 또는 전부를 대체하는 등의 방법으로 추가 정보가 없이는 특정 개인을 알아볼 수 없도록 처리하는 것을 말한다(②).

③ ○

개인정보보호법 제17조【개인정보의 제공】 ④ 개인정보처리자는 당초 수집목적과 합리적으로 관련된 범위에서 정보주체에게 불이익이 발생하는지 여부, 암호화 등 안전성 확보에 필요한 조치를 하였는지 여부 등을 고려하여 대통령령으로 정하는 바에 따라 정보주체의 동의 없이 개인정보를 제공할 수 있다.

④ ○

개인정보보호법 제15조【개인정보의 수집 · 이용】 ① 개인정보처리자는 다음 각 호의 어느 하나에 해당하는 경우에는 개인정보를 수집할 수 있으며 그 수집목적의 범위에서 이용할 수 있다.
1. 정보주체의 동의를 받은 경우
6. 개인정보처리자의 정당한 이익을 달성하기 위하여 필요한 경우로서 명백하게 정보주체의 권리보다 우선하는 경우. 이 경우 개인정보처리자의 정당한 이익과 상당한 관련이 있고 합리적인 범위를 초과하지 아니하는 경우에 한한다.

정답 27 ①

28 정답률 80% 중 2021 국가직 9급

개인정보의 보호에 대한 판례의 설명으로 옳은 것만을 모두 고르면?

□□□ ㉠ 개인정보자기결정권의 보호대상이 되는 개인정보는 반드시 개인의 내밀한 영역에 속하는 정보에 국한되지 않고 공적 생활에서 형성되었거나 이미 공개된 개인정보까지 포함한다.

□□□ ㉡ 이미 공개된 개인정보를 정보주체의 동의가 있었다고 객관적으로 인정되는 범위 내에서 처리를 할 때는 정보주체의 별도의 동의는 불필요하다고 보아야 하고, 별도의 동의를 받지 아니하였다고 하여 개인정보보호법을 위반한 것으로 볼 수 없다.

□□□ ㉢ 개인정보처리위탁에 있어 수탁자는 정보제공자의 관리 · 감독 아래 위탁받은 범위 내에서만 개인정보를 처리하게 되지만, 위탁자로부터 위탁사무 처리에 따른 대가를 지급받는 이상 개인정보처리에 관하여 독자적인 이익을 가지므로, 그러한 수탁자는 개인정보보호법 제17조에 의해 개인정보처리자가 정보주체의 개인정보를 제공할 수 있는 '제3자'에 해당한다.

□□□ ㉣ 인터넷 포털사이트 등의 개인정보 유출사고로 주민등록번호가 불법유출되어 그 피해자가 주민등록번호 변경을 신청했으나 구청장이 거부통지를 한 사안에서, 피해자의 의사와 무관하게 주민등록번호가 유출된 경우에는 조리상 주민등록번호의 변경요구신청권을 인정함이 타당하다.

① ㉠, ㉢ ② ㉡, ㉣
③ ㉠, ㉡, ㉢ ④ ㉠, ㉡, ㉣

관련기출

㉠

1. 개인정보자기결정권의 보호대상이 되는 개인정보는 공적 생활에서 형성되었거나 이미 공개된 개인정보까지도 포함한다. (○, ×) 2019 소방직 9급
2. 개인정보자기결정권의 보호대상이 되는 개인정보는 개인의 신체, 신념, 사회적 지위, 신분 등과 같이 개인의 인격주체성을 특징짓는 사항으로서 그 개인의 동일성을 식별할 수 있는 일체의 정보이고, 이미 공개된 개인정보는 포함하지 않는다. (○, ×) 2018 지방직 7급

1. ○ 2. ×

㉡

1. 이미 공개된 개인정보를 정보주체의 동의가 있었다고 객관적으로 인정되는 범위 내에서 처리를 할 때는 정보주체의 별도의 동의는 불필요하다고 보아야 하고, 별도의 동의를 받지 아니하였다고 하여 개인정보보호법을 위반한 것으로 볼 수 없다. (○, ×) 2023 소방간부

1. ○

④ ㉠㉡㉣이 옳은 설명이다.

㉠ **빈출** ○

개인정보자기결정권의 보호대상이 되는 개인정보는 개인의 동일성을 식별할 수 있게 하는 일체의 정보로서 공적 생활에서 이미 형성되었거나 이미 공개된 정보까지 포함한다.

개인정보자기결정권의 보호대상이 되는 개인정보는 개인의 신체, 신념, 사회적 지위, 신분 등과 같이 개인의 인격주체성을 특징짓는 사항으로서 그 개인의 동일성을 식별할 수 있게 하는 일체의 정보라고 할 수 있고, 반드시 개인의 내밀한 영역이나 사사(私事)의 영역에 속하는 정보에 국한되지 않고 공적 생활에서 형성되었거나 이미 공개된 개인정보까지 포함한다. 또한 그러한 개인정보를 대상으로 한 조사 · 수집 · 보관 · 처리 · 이용 등의 행위는 모두 원칙적으로 개인정보자기결정권에 대한 제한에 해당한다(헌재 2005. 7. 21, 2003헌마282 · 425 병합).

㉡ ○

이미 공개된 개인정보를 정보주체의 동의가 있었다고 객관적으로 인정되는 범위 내에서 수집 · 이용 · 제공 등 처리를 할 때는 정보주체의 별도의 동의는 불필요하다고 보아야 하고, 별도의 동의를 받지 아니하였다고 하여 개인정보보호법 제15조나 제17조를 위반한 것으로 볼 수 없다(대판 2016. 8. 17, 2014다235080).

㉢ ×

개인정보보호법 제17조와 정보통신망법 제24조의2에서 말하는 개인정보의 '제3자 제공'은 본래의 개인정보 수집 · 이용 목적의 범위를 넘어 정보를 제공받는 자의 업무처리와 이익을 위하여 개인정보가 이전되는 경우인 반면, 개인정보보호법 제26조와 정보통신망법 제25조에서 말하는 개인정보의 '처리위탁'은 본래의 개인정보 수집 · 이용 목적과 관련된 위탁자 본인의 업무처리와 이익을 위하여 개인정보가 이전되는 경우를 의미한다. 개인정보 처리위탁에 있어 수탁자는 위탁자로부터 위탁사무처리에 따른 대가를 지급받는 것 외에는 개인정보처리에 관하여 독자적인 이익을 가지지 않고, 정보제공자의 관리 · 감독 아래 위탁받은 범위 내에서만 개인정보를 처리하게 되므로, 개인정보보호법 제17조와 정보통신망법 제24조의2에 정한 '제3자'에 해당하지 않는다(대판 2017. 4. 7, 2016도13263).

㉣ 제37강 참조 ○

(甲 등이 인터넷 포털사이트 등의 개인정보 유출사고로 자신들의 주민등록번호 등 개인정보가 불법유출되자 이를 이유로 관할 구청장에게 주민등록번호를 변경해 줄 것을 신청하였으나 구청장이 "주민등록번호가 불법유출된 경우 주민등록법상 변경이 허용되지 않는다."는 이유로 주민등록번호 변경을 거부하는 취지의 통지를 한 사안에서) 피해자의 의사와 무관하게 주민등록번호가 유출된 경우에는 조리상 주민등록번호의 변경을 요구할 신청권을 인정함이 타당하고, 구청장의 주민등록번호 변경신청 거부행위는 항고소송의 대상이 되는 행정처분에 해당한다(대판 2017. 6. 15, 2013두2945).

정답 28 ④

29 정답률 74% 상 2021 소방직 9급

개인정보보호법상 개인정보 단체소송에 대한 설명으로 옳지 않은 것은?

① 단체소송의 원고는 변호사를 소송대리인으로 선임하여야 한다.

② 단체소송에 관하여 개인정보보호법에 특별한 규정이 없는 경우에는 민사소송법을 적용한다.

③ 법원은 개인정보처리자가 분쟁조정위원회의 조정을 거부하지 않을 경우에만, 결정으로 단체소송을 허가한다.

④ 단체소송의 절차에 관하여 필요한 사항은 대법원규칙으로 정한다.

① ○

개인정보보호법 제53조【소송대리인의 선임】 단체소송의 원고는 변호사를 소송대리인으로 선임하여야 한다.

②④ ○

개인정보보호법 제57조【민사소송법의 적용 등】 ① 단체소송에 관하여 이 법에 특별한 규정이 없는 경우에는 민사소송법을 적용한다(②).
② 제55조에 따른 단체소송의 허가결정이 있는 경우에는 민사집행법 제4편에 따른 보전처분을 할 수 있다.
③ 단체소송의 절차에 관하여 필요한 사항은 대법원규칙으로 정한다(④).

③ ×

개인정보보호법 제55조【소송허가요건 등】 ① 법원은 다음 각 호의 요건을 모두 갖춘 경우에 한하여 결정으로 단체소송을 허가한다.

1. 개인정보처리자가 분쟁조정위원회의 조정을 거부하거나 조정결과를 수락하지 아니하였을 것
2. 제54조에 따른 소송허가신청서의 기재사항에 흠결이 없을 것

정답 29 ③

2025
써니 행정법총론
기출문제집

Sunny

제 4 편

행정의 실효성 확보수단

제23강 행정의 실효성 확보수단의 개설

1회독	2회독	3회독
/	/	/

정답률 공단기/소방단기 합격예측 풀서비스 통계 데이터 기준 기 기본서 핵 핵심집약

01 새로운 행정의 실효성 확보수단

기 496~509쪽 핵 T 44

01 빈출 중 2024 군무원 5급

다음 중 행정기본법상 과징금과 행정강제에 대한 설명으로 가장 적절하지 않은 것은? (다툼이 있는 경우 판례에 의함)

□□□ ① 과징금의 근거가 되는 법률에는 그 재량적 성격으로 인해 상한액을 명확하게 규정할 필요가 없다.

□□□ ② 행정청은 이행강제금을 부과하기 전에 미리 의무자에게 적절한 이행기간을 정하여 그 기한까지 행정상 의무를 이행하지 아니하면 이행강제금을 부과한다는 뜻을 문서로 계고(戒告)하여야 한다.

□□□ ③ 직접강제는 행정대집행이나 이행강제금 부과의 방법으로는 행정상 의무이행을 확보할 수 없거나 그 실현이 불가능한 경우에 실시하여야 한다.

□□□ ④ 즉시강제는 다른 수단으로는 행정목적을 달성할 수 없는 경우에만 허용되며, 이 경우에도 최소한으로만 실시하여야 한다.

① ×

> **행정기본법 제28조【과징금의 기준】** ② 과징금의 근거가 되는 법률에는 과징금에 관한 다음 각 호의 사항을 명확하게 규정하여야 한다.
> 1. 부과 · 징수주체
> 2. 부과사유
> 3. 상한액
> 4. 가산금을 징수하려는 경우 그 사항
> 5. 과징금 또는 가산금 체납시 강제징수를 하려는 경우 그 사항

② ○

> **행정기본법 제31조【이행강제금의 부과】** ③ 행정청은 이행강제금을 부과하기 전에 미리 의무자에게 적절한 이행기간을 정하여 그 기한까지 행정상 의무를 이행하지 아니하면 이행강제금을 부과한다는 뜻을 문서로 계고(戒告)하여야 한다.

③ ○

> **행정기본법 제32조【직접강제】** ① 직접강제는 행정대집행이나 이행강제금 부과의 방법으로는 행정상 의무이행을 확보할 수 없거나 그 실현이 불가능한 경우에 실시하여야 한다.

④ ○

> **행정기본법 제33조【즉시강제】** ① 즉시강제는 다른 수단으로는 행정목적을 달성할 수 없는 경우에만 허용되며, 이 경우에도 최소한으로만 실시하여야 한다.

정답 01 ①

02 정답률 43% 중 2024 국가직 9급

과징금에 대한 설명으로 옳지 않은 것은? (다툼이 있는 경우 판례에 의함)

① 구「독점규제 및 공정거래에 관한 법률」소정의 부당지원행위에 대한 과징금은 부당지원행위의 억지라는 행정목적을 실현하기 위한 행정상 제재금으로서의 성격에 부당이득환수적 요소도 부가되어 있으므로 국가형벌권 행사로서의 처벌에 해당하지 아니한다.

② 행정기본법령에 따르면, 과징금 납부의무자가 과징금을 분할 납부하려는 경우에는 납부기한 7일 전까지 과징금의 분할 납부를 신청하는 문서에 해당 사유를 증명하는 서류를 첨부하여 행정청에 신청해야 한다.

③ 관할행정청이 여객자동차운송사업자의 여러 가지 위반행위를 인지하였다면 전부에 대하여 일괄하여 최고한도 내에서 하나의 과징금 부과처분을 하는 것이 원칙이고, 인지한 위반행위 중 일부에 대해서만 우선 과징금 부과처분을 하고 나머지에 대해서는 차후에 별도의 과징금 부과처분을 하는 것은 다른 특별한 사정이 없는 한 허용되지 않는다.

④ 과징금의 근거가 되는 법률에는 과징금에 관한 부과·징수주체, 부과사유, 상한액, 가산금을 징수하려는 경우 그 사항, 과징금 또는 가산금 체납시 강제징수를 하려는 경우 그 사항을 명확하게 규정하여야 한다.

관련기출

①

1. 과징금은 법령 등에 따른 의무를 위반한 자에 대하여 그 위반행위에 대한 제재로서 부과·징수하는 금전을 말하며, 국가형벌권 행사로서의 '처벌'에 해당한다. (○, ×) 2023 국회직 9급
2. 구「독점규제 및 공정거래에 관한 법률」상의 부당내부거래에 대한 과징금에는 행정상의 제재금으로서의 기본적 성격에 부당이득환수적 요소도 부가되어 있다. (○, ×) 2021·2020 지방직·서울시 7급
3. 과징금은 행정상 제재금이고 범죄에 대한 국가형벌권의 실행이 아니므로 행정법규위반에 대해 벌금 이외에 과징금을 부과하는 것은 이중처벌금지의 원칙에 위반되지 않는다. (○, ×) 2022 국가직 9급

1. × 2. ○ 3. ○

③

1. 관할행정청이 여객자동차운송사업자가 범한 여러 가지 위반행위 중 일부만 인지하여 과징금 부과처분을 하였는데 그 후 과징금 부과처분 시점 이전에 이루어진 다른 위반행위를 인지하여 이에 대하여 별도의 과징금 부과처분을 하게 되는 경우, 종전 과징금 부과처분의 대상이 된 위반행위와 추가 과징금 부과처분의 대상이 된 위반행위에 대하여 일괄하여 하나의 과징금 부과처분을 하는 경우와의 형평을 고려하여 추가 과징금 부과처분의 처분양정이 이루어져야 한다. (○, ×) 2023 국가직 9급

1. ○

① **빈출** 정답률 22% ○

1. 구「독점규제 및 공정거래에 관한 법률」제24조의2에 의한 부당내부거래에 대한 과징금은 부당내부거래 억지라는 행정목적을 실현하기 위하여 그 위반행위에 대하여 제재를 가하는 행정상의 제재금으로서의 기본적 성격에 부당이득환수적 요소도 부가되어 있는 것이고, 이를 두고 헌법 제13조 제1항에서 금지하는 국가형벌권 행사로서의 '처벌'에 해당한다고는 할 수 없다.
2. 과징금과 형사처벌을 병과하더라도 이중처벌금지원칙에 위반된다고 볼 수 없다(헌재 2003. 7. 24, 2001헌가25).

② 정답률 43% ×

중요한 지문이 아니다. 생소하고 지엽적인 지문을 정답처리하고 자주 출제되었거나 중요한 판례들을 다른 지문으로 구성하여 난도를 높이는 형태의 문제이다.

행정기본법 시행령 제7조【과징금의 납부기한 연기 및 분할 납부】 ① 과징금 납부의무자는 법 제29조 각 호 외의 부분 단서에 따라 과징금 납부기한을 연기하거나 과징금을 분할 납부하려는 경우에는 납부기한 10일 전까지 과징금 납부기한의 연기나 과징금의 분할 납부를 신청하는 문서에 같은 조 각 호의 사유를 증명하는 서류를 첨부하여 행정청에 신청해야 한다.

③ 정답률 29% ○

1. 관할행정청이 여객자동차운송사업자의 여러 가지 위반행위를 인지한 경우, 인지한 여러 가지 위반행위 중 일부에 대해서만 우선 과징금 부과처분을 하고 나머지에 대해서 차후에 별도의 과징금 부과처분을 하는 것은 다른 특별한 사정이 없는 한 허용되지 않는다.
2. 관할행정청이 여객자동차운송사업자가 범한 여러 가지 위반행위 중 일부만 인지하여 과징금 부과처분을 하였는데 그 후 과징금 부과처분 시점 이전에 이루어진 다른 위반행위를 인지하여 이에 대하여 별도의 과징금 부과처분을 하게 되는 경우에도 종전 과징금 부과처분의 대상이 된 위반행위와 추가 과징금 부과처분의 대상이 된 위반행위에 대하여 일괄하여 하나의 과징금 부과처분을 하는 경우와의 형평을 고려하여 추가 과징금 부과처분의 처분양정이 이루어져야 한다.

   다시 말해, 행정청이 전체 위반행위에 대하여 하나의 과징금 부과처분을 할 경우에 산정되었을 정당한 과징금액에서 이미 부과된 과징금액을 뺀 나머지 금액을 한도로 하여서만 추가 과징금 부과처분을 할 수 있다. 행정청이 여러 가지 위반행위를 언제 인지하였느냐는 우연한 사정에 따라 처분상대방에게 부과되는 과징금의 총액이 달라지는 것은 그 자체로 불합리하기 때문이다(대판 2021. 2. 4, 2020두48390).

④ 정답률 4% ○

행정기본법 제28조【과징금의 기준】 ① 행정청은 법령 등에 따른 의무를 위반한 자에 대하여 법률로 정하는 바에 따라 그 위반행위에 대한 제재로서 과징금을 부과할 수 있다.
② 과징금의 근거가 되는 법률에는 과징금에 관한 다음 각 호의 사항을 명확하게 규정하여야 한다.
1. 부과·징수주체
2. 부과사유
3. 상한액
4. 가산금을 징수하려는 경우 그 사항
5. 과징금 또는 가산금 체납시 강제징수를 하려는 경우 그 사항

정답 02 ②

03 중 2023 소방간부

과징금에 관한 설명으로 옳지 않은 것은? (다툼이 있는 경우 판례에 의함)

□□□ ① 초기에는 의무위반으로 취득한 경제적 이익을 박탈하기 위한 행정상 제재수단으로 도입되었으나 최근에는 영업정지에 갈음하여 부과되는 형태로 많이 활용되고 있다.

□□□ ② 과징금은 한꺼번에 납부하는 것이 원칙이나 행정청은 과징금을 부과받은 자가 재해 등으로 재산에 현저한 손실을 입어 전액을 한꺼번에 내기 어렵다고 인정될 때에는 그 납부기한을 연기하거나 분할 납부하게 할 수 있다.

□□□ ③ 「부동산 실권리자명의 등기에 관한 법률」상 실권리자명의 등기의무를 위반한 명의신탁자에 대한 과징금의 부과처분은 재량행위에 해당하므로 조세를 포탈하거나 법령에 의한 제한을 회피할 목적이 아닌 경우에는 이를 부과하지 않거나 전액 감면할 수 있다.

□□□ ④ 금전상 제재인 과징금은 법령이 규정한 범위 내에서 그 부과처분 당시까지 부과관청이 확인한 사실을 기초로 일의적으로 확정되어야 할 것이지, 추후에 부과금 산정기준이 되는 새로운 자료가 나왔다고 하여 새로운 부과처분을 할 수 있는 것은 아니다.

□□□ ⑤ 구 「독점규제 및 공정거래에 관한 법률」에서 부당지원행위 주체에 대하여 형사처벌과 함께 과징금 부과처분을 할 수 있도록 규정한 것은 헌법상 이중처벌금지원칙에 반하는 것은 아니다.

관련기출

③

1. 「부동산 실권리자명의 등기에 관한 법률」상 명의신탁자에 대한 과징금의 부과 여부는 행정청의 재량행위이다. (○, ×) 2022 국가직 9급
2. 「부동산 실권리자명의 등기에 관한 법률」 및 시행령상 명의신탁자에 대한 과징금 부과처분은 기속행위의 성질을 갖는다. (○, ×) 2009 지방직(하) 7급

1. × 2. ○

④

1. 「독점규제 및 공정거래에 관한 법률」상의 과징금은 법이 규정한 범위 내에서 그 부과처분 당시까지 부과관청이 확인한 사실을 기초로 일의적으로 확정되어야 할 것이지, 추후에 부과금 산정기준이 되는 새로운 자료가 나왔다고 하여 새로운 부과처분을 할 수 있는 것은 아니다. (○, ×) 2022 국가직 9급
2. 부과관청이 추후에 부과금 산정기준이 되는 새로운 자료가 나올 경우 과징금액이 변경될 수도 있다고 유보하며 과징금을 부과했다면, 새로운 자료가 나온 것을 이유로 새로이 부과처분을 할 수 있다. (○, ×) 2018 지방직 9급

1. ○ 2. ×

① ○

이른바 본래적(전형적) 의미의 과징금과 변형된 과징금에 대한 설명으로서 옳다. 본래적(전형적) 의미의 과징금은 행정법규의 위반 또는 행정법상 의무위반으로 경제적 이익을 얻는 경우에 당해 위반으로 인한 경제적 이익을 박탈하기 위해 이득액에 따라 행정기관이 부과하는 행정제재금을 말한다. 이에 반하여, 변형된 과징금은 의무위반행위가 그 사업의 인·허가 등의 철회·정지사유에 해당하지만 공중의 일상생활에 필요불가결한 사업(대중교통 등)인 경우 사업 자체는 존속시키면서도 그 사업활동으로 인한 수익을 박탈하기 위해 부과하는 행정제재금을 말한다.

② ○

> 행정기본법 제29조【과징금의 납부기한 연기 및 분할 납부】 과징금은 한꺼번에 납부하는 것을 원칙으로 한다. 다만, 행정청은 과징금을 부과받은 자가 다음 각 호의 어느 하나에 해당하는 사유로 과징금 전액을 한꺼번에 내기 어렵다고 인정될 때에는 그 납부기한을 연기하거나 분할 납부하게 할 수 있으며, 이 경우 필요하다고 인정하면 담보를 제공하게 할 수 있다.
> 1. 재해 등으로 재산에 현저한 손실을 입은 경우
> 2. 사업 여건의 악화로 사업이 중대한 위기에 처한 경우
> 3. 과징금을 한꺼번에 내면 자금 사정에 현저한 어려움이 예상되는 경우
> 4. 그 밖에 제1호부터 제3호까지에 준하는 경우로서 대통령령으로 정하는 사유가 있는 경우

③ ×

과징금 부과행위는 일반적으로 재량행위이나, 기속행위인 경우도 있다. 「부동산 실권리자명의 등기에 관한 법률」 및 시행령상 명의신탁자에 대한 과징금 부과처분은 기속행위이다.

> 「부동산 실권리자명의 등기에 관한 법률」 및 시행령상 명의신탁자에 대한 과징금 부과처분의 법적 성질은 기속행위이다.
> 「부동산 실권리자명의 등기에 관한 법률」 제3조 제1항, 제5조 제1항, 같은 법 시행령 제3조 제1항의 규정을 종합하면, 명의신탁자에 대하여 과징금을 부과할 것인지 여부는 기속행위에 해당하므로, 명의신탁이 조세를 포탈하거나 법령에 의한 제한을 회피할 목적이 아닌 경우에 한하여 그 과징금을 일정한 범위 내에서 감경할 수 있을 뿐이지 그에 대하여 과징금 부과처분을 하지 않거나 과징금을 전액 감면할 수 있는 것은 아니다(대판 2007. 7. 12, 2005두17287).

④ ○

> 과징금은 법이 규정한 범위 내에서 그 부과처분 당시까지 부과관청이 확인한 사실을 기초로 일의적으로 확정되어야 할 것이고, 그렇지 아니하고 부과관청이 과징금을 부과하면서 추후에 부과금 산정기준이 되는 새로운 자료가 나올 경우에는 과징금액이 변경될 수도 있다고 유보한다든지, 실제로 추후에 새로운 자료가 나왔다고 하여 새로운 부과처분을 할 수는 없다(대판 1999. 5. 28, 99두1571).

⑤ ○

과징금은 범죄에 대한 국가의 형벌권 실행으로서의 형사처벌이 아니므로, 행정법규위반에 대해 행정형벌을 부과하고 별도로 과징금을 부과하는 것은 이중처벌금지에 위반되지 않는다는 것이 판례의 입장이다(헌재 2003. 7. 24, 2001헌가25).

정답 03 ③

04 빈출 중 2022 소방간부 변형

행정의 실효성 확보수단에 관한 설명으로 옳은 것은? (다툼이 있는 경우 판례에 의함)

□□□ ① 행정청이 행정제재수단으로 사업정지 또는 과징금을 부과할 것인지, 과징금의 경우 얼마로 할 것인지의 재량이 부여된 경우 과징금 부과처분이 법이 정한 한도액을 초과하여 위법한 경우 법원은 그 초과된 부분만을 취소할 수 있다.

□□□ ② 공정거래위원회가 위반행위에 대한 과징금을 부과하면서 여러 개의 위반행위에 대하여 외형상 하나의 과징금 납부명령을 하였으나 여러 개의 위반행위 중 일부의 위반행위에 대한 과징금 부과만이 위법하고 소송상 그 일부의 위반행위를 기초로 한 과징금액을 산정할 수 있는 자료가 있는 경우에는, 하나의 과징금납부명령일지라도 그 일부의 위반행위에 대한 과징금액에 해당하는 부분만을 취소하여야 한다.

□□□ ③ 세법상 가산세는 행정상 제재로서 납세자의 고의·과실은 고려되지 않으므로 설령 납세자에게 그 의무해태를 탓할 수 없는 정당한 사유가 있는 경우라도 이를 부과할 수 있다.

□□□ ④ 국가기관이 행정목적 달성을 위하여 언론을 통해 행정상 공표의 방법으로 실명을 공개함으로써 타인의 명예를 훼손한 경우라면 사인의 행위에 의한 경우보다 훨씬 엄격한 기준이 요구되므로 국가기관이 공표 당시 이를 진실이라고 믿었고 또 그렇게 믿을 만한 상당한 이유가 있더라도 위법성이 인정된다.

관련기출

②

1. 공정거래위원회가 여러 개의 위반행위에 대하여 하나의 과징금납부명령을 하였으나 여러 개의 위반행위 중 일부 위반행위에 대한 과징금 부과만이 위법하고 소송상 그 일부 위반행위를 기초로 한 과징금액을 산정할 수 있는 자료가 있는 경우에 그 일부 위반행위에 대한 과징금액에 해당하는 부분만을 취소하여야 한다. (○, ×) 2021 경행경채
2. 「독점규제 및 공정거래에 관한 법률」을 위반한 수개의 행위에 대하여 공정거래위원회가 하나의 과징금 부과처분을 하였으나 수개의 위반행위 중 일부의 위반행위에 대한 과징금 부과만이 위법하고, 그 일부의 위반행위를 기초로 한 과징금액을 산정할 수 있는 자료가 있는 경우에도 법원은 과징금 부과처분 전부를 취소하여야 한다. (○, ×) 2019 서울시 9급

1. ○ 2. ×

④

1. 대법원은 국세청장이 부동산투기자의 명단을 언론사에 공표함으로써 명예를 훼손한 사건에서 손해배상책임을 인정하였다. (○, ×) 2010 지방직 9급
2. 공표로 타인의 명예를 훼손한 경우에도 국가기관이 공표 당시 이를 진실이라고 믿었고 또 그렇게 믿을 만한 상당한 이유가 있다면 위법성이 없다. (○, ×) 2007 관세사

1. ○ 2. ○

① ×

> 자동차운수사업 면허조건 등을 위반한 사업자에 대하여 행정청이 행정제재수단으로 사업정지를 명할 것인지, 과징금을 부과할 것인지, 과징금을 부과하기로 한다면 그 금액은 얼마로 할 것인지에 관하여 재량권이 부여되었다 할 것이므로 과징금 부과처분이 법이 정한 한도액을 초과하여 위법할 경우 법원으로서는 그 전부를 취소할 수밖에 없고, 그 한도액을 초과한 부분이나 법원이 적정하다고 인정되는 부분을 초과한 부분만을 취소할 수 없다(대판 1998. 4. 10, 98두2270).

② 빈출 ○

①번 지문과 구별하기 바란다. 여러 개의 위반행위에 대하여 외형상 하나의 과징금납부명령을 한 경우에는 일정한 사유가 있다면 일부의 위반행위에 대한 과징금액에 해당하는 부분만을 취소한다.

> 공정거래위원회가 부당한 공동행위에 대한 과징금을 부과함에 있어 여러 개의 위반행위에 대하여 하나의 과징금납부명령을 하였으나 여러 개의 위반행위 중 일부의 위반행위에 대한 과징금 부과만이 위법하고 소송상 그 일부의 위반행위를 기초로 한 과징금액을 산정할 수 있는 자료가 있는 경우에는, 하나의 과징금납부명령일지라도 그 일부의 위반행위에 대한 과징금액에 해당하는 부분만을 취소하여야 한다(대판 2009. 10. 29, 2009두11218 ; 대판 2019. 1. 31, 2013두14726).

③ ×

> 1. 세법상 가산세는 납세자의 고의·과실은 고려되지 않는 것이고, 다만 납세의무자가 그 의무를 알지 못한 것이 무리가 아니었다거나 그 의무의 이행을 당사자에게 기대하는 것이 무리라고 하는 사정이 있을 때 등 그 의무해태를 탓할 수 없는 정당한 사유가 있는 경우에는 이를 부과할 수 없다(대판 2003. 9. 5, 2001두403).
> 2. 법령의 부지 또는 오인은 그 정당한 사유에 해당한다고 볼 수 없다. 또한 납세의무자가 세무공무원의 잘못된 설명을 믿고 신고납부의무를 불이행하였다 하더라도 그것이 관계법령에 어긋나는 것임이 명백한 경우 '정당한 사유'가 있다고 할 수 없다(대판 2002. 4. 12, 2000두5944).

④ 빈출 ×

지문의 뒷부분이 옳지 않다.

> 1. (지방국세청 소속 공무원들이 통상적인 조사를 다하여 의심스러운 점을 밝혀 보지 아니한 채 막연한 의구심에 근거하여 원고가 위장증여자로서 구 국토이용관리법을 위반하였다는 요지의 조사결과를 보고한 것이라면 국세청장이 이에 근거한 보도자료의 내용이 진실하다고 믿은 데에는 상당한 이유가 없다고 판시하여 손해배상의 책임을 긍정하면서) 적시된 사실의 내용이 진실이라는 증명이 없더라도 국가기관이 공표 당시 이를 진실이라고 믿었고 또 그렇게 믿을 만한 상당한 이유가 있다면 위법성이 없다.
> 2. 다만, 상당한 이유의 존부의 판단에 있어서는 공권력의 광범한 사실조사능력 등을 고려할 때 사인의 행위에 의한 경우보다는 훨씬 더 엄격한 기준이 요구된다 할 것이다(대판 1993. 11. 26, 93다18389).

정답 04 ②

05 정답률 68% 중 2019 국가직 9급

행정의 실효성 확보수단에 대한 설명으로 옳은 것만을 모두 고르면? (다툼이 있는 경우 판례에 의함)

> ㉠ 조세부과처분에 취소사유인 하자가 있는 경우 그 하자는 후행 강제징수절차인 독촉 · 압류 · 매각 · 청산절차에 승계된다.
> ㉡ 세법상 가산세는 과세권 행사 및 조세채권 실현을 용이하게 하기 위하여 납세자가 정당한 이유 없이 법에 규정된 신고, 납세 등의 의무를 위반한 경우에 개별 세법에 따라 부과하는 행정상 제재로서, 납세자의 고의 · 과실은 고려되지 아니하고 법령의 부지 · 착오 등은 그 의무위반을 탓할 수 없는 정당한 사유에 해당하지 아니한다.
> ㉢ 세무공무원이 체납처분을 하기 위하여 질문 · 검사 또는 수색을 하거나 재산을 압류할 때에는 그 신분을 표시하는 증표를 지니고 이를 관계자에게 보여 주어야 한다.
> ㉣ 구 국세징수법상 가산금은 국세를 납부기한까지 납부하지 아니하면 과세청의 확정절차 없이도 법률에 의하여 당연히 발생하는 것이므로 가산금의 고지는 항고소송의 대상이 되는 처분이라고 볼 수 없다.

① ㉠, ㉡ ② ㉡, ㉢
③ ㉢, ㉣ ④ ㉡, ㉢, ㉣

관련기출

㉣

1. 구 국세징수법상 가산금 또는 중가산금의 고지는 항고소송의 대상이 되는 처분이 아니다. (○, ×) 2023 지방직 · 서울시 9급
2. 가산금과 중가산금은 납부기한까지 세금이 납부되지 아니하면 과세권자의 확정절차 없이 관련 법률규정에 의하여 당연히 발생되고 그 액수도 확정된다. (○, ×) 2018 경행경채 3차
3. 국세를 납부기한까지 납부하지 아니하면 과세권자의 가산금 확정절차 없이 (구)국세징수법 제21조에 의하여 가산금이 당연히 발생하고 그 액수도 확정된다. (○, ×) 2017 국가직 9급
4. (구)국세징수법에 따른 가산금은 행정법상 금전급부 불이행에 대한 제재로 가해지는 금전부담이므로 그 고지는 항고소송의 대상이 되는 처분이다. (○, ×) 2013 지방직(하) 7급

1. ○ 2. ○ 3. ○ 4. ×

④ ㉡㉢㉣이 옳은 설명이다.

㉠ **빈출** ×

독촉 및 체납처분(현 강제징수)은 모두가 결합하여 하나의 법률효과(즉, 강제집행의 완성)를 가져오는 관계에 있으므로 각 단계의 행위는 하자가 승계된다. 다만, 조세부과처분의 하자는 당연무효가 아닌 한 강제징수절차에 승계되지 않는다.

> 1. 선행 과세처분과 후행 체납처분(현 강제징수) 사이에는 하자의 승계가 인정될 수 없다(대판 1961. 10. 26, 4292행상73).
> 2. 조세의 부과처분과 압류 등의 체납처분(현 강제징수)은 별개의 행정처분으로서 독립성을 가지므로 부과처분에 하자가 있더라도 그 부과처분이 취소되지 아니하는 한 그 부과처분에 의한 체납처분은 위법이라고 할 수는 없지만, 체납처분은 부과처분의 집행을 위한 절차에 불과하므로 그 부과처분에 중대하고도 명백한 하자가 있어 무효인 경우에는 그 부과처분의 집행을 위한 체납처분도 무효라 할 것이다(대판 1987. 9. 22, 87누383).

㉡ **빈출** ○

> 1. 세법상 가산세는 과세권의 행사 및 조세채권의 실현을 용이하게 하기 위하여 납세자가 정당한 이유 없이 법에 규정된 신고납세의무 등을 위반한 경우에 법이 정하는 바에 의하여 부과하는 행정상의 제재로서 납세자의 고의 · 과실은 고려되지 아니하는 것이고, 법령의 부지 또는 오인은 그 정당한 사유에 해당한다고 볼 수 없다.
> 2. 납세의무자가 세무공무원의 잘못된 설명을 믿고 신고납부의무를 불이행하였다 하더라도 그것이 관계법령에 어긋나는 것임이 명백한 경우 '정당한 사유'가 있다고 할 수 없다(대판 2002. 4. 12, 2000두5944).

㉢ ○

> **국세징수법 제38조【증표 등의 제시】** 세무공무원은 다음 각 호의 어느 하나를 하는 경우 그 신분을 나타내는 증표 및 압류 · 수색 등 통지서를 지니고 이를 관계자에게 보여 주어야 한다.
> 1. 제31조에 따른 압류
> 2. 제35조에 따른 수색
> 3. 제36조에 따른 질문 · 검사

㉣ **빈출** ○

> 구 국세징수법상 가산금 또는 중가산금의 고지는 항고소송의 대상이 되는 처분이 아니다.
> 구 국세징수법 제21조, 제22조(현 삭제)가 규정하는 가산금 또는 중가산금은 국세를 납부기한까지 납부하지 아니하면 과세청의 확정절차 없이도 법률규정에 의하여 당연히 발생하는 것이므로 가산금 또는 중가산금의 고지가 항고소송의 대상이 되는 처분이라고 볼 수 없다(대판 2005. 6. 10, 2005다15482).

정답 05 ④

06 정답률 72% 중 2018 지방직 7급

행정의 실효성 확보수단에 대한 설명으로 옳은 것만을 모두 고르면? (다툼이 있는 경우 판례에 의함)

□□□ ㉠ 시정명령이란 행정법령의 위반행위로 초래된 위법상태의 제거 내지 시정을 명하는 행정행위를 말하는 것으로서, 그 위법행위의 결과가 더 이상 존재하지 않는다면 시정명령을 할 수 없다.

□□□ ㉡ 납세의무자가 세무공무원의 잘못된 설명을 믿고 신고납부의무를 이행하지 아니하였다 하더라도 그것이 관계법령에 어긋나는 것임이 명백한 때에는 그러한 사유만으로는 가산세를 부과할 수 없는 정당한 사유가 있는 경우에 해당한다고 할 수 없다.

□□□ ㉢ 행정법규위반에 대하여 가하는 제재조치(영업정지처분)는 반드시 현실적인 행위자가 아니라도 법령상 책임자로 규정된 자에게 부과되고, 특별한 사정이 없는 한 위반자에게 고의나 과실이 없더라도 부과할 수 있다.

□□□ ㉣ 행정청의 재량권이 부여되어 있는 과징금 부과처분이 법이 정한 한도액을 초과하여 위법할 경우, 법원으로서는 그 한도액을 초과한 부분이나 법원이 적정하다고 인정되는 부분을 초과한 부분만을 취소할 수 있다.

① ㉠, ㉢　　② ㉡, ㉣
③ ㉠, ㉡, ㉢　　④ ㉠, ㉢, ㉣

관련기출

㉡

1. 세법상 가산세는 납세자가 정당한 이유 없이 법에 규정된 신고납세의무 등을 위반한 경우에 부과되는 행정상 제재로서, 납세의무자가 세무공무원의 잘못된 설명을 믿고 그 신고납부의무를 이행하지 아니한 경우에는 그것이 관계법령에 어긋나는 것임이 명백하다고 하더라도 정당한 사유가 있는 경우에 해당한다. (○, ×) 2017 지방직 7급

1. ×

③ ㉠㉡㉢이 옳은 설명이다.

㉠ ○

구 「하도급거래 공정화에 관한 법률」 제13조 등의 위반행위가 있었으나 그 결과가 더 이상 존재하지 않는 경우, 같은 법 제25조 제1항에 의한 시정명령을 할 수 없다〔편저자 주 : 자동차제조회사가 부품제조회사에 대해 부품대금의 지연이자(부품대금이라고 생각하면 됨)를 지급하지 않다가 이후 지급을 하였는데 공정거래위원회가 지연이자를 지급할 것에 대한 시정명령을 발한 것은 위법하다고 본 사안이다〕(대판 2011. 3. 10, 2009두1990).

㉡ ○

세법상 가산세는 과세권의 행사 및 조세채권의 실현을 용이하게 하기 위하여 납세자가 정당한 이유 없이 법에 규정된 신고 · 납세의무 등을 위반한 경우에 법이 정하는 바에 의하여 부과하는 행정상의 제재로서 납세자의 고의 · 과실은 고려되지 아니하는 것이고, 법령의 부지 또는 오인은 그 정당한 사유에 해당한다고 볼 수 없으며, 또한 납세의무자가 세무공무원의 잘못된 설명을 믿고 그 신고납부의무를 이행하지 아니하였다 하더라도 그것이 관계법령에 어긋나는 것임이 명백한 때에는 그러한 사유만으로는 정당한 사유가 있는 경우에 해당한다고 할 수 없다(대판 2002. 4. 12, 2000두5944).

㉢ ○

행정법규위반에 대한 제재조치는 현실적인 행위자가 아니라도 법령상 책임자로 규정된 자에게 부과되고, 특별한 사정이 없는 한 위반자에게 고의나 과실이 없더라도 부과할 수 있다(대판 2017. 5. 11, 2014두8773).

㉣ ×

재량행위인 과징금 부과처분이 법이 정한 한도액을 초과하여 위법할 경우 법원으로서는 그 전부를 취소할 수밖에 없고, 그 한도액을 초과한 부분이나 법원이 적정하다고 인정되는 부분을 초과한 부분만을 취소할 수 없다는 것이 판례의 입장이다(대판 1998. 4. 10, 98두2270).

정답 06 ③

07 중

2018 경행경채 3차

행정의 새로운 실효성 확보수단에 대한 설명으로 가장 적절하지 않은 것은? (다툼이 있는 경우 판례에 의함)

□□□ ① 행정청의 감액처분에 의하여 감액된 부분에 대한 부과처분 취소청구는 이미 소멸하고 없는 부분에 대한 것이라 하여도 소의 이익은 존재한다.

□□□ ② 가산금과 중가산금은 납부기한까지 세금이 납부되지 아니하면 과세권자의 확정절차 없이 관련 법률규정에 의하여 당연히 발생되고 그 액수도 확정된다.

□□□ ③ 「독점규제 및 공정거래에 관한 법률」상 시정명령의 내용은 과거의 위반행위에 대한 중지는 물론 가까운 장래에 반복될 우려가 있는 동일 유형의 반복금지까지 명할 수 있다.

□□□ ④ 행정상 공급거부에 대한 권리구제에 있어 단수처분은 항고소송의 대상이 되는 행정처분이므로 위법한 단수처분에 대해서는 행정소송을 제기하여 그 취소를 구할 수 있다.

관련기출

③

1. 행정청은 시정명령으로 과거의 위반행위에 대한 중지는 물론 가까운 장래에 반복될 우려가 있는 동일한 유형의 행위의 반복금지까지 명할 수 있다. (○, ×) 2018 교육행정직 9급

1. ○

④

1. 수도요금체납자에 대한 단수조치는 판례가 항고소송의 대상인 처분성을 부정한 사안이다. (○, ×) 2017 서울시 9급
2. 판례는 단수처분에 대해 행정소송법상 처분에 해당하는 것으로 인정하고 있다. (○, ×) 2012 지방직 9급
3. 지방자치단체의 장에 의한 수도의 공급거부는 사실행위이므로 처분성이 인정되지 않는다. (○, ×) 2011 지방직 7급

1. × 2. ○ 3. ×

① ×

> 행정청이 과징금 부과처분을 한 후 부과처분의 하자를 이유로 감액처분을 한 경우, 감액된 부분에 대한 부과처분취소청구는 이미 소멸하고 없는 부분에 대한 것으로서 소의 이익이 없어 부적법하다(대판 2017. 1. 12, 2015두2352).

② ○

가산금 또는 중가산금은 국세를 납부기한까지 납부하지 아니하면 과세청의 확정절차 없이도 법률규정에 의하여 당연히 발생되고 그 액수도 확정된다는 것이 판례의 입장이다(대판 2005. 6. 10, 2005다15482).

③ ○

> 「독점규제 및 공정거래에 관한 법률」에 의한 시정명령이 지나치게 구체적인 경우 매일매일 다소간의 변형을 거치면서 행해지는 수많은 거래에서 정합성이 떨어져 결국 무의미한 시정명령이 되므로 그 본질적인 속성상 다소간의 포괄성 · 추상성을 띨 수밖에 없다 할 것이고, 한편 시정명령제도를 둔 취지에 비추어 시정명령의 내용은 과거의 위반행위에 대한 중지는 물론 가까운 장래에 반복될 우려가 있는 동일한 유형의 행위의 반복금지까지 명할 수는 있는 것으로 해석함이 상당하다(대판 2003. 2. 20, 2001두5347 전합).

④ **빈출** ○

> 단수처분은 항고소송의 대상이 되는 행정처분에 해당하므로 이에 대해서는 행정소송을 제기하여 그 취소를 구할 수 있다(대판 1979. 12. 28, 79누218).

정답 07 ①

08 빈출 상 2014 사회복지직 9급

행정의 실효성 확보수단에 대한 설명으로 옳지 않은 것은? (다툼이 있는 경우 판례에 의함)

① 「부동산 실권리자명의 등기에 관한 법률」상 실권리자명의 등기의무에 위반하여 부과된 과징금채무는 대체적 급부가 가능한 의무이므로 과징금을 부과받은 자가 사망한 경우 그 상속인에게 포괄승계된다.

② 「독점규제 및 공정거래에 관한 법률」상 부당지원행위에 대한 과징금은 부당지원행위 억지라는 행정목적을 실현하기 위한 행정상 제재금으로서의 기본적 성격에 부당이득환수적 요소도 부가되어 있는 것으로서, 행정벌과 병과하더라도 이중처벌금지원칙에 위반되지 않는다.

③ 가산세는 과세권의 행사 및 조세채권의 실현을 용이하게 하기 위하여 개별 세법이 정하는 바에 따라 부과되는 행정상의 제재로서, 가산세를 부과하기 위해서는 원칙적으로 조세채무를 이행하지 않은 데 대한 납세자의 고의 또는 과실이 필요하다.

④ 식품위생법상 일반음식점영업의 요건을 갖춘 신고라고 하더라도, 그 영업신고를 한 당해 건축물이 건축법상 무허가건물이라면 그 신고는 적법한 신고라고 할 수 없다.

관련기출

③

1. 세법상 가산세는 과세권 행사 및 조세채권 실현을 용이하게 하기 위하여 납세자가 정당한 이유 없이 법에 규정된 신고, 납세 등의 의무를 위반한 경우에 개별 세법에 따라 부과하는 행정상 제재로서, 납세자의 고의·과실은 고려되지 아니하고 법령의 부지·착오 등은 그 의무위반을 탓할 수 없는 정당한 사유에 해당하지 아니한다. (○, ×) 2019 국가직 9급

1. ○

① ○

「부동산 실권리자명의 등기에 관한 법률」 제5조에 의하여 부과된 과징금 채무는 대체적 급부가 가능한 의무이므로 위 과징금을 부과받은 자가 사망한 경우 그 상속인에게 포괄승계된다(대판 1999. 5. 14, 99두35).

② ○

과징금은 부당내부거래 억제라는 행정목적을 실현하기 위하여 그 위반행위에 대하여 가하는 행정상 제재금의 기본적 성격에 부당이득환수적 요소가 부가된 것으로 이를 두고 국가형벌권 행사로서의 처벌에 해당한다고 할 수는 없으므로 과징금과 형사처벌을 병과하더라도 이중처벌금지원칙에 위반된다고 볼 수 없다는 것이 판례의 입장이다(헌재 2003. 7. 24, 2001헌가25).

③ ×

1. 세법상 가산세는 과세권의 행사 및 조세채권의 실현을 용이하게 하기 위하여 납세자가 정당한 이유 없이 법에 규정된 신고, 납세 등 각종 의무를 위반한 경우에 개별 세법이 정하는 바에 따라 부과되는 행정상의 제재로서 납세자의 고의·과실은 고려되지 않는 것이고, 다만 납세의무자가 그 의무를 알지 못한 것이 무리가 아니었다거나 그 의무의 이행을 당사자에게 기대하는 것이 무리라고 하는 사정이 있을 때 등 그 의무해태를 탓할 수 없는 정당한 사유가 있는 경우에는 이를 부과할 수 없다(대판 2003. 9. 5, 2001두403).
2. 법령의 부지 또는 오인은 그 정당한 사유에 해당한다고 볼 수 없다. 또한 납세의무자가 세무공무원의 잘못된 설명을 믿고 신고납부의무를 불이행하였다 하더라도 그것이 관계법령에 어긋나는 것임이 명백한 경우 '정당한 사유'가 있다고 할 수 없다(대판 2002. 4. 12, 2000두5944).

④ 제9강 참조 ○

식품위생법에 따른 식품접객업의 영업신고 요건을 갖추었으나, 그 영업신고를 한 당해 건축물이 무허가건물일 경우 영업신고는 부적법하다(대판 2009. 4. 23, 2008도6829).

정답 08 ③

제24강 행정상 강제집행(대집행 등)

1회독	2회독	3회독
/	/	/

⊘정답률 공단기/소방단기 합격예측 풀서비스 통계 데이터 기준 기 기본서 핵 핵심집약

01 일반론

기 512~513쪽 핵 T 45

01 중

2024 소방간부

행정상 강제에 관한 설명으로 옳지 않은 것은? (다툼이 있는 경우 판례에 의함)

□□□ ① 외국인의 출입국에 관한 사항에 관하여는 행정기본법상 행정상 강제에 관한 규정을 적용하지 아니한다.

□□□ ② 행정청이 건물소유자들을 상대로 건물철거 대집행을 실시하기에 앞서, 건물소유자들을 건물에서 퇴거시키기 위해 별도로 퇴거를 구하는 민사소송은 부적법하다.

□□□ ③ 관계법령을 위반하여 장례식장을 영업하고 있는 자의 장례식장 사용중지의무 위반에 대해서는 행정대집행법에 의한 대집행이 가능하다.

□□□ ④ 개발제한구역법에 따른 행정청의 시정명령 불이행에 대한 이행강제금의 부과·징수를 위한 계고는 시정명령을 불이행한 경우에 취할 수 있는 절차라 할 것이고, 따라서 이행강제금을 부과·징수할 때마다 그에 앞서 시정명령 절차를 다시 거쳐야 할 필요는 없다.

□□□ ⑤ 즉시강제를 실시하기 위하여 현장에 파견되는 집행책임자는 그가 집행책임자임을 표시하는 증표를 보여 주어야 하며, 즉시강제의 이유와 내용을 고지하여야 한다.

관련기출

②

1. 관계법령상 행정대집행의 절차가 인정되어 행정청이 행정대집행의 방법으로 건물의 철거 등 대체적 작위의무의 이행을 실현할 수 있는 경우에는 따로 민사소송의 방법으로 그 의무의 이행을 구할 수 없다. (○, ×) 2024 지방직·서울시 9급, 2022 지방직 7급
2. 행정대집행법에 따른 행정대집행에서 건물의 점유자가 철거의무자일 때에는 건물철거의무에 퇴거의무도 포함되어 있는 것이어서 별도로 퇴거를 명하는 집행권원이 필요하지 않다. (○, ×) 2022 국회직 8급
3. 행정청이 건물철거의무를 행정대집행의 방법으로 실현하는 과정에서, 건물을 점유하고 있는 철거의무자들에 대하여 제기한 건물퇴거를 구하는 소송은 적법하다. (○, ×) 2020 국가직 9급

1. ○ 2. ○ 3. ×

① ○

행정기본법 제30조【행정상 강제】 ① 행정청은 행정목적을 달성하기 위하여 필요한 경우에는 법률로 정하는 바에 따라 필요한 최소한의 범위에서 다음 각 호의 어느 하나에 해당하는 조치를 할 수 있다. (각 호 생략)
③ 형사(刑事), 행형(行刑) 및 보안처분 관계법령에 따라 행하는 사항이나 외국인의 출입국·난민인정·귀화·국적회복에 관한 사항에 관하여는 이 절을 적용하지 아니한다.

② 빈출 ○

관계법령상 행정대집행의 절차가 인정되어 행정청이 행정대집행의 방법으로 건물의 철거 등 대체적 작위의무의 이행을 실현할 수 있는 경우에는 따로 민사소송의 방법으로 그 의무의 이행을 구할 수 없다. 한편, 건물의 점유자가 철거의무자일 때에는 건물철거의무에 퇴거의무도 포함되어 있는 것이어서 별도로 퇴거를 명하는 집행권원이 필요하지 않다. 또한, 행정청이 건물소유자들을 상대로 건물철거 대집행을 실시하기에 앞서, 건물소유자들을 건물에서 퇴거시키기 위해 별도로 퇴거를 구하는 민사소송은 부적법하다(대판 2017. 4. 28, 2016다213916).

③ 빈출 ×

대집행의 대상이 될 수 있는 의무는 작위의무에 한하므로 부작위의무(장례식장 등 시설 사용중지의무)를 위반한 경우에는 원칙적으로 대집행의 대상이 되지 않는다.

관계법령을 위반하여 장례식장 영업을 하고 있는 자의 장례식장 사용중지 의무는 부작위의무로서 행정대집행법 제2조의 규정에 의한 대집행의 대상이 되지 않는다.
관계법령에 위반한 것이라는 이유로 장례식장의 사용을 중지할 것과 이를 불이행할 경우 행정대집행법에 의하여 대집행하겠다는 내용의 이 사건 처분은, 이 사건 처분에 따른 '장례식장 사용중지의무'가 원고 이외의 '타인이 대신'할 수도 없고, 타인이 대신하여 '행할 수 있는 행위'라고도 할 수 없는 비대체적 부작위의무에 대한 것이므로, 그 자체로 위법함이 명백하다(대판 2005. 9. 28, 2005두7464).

④ ○

「개발제한구역의 지정 및 관리에 관한 특별조치법」 제30조 제1항, 제30조의2 제1항 및 제2항의 규정에 의하면 시정명령을 받은 후 그 시정명령의 이행을 하지 아니한 자에 대하여 이행강제금을 부과할 수 있고, 그 이행강제금을 부과하기 전에 상당한 기간을 정하여 그 기한까지 이행되지 아니할 때에 이행강제금을 부과·징수한다는 뜻을 문서로 계고하여야 하므로, 이행강제금의 부과·징수를 위한 계고는 시정명령을 불이행한 경우에 취할 수 있는 절차라 할 것이고, 따라서 이행강제금을 부과·징수할 때마다 그에 앞서 시정명령 절차를 다시 거쳐야 할 필요는 없다고 보아야 한다(대판 2013. 12. 12, 2012두20397).

⑤ ○

행정기본법 제33조【즉시강제】 ② 즉시강제를 실시하기 위하여 현장에 파견되는 집행책임자는 그가 집행책임자임을 표시하는 증표를 보여 주어야 하며, 즉시강제의 이유와 내용을 고지하여야 한다.

정답 01 ③

02 중

2023 서울시 지적 7급

행정상 강제집행에 대한 설명으로 가장 옳지 않은 것은? (다툼이 있는 경우 판례에 따름)

□□□ ① 부작위의무(금지)의 위반은 행정대집행의 대상이 되지만, 토지나 가옥의 명도는 대집행의 대상이 될 수 없다.

□□□ ② 압류재산의 매각은 공매를 원칙으로 하며, 압류한 재산의 추산가격이 1천만원 미만인 경우에는 수의계약의 방식으로도 이를 매각할 수 있다.

□□□ ③ 건축법상의 이행강제금 부과처분에 대해서는 행정심판 또는 행정소송을 제기할 수 있다.

□□□ ④ 선행행위인 과세처분의 제소기간이 지난 후에 후행행위인 압류처분의 취소소송을 제기할 경우 취소사유에 해당하는 과세처분의 하자는 승계될 수 없다.

관련기출

④

1. 과세처분과 체납처분 사이에는 취소사유인 하자의 승계가 인정되지 않는다. (O, X)
2016 사회복지직 9급
2. 과세처분과 체납처분은 하자의 승계가 인정된다. (O, X)
2015 경행특채 2차 변형

1. O 2. X

① ×

대집행의 대상이 될 수 있는 의무는 대체적 작위의무에 한하므로 부작위의무나 토지나 가옥의 명도의무와 같은 비대체적 작위의무는 원칙적으로 대집행의 대상이 되지 않는다.

② O

> **국세징수법 제65조【매각방법】** ① 압류재산은 공매 또는 수의계약으로 매각한다.
>
> **제67조【수의계약】** 관할 세무서장은 압류재산이 다음 각 호의 어느 하나에 해당하는 경우 수의계약으로 매각할 수 있다.
> 3. 압류한 재산의 추산가격이 1천만원 미만인 경우

③ O

이행강제금(집행벌)의 부과에 대한 불복방법에 대해 개별법에 특별한 규정을 두고 있지 않은 경우에는 일반적인 행정법상의 권리구제수단인 행정심판법상의 행정심판 또는 행정소송법상의 행정소송을 제기할 수 있다. 건축법상 이행강제금에 대해서 개정 전 건축법(2006년 5월 8일 이전)에서는 비송사건절차법에 의하도록 하는 특별한 규정을 두고 있었다. 따라서 건축법상 이행강제금은 취소소송의 대상이 되는 처분이 아니라는 것이 판례의 입장이었다. 그 후 2006년 5월 8일부터 시행된 개정 건축법에서는 그러한 규정을 삭제하였으므로 이제는 이행강제금 부과는 항고소송의 대상이 되는 행정처분이다.

④ O

선행 과세처분과 압류 등의 후행 체납처분(현 강제징수) 사이는 하자의 승계가 부정된다(대판 1961. 10. 26, 4292행상73).

정답 02 ①

03 정답률 90% 중 2023 군무원 9급

행정상 강제에 관한 설명으로 옳지 않은 것은? (다툼이 있는 경우 판례에 의함)

□□□ ① 관계법령상 행정대집행의 절차가 인정되어 행정청이 행정대집행의 방법으로 건물의 철거 등 대체적 작위의무의 이행을 실현할 수 있는 경우에는 따로 민사소송의 방법으로 그 의무의 이행을 구할 수 없다.

□□□ ② 행정대집행법에 따른 행정대집행에서 건물의 점유자가 철거의무자일 때에는 별도로 퇴거를 명하는 집행권원이 필요하다.

□□□ ③ 건축법에 위반하여 건축한 것이어서 철거의무가 있는 건물이라 하더라도 그 철거의무를 대집행하기 위한 계고처분을 하려면 다른 방법으로는 이행의 확보가 어렵고 불이행을 방치함이 심히 공익을 해하는 것으로 인정될 때에 한하여 허용되고 이러한 요건의 주장 · 입증책임은 처분 행정청에 있다.

□□□ ④ 과세관청이 체납처분으로서 행하는 공매는 우월한 공권력의 행사로서 행정소송의 대상이 되는 공법상의 행정처분이며 공매에 의하여 재산을 매수한 자는 그 공매처분이 취소된 경우에 그 취소처분의 위법을 주장하여 행정소송을 제기할 법률상 이익이 있다.

관련기출

③

1. 건축법에 위반하여 철거의무가 있는 건물이라 하더라도 그 철거의무를 대집행하기 위한 계고처분을 하려면 다른 방법으로는 이행의 확보가 어려운 사정만 있으면 충분하며 이러한 사정이 없다는 주장 · 입증책임은 건물의 소유자가 부담한다. (○, ×) 2022 소방간부
2. 대집행을 함에 있어 계고요건의 주장과 입증책임은 처분행정청에 있는 것이지, 의무불이행자에 있는 것이 아니다. (○, ×) 2020 지방직 · 서울시 9급
3. 행정대집행법상 건물철거 대집행은 다른 방법으로는 이행의 확보가 어렵고 불이행을 방치함이 심히 공익을 해하는 것으로 인정될 때에 한하여 허용되고 이러한 요건의 주장 · 입증책임은 처분행정청에 있다. (○, ×) 2019 지방직 7급
4. 계고처분을 하려면 다른 방법으로는 이행의 확보가 어렵고 불이행을 방치함이 심히 공익을 해하는 것으로 인정될 때에 한하여 허용되고 이러한 요건의 주장 · 입증책임은 처분행정청에 있다. (○, ×) 2017 국가직(하) 7급
5. 허가 없이 신축 · 증축한 불법건축물의 철거의무를 대집행하기 위한 계고처분 요건의 주장 · 입증책임은 처분행정청에 있다. (○, ×) 2016 국가직 7급

1. × 2. ○ 3. ○ 4. ○ 5. ○

① ○

② ×

> 관계법령상 행정대집행의 절차가 인정되어 행정청이 행정대집행의 방법으로 건물의 철거 등 대체적 작위의무의 이행을 실현할 수 있는 경우에는 따로 민사소송의 방법으로 그 의무의 이행을 구할 수 없다(①). 한편, 건물의 점유자가 철거의무자일 때에는 건물철거의무에 퇴거의무도 포함되어 있는 것이어서 별도로 퇴거를 명하는 집행권원이 필요하지 않다(②). 또한, 행정청이 건물소유자들을 상대로 건물철거 대집행을 실시하기에 앞서, 건물소유자들을 건물에서 퇴거시키기 위해 별도로 퇴거를 구하는 민사소송은 부적법하다(대판 2017. 4. 28, 2016다213916).

③ **빈출** ○

> 대집행요건을 구비하였는지에 관한 주장 및 입증책임은 처분행정청에 있다.
>
> 건축법에 위반하여 건축한 것이어서 철거의무가 있는 건물이라 하더라도 그 철거의무를 대집행하기 위한 계고처분을 하려면 다른 방법으로는 이행의 확보가 어렵고 불이행을 방치함이 심히 공익을 해하는 것으로 인정될 때에 한하여 허용되고 이러한 요건의 주장 · 입증책임은 처분행정청에 있다(대판 1996. 10. 11, 96누8086).

④ ○

> 과세관청이 체납처분으로서 행하는 공매는 우월한 공권력의 행사로서 행정소송의 대상이 되는 공법상의 행정처분이며 공매에 의하여 재산을 매수한 자는 그 공매처분이 취소된 경우 그 취소처분의 위법을 주장하여 행정소송을 제기할 법률상의 이익이 있다(대판 1984. 9. 25, 84누201).

정답 03 ②

04 중 2023 군무원 7급

행정의 실효성 확보수단에 관한 설명으로 옳지 않은 것은? (다툼이 있는 경우 판례에 의함)

① 공매처분을 하면서 체납자 등에게 공매통지를 하지 않았거나 공매통지를 하였더라도 그것이 적법하지 아니한 경우에는 절차상의 흠이 있어 그 공매처분은 위법하다.

② 행정기관의 장이 조사대상자의 자발적인 협조를 얻어 행정조사를 실시하고자 하는 경우 조사대상자는 문서 · 전화 · 구두 등의 방법으로 당해 행정조사를 거부할 수 있다.

③ 회사분할시 특별한 규정이 없는 한 신설회사에 대하여 분할하는 회사의 분할 전 법위반행위를 이유로 과징금을 부과하는 것은 허용되지 않는다.

④ 체납자 등은 다른 권리자에 대한 공매통지의 하자를 들어 공매처분의 위법사유로 주장할 수 있다.

관련기출

①

1. 공매처분을 하면서 체납자에게 공매통지를 하지 않았거나 공매통지를 하였지만 그것이 적법하지 아니하다 하더라도 공매처분 자체는 위법하지 않다. (○, ×) 2023 지방직 · 서울시 9급
2. 국세징수법상 체납자 등에 대한 공매통지는 체납자 등의 법적 지위나 권리 · 의무에 직접적인 영향을 주는 행정처분에 해당하지 아니하므로 공매통지가 적법하지 아니한 경우에도 그에 따른 공매처분이 위법하게 되는 것은 아니다. (○, ×) 2018 지방직 9급
3. 국세징수법상 체납자에 대한 공매통지는 국가의 강제력에 의하여 진행되는 공매에서 체납자의 권리 내지 재산상의 이익을 보호하기 위하여 법률로 규정한 절차적 요건으로, 이를 이행하지 않은 경우 그 공매처분은 위법하다. (○, ×) 2017 국가직 7급
4. 국세징수법상 공매처분을 하면서 체납자에게 공매통지를 하였다면 공매통지가 적법하지 않다 하더라도 공매처분에 절차상 하자가 있다고 할 수는 없다. (○, ×) 2017 사회복지직 9급

1. × 2. × 3. ○ 4. ×

① **빈출** ○

④ ×

1. 체납자 등에 대한 공매통지는 공매의 절차적 요건에 해당하므로, 체납자 등에게 공매통지를 하지 않았거나 적법하지 않은 공매통지를 한 경우 그 공매처분은 위법하다(①).
2. 다만, 체납자 등은 자신에 대한 공매통지의 하자만을 공매처분의 위법사유로 주장할 수 있을 뿐 다른 권리자에 대한 공매통지의 하자를 들어 공매처분의 위법사유로 주장하는 것은 허용되지 않는다(④).

   체납자 등에 대한 공매통지는 국가의 강제력에 의하여 진행되는 공매에서 체납자 등의 권리 내지 재산상의 이익을 보호하기 위하여 법률로 규정한 절차적 요건이라고 보아야 하며, 공매처분을 하면서 체납자 등에게 공매통지를 하지 않았거나 공매통지를 하였더라도 그것이 적법하지 아니한 경우에는 절차상의 흠이 있어 그 공매처분은 위법하다(대판 2008. 11. 20, 2007두18154 전합).

② 제25강 참조 ○

행정조사기본법 제20조【자발적인 협조에 따라 실시하는 행정조사】 ① 행정기관의 장이 제5조 단서에 따라 조사대상자의 자발적인 협조를 얻어 행정조사를 실시하고자 하는 경우 조사대상자는 문서 · 전화 · 구두 등의 방법으로 당해 행정조사를 거부할 수 있다.

③ 제13강 참조 ○

회사가 분할된 경우, 원칙적으로 신설회사에 대하여 분할하는 회사의 분할 전 법 위반행위를 이유로 과징금을 부과할 수는 없다.

회사분할시 신설회사 또는 존속회사가 승계하는 것은 분할하는 회사의 권리와 의무이고, 분할하는 회사의 분할 전 법 위반행위를 이유로 과징금이 부과되기 전까지는 단순한 사실행위만 존재할 뿐 과징금과 관련하여 분할하는 회사에 승계대상이 되는 어떠한 의무가 있다고 할 수 없으므로, 특별한 규정이 없는 한 신설회사에 대하여 분할하는 회사의 분할 전 법 위반행위를 이유로 과징금을 부과하는 것은 허용되지 않는다(대판 2011. 5. 26, 2008두18335).

정답 04 ④

05 정답률 79% 중 2023 국가직 9급

행정의 실효성 확보수단에 대한 대법원 판례의 입장으로 옳지 않은 것은?

□□□ ① 행정법상의 질서벌인 과태료의 부과처분과 형사처벌은 그 성질이나 목적을 달리하는 별개의 것이므로 행정법상의 질서벌인 과태료를 납부한 후에 형사처벌을 한다고 하여 이를 일사부재리의 원칙에 반하는 것이라고 할 수는 없다.

□□□ ② 건축법상 시정명령을 받은 의무자가 그 시정명령의 취지에 부합하는 의무를 이행하기 위한 정당한 방법으로 행정청에 신청 또는 신고를 하였으나 행정청이 위법하게 이를 거부 또는 반려함으로써 결국 그 처분이 취소되기에 이르렀더라도, 이행강제금제도의 취지에 비추어 볼 때 그 시정명령의 불이행을 이유로 이행강제금을 부과할 수 있다.

□□□ ③ 건물의 소유자에게 위법건축물을 일정기간까지 철거할 것을 명함과 아울러 불이행할 때에는 대집행한다는 내용의 철거대집행 계고처분을 고지한 후 이에 불응하자 다시 제2차, 제3차 계고서를 발송하여 일정기간까지의 자진철거를 촉구하고 불이행하면 대집행을 한다는 뜻을 고지한 경우, 제2차, 제3차의 계고처분은 새로운 철거의무를 부과한 것이 아니라 대집행기한을 연기통지한 것에 불과하다.

□□□ ④ 관할행정청이 여객자동차운송사업자가 범한 여러 가지 위반행위 중 일부만 인지하여 과징금 부과처분을 하였는데 그 후 과징금 부과처분 시점 이전에 이루어진 다른 위반행위를 인지하여 이에 대하여 별도의 과징금 부과처분을 하게 되는 경우, 종전 과징금 부과처분의 대상이 된 위반행위와 추가 과징금 부과처분의 대상이 된 위반행위에 대하여 일괄하여 하나의 과징금 부과처분을 하는 경우와의 형평을 고려하여 추가 과징금 부과처분의 처분양정이 이루어져야 한다.

관련기출

③

1. 위법건축물에 대한 철거명령 및 계고처분에 불응하자 제2차로 계고처분을 행한 경우, 제2차 계고처분은 항고소송의 대상인 행정처분에 해당한다. (○, ×) 2023 소방직 9급
2. 건물의 소유자에게 위법건축물을 일정기간까지 철거할 것을 명함과 아울러 불이행하면 대집행한다는 내용의 계고처분을 고지한 후, 이에 불응하자 다시 제2차 계고서로 일정기간까지의 철거를 촉구하고 불이행하면 대집행한다는 뜻을 고지하였다면, 행정대집행법상 건물철거의무는 제2차 계고처분으로 인하여 발생한다. (○, ×) 2022 국회직 8급

1. × 2. ×

① 제26강 참조 ○

(10일간 임시운행허가를 받은 자가 그 기간이 경과한 다음에도 자동차등록원부에 등록하지 아니한 채 무등록차량을 운행한 자에 대한 과태료의 제재 후 형사처벌을 하는 것이 일사부재리의 원칙에 위반하는 것이 아니라고 판시하면서) 과태료와 형사처벌은 성질이나 목적을 달리하는 별개의 것이므로 행정법상의 질서벌인 과태료를 납부한 후 형사처벌을 한다고 하여 일사부재리의 원칙에 위반되는 것이라고 할 수 없다(대판 1996. 4. 12, 96도158).

② ×

(건축법상) 시정명령을 받은 의무자가 그 시정명령의 취지에 부합하는 의무를 이행하기 위한 정당한 방법으로 행정청에 신청 또는 신고를 하였으나 행정청이 위법하게 이를 거부 또는 반려함으로써 결국 그 처분이 취소되기에 이르렀다면, 특별한 사정이 없는 한 그 시정명령의 불이행을 이유로 이행강제금을 부과할 수는 없다고 보는 것이 위와 같은 이행강제금 제도의 취지에 부합한다(대판 2018. 1. 25, 2015두35116).

③ **빈출** ○

계고의 성질에 대해서 통설은 준법률행위적 행정행위인 통지에 해당하며 항고소송의 대상이 되는 행정처분이라고 본다. 한편, 판례도 계고에 대해 처분성을 인정하나 반복된 계고의 경우에는 처음의 계고, 즉 1차 계고에 대해서만 처분성을 긍정하며, 2차 · 3차의 계고 등에 대해서는 처분성을 부정한다.

계고처분 자체도 행정소송의 대상이 되나, 2차 · 3차의 계고처분은 새로운 철거의무를 부과한 것이 아니고, 다만 대집행기한의 연기통지에 불과하므로 행정처분이 아니다.

건물의 소유자에게 위법건축물을 일정기간까지 철거할 것을 명함과 아울러 불이행할 때에는 대집행한다는 내용의 철거대집행 계고처분을 고지한 후 이에 불응하자 다시 제2차, 제3차 계고서를 발송하여 일정기간까지의 자진철거를 촉구하고 불이행하면 대집행을 한다는 뜻을 고지하였다면 행정대집행법상의 건물철거의무는 제1차 철거명령 및 계고처분으로서 발생하였고 제2차, 제3차의 계고처분은 새로운 철거의무를 부과한 것이 아니고 다만 대집행기한의 연기통지에 불과하므로 행정처분이 아니다(대판 1994. 10. 28, 94누5144).

④ ○

관할행정청이 여객자동차운송사업자가 범한 여러 가지 위반행위 중 일부만 인지하여 과징금 부과처분을 하였는데 그 후 과징금 부과처분 시점 이전에 이루어진 다른 위반행위를 인지하여 이에 대하여 별도의 과징금 부과처분을 하게 되는 경우에도 종전 과징금 부과처분의 대상이 된 위반행위와 추가 과징금 부과처분의 대상이 된 위반행위에 대하여 일괄하여 하나의 과징금 부과처분을 하는 경우와의 형평을 고려하여 추가 과징금 부과처분의 처분양정이 이루어져야 한다(대판 2021. 2. 4, 2020두48390).

정답 05 ②

06 정답률 73% 중 2021 국가직 9급

행정의 실효성 확보수단의 예와 그 법적 성질의 연결이 옳지 않은 것은? (다툼이 있는 경우 판례에 의함)

□□□ ① 건축법에 따른 이행강제금의 부과 - 집행벌

□□□ ② 식품위생법에 따른 영업소폐쇄 - 직접강제

□□□ ③ 「공유재산 및 물품관리법」에 따른 공유재산 원상복구명령의 강제적 이행 - 즉시강제

□□□ ④ 부동산등기특별조치법에 따른 과태료의 부과 - 행정벌

① ○

이행강제금은 작위의무 또는 부작위의무를 불이행한 경우에 그 의무를 간접적으로 강제이행시키는 수단으로서 집행벌이라고도 한다.

② ○

직접강제란 행정법상의 의무불이행이 있는 경우에 행정기관이 직접 의무자의 신체 · 재산에 실력을 가하여 의무자가 스스로 의무를 이행한 것과 같은 상태를 실현하는 작용을 말한다. 직접강제의 예로는 식품위생법상 영업소 폐쇄명령을 받은 자가 영업을 계속할 경우 강제폐쇄하는 영업소 폐쇄조치, 출입국관리법상의 각종 의무를 위반한 자에 대한 강제퇴거조치 등을 들 수 있다.

③ ×

공유재산 원상복구명령의 강제적 이행은 원상복구의무와 그 불이행을 전제하므로 즉시강제가 아니라 행정상 강제집행에 해당한다. 행정상 강제집행은 의무의 존재 및 그의 불이행을 전제로 한다는 점에서, 이것을 전제로 하지 않고 급박한 경우에 즉시 행하여지는 행정상 즉시강제와 구별된다.

④ ○

행정벌은 행정형벌과 행정질서벌로 구별할 수 있다. 행정질서벌이란 행정법규 위반행위에 대하여 형법상의 벌이 아닌 과태료를 부과하는 것을 말한다.

정답 06 ③

07 정답률 66% 중 2020 국가직 7급

행정의 실효성 확보수단에 대한 설명으로 옳지 않은 것은? (다툼이 있는 경우 판례에 의함)

□□□ ① 하나의 납세고지서에 의하여 본세와 가산세를 함께 부과할 때 납세고지서에 본세와 가산세 각각의 세액과 산출근거 등을 구분하여 기재하여야 한다.

□□□ ② 농지법상 이행강제금 부과처분은 항고소송의 대상이 되는 처분에 해당하므로 이에 불복하는 경우 항고소송을 제기할 수 있다.

□□□ ③ 지방자치단체 소속 공무원이 지방자치단체 고유의 자치사무를 수행하던 중 도로법 규정에 의한 위반행위를 한 경우 지방자치단체는 도로법의 양벌규정에 따라 처벌대상이 되는 법인에 해당한다.

□□□ ④ 구 「여객자동차 운수사업법」상 과징금 부과처분은 원칙적으로 위반자의 고의 · 과실을 요하지 아니하나, 위반자의 의무해태를 탓할 수 없는 정당한 사유가 있는 등의 특별한 사정이 있는 경우에는 이를 부과할 수 없다.

관련기출

①

1. 하나의 납세고지서(현 납부고지서)로 본세와 여러 종류의 가산세를 함께 부과하는 경우에 납세고지서에 가산세의 종류와 세액의 산출근거 등을 따로 구별하지 않고 가산세의 합계액만을 기재하였다면 그 부과처분은 위법하다. (O, X) 2018 국가직 7급
2. 하나의 납세고지서(현 납부고지서)에 의하여 본세와 가산세를 함께 부과할 때 납세고지서에 본세와 가산세 각각의 세액과 산출근거 등을 구분하여 기재하여야 하는 것은 아니다. (O, X) 2017 국가직(하) 7급

1. O 2. X

① **빈출** O

하나의 납세고지서(현 납부고지서)에 의하여 본세와 가산세를 함께 부과할 때에는 납세고지서에 본세와 가산세 각각의 세액과 산출근거 등을 구분하여 기재해야 하는 것이고, 또 여러 종류의 가산세를 함께 부과하는 경우에는 그 가산세 상호 간에도 종류별로 세액과 산출근거 등을 구분하여 기재함으로써 납세의무자가 납세고지서 자체로 각 과세처분의 내용을 알 수 있도록 하는 것이 당연한 원칙이다(대판 2012. 10. 18, 2010두12347 전합).

② X

농지법 제62조 제1항에 따른 이행강제금 부과처분에 불복하는 경우에는 비송사건절차법에 따른 재판절차가 적용되어야 하고, 행정소송법상 항고소송의 대상은 될 수 없다. 농지법 제62조 제6항, 제7항이 위와 같이 이행강제금 부과처분에 대한 불복절차를 분명하게 규정하고 있으므로, 이와 다른 불복절차를 허용할 수는 없다(대판 2019. 4. 11, 2018두42955).

③ O

국가가 본래 그의 사무의 일부를 지방자치단체의 장에게 위임하여 그 사무를 처리하게 하는 기관위임사무의 경우에는 지방자치단체는 국가기관의 일부로 볼 수 있는 것이지만, 지방자치단체가 그 고유의 자치사무를 처리하는 경우에는 지방자치단체는 국가기관의 일부가 아니라 국가기관과는 별도의 독립한 공법인이므로, 지방자치단체 소속 공무원이 지방자치단체 고유의 자치사무를 수행하던 중 도로법 제81조 내지 제85조의 규정에 의한 위반행위를 한 경우에는 지방자치단체는 도로법 제86조의 양벌규정에 따라 처벌대상이 되는 법인에 해당한다(대판 2005. 11. 10, 2004도2657).

④ O

구 「여객자동차 운수사업법」 제88조 제1항의 과징금 부과처분은 제재적 행정처분으로서 원칙적으로 위반자의 고의 · 과실을 요하지 아니하나, 위반자의 의무해태를 탓할 수 없는 정당한 사유가 있는 등의 특별한 사정이 있는 경우에는 이를 부과할 수 없다(대판 2014. 10. 15, 2013두5005).

정답 07 ②

08 정답률 65% 중 2019 국가직 9급

행정강제에 대한 설명으로 옳은 것은? (다툼이 있는 경우 판례에 의함)

□□□ ① 행정대집행의 방법으로 건물철거의무이행을 실현할 수 있는 경우, 철거의무자인 건물점유자의 퇴거의무를 실현하려면 퇴거를 명하는 별도의 집행권원이 있어야 하고, 철거 대집행과정에서 부수적으로 건물점유자들에 대한 퇴거조치를 할 수는 없다.

□□□ ② 즉시강제란 법령 또는 행정처분에 의한 선행의 구체적 의무의 불이행으로 인한 목전의 급박한 장해를 제거할 필요가 있는 경우에 행정기관이 즉시 국민의 신체 또는 재산에 실력을 행사하여 행정상의 필요한 상태를 실현하는 작용을 말한다.

□□□ ③ 공법인이 대집행권한을 위탁받아 공무인 대집행 실시에 지출한 비용을 행정대집행법에 따라 강제징수할 수 있음에도 민사소송절차에 의하여 상환을 청구하는 것은 허용되지 않는다.

□□□ ④ 이행강제금은 심리적 압박을 통하여 간접적으로 의무이행을 확보하는 수단인 행정벌과는 달리 의무이행의 강제를 직접적인 목적으로 하므로, 강학상 직접강제에 해당한다.

① ×

1. 관계법령상 행정대집행의 절차가 인정되어 행정청이 행정대집행의 방법으로 건물의 철거 등 대체적 작위의무의 이행을 실현할 수 있는 경우에는 따로 민사소송의 방법으로 그 의무의 이행을 구할 수 없다. 한편, 건물의 점유자가 철거의무자일 때에는 건물철거의무에 퇴거의무도 포함되어 있는 것이어서 별도로 퇴거를 명하는 집행권원이 필요하지 않다. 또한, 행정청이 건물소유자들을 상대로 건물철거 대집행을 실시하기에 앞서, 건물소유자들을 건물에서 퇴거시키기 위해 별도로 퇴거를 구하는 민사소송은 부적법하다.
2. 행정청이 행정대집행의 방법으로 건물철거의무의 이행을 실현할 수 있는 경우에는 건물철거 대집행 과정에서 부수적으로 건물의 점유자들에 대한 퇴거조치를 할 수 있고, 점유자들이 적법한 행정대집행을 위력을 행사하여 방해하는 경우 형법상 공무집행방해죄가 성립하므로, 필요한 경우에는 경찰관직무집행법에 근거한 위험발생 방지조치 또는 형법상 공무집행방해죄의 범행방지 내지 현행범체포의 차원에서 경찰의 도움을 받을 수도 있다(대판 2017. 4. 28, 2016다213916).

② ×

행정상 즉시강제란 급박한 위험 또는 장해를 제거하기 위하여 미리 의무를 명할 시간적 여유가 없거나, 그 성질상 의무를 명해서는 목적을 달성할 수 없는 경우에 직접 개인의 신체 또는 재산에 실력을 가함으로써 행정상 필요한 상태를 실현하는 행정작용을 말한다. 한편, 행정상 강제집행이란 행정법상 개별 · 구체적인 의무의 불이행이 있는 경우 행정주체가 의무자의 신체 또는 재산에 실력을 가하여 의무를 이행시키거나 또는 이행이 있었던 것과 동일한 상태를 실현하는 행정작용을 말한다. 행정상 즉시강제는 의무의 존재와 불이행을 전제로 하지 않는다는 점에서, 의무의 존재 및 그 불이행을 전제로 하는 행정상 강제집행과 구별된다는 것이 통설의 입장이다.

③ ○

1. 대한주택공사(현 한국토지주택공사)가 법령에 의하여 대집행권한을 위탁받아 공무인 대집행을 실시하기 위하여 지출한 비용을 행정대집행법 절차에 따라 국세징수법의 예에 의하여 징수할 수 있다.
2. 대한주택공사가 법령에 의하여 대집행권한을 위탁받아 공무인 대집행을 실시하기 위하여 지출한 비용을 행정대집행법 절차에 따라 징수할 수 있음에도 민사소송절차에 의하여 그 비용의 상환을 청구할 수는 없다(대판 2011. 9. 8, 2010다48240).

④ ×

이행강제금은 행정법상의 부작위의무 또는 작위의무를 이행하지 않은 경우에 '일정한 기한까지 의무를 이행하지 않을 때에는 일정한 금전적 부담을 과할 뜻'을 미리 '계고'함으로써 의무자에게 심리적 압박을 주어 장래를 향하여 의무의 이행을 확보하려는 간접적인 행정상 강제집행수단이라는 것이 판례의 입장이다. 한편, 직접강제란 행정법상의 의무불이행이 있는 경우에 행정기관이 직접 의무자의 신체 · 재산에 실력을 가하여 의무자가 스스로 의무를 이행한 것과 같은 상태를 실현하는 작용을 말하는 것으로 이행강제금과 직접강제는 서로 다른 개념이다.

정답 08 ③

09 중

2019 서울시 1회 7급

행정의 실효성 확보수단에 대한 설명으로 가장 옳은 것은? (다툼이 있는 경우 판례에 따름)

□□□ ① 이행강제금은 장래의 의무이행을 심리적으로 강제하기 위한 것으로서 의무이행이 있을 때까지 반복하여 부과할 수 있다.

□□□ ② 비상시 또는 위험이 절박한 경우에 있어서 계고·대집행영장의 통지규정에서 정하는 수속을 취할 여유가 없을 경우라도 위의 두 수속 모두를 거치지 아니하고는 대집행을 할 수 없다.

□□□ ③ 행정대집행법 절차에 따라 국세징수의 대집행비용을 징수할 수 있음에도 불구하고 민사소송절차에 의하여 그 비용의 상환을 청구할 수 있다.

□□□ ④ 공매통지 자체가 그 상대방인 체납자 등의 법적 지위나 권리·의무에 직접적인 영향을 주는 행정처분에 해당한다고 할 것이므로 다른 특별한 사정이 없는 한 체납자 등은 공매통지 자체를 항고소송의 대상으로 삼아 그 취소 등을 구할 수 있다.

① ○

이행강제금은 일정기한까지 의무를 이행하지 않을 경우 이행강제금을 부과한다는 뜻을 미리 알림으로써 상대방에게 장래의 의무이행을 심리적으로 압박, 즉 강제하기 위한 것으로 의무이행이 있을 때까지 반복적으로 부과할 수 있다는 점에서 행정벌과 구별된다.

② ×

계고와 대집행영장에 의한 통지절차 모두 생략할 수 있다(행정대집행법 제3조 제3항).

> **행정대집행법 제3조【대집행의 절차】** ① 전조의 규정에 의한 처분(이하 '대집행'이라 한다)을 하려 함에 있어서는 상당한 이행기한을 정하여 그 기한까지 이행되지 아니할 때에는 대집행을 한다는 뜻을 미리 문서로써 계고하여야 한다. 이 경우 행정청은 상당한 이행기한을 정함에 있어 의무의 성질·내용 등을 고려하여 사회통념상 해당 의무를 이행하는 데 필요한 기간이 확보되도록 하여야 한다.
> ② 의무자가 전항의 계고를 받고 지정기한까지 그 의무를 이행하지 아니할 때에는 당해 행정청은 대집행영장으로써 대집행을 할 시기, 대집행을 시키기 위하여 파견하는 집행책임자의 성명과 대집행에 요하는 비용의 개산에 의한 견적액을 의무자에게 통지하여야 한다.
> ③ 비상시 또는 위험이 절박한 경우에 있어서 당해 행위의 급속한 실시를 요하여 전2항에 규정한 수속을 취할 여유가 없을 때에는 그 수속을 거치지 아니하고 대집행을 할 수 있다.

③ ×

대한주택공사가 법령에 의하여 대집행권한을 위탁받아 공무인 대집행을 실시하기 위하여 지출한 비용을 행정대집행법 절차에 따라 징수할 수 있음에도 민사소송절차에 의하여 그 비용의 상환을 청구할 수는 없다는 것이 판례의 입장이다(대판 2011. 9. 8, 2010다48240).

④ ×

> **국세징수법상 공매통지 자체는 원칙적으로 항고소송의 대상이 되는 행정처분이 아니다.**
> 체납자 등에 대한 공매통지는 국가의 강제력에 의하여 진행되는 공매에서 체납자 등의 권리 내지 재산상의 이익을 보호하기 위하여 법률로 규정한 절차적 요건이라고 보아야 하며, 공매처분을 하면서 체납자 등에게 공매통지를 하지 않았거나 공매통지를 하였더라도 그것이 적법하지 아니한 경우에는 절차상의 흠이 있어 그 공매처분이 위법하게 되는 것이지만, 공매통지 자체가 그 상대방인 체납자 등의 법적 지위나 권리·의무에 직접적인 영향을 주는 행정처분에 해당한다고 할 것은 아니므로 다른 특별한 사정이 없는 한 체납자 등은 공매통지의 결여나 위법을 들어 공매처분의 취소 등을 구할 수 있는 것이지 공매통지 자체를 항고소송의 대상으로 삼아 그 취소 등을 구할 수는 없다(대판 2011. 3. 24, 2010두25527).

정답 09 ①

10 ⓖ

2018 경행경채 3차

행정상 강제집행에 대한 설명으로 가장 적절하지 않은 것은? (다툼이 있는 경우 판례에 의함)

□□□ ① 계고처분의 후속절차인 대집행에 위법이 있다 하더라도 선행절차인 계고처분이 부적법하게 되는 것은 아니다.

□□□ ② 구 건축법상의 이행강제금 납부의무는 상속인 기타의 사람에게 승계될 수 있다.

□□□ ③ 행정상 강제징수에 있어 독촉은 처분성이 인정되나 최초 독촉 후에 동일한 내용에 대해 반복한 독촉은 처분성이 인정되지 않는다.

□□□ ④ 직접강제는 권력적 사실행위로서 처분성이 인정되므로 항고소송의 대상이 되지만 통상 단기간에 종료되므로 소의 이익이 부정될 가능성이 크다.

관련기출

②

1. 건축법상의 위반행위에 대하여 건축주 등에 대하여 부과되는 이행강제금 납부의무는 상속인 기타의 사람에게 승계될 수 없는 일신전속적인 성질의 것이므로 이미 사망한 사람에게 이행강제금을 부과하는 내용의 처분이나 결정은 당연무효이다. (○, ×) 2024 군무원 7급
2. 이행강제금 납부의무는 일신전속적인 성질을 가지므로 상속인 등에게 승계되지 않는다. (○, ×) 2024 소방직 9급
3. 이행강제금 납무의무는 상속인 기타의 사람에게 승계될 수 없는 일신전속적인 성질의 것이므로 이미 사망한 사람에게 이행강제금을 부과하는 내용의 처분이나 결정은 당연무효이다. (○, ×) 2024 해경간부, 2023 국가직 7급
4. 구 건축법상 이행강제금은 일신전속적인 성질의 것이므로 이행강제금을 부과받은 사람이 재판절차가 개시된 이후에 사망한 경우, 절차가 종료된다. (○, ×) 2015 국회직 8급

1. ○ 2. ○ 3. ○ 4. ○

① 제16강 참조 ○

대집행에 위법이 있다는 사유로 그 선행절차인 계고처분이 부적법한 것으로 되지는 않는다.

계고처분의 후속절차인 대집행에 위법이 있다고 하더라도, 그와 같은 후속절차에 위법성이 있다는 점을 들어 선행절차인 계고처분이 부적법하다는 사유로 삼을 수는 없다(대판 1997. 2. 14, 96누15428).

② ×

1. 건축법상의 이행강제금은 간접강제의 일종으로서 그 이행강제금 납부의무는 상속인에게 승계될 수 없는 일신전속적인 성질의 것이므로 이미 사망한 사람에게 이행강제금을 부과하는 내용의 처분이나 결정은 당연무효이다.
2. 건축법상 이행강제금은 일신전속적인 성질의 것이므로 이행강제금을 부과받은 사람이 재판절차가 개시된 이후에 사망한 경우, 재판절차는 종료된다(대결 2006. 12. 8, 2006마470).

③ ○

부당이득금 또는 가산금의 납부를 독촉한 후 다시 동일한 내용의 독촉을 하는 경우 최초의 독촉만이 징수처분으로서 항고소송의 대상이 되는 행정처분이 되고 그 후에 한 동일한 내용의 독촉은 항고소송의 대상이 되는 행정처분이라 할 수 없다.

보험자 또는 보험자단체가 부당이득금 또는 가산금의 납부를 독촉한 후 다시 동일한 내용의 독촉을 하는 경우 최초의 독촉만이 징수처분으로서 항고소송의 대상이 되는 행정처분이 되고 그 후에 한 동일한 내용의 독촉은 국민의 권리 · 의무나 법률상의 지위에 직접적으로 영향을 미치는 것이 아니므로 항고소송의 대상이 되는 행정처분이라 할 수 없다(대판 1999. 7. 13, 97누119).

④ ○

직접강제는 권력적 사실행위로서, 이는 행정쟁송법상의 처분에 해당하므로, 취소소송 등 항고소송의 대상이 된다. 그러나 영업소 폐쇄(간판의 제거 등)와 같은 직접강제는 단기간에 종료되므로 취소소송의 소의 이익이 부정될 가능성이 크다.

정답 10 ②

11 정답률 49% 상 2018 국가직 7급

행정의 실효성 확보수단에 대한 설명으로 옳은 것만을 모두 고르면? (다툼이 있는 경우 판례에 의함)

㉠ 건축법상의 이행강제금과 관련하여, 시정명령을 받은 의무자가 시정명령에서 정한 기간을 지나서 시정명령을 이행한 경우, 이행강제금이 부과되기 전에 그 이행이 있었다 하더라도 시정명령상의 기간을 준수하지 않은 이상 이행강제금을 부과하는 것은 정당하다.

㉡ 과징금 부과처분의 경우 원칙적으로 위반자의 고의 · 과실을 요하지 아니하나, 위반자의 의무해태를 탓할 수 없는 정당한 사유가 있는 등의 특별한 사정이 있는 경우에는 이를 부과할 수 없다.

㉢ 건축법상 위법건축물에 대하여 행정청은 대집행과 이행강제금을 선택적으로 활용할 수 있으며, 이러한 선택적 활용이 중첩적 제재에 해당한다고 볼 수 없다.

㉣ 질서위반행위규제법에 의한 과태료 부과처분은 처분의 상대방이 이의제기하지 않은 채 납부기간까지 과태료를 납부하지 않으면 도로교통법상 통고처분과 마찬가지로 그 효력을 상실한다.

① ㉢ ② ㉡, ㉢
③ ㉠, ㉡, ㉣ ④ ㉡, ㉢, ㉣

② ㉡㉢이 옳은 설명이다.

㉠ ×

시정명령을 받은 자가 시정명령을 이행한 경우에는 더 이상 이행강제금(집행벌)을 부과하지 않으며, 다만 이미 부과된 이행강제금은 징수한다.

> 건축법상의 이행강제금은 시정명령의 불이행이라는 과거의 위반행위에 대한 제재가 아니라, 의무자에게 시정명령을 받은 의무의 이행을 명하고 그 이행기간 안에 의무를 이행하지 않으면 이행강제금이 부과된다는 사실을 고지함으로써 의무자에게 심리적 압박을 주어 의무의 이행을 간접적으로 강제하는 행정상의 간접강제수단에 해당한다. 이러한 이행강제금의 본질상 시정명령을 받은 의무자가 이행강제금이 부과되기 전에 그 의무를 이행한 경우에는 비록 시정명령에서 정한 기간을 지나서 이행한 경우라도 이행강제금을 부과할 수 없다(대판 2018. 1. 25, 2015두35116).

㉡ ○

과징금 부과처분은 행정법규위반이라는 객관적 사실에 착안하여 가하는 제재이므로 반드시 현실적인 행위자가 아니라도 법령상 책임자로 규정된 자에게 부과되고 원칙적으로 위반자의 고의 · 과실을 요하지 아니하나, 위반자의 의무해태를 탓할 수 없는 정당한 사유가 있는 등의 특별한 사정이 있는 경우에는 이를 부과할 수 없다는 것이 판례의 입장이다(대판 2014. 10. 15, 2013두5005).

㉢ ○

판례는 현행 건축법상 위법건축물에 대한 이행강제수단으로 대집행(건축법 제85조)과 이행강제금(건축법 제80조)이 인정되고 있는데, 양 제도는 각각의 장단점이 있으므로 행정청은 개별사건에 있어서 위반내용, 위반자의 시정의지 등을 감안하여 대집행과 이행강제금을 선택적으로 활용할 수 있으며, 이처럼 그 합리적인 재량에 의해 선택하여 활용하는 이상 중첩적인 제재에 해당한다고 볼 수 없다고 한다(헌재 2004. 2. 26, 2001헌바80 · 84 · 102 · 103, 2002헌바26 병합).

㉣ 제26강 참조 ×

질서위반행위규제법상 과태료 부과처분의 경우 이의제기를 해야 과태료 부과처분이 효력을 상실하며, 이의제기 없이 납부기간이 만료됐다면 가산금까지 납부하여야 하며, 납부하지 않으면 행정청은 국세 또는 지방세 체납처분의 예에 따라 국세 및 가산금을 징수한다. 한편 통고처분은 통고된 기간 내에 통고처분의 상대방이 이를 납부하지 않으면 통고처분의 효력은 상실되며 원칙적으로 행정청의 고발에 의해 형사소송절차가 진행된다. 과태료 부과처분과 통고처분의 차이를 정리하기 바란다.

> **질서위반행위규제법 제20조【이의제기】** ① 행정청의 과태료 부과에 불복하는 당사자는 제17조 제1항에 따른 과태료 부과 통지를 받은 날부터 60일 이내에 해당 행정청에 서면으로 이의제기를 할 수 있다.
> ② 제1항에 따른 이의제기가 있는 경우에는 행정청의 과태료 부과처분은 그 효력을 상실한다.
>
> **제24조【가산금 징수 및 체납처분 등】** ① 행정청은 당사자가 납부기한까지 과태료를 납부하지 아니한 때에는 납부기한을 경과한 날부터 체납된 과태료에 대하여 100분의 3에 상당하는 가산금을 징수한다.
> ③ 행정청은 당사자가 제20조 제1항에 따른 기한 이내에 이의를 제기하지 아니하고 제1항에 따른 가산금을 납부하지 아니한 때에는 국세 또는 지방세 체납처분의 예에 따라 징수한다.

정답 11 ②

12 정답률 42% 상 2018 서울시 9급

A시장은 새로 확장한 시청 청사 1층의 휴게공간을 갑(甲)에게 커피 전문점 공간으로 임대하였다. 임대기간이 만료되었으나 갑(甲)은 투자금보전 등을 요구하면서 휴게공간을 불법적으로 점유하고 있다. 이에 대한 설명으로 가장 옳은 것은?

□□□ ① A시장은 휴게공간을 종합민원실로 사용하기 위해서는 즉시강제 형태로 공간을 확보할 수 있다.

□□□ ② A시장은 갑(甲)에게 퇴거와 공간반환을 독촉한 후 강제징수절차를 밟을 수 있다.

□□□ ③ A시장은 갑(甲)에게 퇴거를 명하고 갑(甲)이 불응하면 행정대집행법에 의한 대집행을 실시할 수 있다.

□□□ ④ A시장은 갑(甲)에 대하여 변상금을 부과징수할 수 있으며 원상회복명령을 하거나 갑(甲)을 상대로 점유의 이전을 구하는 민사소송을 제기할 수 있다.

① ×

행정상 즉시강제란 급박한 위험 또는 장해를 제거하기 위하여 미리 의무를 명할 시간적 여유가 없거나, 그 성질상 의무를 명해서는 목적을 달성할 수 없는 경우에 직접 개인의 신체 또는 재산에 실력을 가함으로써 행정상 필요한 상태를 실현하는 행정작용을 말하는 것으로 예외적으로 인정되는 행정상 강제수단이다. 사안의 경우 즉시강제를 하여야 할 급박성이 인정된다고 볼 수는 없다.

> 행정상 즉시강제는 법치국가의 요청인 예측가능성과 법적 안정성에 반하고 기본권침해의 소지가 큰 권력작용이므로 행정강제는 행정상 강제집행을 원칙으로 하고 행정상 즉시강제는 예외적으로 인정되어야 한다.
> 행정상 즉시강제는 엄격한 실정법상의 근거를 필요로 할 뿐만 아니라, 그 발동에 있어서는 법규의 범위 안에서도 다시 행정상의 장해가 목전에 급박하고, 다른 수단으로는 행정목적을 달성할 수 없는 경우이어야 하며, 이러한 경우에도 그 행사는 필요 최소한도에 그쳐야 함을 내용으로 하는 조리상의 한계에 기속된다(헌재 2002. 10. 31, 2000헌가12).

② ×

행정상의 강제징수란 국민이 국가 등 행정주체에 대해 부담하고 있는 행정법상의 금전급부의무를 불이행하고 있는 경우에 행정청이 의무자의 재산에 실력을 가하여 의무의 이행이 있었던 것과 같은 상태를 실현하는 행정작용을 의미하는데, 사안의 경우는 퇴거와 점유이전의무로서 금전급부의무가 아니므로 강제징수와는 무관하다.

③ ×

대집행의 대상이 되는 의무는 대체적 작위의무이어야 하는데, 갑(甲)의 퇴거의무는 대체적 작위의무가 아니므로 대집행을 실시할 수 없다.

> 도시공원시설 점유자의 퇴거 및 명도의무는 대체적 작위의무가 아니므로 대집행의 대상이 되지 않는다(대판 1998. 10. 23, 97누157).

④ ○

국유재산법에 따르면 국유재산을 무단점유하는 자에 대해서는 변상금을 부과징수할 수 있으며 원상회복을 명할 수도 있다. 다만, 부동산의 점유이전은 대체적 작위의무가 아니므로 대집행을 할 수 없으며 또한 직접강제도 법령의 근거규정이 없으므로 할 수 없다. 이와 같이 행정상 강제집행방법이 법정되지 않은 경우에는 민사소송 · 집행의 방법을 이용할 수 있다는 것이 다수설과 판례의 입장이다.

> **국유재산법 제38조【원상회복】** 사용허가를 받은 자는 허가기간이 끝나거나 제36조에 따라 사용허가가 취소 또는 철회된 경우에는 그 재산을 원래 상태대로 반환하여야 한다. (단서 생략)
> **제72조【변상금의 징수】** ① 중앙관서의 장 등은 무단점유자에 대하여 대통령령으로 정하는 바에 따라 그 재산에 대한 사용료나 대부료의 100분의 120에 상당하는 변상금을 징수한다. 다만, 다음 각 호의 어느 하나에 해당하는 경우에는 변상금을 징수하지 아니한다.

> 원고의 토지 인도청구에 대하여는 민사소송 외에 따로 이를 실현할 수 있는 절차와 방법이 없으므로 민사소송청구는 적법하다(대판 2000. 5. 12, 99다18909).

정답 12 ④

13 정답률 70% 중 2017 국가직 7급

행정상 강제집행에 대한 설명으로 옳은 것은? (다툼이 있는 경우 판례에 의함)

① 행정법관계에서는 강제력의 특질이 인정되므로 행정법상의 의무를 명하는 명령권의 근거규정은 동시에 그 의무불이행에 대한 행정상 강제집행의 근거가 될 수 있다.

② 관계법령에 위반하여 장례식장 영업을 하고 있는 자의 장례식장 사용중지의무는 행정대집행법 제2조의 규정에 따른 대집행의 대상이 된다.

③ 「국토의 계획 및 이용에 관한 법률」에 의해 이행명령을 받은 의무자가 이행명령에서 정한 기간을 지나서 그 명령을 이행한 경우, 의무불이행에 대한 이행강제금을 새로이 부과할 수 있다.

④ 국세징수법상 체납자에 대한 공매통지는 국가의 강제력에 의하여 진행되는 공매에서 체납자의 권리 내지 재산상의 이익을 보호하기 위하여 법률로 규정한 절차적 요건으로, 이를 이행하지 않은 경우 그 공매처분은 위법하다.

관련기출

②

1. 건물의 용도에 위반되어 장례식장 사용중지명령이 있는 경우, 이 중지의무는 대집행의 대상이 아니다. (○, ×) 2024 해경승진
2. 대집행은 대체적 작위의무에 대하여 행사할 수 있는 것이 원칙이지만 부작위의무의 위반에 대하여도 가능하다. (○, ×) 2023 소방간부
3. 관계법령에 위반하여 장례식장 영업을 하고 있는 자에게 부과된 장례식장 사용중지의무는 공법상 의무로서 행정대집행의 대상이 된다. (○, ×) 2022 지방직 · 서울시 9급
4. 관계법령을 위반하였음을 이유로 장례식장의 사용중지를 명하고 이를 불이행할 경우 행정대집행법에 의하여 대집행하겠다는 내용의 장례식장 사용중지 계고처분은 적법하다. (○, ×) 2018 국회직 8급

1. ○ 2. × 3. × 4. ×

① ×

의무를 명하는 행위와 의무내용을 강제적으로 실현하는 행위는 별개의 행정작용이므로 강제집행을 위해서는 별도의 법적 근거가 필요하다는 것이 통설의 입장이다.

② ×

대집행의 대상이 될 수 있는 의무는 작위의무에 한하므로 부작위의무(장례식장 등 시설 사용중지의무)를 위반한 경우에는 원칙적으로 대집행의 대상이 되지 않는다.

> 관계법령을 위반하여 장례식장 영업을 하고 있는 자의 장례식장 사용중지의무는 부작위의무로서 행정대집행법 제2조의 규정에 의한 대집행의 대상이 되지 않는다.
>
> 관계법령에 위반한 것이라는 이유로 장례식장의 사용을 중지할 것과 이를 불이행할 경우 행정대집행법에 의하여 대집행하겠다는 내용의 이 사건 처분은, 이 사건 처분에 따른 '장례식장 사용중지의무'가 원고 이외의 '타인이 대신'할 수도 없고, 타인이 대신하여 '행할 수 있는 행위'라고도 할 수 없는 비대체적 부작위의무에 대한 것이므로, 그 자체로 위법함이 명백하다(대판 2005. 9. 28, 2005두7464).

③ ×

> 「국토의 계획 및 이용에 관한 법률」상 토지의 이용 의무불이행에 따른 이행명령을 받은 의무자가 이행명령에서 정한 기간을 지나서 그 명령을 이행한 경우, 이행명령 불이행에 따른 최초의 이행강제금을 부과할 수는 없다(대판 2014. 12. 11, 2013두15750).

④ ○

체납자 등에 대한 공매통지는 공매의 절차적 요건에 해당하므로, 공매처분을 하면서 체납자 등에게 공매통지를 하지 않았거나 공매통지를 하였더라도 그것이 적법하지 아니한 경우에는 절차상의 흠이 있어 그 공매처분은 위법하다는 것이 판례의 입장이다(대판 2008. 11. 20, 2007두18154 전합).

정답 13 ④

14 정답률 72% 중 2016 서울시 9급

행정의 실효성 확보수단에 대한 설명으로 옳은 것은? (다툼이 있는 경우 판례에 따름)

□□□ ① 행정상 의무불이행에 대하여 법령에 의한 행정상 강제집행이 인정되는 경우에도 필요시 민사상 강제집행의 방법을 사용할 수 있다.

□□□ ② 부작위의무 위반이 있는 경우, 별도의 규정이 없더라도 부작위의무의 근거인 금지규정으로부터 위반상태의 시정을 명할 수 있는 권한이 도출된다.

□□□ ③ 건물을 불법점거하고 있는 경우, 건물의 명도의무는 일반적으로 행정대집행의 대상이 된다.

□□□ ④ 건축법상 이행강제금 부과처분은 이에 대한 불복방법에 관하여 별도의 규정을 두지 않고 있으므로 이는 행정소송의 대상이 된다.

① ×

행정상 강제집행이 가능한 경우에는 민사상 강제집행은 허용될 수 없다는 것이 판례의 입장이다(대판 2009. 6. 11, 2009다1122).

② ×

부작위의무를 명하는 조항은 상대방에게 금지의무를 부과할 뿐이며, 그 조항 자체로부터 금지의무를 위반하여 생긴 유형적 결과물을 제거할 의무가 발생하는 것은 아니다. 또한 법률유보의 원칙상 부작위의무의 근거인 금지규정만으로는 행정청이 금지규정 위반상태에 대해 시정을 명할 수는 없으며 시정을 명하기 위해서는 별도의 명문규정이 있어야 한다(필수편 03 ㉣ 해설 참조).

③ ×

토지 · 건물의 점유이전의무는 토지 · 건물을 점유하고 있는 그 사람의 퇴거를 필요로 하는데, 이는 대체적 작위의무라고 할 수 없으므로 대집행의 대상이 될 수 없다는 것이 판례의 입장이다(대판 1998. 10. 23, 97누157).

④ ○

이행강제금(집행벌)의 부과에 대한 불복방법에 대해 특별한 규정을 두고 있지 않은 경우에는 일반적인 행정법상의 권리구제수단인 행정소송 또는 행정심판을 제기할 수 있다. 건축법상 이행강제금에 대해서 개정 전 건축법(2006년 5월 8일 이전)에서는 비송사건절차법에 의하도록 하는 특별한 규정을 두고 있었다. 따라서 건축법상 이행강제금은 취소소송의 대상이 되는 처분이 아니라는 것이 판례의 입장이었다. 그러나 2006년 5월 8일부터 시행된 개정 건축법에서는 그러한 규정을 삭제하였으므로 이제는 건축법상 이행강제금 부과는 항고소송의 대상이 되는 행정처분이라는 것이 통설의 입장이다.

정답 14 ④

02 대집행

기 514~525쪽 핵 T 45

15

정답률 59% 상 2024 국가직 9급

다음 사례에 대한 설명으로 옳은 것만을 모두 고르면? (다툼이 있는 경우 판례에 의함)

A시는 관광지개발사업을 시행하기 위하여 「공익사업을 위한 토지 등의 취득 및 보상에 관한 법률」의 절차에 따라 甲 소유 토지 및 건물을 포함하고 있는 지역 일대의 토지 및 건물들을 수용하였다. A시 시장은 甲에게 적법하게 토지의 인도와 건물의 철거 및 퇴거를 명하였으나 甲이 건물을 점유한 채 그 의무를 이행하지 않고 있다.

ㄱ A시 시장의 토지인도명령에 대해 甲이 이를 불이행하더라도 그 불이행에 대해서 A시 시장은 행정대집행을 할 수 없다.

ㄴ 甲이 위 건물철거의무를 이행하지 않을 경우, A시 시장은 행정대집행의 방법으로 건물의 철거 등 대체적 작위의무의 이행을 실현할 수 있는 경우에는 따로 민사소송의 방법으로 그 의무의 이행을 구할 수 없다.

ㄷ 甲이 토지 인도의무를 이행하지 않을 경우, 甲의 토지 인도의무는 공법상 의무에 해당하므로 그 권리에 끼칠 현저한 손해를 피하기 위한 경우라 하더라도 A시 시장이 그 권리를 피보전권리로 하는 민사상 명도단행가처분을 구할 수는 없다.

ㄹ 甲이 위력을 행사하여 적법한 행정대집행을 방해하는 경우 대집행 행정청은 필요한 경우에는 경찰관직무집행법에 근거한 위험발생 방지조치 또는 형법상 공무집행방해죄의 범행방지 내지 현행범체포의 차원에서 경찰의 도움을 받을 수 있다.

① ㄱ, ㄷ ② ㄴ, ㄹ
③ ㄱ, ㄴ, ㄹ ④ ㄴ, ㄷ, ㄹ

③ ㄱㄴㄹ이 옳은 설명이다.

ㄱ ○

토지의 인도의무와 같은 비대체적인 의무는 행정대집행법상의 대집행 대상이 되지 않는다. 따라서 A시 시장의 토지인도명령에 대해 甲이 이를 불이행하더라도 그 불이행에 대해서 A시 시장은 행정대집행을 할 수 없다.

> 구 토지수용법상 피수용자 등이 기업자에 대하여 부담하는 수용대상 토지의 인도의무는 행정대집행법에 의한 대집행의 대상이 되지 않는다(대판 2005. 8. 19, 2004다2809).

ㄴ ○

A시 시장이 행정대집행의 방법으로 의무 이행을 실현할 수 있는 경우에는 따로 민사소송의 방법으로 의무이행을 구할 수는 없다는 것이 판례의 입장이다.

> 관계법령상 행정대집행의 절차가 인정되어 행정청이 행정대집행의 방법으로 건물의 철거 등 대체적 작위의무의 이행을 실현할 수 있는 경우에는 따로 민사소송의 방법으로 그 의무의 이행을 구할 수 없다. 한편, 건물의 점유자가 철거의무자일 때에는 건물철거의무에 퇴거의무도 포함되어 있는 것이어서 별도로 퇴거를 명하는 집행권원이 필요하지 않다. 또한, 행정청이 건물소유자들을 상대로 건물철거 대집행을 실시하기에 앞서, 건물소유자들을 건물에서 퇴거시키기 위해 별도로 퇴거를 구하는 민사소송은 부적법하다(대판 2017. 4. 28, 2016다213916).

ㄷ ×

중요한 지문이 아니다. 난도를 높이기 위해 출제한 지문으로 다른 지문들이 중요한 지문들이므로 공부를 한 수험생이라면 정답을 찾기는 어렵지 않았을 것이다.

> 구 토지수용법 제63조의 규정에 따라 피수용자 등이 기업자에 대하여 부담하는 수용대상 토지의 인도 또는 그 지장물의 명도의무 등이 비록 공법상의 법률관계라고 하더라도, 그 권리를 피보전권리로 하는 명도단행가처분은 그 권리에 끼칠 현저한 손해를 피하거나 급박한 위험을 방지하기 위하여 또는 그 밖의 필요한 이유가 있을 경우에는 허용될 수 있다(대판 2005. 8. 19, 2004다2809).
>
> ✚ 명도단행가처분이란 점유자가 정당한 권리 없이 부동산을 점유하고 있는 경우 빠른 시일 내에 부동산에서 퇴거할 것을 명하는 임시처분을 말한다. 부동산 점유를 둘러싼 분쟁에서 채권자가 명도소송보다 신속하게 점유를 회복할 수 있도록 해주는 법적 절차이다.

ㄹ **빈출** ○

> 행정청이 행정대집행의 방법으로 건물철거의무의 이행을 실현할 수 있는 경우에는 건물철거 대집행 과정에서 부수적으로 건물의 점유자들에 대한 퇴거조치를 할 수 있고, 점유자들이 적법한 행정대집행을 위력을 행사하여 방해하는 경우 형법상 공무집행방해죄가 성립하므로, 필요한 경우에는 경찰관직무집행법에 근거한 위험발생 방지조치 또는 형법상 공무집행방해죄의 범행방지 내지 현행범체포의 차원에서 경찰의 도움을 받을 수도 있다(대판 2017. 4. 28, 2016다213916).

정답 15 ③

16 정답률 62% 중 2023 국가직 9급

행정대집행에 대한 설명으로 옳지 않은 것은?

□□□ ① 행정대집행은 행정기본법상 행정상 강제에 해당한다.

□□□ ② 대집행에 요한 비용은 국세징수법의 예에 의하여 징수할 수 있다.

□□□ ③ 행정대집행법상 대집행의 대상이 되는 대체적 작위의무는 공법상 의무이어야 한다.

□□□ ④ 대집행에 요한 비용에 대하여서는 행정청은 사무비의 소속에 따라 국세와 동일한 순위의 선취득권을 가지며, 대집행에 요한 비용을 징수하였을 때에는 그 징수금은 국고의 수입으로 한다.

① ○

행정기본법 제30조는 행정상 강제의 예로 행정대집행을 규정하고 있다.

> **행정기본법 제30조【행정상 강제】** ① 행정청은 행정목적을 달성하기 위하여 필요한 경우에는 법률로 정하는 바에 따라 필요한 최소한의 범위에서 다음 각 호의 어느 하나에 해당하는 조치를 할 수 있다.
> 1. 행정대집행 : 의무자가 행정상 의무(법령 등에서 직접 부과하거나 행정청이 법령 등에 따라 부과한 의무를 말한다. 이하 이 절에서 같다)로서 타인이 대신하여 행할 수 있는 의무를 이행하지 아니하는 경우 법률로 정하는 다른 수단으로는 그 이행을 확보하기 곤란하고 그 불이행을 방치하면 공익을 크게 해칠 것으로 인정될 때에 행정청이 의무자가 하여야 할 행위를 스스로 하거나 제3자에게 하게 하고 그 비용을 의무자로부터 징수하는 것

② ○

> **행정대집행법 제6조【비용징수】** ① 대집행에 요한 비용은 국세징수법의 예에 의하여 징수할 수 있다.

③ ○

대집행의 대상이 되는 의무는 원칙적으로 공법(公法)상의 의무이며 사법(私法)상의 의무는 법령에 특별한 규정이 없는 한 대집행의 대상이 되지 않는다.

④ ×

국세징수의 순위가 대집행 비용징수 순위보다 우선한다.

> **행정대집행법 제6조【비용징수】** ② 대집행에 요한 비용에 대하여서는 행정청은 사무비의 소속에 따라 국세에 다음가는 순위의 선취득권을 가진다.
> ③ 대집행에 요한 비용을 징수하였을 때에는 그 징수금은 사무비의 소속에 따라 국고 또는 지방자치단체의 수입으로 한다.

정답 16 ④

17 정답률 89% 중 2023 소방직 9급

행정대집행에 관한 설명으로 옳지 않은 것은? (다툼이 있는 경우 판례에 의함)

□□□ ① 타인이 대신하여 행할 수 있는 행위가 조례에 의하여 직접 명령된 경우에는 행정대집행의 대상이 될 수 있다.

□□□ ② 위법건축물에 대한 철거명령 및 계고처분에 불응하자 제2차로 계고처분을 행한 경우, 제2차 계고처분은 항고소송의 대상인 행정처분에 해당한다.

□□□ ③ 대집행비용은 국세징수법의 예에 의하여 징수할 수 있다.

□□□ ④ 계고처분은 독립한 처분으로서, 위법건축물에 대한 철거명령과 동시에 발령할 수 있다.

① ○

행정대집행법 제2조【대집행과 그 비용징수】 법률(법률의 위임에 의한 명령, 지방자치단체의 조례를 포함한다. 이하 같다)에 의하여 직접 명령되었거나 또는 법률에 의거한 행정청의 명령에 의한 행위로서 타인이 대신하여 행할 수 있는 행위를 의무자가 이행하지 아니하는 경우 다른 수단으로써 그 이행을 확보하기 곤란하고 또한 그 불이행을 방치함이 심히 공익을 해할 것으로 인정될 때에는 당해 행정청은 스스로 의무자가 하여야 할 행위를 하거나 또는 제3자로 하여금 이를 하게 하여 그 비용을 의무자로부터 징수할 수 있다.

② ×

계고처분 자체도 행정소송의 대상이 되니, 2차 · 3차의 계고처분은 새로운 철거의무를 부과한 것이 아니고, 다만 대집행기한의 연기통지에 불과하므로 행정처분이 아니다(대판 1994. 10. 28, 94누5144).

③ ○

행정대집행법 제6조【비용징수】 ① 대집행에 요한 비용은 국세징수법의 예에 의하여 징수할 수 있다.

④ ○

계고서라는 명칭의 1장의 문서로써, 일정기간 내에 위법건축물의 자진철거를 명함과 동시에 그 소정 기한 내에 자진철거를 하지 아니할 때에는 대집행할 뜻을 미리 계고한 경우라도 철거명령 및 계고처분은 적법하다.

계고서라는 명칭의 1장의 문서로써 일정기간 내에 위법건축물의 자진철거를 명함과 동시에 그 소정 기한 내에 자진철거를 하지 아니할 때에는 대집행할 뜻을 미리 계고한 경우라도 위 건축법에 의한 철거명령과 행정대집행법에 의한 계고처분은 독립하여 있는 것으로서 각 그 요건이 충족되었다고 볼 것이고, 이 경우 철거명령에서 주어진 일정기간이 자진철거에 필요한 상당한 기간이라면 그 기간 속에는 계고시에 필요한 '상당한 이행기간'도 포함되어 있다고 보아야 할 것이다(대판 1992. 6. 12, 91누13564).

정답 17 ②

18 정답률 71% 상 2022 군무원 9급

X시의 공무원 甲은 乙이 건축한 건물이 건축허가에 위반하였다는 이유로 철거명령과 행정대집행법상의 절차를 거쳐 대집행을 완료하였다. 乙은 행정대집행의 처분들이 하자가 있다는 이유로 행정소송 및 손해배상소송을 제기하려고 한다. 다음 중 설명으로 가장 옳지 않은 것은? (단, 다툼이 있는 경우 판례에 의함)

□□□ ① 乙이 취소소송을 제기하는 경우, 행정대집행이 이미 완료된 것이므로 소의 이익이 없어 각하판결을 받을 것이다.

□□□ ② 乙이 손해배상소송을 제기하는 경우, 민사법원은 그 행정처분이 위법인지 여부는 심사할 수 없다.

□□□ ③ 행정소송법은 처분 등의 효력 유무 또는 존재 여부가 민사소송의 선결문제로 되는 경우 당해 민사소송의 수소법원이 이를 심리 · 판단할 수 있는 것으로 규정하고 있다.

□□□ ④ X시의 손해배상책임이 인정된다면 X시는 고의 또는 중대한 과실이 있는 甲에게 구상할 수 있다.

① ○
대집행의 각 단계 행위는 처분성이 인정되어 취소소송의 대상이 된다. 그러나 대집행의 실행이 완료된 경우 취소소송의 제기는 소의 이익이 없으므로 각하된다.

② 제15강 참조 ×
민사법원은 처분의 위법 여부는 심사할 수 있다(대판 1972. 4. 28, 72다337 등). 다만 행정행위의 공정력으로 인해 그 처분이 무효가 아니라면 처분이 위법하더라도 처분의 효력을 부인할 수는 없다.

③ 제15강 참조 ○

> **행정소송법 제11조【선결문제】** ① 처분 등의 효력 유무 또는 존재 여부가 민사소송의 선결문제로 되어 당해 민사소송의 수소법원이 이를 심리 · 판단하는 경우에는 제17조, 제25조, 제26조 및 제33조의 규정을 준용한다.
> ② 제1항의 경우 당해 수소법원은 그 처분 등을 행한 행정청에게 그 선결문제로 된 사실을 통지하여야 한다.

④ 제28강 참조 ○
공무원에게 고의 또는 중과실이 있는 경우 손해를 배상한 국가 또는 지방자치단체는 그 공무원에게 구상권을 행사할 수 있다. 따라서 X시는 고의 또는 중대한 과실이 있는 甲에게 구상할 수 있다.

> **국가배상법 제2조【배상책임】** ① 국가나 지방자치단체는 공무원 또는 공무를 위탁받은 사인(이하 '공무원'이라 한다)이 직무를 집행하면서 고의 또는 과실로 법령을 위반하여 타인에게 손해를 입히거나, 「자동차손해배상 보장법」에 따라 손해배상의 책임이 있을 때에는 이 법에 따라 그 손해를 배상하여야 한다. (단서 생략)
> ② 제1항 본문의 경우에 공무원에게 고의 또는 중대한 과실이 있으면 국가나 지방자치단체는 그 공무원에게 구상할 수 있다.

정답 18 ②

19 빈출 정답률 79% 중 2020 지방직 · 서울시 7급

행정대집행법상 대집행에 대한 설명으로 옳지 않은 것은? (다툼이 있는 경우 판례에 의함)

□□□ ① 행정청은 해가 지기 전에 대집행을 착수한 경우라도 해가 진 후에는 대집행을 할 수 없다.

□□□ ② 무허가증축부분으로 인하여 건물의 미관이 나아지고 증축부분을 철거하는 데 비용이 많이 소요된다고 하더라도 건물철거 대집행계고처분을 할 요건에 해당된다.

□□□ ③ 계고처분의 후속절차인 대집행에 위법이 있다고 하더라도, 그와 같은 후속절차에 위법성이 있다는 점을 들어 선행절차인 계고처분이 부적법하다는 사유로 삼을 수는 없다.

□□□ ④ 건축법에 위반하여 증 · 개축함으로써 철거의무가 있더라도 그 철거의무를 대집행하기 위한 계고처분을 하려면 다른 방법으로는 그 이행의 확보가 어렵고, 그 불이행을 방치함이 심히 공익을 해하는 것으로 인정되는 경우에 한한다.

① ×

행정대집행법 제4조【대집행의 실행 등】 ① 행정청(제2조에 따라 대집행을 실행하는 제3자를 포함한다. 이하 이 조에서 같다)은 해가 뜨기 전이나 해가 진 후에는 대집행을 하여서는 아니 된다. 다만, 다음 각 호의 어느 하나에 해당하는 경우에는 그러하지 아니하다.
1. 의무자가 동의한 경우
2. 해가 지기 전에 대집행을 착수한 경우
3. 해가 뜬 후부터 해가 지기 전까지 대집행을 하는 경우에는 대집행의 목적달성이 불가능한 경우

② ○

건물의 미관이 나아지고 철거비용이 많이 든다 하더라도 무허가증축부분을 방치함으로써 더 큰 공익을 심히 해할 우려가 있는 경우 계고처분은 적법하다.

무허가증축부분으로 인해 건물의 미관이 나아지고 위 증축부분을 철거하는 데 비용이 많이 소요되더라도 이를 그대로 방치한다면 이를 단속하는 당국의 권능이 무력화되어 건축행정의 원활한 수행이 위태롭게 되며 건축법의 제한규정을 회피하는 것을 사전예방하고 도시계획구역 안에서 토지의 경제적 · 효율적인 이용을 도모한다는 더 큰 공익을 심히 해할 우려가 있다고 보아 건물철거 대집행계고처분을 할 요건에 해당된다(대판 1992. 3. 10, 91누4140).

③ 제16강 참조 ○

계고처분의 후속절차인 대집행에 위법이 있다고 하더라도, 그와 같은 후속절차에 위법성이 있다는 점을 들어 선행절차인 계고처분이 부적법하다는 사유로 삼을 수는 없다는 것이 판례의 입장이다(대판 1997. 2. 14, 96누15428).

④ ○

건축법에 위반하여 증 · 개축함으로써 철거의무가 있더라도 행정대집행법 제2조에 의하여 그 철거의무를 대집행하기 위한 계고처분을 하려면 다른 방법으로는 그 이행의 확보가 어렵고, 그 불이행을 방치함이 심히 공익을 해하는 것으로 인정되는 경우에 한한다(대판 1989. 7. 11, 88누11193).

정답 19 ①

20 ⓗ 2019 경행경채 2차

행정대집행법상 대집행에 대한 설명으로 가장 적절하지 않은 것은? (다툼이 있는 경우 판례에 의함)

□□□ ① 행정청의 명령에 의한 행위뿐만 아니라 법률에 의하여 직접 명령된 행위도 행정대집행의 대상이 된다.

□□□ ② 도시공원시설인 매점에 대해서 관리청이 점유자에게 매점으로부터 퇴거하고 이에 부수하여 그 판매 시설물 및 상품을 반출하라고 명한 경우에 행정대집행을 할 수 있다.

□□□ ③ 행정대집행의 절차가 인정되는 경우에 따로 민사소송의 방법으로 공작물의 철거를 구할 수는 없다.

□□□ ④ 건물의 점유자가 철거의무자일 때에 행정청이 행정대집행의 방법으로 건물철거의무의 이행을 실현할 수 있는 경우에 건물철거 대집행 과정에서 부수적으로 그 건물의 점유자들에 대한 퇴거 조치를 할 수 있다.

관련기출

①

1. 대체적 작위의무가 법률의 위임을 받은 조례에 의해 직접 부과된 경우에는 대집행의 대상이 되지 아니한다. (○, ×) 2020 국가직 7급
2. 대집행의 대상이 되는 행위는 법률에서 직접 명령된 것이 아니라, 법률에 의거한 행정청의 명령에 의한 행위를 말한다. (○, ×) 2018 서울시 9급
3. 행정대집행법에 의하면 법령에 의해 직접 성립하는 의무도 행정대집행의 대상이 될 수 있다. (○, ×) 2015 서울시 9급

1. × 2. × 3. ○

① **빈출** ○

행정대집행법에 따르면 행정처분, 즉 법률에 의거한 행정청의 명령에 의하여 부과되는 것뿐만 아니라 법률(조례 포함)에 의하여 직접 명령된 행위도 행정대집행의 대상이 된다.

> **행정대집행법 제2조【대집행과 그 비용징수】** 법률(법률의 위임에 의한 명령, 지방자치단체의 조례를 포함한다. 이하 같다)에 의하여 직접 명령되었거나 또는 법률에 의거한 행정청의 명령에 의한 행위로서 타인이 대신하여 행할 수 있는 행위를 의무자가 이행하지 아니하는 경우 다른 수단으로써 그 이행을 확보하기 곤란하고 또한 그 불이행을 방치함이 심히 공익을 해할 것으로 인정될 때에는 당해 행정청은 스스로 의무자가 하여야 할 행위를 하거나 또는 제3자로 하여금 이를 하게 하여 그 비용을 의무자로부터 징수할 수 있다.

② ×

점유자의 퇴거 및 명도의무는 그 점유자의 행위가 필요한 것으로 비대체적 의무가 된다. 따라서 대집행의 대상이 될 수 없다.

> 도시공원시설 점유자의 퇴거 및 명도의무는 대체적 작위의무가 아니므로 대집행의 대상이 되지 않는다.
>
> 도시공원시설인 매점의 관리청이 그 공동점유자 중의 1인에 대하여 소정의 기간 내에 위 매점으로부터 퇴거하고 이에 부수하여 그 판매시설물 및 상품을 반출하지 아니할 경우 이를 대집행하겠다는 내용의 계고처분의 목적이 된 의무는 …… 그것을 강제적으로 실현함에 있어 직접적인 실력행사가 필요한 것이지 대체적 작위의무에 해당하는 것은 아니어서 직접강제의 방법에 의하는 것은 별론으로 하고 행정대집행법에 의한 대집행의 대상이 되는 것은 아니다(대판 1998. 10. 23, 97누157).

③ ○

관계법령상 행정대집행의 절차가 인정되어 행정청이 행정대집행의 방법으로 건물의 철거 등 대체적 작위의무의 이행을 실현할 수 있는 경우에는 따로 민사소송의 방법으로 그 의무의 이행을 구할 수 없다는 것이 판례의 입장이다(대판 2017. 4. 28, 2016다213916).

④ ○

행정청이 행정대집행의 방법으로 건물철거의무의 이행을 실현할 수 있는 경우에는 건물철거 대집행 과정에서 부수적으로 건물의 점유자들에 대한 퇴거조치를 할 수 있다는 것이 판례의 입장이다(대판 2017. 4. 28, 2016다213916).

정답 20 ②

21 상 2017 지방직(하) 9급

행정대집행에 대한 설명으로 옳은 것은? (다툼이 있는 경우 판례에 의함)

□□□ ① 대집행계고처분을 함에 있어서 의무이행을 할 수 있는 상당한 기간을 부여하지 아니하였다 하더라도, 행정청이 대집행계고처분 후에 대집행영장으로써 대집행의 시기를 늦추었다면 그 대집행계고처분은 적법한 처분이다.

□□□ ② 의무자가 대집행에 요한 비용을 납부하지 않으면 당해 행정청은 민법 제750조에 기한 손해배상으로서 대집행비용의 상환을 구할 수 있다.

□□□ ③ 「공유재산 및 물품관리법」 제83조에 따라 지방자치단체장이 행정대집행의 방법으로 공유재산에 설치한 시설물을 철거할 수 있는 경우, 민사소송의 방법으로도 시설물의 철거를 구하는 것이 허용된다.

□□□ ④ 구 「공공용지의 취득 및 손실보상에 관한 특별법」에 의한 협의취득시 건물소유자가 협의취득대상 건물에 대하여 철거의무를 부담하겠다는 취지의 약정을 한 경우, 그 철거의무는 행정대집행법에 의한 대집행의 대상이 되지 않는다.

관련기출

①

1. 대집행계고처분에서 정한 의무이행기간의 이행종기인 날짜에 그 계고서를 수령하였고 행정청이 대집행영장으로써 대집행의 시기를 늦추었다고 하여도 대집행의 적법절차에 위배한 것으로 위법한 처분이다. (○, ×) 2021 군무원 7급
2. 계고시 상당한 기간을 부여하지 않은 경우 대집행영장으로 대집행의 시기를 늦추었다 하더라도 대집행계고처분은 상당한 이행기간을 정하여 한 것이 아니므로 위법하다. (○, ×) 2015 국회직 8급
3. 상당한 의무이행기간을 부여하지 않은 계고처분 후 대집행영장으로 대집행의 시기를 늦추더라도 그 계고처분은 적법절차에 위배한 것으로 위법한 처분이다. (○, ×) 2009 지방직 9급

1. ○ 2. ○ 3. ○

① **빈출** ×

> 계고시 상당한 기간을 부여하지 않은 경우 대집행영장으로 대집행의 시기를 늦추었다 하더라도 대집행계고처분은 상당한 이행기한을 정하여 한 것이 아니므로 위법하다.
>
> 행정대집행법 제3조 제1항은 행정청이 의무자에게 대집행영장으로써 대집행할 시기 등을 통지하기 위하여는 그 전제로서 대집행계고처분을 함에 있어서 의무이행을 할 수 있는 상당한 기간을 부여할 것을 요구하고 있으므로, 행정청인 피고가 의무이행기한이 1988. 5. 24.까지로 된 이 사건 대집행계고서를 5. 19. 원고에게 발송하여 원고가 그 이행종기인 5. 24. 이를 수령하였다면, 설사 피고가 대집행영장으로써 대집행의 시기를 1988. 5. 27. 15 : 00로 늦추었더라도 위 대집행계고처분은 상당한 이행기한을 정하여 한 것이 아니어서 대집행의 적법절차에 위배한 것으로 위법한 처분이라고 할 것이다(대판 1990. 9. 14, 90누2048).

② ×

대집행에 소요된 비용은 의무자가 부담한다. 행정청은 납기일을 정하여 실제에 요한 비용액에 대해 의무자에게 문서로써 납부를 명하고, 의무자가 납부하지 않을 때에는 국세징수법의 예에 의하여 강제징수할 수 있을 뿐 민법 제750조에 기한 손해배상으로서 대집행비용의 상환을 구할 수 없다(대판 2011. 9. 8, 2010다48240).

③ ×

「공유재산 및 물품관리법」 제83조 제1항에 따라 지방자치단체장은 행정대집행의 방법으로 공유재산에 설치한 시설물을 철거할 수 있고, 이러한 행정대집행의 절차가 인정되는 경우에는 민사소송의 방법으로 시설물의 철거를 구하는 것은 허용되지 아니한다는 것이 판례의 입장이다(대판 2017. 4. 13, 2013다207941).

④ ○

구 「공공용지의 취득 및 손실보상에 관한 특례법」에 의한 협의취득시 건물소유자가 매매대상 건물에 대한 철거의무를 부담하겠다는 취지의 약정을 한 경우, 그 철거의무는 사법상 의무이므로 행정대집행법에 의한 대집행의 대상이 되지 않는다는 것이 판례의 입장이다(대판 2006. 10. 13, 2006두7096).

정답 21 ④

22 정답률 72% 중 2017 국가직 9급

행정대집행법상 행정대집행에 대한 설명으로 옳은 것은? (다툼이 있는 경우 판례에 의함)

□□□ ① 의무를 명하는 행정행위가 불가쟁력이 발생하지 않은 경우에는 그 행정행위에 따른 의무의 불이행에 대하여 대집행을 할 수 없다.

□□□ ② 부작위하명에는 행정행위의 강제력의 효력이 있으므로 당해 하명에 따른 부작위의무의 불이행에 대하여는 별도의 법적 근거 없이 대집행이 가능하다.

□□□ ③ 원칙적으로 '의무의 불이행을 방치하는 것이 심히 공익을 해하는 것으로 인정되는 경우'의 요건은 계고를 할 때에 충족되어 있어야 한다.

□□□ ④ 행정대집행법 제2조에 따른 대집행의 실시 여부는 행정청의 재량에 속하지 않는다.

① ×

행정대집행법은 불가쟁력의 발생을 대집행실행의 요건으로 규정하고 있지 않다. 따라서 의무를 명한 행정행위에 불가쟁력이 발생하기 전이라도 그 행정행위에 따른 의무의 불이행에 대하여 대집행을 할 수 있다.

② ×

부작위의무(금지의무)는 그 자체로는 대집행의 대상이 되지 않으며, 작위의무로 전환된 후 그 작위의무의 불이행시 대집행을 할 수 있다. 다만, 법치행정의 원리상 부작위의무를 작위의무로 전환하기 위해서는 별도로 법률의 명시적 근거가 있어야 한다.

③ ○

행정대집행법은 제2조에서 대집행의 요건에 관해 규정하고 있는데 대집행을 하기 위해서는 ㉠ 공법상의 대체적 작위의무의 불이행이 있는 경우에, ㉡ 다른 수단으로써 그 이행을 확보하기 곤란하고, ㉢ 또한 그 불이행을 방치함이 심히 공익을 해할 것으로 인정되어야 한다. 이러한 대집행의 요건은 계고를 할 때 충족되어 있어야 함이 원칙이다.

④ ×

대집행의 요건이 충족되는 경우에 대집행권을 발동할 것인지는 조문의 표현방식상 행정청의 재량에 속한다는 것이 다수설 · 판례의 입장이다(대체적 작위의무위반에 대해 대집행을 할 것인지 이행강제금을 부과할 것인지 행정청의 선택에 달려 있다는 것을 생각하면 된다).

정답 22 ③

23 정답률 74% 중 2016 지방직 7급

행정대집행에 대한 판례의 입장으로 옳은 것은?

□□□ ① 법령상 부작위의무 위반에 대해 작위의무를 부과할 수 있는 법령의 근거가 없음에도, 행정청이 작위의무를 명한 후 그 의무불이행을 이유로 대집행계고처분을 한 경우 그 계고처분은 유효하다.

□□□ ② 건축법에 위반한 건축물의 철거를 명하였으나 불응하자 이행강제금을 부과 · 징수한 후, 이후에도 철거를 하지 아니하자 다시 행정대집행계고처분을 한 경우 그 계고처분은 유효하다.

□□□ ③ 계고서라는 명칭의 1장의 문서로 일정기간 내에 위법건축물의 자진철거를 명함과 동시에 그 소정 기한 내에 자진철거를 하지 아니할 때에는 대집행할 뜻을 미리 계고한 경우, 철거명령에서 주어진 일정기간이 자진철거에 필요한 상당한 기간이라도 그 기간 속에 계고시에 필요한 '상당한 이행기간'이 포함된다고 볼 수 없다.

□□□ ④ 행정청이 대집행계고를 함에 있어서 의무자가 스스로 이행하지 아니하는 경우에 대집행할 행위의 내용 및 범위는 반드시 대집행계고서에 의해서만 특정되어야 하는 것이지, 계고처분 전후에 송달된 문서나 기타 사정을 종합하여 행위의 내용이 특정되거나 대집행의무자가 그 이행의무의 범위를 알 수 있는 것만으로는 부족하다.

① ×

법령의 근거가 없음에도 행정청이 작위의무, 즉 철거명령을 내렸다면 그러한 철거명령은 무효가 된다. 선행처분이 무효인 경우에는 그 하자는 당연히 후행행위에 승계되어 후행행위도 무효로 되므로 계고처분도 무효가 된다.

> 행정기관의 권한에는 사무의 성질 및 내용에 따르는 제약이 있고, 지역적 · 대인적으로 한계가 있으므로 이러한 권한의 범위를 넘어서는 권한유월의 행위는 무권한행위로서 원칙적으로 무효이고, 선행행위가 부존재하거나 무효인 경우에는 그 하자는 당연히 후행행위에 승계되어 후행행위도 무효로 된다. 건축법 제69조 등과 같은 부작위의무 위반행위에 대하여 대체적 작위의무로 전환하는 규정을 두고 있지 아니하므로 위 금지규정으로부터 그 위반결과의 시정을 명하는 원상복구명령을 할 수 있는 권한이 도출되는 것은 아니다. 결국 행정청의 원고에 대한 원상복구명령은 권한 없는 자의 처분으로 무효라고 할 것이고, 위 원상복구명령이 당연무효인 이상 후행처분인 계고처분의 효력에 당연히 영향을 미쳐 그 계고처분 역시 무효로 된다(대판 1996. 6. 28, 96누4374).

② ○

현행 건축법상 위법건축물에 대한 이행강제수단으로 대집행(건축법 제85조)과 이행강제금(건축법 제80조)이 인정되고 있는데, 헌법재판소는 개별사건에 있어서 위반내용, 위반자의 시정의지 등을 감안하여 대집행과 이행강제금을 선택적으로 활용할 수 있다는 입장이다(헌재 2004. 2. 26, 2001헌바80 · 84 · 102 · 103, 2002헌바26 병합).

③ ×

계고서라는 명칭의 1장의 문서로써, 일정기간 내에 위법건축물의 자진철거를 명함과 동시에 그 소정 기한 내에 자진철거를 하지 아니할 때에는 대집행할 뜻을 미리 계고한 경우라도 철거명령 및 계고처분은 적법하다는 것이 판례의 입장이다(대판 1992. 6. 12, 91누13564).

④ ×

대집행계고를 함에 있어 대집행할 행위의 내용 · 범위가 반드시 대집행계고서에 의하여만 특정될 필요는 없고 계고예고서, 기타 사정 등을 통해 알 수 있으면 족하다는 것이 판례의 입장이다(대판 1996. 10. 11, 96누8086).

정답 23 ②

03 이행강제금(집행벌)

기 526~532쪽 핵 T 46

24

정답률 63% 중 2024 지방직 · 서울시 9급

이행강제금에 대한 설명으로 옳지 않은 것은? (다툼이 있는 경우 판례에 의함)

① 건축법상 이행강제금은 시정명령의 불이행이라는 과거의 위반행위에 대한 제재이다.

② 행정청은 이행강제금을 부과받은 자가 납부기한까지 이행강제금을 내지 아니하면 국세강제징수의 예 또는 「지방행정제재 · 부과금의 징수 등에 관한 법률」에 따라 징수한다.

③ 처분의 근거법령에 의하면 비송사건절차법에 따라 이행강제금 부과처분에 불복하도록 규정하고 있었지만, 관할청이 이행강제금 부과처분을 하면서 재결청에 행정심판을 청구하거나 관할 행정법원에 행정소송을 할 수 있다고 잘못 안내한 경우라도 이행강제금 부과처분에 대해 행정법원에 항고소송을 제기할 수 없다.

④ 건축법상 이행강제금을 부과받은 사람이 이행강제금 사건의 제1심결정 후 항고심결정이 있기 전에 사망한 경우, 항고심결정은 당연무효이고, 이미 사망한 사람의 이름으로 제기된 재항고는 보정할 수 없는 흠결이 있는 것으로서 부적법하다.

관련기출

①

1. 이행강제금은 의무자에게 시정명령을 받은 의무의 이행을 명하고 그 이행기간 안에 의무를 이행하지 않으면 이행강제금이 부과된다는 사실을 고지함으로써 의무자에게 심리적 압박을 주어 의무의 이행을 간접적으로 강제하는 행정상의 간접강제 수단에 해당한다. (○, ×) 2024 소방간부
2. 건축법상 이행강제금은 시정명령의 불이행이라는 과거의 위반행위에 대한 제재가 아니라 의무자에게 심리적 압박을 주어 시정명령에 따른 의무의 이행을 간접적으로 강제하는 행정상의 간접강제 수단에 해당한다. (○, ×) 2023 국회직 9급
3. 건축법상 이행강제금은 의무자에게 심리적 압박을 주어 시정명령에 따른 의무이행을 간접적으로 강제하는 강제집행수단이 아니라 시정명령의 불이행이라는 과거의 위반행위에 대한 금전적 제재에 해당한다. (○, ×) 2019 국회직 8급

1. ○ 2. ○ 3. ×

① **빈출** 정답률 63% ×

이행강제금은 **장래** 의무이행을 확보하는 수단이지 **과거** 위반행위에 대한 제재가 아니다.

> 건축법상의 이행강제금은 시정명령의 불이행이라는 과거의 위반행위에 대한 제재가 아니라, 의무자에게 시정명령을 받은 의무의 이행을 명하고 그 이행기간 안에 의무를 이행하지 않으면 이행강제금이 부과된다는 사실을 고지함으로써 의무자에게 심리적 압박을 주어 의무의 이행을 간접적으로 강제하는 행정상의 간접강제수단에 해당한다. 이러한 이행강제금의 본질상 시정명령을 받은 의무자가 이행강제금이 부과되기 전에 그 의무를 이행한 경우에는 비록 시정명령에서 정한 기간을 지나서 이행한 경우라도 이행강제금을 부과할 수 없다(대판 2014. 12. 11, 2013두15750).

② 정답률 7% ○

> **행정기본법 제31조【이행강제금의 부과】** ⑥ 행정청은 이행강제금을 부과받은 자가 납부기한까지 이행강제금을 내지 아니하면 국세강제징수의 예 또는 「지방행정제재 · 부과금의 징수 등에 관한 법률」에 따라 징수한다.

③ 정답률 22% ○

> 구 농지법 제62조(현 제63조) 제1항에 따른 이행강제금 부과처분에 불복하는 경우에는 비송사건절차법에 따른 재판절차가 적용되어야 하고, 행정소송법상 항고소송의 대상은 될 수 없다. 농지법 제62조 제6항, 제7항이 위와 같이 이행강제금 부과처분에 대한 불복절차를 분명하게 규정하고 있으므로, 이와 다른 불복절차를 허용할 수는 없다. 설령 피고가 이행강제금 부과처분을 하면서 재결청에 행정심판을 청구하거나 관할 행정법원에 행정소송을 할 수 있다고 잘못 안내하거나 경기도행정심판위원회가 각하재결이 아닌 기각재결을 하면서 관할법원에 행정소송을 할 수 있다고 잘못 안내하였다고 하더라도, 그러한 잘못된 안내로 행정법원의 항고소송 재판관할이 생긴다고 볼 수도 없다(대판 2019. 4. 11, 2018두42955).

④ 정답률 6% ○

법원은 당사자의 행위가 부적법하면 보정을 명할 수 있다. 그런데 이미 사망한 자가 제기한 재항고는 보정을 할 수 없으므로 부적법한 재항고로서 각하된다.

> 1. 건축법상의 이행강제금은 간접강제의 일종으로서 그 이행강제금 납부의무는 상속인에게 승계될 수 없는 일신전속적인 성질의 것이므로 이미 사망한 사람에게 이행강제금을 부과하는 내용의 처분이나 결정은 당연무효이고 건축법상 이행강제금은 일신전속적인 성질의 것이므로 이행강제금을 부과받은 사람이 재판절차가 개시된 이후에 사망한 경우, 재판절차는 종료된다.
> 2. 건축법상 이행강제금을 부과받은 사람이 이행강제금사건의 제1심결정 후 항고심결정이 있기 전에 사망한 경우, 항고심결정은 당연무효이고, 이미 사망한 사람의 이름으로 제기된 재항고는 보정할 수 없는 흠결이 있는 것으로서 부적법하다(대결 2006. 12. 8, 2006마470).

정답 24 ①

25 중 2024 소방간부

이행강제금에 관한 설명으로 옳지 않은 것은? (다툼이 있는 경우 판례에 의함)

□□□ ① 이행강제금의 본질상 시정명령을 받은 의무자가 이행강제금이 부과되기 전에 그 의무를 이행한 경우라도 시정명령에서 정한 기간을 지나서 이행하였다면 이행강제금을 부과할 수 있다.

□□□ ② 행정청은 이행강제금을 부과받은 자가 납부기한까지 이행강제금을 내지 아니하면 국세강제징수의 예 또는 「지방행정제재 · 부과금의 징수 등에 관한 법률」에 따라 징수한다.

□□□ ③ 이행강제금은 의무자에게 시정명령을 받은 의무의 이행을 명하고 그 이행기간 안에 의무를 이행하지 않으면 이행강제금이 부과된다는 사실을 고지함으로써 의무자에게 심리적 압박을 주어 의무의 이행을 간접적으로 강제하는 행정상의 간접강제수단에 해당한다.

□□□ ④ 이행강제금은 부작위의무나 비대체적 작위의무에 대한 강제집행수단으로 이해되어 왔으나, 이는 이행강제금제도의 본질에서 오는 제약은 아니며, 이행강제금은 대체적 작위의무의 위반에 대하여도 부과될 수 있다.

□□□ ⑤ 현행 건축법상 위법건축물에 대한 이행강제수단으로 대집행과 이행강제금이 인정되고 있는데, 행정청은 개별사건에 있어서 위반내용, 위반자의 시정의지 등을 감안하여 대집행과 이행강제금을 재량에 의해 선택적으로 활용할 수 있다.

관련기출

①

1. 건축법상 시정명령을 받은 의무자가 이행강제금이 부과되기 전에 그 의무를 이행하였더라도 그 시정명령에서 정한 기간을 지나서 이행한 경우라면 행정청은 이행강제금을 부과할 수 있다. (O, ×) 2023 국가직 7급
2. 이행강제금의 성격에 비추어 건축법상 시정명령을 받은 의무자가 시정명령에서 정한 기간을 지나서 시정명령을 이행한 경우 이행강제금이 부과되기 전에 그 이행이 있었다 하더라도 시정명령상의 기간을 준수하지 않은 이상 이행강제금을 부과하는 것은 정당하다. (O, ×) 2022 해경간부
3. 이행강제금은 금전의 징수가 목적이 아니라 의무이행을 촉구하기 위한 것이므로 일단 의무이행이 있으면 비록 시정명령에서 정한 기간을 지나서 이행한 경우라도 이행강제금을 부과할 수 없다. (O, ×) 2020 국회직 8급
4. 이행강제금은 과거의 의무불이행에 대한 제재의 기능을 지니고 있으므로, 이행강제금이 부과되기 전에 의무를 이행한 경우에도 시정명령에서 정한 기간을 지나서 이행한 경우라면 이행강제금을 부과할 수 있다. (O, ×) 2019 지방직 · 교육행정직 9급

1. × 2. × 3. O 4. ×

① **빈출** ×

③ O

건축법상의 이행강제금은 시정명령의 불이행이라는 과거의 위반행위에 대한 제재가 아니라, 의무자에게 시정명령을 받은 의무의 이행을 명하고 그 이행기간 안에 의무를 이행하지 않으면 이행강제금이 부과된다는 사실을 고지함으로써 의무자에게 심리적 압박을 주어 의무의 이행을 간접적으로 강제하는 행정상의 간접강제수단에 해당한다(③). 이러한 이행강제금의 본질상 시정명령을 받은 의무자가 이행강제금이 부과되기 전에 그 의무를 이행한 경우에는 비록 시정명령에서 정한 기간을 지나서 이행한 경우라도 이행강제금을 부과할 수 없다(①)(대판 2018. 1. 25, 2015두35116).

⑦ O

행정기본법 제31조【이행강제금의 부과】 ⑥ 행정청은 이행강제금을 부과받은 자가 납부기한까지 이행강제금을 내지 아니하면 국세강제징수의 예 또는 「지방행정제재 · 부과금의 징수 등에 관한 법률」에 따라 징수한다.

④⑤ O

전통적으로 행정대집행은 대체적 작위의무에 대한 강제집행수단으로, 이행강제금은 부작위의무나 비대체적 작위의무에 대한 강제집행수단으로 이해되어 왔으나, 이는 이행강제금제도의 본질에서 오는 제약은 아니며, 이행강제금은 대체적 작위의무의 위반에 대하여도 부과될 수 있다(④). 현행 건축법상 위법건축물에 대한 이행강제수단으로 대집행과 이행강제금(제83조 제1항)이 인정되고 있는데, 양 제도는 각각의 장단점이 있으므로 행정청은 개별사건에 있어서 위반내용, 위반자의 시정의지 등을 감안하여 대집행과 이행강제금을 선택적으로 활용할 수 있으며, 이처럼 그 합리적인 재량에 의해 선택하여 활용하는 이상, 중첩적인 제재에 해당한다고 볼 수 없다(⑤)(헌재 2004. 2. 26, 2001헌바80 · 84 · 102 · 103, 2002헌바26 병합).

정답 25 ①

26 정답률 72% 중 2022 군무원 9급

다음 중 이행강제금에 대한 설명으로 가장 옳지 않은 것은? (단, 다툼이 있는 경우 판례에 의함)

□□□ ① 구 건축법상 이행강제금은 위반행위에 대하여 시정명령을 받은 후 시정기간 내에 당해 시정명령을 이행하지 아니한 건축주 등에 대하여 부과되는 간접강제의 일종으로서 금전제재의 성격을 가지므로 그 이행강제금 납부의무는 상속인 기타의 사람에게 승계될 수 있다.

□□□ ② 행정청은 의무자가 행정상 의무를 이행할 때까지 이행강제금을 반복하여 부과할 수 있고, 의무자가 의무를 이행하면 새로운 이행강제금의 부과를 즉시 중지하되, 이미 부과한 이행강제금은 징수하여야 한다.

□□□ ③ 장기 의무위반자가 이행강제금 부과 전에 그 의무를 이행하였다면 이행강제금의 부과로써 이행을 확보하고자 하는 목적은 이미 실현된 것이므로 이행강제금을 부과할 수 없다.

□□□ ④ 이행강제금은 의무위반에 대하여 장래의 의무이행을 확보하는 수단이라는 점에서 과거의 의무위반에 대한 제재인 행정벌과 구별된다.

관련기출

③

1. 「부동산 실권리자명의 등기에 관한 법률」상 장기미등기자가 이행강제금 부과 전에 등기신청의무를 이행하였더라도 동법에 규정된 기간이 지나서 등기신청의무를 이행하였다면 이행강제금을 부과할 수 있다. (○, ×) 2021 지방직 · 서울시 9급
2. 「부동산 실권리자명의 등기에 관한 법률」상 장기미등기자가 이행강제금 부과 전에 등기신청의무를 이행하였다면 이행강제금의 부과로써 이행을 확보하고자 하는 목적은 이미 실현된 것이므로 이 법상 규정된 기간이 지나서 등기신청의무를 이행한 경우라 하더라도 이행강제금을 부과할 수 없다. (○, ×) 2020 군무원 9급

1. × 2. ○

④

1. 이행강제금은 행정상 간접적인 강제집행수단의 하나로서, 과거의 일정한 법률위반행위에 대한 제재인 형벌이 아니라 장래의 의무이행 확보를 위한 강제수단일 뿐이어서, 범죄에 대하여 국가가 형벌권을 실행하는 과벌에 해당하지 아니한다. (○, ×) 2021 군무원 9급
2. 건축법상 이행강제금은 형벌에 해당하므로 이중처벌금지의 원칙이 적용된다. (○, ×) 2020 소방직 9급
3. 건축법상 이행강제금은 시정명령의 위반이라는 과거의 위반행위에 대한 제재이다. (○, ×) 2020 경행경채
4. 이행강제금은 장래에 의무이행을 확보하기 위한 강제수단이다. (○, ×) 2017 교육행정직 9급
5. 이행강제금은 이행명령의 불이행이라는 과거의 위반행위에 대한 제재로서의 의미를 갖는 것은 아니다. (○, ×) 2015 서울시 7급

1. ○ 2. × 3. × 4. ○ 5. ○

① ×

건축법상의 이행강제금은 간접강제의 일종으로서 그 이행강제금 납부의무는 상속인에게 승계될 수 없는 일신전속적인 성질의 것이므로 이미 사망한 사람에게 이행강제금을 부과하는 내용의 처분이나 결정은 당연무효라는 것이 판례의 입장이다(대결 2006. 12. 8, 2006마470).

② ○

> **행정기본법 제31조【이행강제금의 부과】** ⑤ 행정청은 의무자가 행정상 의무를 이행할 때까지 이행강제금을 반복하여 부과할 수 있다. 다만, 의무자가 의무를 이행하면 새로운 이행강제금의 부과를 즉시 중지하되, 이미 부과한 이행강제금은 징수하여야 한다.

③ **빈출** ○

> 「부동산 실권리자명의 등기에 관한 법률」(이하 '부동산실명법'이라 한다) 제10조 제1항, 제4항, 제6조 제2항의 내용, 체계 및 취지 등을 종합하면, 부동산의 소유권이전을 내용으로 하는 계약을 체결하고 반대급부의 이행을 완료한 날로부터 3년 이내에 소유권이전등기를 신청하지 아니한 등기권리자 등(이하 '장기미등기자'라 한다)에 대하여 부과되는 이행강제금은 소유권이전등기신청의무 불이행이라는 과거의 사실에 대한 제재인 과징금과 달리, 장기미등기자에게 등기신청의무를 이행하지 아니하면 이행강제금이 부과된다는 심리적 압박을 주어 의무의 이행을 간접적으로 강제하는 행정상의 간접강제수단에 해당한다. 따라서 장기미등기자가 이행강제금 부과 전에 등기신청의무를 이행하였다면 이행강제금의 부과로써 이행을 확보하고자 하는 목적은 이미 실현된 것이므로 부동산실명법 제6조 제2항에 규정된 기간이 지나서 등기신청의무를 이행한 경우라 하더라도 이행강제금을 부과할 수 없다(대판 2016. 6. 23, 2015두36454).

④ **빈출** ○

이행강제금(집행벌)은 행정상 강제집행의 수단으로서 **장래**를 향해 의무이행을 확보하기 위한 것이다. 이러한 점에서 **과거**의 위반에 대한 제재를 주된 목적으로 하는 행정벌과 구별된다.

> 건축법상 이행강제금은 일정한 기한까지 의무를 이행하지 않을 때에는 일정한 금전적 부담을 과할 뜻을 미리 계고함으로써 의무자에게 심리적 압박을 주어 장래에 그 의무를 이행하게 하려는 행정상 간접적인 강제집행수단의 하나로서 과거의 일정한 법률위반행위에 대한 제재로서의 형벌이 아니라 장래의 의무이행의 확보를 위한 강제수단일 뿐이어서 범죄에 대하여 국가가 형벌권을 실행한다고 하는 과벌에 해당하지 아니하므로, 헌법 제13조 제1항이 금지하는 이중처벌금지의 원칙이 적용될 여지가 없다(헌재 2011. 10. 25, 2009헌바140).

정답 26 ①

27 정답률 82% 중 2019 지방직 · 교육행정직 9급

이행강제금에 대한 설명으로 옳지 않은 것은? (다툼이 있는 경우 판례에 의함)

□□□ ① 이행강제금은 과거의 의무불이행에 대한 제재의 기능을 지니고 있으므로, 이행강제금이 부과되기 전에 의무를 이행한 경우에도 시정명령에서 정한 기간을 지나서 이행한 경우라면 이행강제금을 부과할 수 있다.

□□□ ② 건축법상 허가권자는 이행강제금을 부과하기 전에 이행강제금을 부과 · 징수한다는 뜻을 미리 문서로써 계고하여야 한다.

□□□ ③ 건축법상 이행강제금 납부의 최초 독촉은 징수처분으로서 항고소송의 대상이 되는 행정처분이 될 수 있다.

□□□ ④ 부작위의무나 비대체적 작위의무뿐만 아니라 대체적 작위의무의 위반에 대하여도 이행강제금을 부과할 수 있다.

관련기출

③

1. 건축법상 이행강제금 납부의 최초 독촉은 항고소송의 대상이 되는 행정처분에 해당한다는 것이 판례의 태도이다. (○, ×)
2020 소방직 9급, 2017 지방직(하) 9급, 2014 국회직 8급
2. 구 건축법 및 지방세법 · 국세징수법에 의하여 이행강제금 부과처분을 받은 자가 기한 내에 이행강제금을 납부하지 아니한 때에는 그 납부를 독촉할 수 있으며, 이때 이행강제금 납부의 최초 독촉은 징수처분으로서 행정처분에 해당한다. (○, ×) 2017 국회직 8급
3. 이행강제금 부과처분을 받고 기한 내에 납부하지 아니한 자에 대한 이행강제금 납부독촉은 사실행위인 통지로서 항고소송의 대상이 되지 아니한다. (○, ×) 2013 국가직 7급

1. ○ 2. ○ 3. ×

① ×

이행강제금은 의무자에게 심리적 압박을 주어 의무의 이행을 간접적으로 강제하는 행정상의 간접강제수단에 해당하는 것으로 과거의 의무불이행에 대한 제재가 아니다. 따라서 상대방이 이행강제금이 부과되기 전에 그 의무를 이행한 경우라면 비록 시정명령에서 정한 기간을 지나서 이행한 경우라도 이행강제금을 부과할 수 없다는 것이 판례의 입장이다(대판 2018. 1. 25, 2015두35116).

② ○

시정명령을 이행하지 아니한 자에 대해 이행강제금을 부과 · 징수한다는 뜻을 미리 문서로써 계고하여야 한다.

> 건축법 제80조【이행강제금】③ 허가권자는 제1항 및 제2항에 따른 이행강제금을 부과하기 전에 제1항 및 제2항에 따른 이행강제금을 부과 · 징수한다는 뜻을 미리 문서로써 계고(戒告)하여야 한다.

③ **빈출** ○

> 건축법상 이행강제금 납부의 최초 독촉은 항고소송의 대상이 되는 행정처분에 해당한다(대판 2009. 12. 24, 2009두14507).

④ ○

전통적으로 행정대집행은 대체적 작위의무에 대한 강제집행수단으로, 이행강제금은 부작위의무나 비대체적 작위의무에 대한 강제집행수단으로 이해되어 왔으나, 이는 이행강제금제도의 본질에서 오는 제약은 아니며, 이행강제금은 대체적 작위의무의 위반에 대하여도 부과될 수 있다는 것이 판례의 입장이다(헌재 2004. 2. 26, 2001헌바80 · 84 · 102 · 103, 2002헌바26 병합).

정답 27 ①

28 빈출 정답률 63% 중 2015 국가직 7급

이행강제금에 대한 설명으로 옳지 않은 것은? (다툼이 있는 경우 판례에 의함)

□□□ ① 이행강제금은 작위의무 또는 부작위의무를 불이행한 경우에 그 의무를 간접적으로 강제이행시키는 수단으로서 집행벌이라고도 한다.

□□□ ② 이행강제금의 부과는 의무불이행에 대한 집행벌로 가하는 것이기 때문에 행정절차상 의견청취를 거치지 않아도 된다.

□□□ ③ 행정청은 대체적 작위의무 불이행시 강제수단으로서 대집행과 이행강제금을 재량에 의하여 선택적으로 결정할 수 있다.

□□□ ④ 이행강제금의 부과처분에 대한 불복방법에 관하여 아무런 규정을 두고 있지 않는 경우에는 이행강제금 부과처분은 행정행위이므로 행정심판 또는 행정소송을 제기할 수 있다.

① ○

이행강제금이란 행정법상 현재 의무의 불이행시 그 의무를 강제하기 위하여 일정기한까지 이행하지 않으면 일정한 금액을 부과한다는 뜻을 미리 계고하여 의무자에게 심리적 압박을 가함으로써 간접적으로 의무이행을 강제하는 것을 의미한다. 이러한 이행강제금은 '집행벌'이라는 용어로도 사용되고 있다. 한편 이행강제금(집행벌)은 비대체적 작위의무와 부작위의무를 위반한 경우뿐만 아니라 대체적 작위의무 위반에 대해서도 부과할 수 있다고 하는 것이 판례의 입장이다.

② ×

이행강제금 부과 역시 침익적 처분이므로 행정절차법상 의견청취를 거쳐야 한다. 다만, 개별법에 이행강제금 부과에 대해 특별한 불복절차(예 이의신청)를 규정하고 있는 경우에는 행정소송법상 항고소송의 대상이 되는 처분은 되지 않고 특별한 불복절차에 따라 불복하여야 한다. 물론 개별법에 특별한 불복절차를 규정하지 않고 있는 경우에는 항고소송을 제기할 수 있다.

③ ○

행정청은 대체적 작위의무 불이행시 대집행과 이행강제금을 선택적으로 활용할 수 있다고 할 것이며, 합리적인 재량에 의해 선택하여 활용하는 이상 중첩적인 제재에 해당한다고 볼 수 없다는 것이 판례의 입장이다(헌재 2004. 2. 26, 2001헌바80 · 84 · 102 · 103, 2002헌바26 병합).

④ ○

이행강제금(집행벌)의 부과에 대한 불복방법에 대해 특별한 규정을 두고 있지 않은 경우에는 일반적인 행정법상의 권리구제수단인 행정심판법에 따른 행정심판 또는 행정소송법에 따른 행정소송을 제기할 수 있다.

정답 28 ②

05 행정상 강제징수

기 535~539쪽 핵 T 47

29 정답률 72% 중 2023 지방직 · 서울시 9급

행정의 실효성 확보수단에 대한 설명으로 옳지 않은 것은?

① 구 국세징수법상 가산금 또는 중가산금의 고지는 항고소송의 대상이 되는 처분이 아니다.

② 지방자치단체 소속 공무원이 지방자치단체 고유의 자치사무를 수행하던 중 구 도로법에 위반하는 행위를 한 경우 지방자치단체는 구 도로법상 양벌규정에 따라 처벌대상이 되는 법인에 해당한다.

③ 구 「음반 · 비디오물 및 게임물에 관한 법률」상 불법게임물에 대한 수거 및 폐기조치는 행정상 즉시강제에 해당한다.

④ 공매처분을 하면서 체납자에게 공매통지를 하지 않았거나 공매통지를 하였지만 그것이 적법하지 아니하다 하더라도 공매처분 자체는 위법하지 않다.

관련기출

④

1. 국세징수법상 공매통지는 국가의 강제력에 의하여 진행되는 공매절차에서 체납자 등의 권리 내지 재산상 이익을 보호하기 위하여 법률로 규정한 절차적 요건에 해당하기 때문에 그 통지를 하지 아니한 채 공매처분을 한 경우에는 그 공매처분은 당연무효이다. (○, ×) 2020 경행경채 변형
2. 과세관청의 체납자 등에 대한 공매통지는 국가의 강제력에 의하여 진행되는 공매절차에서 체납자 등의 권리 내지 재산상 이익을 보호하기 위하여 법률로 규정한 절차적 요건에 해당하지만, 그 통지를 하지 아니한 채 공매처분을 하였다 하여도 그 공매처분이 당연무효로 되는 것은 아니다. (○, ×) 2016 지방직 9급

1. × 2. ○

① ○

> 구 국세징수법상 가산금 또는 중가산금의 고지는 항고소송의 대상이 되는 처분이 아니다.
>
> 국세징수법 제21조, 제22조(현행 삭제)가 규정하는 가산금 또는 중가산금은 국세를 납부기한까지 납부하지 아니하면 과세청의 확정절차 없이도 법률규정에 의하여 당연히 발생하는 것이므로 가산금 또는 중가산금의 고지가 항고소송의 대상이 되는 처분이라고 볼 수 없다(대판 2005. 6. 10, 2005다15482).

② 제26강 참조 ○

> 1. 국가가 본래 그의 사무의 일부를 지방자치단체의 장에게 위임하여 그 사무를 처리하게 하는 기관위임사무의 경우에는 지방자치단체는 국가기관의 일부로 볼 수 있는 것이지만, 지방자치단체가 그 고유의 자치사무를 처리하는 경우에는 지방자치단체는 국가기관의 일부가 아니라 국가기관과는 별도의 독립한 공법인이므로, 지방자치단체 소속 공무원이 지방자치단체 고유의 자치사무를 수행하던 중 도로법 제81조 내지 제85조의 규정에 의한 위반행위를 한 경우에는 지방자치단체는 도로법 제86조의 양벌규정에 따라 처벌대상이 되는 법인에 해당한다.
> 2. 지방자치단체 소속 공무원이 압축트럭 청소차를 운전하여 고속도로를 운행하던 중 제한축중을 초과 적재 운행함으로써 도로관리청의 차량운행제한을 위반한 사안에서, 해당 지방자치단체는 도로법 제86조의 양벌규정에 따른 처벌대상이 된다(대판 2005. 11. 10, 2004도2657).

③ ○

행정상 즉시강제 중 대물적 강제에 해당한다(제25강 참조).

> 불법게임물은 불법현장에서 이를 즉시 수거하지 않으면 증거인멸의 가능성이 있고, 그 사행성으로 인한 폐해를 막기 어려우며, 대량으로 복제되어 유통될 가능성이 있어, 불법게임물에 대하여 관계당사자에게 수거 · 폐기를 명하고 그 불이행을 기다려 직접강제 등 행정상의 강제집행으로 나아가는 원칙적인 방법으로는 목적달성이 곤란하다고 할 수 있으므로, 이 사건 법률조항의 설정은 위와 같은 급박한 상황에 대처하기 위한 것으로서 그 불가피성과 정당성이 인정된다. …… 또한 이 사건 법률조항이 불법게임물의 수거 · 폐기에 관한 행정상 즉시강제를 허용함으로써 게임제공업주 등이 입게 되는 불이익보다는 이를 허용함으로써 보호되는 공익이 더 크다고 볼 수 있으므로, 법익의 균형성의 원칙에 위배되는 것도 아니다(헌재 2002. 10. 31, 2000헌가12).

④ ×

> 1. 체납자 등에 대한 공매통지는 공매의 절차적 요건에 해당하므로, 체납자 등에게 공매통지를 하지 않았거나 적법하지 않은 공매통지를 한 경우 그 공매처분은 위법하다(대판 2008. 11. 20, 2007두18154 전합).
> 2. 체납자 등에 대한 공매통지 없이 한 공매처분이 당연무효가 되는 것은 아니다.
>
> 체납자 등에 대한 공매통지는 국가의 강제력에 의하여 진행되는 공매절차에서 체납자 등의 권리 내지 재산상 이익을 보호하기 위하여 법률로 규정한 절차적 요건에 해당하지만, 그 통지를 하지 아니한 채 공매처분을 하였다 하여도 그 공매처분이 당연무효로 되는 것은 아니다(대판 2012. 7. 26, 2010다50625).

정답 29 ④

제 25 강 행정상 즉시강제와 행정조사

1회독	2회독	3회독
/	/	/

⊘정답률 공단기/소방단기 합격예측 풀서비스 통계 데이터 기준 기 기본서 핵 핵심집약

01 행정상 즉시강제 기 542~547쪽 핵 T 48

01 정답률 71% 중 2019 소방직 9급

행정상 즉시강제에 관한 설명으로 옳지 않은 것은? (다툼이 있는 경우 판례에 의함)

□□□ ① 소방기본법상 소방활동에 방해가 되는 물건 등에 대한 강제처분은 행정상 즉시강제에 해당한다.

□□□ ② 행정상 즉시강제는 권력적 사실행위이므로, 항고소송의 대상이 되는 처분성이 인정된다.

□□□ ③ 식품위생법상 영업소 폐쇄명령을 받은 자가 영업을 계속할 경우 강제폐쇄하는 조치는 행정상 즉시강제에 해당한다.

□□□ ④ 행정상 즉시강제에서 그 목적을 달성할 수 없는 지극히 예외적인 경우에만 헌법상 사전영장주의원칙의 예외가 인정된다.

관련기출

③

1. 허가업의 식품접객업자가 행정청의 영업소 폐쇄명령을 받은 후에 계속하여 영업을 하는 경우 행정청이 사용할 수 있는 행정의 실효성 확보수단은? 2007 국가직 9급

① 집행벌
② 행정상 강제징수
③ 직접강제
④ 행정상 즉시강제

1. ③

① ○

소방기본법상의 소방활동에 방해가 되는 물건 등에 대한 강제처분은 의무의 불이행을 전제로 하지 않으므로 행정상 즉시강제에 해당한다.

② ○

항고소송의 대상이 되는 처분에는 학문상의 행정행위뿐만 아니라 권력적 사실행위도 포함된다는 것이 통설이다. 행정상 즉시강제는 권력적 사실행위이므로 행정쟁송상의 처분에 해당한다.

> 수형자의 서신을 교도소장이 검열하는 행위는 이른바 권력적 사실행위로서 행정심판이나 행정소송의 대상이 되는 행정처분으로 볼 수 있다(헌재 1998. 8. 27, 96헌마398).

③ ×

행정상 즉시강제란 의무불이행을 전제로 하지 않는 행정작용이다. 이 점에서 선행하는 의무의 존재 및 그 불이행을 전제로 하는 행정상 강제집행과는 구별된다. 지문과 같이 식품위생법상 영업소 폐쇄명령을 전제로 하여 그러한 의무의 불이행을 전제로 행해지는 행정강제는 행정상 강제집행이다. 지문에서 들고 있는 영업소 폐쇄조치는 이러한 강제집행 중 직접강제에 해당한다.

④ ○

> 사전영장주의원칙은 인신보호를 위한 헌법상의 기속원리이기 때문에 인신의 자유를 제한하는 국가의 모든 영역(예컨대, 행정상의 즉시강제)에서도 존중되어야 하고 다만 사전영장주의를 고수하다가는 도저히 그 목적을 달성할 수 없는 지극히 예외적인 경우에만 형사절차에서와 같은 예외가 인정된다고 할 것이다(대판 1995. 6. 30, 93추83).

정답 01 ③

02 상

2014 지방직 9급

행정상 즉시강제에 대한 설명으로 옳은 것은? (다툼이 있는 경우 판례에 의함)

□□□ ① 구「음반 · 비디오물 및 게임물에 관한 법률」상 등급분류를 받지 아니한 게임물을 발견한 경우 관계행정청이 관계공무원으로 하여금 이를 수거 · 폐기하게 할 수 있도록 한 규정은 헌법상 영장주의와 피해 최소성의 요건을 위배하는 과도한 입법으로 헌법에 위반된다.

□□□ ② 재범의 위험성이 현저한 자를 상대로 긴급히 보호할 필요가 있는 경우에 단기간의 동행보호를 허용한 구 사회안전법상 동행보호규정은 사전영장주의를 규정한 헌법규정에 반한다.

□□□ ③ 식품위생법상 영업소 폐쇄명령을 받은 후에도 계속하여 영업을 하는 경우 해당 영업소를 폐쇄하는 조치는 행정상 즉시강제의 수단에 해당한다.

□□□ ④ 손실발생의 원인에 대하여 책임이 없는 자가 경찰관의 적법한 보호조치에 자발적으로 협조하여 재산상의 손실을 입은 경우, 국가는 손실을 입은 자에 대하여 정당한 보상을 하여야 한다.

① ×

관계행정청이 등급분류를 받지 아니하거나 등급분류를 받은 게임물과 다른 내용의 게임물을 발견한 경우 관계공무원으로 하여금 영장 없이 이를 수거 · 폐기하게 할 수 있도록 한 구「음반 · 비디오물 및 게임물에 관한 법률」이 비록 영장 없는 수거를 인정한다고 하더라도 이를 두고 헌법상 영장주의에 위배되는 것으로는 볼 수 없다는 것이 판례의 입장이다(헌재 2002. 10. 31, 2000헌가12).

② ×

구 사회안전법 제11조 소정의 동행보호규정은 재범의 위험성이 현저한 자를 상대로 긴급히 보호할 필요가 있는 경우에 한하여 단기간의 동행보호를 허용한 것으로서 그 요건을 엄격히 해석하는 한, 동 규정 자체가 사전영장주의를 규정한 헌법규정에 반한다고 볼 수는 없다(대판 1997. 6. 13, 96다56115).

③ ×

직접강제란 행정법상의 의무불이행이 있는 경우에 행정기관이 직접 의무자의 신체 · 재산에 실력을 가하여 의무자가 스스로 의무를 이행한 것과 같은 상태를 실현하는 작용을 말한다. 직접강제의 예로는 식품위생법상 영업소 폐쇄명령을 받은 후 계속하여 영업을 하는 경우에 행하는 영업소 폐쇄조치, 출입국관리법상의 각종 의무를 위반한 자에 대한 강제퇴거조치 등을 들 수 있다. 이러한 직접강제는 사전에 부과된 의무불이행을 전제로 행해진다는 점에서 의무불이행을 전제하지 않고 행해지는 즉시강제와 구별된다.

식품위생법 제79조【폐쇄조치 등】 ① 식품의약품안전처장, 시 · 도지사 또는 시장 · 군수 · 구청장은 제37조 제1항, 제4항 또는 제5항을 위반하여 허가받지 아니하거나 신고 또는 등록하지 아니하고 영업을 하는 경우 또는 제75조 제1항 또는 제2항에 따라 허가 또는 등록이 취소되거나 영업소 폐쇄명령을 받은 후에도 계속하여 영업을 하는 경우에는 해당 영업소를 폐쇄하기 위하여 관계공무원에게 다음 각 호의 조치를 하게 할 수 있다.
1. 해당 영업소의 간판 등 영업 표지물의 제거나 삭제
2. 해당 영업소가 적법한 영업소가 아님을 알리는 게시문 등의 부착
3. 해당 영업소의 시설물과 영업에 사용하는 기구 등을 사용할 수 없게 하는 봉인(封印)

④ ○

경찰관직무집행법 제11조의2【손실보상】 ① 국가는 경찰관의 적법한 직무집행으로 인하여 다음 각 호의 어느 하나에 해당하는 손실을 입은 자에 대하여 정당한 보상을 하여야 한다.
1. 손실발생의 원인에 대하여 책임이 없는 자가 생명 · 신체 또는 재산상의 손실을 입은 경우(손실발생의 원인에 대하여 책임이 없는 자가 경찰관의 직무집행에 자발적으로 협조하거나 물건을 제공하여 생명 · 신체 또는 재산상의 손실을 입은 경우를 포함한다)
2. 손실발생의 원인에 대하여 책임이 있는 자가 자신의 책임에 상응하는 정도를 초과하는 생명 · 신체 또는 재산상의 손실을 입은 경우

정답 02 ④

03 중 2013 경행특채

행정상 실효성 확보수단에 대한 설명으로 가장 적합하지 않은 것은?

□□□ ① 행정상 강제집행의 수단은 대집행, 집행벌, 직접강제, 행정상 강제징수 등이 있다.

□□□ ② 즉시강제에서 영장주의가 적용되는가의 여부에 대하여 판례는 국민의 권익보호를 위하여 예외 없이 영장주의가 적용되어야 한다는 영장필요설의 입장을 취하고 있다.

□□□ ③ 불법게임물에 대한 폐기처분에 대하여 판례는 이를 행정상 즉시강제로 보고 있다.

□□□ ④ 술에 취한 상태로 인하여 자기 또는 타인의 생명·신체와 재산에 위해를 미칠 우려가 있는 피구호자에 대한 보호조치는 경찰행정상 즉시강제에 해당한다는 것이 판례의 입장이다.

관련기출

④

1. 경찰관직무집행법 제4조 제1항 제1호에서 규정하는 '술에 취한 상태로 인하여 자기 또는 타인의 생명·신체와 재산에 위해를 미칠 우려가 있는' 피구호자에 대한 보호조치는 행정상 즉시강제에 해당한다. (○, ×)
   2023 소방간부, 2019 경행경채 2차
2. 술에 취한 상태로 인하여 자기 또는 타인의 생명·신체와 재산에 위해를 미칠 우려가 있는 피구호자에 대한 보호조치는 경찰행정상 즉시강제에 해당한다. (○, ×)
   2017 지방직 7급

1. ○ 2. ○

① ○

행정상 강제집행의 종류로는 대집행, 이행강제금(집행벌), 직접강제, 강제징수가 있다.

② ×

즉시강제에서 영장주의가 적용되는가의 여부에 대하여 대법원은 원칙적으로는 영장이 필요하나 예외적으로 영장이 필요 없다는 절충설의 입장을 취하고 있다. 한편 헌법재판소는 급박성을 본질로 하는 즉시강제에는 원칙적으로 영장주의가 적용되지 않는다는 입장이다(필수편 02 ① 해설 참조).

③ ○

구 「음반·비디오물 및 게임물에 관한 법률」상 불법게임물에 대한 수거 및 폐기조치는 행정상 즉시강제에 해당한다는 것이 헌법재판소의 입장이다(헌재 2002. 10. 31, 2000헌가12)(필수편 02 ③ 해설 판례 참조).

④ **빈출** ○

> 경찰관직무집행법 제4조 제1항 제1호에서 규정하는 술에 취한 상태로 인하여 자기 또는 타인의 생명·신체와 재산에 위해를 미칠 우려가 있는 피구호자에 대한 보호조치는 경찰행정상 즉시강제에 해당하므로, 그 조치가 불가피한 최소한도 내에서만 행사되도록 발동·행사 요건을 신중하고 엄격하게 해석하여야 한다(대판 2012. 12. 13, 2012도11162).

정답 03 ②

04 하 2018 교육행정직 9급

행정상 즉시강제에 관한 설명으로 옳은 것은?

□□□ ① 즉시강제는 대체적 작위의무의 불이행이 있는 경우에 행정청이 스스로 의무자가 행할 행위를 대신 수행하는 조치이다.

□□□ ② 신체의 자유를 제한하는 즉시강제는 헌법상 기본권 침해에 해당하여 법률의 규정에 의해서도 허용되지 아니한다.

□□□ ③ 권력적 사실행위인 즉시강제는 그 조치가 계속 중인 상태에 있는 경우에도 취소소송의 대상이 될 수는 없다.

□□□ ④ 즉시강제로써 행정상 장해를 제거하여 보호하고자 하는 공익과 즉시강제에 따른 권익침해 사이에는 비례관계가 있어야 한다.

① ×
대체적 작위의무의 불이행이 있는 경우에 행정청이 스스로 의무자가 행할 행위를 대신 수행하는 조치는 대집행으로 이는 즉시강제가 아니라 강제집행의 일종이다.

② ×
즉시강제는 권력적 사실행위로서 법률에 규정이 있는 경우라면 일정한 한계 내에서 허용된다. 신체의 자유를 제한하는 즉시강제의 개별법적 근거로는 「감염병의 예방 및 관리에 관한 법률」상의 감염병환자의 강제입원, 강제건강진단 및 치료, 소방기본법상의 화재현장에 있는 자에 대한 원조강제, 「재난 및 안전관리 기본법」상의 응급조치(긴급수송 등), 「마약류 관리에 관한 법률」상의 마약중독자의 격리 및 치료를 위한 치료보호 등이 있다.

③ ×
행정상 즉시강제는 소방대상물의 파괴와 같이 대부분 단기간에 종료되므로 협의의 소이익을 결여하여 항고쟁송을 제기할 수 없는 경우가 많다. 그러나 행정상 즉시강제라도 감염병환자의 강제입원 등과 같이 침해가 계속되고 있는 경우에는 취소소송 · 취소심판으로 다툴 소의 이익이 있다.

④ ○
즉시강제는 상대방에 대한 침익적 조치로서 즉시강제를 통해 달성하려고 하는 공익상의 목적과 이를 통하여 침해되는 상대방의 권익 사이에는 비례의 원칙이 준수되어야 한다.

05 중 2013 국가직 9급

직접강제와 즉시강제를 구분하는 전통적 견해에 의할 때 성질이 다른 하나는?

□□□ ① 출입국관리법상의 외국인 등록의무를 위반한 사람에 대한 강제퇴거

□□□ ② 소방기본법상의 소방활동에 방해가 되는 물건 등에 대한 강제처분

□□□ ③ 식품위생법상의 위해식품에 대한 압류

□□□ ④ 「마약류 관리에 관한 법률」상의 승인을 받지 못한 마약류에 대한 폐기

- 직접강제 : 의무불이행 전제
- 즉시강제 : 의무불이행 전제하지 않음.

① 직접강제
출입국관리법상의 외국인 등록의무를 위반한 사람에 대한 강제퇴거(①)와 식품위생법상의 영업소 폐쇄명령을 받은 후에도 계속하여 영업을 하는 경우에 행하는 영업소 폐쇄조치는 직접강제에 해당한다. 직접강제는 강제집행의 일종으로 의무를 부과한 후 그러한 의무를 불이행한 자에 대해서 행하는 조치라는 점에서 구체적인 의무의 불이행을 전제로 하지 않고 즉시 행하여지는 행정상 즉시강제와 구별된다.

②③④ 즉시강제
소방기본법상의 소방활동에 방해가 되는 물건 등에 대한 강제처분(②), 식품위생법상의 위해식품에 대한 압류(③), 「마약류 관리에 관한 법률」상의 승인을 받지 못한 마약류에 대한 폐기(④)는 대물적 즉시강제에 해당한다.

06 하 2012 지방직(하) 9급

행정상 즉시강제에 해당하지 않는 것은?

□□□ ① 「감염병의 예방 및 관리에 관한 법률」상의 감염병환자의 강제입원

□□□ ② 경찰관직무집행법상의 보호조치

□□□ ③ 건축법상의 이행강제금의 부과

□□□ ④ 도로교통법상의 위법인공구조물에 대한 제거

③ 이행강제금은 행정상 강제집행의 일종이다.

정답 04 ④ 05 ① 06 ③

02 행정조사

기 548~557쪽 핵 T 49

07

빈출 정답률 81% 중 2024 군무원 9급

다음 중 행정조사에 대한 설명으로 가장 적절하지 않은 것은? (다툼이 있는 경우 판례에 의함)

□□□ ① 행정기관은 조사대상자의 자발적인 협조를 얻어 행정조사를 실시할 수 있는데, 이 경우에도 조사개시 7일 전까지 조사대상자에게 서면으로 통지하여야 한다.

□□□ ② 국세기본법이 정한 세무조사대상 선정사유가 없음에도 세무조사대상으로 선정하여 과세자료를 수집하고 그에 기하여 과세처분을 하는 것은 위법하다.

□□□ ③ 부과처분을 위한 과세관청의 질문조사권이 행해지는 세무조사결정이 있는 경우 납세의무자는 세무공무원의 과세자료수집을 위한 질문에 대답하고 검사를 수인하여야 할 법적 의무를 부담하게 된다는 점에서 세무조사결정은 항고소송의 대상이 된다.

□□□ ④ 세무조사가 과세자료의 수집 또는 신고내용의 정확성 검증이라는 본연의 목적이 아니라 부정한 목적을 위하여 행하여진 것이라면 이는 세무조사에 중대한 위법사유가 있는 경우에 해당하고 이러한 세무조사에 의하여 수집된 과세자료를 기초로 한 과세처분 역시 위법하다.

관련기출

④

1. 세무조사가 과세자료의 수집 또는 신고내용의 정확성 검증이라는 본연의 목적이 아니라 부정한 목적을 위하여 행하여진 경우, 세무조사에 의하여 수집된 과세자료를 기초로 한 과세처분 역시 위법하다. (○, ×) 2024 소방간부
2. 세무조사에 중대한 위법사유가 있는 경우 이러한 세무조사에 의하여 수집된 과세자료를 기초로 한 과세처분 역시 위법하다. (○, ×) 2022 국가직 7급
3. 위법한 세무조사를 통하여 수집된 과세자료에 기초하여 과세처분을 하였더라도 그러한 사정만으로 그 과세처분이 위법하게 되는 것은 아니다. (○, ×) 2016 국가직 9급

1. ○ 2. ○ 3. ×

① 빈출 정답률 81% ×

자발적인 협조를 얻어 실시하는 행정조사의 경우 사전통지를 하지 않을 수 있는 예외적인 경우에 해당한다.

> **행정조사기본법 제17조【조사의 사전통지】** ① 행정조사를 실시하고자 하는 행정기관의 장은 제9조에 따른 출석요구서, 제10조에 따른 보고요구서 · 자료제출요구서 및 제11조에 따른 현장출입조사서(이하 '출석요구서 등'이라 한다)를 조사개시 7일 전까지 조사대상자에게 서면으로 통지하여야 한다. 다만, 다음 각 호의 어느 하나에 해당하는 경우에는 행정조사의 개시와 동시에 출석요구서 등을 조사대상자에게 제시하거나 행정조사의 목적 등을 조사대상자에게 구두로 통지할 수 있다.
> 1. 행정조사를 실시하기 전에 관련 사항을 미리 통지하는 때에는 증거인멸 등으로 행정조사의 목적을 달성할 수 없다고 판단되는 경우
> 2. 통계법 제3조 제2호에 따른 지정통계의 작성을 위하여 조사하는 경우
> 3. 제5조 단서에 따라 조사대상자의 자발적인 협조를 얻어 실시하는 행정조사의 경우

② 정답률 7% ○

> 구 국세기본법 제81조의5가 정한 세무조사대상 선정사유가 없음에도 세무조사대상으로 선정하여 과세자료를 수집하고 그에 기하여 과세처분을 하는 것은 적법절차의 원칙을 어기고 구 국세기본법 제81조의5와 제81조의3 제1항을 위반한 것으로서 특별한 사정이 없는 한 과세처분은 위법하다(대판 2014. 6. 26, 2012두911).

③ 빈출 정답률 8% ○

> 세무조사결정은 항고소송의 대상이 되는 행정처분에 해당한다.
>
> 부과처분을 위한 과세관청의 질문조사권이 행해지는 세무조사결정이 있는 경우 납세의무자는 세무공무원의 과세자료 수집을 위한 질문에 대답하고 검사를 수인하여야 할 법적 의무를 부담하게 되는 점, …… 등을 종합하면, 세무조사결정은 납세의무자의 권리 · 의무에 직접 영향을 미치는 공권력의 행사에 따른 행정작용으로서 항고소송의 대상이 된다(대판 2011. 3. 10, 2009두23617 · 23624).

④ 빈출 정답률 2% ○

> 세무조사가 과세자료의 수집 또는 신고내용의 정확성 검증이라는 본연의 목적이 아니라 부정한 목적을 위하여 행하여진 것이라면 이는 세무조사에 중대한 위법사유가 있는 경우에 해당하고 이러한 세무조사에 의하여 수집된 과세자료를 기초로 한 과세처분 역시 위법하다(대판 2016. 12. 15, 2016두47659).

정답 07 ①

08 중 2023 국회직 8급

행정조사기본법에 대한 설명으로 옳은 것은?

□□□ ① 행정기관의 장은 법령 등에 특별한 규정이 있는 경우를 제외하고는 행정조사의 결과를 확정한 날부터 10일 이내에 그 결과를 조사대상자에게 통지하여야 한다.

□□□ ② 유사하거나 동일한 사안에 대하여 서로 다른 기관이 공동으로 조사하는 것은 원칙적으로 허용되지 않는다.

□□□ ③ 행정조사는 수시로 실시함을 원칙으로 한다.

□□□ ④ 행정조사의 기본원칙은 군사시설 · 군사기밀보호 및 방위사업에 관한 사항에 대하여도 적용한다.

□□□ ⑤ 행정조사를 실시한 행정기관의 장은 이미 조사를 받은 조사대상자에 대하여 위법행위가 의심되는 새로운 증거를 확보한 경우에도 동일한 사안에 대하여 동일한 조사대상자를 재조사하여서는 아니 된다.

관련기출

①

1. 행정기관의 장은 법령 등에 특별한 규정이 있는 경우를 제외하고는 행정조사의 결과를 확정한 날부터 7일 이내에 그 결과를 조사대상자에게 통지하여야 한다. (○, ×) 2022 국가직 7급, 2021 국회직 8급, 2020 경행경채

1. ○

②

1. 행정기관은 유사하거나 동일한 사안에 대하여는 공동조사 등을 실시함으로써 행정조사가 중복되지 아니하도록 하여야 한다. (○, ×) 2021 군무원 9급, 2014 경행특채 1차

1. ○

③

1. 행정조사는 그 실효성 확보를 위해 수시조사를 원칙으로 한다. (○, ×) 2021 소방직 9급, 2014 국회직 8급, 2009 국회직 8급
2. 행정조사는 수시로 실시함을 원칙으로 한다. (○, ×) 2015 경행특채 1차
3. 행정조사는 법령 등 또는 행정조사운영계획으로 정하는 바에 따라 정기적으로 실시함을 원칙으로 한다. (○, ×) 2010 경행특채

1. × 2. × 3. ○

⑤

1. (행정조사기본법) 제7조에 따라 정기조사 또는 수시조사를 실시한 행정기관의 장은 동일한 사안에 대하여 동일한 조사대상자를 재조사하여서는 아니 된다. 다만, 당해 행정기관이 이미 조사를 받은 조사대상자에 대하여 위법행위가 의심되는 새로운 증거를 확보한 경우에는 그러하지 아니하다. (○, ×) 2022 서울시 지적 7급
2. 정기조사 또는 수시조사를 실시한 행정기관의 장은 조사대상자의 자발적인 협조를 얻어 실시하는 경우가 아닌 한, 동일한 사안에 대하여 동일한 조사대상자를 재조사하여서는 아니 된다. (○, ×) 2018 지방직 9급
3. 행정기관의 장은 당해 행정기관이 이미 조사를 받은 조사대상자에 대하여 위법행위가 의심되는 새로운 증거를 확보하는 경우에는 재조사할 수 있다. (○, ×) 2018 서울시 2회 7급

1. ○ 2. × 3. ○

① **빈출** ×

행정조사기본법 제24조【조사결과의 통지】 행정기관의 장은 법령 등에 특별한 규정이 있는 경우를 제외하고는 행정조사의 결과를 확정한 날부터 7일 이내에 그 결과를 조사대상자에게 통지하여야 한다.

② **빈출** ×

행정조사기본법 제4조【행정조사의 기본원칙】 ③ 행정기관은 유사하거나 동일한 사안에 대하여는 공동조사 등을 실시함으로써 행정조사가 중복되지 아니하도록 하여야 한다.

③ **빈출** ×

행정조사기본법 제7조【조사의 주기】 행정조사는 법령 등 또는 행정조사운영계획으로 정하는 바에 따라 정기적으로 실시함을 원칙으로 한다. 다만, 다음 각 호 중 어느 하나에 해당하는 경우에는 수시조사를 할 수 있다.
1. 법률에서 수시조사를 규정하고 있는 경우
2. 법령 등의 위반에 대하여 혐의가 있는 경우
3. 다른 행정기관으로부터 법령 등의 위반에 관한 혐의를 통보 또는 이첩받은 경우
4. 법령 등의 위반에 대한 신고를 받거나 민원이 접수된 경우
5. 그 밖에 행정조사의 필요성이 인정되는 사항으로서 대통령령으로 정하는 경우

④ **빈출** ○

행정조사기본법 제3조【적용범위】 ① 행정조사에 관하여 다른 법률에 특별한 규정이 있는 경우를 제외하고는 이 법으로 정하는 바에 따른다.
② 다음 각 호의 어느 하나에 해당하는 사항에 대하여는 이 법을 적용하지 아니한다.
2. 국방 및 안전에 관한 사항 중 다음 각 목의 어느 하나에 해당하는 사항
가. 군사시설 · 군사기밀보호 또는 방위사업에 관한 사항
나. 병역법, 예비군법, 민방위기본법, 「비상대비자원 관리법」에 따른 징집 · 소집 · 동원 및 훈련에 관한 사항
3. 생략
4. 근로기준법 제101조에 따른 근로감독관의 직무에 관한 사항
5. 조세 · 형사 · 행형 및 보안처분에 관한 사항
6. 금융감독기관의 감독 · 검사 · 조사 및 감리에 관한 사항
7. 생략
③ 제2항에도 불구하고 제4조(행정조사의 기본원칙), **제5조(행정조사의 근거)** 및 제28조(정보통신수단을 통한 행정조사)는 **제2항 각 호의 사항에 대하여 적용한다.**

⑤ **빈출** ×

행정조사기본법 제15조【중복조사의 제한】 ① 제7조에 따라 정기조사 또는 수시조사를 실시한 행정기관의 장은 동일한 사안에 대하여 동일한 조사대상자를 재조사하여서는 아니 된다. 다만, 당해 행정기관이 이미 조사를 받은 조사대상자에 대하여 **위법행위가 의심되는 새로운 증거를 확보한** 경우에는 그러하지 아니하다.

정답 08 ④

09 빈출 중 2023 소방간부

행정조사에 관한 설명으로 옳지 않은 것은? (다툼이 있는 경우 판례에 의함)

□□□ ① 행정조사는 조사목적을 달성하는 데 필요한 최소한의 범위 안에서 실시하여야 하며, 다른 목적 등을 위하여 조사권을 남용하여서는 아니 된다.

□□□ ② 조사대상자의 자발적인 협조를 전제할 뿐 조사 거부에 대한 어떠한 제재도 없는 임의적 행정조사라면 법령상 명확한 위임 근거가 없다고 하더라도 가능하다.

□□□ ③ 부과처분을 위한 과세관청의 질문조사권이 행하여지는 세무조사의 경우 납세자 또는 그 납세자와 거래가 있다고 인정되는 자 등은 세무공무원의 과세자료 수집을 위한 질문에 대답하고 검사를 수인하여야 할 법적 의무를 부담한다.

□□□ ④ 행정조사를 실시하고자 하는 행정기관의 장은 통계법 제3조 제2호에 따른 지정통계의 작성을 위하여 조사하는 경우에 반드시 서면으로 조사대상자에게 행정조사 목적 등을 통지하여야 한다.

□□□ ⑤ 음주운전 여부에 대한 조사과정에서 운전자 본인의 동의를 받지 아니하고 법원의 영장 없이 채혈조사를 한 결과를 근거로 한 운전면허 정지·취소처분은 특별한 사정이 없는 한 위법한 처분으로 볼 수밖에 없다.

관련기출

①

1. 행정조사는 조사목적을 달성하는 데 필요한 최소한의 범위 안에서 실시하여야 하며, 다른 목적 등을 위하여 조사권을 남용하여서는 아니 된다. (○, ×) 2021 군무원 9급

1. ○

④

1. 행정기관은 조사대상자의 자발적인 협조를 얻어 실시하는 행정조사인 경우 행정조사기본법 제17조 제1항 본문에 따른 사전통지를 하지 않을 수 있다. (○, ×) 2021 국회직 8급
2. 행정조사를 실시하고자 하는 행정기관의 장은 출석요구서, 보고요구서·자료제출요구서 및 현장출입조사서를 조사개시 7일 전까지 조사대상자에게 구두로 통지하여야 한다. (○, ×) 2020 경행경채
3. 행정조사기본법에 따르면, 행정조사를 실시하는 경우 조사개시 7일 전까지 조사대상자에게 출석요구서, 보고요구서·자료제출요구서, 현장출입조사서를 서면으로 통지하여야 하나, 조사대상자의 자발적인 협조를 얻어 행정조사를 실시하는 경우에는 미리 서면으로 통지하지 않고 행정조사의 개시와 동시에 이를 조사대상자에게 제시할 수 있다. (○, ×) 2018 국가직 9급
4. 행정조사를 실시하고자 하는 행정기관의 장은 출석요구서 등을 조사개시 3일 전까지 조사대상자에게 서면으로 통지하여야 한다. (○, ×) 2009 국가직 9급

1. ○ 2. × 3. ○ 4. ×

⑤

1. 조사과정에서 운전자 본인의 동의를 받지 아니하고 또한 법원의 영장도 없이 채혈조사를 한 결과를 근거로 한 운전면허 정지·취소 처분은 특별한 사정이 없는 한 위법한 처분에 해당한다. (○, ×) 2022 소방간부, 2020 국가직 7급

1. ○

① ○

행정조사기본법 제4조【행정조사의 기본원칙】① 행정조사는 조사목적을 달성하는 데 필요한 최소한의 범위 안에서 실시하여야 하며, 다른 목적 등을 위하여 조사권을 남용하여서는 아니 된다.

② ○

행정조사기본법 제5조【행정조사의 근거】행정기관은 법령 등에서 행정조사를 규정하고 있는 경우에 한하여 행정조사를 실시할 수 있다. 다만, 조사대상자의 자발적인 협조를 얻어 실시하는 행정조사의 경우에는 그러하지 아니하다.

③ ○

세무조사결정은 항고소송의 대상이 되는 행정처분에 해당한다.
부과처분을 위한 과세관청의 질문조사권이 행해지는 세무조사결정이 있는 경우 납세의무자는 세무공무원의 과세자료 수집을 위한 질문에 대답하고 검사를 수인하여야 할 법적 의무를 부담하게 되는 점, …… 납세의무자로 하여금 개개의 과태료 처분에 대하여 불복하거나 조사 종료 후의 과세처분에 대하여만 다툴 수 있도록 하는 것보다는 그에 앞서 세무조사결정에 대하여 다툼으로써 분쟁을 조기에 근본적으로 해결할 수 있는 점 등을 종합하면, 과세관청의 질문조사권이 행해지는 세무조사결정은 납세의무자의 권리·의무에 직접 영향을 미치는 공권력의 행사에 따른 행정작용으로서 항고소송의 대상이 된다(대판 2011. 3. 10, 2009두23617·23624).

④ 빈출 ×

행정조사기본법 제17조【조사의 사전통지】① 행정조사를 실시하고자 하는 행정기관의 장은 제9조에 따른 출석요구서, 제10조에 따른 보고요구서·자료제출요구서 및 제11조에 따른 현장출입조사서(이하 '출석요구서 등'이라 한다)를 조사개시 7일 전까지 조사대상자에게 서면으로 통지하여야 한다. 다만, 다음 각 호의 어느 하나에 해당하는 경우에는 행정조사의 개시와 동시에 출석요구서 등을 조사대상자에게 제시하거나 행정조사의 목적 등을 조사대상자에게 구두로 통지할 수 있다.
1. 행정조사를 실시하기 전에 관련 사항을 미리 통지하는 때에는 증거인멸 등으로 행정조사의 목적을 달성할 수 없다고 판단되는 경우
2. 통계법 제3조 제2호에 따른 지정**통계의 작성**을 위하여 조사하는 경우
3. 제5조 단서에 따라 조사대상자의 **자발적인 협조**를 얻어 실시하는 행정조사의 경우

⑤ ○

음주운전 여부에 관한 조사방법 중 혈액 채취(이하 '채혈'이라고 한다)는 상대방의 신체에 대한 직접적인 침해를 수반하는 방법으로서, 이에 관하여 도로교통법은 호흡조사와 달리 운전자에게 조사에 응할 의무를 부과하는 규정을 두지 아니할 뿐만 아니라, 측정에 앞서 운전자의 동의를 받도록 규정하고 있으므로(제44조 제3항), 운전자의 동의 없이 임의로 채혈조사를 하는 것은 허용되지 아니한다. …… 따라서 음주운전 여부에 대한 조사과정에서 운전자 본인의 동의를 받지 아니하고 또한 법원의 영장도 없이 채혈조사를 한 결과를 근거로 한 운전면허 정지·취소 처분은 도로교통법 제44조 제3항을 위반한 것으로서 특별한 사정이 없는 한 위법한 처분으로 볼 수밖에 없다(대판 2016. 12. 27, 2014두46850).

정답 09 ④

10 빈출 정답률 51% 중 2021 소방직 9급

행정조사에 관한 설명으로 옳은 것(○)과 옳지 않은 것(×)을 바르게 표기한 것은? (다툼이 있는 경우 판례에 의함)

□□□ ㉠ 행정조사는 그 실효성 확보를 위해 수시조사를 원칙으로 한다.
□□□ ㉡ 행정절차법은 행정조사절차에 관한 명문의 규정을 일부 두고 있다.
□□□ ㉢ (구)국세기본법에 따른 금지되는 재조사에 기초한 과세처분은 특별한 사정이 없는 한 위법하다.
□□□ ㉣ 우편물 통관검사절차에서 이루어지는 우편물의 개봉, 시료채취, 성분분석 등의 검사는 행정조사의 성격을 가지는 것으로 압수 · 수색영장 없이 진행되었다고 해도 특별한 사정이 없는 한 위법하다고 볼 수 없다.

	㉠	㉡	㉢	㉣		㉠	㉡	㉢	㉣
①	×	×	○	○	②	×	○	×	○
③	○	×	○	×	④	×	○	○	○

관련기출

㉢

1. 국세기본법상 금지되는 재조사에 기하여 과세처분을 하는 것은 과세관청이 그러한 재조사로 얻은 과세자료를 배제하고서도 동일한 과세처분이 가능한 경우라면 적법하다. (○, ×) 2022 국회직 8급

1. ×

① ㉠㉡ × ㉢㉣ ○

㉠ ×

> **행정조사기본법 제7조【조사의 주기】** 행정조사는 법령 등 또는 행정조사운영계획으로 정하는 바에 따라 정기적으로 실시함을 원칙으로 한다. 다만, 다음 각 호 중 어느 하나에 해당하는 경우에는 수시조사를 할 수 있다.
> 1. 법률에서 수시조사를 규정하고 있는 경우
> 2. 법령 등의 위반에 대하여 혐의가 있는 경우
> 3. 다른 행정기관으로부터 법령 등의 위반에 관한 혐의를 통보 또는 이첩받은 경우
> 4. 법령 등의 위반에 대한 신고를 받거나 민원이 접수된 경우
> 5. 그 밖에 행정조사의 필요성이 인정되는 사항으로서 대통령령으로 정하는 경우

㉡ 빈출 ×

행정절차법은 공법상 계약, 행정조사절차 등에 대해서는 규정하고 있지 않다.

> **행정절차법 제3조【적용범위】** ① 처분, 신고, 확약, 위반사실 등의 공표, 행정계획, 행정상 입법예고, 행정예고 및 행정지도의 절차(이하 '행정절차'라 한다)에 관하여 다른 법률에 특별한 규정이 있는 경우를 제외하고는 이 법에서 정하는 바에 따른다.

㉢ 빈출 ○

> 구 국세기본법 제81조의4 제1항, 제2항 규정의 문언과 체계, 재조사를 엄격하게 제한하는 입법취지, 그 위반의 효과 등을 종합하여 보면, 구 국세기본법 제81조의4 제2항에 따라 금지되는 재조사에 기하여 과세처분을 하는 것은 단순히 당초 과세처분의 오류를 경정하는 경우에 불과하다는 등의 특별한 사정이 없는 한 그 자체로 위법하고, 이는 과세관청이 그러한 재조사로 얻은 과세자료를 과세처분의 근거로 삼지 않았다거나 이를 배제하고서도 동일한 과세처분이 가능한 경우라고 하여 달리 볼 것은 아니다(대판 2017. 12. 13, 2016두55421).

㉣ ○

우편물 통관검사절차에서 이루어지는 우편물의 개봉, 시료채취, 성분분석 등의 검사는 수출입물품에 대한 적정한 통관 등을 목적으로 한 행정조사의 성격을 가지는 것으로서 수사기관의 강제처분이라고 할 수 없으므로, 압수 · 수색영장 없이 우편물의 개봉, 시료채취, 성분분석 등 검사가 진행되었다 하더라도 특별한 사정이 없는 한 위법하다고 볼 수 없다는 것이 판례의 입장이다(대판 2013. 9. 26, 2013도7718).

정답 10 ①

11 정답률 82% 중 2018 국가직 7급

행정조사 및 행정조사기본법에 대한 설명으로 옳은 것(○)과 옳지 않은 것(×)을 바르게 연결한 것은? (다툼이 있는 경우 판례에 의함)

> □□□ ㉠ 우편물 통관검사절차에서 이루어지는 우편물의 개봉, 시료채취, 성분분석 등의 검사는 수출입물품에 대한 적정한 통관 등을 목적으로 한 행정조사의 성격을 가지는 것으로서 수사기관의 강제처분이라고 할 수 없다.
>
> □□□ ㉡ 조사원이 현장조사 중에 자료 · 서류 · 물건 등을 영치하는 경우에 조사대상자의 생활이나 영업이 사실상 불가능하게 될 우려가 있는 때에는 조사원은 증거인멸의 우려가 있는 경우가 아니라면 사진촬영 등의 방법으로 영치에 갈음할 수 있다.
>
> □□□ ㉢ 행정기관의 장이 조사대상자의 자발적인 협조를 얻어 행정조사를 실시하고자 하는 경우 조사대상자는 문서 · 전화 · 구두 등의 방법으로 당해 행정조사를 거부할 수 있다.
>
> □□□ ㉣ 조사대상자가 행정조사의 실시를 거부하거나 방해하는 경우 조사원은 행정조사기본법상의 명문규정에 의하여 조사대상자의 신체와 재산에 대해 실력을 행사할 수 있다.

	㉠	㉡	㉢	㉣		㉠	㉡	㉢	㉣
①	○	○	○	×	②	○	×	○	×
③	×	×	○	○	④	○	○	×	×

① ㉠㉡㉢ ○ ㉣ ×

㉠ ○

우편물 통관검사절차에서 이루어지는 우편물의 개봉, 시료채취, 성분분석 등의 검사는 수출입물품에 대한 적정한 통관 등을 목적으로 한 행정조사의 성격을 가지는 것으로서 수사기관의 강제처분이라고 할 수 없으므로, 압수 · 수색영장 없이 우편물의 개봉, 시료채취, 성분분석 등 검사가 진행되었다 하더라도 특별한 사정이 없는 한 위법하다고 볼 수 없다는 것이 판례의 입장이다(대판 2013. 9. 26, 2013도7718).

㉡ ○

> **행정조사기본법 제13조【자료 등의 영치】** ② 조사원이 제1항에 따라 자료 등을 영치하는 경우에 조사대상자의 생활이나 영업이 사실상 불가능하게 될 우려가 있는 때에는 조사원은 자료 등을 사진으로 촬영하거나 사본을 작성하는 등의 방법으로 영치에 갈음할 수 있다. 다만, 증거인멸의 우려가 있는 자료 등을 영치하는 경우에는 그러하지 아니하다.

㉢ ○

> **행정조사기본법 제20조【자발적인 협조에 따라 실시하는 행정조사】** ① 행정기관의 장이 제5조 단서에 따라 조사대상자의 자발적인 협조를 얻어 행정조사를 실시하고자 하는 경우 조사대상자는 문서 · 전화 · 구두 등의 방법으로 당해 행정조사를 거부할 수 있다.

㉣ ×

행정조사기본법에는 조사원이 조사대상자의 신체와 재산에 대해 실력을 행사할 수 있는 명문규정이 없다. 권력적 행정조사에 상대방이 저항하는 경우 실력으로 그 저항을 배제할 수 있는지에 관해서는 학설의 대립이 있다.

정답 11 ①

12 정답률 75% 중 2015 서울시 7급

행정조사기본법과 관련한 설명으로 옳지 않은 것은?

□□□ ① 조사대상자는 조사원에게 공정한 행정조사를 기대하기 어려운 사정이 있다고 판단되는 경우에는 행정기관의 장에게 당해 조사원의 교체를 신청할 수 있다.

□□□ ② 조사대상자와 조사원은 조사과정을 방해하지 아니하는 범위 안에서 행정조사의 과정을 녹음하거나 녹화할 수 있다.

□□□ ③ 조사대상자는 법률 · 회계 등에 대하여 전문지식이 있는 관계 전문가로 하여금 행정조사를 받는 과정에 입회하게 하거나 의견을 진술하게 할 수 있다.

□□□ ④ 행정기관의 장은 법령 등에 특별한 규정이 있는 경우를 제외하고는 행정조사의 결과를 확정한 날부터 30일 이내에 그 결과를 조사대상자에게 통지하여야 한다.

①②③ ○

④ ×

> **행정조사기본법 제22조【조사원 교체신청】** ① 조사대상자는 조사원에게 공정한 행정조사를 기대하기 어려운 사정이 있다고 판단되는 경우에는 행정기관의 장에게 당해 조사원의 교체를 신청할 수 있다(①).
>
> **제23조【조사권 행사의 제한】** ② 조사대상자는 법률 · 회계 등에 대하여 전문지식이 있는 관계 전문가로 하여금 행정조사를 받는 과정에 입회하게 하거나 의견을 진술하게 할 수 있다(③).
> ③ 조사대상자와 조사원은 조사과정을 방해하지 아니하는 범위 안에서 행정조사의 과정을 녹음하거나 녹화할 수 있다. 이 경우 녹음 · 녹화의 범위 등은 상호 협의하여 정하여야 한다(②).
>
> **제24조【조사결과의 통지】** 행정기관의 장은 법령 등에 특별한 규정이 있는 경우를 제외하고는 행정조사의 결과를 확정한 날부터 7일 이내에 그 결과를 조사대상자에게 통지하여야 한다(④).

13 빈출 중 2008 지방직(하) 7급

현행 행정조사기본법상의 행정조사에 대한 설명으로 옳지 않은 것은?

□□□ ① 금융감독기관의 감독 · 검사 · 조사에 대하여는 행정조사기본법이 적용될 여지가 없다.

□□□ ② 행정조사는 법령 등의 위반에 대한 처벌보다는 법령 등을 준수하도록 유도하는 데 중점을 두어야 한다.

□□□ ③ 조사대상자의 자발적인 협조를 얻어 실시하는 행정조사의 경우에는 법령의 근거가 없어도 가능하다.

□□□ ④ 조사원이 조사목적의 달성을 위하여 시료채취를 하는 경우 이로 인하여 조사대상자에게 손실을 입힌 때에는 법령이 정하는 절차와 방법에 따라 그 손실을 보상하여야 한다.

① ×

금융감독기관의 감독 · 검사 · 조사 및 감리에 관한 사항은 행정조사기본법이 적용되지 아니하나, 행정조사기본법 제3조 제3항에 따르면 이 경우에도 제4조(행정조사의 기본원칙), 제5조(행정조사의 근거) 및 제28조(정보통신수단을 통한 행정조사)에 관한 규정은 적용된다.

> **행정조사기본법 제3조【적용범위】** ② 다음 각 호의 어느 하나에 해당하는 사항에 대하여는 이 법을 적용하지 아니한다.
> 6. 금융감독기관의 감독 · 검사 · 조사 및 감리에 관한 사항
> ③ 제2항에도 불구하고 **제4조(행정조사의 기본원칙), 제5조(행정조사의 근거)** 및 제28조(정보통신수단을 통한 행정조사)는 **제2항 각 호의 사항에 대하여 적용한다.**

② ○

> **행정조사기본법 제4조【행정조사의 기본원칙】** ④ 행정조사는 법령 등의 위반에 대한 처벌보다는 법령 등을 준수하도록 유도하는 데 중점을 두어야 한다.

③ ○

> **행정조사기본법 제5조【행정조사의 근거】** 행정기관은 법령 등에서 행정조사를 규정하고 있는 경우에 한하여 행정조사를 실시할 수 있다. 다만, 조사대상자의 자발적인 협조를 얻어 실시하는 행정조사의 경우에는 그러하지 아니하다.

④ ○

> **행정조사기본법 제12조【시료채취】** ② 행정기관의 장은 제1항에 따른 시료채취로 조사대상자에게 손실을 입힌 때에는 대통령령으로 정하는 절차와 방법에 따라 그 손실을 보상하여야 한다.

정답 12 ④ 13 ①

제 26 강 행정법(행정형벌, 행정질서벌)

1회독	2회독	3회독
/	/	/

정답률 공단기/소방단기 합격예측 풀서비스 통계 데이터 기준 기 기본서 핵 핵심집약

01 행정법 기 560~562쪽 핵 T 50

01 정답률 70% 중 2022 국가직 7급

행정벌에 대한 설명으로 옳지 않은 것은? (다툼이 있는 경우 판례에 의함)

□□□ ① 지방자치법상 사기나 부정한 방법으로 사용료 징수를 면한 자에 대한 과태료의 부과 · 징수 등의 절차에 관한 사항은 질서위반행위규제법에 따른다.

□□□ ② 구 행형법에 의한 징벌을 받은 뒤에 형사처벌을 한다고 하여 일사부재리의 원칙에 반하는 것은 아니다.

□□□ ③ 도로교통법상 경찰서장의 통고처분은 행정소송의 대상이 되는 행정처분이 아니다.

□□□ ④ 질서위반행위규제법상 법원의 과태료 재판이 확정된 후에는 법률이 변경되어 그 행위가 질서위반행위에 해당하지 아니하게 된 경우라 하더라도 과태료의 집행을 면제하지 못한다.

관련기출

④

1. 행정청의 과태료 처분이나 법원의 과태료 재판이 확정된 후 법률이 변경되어 그 행위가 질서위반행위에 해당하지 아니하게 된 때에는 변경된 법률에 특별한 규정이 없는 한 과태료의 징수 또는 집행을 면제한다. (○, ×) 2022 군무원 7급
2. 법원의 과태료 재판이 확정된 후 법률이 변경되어 그 행위가 질서위반행위에 해당하지 아니하게 된 때에는 변경된 법률에 특별한 규정이 없는 한 과태료의 집행을 면제한다. (○, ×) 2019 지방직 · 교육행정직 9급
3. 질서위반행위규제법에 의하면 행정청의 과태료 처분이나 법원의 과태료 재판이 확정된 후 법률이 변경되어 그 행위가 질서위반행위에 해당하지 아니하게 된 때에는 변경된 법률에 특별한 규정이 없는 한 과태료의 징수 또는 집행을 면제한다. (○, ×) 2018 경행경채
4. 법원의 과태료 재판이 확정된 후 법률이 변경되어 그 행위가 질서위반행위에 해당하지 아니하게 된 때에는 변경된 법률에 특별한 규정이 없는 한 과태료의 징수 또는 집행을 면제한다. (○, ×) 2018 서울시 2회 7급

1. ○ 2. ○ 3. ○ 4. ○

① ○

> 지방자치법 제156조【사용료의 징수조례 등】② 사기나 그 밖의 부정한 방법으로 사용료 · 수수료 또는 분담금의 징수를 면한 자에게는 그 징수를 면한 금액의 5배 이내의 과태료를, 공공시설을 부정사용한 자에게는 50만원 이하의 과태료를 부과하는 규정을 조례로 정할 수 있다.
> ③ 제2항에 따른 과태료의 부과 · 징수, 재판 및 집행 등의 절차에 관한 사항은 질서위반행위규제법에 따른다.

② ○

> 피고인이 행형법에 의한 징벌을 받아 그 집행을 종료하였다고 하더라도 행형법상의 징벌은 수형자의 교도소 내의 준수사항위반에 대하여 과하는 행정상의 질서벌의 일종으로서 형법 법령에 위반한 행위에 대한 형사책임과는 그 목적, 성격을 달리하는 것이므로 징벌을 받은 뒤에 형사처벌을 한다고 하여 일사부재리의 원칙에 반하는 것은 아니다(대판 2000. 10. 27, 2000도3874).

③ ○

구 도로교통법 제118조(현 제163조)에서 규정하는 경찰서장의 통고처분은 행정소송의 대상이 되는 행정처분이 아니므로 그 처분의 취소를 구하는 소송은 부적법하다는 것이 판례의 입장이다(대판 1995. 6. 29, 95누4674).

④ **빈출** ×

> 질서위반행위규제법 제3조【법 적용의 시간적 범위】② 질서위반행위 후 법률이 변경되어 그 행위가 질서위반행위에 해당하지 아니하게 되거나 과태료가 변경되기 전의 법률보다 가볍게 된 때에는 법률에 특별한 규정이 없는 한 변경된 법률을 적용한다.
> ③ 행정청의 과태료 처분이나 법원의 과태료 재판이 확정된 후 법률이 변경되어 그 행위가 질서위반행위에 해당하지 아니하게 된 때에는 변경된 법률에 특별한 규정이 없는 한 과태료의 징수 또는 집행을 면제한다.

정답 01 ④

02 정답률 35% 상 2022 국가직 9급

행정법규의 양벌규정에 대한 설명으로 옳지 않은 것은? (다툼이 있는 경우 판례에 의함)

□□□ ① 양벌규정은 행위자에 대한 처벌규정임과 동시에 그 위반행위의 이익귀속주체인 영업주에 대한 처벌규정이다.

□□□ ② 종업원의 범죄성립이나 처벌이 영업주 처벌의 전제조건이 되는 것은 아니다.

□□□ ③ 법인대표자의 법규위반행위에 대한 법인의 책임은 법인 자신의 법규위반행위로 평가될 수 있는 행위에 대한 법인의 직접책임이다.

□□□ ④ 양벌규정에 의한 법인의 처벌은 어디까지나 행정적 제재처분일 뿐 형벌과는 성격을 달리한다.

관련기출

③

1. 법인은 기관을 통하여 행위하므로 법인이 대표자를 선임한 이상 그의 행위로 인한 법률효과는 법인에게 귀속되어야 하고, 법인대표자의 범죄행위에 대하여는 법인이 자신의 행위에 대한 책임을 부담하는 것이다. (○, ×)
2022 군무원 7급

1. ○

① ○

구 건축법 제54조 내지 제56조의 벌칙규정에서 그 적용대상자를 건축주, 공사감리자, 공사시공자 등 일정한 업무주(業務主)로 한정한 경우에 있어서, 같은 법 제57조의 양벌규정은 업무주가 아니면서 당해 업무를 실제로 집행하는 자가 있는 때에 위 벌칙규정의 실효성을 확보하기 위하여 그 적용대상자를 당해 업무를 실제로 집행하는 자에게까지 확장함으로써 그러한 자가 당해 업무집행과 관련하여 위 벌칙규정의 위반행위를 한 경우 위 양벌규정에 의하여 처벌할 수 있도록 한 행위자의 처벌규정임과 동시에 그 위반행위의 이익귀속주체인 업무주에 대한 처벌규정이라고 할 것이다(대판 1999. 7. 15, 95도2870 전합).

② ○

양벌규정에 의해 영업주를 처벌함에 있어서 종업원의 범죄성립이나 처벌을 요하지는 않는다는 것이 판례의 입장이다(대판 2006. 2. 24, 2005도7673).

③ ○

종업원 등의 범죄행위에 대한 법인의 가담 여부나 이를 감독할 주의의무위반 여부를 법인에 대한 처벌요건으로 규정하지 아니하고, 달리 법인이 면책될 가능성에 대해서도 정하지 아니한 채, 곧바로 법인을 종업원 등과 같이 처벌하는 것은 다른 사람의 범죄에 대하여 그 책임 유무를 묻지 않고 형사처벌하는 것이므로 헌법상 법치국가원리로부터 도출되는 책임주의원칙에 위배된다. 그러나 법인대표자의 행위는 법인의 행위로 볼 수 있고, 결국 법인대표자의 법규위반행위에 대한 법인의 책임은 법인 자신의 법규위반행위로 평가될 수 있는 행위에 대한 법인의 직접책임이므로 (대표자의 고의에 의한 위반행위에 대하여는 법인이 고의책임을, 대표자의 과실에 의한 위반행위에 대하여는 법인이 과실책임을 부담한다), 법인대표자의 범죄행위에 대하여는 법인이 책임을 부담하는 것은 책임주의원칙에 위배되지 않는다(헌재 2020. 4. 23, 2019헌가25).

④ ×

종업원 등의 행정법규위반으로 양벌규정에 의해 법인이 처벌되는 경우에도 이는 '형벌'에 해당한다.

양벌규정에 의한 법인의 처벌은 어디까지나 형벌의 일종으로서 행정적 제재처분이나 민사상 불법행위책임과는 성격을 달리한다(대판 2019. 11. 14, 2017도4111).

정답 02 ④

02 행정형벌의 특수성

기 563~571쪽 핵 T 51

03 상

2024 군무원 5급

다음 중 통고처분에 대한 설명으로 가장 적절하지 않은 것은? (다툼이 있는 경우 판례에 의함)

□□□ ① 통고처분은 상대방의 임의의 승복을 그 발효요건으로 하기 때문에 그 자체만으로는 통고이행을 강제하거나 상대방에게 아무런 권리 · 의무를 형성하지 않으므로 행정심판이나 행정소송의 대상으로서의 처분성을 부여할 수 없다.

□□□ ② 도로교통법은 범칙금 납부통고서를 받은 사람이 그 범칙금을 납부한 경우 그 범칙행위에 대하여 다시 벌받지 아니한다고 규정하고 있는바, 이는 범칙금의 납부에 확정재판의 효력에 준하는 효력을 인정하는 취지로 해석하여야 한다.

□□□ ③ 지방국세청장 또는 세무서장이 조세범처벌절차법에 따라 통고처분을 거치지 아니하고 즉시 고발하였다면 이를 시정하기 위하여 동일한 조세범칙행위에 대하여 다시 통고처분을 할 수 있다.

□□□ ④ 도로교통법상의 통고처분을 받은 자가 그 처분에 대하여 이의가 있는 경우에는 통고처분에 따른 범칙금의 납부를 이행하지 아니함으로써 경찰서장의 즉결심판청구에 의하여 법원의 심판을 받을 수 있게 된다.

① ○

통고처분은 상대방의 임의의 승복을 그 발효요건으로 하기 때문에 그 자체만으로는 통고이행을 강제하거나 상대방에게 아무런 권리 · 의무를 형성하지 않으므로 행정심판이나 행정소송의 대상으로서의 처분성을 부여할 수 없고, 통고처분에 대하여 이의가 있으면 통고내용을 이행하지 않음으로써 고발되어 형사재판절차에서 통고처분의 위법 · 부당함을 얼마든지 다툴 수 있기 때문에 관세법 제38조 제3항 제2호가 법관에 의한 재판받을 권리를 침해한다든가 적법절차의 원칙에 저촉된다고 볼 수 없다(헌재 1998. 5. 28, 96헌바4).

② ○

도로교통법 제119조 제3항은 그 법 제118조에 의하여 범칙금 납부통고서를 받은 사람이 그 범칙금을 납부한 경우 그 범칙행위에 대하여 다시 벌받지 아니한다고 규정하고 있는바, 이는 범칙금의 납부에 확정재판의 효력에 준하는 효력을 인정하는 취지로 해석하여야 한다(대판 2002. 11. 22, 2001도849).

③ ×

통고처분과 고발의 법적 성질 및 효과 등을 조세범칙사건의 처리 절차에 관한 조세범처벌절차법 관련 규정들의 내용과 취지에 비추어 보면, 지방국세청장 또는 세무서장이 조세범처벌절차법 제17조 제1항에 따라 통고처분을 거치지 아니하고 즉시 고발하였다면 이로써 조세범칙사건에 대한 조사 및 처분 절차는 종료되고 형사사건 절차로 이행되어 지방국세청장 또는 세무서장으로서는 동일한 조세범칙행위에 대하여 더 이상 통고처분을 할 권한이 없다. 따라서 지방국세청장 또는 세무서장이 조세범칙행위에 대하여 고발을 한 후에 동일한 조세범칙행위에 대하여 통고처분을 하였더라도, 이는 법적 권한 소멸 후에 이루어진 것으로서 특별한 사정이 없는 한 효력이 없고, 조세범칙행위자가 이러한 통고처분을 이행하였더라도 조세범 처벌절차법 제15조 제3항에서 정한 일사부재리의 원칙이 적용될 수 없다(대판 2016. 9. 28, 2014도10748).

④ ○

도로교통법 제118조에서 규정하는 경찰서장의 통고처분은 행정소송의 대상이 되는 행정처분이 아니므로 그 처분의 취소를 구하는 소송은 부적법하고, 도로교통법상의 통고처분을 받은 자가 그 처분에 대하여 이의가 있는 경우에는 통고처분에 따른 범칙금의 납부를 이행하지 아니함으로써 경찰서장의 즉결심판청구에 의하여 법원의 심판을 받을 수 있게 될 뿐이다(대판 1995. 6. 29, 95누4674).

정답 03 ③

04 정답률 72% 중 2024 국가직 9급

행정벌에 대한 설명으로 옳지 않은 것은? (다툼이 있는 경우 판례에 의함)

□□□ ① 지방자치단체 소속 공무원이 지방자치단체 고유의 자치사무를 수행하던 중 도로법 규정에 의한 위반행위를 한 경우 지방자치단체는 도로법 소정의 양벌규정에 따라 처벌대상이 되는 법인에 해당하지 않는다.

□□□ ② 개인정보보호법에 따르면, 죄형법정주의의 원칙상 '법인격 없는 공공기관'을 개인정보보호법 소정의 양벌규정에 의하여 처벌할 수 없고, 그 경우 행위자 역시 위 양벌규정으로 처벌할 수 없다.

□□□ ③ 과태료의 부과 · 징수, 재판 및 집행 등의 절차에 관한 다른 법률의 규정 중 질서위반행위규제법의 규정에 저촉되는 것은 질서위반행위규제법으로 정하는 바에 따른다.

□□□ ④ 질서위반행위규제법에 따르면, 당사자와 검사는 과태료재판에 대하여 즉시항고를 할 수 있으며, 이 경우 항고는 집행정지의 효력이 있다.

① 정답률 72% ×

1. 국가가 본래 그의 사무의 일부를 지방자치단체의 장에게 위임하여 그 사무를 처리하게 하는 기관위임사무의 경우에는 지방자치단체는 국가기관의 일부로 볼 수 있는 것이지만, 지방자치단체가 그 고유의 자치사무를 처리하는 경우에는 지방자치단체는 국가기관의 일부가 아니라 국가기관과는 별도의 독립한 공법인이므로, 지방자치단체 소속 공무원이 지방자치단체 고유의 자치사무를 수행하던 중 도로법 제81조 내지 제85조의 규정에 의한 위반행위를 한 경우에는 지방자치단체는 도로법 제86조의 양벌규정에 따라 처벌대상이 되는 법인에 해당한다.
2. 지방자치단체 소속 공무원이 압축트럭 청소차를 운전하여 고속도로를 운행하던 중 제한축중을 초과 적재 운행함으로써 도로관리청의 차량운행제한을 위반한 사안에서, 해당 지방자치단체는 도로법 제86조의 양벌규정에 따른 처벌대상이 된다(대판 2005. 11. 10, 2004도2657).

② 정답률 13% ○

구 개인정보보호법은 제2조 제5호, 제6호에서 공공기관 중 법인격이 없는 '중앙행정기관 및 그 소속 기관' 등을 개인정보처리자 중 하나로 규정하고 있으면서도, 양벌규정에 의하여 처벌되는 개인정보처리자로는 같은 법 제74조 제2항에서 '법인 또는 개인'만을 규정하고 있을 뿐이고, 법인격 없는 공공기관에 대하여도 위 양벌규정을 적용할 것인지 여부에 대하여는 명문의 규정을 두고 있지 않으므로, 죄형법정주의의 원칙상 '법인격 없는 공공기관'을 위 양벌규정에 의하여 처벌할 수 없고, 그 경우 행위자 역시 위 양벌규정으로 처벌할 수 없다고 봄이 타당하다(대판 2021. 10. 28, 2020도1942).

③ 정답률 4% ○

질서위반행위규제법 제5조【다른 법률과의 관계】 과태료의 부과 · 징수, 재판 및 집행 등의 절차에 관한 다른 법률의 규정 중 이 법의 규정에 저촉되는 것은 이 법으로 정하는 바에 따른다.

④ 정답률 9% ○

질서위반행위규제법 제38조【항고】 ① 당사자와 검사는 과태료재판에 대하여 즉시항고를 할 수 있다. 이 경우 항고는 집행정지의 효력이 있다.

정답 04 ①

05 정답률 73% 중 2018 소방직 9급

통고처분에 관한 설명으로 옳지 않은 것은?

① 통고처분은 현행법상 조세범, 관세범, 출입국관리사범, 교통사범 등에 대하여 인정되고 있다.
② 통고처분에 의해 부과된 금액(범칙금)은 벌금이다.
③ 판례는 통고처분을 행정소송의 대상이 되는 행정처분이 아니라고 보고 있다.
④ 판례는 통고처분에 의해 부과된 범칙금을 납부한 경우 다시 처벌받지 아니한다고 규정하고 있는 것은 범칙금의 납부에 확정재판의 효력에 준하는 효력을 인정하는 취지로 해석하고 있다.

① ○
통고처분은 모든 범죄에 대해 인정되는 것이 아니라 일정한 범죄에 인정되고 있는데, 현행법상 조세범, 관세범, 교통사범, 출입국관리사범, 경범죄사범 등에 인정되고 있다.

② ×
통고처분이란 일정한 행정형벌을 부과해야 할 행정범에 대해 정식재판에 대신하여 절차의 간이 · 신속을 목적으로 상대방의 동의하에 행정청이 벌금 또는 과료에 상당하는 (벌금 그 자체가 아니라) 금액의 납부 등을 통고하는 준사법적 행위이다. 즉, 통고처분에 의해 부과된 금액인 범칙금은 형법상의 벌금과는 구별된다.

③ ○

> 도로교통법 제118조에서 규정하는 경찰서장의 통고처분은 행정소송의 대상이 되는 행정처분이 아니므로 그 처분의 취소를 구하는 소송은 부적법하고, 도로교통법상의 통고처분을 받은 자가 그 처분에 대하여 이의가 있는 경우에는 통고처분에 따른 범칙금의 납부를 이행하지 아니함으로써 경찰서장의 즉결심판청구에 의하여 법원의 심판을 받을 수 있게 될 뿐이다(대판 1995. 6. 29, 95누4674).

④ ○
통고처분을 받은 자가 통고된 내용에 따라 이행한 경우에는 확정판결과 동일한 효력이 발생하여 처벌절차는 종료되고 일사부재리의 원칙이 적용되어 다시 형사소추를 할 수 없다.

> 도로교통법 제119조 제3항은 그 법 제118조에 의하여 범칙금 납부통고서를 받은 사람이 그 범칙금을 납부한 경우 그 범칙행위에 대하여 다시 벌받지 아니한다고 규정하고 있는바, 이는 범칙금의 납부에 확정재판의 효력에 준하는 효력을 인정하는 취지로 해석하여야 한다(대판 2002. 11. 22, 2001도849).

06 중 2018 경행경채 변형

통고처분에 대한 설명으로 가장 적절하지 않은 것은? (다툼이 있는 경우 판례에 의함)

① 범칙자가 범칙금을 납부하면 과형절차는 종료되고, 범칙자는 다시 형사소추되지 아니한다.
② 조세범처벌절차법에 따른 통고처분이 있는 경우 공소시효의 진행은 정지되지 아니한다.
③ 도로교통법에 따라 통고처분을 받은 사람은 그 통고처분에 대해 항고소송을 제기하지 못한다.
④ 헌법재판소는 행정심판이나 행정소송의 대상에서 통고처분을 제외하고 있는 관세법 조항은 법관에 의한 재판받을 권리를 침해하지 않는다고 하였다.

① 05 ④ 해설 참조 ○

② ×

> **조세범처벌절차법 제16조【공소시효의 정지】** 제15조 제1항에 따른 통고처분이 있는 경우에는 통고일부터 고발일까지의 기간 동안 공소시효는 정지된다. <개정 2023. 1. 17.>

③ ○

> 도로교통법상 통고처분의 취소를 구하는 행정소송은 허용되지 않는다(대판 1995. 6. 29, 95누4674).

④ ○
통설 · 판례는 통고처분은 항고소송의 대상인 처분이 아니라고 보고 있으며, 이러한 점이 헌법위반이 되는 것은 아니라는 것이 헌법재판소의 입장이다.

> 통고처분은 그 자체만으로는 상대방에게 아무런 권리 · 의무를 형성하지 않으므로 행정소송대상의 처분성을 부정하더라도 재판받을 권리를 침해하거나 적법절차원칙에 위배되지 않는다(헌재 1998. 5. 28, 96헌바4).

정답 05 ② 06 ②

07 빈출 정답률 76% 중 2015 지방직 9급

통고처분에 대한 설명으로 옳은 것은? (다툼이 있는 경우 판례에 의함)

□□□ ① 조세범처벌절차법에 근거한 범칙자에 대한 세무관서의 통고처분은 행정소송의 대상이 되는 행정처분이다.

□□□ ② 법률에 따라 통고처분을 할 수 있으면 행정청은 통고처분을 하여야 하며, 통고처분 이외의 조치를 취할 재량은 없다.

□□□ ③ 행정법규 위반자가 법정기간 내에 통고처분에 의해 부과된 금액을 납부하지 않으면 비송사건절차법에 의해 처리된다.

□□□ ④ 행정법규 위반자가 통고처분에 의해 부과된 금액을 납부하면 과벌절차가 종료되며 동일한 사건에 대하여 다시 처벌받지 아니한다.

① ×

통고처분은 항고소송의 대상인 처분이 아니라는 것이 통설과 판례의 입장이다.

② ×

1. 관세법상 통고처분을 할 것인지의 여부는 관세청장 또는 세관장의 재량에 맡겨져 있다.
2. 따라서 관세청장 또는 세관장이 관세범에 대하여 통고처분을 하지 아니한 채 고발하였다는 것만으로는 그 고발 및 이에 기한 공소의 제기가 부적법하게 되는 것은 아니다(대판 2007. 5. 11, 2006도1993).

③ ×

통고처분을 규정하고 있는 대표적인 법률인 조세범처벌절차법에 따르면 통고처분을 받은 자가 송달받은 날부터 15일 내에 통고된 내용을 이행하지 않으면 통고처분은 당연히 그 효력을 상실하고 세무서장의 고발절차에 의하여 통상의 **형사소송절차로 이행**된다.

④ ○

통고처분을 받은 자가 통고된 내용에 따라 이행한 경우에는 확정판결과 동일한 효력이 발생하여 처벌절차는 종료되고 일사부재리의 원칙이 적용되어 다시 형사소추를 할 수 없다.

08 빈출 중 2014 국가직 9급

행정법에 대한 설명으로 옳지 않은 것은? (다툼이 있는 경우 판례에 의함)

□□□ ① 조세범처벌절차에 의하여 범칙자에 대한 세무관서의 통고처분은 행정소송의 대상이 아니다.

□□□ ② 구 대기환경보전법에 따라 배출허용기준을 초과하는 배출가스를 배출하는 자동차를 운행하는 행위를 처벌하는 규정은 과실범의 경우에 적용하지 아니한다.

□□□ ③ 행정청은 질서위반행위가 종료된 날(다수인이 질서위반행위에 가담한 경우에는 최종행위가 종료된 날을 말한다)부터 5년이 경과한 경우에는 해당 질서위반행위에 대하여 과태료를 부과할 수 없다.

□□□ ④ 임시운행허가기간을 벗어난 무등록차량을 운행한 자는 과태료와 별도로 형사처벌의 대상이 된다.

① ○

통고처분은 항고소송의 대상인 처분이 아니라는 것이 통설과 판례의 입장이다.

② ×

1. 행정범의 경우에는 과실행위를 벌한다는 명문의 규정이 없는 경우에도 그 법률규정 중에 과실행위를 벌한다는 명백한 취지를 알 수 있는 경우에는 과실행위에 행정형벌을 부과할 수 있다.
2. 구 대기환경보전법의 입법목적이나 관계규정의 취지 등을 고려하면 구 대기환경보전법에 따라 배출허용기준을 초과하는 배출가스를 배출하는 자동차를 운행하는 행위를 처벌하는 규정은 과실범의 경우에도 적용한다(대판 1993. 9. 10, 92도1136).

③ ○

질서위반행위규제법 제19조【과태료 부과의 제척기간】 ① 행정청은 질서위반행위가 종료된 날(다수인이 질서위반행위에 가담한 경우에는 최종행위가 종료된 날을 말한다)부터 5년이 경과한 경우에는 해당 질서위반행위에 대하여 과태료를 부과할 수 없다.

④ ○

1. 과태료와 형사처벌은 성질이나 목적을 달리하는 별개의 것이므로 행정법상의 질서벌인 과태료를 납부한 후 형사처벌을 한다고 하여 일사부재리의 원칙에 위반되는 것이라고 할 수 없다.
2. 10일간 임시운행허가를 받은 자가 그 기간이 경과한 다음에도 자동차등록원부에 등록하지 아니한 채 무등록차량을 운행한 자에 대한 과태료의 제재 후 형사처벌을 하는 것이 일사부재리의 원칙에 위반하는 것은 아니다(대판 1996. 4. 12, 96도158).

정답 07 ④ 08 ②

03 행정질서벌의 특수성 기 572~579쪽 핵 T 52

09 정답률 64% 중 2023 지방직 · 서울시 9급

질서위반행위규제법에 대한 설명으로 옳지 않은 것은?

□□□ ① 질서위반행위 후 법률이 변경되어 그 행위가 질서위반행위에 해당하지 아니하게 되거나 과태료가 변경되기 전의 법률보다 가볍게 된 때에는 법률에 특별한 규정이 없는 한 변경된 법률을 적용하여야 한다.

□□□ ② 고의 또는 과실이 없는 질서위반행위라고 하더라도 과태료를 부과할 수 있다.

□□□ ③ 행정청의 과태료 부과에 불복하는 당사자는 과태료 부과통지를 받은 날부터 60일 이내에 해당 행정청에 서면으로 이의제기를 할 수 있다.

□□□ ④ 법원이 심문 없이 과태료 재판을 하고자 하는 때에는 당사자와 검사는 특별한 사정이 없는 한 약식재판의 고지를 받은 날부터 7일 이내에 이의신청을 할 수 있다.

① ○

> 질서위반행위규제법 제3조【법 적용의 시간적 범위】② 질서위반행위 후 법률이 변경되어 그 행위가 질서위반행위에 해당하지 아니하게 되거나 과태료가 변경되기 전의 법률보다 가볍게 된 때에는 법률에 특별한 규정이 없는 한 변경된 법률을 적용한다.

② ×

> 질서위반행위규제법 제7조【고의 또는 과실】고의 또는 과실이 없는 질서위반행위는 과태료를 부과하지 아니한다.

③ **빈출** ○

> 질서위반행위규제법 제20조【이의제기】① 행정청의 과태료 부과에 불복하는 당사자는 제17조 제1항에 따른 과태료 부과통지를 받은 날부터 60일 이내에 해당 행정청에 서면으로 이의제기를 할 수 있다.

④ ○

> 질서위반행위규제법 제44조【약식재판】법원은 상당하다고 인정하는 때에는 제31조 제1항에 따른 심문 없이 과태료 재판을 할 수 있다.
>
> 제45조【이의신청】① 당사자와 검사는 제44조에 따른 약식재판의 고지를 받은 날부터 7일 이내에 이의신청을 할 수 있다.

10 정답률 72% 중 2022 지방직 · 서울시 9급

행정벌에 대한 설명으로 옳은 것은? (다툼이 있는 경우 판례에 의함)

□□□ ① 양벌규정에 의한 영업주의 처벌은 금지위반행위자인 종업원의 처벌에 종속되는 것이므로 영업주만 따로 처벌할 수는 없다.

□□□ ② 통고처분은 법정기간 내에 납부하지 않는 것을 해제조건으로 하는 행정처분이므로 행정소송의 대상이 된다.

□□□ ③ 행정청의 과태료 부과에 대해 서면으로 이의가 제기된 경우 과태료 부과처분은 그 효력을 상실한다.

□□□ ④ 법원이 하는 과태료재판에는 원칙적으로 행정소송에서와 같은 신뢰보호의 원칙이 적용된다.

① ×

양벌규정에 의한 영업주의 처벌은 금지위반행위자인 종업원의 처벌에 종속하는 것이 아니라 독립하여 그 자신의 종업원에 대한 선임 · 감독상의 과실로 인하여 처벌되는 것이므로 종업원의 범죄성립이나 처벌이 영업주 처벌의 전제조건이 될 필요는 없다는 것이 판례의 입장이다(대판 2006. 2. 24, 2005도7673).

② ×

통고처분은 행정소송의 대상이 되는 행정처분이 아니라는 것이 판례의 입장이다(대판 1995. 6. 29, 95누4674).

③ ○

> 질서위반행위규제법 제20조【이의제기】① 행정청의 과태료 부과에 불복하는 당사자는 제17조 제1항에 따른 과태료 부과통지를 받은 날부터 60일 이내에 해당 행정청에 서면으로 이의제기를 할 수 있다.
> ② 제1항에 따른 이의제기가 있는 경우에는 행정청의 과태료 부과처분은 그 효력을 상실한다.

④ ×

> 법원이 비송사건절차법에 따라서 하는 과태료재판은 관할관청이 부과한 과태료처분에 대한 당부를 심판하는 행정소송절차가 아니라 법원이 직권으로 개시 · 결정하는 것이므로, 원칙적으로 과태료재판에서는 행정소송에서와 같은 신뢰보호의 원칙 위반 여부가 문제로 되지 아니한다(대결 2006. 4. 28, 2003마715).

정답 09 ② 10 ③

11 중 2023 행정사

질서위반행위규제법의 내용에 관한 설명으로 옳지 않은 것은?

□□□ ① 다른 법률에 특별한 규정이 없는 한 14세가 되지 아니한 자의 질서위반행위에 대해서도 과태료를 부과한다.

□□□ ② 고의 또는 과실이 없는 질서위반행위는 과태료를 부과하지 아니한다.

□□□ ③ 법률에 따르지 아니하고는 어떤 행위도 질서위반행위로 과태료를 부과하지 아니한다.

□□□ ④ 대한민국 영역 밖에 있는 대한민국의 선박 또는 항공기 안에서 질서위반행위를 한 외국인에게도 적용한다.

□□□ ⑤ 대한민국 영역 밖에서 질서위반행위를 한 대한민국의 국민에게도 적용한다.

관련기출

①

1. 다른 법률에 특별한 규정이 없는 경우, 14세가 되지 아니한 자의 질서위반행위는 과태료를 부과하지 아니한다. (○, ×)
2020 국가직 9급, 2014 경행특채 2차

1. ○

③

1. 질서위반행위규제법상 법률에 따르지 아니하고는 어떤 행위도 질서위반행위로 과태료를 부과하지 아니한다. (○, ×)
2022 군무원 7급, 2019 서울시 2회 7급, 2017 교육행정직 9급

1. ○

④⑤

1. 질서위반행위규제법은 대한민국 영역 밖에서 질서위반행위를 한 대한민국의 국민에게 적용한다. (○, ×) 2015 경행특채 1차
2. 질서위반행위는 행정질서벌이므로 대한민국 영역 밖에서 질서위반행위를 한 대한민국의 국민에게는 적용되지 않는다. (○, ×) 2010 지방직 9급

1. ○ 2. ×

① **빈출** ×

> **질서위반행위규제법 제9조【책임연령】** 14세가 되지 아니한 자의 질서위반행위는 과태료를 부과하지 아니한다. 다만, 다른 법률에 특별한 규정이 있는 경우에는 그러하지 아니하다.

② ○

> **질서위반행위규제법 제7조【고의 또는 과실】** 고의 또는 과실이 없는 질서위반행위는 과태료를 부과하지 아니한다.

③ **빈출** ○

> **질서위반행위규제법 제6조【질서위반행위 법정주의】** 법률에 따르지 아니하고는 어떤 행위도 질서위반행위로 과태료를 부과하지 아니한다.

④⑤ ○

> **질서위반행위규제법 제4조【법 적용의 장소적 범위】** ① 이 법은 대한민국 영역 안에서 질서위반행위를 한 자에게 적용한다.
> ② 이 법은 대한민국 영역 밖에서 질서위반행위를 한 대한민국의 국민에게 적용한다(⑤).
> ③ 이 법은 대한민국 영역 밖에 있는 대한민국의 선박 또는 항공기 안에서 질서위반행위를 한 외국인에게 적용한다(④).

정답 11 ①

12 정답률 67% 중 2023 국가직 9급

질서위반행위규제법상 과태료에 대한 설명으로 옳지 않은 것은?

□□□ ① 신분에 의하여 성립하는 질서위반행위에 신분이 없는 자가 가담한 때에는 신분이 없는 자에 대하여도 질서위반행위가 성립한다.

□□□ ② 하나의 행위가 2 이상의 질서위반행위에 해당하는 경우에는 각 질서위반행위에 대하여 정한 과태료 중 가장 중한 과태료를 부과한다.

□□□ ③ 자신의 행위가 위법하지 아니한 것으로 오인하고 행한 질서위반행위는 그 오인에 정당한 이유가 있는 때에 한하여 과태료를 부과하지 아니한다.

□□□ ④ 행정청이 위반사실을 적발하면 과태료를 부과받을 자의 주소지를 관할하는 지방법원에 통보하여야 하고, 당해 법원은 비송사건절차법에 따라 결정으로써 과태료를 부과한다.

관련기출

①

1. 신분에 의하여 성립하는 질서위반행위에 신분이 없는 자가 가담한 때에 신분이 없는 자에 대하여는 질서위반행위가 성립하지 아니한다. (○, ×)
2022 군무원 7급, 2018 소방직 9급, 2015 지방직 9급
2. 신분에 의하여 성립하는 질서위반행위에 신분이 없는 자가 가담한 때에는 신분이 없는 자에 대하여도 질서위반행위가 성립한다. (○, ×)
2018 지방직 7급, 2016 서울시 9급, 2012 국가직 7급

🔒 1. × 2. ○

③

1. 질서위반행위규제법상 자신의 행위가 위법하지 아니한 것으로 오인하고 행한 질서위반행위는 그 오인에 정당한 이유가 있는 때에 한하여 과태료를 부과하지 아니한다. (○, ×)
2020 군무원 7급, 2019 서울시 2회 7급, 2017 국회직 8급
2. 위법성의 착오는 과태료 부과에 영향을 미치지 않는다. (○, ×)
2016 지방직 7급
3. 자신의 행위가 위법하지 아니한 것으로 오인하고 행한 질서위반행위에 대해서는 과태료를 부과하지 아니한다. (○, ×) 2011 지방직(하) 7급

🔒 1. ○ 2. × 3. ×

① **빈출** ○

> 질서위반행위규제법 제12조【다수인의 질서위반행위 가담】② 신분에 의하여 성립하는 질서위반행위에 신분이 없는 자가 가담한 때에는 신분이 없는 자에 대하여도 질서위반행위가 성립한다.

② ○

> 질서위반행위규제법 제13조【수개의 질서위반행위의 처리】① 하나의 행위가 2 이상의 질서위반행위에 해당하는 경우에는 각 질서위반행위에 대하여 정한 과태료 중 가장 중한 과태료를 부과한다.

③ **빈출** ○

> 질서위반행위규제법 제8조【위법성의 착오】자신의 행위가 위법하지 아니한 것으로 오인하고 행한 질서위반행위는 그 **오인에 정당한 이유가 있는 때에 한하여** 과태료를 부과하지 아니한다.

④ ×

위반사실을 적발하면 행정청이 과태료를 부과한다. 당사자가 이의제기를 한 경우에 행정청은 과태료를 부과받을 자의 주소지를 관할하는 지방법원에 통보하여야 하고, 당해 법원은 비송사건절차법에 따라 결정으로써 과태료를 부과한다.

> 질서위반행위규제법 제17조【과태료의 부과】① 행정청은 제16조의 의견제출절차를 마친 후에 서면(당사자가 동의하는 경우에는 전자문서를 포함한다. 이하 이 조에서 같다)으로 과태료를 부과하여야 한다.
>
> 제20조【이의제기】① 행정청의 과태료 부과에 불복하는 당사자는 제17조 제1항에 따른 과태료 부과 통지를 받은 날부터 60일 이내에 해당 행정청에 서면으로 이의제기를 할 수 있다.
>
> 제21조【법원에의 통보】① 제20조 제1항에 따른 이의제기를 받은 행정청은 이의제기를 받은 날부터 14일 이내에 이에 대한 의견 및 증빙서류를 첨부하여 관할법원에 통보하여야 한다. 다만, 다음 각 호의 어느 하나에 해당하는 경우에는 그러하지 아니하다.
>
> 제25조【관할법원】과태료 사건은 다른 법령에 특별한 규정이 있는 경우를 제외하고는 당사자의 주소지의 지방법원 또는 그 지원의 관할로 한다.
>
> 제36조【재판】① 과태료 재판은 이유를 붙인 결정으로써 한다.

정답 12 ④

13 정답률 72% 중 2021 국가직 7급

행정질서벌과 질서위반행위규제법에 대한 설명으로 옳은 것은? (다툼이 있는 경우 판례에 의함)

□□□ ① 신분에 의하여 과태료를 감경 또는 가중하거나 과태료를 부과하지 아니하는 때에는 그 신분의 효과는 신분이 없는 자에게는 미치지 않는다.

□□□ ② 질서위반행위규제법 원칙상 고의 또는 과실이 없는 질서위반행위에 대해서도 과태료를 부과할 수 있다.

□□□ ③ 행정청의 과태료 부과에 불복하는 이의제기가 있더라도 과태료 부과처분은 그 효력을 상실하지 않는다.

□□□ ④ 행정질서벌인 과태료는 죄형법정주의의 규율 대상이다.

관련기출

④

1. 과태료는 행정상의 질서유지를 위한 행정질서벌에 해당할 뿐 형벌이라 할 수 없어 죄형법정주의의 규율대상에 해당하지 않는다. (○, ×) 2021 소방직 9급, 2016 국가직 7급
2. 과태료는 행정질서벌에 해당할 뿐 형벌이라고 할 수 없어 죄형법정주의의 규율대상에 해당하지 아니한다. (○, ×) 2019 국가직 9급
3. 죄형법정주의원칙 등 형벌법규의 해석원리는 행정형벌에 관한 규정을 해석할 때에도 적용되어야 한다. (○, ×) 2019 서울시 9급

1. ○ 2. ○ 3. ○

① ○

질서위반행위규제법 제12조 【다수인의 질서위반행위 가담】 ③ 신분에 의하여 과태료를 감경 또는 가중하거나 과태료를 부과하지 아니하는 때에는 그 신분의 효과는 신분이 없는 자에게는 미치지 아니한다.

② ×

질서위반행위규제법 제7조 【고의 또는 과실】 고의 또는 과실이 없는 질서위반행위는 과태료를 부과하지 아니한다.

③ ×

질서위반행위규제법 제20조 【이의제기】 ① 행정청의 과태료 부과에 불복하는 당사자는 제17조 제1항에 따른 과태료 부과통지를 받은 날부터 60일 이내에 해당 행정청에 서면으로 이의제기를 할 수 있다.
② 제1항에 따른 이의제기가 있는 경우에는 행정청의 과태료 부과처분은 그 효력을 상실한다.

④ **빈출** ×

헌법재판소에 따르면 죄형법정주의는 범죄와 '형벌'을 법률로 규정하도록 하는 원칙이므로 행정형벌에는 죄형법정주의가 적용되나, 행정질서벌인 과태료 부과에는 죄형법정주의가 적용되지 않는다.

죄형법정주의는 무엇이 범죄이며 그에 대한 형벌이 어떠한 것인가는 국민의 대표로 구성된 입법부가 제정한 법률로써 정하여야 한다는 원칙인데, 부동산등기특별조치법 제11조 제1항 본문 중 제2조 제1항에 관한 부분이 정하고 있는 과태료는 행정상의 질서유지를 위한 행정질서벌에 해당할 뿐 형벌이라고 할 수 없어 죄형법정주의의 규율대상에 해당하지 아니한다(헌재 1998. 5. 28, 96헌바83).

정답 13 ①

14 빈출 정답률 69% 중 2019 지방직 · 교육행정직 9급

질서위반행위규제법의 내용에 대한 설명으로 옳은 것은?

① 지방자치단체의 조례상의 의무를 위반하여 과태료를 부과하는 행위는 질서위반행위에 해당되지 않는다.

② 법원의 과태료 재판이 확정된 후 법률이 변경되어 그 행위가 질서위반행위에 해당하지 아니하게 된 때에는 변경된 법률에 특별한 규정이 없는 한 과태료의 집행을 면제한다.

③ 과태료는 행정청의 과태료 부과처분이 있은 후 3년간 징수하지 아니하면 시효로 인하여 소멸한다.

④ 행정청의 과태료 부과에 대한 이의제기는 과태료 부과처분의 효력에 영향을 주지 아니한다.

관련기출

①

1. 지방자치단체의 조례상의 의무를 위반하여 과태료를 부과하는 행위는 질서위반행위에 해당되지 않는다. (O, X) 2018 서울시 2회 7급
2. 지방자치단체의 조례도 과태료 부과의 근거가 될 수 있다. (O, X) 2016 국가직 9급
3. 행정질서벌 부과의 근거는 국가의 법령에 의하여야 하므로 지방자치단체의 조례에 근거하여 과태료를 부과할 수 없다. (O, X) 2012 경행특채

1. X 2. O 3. X

① **빈출** X

질서위반행위규제법 제2조【정의】 이 법에서 사용하는 용어의 뜻은 다음과 같다.
1. '질서위반행위'란 법률(지방자치단체의 **조례를 포함**한다. 이하 같다)상의 의무를 위반하여 과태료를 부과하는 행위를 말한다. 다만, 다음 각 목의 어느 하나에 해당하는 행위를 제외한다.

지방자치법 제34조【조례위반에 대한 과태료】 ① 지방자치단체는 조례를 위반한 행위에 대하여 조례로써 1천만원 이하의 과태료를 정할 수 있다.
② 제1항에 따른 과태료는 해당 지방자치단체의 장이나 그 관할구역 안의 지방자치단체의 장이 부과 · 징수한다.

② O

질서위반행위규제법 제3조【법 적용의 시간적 범위】 ③ 행정청의 과태료 처분이나 법원의 과태료 재판이 확정된 후 법률이 변경되어 그 행위가 질서위반행위에 해당하지 아니하게 된 때에는 변경된 법률에 특별한 규정이 없는 한 과태료의 징수 또는 집행을 면제한다.

③ X

질서위반행위규제법 제15조【과태료의 시효】 ① 과태료는 행정청의 과태료 부과처분이나 법원의 과태료 재판이 확정된 후 **5년**간 징수하지 아니하거나 집행하지 아니하면 시효로 인하여 소멸한다.

④ X

질서위반행위규제법 제20조【이의제기】 ① 행정청의 과태료 부과에 불복하는 당사자는 제17조 제1항에 따른 과태료 부과통지를 받은 날부터 60일 이내에 해당 행정청에 서면으로 이의제기를 할 수 있다.
② 제1항에 따른 이의제기가 있는 경우에는 행정청의 과태료 부과처분은 그 효력을 상실한다.
③ 당사자는 행정청으로부터 제21조 제3항에 따른 통지를 받기 전까지는 행정청에 대하여 서면으로 이의제기를 철회할 수 있다.

정답 14 ②

15 정답률 59% 중 2016 지방직 7급

질서위반행위규제법상 과태료에 대한 설명으로 옳은 것은?

□□□ ① 행정형벌이 아니므로 고의 또는 과실과 무관하게 부과할 수 있다.

□□□ ② 위법성의 착오는 과태료 부과에 영향을 미치지 않는다.

□□□ ③ 과태료는 당사자가 과태료 부과처분에 대하여 이의를 제기하지 아니한 채 질서위반행위규제법에 따른 이의제기기한이 종료한 후 사망한 경우에는 그 상속재산에 대하여 집행할 수 있다.

□□□ ④ 하나의 행위가 2 이상의 질서위반행위에 해당하는 경우에는 각 질서위반행위에 대하여 정한 과태료를 가중하여 부과한다.

① ×

고의 또는 과실이 없는 질서위반행위는 과태료를 부과하지 아니한다는 것이 질서위반행위규제법의 규정이다.

② ×

> 질서위반행위규제법 제8조【위법성의 착오】자신의 행위가 위법하지 아니한 것으로 오인하고 행한 질서위반행위는 그 오인에 정당한 이유가 있는 때에 한하여 과태료를 부과하지 아니한다.

③ ○

> 질서위반행위규제법 제24조의2【상속재산 등에 대한 집행】① 과태료는 당사자가 과태료 부과처분에 대하여 이의를 제기하지 아니한 채 제20조 제1항에 따른 기한이 종료한 후 사망한 경우에는 그 상속재산에 대하여 집행할 수 있다.
>
> 제20조【이의제기】① 행정청의 과태료 부과에 불복하는 당사자는 제17조 제1항에 따른 과태료 부과통지를 받은 날부터 60일 이내에 해당 행정청에 서면으로 이의제기를 할 수 있다.

④ ×

> 질서위반행위규제법 제13조【수개의 질서위반행위의 처리】① 하나의 행위가 2이상의 질서위반행위에 해당하는 경우에는 각 질서위반행위에 대하여 정한 과태료 중 가장 중한 과태료를 부과한다.

16 중 2015 경행특채 1차

다음 질서위반행위규제법상 규정내용으로 가장 적절하지 않은 것은?

□□□ ① 질서위반행위규제법은 대한민국 영역 밖에서 질서위반행위를 한 대한민국의 국민에게 적용한다.

□□□ ② 신분에 의하여 성립하는 질서위반행위에 신분이 없는 자가 가담한 때에는 신분이 없는 자에 대하여도 질서위반행위가 성립한다.

□□□ ③ 행정청은 당사자가 납부기한까지 과태료를 납부하지 아니한 때에는 납부기한을 경과한 날부터 체납된 과태료에 대하여 100분의 10에 상당하는 가산금을 징수한다.

□□□ ④ 과태료재판은 검사의 명령으로써 집행하며, 이 경우 그 명령은 집행력 있는 집행권원과 동일한 효력이 있다.

① ○

> 질서위반행위규제법 제4조【법적용의 장소적 범위】① 이 법은 대한민국 영역 안에서 질서위반행위를 한 자에게 적용한다.
> ② 이 법은 대한민국 영역 밖에서 질서위반행위를 한 대한민국의 국민에게 적용한다.
> ③ 이 법은 대한민국 영역 밖에 있는 대한민국의 선박 또는 항공기 안에서 질서위반행위를 한 외국인에게 적용한다.

② ○

> 질서위반행위규제법 제12조【다수인의 질서위반행위 가담】① 2인 이상이 질서위반행위에 가담한 때에는 각자가 질서위반행위를 한 것으로 본다.
> ② 신분에 의하여 성립하는 질서위반행위에 신분이 없는 자가 가담한 때에는 신분이 없는 자에 대하여도 질서위반행위가 성립한다.
> ③ 신분에 의하여 과태료를 감경 또는 가중하거나 과태료를 부과하지 아니하는 때에는 그 신분의 효과는 신분이 없는 자에게는 미치지 아니한다.

③ ×

> 질서위반행위규제법 제24조【가산금 징수 및 체납처분 등】① 행정청은 당사자가 납부기한까지 과태료를 납부하지 아니한 때에는 납부기한을 경과한 날부터 체납된 과태료에 대하여 100분의 3에 상당하는 가산금을 징수한다.

④ ○

> 질서위반행위규제법 제42조【과태료재판의 집행】① 과태료재판은 검사의 명령으로써 집행한다. 이 경우 그 명령은 집행력 있는 집행권원과 동일한 효력이 있다.

정답 15 ③ 16 ③

2025
써니 행정법총론
기출문제집

Sunny

제 5 편

행정구제 1 (행정상 손해전보)

제28강 행정상 손해배상 1 (국가배상법 제2조 등)

1회독	2회독	3회독
/	/	/

⊘정답률 공단기/소방단기 합격예측 풀서비스 통계 데이터 기준 기 기본서 핵 핵심집약

01 공무원의 직무행위로 인한 손해배상책임의 요건

기 588~607쪽 핵 T 54

01 중

2024 소방간부 변형

행정상 손해배상에 관한 설명으로 옳은 것만을 <보기>에서 고른 것은? (다툼이 있는 경우 판례에 의함)

보기

□□□ ㉠ 행위 자체의 외관을 객관적으로 관찰하여 공무원의 직무행위로 보여진다 하더라도 그것이 실질적으로 직무행위에 해당하지 않는다면 그 행위는 국가배상법 소정의 '직무를 집행하면서' 행한 것으로 볼 수 없다.

□□□ ㉡ 국가 등의 가해공무원에 대한 구상권은 손해의 공평한 부담이라는 견지에서 신의칙상 상당하다고 인정되는 한도 내에서만 인정된다.

□□□ ㉢ 장관으로부터 도지사를 거쳐 군수에게 재위임된 국가사무인 기관위임사무를 처리함에 있어서 군수가 고의 또는 과실로 타인에게 손해를 가한 경우, 원칙적으로 그 사무의 귀속주체인 국가가 손해배상책임을 지며 군은 비용을 부담한다고 볼 수 있는 경우에 한하여 국가와 함께 손해배상책임을 진다.

□□□ ㉣ 생명 · 신체의 침해로 인한 국가배상을 받을 권리는 양도하거나 압류하지 못한다.

① ㉠, ㉡, ㉢　　② ㉠, ㉣
③ ㉡, ㉢, ㉣　　④ ㉢, ㉣

관련기출

㉡

1. 국가가 가해공무원에 대하여 구상권을 행사하는 경우 국가가 배상한 배상액 전액에 대하여 구상권을 행사하여야 한다. (○, ×) 2021 국가직 9급

1. ×

㉠ 빈출 ×

국가배상법 제2조 제1항의 '직무를 집행함에 당하여'라 함은 직접 공무원의 직무집행행위이거나 그와 밀접한 관련이 있는 행위를 포함하고, 이를 판단함에 있어서는 행위 자체의 외관을 객관적으로 관찰하여 공무원의 직무행위로 보여질 때에는 비록 그것이 실질적으로 직무행위가 아니거나 또는 행위자로서는 주관적으로 공무집행의 의사가 없었다고 하더라도 그 행위는 공무원이 '직무를 집행함에 당하여' 한 것으로 보아야 한다(대판 2005. 1. 14, 2004다26805).

㉡ ○

국가 등은 당해 공무원의 직무내용, 당해 불법행위의 상황 등 제반 사정을 참작하여 손해의 공평한 분담이라는 견지에서 신의칙상 상당하다고 인정되는 한도 내에서만 당해 공무원에 대하여 구상권을 행사할 수 있다.

국가 또는 지방자치단체의 산하 공무원이 그 직무를 집행함에 당하여 중대한 과실로 인하여 법령에 위반하여 타인에게 손해를 가함으로써 국가 또는 지방자치단체가 손해배상책임을 부담하고, 그 결과로 손해를 입게 된 경우에는 국가 등은 당해 공무원의 직무내용, 당해 불법행위의 상황, 손해발생에 대한 당해 공무원의 기여 정도, 당해 공무원의 평소 근무태도, 불법행위의 예방이나 손실 분산에 관한 국가 또는 지방자치단체의 배려 정도 등 제반 사정을 참작하여 손해의 공평한 분담이라는 견지에서 신의칙상 상당하다고 인정되는 한도 내에서만 당해 공무원에 대하여 구상권을 행사할 수 있다고 봄이 상당하다(대판 1991. 5. 10, 91다6764).

㉢ ○

구 농지확대개발촉진법(1994. 12. 22, 법률 제4823호 농어촌정비법 부칙 제2조로 폐지) 제24조와 제27조에 의하여 농수산부장관(현 농림축산식품부장관) 소관의 국가사무로 규정되어 있는 개간허가와 개간허가의 취소사무는 같은 법 제61조 제1항, 같은 법 시행령 제37조 제1항에 의하여 도지사에게 위임되고, 같은 법 제61조 제2항에 근거하여 도지사로부터 하위 지방자치단체장인 군수에게 재위임되었으므로 이른바 기관위임사무라 할 것이고, 이러한 경우 군수는 그 사무의 귀속주체인 국가 산하 행정기관의 지위에서 그 사무를 처리하는 것에 불과하므로, 군수 또는 군수를 보조하는 공무원이 위임사무처리에 있어 고의 또는 과실로 타인에게 손해를 가하였다 하더라도 원칙적으로 군에는 국가배상책임이 없고 그 사무의 귀속주체인 국가가 손해배상책임을 지는 것이며, 다만 국가배상법 제6조에 의하여 군이 비용을 부담한다고 볼 수 있는 경우에 한하여 국가와 함께 손해배상책임을 부담한다(대판 2000. 5. 12, 99다70600).

㉣ 빈출 ○

국가배상법 제4조 【양도 등 금지】 생명 · 신체의 침해로 인한 국가배상을 받을 권리는 양도하거나 압류하지 못한다.

정답 01 ③

02 중 2023 해경간부

국가배상에 대한 설명으로 가장 옳지 않은 것은? (다툼이 있는 경우 판례에 의함)

□□□ ① 일반적으로 공무원이 직무를 집행함에 있어서 관계법규를 알지 못하거나 필요한 지식을 갖추지 못하여 법규의 해석을 그르쳐 잘못된 행정처분을 하였다면 그가 법률전문가가 아닌 행정직 공무원이라고 하여 과실이 없다고 할 수 없다.

□□□ ② 변호인의 접견신청을 허용하지 않아 변호인의 접견교통권을 침해한 경우에는 접견 불허결정을 한 공무원에게 고의나 과실이 있다고 보기 어렵다.

□□□ ③ 법률전문가 아닌 행정공무원에게 시행령이 상위 법규에 위배되는지 여부까지 사법적으로 심사하여 그 적용을 거부할 것을 기대하기는 매우 어렵다.

□□□ ④ 행위가 실질적으로 공무집행행위가 아니라는 사정을 피해자가 알았다 하더라도 그것을 '직무를 행함에 당하여'라고 단정하는 데 아무런 영향을 미치는 것이 아니다.

관련기출

①

1. 특별한 사정이 없는 한 일반적으로 공무원이 관계법규를 알지 못하거나 필요한 지식을 갖추지 못하고 법규의 해석을 그르쳐 행정처분을 하였다면 그가 법률전문가가 아닌 행정직 공무원이라도 과실이 있다. (○, ×) 2018 지방직 7급
2. 공무원이 관계법규를 알지 못하거나 법규의 해석을 그르쳐 행정처분을 한 경우라고 할지라도 법률전문가가 아닌 행정직 공무원인 경우에는 과실을 인정할 수 없다. (○, ×) 2014 서울시 9급
3. 판례에 의하면 법령의 해석에는 다양한 견해가 있을 수 있으므로 공무원의 법령해석의 잘못에는 공무원의 과실이 인정되지 않는다. (○, ×) 2013 서울시 7급

1. ○ 2. × 3. ×

① **빈출** ○

공무원은 비록 법률전문가가 아니지만 자신의 사무영역과 관련해서는 법령에 대한 지식을 파악하고 있어야 할 의무가 있으므로, 자신의 업무와 관련된 관계법규를 알지 못하거나 필요한 지식을 갖추지 못하고 법규의 해석을 그르쳐 행정처분을 하였다면 과실이 인정될 수 있다는 것이 판례의 입장이다.

> 공무원의 법령의 부지(不知) 등에 대해서도 과실이 인정될 수 있다.
>
> 법령에 대한 해석이 복잡 · 미묘하여 워낙 어렵고, 이에 대한 학설 · 판례조차 귀일되어 있지 않는 등의 특별한 사정이 없는 한 일반적으로 공무원이 관계법규를 알지 못하거나 필요한 지식을 갖추지 못하고 법규의 해석을 그르쳐 행정처분을 하였다면 그가 법률전문가가 아닌 행정직 공무원이라고 하여 과실이 없다고는 할 수 없다(대판 2001. 2. 9, 98다52988).

② ×

> 수사기관이 법령에 의하지 않고는 변호인의 접견교통권을 제한할 수 없다는 것은 대법원이 오래전부터 선언해 온 확고한 법리로서 변호인의 접견신청에 대하여 허용 여부를 결정하는 수사기관으로서는 마땅히 이를 숙지해야 한다. 이러한 법리에 반하여 변호인의 접견신청을 허용하지 않고 변호인의 접견교통권을 침해한 경우에는 접견 불허결정을 한 공무원에게 고의나 과실이 있다고 볼 수 있다(대판 2018. 12. 27, 2016다266736).

③ ○

> 행정청의 유선업 경영신고에 대한 반려처분이 후에 항고소송에서 취소되었으나, 구 유선및도선업법시행령 제3조 제2항의 문언에 의하면, 유선업의 경영신고에 대하여 행정청이 그 타당성 여부에 대하여 실질적 검토를 할 수 있는 것처럼 규정되어 있어, 법률전문가가 아닌 행정공무원에게 위 시행령이 상위 법규에 위배되는지 여부까지 사법적으로 심사하여 그 적용을 거부할 것을 기대하기는 매우 어렵다고 보아야 한다(대판 1999. 9. 17, 96다53413).

④ ○

> 상대방이 공무원의 직무집행행위가 아니라는 것을 알았다 하더라도 국가배상책임이 인정된다.
>
> '직무를 행함에 당하여'라는 취지는 공무원의 행위의 외관을 객관적으로 관찰하여 공무원의 직무행위로 보여질 때에는 비록 그것이 실질적으로 직무행위이거나 아니거나 또는 행위자의 주관적 의사에 관계없이 그 행위는 공무원의 직무집행행위로 볼 것이요, 이러한 행위가 실질적으로 공무집행행위가 아니라는 사정을 피해자가 알았다 하더라도 그것을 '직무를 행함에 당하여'라고 단정하는 데 아무런 영향을 미치는 것이 아니다(대판 1966. 6. 28, 66다781).

정답 02 ②

03 상 2023 국회직 9급

국가배상책임에 대한 설명으로 옳지 않은 것은? (다툼이 있는 경우 판례에 의함)

□□□ ① 국가배상법상 공무원 과실의 판단기준은 보통 일반의 공무원을 표준으로 하여 볼 때 위법한 행정처분의 담당공무원이 객관적 주의의무를 소홀히 하고 그로 인해 행정처분이 객관적 정당성을 잃었다고 볼 수 있는 경우에 국가배상법 제2조가 정한 국가배상책임이 성립할 수 있다.

□□□ ② 국가배상법 제2조 또는 제5조에 따라 국가나 지방자치단체가 배상책임을 진다는 것은 당해 사무의 귀속주체에 따라서 배상책임을 진다는 것을 의미하기 때문에 기관위임사무의 경우에도 위임기관이 속한 행정주체가 사무의 귀속주체로서 배상책임을 진다.

□□□ ③ 국가배상책임에서 공무원의 가해행위는 법령을 위반한 것이어야 하며, 법령의 위반이란 엄격한 의미의 법령 위반뿐 아니라 인권존중, 권력남용금지, 신의성실과 같이 공무원으로서 마땅히 지켜야 할 준칙이나 규범을 지키지 않고 위반한 경우를 포함하여 널리 그 행위가 객관적인 정당성을 결여하고 있는 경우도 포함한다.

□□□ ④ 공법인이 국가로부터 위탁받은 공행정사무를 집행하는 과정에서 공법인의 임직원이나 피용인이 고의 또는 과실로 법령을 위반하여 타인에게 손해를 입힌 경우에 공법인은 위탁받은 공행정사무에 관한 행정보조의 지위에 있으므로 배상책임을 부담하지 않는다.

□□□ ⑤ 공무원에게 부과된 직무상 의무의 내용이 전적으로 또는 부수적으로 사회구성원 개인의 안전과 이익을 보호하기 위하여 설정된 것이라면, 공무원이 그와 같은 직무상 의무를 위반함으로써 피해자가 입은 손해에 대해서는 상당인과관계가 인정되는 범위에서 그 공무원이 속한 국가 또는 지방자치단체가 배상책임을 진다.

① ○

공무원의 행위를 원인으로 한 국가배상책임을 인정하려면 '공무원이 직무를 집행하면서 고의 또는 과실로 법령을 위반하여 타인에게 손해를 입힌 때'라고 하는 국가배상법 제2조 제1항의 요건이 충족되어야 한다. 보통 일반의 공무원을 표준으로 공무원이 객관적 주의의무를 소홀히 하고 그로 말미암아 객관적 정당성을 잃었다고 볼 수 있으면 국가배상법 제2조가 정한 국가배상책임이 성립할 수 있다. 객관적 정당성을 잃었는지는 행위의 양태와 목적, 피해자의 관여 여부와 정도, 침해된 이익의 종류와 손해의 정도 등 여러 사정을 종합하여 판단하되, 손해의 전보책임을 국가가 부담할 만한 실질적 이유가 있는지도 살펴보아야 한다(대판 2021. 10. 28, 2017다219218 ; 대판 2022. 8. 30, 2018다212610 전합).

② ○

기관위임사무의 경우 위임자인 국가 또는 광역지방자치단체는 국가배상법 제2조나 제5조 제1항에 의하여 사무귀속주체로서 배상책임을 진다. 한편, 수임청이 속한 지방자치단체는 그 사무에 관하여 비용을 부담하는 경우, 비용부담자로서 동법 제6조 제1항에 따라 배상책임을 진다.

지방자치단체장 간의 기관위임의 경우, 위임사무처리상의 불법행위에 대한 사무귀속주체로서 손해배상책임의 주체는 상위지방자치단체이다.

지방자치단체장 간의 기관위임의 경우에 위임받은 하위지방자치단체장은 상위지방자치단체 산하 행정기관의 지위에서 그 사무를 처리하는 것이므로 사무귀속의 주체가 달라진다고 할 수 없고, 따라서 하위지방자치단체장을 보조하는 하위지방자치단체 소속 공무원이 위임사무처리에 있어 고의 또는 과실로 타인에게 손해를 가하였더라도 상위지방자치단체는 여전히 그 사무귀속주체로서 손해배상책임을 진다(대판 1996. 11. 8, 96다21331).

③ ○

국가배상책임에 있어서 '법령 위반'은 엄격한 의미의 법령 위반뿐 아니라 인권존중, 권력남용금지, 신의성실과 같이 공무원으로서 마땅히 지켜야 할 준칙이나 규범을 지키지 아니하고 위반한 경우를 포함하여 널리 그 행위가 객관적인 정당성을 결여하고 있음을 뜻한다(대판 2008. 6. 12, 2007다64365).

④ ×

공법인이 국가로부터 위탁받은 공행정사무를 집행하는 과정에서 공법인의 임직원이나 피용인이 고의 또는 과실로 법령을 위반하여 타인에게 손해를 입힌 경우에는, **공법인은** 위탁받은 공행정사무에 관한 **행정주체의 지위**에서 배상책임을 부담하여야 하지만, 공법인의 임직원이나 피용인은 실질적인 의미에서 공무를 수행한 사람으로서 국가배상법 제2조에서 정한 공무원에 해당하므로 고의 또는 중과실이 있는 경우에만 배상책임을 부담하고 경과실이 있는 경우에는 배상책임을 면한다. 한편 공무원의 중과실이란 공무원에게 통상 요구되는 정도의 상당한 주의를 하지 않더라도 약간의 주의를 한다면 손쉽게 위법·유해한 결과를 예견할 수 있는 경우임에도 만연히 이를 간과한 경우와 같이, 거의 고의에 가까운 현저한 주의를 결여한 상태를 의미한다(대판 2021. 1. 28, 2019다260197).

⑤ ○

공무원에게 부과된 직무상 의무의 내용이 단순히 공공일반의 이익을 위한 것이거나 행정기관 내부의 질서를 규율하기 위한 것이 아니고 전적으로 또는 부수적으로 사회구성원 개인의 안전과 이익을 보호하기 위하여 설정된 것이라면, 공무원이 그와 같은 직무상 의무를 위반함으로 인하여 피해자가 입은 손해에 대하여는 상당인과관계가 인정되는 범위 내에서 국가가 배상책임을 진다(대판 2021. 6. 10, 2017다286874).

정답 03 ④

04 ㊤ 2023 변호사

행정상 손해배상에 관한 설명으로 옳지 않은 것은? (다툼이 있는 경우 판례에 의함)

□□□ ① 甲이 乙과 동일한 이름으로 개명허가를 받은 것처럼 호적등본을 위조하여 주민등록상 성명을 위법하게 정정하고, 乙 명의의 주민등록증을 발급받아 乙의 부동산에 관하여 근저당권설정등기를 마친 경우, 주민등록사무를 담당하는 공무원이 위와 같은 성명정정 사실을 甲의 본적지 관할관청에 통보하지 아니한 직무상 의무위배행위와 乙이 입은 손해 사이에 상당인과관계를 인정할 수 없다.

□□□ ② 재판에 대하여 따로 불복절차 또는 시정절차가 마련되어 있는 경우에는, 불복에 의한 시정을 구할 수 없었던 것 자체가 공무원의 귀책사유로 인한 것이라는 등의 특별한 사정이 없는 한, 스스로 시정을 구하지 아니한 결과 권리 내지 이익을 회복하지 못한 사람은 원칙적으로 국가배상에 의한 권리구제를 받을 수 없다.

□□□ ③ 공무원의 직무집행이 법령이 정한 요건과 절차에 따라 이루어진 것이라면, 그 과정에서 개인의 권리가 침해되는 일이 생긴다고 하더라도, 특별한 사정이 없는 한 그 직무집행의 법령적합성이 곧바로 부정되는 것은 아니다.

□□□ ④ 국회의원의 입법행위는 그 입법 내용이 헌법의 문언에 명백히 위배됨에도 불구하고 국회가 굳이 당해 입법을 한 것과 같은 특수한 경우가 아닌 한 국가배상법 제2조 제1항 소정의 위법행위에 해당한다고 볼 수 없다.

□□□ ⑤ 개별공시지가 산정업무 담당공무원이 직무상 의무에 위반하여 현저하게 불합리한 개별공시지가가 결정되도록 함으로써 국민 개개인의 재산권을 침해한 경우, 그 손해에 대하여 상당인과관계 있는 범위 내에서 그 담당공무원이 소속된 지방자치단체가 국가배상법상 배상책임을 진다.

관련기출

①

1. 주민등록사무를 담당하는 공무원은 개명과 같은 사유로 주민등록상의 성명을 정정한 경우에는 반드시 본적지 관할관청에 그 변경사항을 통보하여 본적지의 호적관서로 하여금 그 정정사항의 진위를 재확인할 수 있도록 할 직무상의 의무가 있다. (O, ×) 2012 국가직 7급

1. O

① ×

(甲이 乙의 이름으로 개명허가를 받은 것처럼 호적등본을 위조하여 제출하였고 이에 담당공무원이 본적지 관할청에 통보를 하지 않고 성명을 정정하여 乙의 부동산에 대해 甲이 이익을 얻게 되자 乙이 국가배상을 청구한 사안에서 국가배상책임을 긍정하면서) 주민등록사무를 담당하는 공무원이 개명과 같은 사유로 주민등록상 성명을 정정한 경우 본적지 관할관청에 그 변경사항을 통보할 직무상 의무가 있으며 그러한 의무에는 사익보호성이 인정된다. 주민등록사무를 담당하는 공무원이 개명으로 인한 주민등록상 성명정정을 본적지 관할관청에 통보하지 아니한 직무상 의무위배행위와 乙과 같은 이름으로 개명허가를 받은 듯이 호적등본을 위조하여 주민등록상 성명을 위법하게 정정한 甲이 乙의 부동산에 관하여 불법적으로 근저당권설정등기를 경료함으로써 乙이 입은 손해 사이에는 상당인과관계가 있다(대판 2003. 4. 25, 2001다59842).

② **빈출** O

1. 재판에 대해 불복절차가 마련되어 있는 경우에는 특별한 사정이 없는 한 불복절차를 통해 재판의 잘못을 시정할 수 있으므로 국가배상청구권이 부정된다.
2. 헌법재판관이 청구기간 내에 제기된 헌법소원심판청구사건에서 청구기간을 오인하여 각하결정을 한 경우, 이에 대한 불복절차 내지 시정절차가 없는 때에는 국가배상책임이 인정된다(대판 2003. 7. 11, 99다24218).

③ **빈출** O

공무원의 직무집행이 법령이 정한 요건과 절차에 따라 이루어진 것이라면 그 과정에서 개인의 권리가 침해되는 일이 생긴다고 하여 법령적합성이 곧바로 부정되는 것은 아니다(즉, 손해배상청구권이 인정되지 않는다).

불법시위를 진압하는 경찰관들의 직무집행이 법령에 위반한 것이라고 하기 위하여는 그 시위진압이 불필요하거나 또는 불법시위의 태양 및 시위장소의 상황 등에서 예측되는 피해발생의 구체적 위험성의 내용에 비추어 시위진압의 계속 수행 내지 그 방법 등이 현저히 합리성을 결하여 이를 위법하다고 평가할 수 있는 경우이어야 할 것이다(대판 1997. 7. 25, 94다2480).

④ O

국회의 입법행위는 그 입법내용이 헌법의 문언에 명백히 위배됨에도 국회가 '**굳이** 당해 입법을 한 것'과 같은 특수한 경우가 아닌 한, 국가배상법 제2조 제1항 소정의 위법행위에 해당하지 않는다(대판 2008. 5. 29, 2004다33469).

⑤ O

개별공시지가 산정업무를 담당하는 공무원으로서는 …… 적정한 개별공시지가가 결정 · 공시되도록 조치할 직무상의 의무가 있고, 이러한 직무상 의무는 단순히 공공 일반의 이익을 위한 것이거나 행정기관 내부의 질서를 규율하기 위한 것이 아니고 전적으로 또는 부수적으로 국민 개개인의 재산권 보장을 목적으로 하여 규정된 것이라고 봄이 상당하다. 따라서 개별공시지가 산정업무 담당공무원 등이 그 직무상 의무에 위반하여 현저하게 불합리한 개별공시지가가 결정되도록 함으로써 국민 개개인의 재산권을 침해한 경우에는 그 손해에 대하여 상당인과관계 있는 범위 내에서 그 담당공무원 등이 소속된 지방자치단체가 배상책임을 지게 된다(대판 2010. 7. 22, 2010다13527).

정답 04 ①

05 정답률 69% 중 2022 소방직 9급

행정상 손해배상에 대한 설명으로 옳은 것은? (다툼이 있는 경우 판례에 의함)

□□□ ① 국회의원은 원칙적으로 정치적 책임을 질 뿐이므로 헌법에 따른 구체적 입법의무를 부담하고 있음에도 그 입법에 필요한 상당한 기간이 경과하도록 고의 또는 과실로 그 입법의무를 이행하지 아니하는 경우 그 배상책임이 인정되기 어렵다.

□□□ ② 주무부처인 중앙행정기관이 입법예고를 통해 법령안의 내용을 국민에게 예고한 적이 있다면, 그것이 법령으로 확정되지 아니하였다고 하더라도 국가는 위 법령안에 관련된 사항에 대해 이해관계자들에게 어떠한 신뢰를 부여한 것으로 볼 수 있다.

□□□ ③ 공무원에게 부과된 직무상 의무의 내용이 전적으로 또는 부수적으로 사회구성원 개인의 안전과 이익을 보호하기 위하여 설정된 것이라면, 공무원이 그와 같은 직무상 의무를 위반함으로써 피해자가 입은 손해에 대해서는 상당인과관계가 인정되는 범위에서 국가가 배상책임을 진다.

□□□ ④ 「금융위원회의 설치 등에 관한 법률」의 입법취지에 비추어 볼 때, 금융감독원에 금융기관에 대한 검사 · 감독의무를 부과한 법령의 목적이 금융상품에 투자한 투자자 개인의 이익을 직접 보호하기 위한 것이라고 할 수 있으므로, 피고 금융감독원 및 그 직원들의 위법한 직무집행과 해당 저축은행의 후순위사채에 투자한 원고들이 입은 손해 사이에 상당인과관계가 인정된다.

관련기출

①

1. 국회가 일정한 사항에 관하여 헌법에 의하여 부과되는 구체적인 입법의무를 부담하고 있음에도 불구하고 그 입법에 필요한 상당한 기간이 경과하도록 고의 또는 과실로 이러한 입법의무를 이행하지 아니하는 등 극히 예외적인 사정이 인정되는 사안에 한정하여 국가배상법 소정의 배상책임이 인정될 수 있다. (○, ×) 2022 국회직 8급
2. 국가가 일정한 사항에 관하여 헌법에 의하여 부과되는 구체적인 입법의무를 부담하고 있음에도 불구하고 그 입법에 필요한 상당한 기간이 경과하도록 고의 · 과실로 입법의무를 이행하지 아니하는 경우, 국가배상책임이 인정될 수 있다. (○, ×) 2019 국가직 9급
3. 헌법에 의하여 부과되는 국가의 구체적인 입법의무 자체가 인정되지 않는 경우에는 애당초 부작위로 인한 불법행위가 성립할 여지가 없다. (○, ×) 2019 사회복지직 9급

1. ○ 2. ○ 3. ○

① **빈출** ×

1. 국회의 입법행위는 그 입법내용이 헌법의 문언에 명백히 위배됨에도 국회가 '굳이 당해 입법을 한 것'과 같은 특수한 경우가 아닌 한, 국가배상법 제2조 제1항 소정의 위법행위에 해당하지 않는다.
2. 국가가 일정한 사항에 관하여 헌법에 의하여 부과되는 **'구체적인 입법의무'를 부담**하고 있음에도 불구하고 그 입법에 필요한 상당한 기간이 경과하도록 고의 또는 과실로 이러한 입법의무를 이행하지 아니하는 등 극히 예외적인 사정이 인정되는 사안에 한정하여 국가배상법 소정의 배상책임이 인정될 수 있다.
3. 국가에게 일정한 사항에 관하여 헌법에 의하여 부과되는 '구체적인 입법의무' 자체가 인정되지 않는 경우에는 국회의원의 입법부작위에 대해 부작위로 인한 불법행위가 성립할 여지가 없다(대판 2008. 5. 29, 2004다33469).

② 제4강 참조 ×

정책의 주무부처인 중앙행정기관이 그 소관 사항에 대하여 입안한 법령안은 법제처 심사 등의 절차를 거쳐 공포함으로써 확정되므로, 법령이 확정되기 이전에는 법적 효과가 발생할 수 없다. 따라서 입법예고를 통해 법령안의 내용을 국민에게 예고한 적이 있다고 하더라도 그것이 법령으로 확정되지 아니한 이상 국가가 이해관계자들에게 위 법령안에 관련된 사항을 약속하였다고 볼 수 없으며, 이러한 사정만으로 어떠한 신뢰를 부여하였다고 볼 수도 없다(대판 2018. 6. 15, 2017다249769).

③ ○

공무원에게 부과된 직무상 의무의 내용이 단순히 공공일반의 이익을 위한 것이거나 행정기관 내부의 질서를 규율하기 위한 것이 아니고 전적으로 또는 부수적으로 사회구성원 개인의 안전과 이익을 보호하기 위하여 설정된 것이라면, 공무원이 그와 같은 직무상 의무를 위반함으로 인하여 피해자가 입은 손해에 대하여는 상당인과관계가 인정되는 범위 내에서 국가가 배상책임을 진다는 것이 판례의 입장이다(대판 1993. 2. 12, 91다43466).

④ ×

(부산2저축은행 발행의 후순위사채에 투자한 원고들이 사채발행회사, 외부감사인, 증권회사, 신용평가회사, 금융감독원, 대한민국 등을 상대로 손해배상을 청구한 사안에서) 「금융위원회의 설치 등에 관한 법률」의 입법취지 등에 비추어 볼 때, 피고 금융감독원에 금융기관에 대한 검사 · 감독의무를 부과한 법령의 목적이 금융상품에 투자한 투자자 개인의 이익을 직접 보호하기 위한 것이라고 할 수 없으므로, 피고 금융감독원 및 그 직원들의 위법한 직무집행과 부산2저축은행의 후순위사채에 투자한 원고들이 입은 손해 사이에 상당인과관계가 있다고 보기 어렵다(대판 2015. 12. 23, 2015다210194).

정답 05 ③

06 빈출 정답률 87% 중 2021 국가직 9급

국가배상법상 공무원의 위법한 직무행위로 인한 손해배상에 대한 설명으로 옳은 것은? (다툼이 있는 경우 판례에 의함)

□□□ ① 일반적으로 공무원이 필요한 지식을 갖추지 못하고 법규의 해석을 그르쳐 행정처분을 하였다면 그가 법률전문가가 아닌 행정직 공무원이라고 하여 과실이 없다고는 할 수 없다.

□□□ ② 국가배상의 요건인 '공무원의 직무'에는 국가나 지방자치단체의 비권력적 작용과 사경제주체로서 하는 작용이 포함된다.

□□□ ③ 손해배상책임을 묻기 위해서는 가해공무원을 특정하여야 한다.

□□□ ④ 국가가 가해공무원에 대하여 구상권을 행사하는 경우 국가가 배상한 배상액 전액에 대하여 구상권을 행사하여야 한다.

관련기출

③

1. 불법행위를 행한 가해공무원을 특정할 수 없는 경우에는 국가배상책임이 인정되지 않는다. (○, ×) 2015 교육행정직 9급
2. 국가배상법상 과실을 판단할 경우 보통 일반의 공무원을 그 표준으로 하고, 반드시 누구의 행위인지 가해공무원을 특정하여야 한다. (○, ×) 2012 국가직 9급

1. × 2. ×

① ○

법령에 대한 해석이 복잡 · 미묘하여 워낙 어렵고, 이에 대한 학설 · 판례조차 귀일되어 있지 않는 등의 특별한 사정이 없는 한 일반적으로 공무원이 관계법규를 알지 못하거나 필요한 지식을 갖추지 못하고 법규의 해석을 그르쳐 행정처분을 하였다면 그가 법률전문가가 아닌 행정직 공무원이라고 하여 과실이 없다고는 할 수 없다는 것이 판례의 입장이다(대판 2001. 2. 9, 98다52988).

② ×

국가배상법이 정한 배상청구의 요건인 공무원의 직무에는 권력적 작용만이 아니라 행정지도와 같은 비권력적 작용도 포함되며, 단지 행정주체가 사경제주체로서 하는 활동만이 제외된다는 것이 판례의 입장이다(대판 1998. 7. 10, 96다38971).

③ **빈출** ×

가해공무원의 특정이 어려운 경우에는 반드시 가해공무원을 특정하지 않더라도 공무원의 행위로 인정되는 한 국가배상책임을 인정해야 한다는 것이 통설 및 판례의 입장이다.

> 집회 중 사망한 사건에서 가해공무원인 전투경찰공무원을 특정하지 않더라도 손해배상책임을 인정한다.
>
> 국가 소속 전투경찰들이 시위진압을 함에 있어서 합리적이고 상당하다고 인정되는 정도로 가능한 한 최루탄의 사용을 억제하고 또한 최대한 안전하고 평화로운 방법으로 시위진압을 하여 그 시위진압 과정에서 타인의 생명과 신체에 위해를 가하는 사태가 발생하지 아니하도록 하여야 하는데도, 이를 게을리한 채 합리적이고 상당하다고 인정되는 정도를 넘어 지나치게 과도한 방법으로 시위진압을 한 잘못으로 시위 참가자로 하여금 사망에 이르게 하였다는 이유로 국가의 손해배상책임을 인정하되 …… (대판 1995. 11. 10, 95다23897)

④ ×

국가 등은 당해 공무원의 직무내용, 당해 불법행위의 상황 등 제반 사정을 참작하여 손해의 공평한 분담이라는 견지에서 신의칙상 상당하다고 인정되는 한도 내에서만 당해 공무원에 대하여 구상권을 행사할 수 있다는 것이 판례의 입장이다(대판 1991. 5. 10, 91다6764).

정답 06 ①

07 정답률 41% 상 2020 소방직 9급

국가배상에 대한 판례의 태도로 옳지 않은 것은?

□□□ ① 성폭력범죄의 수사를 담당하거나 수사에 관여하는 경찰관이 피해자의 인적사항 등을 공개 또는 누설함으로써 피해자가 손해를 입은 경우, 국가의 배상책임이 인정된다는 것이 판례의 태도이다.

□□□ ② 음주운전으로 적발된 주취운전자가 도로 밖으로 차량을 이동하겠다며 단속경찰관으로부터 보관 중이던 차량열쇠를 반환받아 몰래 차량을 운전하여 가던 중 사고를 일으킨 경우, 국가배상책임이 인정되지 않는다는 것이 판례의 태도이다.

□□□ ③ 지방자치단체장이 설치하여 관할 지방경찰청장(현 시 · 도경찰청장)에게 관리권한이 위임된 교통신호기의 고장으로 인하여 교통사고가 발생한 경우, 지방자치단체뿐만 아니라 국가도 손해배상책임을 부담한다는 것이 판례의 태도이다.

□□□ ④ 군수 또는 그 보조공무원이 농수산부장관으로부터 도지사를 거쳐 군수에게 재위임된 국가사무(기관위임사무)인 개간허가 및 그 취소사무를 처리함에 있어 고의 또는 과실로 타인에게 손해를 가한 경우, 국가배상법 제6조에 의하여 지방자치단체인 군이 비용을 부담한다고 볼 수 있는 경우에 한하여 국가와 함께 손해배상책임을 부담한다.

관련기출

①

1. 성폭력범죄의 수사를 담당하거나 수사에 관여하는 경찰관이 직무상 의무에 위반하여 피해자의 인적사항 등을 공개 또는 누설한 경우, 그로 인하여 피해자가 입은 손해에 대하여 국가는 배상책임을 진다. (○, ×) 2014 국가직 7급

1. ○

②

1. 음주운전으로 적발된 주취운전자가 도로 밖으로 차량을 이동하겠다며 단속경찰관으로부터 보관중이던 차량열쇠를 반환받아 몰래 차량을 운전하여 가던 중 사고를 일으킨 경우, 국가배상책임이 인정되지 않는다. (○, ×) 2024 국가직 9급

1. ×

① ○

「성폭력범죄의 처벌 및 피해자보호 등에 관한 법률」 제21조는 성폭력범죄의 수사 또는 재판을 담당하거나 이에 관여하는 공무원에 대하여 피해자의 인적사항과 사생활의 비밀을 엄수할 직무상 의무를 부과하고 있고, 이는 주로 성폭력범죄 피해자의 명예와 사생활의 평온을 보호하기 위한 것이므로, 성폭력범죄의 수사를 담당하거나 수사에 관여하는 경찰관이 위와 같은 직무상 의무에 반하여 피해자의 인적사항 등을 공개 또는 누설하였다면 국가는 그로 인하여 피해자가 입은 손해를 배상하여야 한다(대판 2008. 6. 12, 2007다64365).

② ×

1. 음주운전으로 적발된 주취운전자가 도로 밖으로 차량을 이동하겠다며 단속경찰관이 보관 중이던 차량열쇠를 반환받아 몰래 차량을 운전하여 가던 중 사고를 일으킨 경우, 국가배상책임을 인정한다.
2. 경찰관의 주취운전자에 대한 권한행사가 관계법률의 규정형식상 경찰관의 재량에 맡겨져 있다고 하더라도, 그러한 권한을 행사하지 아니한 것이 구체적인 상황하에서 현저하게 합리성을 잃어 사회적 타당성이 없는 경우에는 경찰관의 직무상 의무를 위배한 것으로서 위법하다(대판 1998. 5. 8, 97다54482).

③ ○

지방자치단체장이 설치하여 관할 지방경찰청장(현 시 · 도경찰청장)에게 관리권한이 위임된 교통신호기 고장으로 사고가 발생한 경우 지방자치단체는 사무귀속자로서 손해배상책임을 부담하고, 국가는 경찰관 등에게 봉급을 지급하는 비용부담자로서 국가배상책임을 진다.

지방자치단체장이 교통신호기를 설치하여 그 관리권한이 도로교통법 제71조의2 제1항의 규정에 의하여 관할 지방경찰청장(현 시 · 도경찰청장)에게 위임되어 …… 위 신호기가 고장난 채 방치되어 교통사고가 발생한 경우, 국가배상법 제2조 또는 제5조에 의한 배상책임을 부담하는 것은 지방경찰청장이 소속된 국가가 아니라, 그 권한을 위임한 지방자치단체장이 소속된 지방자치단체라고 할 것이나, 한편 국가배상법 제6조 제1항은 같은 법 제2조, 제3조 및 제5조의 규정에 의하여 국가 또는 지방자치단체가 손해를 배상할 책임이 있는 경우에 공무원의 선임 · 감독 또는 영조물의 설치 · 관리를 맡은 자와 공무원의 봉급 · 급여 기타의 비용 또는 영조물의 설치 · 관리의 비용을 부담하는 자가 동일하지 아니한 경우에는 그 비용을 부담하는 자도 손해를 배상하여야 한다고 규정하고 있으므로 교통신호기를 관리하는 지방경찰청장 산하 경찰관들에 대한 봉급을 부담하는 국가도 국가배상법 제6조 제1항에 의한 배상책임을 부담한다(대판 1999. 6. 25, 99다11120).

④ ○

구 농지확대개발촉진법 제24조와 제27조에 의하여 농수산부장관 소관의 국가사무로 규정되어 있는 개간허가와 개간허가의 취소사무는 같은 법 제61조 제1항, 같은 법 시행령 제37조 제1항에 의하여 도지사에게 위임되고, 같은 법 제61조 제2항에 근거하여 도지사로부터 하위 지방자치단체장인 군수에게 재위임되었으므로 이른바 기관위임사무라 할 것이고, 이러한 경우 군수는 그 사무의 귀속주체인 국가 산하 행정기관의 지위에서 그 사무를 처리하는 것에 불과하므로, 군수 또는 군수를 보조하는 공무원이 위임사무처리에 있어 고의 또는 과실로 타인에게 손해를 가하였다 하더라도 원칙적으로 군에는 국가배상책임이 없고 그 사무의 귀속주체인 국가가 손해배상책임을 지는 것이며, 다만 국가배상법 제6조에 의하여 군이 비용을 부담한다고 볼 수 있는 경우에 한하여 국가와 함께 손해배상책임을 부담한다(대판 2000. 5. 12, 99다70600).

정답 07 ②

08 빈출 정답률 81% 중 2020 지방직 · 서울시 9급

국가배상에 대한 설명으로 옳지 않은 것은? (다툼이 있는 경우 판례에 의함)

□□□ ① 국가배상책임에서의 법령 위반은, 인권존중 · 권력남용금지 · 신의성실 · 공서양속 등의 위반도 포함해 널리 그 행위가 객관적인 정당성을 결여하고 있음을 의미한다.

□□□ ② 공무원에게 부과된 직무상 의무는 전적으로 또는 부수적으로 사회구성원 개인의 안전과 이익을 보호하기 위해 설정된 것이어야 국가배상책임이 인정된다.

□□□ ③ 배상심의회의 결정은 대외적인 법적 구속력을 가지므로 배상 신청인과 상대방은 그 결정에 항상 구속된다.

□□□ ④ 판례는 구 국가배상법(67. 3. 3, 법률 제1899호) 제3조의 배상액 기준은 배상심의회 배상액 결정의 기준이 될 뿐 배상범위를 법적으로 제한하는 규정이 아니므로 법원을 기속하지 않는다고 보았다.

관련기출

①

1. 국가배상책임에서 공무원의 가해행위는 법령을 위반한 것이어야 하며, 법령의 위반이란 엄격한 의미의 법령 위반뿐 아니라 인권존중, 권력남용금지, 신의성실과 같이 공무원으로서 마땅히 지켜야 할 준칙이나 규범을 지키지 않고 위반한 경우를 포함하여 널리 그 행위가 객관적인 정당성을 결여하고 있는 경우도 포함한다. (○, ×) 2023 국회직 9급
2. 국가배상책임에서 '법령을 위반하여'라고 함은 엄격하게 형식적 의미의 법령에서 명시적으로 공무원의 행위의무가 정하여져 있음에도 이를 위반하는 경우만을 의미한다. (○, ×) 2017 국가직(하) 7급
3. 국가배상의 요건 중 법령위반의 의미를 판단하는 데 있어서는 형식적 의미의 법령을 위반한 것뿐만 아니라 인권존중, 권력남용금지, 신의성실과 같이 공무원으로서 당연히 지켜야 할 원칙을 지키지 않은 경우도 포함한다. (○, ×) 2017 서울시 7급
4. 공무원의 직무상 불법행위에 대한 국가배상의 요건이 되는 '위법'은 형식적 의미의 법령에 명시적으로 위반한 경우만을 말한다. (○, ×) 2016 교육행정직 9급

1. ○ 2. × 3. ○ 4. ×

③

1. 판례에 따르면 국가배상법상 배상심의회에 의한 배상결정은 행정처분이 아니다. (○, ×) 2008 중앙선관위 9급
2. 국가배상법상 배상신청인은 배상심의회의 배상결정에 동의하여 배상금을 수령한 이후에도 손해배상소송을 제기하여 배상금의 증액을 청구할 수 있다. (○, ×) 2006 국가직 7급

1. ○ 2. ○

④

1. 국가배상법이 정하는 배상기준의 성격에 대하여 판례는 한정액설을 취함으로써 국가배상법이 정하는 배상금액 이상의 배상을 인정하지 아니한다. (○, ×) 2008 국가직 7급

1. ×

① ○

> 국가배상책임에 있어서 '법령 위반'은 엄격한 의미의 법령 위반뿐 아니라 인권존중, 권력남용금지, 신의성실과 같이 공무원으로서 마땅히 지켜야 할 준칙이나 규범을 지키지 아니하고 위반한 경우를 포함하여 널리 그 행위가 객관적인 정당성을 결여하고 있음을 뜻한다(대판 2008. 6. 12, 2007다64365).

② ○

공무원에게 부과된 직무상 의무의 내용이 단순히 공공일반의 이익을 위한 것이거나 행정기관 내부의 질서를 규율하기 위한 것이 아니고 전적으로 또는 부수적으로 사회구성원 개인의 안전과 이익을 보호하기 위하여 설정된 것이라면, 공무원이 그와 같은 직무상 의무를 위반함으로 인하여 피해자가 입은 손해에 대하여는 상당인과관계가 인정되는 범위 내에서 국가가 배상책임을 진다는 것이 판례의 입장이다(대판 1993. 2. 12, 91다43466).

③ ×

배상심의회의 배상결정은 대외적인 구속력이 없으므로 배상결정에 대하여 신청인은 동의를 거부할 수 있으며 배상결정에 동의하거나 배상금을 수령한 경우에도 법원에 손해배상청구소송을 제기할 수 있다. 한편, 판례는 배상심의회의 결정에 대해 행정소송대상으로서의 처분성을 부정하고 있다.

> 국가배상심의위원회의 결정은 행정처분이 아니다.
> 국가배상법에 의한 배상심의회의 결정은 행정처분이 아니므로 행정소송의 대상이 아니다(대판 1981. 2. 10, 80누317).

④ ○

국가배상법 제3조의 배상액 기준은 배상심의회 배상액 결정의 기준이 될 뿐 법원을 기속하지 않는다는 것이 판례의 입장이다.

> 국가배상법 제3조의 규정은 기준액이다.
> 국가배상법(1967. 3. 3, 법률 제1899호) 제3조 제1 · 3항 규정의 손해배상기준은 배상심의회의 배상금 지급기준을 정함에 있어서의 하나의 기준을 정한 것에 지나지 아니하고 이로써 배상액의 상한을 제한한 것으로는 볼 수 없으므로 손해배상액을 산정함에 있어서 국가배상법 제3조 소정의 기준에 구애되지 않고 이를 초과하여 그 액을 정하였다 하더라도 다른 특별한 사정이 없는 한 위법이라고 할 수 없다(대판 1970. 3. 10, 69다1772).

정답 08 ③

09 중 2019 국회직 8급

국가배상에 대한 설명으로 옳은 것만을 <보기>에서 모두 고르면? (다툼이 있는 경우 판례에 의함)

보기

㉠ 공무원에게 부과된 직무상 의무의 내용이 공공일반의 이익을 위한 것이거나 행정기관의 내부질서를 규율하기 위한 경우에도 공무원이 그 직무상 의무를 위반하여 피해자가 입은 손해에 대하여서는 상당인과관계가 인정되는 범위 내에서 국가가 배상책임을 진다.

㉡ 서울특별시가 점유 · 관리하는 도로에 대하여 행정권한 위임조례에 따라 보도 관리 등을 위임받은 관할 자치구청장 甲으로부터 도급받은 A주식회사가 공사를 진행하면서 남은 자갈더미를 그대로 방치하여 오토바이를 타고 이곳을 지나가던 乙이 넘어져 상해를 입은 경우 서울특별시는 국가배상법 제5조 제1항에서 정한 설치 · 관리상의 하자로 인한 국가배상책임을 부담하지 아니한다.

㉢ 도지사에 의한 지방의료원의 폐업결정과 관련하여 국가배상책임이 성립하기 위하여서는 공무원의 직무집행이 위법하다는 점만으로는 부족하고 그로 인하여 타인의 권리 · 이익이 침해되어 구체적 손해가 발생하여야 한다.

㉣ 소방공무원의 권한행사가 관계법률의 규정에 의하여 소방공무원의 재량에 맡겨져 있으면 구체적인 상황에서 소방공무원이 권한을 행사하지 아니한 것이 현저하게 합리성을 잃어 사회적 타당성이 없는 경우에도 직무상 의무를 위반하여 위법하게 되는 것은 아니다.

① ㉠ ② ㉢
③ ㉠, ㉢ ④ ㉡, ㉢
⑤ ㉡, ㉢, ㉣

② ㉢만 옳고, ㉠㉡㉣은 틀린 설명이다.

㉠ ×

공무원에게 부과된 직무상 의무의 내용이 단순히 공공일반의 이익을 위한 것이거나 행정기관 내부의 질서를 규율하기 위한 것이 아니고 전적으로 또는 부수적으로 사회구성원 개인의 안전과 이익을 보호하기 위하여 설정된 것이라면, 공무원이 그와 같은 직무상 의무를 위반함으로 인하여 피해자가 입은 손해에 대하여는 상당인과관계가 인정되는 범위 내에서 국가가 배상책임을 진다는 것이 판례의 입장이다(대판 1993. 2. 12, 91다43466).

㉡ ×

1. 도로의 유지 · 관리에 관한 상위 지방자치단체의 행정권한이 행정권한위임조례로 하위 지방자치단체장에게 위임된 경우, 위임사무처리상의 불법행위나 영조물로 인한 손해배상책임의 주체는 상위 지방자치단체이다.
2. 서울특별시가 점유 · 관리하는 도로에 대하여 「서울특별시 도로 등 주요시설물 관리에 관한 조례」에 따라 보도 관리 등의 위임을 받은 관할 자치구청장(甲)으로부터 도로에 접한 보도의 가로수 생육환경 개선공사를 도급받은 A주식회사가 공사를 진행하면서 사용하고 남은 자갈더미를 그대로 도로에 적치해 두었고, 乙이 오토바이를 운전하다가 도로에 적치되어 있던 공사용 자갈더미를 발견하지 못하고 그대로 진행하는 바람에 중심을 잃고 넘어지면서 상해를 입은 사안에서, 서울특별시에 국가배상법 제5조 제1항에서 정한 설치 · 관리상의 하자가 없다고 본 원심판단에 법리오해의 잘못이 있다(대판 2017. 9. 21, 2017다223538).

㉢ ○

(甲도지사가 도에서 설치 · 운영하는 乙지방의료원을 폐업하겠다는 결정을 발표하고 그에 따라 폐업을 위한 일련의 조치가 이루어진 후 乙지방의료원을 해산한다는 내용의 조례를 공포하고 乙지방의료원의 청산절차가 마쳐진 사안에서) 국가배상법 제2조 제1항에 따른 국가배상책임이 성립하기 위해서 공무원의 위법한 직무집행으로 타인의 권리 · 이익이 침해되어 구체적 손해가 발생하여야 한다(대판 2016. 8. 30, 2015두60617).

㉣ ×

소방공무원의 행정권한행사가 관계법률의 규정형식상 소방공무원의 재량에 맡겨져 있더라도 소방공무원에게 그러한 권한을 부여한 취지와 목적에 비추어 볼 때 구체적인 상황 아래에서 소방공무원이 권한을 행사하지 아니한 것이 현저하게 합리성을 잃어 사회적 타당성이 없는 경우에는 소방공무원의 직무상 의무를 위반한 것으로서 위법하게 된다(대판 2016. 8. 25, 2014다225083).

정답 09 ②

10 중

2018 경행경채 3차

공무원의 직무행위로 인한 손해배상에 대한 설명으로 가장 적절하지 않은 것은? (다툼이 있는 경우 판례에 의함)

□□□ ① 공무원이 통상의 근무지로 자기소유 차량을 운전하여 출근하던 중 교통사고를 일으킨 경우, 특별한 사정이 없는 한 국가배상법 제2조 제1항에 따른 직무집행 관련성이 부정된다.

□□□ ② 국가배상법이 정한 배상청구의 요건인 공무원의 직무에는 권력적 작용만이 아니라 행정지도와 같은 비권력적 작용도 포함된다.

□□□ ③ 형사상 범죄행위를 구성하지 않는 침해행위라 하더라도 그것이 민사상 불법행위를 구성하는지 여부는 형사책임과 별개의 관점에서 검토하여야 한다.

□□□ ④ 공무원이 재량준칙에 따라 행정처분을 하였는데 결과적으로 그 처분이 재량을 일탈 · 남용하여 위법하게 된 때에는 그에게 직무집행상의 과실이 인정된다.

관련기출

③

1. 공무원의 가해행위에 대해 형사상 무죄판결이 있었더라도 그 가해행위를 이유로 국가배상책임이 인정될 수 있다. (○, ×) 2017 국가직 7급

1. ○

① ○

공무원이 자기소유 차량을 운전하여 출근하던 중 교통사고를 일으킨 경우, 직무집행관련성이 인정되지 않는다(대판 1996. 5. 31, 94다15271).

② ○

국가배상법이 정한 배상청구의 요건인 공무원의 직무에는 권력적 작용만이 아니라 행정지도와 같은 비권력적 작용도 포함되며, 단지 행정주체가 사경제주체로서 하는 활동만이 제외된다는 것이 판례의 입장이다(대판 1998. 7. 10, 96다38971).

③ ○

형사책임(사회의 법질서를 위반한 행위에 대한 제재)과 국가배상책임(피해자에게 발생한 손해의 전보)은 각각 지도원리가 다르므로 형사재판에서 무죄판결이 확정되더라도 국가배상책임이 인정될 수 있다.

(경찰관이 범인을 제압하는 과정에서 총기를 사용하여 범인을 사망에 이르게 한 경우 형사상 무죄판결이 확정되었지만 배상책임은 인정하면서) 형사상 범죄를 구성하지 아니하는 침해행위도 민사상 불법행위를 구성할 수 있다.

불법행위에 따른 형사책임은 사회의 법질서를 위반한 행위에 대한 책임을 묻는 것으로서 행위자에 대한 공적인 제재(형벌)를 그 내용으로 함에 비하여, 민사책임은 타인의 법익을 침해한 데 대하여 행위자의 개인적 책임을 묻는 것으로서 피해자에게 발생한 손해의 전보를 그 내용으로 하는 것이고, 손해배상제도는 손해의 공평 · 타당한 부담을 그 지도원리로 하는 것이므로, 형사상 범죄를 구성하지 아니하는 침해행위라고 하더라도 그것이 민사상 불법행위를 구성하는지 여부는 형사책임과 별개의 관점에서 검토하여야 한다(대판 2008. 2. 1, 2006다6713).

④ ×

재량준칙에 따라 처분을 한 경우 과실이 인정되기 어렵다.

영업허가취소처분이 나중에 행정심판에 의하여 재량권을 일탈한 위법한 처분임이 판명되어 취소되었다고 하더라도 그 처분이 당시 시행되던 공중위생법 시행규칙에 정하여진 행정처분의 기준(편저자 주 : 부령 형식의 제재적 처분기준으로 판례는 행정규칙으로 봄)에 따른 것인 이상 그 영업허가취소처분을 한 행정청 공무원에게 그와 같은 위법한 처분을 한 데 있어 어떤 직무집행상의 과실이 있다고 할 수는 없다(대판 1994. 11. 8, 94다26141).

정답 10 ④

11 정답률 64% 중 2018 서울시 9급

국가배상책임에 대한 설명으로 가장 옳지 않은 것은? (다툼이 있는 경우 판례에 따름)

□□□ ① 국가배상책임에서의 법령위반에는 널리 그 행위가 객관적인 정당성을 결여하고 있는 경우도 포함된다.

□□□ ② 담당공무원이 주택구입대부제도와 관련하여 지급보증서제도에 관해 알려주지 않은 조치는 법령위반에 해당하지 않는다.

□□□ ③ 공무원의 직무집행이 법령이 정한 요건과 절차에 따라 이루어진 것이라도, 그 과정에서 개인의 권리가 침해되면 법령위반에 해당한다.

□□□ ④ 「교육공무원 성과상여금 지급지침」에서 기간제 교원을 성과상여금 지급대상에서 제외하여도 이에 대해 국가배상책임이 있다고 할 수 없다.

관련기출

②

1. 절박하고 중대한 위험상태가 발생하였거나 발생할 우려가 있는 경우가 아닌 한, 원칙적으로 공무원이 관련법령대로만 직무를 수행하였다면 그와 같은 공무원의 부작위를 가지고 '고의 또는 과실로 법령에 위반'하였다고 할 수는 없다. (○, ×) 2013 지방직(하) 7급

1. ○

③

1. 공무원의 직무집행이 법령이 정한 요건과 절차에 따라 이루어진 것이라면 특별한 사정이 없는 한 이는 법령에 적합한 것이고, 그 과정에서 개인의 권리가 침해되는 일이 생긴다고 하여 그 법령적합성이 곧바로 부정되는 것은 아니다. (○, ×) 2018 서울시 2회 7급, 2010 국회직 8급
2. 공무원의 직무집행이 법령이 정한 요건과 절차에 따라 이루어진 것이라면 특별한 사정이 없는 한 이는 법령에 적합한 것이나, 그 과정에서 개인의 권리가 침해된 경우에는 법령적합성이 곧바로 부정된다. (○, ×) 2017 경행경채

1. ○ 2. ×

① ○

국가배상책임에 있어서 '법령위반'은 엄격한 의미의 법령위반뿐 아니라 인권존중, 권력남용금지, 신의성실과 같이 공무원으로서 마땅히 지켜야 할 준칙이나 규범을 지키지 아니하고 위반한 경우를 포함하여 널리 그 행위가 객관적인 정당성을 결여하고 있음을 뜻한다는 것이 판례의 입장이다(대판 2008. 6. 12, 2007다64365).

② ○

> 절박하고 중대한 위험상태가 발생하였거나 발생할 상당한 우려가 있는 경우가 아닌 한, 원칙적으로 공무원이 관련법령에서 정하여진 대로 직무를 수행하였다면 그와 같은 공무원의 부작위를 가지고 '고의 또는 과실로 법령에 위반'하였다고 할 수는 없다.
>
> 甲이 ○○보훈지청에 국가유공자에 대한 주택구입대부제도에 관하여 진화로 문의하고 대부신청서까지 제출하였으나, 담당공무원에게서 주택구입대부금 지급을 보증하는 지급보증서제도에 관한 안내를 받지 못하여 대부제도 이용을 포기하고 시중은행에서 대출을 받아 주택을 구입함으로써 결과적으로 더 많은 이자를 부담하게 되었다고 주장하며 국가를 상대로 정신적 손해의 배상을 구한 사안에서, 담당공무원에게 지급보증서제도를 안내하거나 설명할 의무가 있음을 전제로 그 위반에 대한 국가배상책임을 인정한 원심판결에 법리오해의 위법이 있다(대판 2012. 7. 26, 2010다95666).

③ ×

공무원의 직무집행이 법령이 정한 요건과 절차에 따라 이루어진 것이라면 그 과정에서 개인의 권리가 침해되는 일이 생긴다고 하여 법령적합성이 곧바로 부정되는 것은 아니라는 것이 판례의 입장이다(즉, 손해배상청구권이 인정되지 않는다)(대판 1997. 7. 25, 94다2480).

④ ○

> 교육부장관이 甲 등을 비롯한 국 · 공립학교 기간제 교원을 구 「공무원수당 등에 관한 규정」에 따른 성과상여금 지급대상에서 제외하는 내용의 「교육공무원 성과상여금 지급지침」을 발표한 사안에서, 위 지침에서 甲 등을 포함한 기간제 교원을 성과상여금 지급대상에서 제외한 것은 구 「공무원수당 등에 관한 규정」 제7조의2 제1항의 해석에 관한 법리에 따른 것이므로, 국가가 甲 등에 대하여 불법행위로 인한 손해배상책임을 진다고 볼 수 없다(대판 2017. 2. 9, 2013다205778).

정답 11 ③

12 정답률 81% 중 2017 서울시 9급

다음 사안에 관한 설명으로 가장 옳지 않은 것은? (다툼이 있는 경우 판례에 의함)

> 甲은 공중보건의로 근무하면서 乙을 치료하였는데 그 과정에서 乙은 패혈증으로 사망하였다. 유족들은 甲을 상대로 손해배상청구의 소를 제기하였고, 甲의 의료상 경과실이 인정된다는 이유로 甲에게 손해배상책임을 인정한 판결이 확정되었다. 이에 甲은 乙의 유족들에게 판결금 채무를 지급하였고, 이후 국가에 대해 구상권을 행사하였다.

□□□ ① 공중보건의 甲은 국가배상법상의 공무원에 해당한다.

□□□ ② 공중보건의 甲이 직무수행 중 불법행위로 乙에게 손해를 입힌 경우 국가 등이 국가배상책임을 부담하는 외에 甲 개인도 고의 또는 중과실이 있다고 한다면 민사상 불법행위로 인한 손해배상책임을 진다.

□□□ ③ 乙의 유족에게 손해를 직접 배상한 경과실이 있는 공중보건의 甲은 국가에 대하여 자신이 변제한 금액에 대하여 구상권을 취득할 수 없다.

□□□ ④ 공무원의 직무수행 중 불법행위로 인한 배상과 관련하여, 피해자가 공무원에 대해 직접적으로 손해배상을 청구할 수 있는지 여부에 대한 명시적 규정은 국가배상법상으로 존재하지 않는다.

관련기출

④

1. 국가배상법에서는 공무원 개인의 피해자에 대한 배상책임을 인정하는 명시적인 규정을 두고 있지 않다. (○, ×) 2021 소방직 9급

1. ○

①② ○

③ ×

1. 공무원이 직무수행 중 불법행위로 타인에게 손해를 입힌 경우에 국가 등이 국가배상책임을 부담하는 외에 공무원 개인도 고의 또는 중과실이 있는 경우에는 불법행위로 인한 손해배상책임을 지고(②), 공무원에게 경과실이 있을 뿐인 경우에는 공무원 개인은 손해배상책임을 부담하지 아니한다. 이처럼 경과실이 있는 공무원이 피해자에 대하여 손해배상책임을 부담하지 아니함에도 피해자에게 손해를 배상하였다면 그것은 채무자 아닌 사람이 타인의 채무를 변제한 경우에 해당하고, 이는 민법 제469조의 '제3자의 변제' 또는 민법 제744조의 '도의관념에 적합한 비채변제'에 해당하여 피해자는 공무원에 대하여 이를 반환할 의무가 없고, 그에 따라 피해자의 국가에 대한 손해배상청구권이 소멸하여 국가는 자신의 출연 없이 채무를 면하게 되므로, 피해자에게 손해를 직접 배상한 경과실이 있는 공무원은 특별한 사정이 없는 한 국가에 대하여 국가의 피해자에 대한 손해배상책임의 범위 내에서 공무원이 변제한 금액에 관하여 구상권을 취득한다(③)고 봄이 타당하다.
2. 공중보건의인 甲에게 치료를 받던 乙이 사망하자 乙의 유족들이 甲 등을 상대로 손해배상청구의 소를 제기하였고, 甲의 의료과실이 인정된다는 이유로 甲 등의 손해배상책임을 인정한 판결이 확정되어 甲이 乙의 유족들에게 판결금 채무를 지급한 사안에서, 甲은 공무원으로서(①) 직무수행 중 경과실로 타인에게 손해를 입힌 것이어서 乙과 유족들에 대하여 손해배상책임을 부담하지 아니함에도 乙의 유족들에 대한 패소판결에 따라 그들에게 손해를 배상한 것이고, 이는 민법 제744조의 도의관념에 적합한 비채변제에 해당하여 乙과 유족들의 국가에 대한 손해배상청구권은 소멸하고 국가는 자신의 출연 없이 채무를 면하였으므로, 甲은 국가에 대하여 변제금액에 관하여 구상권을 취득한다(③)(대판 2014. 8. 20, 2012다54478).

④ ○

국가배상법에는 국가배상법상 요건이 구비된 경우 국가나 지방자치단체가 배상책임을 진다고 규정하면서 공무원 개인의 책임, 즉 피해자가 공무원에 대해 직접 손해배상청구권을 행사할 수 있는지에 대해서는 명문의 규정을 두고 있지 않다. 학설은 이와 관련하여 긍정설, 부정설, 절충설의 대립이 있으며 판례는 위에서 본 바와 같이 공무원 개인에게 고의 또는 중과실이 있다면 피해자는 공무원 개인에게도 손해배상청구권을 행사할 수 있다고 본다.

정답 12 ③

13 정답률 71% 중 2015 서울시 9급

국가배상법 내지 국가배상책임에 관한 설명으로 옳지 않은 것은?

□□□ ① 행정상 손해배상에 관하여는 국가배상법이 일반법적 지위를 갖는다고 본다.

□□□ ② 국가배상법은 직무행위로 인한 행정상 손해배상에 대하여 무과실책임을 명시하고 있다.

□□□ ③ 국가배상법은 외국인이 피해자인 경우에는 해당 국가와 상호보증이 있을 때에만 적용한다.

□□□ ④ 국가배상책임을 공법적 책임으로 보는 견해는 국가배상청구소송은 당사자소송으로 제기되어야 한다고 보나, 재판실무에서는 민사소송으로 다루고 있다.

① ○

행정상 손해배상에 관하여는 국가배상법이 일반법의 역할을 한다.

② ×

국가배상법 제2조상의 공무원의 직무행위로 인한 배상책임은 고의 또는 과실을 배상책임의 성립요건으로 규정함으로써 과실책임을 명시하고 있다. 국가배상법 제5조상의 영조물의 하자로 인한 배상책임이 무과실책임인 것과 구별할 것을 요한다.

> **국가배상법 제2조【배상책임】** ① 국가나 지방자치단체는 공무원 또는 공무를 위탁받은 사인(이하 '공무원'이라 한다)이 직무를 집행하면서 고의 또는 과실로 법령을 위반하여 타인에게 손해를 입히거나, 「자동차손해배상 보장법」에 따라 손해배상의 책임이 있을 때에는 이 법에 따라 그 손해를 배상하여야 한다.

③ ○

> **국가배상법 제7조【외국인에 대한 책임】** 이 법은 외국인이 피해자인 경우에는 해당 국가와 상호보증이 있을 때에만 적용한다.

④ ○

국가배상법을 공법으로 보고 행정상 손해배상청구권을 공권으로 보는 다수설에 따르면, 손해배상청구소송은 행정소송인 공법상의 당사자소송에 의하여야 한다. 그러나 국가배상법을 사법으로 보고 행정상 손해배상청구권을 사권으로 보는 판례, 즉 재판실무에 따르면, 국가배상청구소송은 민사소송에 의한다.

정답 13 ②

14 **빈출** 정답률 74% 중 2015 서울시 9급

국가배상법 제2조 제1항에서 규정하는 공무원의 '과실'에 관한 판례의 입장과 가장 부합하는 설명은?

□□□ ① 당해 직무를 담당하는 평균적 공무원의 주의능력을 기준으로 판단한다.

□□□ ② 직무행위가 위법하다고 판단되면 과실의 존재도 추정된다.

□□□ ③ 행정소송에서 행정처분이 위법한 것으로 확정되었고 그 이유가 법령해석의 잘못이었다면 그 행정처분을 한 공무원의 과실은 당연히 인정된다.

□□□ ④ 과실의 입증책임은 원고가 아니라 피고인 국가 또는 지방자치단체로 전환된다.

① ○

> 공무원의 직무집행상의 과실이라 함은 공무원이 그 직무를 수행함에 있어 당해 직무를 담당하는 평균인이 보통(통상) 갖추어야 할 주의의무를 게을리한 것을 말한다(대판 1987. 9. 22, 87다카1164).

② ×

위법과 과실은 별개의 개념이므로 직무행위가 위법하다고 하여 고의 또는 과실이 추정되는 것은 아니다.

③ ×

어떠한 행정처분이 후에 항고소송에서 취소된 사실만으로 당해 행정처분이 곧바로 공무원의 고의 또는 과실로 인한 것으로서 불법행위를 구성한다고 단정할 수 없다는 것이 판례의 입장이다(대판 2000. 5. 12, 99다70600).

④ ×

고의 · 과실의 입증책임은 피해자인 원고에게 있다는 것이 통설 · 판례의 입장이다.

정답 14 ①

15 중 2015 사회복지직 9급

국가배상법에 대한 설명으로 옳지 않은 것은?

① 국가배상법은 국가배상책임의 주체를 국가 또는 공공단체로 규정하고 있다.

② 피해자가 손해를 입은 동시에 이익을 얻은 경우에는 손해배상액에서 그 이익에 상당하는 금액을 빼야 한다.

③ 국가배상소송은 배상심의회에 배상신청을 하지 아니하고도 제기할 수 있다.

④ 국가배상청구권은 피해자나 그 법정대리인이 그 손해 및 가해자를 안 날로부터 3년간 이를 행사하지 아니하면 시효로 인하여 소멸한다.

관련기출

②

1. 국가배상법 제2조 제1항을 적용할 때 피해자가 손해를 입은 동시에 이익을 얻은 경우에는 손해배상액에서 그 이익에 상당하는 금액을 빼야 한다. (○, ×) 2018 경행경채

1. ○

① ×

국가배상책임의 주체를 국가 또는 공공단체로 규정하고 있는 헌법과는 달리 국가배상법은 국가배상책임의 주체를 국가 또는 지방자치단체로 규정하고 있다.

> **국가배상법 제2조【배상책임】** ① 국가나 지방자치단체는 공무원 또는 공무를 위탁받은 사인(이하 '공무원'이라 한다)이 직무를 집행하면서 고의 또는 과실로 법령을 위반하여 타인에게 손해를 입히거나, 「자동차손해배상 보장법」에 따라 손해배상의 책임이 있을 때에는 이 법에 따라 그 손해를 배상하여야 한다.

② ○

이른바 이익공제에 관한 내용이다.

> **국가배상법 제3조의2【공제액】** ① 제2조 제1항을 적용할 때 피해자가 손해를 입은 동시에 이익을 얻은 경우에는 손해배상액에서 그 이익에 상당하는 금액을 빼야 한다.

③ ○

> **국가배상법 제9조【소송과 배상신청의 관계】** 이 법에 따른 손해배상의 소송은 배상심의회(이하 '심의회'라 한다)에 배상신청을 하지 아니하고도 제기할 수 있다.

④ ○

> **국가배상법 제8조【다른 법률과의 관계】** 국가나 지방자치단체의 손해배상책임에 관하여는 이 법에 규정된 사항 외에는 민법에 따른다. 다만, 민법 외의 법률에 다른 규정이 있을 때에는 그 규정에 따른다.
>
> **민법 제766조【손해배상청구권의 소멸시효】** ① 불법행위로 인한 손해배상의 청구권은 피해자나 그 법정대리인이 그 손해 및 가해자를 안 날로부터 3년간 이를 행사하지 아니하면 시효로 인하여 소멸한다.
> ② 불법행위를 한 날로부터 10년을 경과한 때에도 전항과 같다.

정답 15 ①

16 상

2014 국회직 8급

<보기>에 관한 설명으로 옳지 않은 것은? (다툼이 있는 경우 판례에 따름)

보기

A시 소유의 임야에 있는 주택가 주변 공터를 두르고 있는 암벽에 붕괴 위험이 있었다. 甲을 포함한 지역주민들은 이 암벽에 붕괴 위험이 있으므로 이를 보수해 달라는 민원을 수차례 제기하였으나, A시는 아무런 조치를 취하지 않았다. 그런데 해빙기에 얼었던 암벽이 붕괴되어 이 공터에서 놀던 어린이 3명이 사망하였다. 사고 후 사망한 어린이의 부모 甲 등은 A시를 상대로 국가배상법 제2조에 근거한 배상청구소송을 제기하였다.

✚ 지방자치단체가 붕괴 위험이 있는 암벽에 대한 안전관리조치를 취하여야 한다는 명시적인 법령규정은 존재하지 않는다.

□□□ ① 국가배상법 제2조의 배상책임과 관련하여 A시의 부작위에 의한 배상책임이 문제될 수 있다.

□□□ ② 공무원이 그 권한을 행사하지 아니한 것이 직무상 의무를 위반하여 위법한 것으로 되는 경우에는 특별한 사정이 없는 한 과실도 인정된다.

□□□ ③ 위 사안의 경우 암벽 붕괴로 인한 국민의 생명, 신체에 관한 중대한 위험상태가 발생할 우려가 있는 경우에 해당하므로 판례에 따를 때 A시 또는 A시 공무원의 위험방지 작위의무를 인정할 수 있다.

□□□ ④ 만약 甲을 포함한 주민들의 암벽보수에 대한 신청이 없었다면 A시의 배상책임을 인정하기 어렵다.

□□□ ⑤ 공무원의 직무는 그 내용이 단순히 공공일반의 이익을 위한 것이거나 행정기관 내부의 질서를 규율하기 위한 것뿐만 아니라 전적으로 또는 부수적으로 사익보호를 위한 직무여야 한다.

①③ ○

④ ×

공무원에게 작위의무가 인정되는 경우라면 작위의무를 이행하지 않은 부작위에 의한 손해배상책임이 인정될 수 있다(①). 그런데 이러한 작위의무는 반드시 법령에 명시적으로 작위의무가 규정되지 않은 경우라고 하더라도 일정한 경우에는 조리상 작위의무가 인정될 수 있다는 것이 판례의 입장이다(③). 한편 공무원의 직무상 의무는 법령 또는 조리상으로 인정되는 것이지 국민의 신청이 있어야만 인정될 수 있는 것은 아니다(④).

1. 여기서 '법령에 위반하여'라고 하는 것은 엄격하게 형식적 의미의 법령에 명시적으로 공무원의 작위의무가 규정되어 있는데도 이를 위반하는 경우만을 의미하는 것은 아니고, 국민의 생명, 신체, 재산 등에 대하여 절박하고 중대한 위험상태가 발생하였거나 발생할 우려가 있어서 국민의 생명, 신체, 재산 등을 보호하는 것을 본래적 사명으로 하는 국가가 초법규적, 일차적으로 그 위험 배제에 나서지 아니하면 국민의 생명, 신체, 재산 등을 보호할 수 없는 경우에는 형식적 의미의 법령에 근거가 없더라도 국가나 관련 공무원에 대하여 그러한 위험을 배제할 작위의무를 인정할 수 있다(대판 2004. 6. 25, 2003다69652).
2. 지방자치단체에 자연암벽 붕괴사고로 인한 배상책임이 인정된다.
   지방자치단체 소유의 임야에 주민들이 무허가로 주택을 지어 살고 있더라도 그에 대하여 관리행정을 실시해 온 이상, 그 자치단체로서는 주택가에 돌출하여 위험이 예견되는 자연암벽이 있으면 복지행정의 집행자로서 이를 사전에 제거하여야 할 의무가 있고, 그 의무를 해태한 부작위로 인하여 붕괴사고가 일어나서 주민들이 손해를 입었다면 이를 배상할 책임이 있다(대판 1980. 2. 26, 79다2341).

② ○

식품의약품안전청장(현 식품의약품안전처장) 등이 구 식품위생법 제7 · 9 · 10 · 16조 등에 의하여 부여된 규제권한을 행사하지 않은 것이 직무상 의무를 위반한 것으로 위법한 것으로 평가되는 경우 과실도 인정된다(대판 2010. 9. 9, 2008다77795).

⑤ ○

국가배상책임이 인정되려면 법령에 의해 공무원에게 부과된 직무가 전적으로 또는 부수적으로라도 사익을 보호하는 것으로 인정되어야 한다.

정답 16 ④

17 ⓒ 2012 국가직 7급

국가배상과 관련한 판례의 태도로 옳지 않은 것은?

□□□ ① 토석채취공사 도중 경사지를 굴러내린 암석이 가스저장시설을 충격하여 화재가 발생한 경우, 토지형질변경허가권자에게 허가 당시 사업자로 하여금 위해방지시설을 설치하게 할 의무는 없다.

□□□ ② 인감증명사무를 처리하는 공무원은 인감증명이 타인과의 권리 · 의무에 관계되는 일에 사용되는 것을 예상하여 그 발급된 인감증명으로 인한 부정행위의 발생을 방지할 직무상의 의무가 있다.

□□□ ③ 주민등록사무를 담당하는 공무원은 개명과 같은 사유로 주민등록상의 성명을 정정한 경우에는 반드시 본적지 관할관청에 그 변경사항을 통보하여 본적지의 호적관서로 하여금 그 정정사항의 진위를 재확인할 수 있도록 할 직무상의 의무가 있다.

□□□ ④ 국가 또는 지방자치단체가 법령이 정하는 상수원수 수질기준 유지의무를 다하지 못하고, 법령이 정하는 고도의 정수처리방법이 아닌 일반적 정수처리방법으로 수돗물을 생산 · 공급하였다는 사유만으로 그 수돗물을 마신 개인에 대하여 손해배상책임을 부담하지 않는다.

① ×

(토석채취공사 도중 경사지를 굴러내린 암석이 가스저장시설에 충격을 가하여 화재가 발생한 사안에서) 토지형질변경허가권자에게 허가 당시 사업자로 하여금 위해방지시설을 설치하게 할 의무가 있는데 이를 다하지 아니한 위법과 작업 도중 구체적인 위험이 발생하였음에도 작업을 중지시키는 등의 사고예방조치를 취하지 아니한 위법이 있다.

시장 등은 토지형질변경허가를 함에 있어 …… 허가를 받은 자에게 옹벽이나 방책을 설치하게 하는 직무상 의무를 진다고 해석되고, 이러한 의무의 내용은 …… 전적으로 또는 부수적으로 사회구성원 개인의 안전과 이익을 보호하기 위하여 설정된 것이라 할 것이므로 …… 형식상 허가권자에게 재량에 의한 직무수행권한을 부여한 것처럼 되어 있더라도 시장 등에게 그러한 권한을 부여한 취지와 목적에 비추어 볼 때 구체적인 사정에 따라 시장 등이 그 권한을 행사하여 필요한 조치를 취하지 아니하는 것이 현저하게 불리하다고 인정되는 경우에는 그러한 권한의 불행사는 직무상 의무를 위반하는 것이 되어 위법하게 된다(대판 2001. 3. 9, 99다64278).

② ○

인감증명은 인감 자체의 동일성과 거래행위자의 의사에 의한 것임을 확인하는 자료로서 일반인의 거래상 극히 중요한 기능을 갖고 있는 것이므로 인감증명사무를 처리하는 공무원으로서는 그것이 타인과의 권리 · 의무에 관계되는 일에 사용되는 것을 예상하여 그 발급된 인감으로 인한 부정행위의 발생을 방지할 직무상의 의무가 있다(대판 2004. 3. 26, 2003다54490).

③ ○

주민등록사무를 담당하는 공무원이 개명과 같은 사유로 주민등록상 성명을 정정한 경우 본적지 관할관청에 그 변경사항을 통보할 직무상 의무가 있으며 그러한 의무에는 사익보호성이 인정된다는 것이 판례의 입장이다(대판 2003. 4. 25, 2001다59842).

④ ○

국가 또는 지방자치단체가 법령이 정하는 상수원수 수질기준 유지의무를 다하지 못하고, 법령이 정하는 고도의 정수처리방법이 아닌 일반적 정수처리방법으로 수돗물을 생산 · 공급하였다는 사유만으로 그 수돗물을 마신 개인에 대하여 손해배상책임을 부담하는 것은 아니다(대판 2001. 10. 23, 99다36280).

정답 17 ①

18 상 2012 국가직 9급

행정상 손해배상에 대한 설명으로 옳지 않은 것은 몇 개인가? (다툼이 있는 경우 판례에 의함)

□□□ ㉠ 법령해석에 여러 견해가 있어 관계 공무원이 신중한 태도로 어느 일설을 취하여 처분한 경우, 위법한 것으로 판명되었다고 하더라도 그것만으로 배상책임을 인정할 수 없다.

□□□ ㉡ 법령에 명시적으로 공무원의 작위의무가 규정되어 있지 않은 경우라 할지라도 공무원의 부작위로 인한 국가배상책임을 인정할 수 있다.

□□□ ㉢ 실질적으로 직무행위가 아니거나 또는 직무행위를 수행한다는 행위자의 주관적 의사가 없는 공무원의 행위는 국가배상법상 공무원의 직무행위가 될 수 없다.

□□□ ㉣ 국가배상법상 과실을 판단할 경우·보통 일반의 공무원을 그 표준으로 하고, 반드시 누구의 행위인지 가해공무원을 특정하여야 한다.

□□□ ㉤ 재판행위로 인한 국가배상에 있어서 위법은 판결 자체의 위법이 아니라 법관의 공정한 재판을 위한 직무수행상 의무의 위반으로서의 위법이다.

□□□ ㉥ 서울특별시 강서구 교통할아버지 사건과 같은 경우 공무를 위탁받아 수행하는 일반 사인(私人)은 국가배상법 제2조 제1항에 따른 공무원이 될 수 없다.

① 2개 ② 3개
③ 4개 ④ 5개

② ㉠㉡㉤은 옳은 내용이고, ㉢㉣㉥은 옳지 않은 내용이다.

㉠ ○

> 법령의 해석이 복잡 · 미묘하여 어렵고 학설 · 판례가 통일되지 않을 때에 공무원이 신중을 기해 그중 어느 한 설을 취하여 처리한 경우에는 그 해석이 결과적으로 위법한 것이었다 하더라도 국가배상법상 공무원의 과실을 인정할 수 없다(대판 1973. 10. 10, 72다2583).

㉡ ○

형식적 의미의 법령에는 명시적으로 공무원의 작위의무가 규정되어 있지 않더라도 일정한 경우에는 조리상 작위의무를 인정할 수 있으므로 공무원의 부작위로 인한 국가배상책임을 인정할 수 있다는 것이 판례의 입장이다(대판 2004. 6. 25, 2003다69652).

㉢ ×

직무행위의 판단기준에 관한 통설 · 판례의 입장인 외형설에 따르면 순수한 직무집행행위뿐만 아니라 실질적으로 직무집행행위가 아닌 경우 또는 행위자에게 주관적인 직무집행의사가 없더라도, 행위 자체의 외관을 객관적으로 관찰하여 직무행위로 보여질 때에는 '직무를 집행하면서'라는 요건을 충족한 것으로 본다.

㉣ ×

국가배상법상의 과실을 판단할 경우 보통 일반의 공무원을 표준으로 하며, 또한 가해공무원을 특정할 필요는 없다는 것이 판례의 입장이다.

> 1. 그 행정처분의 담당공무원이 보통 일반의 공무원을 표준으로 하여 볼 때 객관적 주의의무를 결하여 그 행정처분이 객관적 정당성을 상실하였다고 인정될 정도에 이른 경우를 말하며 …… (대판 2003. 12. 11, 2001다65236)
> 2. 집회 중 사망한 사건에서 가해공무원인 전투경찰공무원을 특정하지 않더라도 손해배상책임을 인정한다(대판 1995. 11. 10, 95다23897).

㉤ ○

재판행위로 인한 국가배상책임의 인정에 있어서 위법은 판결 자체의 위법이 아니라 법관의 재판상 직무수행에 있어서의 공정한 재판을 위한 직무상 의무의 위반으로서의 위법이라고 보아야 한다. 따라서 비록 지방법원의 판결이 허위증언으로 인해 증거판단을 잘못한 것이라고 하더라도 법관의 재판상 직무수행에 있어서의 공정한 재판을 위한 직무상 의무위반이 없으면 위법이 아니라고 볼 수 있다.

㉥ ×

> 지방자치단체로부터 어린이보호 등의 공무를 위탁받아 교통정리를 하던 이른바 교통할아버지도 국가배상법상 공무원에 해당한다(대판 2001. 1. 5, 98다39060).

정답 18 ②

19 상

2011 국가직 7급

국가배상법상 손해배상에 대한 내용으로 옳은 것은?

□□□ ① 판례에 의하면 규제권한을 행사하지 아니한 것이 직무상 의무를 위반하여 위법한 것으로 되는 경우에는 특별한 사정이 없는 한 과실도 인정된다.

□□□ ② 한국수자원공사는 국가배상법상 손해배상의 책임자가 될 수 있다.

□□□ ③ 신체 · 생명의 침해로 인한 손해배상청구권은 양도할 수는 있지만 압류하지는 못한다.

□□□ ④ 판례는 지방자치단체장 간의 기관위임이 있을 때 위임받은 하위 지방자치단체 소속 공무원이 위임사무를 처리하면서 고의로 타인에게 손해를 가한 경우에는 상위 지방자치단체는 손해배상책임을 지지 않는다고 본다.

① ○

판례는 공무원이 그 권한을 행사하지 아니한 것이 직무상 의무를 위반하여 위법한 것으로 되는 경우에는 특별한 사정이 없는 한 과실도 인정된다고 보고 있다.

> 식품의약품안전청장(현 식품의약품안전처장) 등이 구 식품위생법 제7 · 9 · 10 · 16조 등에 의하여 부여된 규제권한을 행사하지 않은 것이 직무상 의무를 위반한 것으로 위법한 것으로 평가되는 경우 과실도 인정된다.
>
> 구 식품위생법 제7 · 9 · 10 · 16조 등 관련규정이 식품의약품안전청장 및 관련공무원에게 합리적인 재량에 따른 직무수행권한을 부여한 것으로 해석된다고 하더라도, 식품의약품안전청장 등에게 그러한 권한을 부여한 취지와 목적에 비추어 볼 때 구체적인 상황 아래에서 식품의약품안전청장 등이 그 권한을 행사하지 아니한 것이 현저하게 합리성을 잃어 사회적 타당성이 없는 경우에는 직무상 의무를 위반한 것이 되어 위법하게 된다. 그리고 위와 같이 식약청장 등이 그 권한을 행사하지 아니한 것이 직무상 의무를 위반하여 위법한 것으로 되는 경우에는 특별한 사정이 없는 한 과실도 인정된다(대판 2010. 9. 9, 2008다77795).

② ×

헌법과 달리 국가배상법은 배상책임자로 국가 또는 지방자치단체만 규정할 뿐 다른 공공단체를 제외하고 있으므로, 국가 또는 지방자치단체가 아닌 한국수자원공사는 국가배상법상의 책임자가 될 수 없다.

③ ×

생명 · 신체의 침해로 인한 국가배상을 받을 권리는 양도하거나 압류하지 못한다.

> 국가배상법 제4조【양도 등 금지】생명 · 신체의 침해로 인한 국가배상을 받을 권리는 양도하거나 압류하지 못한다.

④ ×

기관위임의 경우에는 사무귀속의 주체가 달라진다고 할 수 없으므로, 하위 지방자치단체 소속 공무원이 고의 또는 과실로 타인에게 손해를 가하였더라도 상위 지방자치단체는 여전히 사무귀속주체로서 손해배상책임을 진다.

> 지방자치단체장 간의 기관위임의 경우, 위임사무처리상의 불법행위에 대한 사무귀속주체로서 손해배상책임의 주체는 상위 지방자치단체이다.
>
> 지방자치단체장 간의 기관위임의 경우에 위임받은 하위 지방자치단체장은 상위 지방자치단체 산하 행정기관의 지위에서 그 사무를 처리하는 것이므로 사무귀속의 주체가 달라진다고 할 수 없고, 따라서 하위 지방자치단체장을 보조하는 하위 지방자치단체 소속 공무원이 위임사무처리에 있어 고의 또는 과실로 타인에게 손해를 가하였더라도 상위 지방자치단체는 여전히 그 사무귀속주체로서 손해배상책임을 진다(대판 1996. 11. 8, 96다21331).

정답 19 ①

02 배상책임자 등

기 608~612쪽 핵 T 54

20 정답률 36% 상 2018 국가직 9급

행정상 손해배상에 대한 설명으로 옳은 것은? (다툼이 있는 경우 판례에 의함)

□□□ ① 국가나 지방자치단체는 공무원이 직무를 집행하면서 고의 또는 과실로 위법하게 타인에게 손해를 가한 때에 국가배상법상 배상책임을 지고, 공무원의 선임 및 감독에 상당한 주의를 한 경우에도 그 배상책임을 면할 수 없다.

□□□ ② 국가 또는 지방자치단체가 공무원의 위법한 직무집행으로 발생한 손해에 대해 국가배상법에 따라 배상한 경우에 당해 공무원에게 구상권을 행사할 수 있는지에 대해 국가배상법은 규정을 두고 있지 않으나, 판례에 따르면 당해 공무원에게 고의 또는 중과실이 인정될 경우 국가 또는 지방자치단체는 그 공무원에게 구상권을 행사할 수 있다.

□□□ ③ 국가배상법상 공무원의 직무행위는 객관적으로 직무행위로서의 외형을 갖추고 있어야 할 뿐만 아니라 주관적 공무집행의 의사도 있어야 한다.

□□□ ④ 민간인과 직무집행 중인 군인의 공동불법행위로 인하여 직무집행 중인 다른 군인이 피해를 입은 경우 민간인이 피해군인에게 자신의 과실비율에 따라 내부적으로 부담할 부분을 초과하여 피해금액 전부를 배상한 경우에 대법원 판례에 따르면 민간인은 국가에 대해 가해군인의 과실비율에 대한 구상권을 행사할 수 있다.

관련기출

①

1. 공무원이 직무를 집행하면서 고의 또는 과실로 위법하게 타인에게 손해를 가하였어도 국가나 지방자치단체가 그 공무원의 선임 및 감독에 상당한 주의를 하였다면 국가나 지방자치단체는 국가배상책임을 면한다. (○, ×) 2017 국가직(하) 9급
2. 민법상의 사용자면책사유는 국가배상법상의 고의 · 과실의 판단에서는 적용되지 않는다. (○, ×) 2010 국가직 9급

1. × 2. ○

④

1. 국가배상법 제2조 제1항 단서에 의해 군인 등의 국가배상청구권이 제한되는 경우, 공동불법행위자인 민간인은 피해를 입은 군인 등에게 그 손해 전부에 대하여 배상하여야 하는 것은 아니며 자신의 부담부분에 한하여 손해배상의 무를 부담한다. (○, ×) 2021 소방직 9급
2. 민간인과 직무집행 중인 군인의 공동불법행위로 인하여 직무집행 중인 다른 군인이 피해를 입은 경우, 민간인이 공동불법행위자로 부담하는 책임은 공동불법행위의 일반적 경우와는 달리 모든 손해에 대한 것이 아니라 귀책비율에 따른 부분으로 한정된다는 것이 대법원의 입장이다. (○, ×) 2010 국가직 7급

1. ○ 2. ○

① ○

민법상 배상책임에는 사용자면책사유(사용자가 피용자의 선임 및 그 사무감독에 상당한 주의를 한 때 등에는 사용자의 책임이 면제된다)가 규정되어 있으나 국가배상법에는 그와 관련한 규정이 존재하지 않는다. 따라서 국가나 지방자치단체가 공무원의 선임 및 감독에 상당한 주의를 한 경우에도 그 배상책임을 면할 수 없다.

> **국가배상법 제2조【배상책임】** ① 국가나 지방자치단체는 공무원 또는 공무를 위탁받은 사인(이하 '공무원'이라 한다)이 직무를 집행하면서 고의 또는 과실로 법령을 위반하여 타인에게 손해를 입히거나, 「자동차손해배상 보장법」에 따라 손해배상의 책임이 있을 때에는 이 법에 따라 그 손해를 배상하여야 한다. 다만, 군인 · 군무원 · 경찰공무원 또는 예비군대원이 전투 · 훈련 등 직무집행과 관련하여 전사(戰死) · 순직(殉職)하거나 공상(公傷)을 입은 경우에 본인이나 그 유족이 다른 법령에 따라 재해보상금 · 유족연금 · 상이연금 등의 보상을 지급받을 수 있을 때에는 이 법 및 민법에 따른 손해배상을 청구할 수 없다.
>
> **민법 제756조【사용자의 배상책임】** ① 타인을 사용하여 어느 사무에 종사하게 한 자는 피용자가 그 사무집행에 관하여 제3자에게 가한 손해를 배상할 책임이 있다. 그러나 사용자가 피용자의 선임 및 그 사무감독에 상당한 주의를 한 때 또는 상당한 주의를 하여도 손해가 있을 경우에는 그러하지 아니하다.

② ×

공무원에게 고의 또는 중과실이 있는 경우 국가 등은 가해공무원에 대해 구상권을 행사할 수 있다고 국가배상법에는 명시적 규정을 두고 있다.

> **국가배상법 제2조【배상책임】** ② 제1항 본문의 경우에 공무원에게 고의 또는 중대한 과실이 있으면 국가나 지방자치단체는 그 공무원에게 구상(求償)할 수 있다.

③ ×

통설 및 판례는 직무집행인지 여부를 이른바 외형설에 따라 판단하고 있다. 이러한 외형설에 따르면 순수한 직무집행행위뿐만 아니라 실질적으로 직무집행행위가 아닌 경우 또는 행위자에게 주관적인 직무집행의사가 없더라도, 행위 자체의 외관을 객관적으로 관찰하여 직무행위로 보여질 때에는 '직무를 집행하면서'라는 요건을 충족한 것으로 본다.

④ **빈출** ×

국가배상법 제2조 단서(이중배상금지규정)의 해석과 관련하여 대법원은 민간인이 국가에 대해 구상권을 행사할 수 없다는 입장이다. 한편, 이와 달리 헌법재판소는 국가배상법 제2조 단서(이중배상금지규정)를 민간인이 국가에 대해 구상권을 행사할 수 없는 것으로 해석한다면 헌법에 위반된다는 취지로 판시한 바 있다(헌재 1994. 12. 29, 93헌바21).

> 민간인과 직무집행 중인 군인 등의 공동불법행위로 인하여 직무집행 중인 다른 군인 등이 피해를 입은 경우, 민간인은 자신의 부담부분에 한하여 손해를 배상하고, 만약 민간인이 피해군인 등에게 자신의 귀책부분을 넘어서 배상한 경우 국가 등에게 구상권을 행사할 수 없다(대판 2001. 2. 15, 96다42420 전합). – 대법원

정답 20 ①

21 중 2017 지방직(하) 9급 변형

행정상 손해배상에 대한 설명으로 옳은 것만을 모두 고른 것은? (다툼이 있는 경우 판례에 의함)

□□□ ㉠ 공무원의 직무상 불법행위로 손해를 입은 피해자의 국가배상청구권의 소멸시효 기간이 지났으나 국가가 소멸시효 완성을 주장하는 것이 권리남용으로 허용될 수 없어 배상책임을 이행한 경우에는, 소멸시효 완성 주장이 권리남용에 해당하게 된 원인행위와 관련하여 공무원이 원인이 되는 행위를 적극적으로 주도하였다는 등의 특별한 사정이 없는 한, 국가가 공무원에게 구상권을 행사하는 것은 신의칙상 허용되지 않는다.

□□□ ㉡ 경찰의 권한은 일반적으로 경찰관의 전문적 판단에 기한 합리적인 재량에 위임되어 있는 것이나, 그 취지와 목적에 비추어 볼 때 구체적인 사정에 따라 경찰관이 그 권한을 행사하여 필요한 조치를 취하지 아니하는 것이 현저하게 불합리하다고 인정되는 경우에는 그러한 권한의 불행사는 직무상의 의무를 위반한 것이 되어 위법하게 된다.

□□□ ㉢ 지방자치단체의 장이 기관위임된 국가행정사무를 처리하는 경우 그에 소요되는 경비의 실질적 · 궁극적 부담자는 국가라고 하더라도 당해 지방자치단체는 국가로부터 내부적으로 교부된 금원으로 그 사무에 필요한 경비를 대외적으로 지출하는 자이므로, 이러한 경우 지방자치단체는 국가배상법 제6조 제1항의 비용부담자로서 공무원의 직무상 불법행위로 인한 손해를 배상할 책임이 있다.

① ㉠, ㉡　　② ㉠, ㉢
③ ㉡, ㉢　　④ ㉠, ㉡, ㉢

관련기출

㉡

1. 경찰관직무집행법상 경찰관에게 재량에 의한 직무수행권한을 부여한 것처럼 되어 있으나, 경찰관에게 권한을 부여한 취지와 목적에 비추어 볼 때 구체적인 사정에 따라 경찰관이 그 권한을 행사하여 필요한 조치를 취하지 않는 것이 현저하게 불합리하다고 인정되는 경우에 권한의 불행사는 직무상 의무를 위반한 것으로 위법하다. (○, ×) 2017 국가직(하) 7급
2. 직무수행에 재량이 인정되는 경우라도 그 권한을 부여한 취지와 목적에 비춰 볼 때 구체적 사정에 따라 그 권한을 행사하여 필요한 조치를 취하지 아니하는 것이 현저하게 불합리하다고 인정되는 때에는 그러한 권한의 불행사는 직무상의 의무를 위반한 것이 되어 위법하게 된다. (○, ×) 2016 국회직 8급

1. ○ 2. ○

④ ㉠㉡㉢ 모두 옳은 설명이다.

㉠ ○

공무원의 불법행위로 손해를 입은 피해자의 국가배상청구권의 소멸시효 기간이 지났으나 국가가 소멸시효 완성을 주장하는 것이 신의성실의 원칙에 반하는 권리남용으로 허용될 수 없어 배상책임을 이행한 경우에는, 그 소멸시효 완성 주장이 권리남용에 해당하게 된 원인행위와 관련하여 해당 공무원이 그 원인이 되는 행위를 적극적으로 주도하였다는 등의 특별한 사정이 없는 한, 국가가 해당 공무원에게 구상권을 행사하는 것은 신의칙상 허용되지 않는다고 봄이 상당하다(대판 2016. 6. 9, 2015다200258).

㉡ ○

경찰권의 발동 여부는 원칙적으로 경찰관의 재량권한에 속하나 구체적인 사정에 따라 권한을 행사하여 필요한 조치를 취하지 아니한 것이 현저히 불합리하다고 인정되는 경우 권한불행사는 직무상 의무를 위반한 것이 되어 위법하다.

경찰은 범죄의 예방, 진압 및 수사와 함께 국민의 생명, 신체 및 재산의 보호 등과 기타 공공의 안녕과 질서유지도 직무로 하고 있고, 그 직무의 원활한 수행을 위하여 경찰관직무집행법, 형사소송법 등 관계법령에 의하여 여러 가지 권한이 부여되어 있으므로, 구체적인 직무를 수행하는 경찰관으로서는 제반 상황에 대응하여 자신에게 부여된 여러 가지 권한을 적절하게 행사하여 필요한 조치를 취할 수 있는 것이고, 그러한 권한은 일반적으로 경찰관의 전문적 판단에 기한 합리적인 재량에 위임되어 있는 것이나, 경찰관에게 권한을 부여한 취지와 목적에 비추어 볼 때 구체적인 사정에 따라 경찰관이 그 권한을 행사하여 필요한 조치를 취하지 아니하는 것이 현저하게 불합리하다고 인정되는 경우에는 그러한 권한의 불행사는 직무상의 의무를 위반한 것이 되어 위법하게 된다(대판 2004. 9. 23, 2003다49009).

✚ 편저자 주 : 재량행위이더라도 구체적 사정에 따라 재량권이 영(0)으로 수축되어 특정행위를 해야 할 의무가 발생할 수 있으며, 이 경우 그러한 의무를 위반하면 위법한 것이 되므로 국가배상책임이 인정될 수 있다는 취지이다.

㉢ ○

지방자치단체장에게 기관위임된 사무의 경우 지방자치단체가 경비를 대외적으로 지출하였다면 지방자치단체도 비용부담자로서 국가배상책임을 진다.

지방자치단체의 장이 기관위임된 국가행정사무를 처리하는 경우 그에 소요되는 경비의 실질적 · 궁극적 부담자는 국가라고 하더라도 당해 지방자치단체는 국가로부터 내부적으로 교부된 금원으로 그 사무에 필요한 경비를 대외적으로 지출하는 자이므로, 이러한 경우 지방자치단체는 국가배상법 제6조 제1항 소정의 비용부담자로서 공무원의 불법행위로 인한 같은 법에 의한 손해를 배상할 책임이 있다(대판 1994. 12. 9, 94다38137).

정답 21 ④

22 ㉯ 2014 국가직 9급

<보기 1>의 내용을 근거로 판단할 때 <보기 2> 설명의 옳고 그름이 바르게 나열된 것은? (다툼이 있는 경우 판례에 의함)

보기 1

「건강기능식품에 관한 법률」 제20조에 따라 식품의약품안전처장은 위생적 관리 및 영업의 질서유지를 위해 필요하다고 인정하는 때에는 관계 공무원으로 하여금 영업장소 등을 검사하게 할 수 있다. 식품의약품안전처 소속 공무원 甲은 식품회사 乙의 영업시설 등을 검사하면서 심각한 주의의무태만으로 영업시설 등의 일부를 손괴하였다. 甲의 행위에 대하여 정직 3개월의 징계처분이 내려졌다.

보기 2

□□□ ㉠ 甲은 징계처분에 대하여 소청심사위원회의 심사·결정을 거치지 아니하고 행정소송을 바로 제기할 수 있다.
□□□ ㉡ 국가가 乙에 대한 손해배상책임을 부담한 경우, 국가는 甲에 대한 구상권을 행사할 수 있다.
□□□ ㉢ 乙이 甲에 대하여 불법행위에 기한 손해배상청구소송을 제기할 경우, 甲의 민사상 책임이 인정될 수 있다.

	㉠	㉡	㉢		㉠	㉡	㉢
①	○	○	○	②	×	○	○
③	○	×	×	④	×	×	×

② ㉠ × ㉡㉢ ○

㉠ ×

행정심판과 행정소송의 관계에 대해 행정소송법은 제18조 제1항에서 임의주의를 원칙으로 하면서도, "다만, 다른 법률에 당해 처분에 대한 행정심판의 재결을 거치지 아니하면 취소소송을 제기할 수 없다는 규정이 있는 때에는 그러하지 아니하다."라고 하여 예외적으로 행정심판이 필요적 전치절차가 되는 경우가 있다. 현재 국가공무원법, 지방공무원법, 교육공무원법, 관세법, 국세기본법, 도로교통법 등에 필요적 전치주의가 규정되어 있다.

> **국가공무원법 제16조【행정소송과의 관계】** ① 제75조에 따른 처분, 그 밖에 본인의 의사에 반한 불리한 처분이나 부작위(不作爲)에 관한 행정소송은 소청심사위원회의 심사·결정을 거치지 아니하면 제기할 수 없다.
>
> **지방공무원법 제20조의2【행정소송과의 관계】** 제67조에 따른 처분, 그 밖에 본인의 의사에 반한 불리한 처분이나 부작위에 관한 행정소송은 심사위원회의 심사·결정을 거치지 아니하면 제기할 수 없다.

㉡ ○

국가나 지방자치단체가 피해자에 대해 손해배상책임을 이행한 후 가해공무원에 대해 구상권을 행사할 수 있는지에 대해 국가배상법은 공무원에게 고의 또는 중대한 과실이 있는 경우에 구상권을 행사할 수 있다는 명문규정을 두고 있다.

㉢ ○

가해공무원 개인이 피해자에 대해 민사상의 손해배상책임을 부담하는지에 대해 판례는 가해공무원에게 고의 또는 중대한 과실이 있는 경우 가해공무원의 민사상 손해배상책임을 긍정하고 있다. 사안에서 甲에게 고의 또는 중과실이 있는지 문제되는데 <보기 1>에서 甲은 '심각한' 주의의무태만으로 영업시설 등의 일부를 손괴하였다고 하였으므로 중과실을 인정할 수 있다.

> 1. 공무원이 직무수행 중 불법행위로 타인에게 손해를 입힌 경우에 국가 등이 국가배상책임을 부담하는 외에 공무원 개인도 고의 또는 중과실이 있는 경우에는 불법행위로 인한 민사상 손해배상책임을 진다.
> 2. 그러나 공무원에게 경과실뿐인 경우에는 공무원 개인은 손해배상책임을 부담하지 아니한다(대판 1996. 2. 15, 95다38677 전합).

23 ㉻ 2013 서울시 9급 변형

서울특별시 소속의 공무원이 공무집행 중 폭행을 가하여 손해를 입힌 경우에 피해자는 누구를 피고로 하여 손해배상청구소송을 제기하여야 하는가?

□□□ ① 서울특별시
□□□ ② 서울특별시장
□□□ ③ 행정안전부장관
□□□ ④ 경찰청장
□□□ ⑤ 서울시지방경찰청장(현 서울경찰청장)

① ○

국가배상법 제2조에 따르면 국가배상책임자는 국가 또는 지방자치단체와 같은 행정주체가 된다.

정답 22 ② 23 ①

03 국가와 지방자치단체의 자동차손해배상책임

기 613~615쪽 핵 T 54

24 중

2008 국가직 7급

국가배상책임에 관한 설명으로 옳은 것은?

□□□ ① 국가배상법이 정하는 배상기준의 성격에 대하여 판례는 한정액설을 취함으로써 국가배상법이 정하는 배상금액 이상의 배상을 인정하지 아니한다.

□□□ ② 피해자가 손해를 입은 동시에 이익을 얻은 경우 이를 공제할 수 없으며, 이것은 국가배상법이 가지는 생계보장적 성격에서 타당하다.

□□□ ③ 공무원이 자기소유의 자동차로 공무수행 중 사고를 일으킨 경우 그 공무원은 '자기를 위하여 자동차를 운행하는 자'에 해당하는 한 「자동차손해배상 보장법」에 따른 손해배상책임을 부담한다.

□□□ ④ 국가배상청구권의 소멸시효기간은 피해자나 그 법정대리인이 손해 및 가해자를 안 날로부터 10년이다.

관련기출

③

1. 공무원이 자기소유의 자동차로 공무수행 중 사고를 일으킨 경우에는 그 공무원은 「자동차손해배상 보장법」에 의한 '자기를 위하여 자동차를 운행하는 자'에 해당하지 않아 손해배상책임을 부담하지 않는다. (○, ×)
2023 국회직 8급
2. 공무원이 자기소유 차량으로 공무수행 중 사고를 일으킨 경우 공무원 개인은 경과실에 의한 것인지 또는 고의 또는 중과실에 의한 것인지를 가리지 않고 「자동차손해배상 보장법」상의 운행자성이 인정되는 한 배상책임을 부담한다. (○, ×)
2015 국회직 8급

1. × 2. ○

① ×

국가배상법 제3조의 규정은 기준액이다.

국가배상법(1967. 3. 3, 법률 제1899호) 제3조 제1 · 3항 규정의 손해배상기준은 배상심의회의 배상금지급기준을 정함에 있어 하나의 기준을 정한 것에 불과하다(대판 1970. 3. 10, 69다1772).

② ×

국가배상법 제3조의2 【공제액】 ① 제2조 제1항을 적용할 때 피해자가 손해를 입은 동시에 이익을 얻은 경우에는 손해배상액에서 그 이익에 상당하는 금액을 빼야 한다.

③ **빈출** ○

공무원이 자기소유의 자동차로 공무수행 중 사고를 일으킨 경우에는 그 손해배상책임은 「자동차손해배상 보장법」이 정한 바에 의하게 되어, 그 사고가 자동차를 운전한 공무원의 경과실에 의한 것인지 중과실 또는 고의에 의한 것인지를 가리지 않고 그 공무원이 「자동차손해배상 보장법」 제3조 소정의 '자기를 위하여 자동차를 운행하는 자'에 해당하는 한 손해배상책임을 부담한다(대판 1996. 5. 31, 94다15271).

④ ×

국가배상청구권은 손해 및 가해자를 안 날로부터 3년이 경과하면 시효로 소멸한다.

정답 24 ③

제 29 강 행정상 손해배상 2 (국가배상법 제5조 등)

1회독	2회독	3회독
/	/	/

정답률 공단기/소방단기 합격예측 풀서비스 통계 데이터 기준 기 기본서 핵 핵심집약

01 영조물의 설치 · 관리상의 하자로 인한 손해배상

기 618~629쪽 핵 T 55

01 정답률 51% 중 2024 소방직 9급

국가배상책임에 관한 설명으로 옳지 않은 것은? (다툼이 있는 경우 판례에 의함)

① 영조물이 그 설치 및 관리에 있어 완전무결한 상태를 유지할 정도의 고도의 안전성을 갖추지 아니하였다고 하여 하자가 있다고 단정할 수는 없고, 영조물 이용자의 상식적이고 질서 있는 이용방법을 기대한 상대적인 안전성을 갖추는 것으로 족하다.

② '영조물의 설치나 관리의 하자'란 공공의 목적에 공여된 영조물이 그 용도에 따라 갖추어야 할 안전성을 갖추지 못한 상태에 있음을 말하고, 여기서 안전성을 갖추지 못한 상태란 그 영조물을 구성하는 물적 시설 자체에 있는 물리적 · 외형적 흠결이나 불비로 인하여 그 이용자에게 위해를 끼칠 위험성이 있는 경우에 한한다.

③ 대법원의 판단으로 관계법령의 해석이 확립되고 이어 상급행정기관 내지 유관 행정부서로부터 시달된 업무지침이나 업무연락 등을 통하여 이를 충분히 인식할 수 있게 된 상태에서, 확립된 법령의 해석에 어긋나는 견해를 고집하여 계속하여 위법한 행정처분을 하거나 이에 준하는 행위로 평가될 수 있는 불이익을 처분상대방에게 주게 된다면, 이는 그 공무원의 고의 또는 과실로 인한 것이 되어 그 손해를 배상할 책임이 있다.

④ 상위 지방자치단체가 하위 지방자치단체장에게 영조물의 설치 · 관리 권한을 기관위임한 경우(단, 비용은 상위 지방자치단체가 부담하기로 함), 하위 지방자치단체장이 기관위임사무로 설치 · 관리하는 영조물의 하자로 타인에게 손해를 발생하게 한 경우에는 권한을 위임한 상위 지방자치단체가 그 손해배상책임을 진다.

① **빈출** 정답률 7% ○

국가배상법 제5조 제1항에 정하여진 '영조물 설치 · 관리상의 하자'라 함은 공공의 목적에 공여된 영조물이 그 용도에 따라 통상 갖추어야 할 안전성을 갖추지 못한 상태에 있음을 말하는바, 영조물의 설치 및 관리에 있어서 항상 완전무결한 상태를 유지할 정도의 고도의 안전성을 갖추지 아니하였다고 하여 영조물의 설치 또는 관리에 하자가 있다고 단정할 수 없는 것이고, 영조물의 설치자 또는 관리자에게 부과되는 방호조치의무는 영조물의 위험성에 비례하여 사회통념상 일반적으로 요구되는 정도의 것을 의미하므로 영조물인 도로의 경우도 다른 생활필수시설과의 관계나 그것을 설치하고 관리하는 주체의 재정적, 인적, 물적 제약 등을 고려하여 그것을 이용하는 자의 상식적이고 질서 있는 이용방법을 기대한 상대적인 안전성을 갖추는 것으로 족하다(대판 2002. 8. 23, 2002다9158).

② **빈출** 정답률 51% ×

영조물이 안전성을 갖추지 못한 상태, 즉 타인에게 위해를 끼칠 위험성이 있는 상태라 함은 당해 영조물을 구성하는 물적 시설 그 자체에 있는 물리적 · 외형적 흠결이나 불비로 인하여 그 이용자에게 위해를 끼칠 위험성이 있는 경우**뿐만 아니라** 그 영조물이 공공의 목적에 이용됨에 있어 그 이용상태 및 정도가 일정한 한도를 초과하여 제3자에게 **사회통념상 참을 수 없는 피해를 입히는 경우까지 포함**된다고 보아야 할 것이고, 사회통념상 참을 수 있는 피해인지의 여부는 그 영조물의 공공성, 피해의 내용과 정도, 이를 방지하기 위하여 노력한 정도 등을 종합적으로 고려하여 판단하여야 한다(대판 2004. 3. 12, 2002다14242).

③ 정답률 5% ○

행정청이 확립된 법령의 해석에 어긋나는 견해를 고집하여 계속하여 위법한 행정처분을 하거나 이에 준하는 행위로 평가될 수 있는 불이익을 처분상대방에게 주는 경우, 손해배상책임이 있다(대판 2007. 5. 10, 2005다31828).

④ 정답률 35% ○

1. 기관위임의 경우 위임받은 하위 지방자치단체장은 상위 지방자치단체 산하 행정기관의 지위에서 그 사무를 처리하는 것이므로 사무귀속의 주체가 달라진다고 할 수 없다. 따라서 하위 지방자치단체장을 보조하는 그 지방자치단체 소속 공무원이 위임사무를 처리하면서 고의 또는 과실로 타인에게 손해를 가하거나 위임사무로 설치 · 관리하는 영조물의 하자로 타인에게 손해를 발생하게 한 경우에는 권한을 위임한 상위 지방자치단체가 그 손해배상책임을 진다.
2. 행정권한을 기관위임한 경우 위임사무로 설치 · 관리하는 영조물의 하자로 타인에게 손해를 발생하게 한 경우에는 권한을 위임한 관청이 소속된 지방자치단체가 국가배상법 제2조 또는 제5조에 의한 배상책임을 부담하고, 권한을 위임받은 관청이 속하는 지방자치단체 또는 국가가 국가배상법 제2조 또는 제5조에 의한 배상책임을 부담하는 것은 아니다. 다만 국가배상법 제6조 제1항에 영조물의 설치 · 관리를 맡은 자와 영조물의 설치 · 관리의 비용을 부담하는 자가 동일하지 아니한 경우에는 그 비용을 부담하는 자도 손해를 배상하여야 한다고 규정되어 있을 뿐이다(대판 2017. 9. 21, 2017다223538).

정답 01 ②

02 정답률 53% 중 2020 국가직 7급

국가배상법 제5조상 영조물의 설치 · 관리의 하자로 인한 손해배상책임에 대한 설명으로 옳지 않은 것은? (다툼이 있는 경우 판례에 의함)

□□□ ① '공공의 영조물'에는 철도시설물인 대합실과 승강장 및 도로상에 설치된 보행자 신호기와 차량 신호기도 포함된다.

□□□ ② 하천의 제방이 계획홍수위를 넘고 있더라도, 하천이 그 후 새로운 하천시설을 설치할 때 '하천시설기준'으로 정한 여유고(餘裕高)를 확보하지 못하고 있다면 그 사정만으로 안전성이 결여된 하자가 있다고 보아야 한다.

□□□ ③ 국가나 지방자치단체가 손해를 배상할 책임이 있는 경우에 영조물의 설치 · 관리를 맡은 자와 영조물의 설치 · 관리비용을 부담하는 자가 동일하지 아니하면 그 비용을 부담하는 자도 손해를 배상하여야 한다.

□□□ ④ 사실상 군민(郡民)의 통행에 제공되고 있던 도로라고 하여도 군(郡)에 의하여 노선인정 기타 공용개시가 없었던 이상 이 도로를 '공공의 영조물'이라 할 수 없다.

관련기출

④

1. 노선인정 기타 공용지정을 갖추지 못하였으나 사실상 군민의 통행에 제공되고 있던 도로는 국가배상법 제5조에 의한 영조물에 해당한다. (○, ×)

2010 경행특채

1. ×

① ○

국가배상법 제5조에서 말하는 '공공의 영조물'이란 본래적 의미의 영조물이 아니라 강학상 공물(일반 공중이 사용하는 공공용물, 행정주체가 직접 사용하는 공용물, 인공공물 · 자연공물 모두 포함), 즉 직접 행정목적에 제공된 유체물 내지 물적 설비를 의미한다는 것이 통설 및 판례의 입장이다. 판례는 철도시설물인 대합실과 승강장 및 도로상에 설치된 보행자 신호기와 차량 신호기도 공공의 영조물로 인정하고 있다.

1. 공공의 영조물인 철도시설물의 설치 또는 관리의 하자로 인한 불법행위를 원인으로 하여 국가에 대하여 손해배상청구를 하는 경우에는 국가배상법이 적용되므로 배상전치절차를 거쳐야 한다(대판 1999. 6. 22, 99다7008).
2. 지방자치단체장이 설치하여 관할 지방경찰청장(현 시 · 도경찰청장)에게 관리권한이 위임된 교통신호기의 고장으로 인하여 교통사고가 발생한 경우, 국가배상법 제2조 또는 제5조에 의한 배상책임을 부담하는 것은 지방경찰청장이 소속된 국가가 아니라, 그 권한을 위임한 지방자치단체장이 소속된 지방자치단체라고 할 것이나, …… (대판 1999. 6. 25, 99다11120)

② ×

'하천제방'이 100년 발생빈도의 적정 강우량을 기준으로 책정된 '계획홍수위를 넘고 있다면' 수해로 손해가 발생했다 하더라도 국가배상책임을 인정할 수 없다.

하천의 관리청이 관계규정에 따라 설정한 계획홍수위를 변경시켜야 할 사정이 생기는 등 특별한 사정이 없는 한, 이미 존재하는 하천의 제방이 계획홍수위를 넘고 있다면 그 하천은 용도에 따라 통상 갖추어야 할 안전성을 갖추고 있다고 보아야 하고, 그와 같은 하천이 그 후 새로운 하천시설을 설치할 때 기준으로 삼기 위하여 제정한 '하천시설기준'이 정한 여유고를 확보하지 못하고 있다는 사정만으로 바로 안전성이 결여된 하자가 있다고 볼 수는 없다(대판 2003. 10. 23, 2001다48057).

③ ○

국가배상법 제6조【비용부담자 등의 책임】① 제2조 · 제3조 및 제5조에 따라 국가나 지방자치단체가 손해를 배상할 책임이 있는 경우에 공무원의 선임 · 감독 또는 영조물의 설치 · 관리를 맡은 자와 공무원의 봉급 · 급여, 그 밖의 비용 또는 영조물의 설치 · 관리비용을 부담하는 자가 동일하지 아니하면 그 비용을 부담하는 자도 손해를 배상하여야 한다.

④ ○

국가배상법 제5조 소정의 공공의 영조물이란 공유나 사유임을 불문하고 행정주체에 의하여 특정 공공의 목적에 공여된 유체물 또는 물적 설비를 의미하므로 사실상 군민의 통행에 제공되고 있던 도로 옆의 암벽으로부터 떨어진 낙석에 맞아 소외인이 사망하는 사고가 발생하였다고 하여도 동 사고지점 도로가 피고 군에 의하여 노선인정 기타 공용개시가 없었으면 이를 영조물이라 할 수 없다(대판 1981. 7. 7, 80다2478).

정답 02 ②

03 중

2018 국회직 8급

공공의 영조물의 설치 · 관리의 하자로 인한 국가배상법상 배상책임에 대한 설명으로 옳지 않은 것은? (다툼이 있는 경우 판례에 의함)

□□□ ① 영조물의 설치 · 관리의 하자란 '영조물이 그 용도에 따라 통상 갖추어야 할 안전성을 갖추지 못한 상태에 있음'을 말한다.

□□□ ② 영조물의 설치 · 관리상의 하자로 인한 배상책임은 무과실책임이고, 국가는 영조물의 설치 · 관리상의 하자로 인하여 타인에게 손해를 가한 경우에 그 손해 방지에 필요한 주의를 해태하지 아니하였다 하여 면책을 주장할 수 없다.

□□□ ③ 객관적으로 보아 시간적 · 장소적으로 영조물의 기능상 결함으로 인한 손해발생의 예견가능성과 회피가능성이 없는 경우에는 영조물의 설치 · 관리상의 하자를 인정할 수 없다.

□□□ ④ 영조물의 설치 · 관리의 하자에는 영조물이 공공의 목적에 이용됨에 있어 그 이용상태 및 정도가 일정한 한도를 초과하여 제3자에게 사회통념상 참을 수 없는 피해를 입히는 경우도 포함된다.

□□□ ⑤ 광역시와 국가 모두가 도로의 점유자 및 관리자, 비용부담자로서의 책임을 중첩적으로 지는 경우 국가만이 국가배상법에 따라 궁극적으로 손해를 배상할 책임이 있는 자가 된다.

관련기출

④

1. 영조물의 물적 시설 자체의 물리적 흠결 등으로 이용자에게 위해를 끼칠 위험성이 있는 경우뿐만 아니라 영조물이 공공의 목적에 이용됨에 있어 그 이용상태 및 정도가 일정한 한도를 초과하여 이용자에게 사회통념상 수인할 것이 기대되는 한도를 넘는 피해를 입히는 경우도 영조물의 설치 또는 관리의 하자에 포함된다. (○, ×) 2021 경행경채

1. ×

②

1. 국가배상법 제5조의 손해배상책임은 동법 제2조의 책임과 같이 과실책임주의로 규정되어 있다. (○, ×) 2009 국가직 7급

1. ×

①④ ○

> 안전성을 갖추지 못한 상태, 즉 타인에게 위해를 끼칠 위험성이 있는 상태라 함은 당해 영조물을 구성하는 물적 시설 그 자체에 있는 물리적 · 외형적 흠결이나 불비로 인하여 그 이용자에게 위해를 끼칠 위험성이 있는 경우가 포함된다.
>
> 국가배상법 제5조 제1항에 정하여진 '영조물의 설치 또는 관리의 하자'라 함은 공공의 목적에 공여된 영조물이 그 용도에 따라 갖추어야 할 안전성을 갖추지 못한 상태에 있음을 말하고(①), 여기서 안전성을 갖추지 못한 상태, 즉 타인에게 위해를 끼칠 위험성이 있는 상태라 함은 당해 영조물을 구성하는 물적 시설 그 자체에 있는 물리적 · 외형적 흠결이나 불비로 인하여 그 이용자에게 위해를 끼칠 위험성이 있는 경우뿐만 아니라 그 영조물이 공공의 목적에 이용됨에 있어 그 이용상태 및 정도가 일정한 한도를 초과하여 제3자에게 사회통념상 참을 수 없는 피해를 입히는 경우까지 포함된다(④)고 보아야 할 것이고, 사회통념상 참을 수 있는 피해인지의 여부는 그 영조물의 공공성, 피해의 내용과 정도, 이를 방지하기 위하여 노력한 정도 등을 종합적으로 고려하여 판단하여야 한다(대판 2004. 3. 12, 2002다14242).

② **빈출** ○

국가배상법 제5조의 영조물의 설치 · 관리상의 하자로 인한 책임은 국가배상법 제2조의 공무원의 직무행위로 인한 책임이 과실책임으로 규정된 것과 달리, 무과실책임이다. 한편 국가배상법 제5조의 책임은 민법 제758조의 책임과 달리 관리자(국가 또는 지방자치단체)의 면책사유를 규정하지 않고 있다.

> 국가배상법 제5조 소정의 영조물의 설치 · 관리상의 하자로 인한 책임은 무과실책임이고 나아가 민법 제758조 소정의 공작물의 점유자의 책임과는 달리 면책사유도 규정되어 있지 않으므로, 국가 또는 지방자치단체는 영조물의 설치 · 관리상의 하자로 인하여 타인에게 손해를 가한 경우에 그 손해의 방지에 필요한 주의를 해태하지 아니하였다 하여 면책을 주장할 수 없다(대판 1994. 11. 22, 94다32924).

③ ○

> 만일 객관적으로 보아 시간적 · 장소적으로 영조물의 기능상 결함으로 인한 손해발생의 예견가능성과 회피가능성이 없는 경우, 즉 그 영조물의 결함이 영조물의 설치 · 관리자의 관리행위가 미칠 수 없는 상황 아래에 있는 경우임이 입증되는 경우라면 영조물의 설치 · 관리상의 하자를 인정할 수 없다(대판 2001. 7. 27, 2000다56822).

⑤ ×

> 광역시와 국가 모두가 도로의 점유자 및 관리자, 비용부담자로서 책임을 중첩적으로 지는 경우에는, 광역시와 국가 모두가 국가배상법 제6조 제2항 소정의 궁극적으로 손해를 배상할 책임이 있는 자라고 할 것이고, 결국 광역시와 국가의 내부적인 부담부분은, 그 도로의 인계 · 인수경위, 사고의 발생경위, 광역시와 국가의 그 도로에 관한 분담비용 등 제반 사정을 종합하여 결정함이 상당하다(대판 1998. 7. 10, 96다42819).

정답 03 ⑤

04 정답률 56% 상 2018 지방직 9급

다음 행정상 손해배상과 관련된 사례에 대한 설명으로 옳은 것은? (다툼이 있는 경우 판례에 의함)

> (가) 甲은 자동차로 좌로 굽은 내리막 국도 편도 1차로를 달리던 중 커브 길에서 앞선 차량을 무리하게 추월하기 위하여 중앙선을 침범하여 반대편 도로를 벗어나 도로 옆 계곡으로 떨어져 중상해를 입었다.
> (나) 乙은 자동차로 겨울철 눈이 내린 직후에 산간지역에 위치한 국도를 달리던 중 도로에 생긴 빙판길에 미끄러져 상해를 입었다.

□□□ ① (가)와 (나) 사례에서 국가가 甲과 乙에게 손해배상책임을 부담할 것인지 여부는 위 도로들이 모든 가능한 경우를 예상하여 고도의 안전성을 갖추었는지 여부에 따라 결정될 것이다.

□□□ ② (가) 사례에서 만약 반대편 갓길에 차량용 방호울타리가 설치되었다면 甲이 상해를 입지 않았거나 경미한 상해를 입었을 것이므로 그 방호울타리 미설치만으로도 손해배상을 받기에 충분한 요건을 갖추었다고 볼 수 있다.

□□□ ③ (나) 사례에서 乙은 산악지역의 특성상 빙판길 위험경고나 위험표지판이 설치되었다면 주의를 기울여 운행하여 상해를 입지 않았을 것이므로 그 미설치만으로도 국가에 대한 손해배상책임을 묻기에 충분하다.

□□□ ④ (가)와 (나) 사례에서 만약 도로의 관리상 하자가 인정된다면 비록 그 사고의 원인에 제3자의 행위가 개입되었더라도 甲과 乙은 국가에 대하여 손해배상책임을 물을 수 있다.

관련기출

④

1. 다른 자연적 사실이나 제3자의 행위 또는 피해자의 행위와 경합하여 손해가 발생하였더라도 영조물의 설치 · 관리상의 하자가 공동원인의 하나가 된 이상 그 손해는 영조물의 설치 · 관리상의 하자에 의하여 발생한 것이라고 보아야 한다. (○, ×) 2008 국가직 9급

1. ○

① ×

영조물의 설치 및 보존에 있어서의 안전성은 완전무결한 상태를 유지할 정도의 고도의 안전성을 의미하는 것이 아니라, 영조물의 위험성에 비례하여 사회통념상 일반적으로 요구되는 정도의 안전성을 말한다는 것이 일반적 견해 및 판례의 입장이다.

> 1. 영조물의 설치 및 관리에 있어서 항상 완전무결한 상태를 유지할 정도의 고도의 안전성을 갖추지 아니하였다고 하여 영조물의 설치 또는 관리에 하자가 있다고 단정할 수 없다.
>   국가배상법 제5조 제1항에 정하여진 '영조물 설치 · 관리상의 하자'라 함은 공공의 목적에 공여된 영조물이 그 용도에 따라 통상 갖추어야 할 안전성을 갖추지 못한 상태에 있음을 말하는바, 영조물의 설치 및 관리에 있어서 항상 완전무결한 상태를 유지할 정도의 고도의 안전성을 갖추지 아니하였다고 하여 영조물의 설치 또는 관리에 하자가 있다고 단정할 수 없는 것이고, 영조물의 설치자 또는 관리자에게 부과되는 방호조치의무는 영조물의 위험성에 비례하여 사회통념상 일반적으로 요구되는 정도의 것을 의미하므로 영조물인 도로의 경우도 다른 생활필수시설과의 관계나 그것을 설치하고 관리하는 주체의 재정적, 인적, 물적 제약 등을 고려하여 그것을 이용하는 자의 상식적이고 질서 있는 이용 방법을 기대한 상대적인 안전성을 갖추는 것으로 족하다(대판 2002. 8. 23, 2002다9158).
> 2. 국가배상법 제5조에서 말하는 영조물의 설치 · 관리의 하자란 영조물이 그 용도에 따라 통상 갖추어야 할 안전성을 갖추지 못한 상태에 있음을 말하는 것으로서, 이와 같은 안전성의 구비 여부는 당해 영조물의 구조, 본래의 용법, 장소적 환경 및 이용 상황 등의 여러 사정을 종합적으로 고려하여 구체적 · 개별적으로 판단하여야 한다(대판 2000. 1. 14, 99다24201).

② ×

이례적인 사고가 있을 것을 예상하여 안전조치를 설치할 의무까지는 인정되지 않는다는 것이 판례의 취지이다.

> 甲이 차량을 운전하여 지방도 편도 1차로를 진행하던 중 커브 길에서 중앙선을 침범하여 반대편 도로를 벗어나 도로 옆 계곡으로 떨어져 동승자인 乙이 사망한 사안에서, 좌로 굽은 도로에서 운전자가 무리하게 앞지르기를 시도하여 중앙선을 침범하여 반대편 도로로 미끄러질 경우까지 대비하여 도로관리자인 지방자치단체가 차량용 방호울타리를 설치하지 않았다고 하여 도로에 통상 갖추어야 할 안전성이 결여된 설치 · 관리상의 하자가 있다고 보기 어려운데도, 이와 달리 본 원심판결에 법리오해의 위법이 있다(대판 2013. 10. 24, 2013다208074).

③ ×

> 강설의 특성(통상 광범위한 지역에 걸치며, 일시에 나타나고 시간이 경과하면 소멸하는 점 등), 기상적 요인과 지리적 요인, 이에 따른 도로의 상대적 안전성을 고려하면 '겨울철 산간지역에 위치한 도로'에 강설로 생긴 빙판을 그대로 방치하고 도로상황에 대한 경고나 위험표지판을 설치하지 않았다는 사정만으로 도로관리상의 하자가 있다고 볼 수 없다(대판 2000. 4. 25, 99다54998).

④ ○

> 영조물의 설치 또는 관리상의 하자로 인한 사고라 함은 영조물의 설치 또는 관리상의 하자만이 손해발생의 원인이 되는 경우만을 말하는 것이 아니고, 다른 자연적 사실이나 제3자의 행위 또는 피해자의 행위와 경합하여 손해가 발생하더라도 영조물의 설치 또는 관리상의 하자가 공동원인의 하나가 되는 이상 그 손해는 영조물의 설치 또는 관리상의 하자에 의하여 발생한 것이라고 해석함이 상당하다(대판 1994. 11. 22, 94다32924).

정답 04 ④

05 정답률 57% 상 2017 지방직 9급

영조물의 설치 · 관리상 하자책임에 대한 설명으로 옳지 않은 것은? (다툼이 있는 경우 판례에 의함)

□□□ ① 일반공중이 사용하는 공공용물 외에 행정주체가 직접 사용하는 공용물이나 하천과 같은 자연공물도 국가배상법 제5조의 '공공의 영조물'에 포함된다.

□□□ ② 영조물의 하자 유무는 객관적 견지에서 본 안전성의 문제이며, 국가의 예산 부족으로 인해 영조물의 설치 · 관리에 하자가 생긴 경우에도 국가는 면책될 수 없다.

□□□ ③ 고속도로의 관리상 하자가 인정되더라도 고속도로의 관리상 하자를 판단할 때 고속도로의 점유관리자가 손해의 방지에 필요한 주의의무를 해태하였다는 주장 · 입증책임은 피해자에게 있다.

□□□ ④ 소음 등의 공해로 인한 법적 쟁송이 제기되거나 그 피해에 대한 보상이 실시되는 등 피해지역임이 구체적으로 드러나고 이러한 사실이 그 지역에 널리 알려진 이후에 이주하여 오는 경우에는 위와 같은 위험에의 접근에 따른 가해자의 면책 여부를 보다 적극적으로 인정할 여지가 있다.

관련기출

①

1. 국가배상법상의 '공공의 영조물'은 일반공중의 자유로운 사용에 직접적으로 제공되는 공공용물에 한하고, 행정주체 자신의 사용에 제공되는 공용물은 포함하지 않는다. (○, ×) 2023 지방직 · 서울시 7급

1. ×

③

1. 고속도로의 관리상 하자가 인정되는 이상 고속도로의 점유관리자는 그 하자가 불가항력에 의한 것이거나 손해의 방지에 필요한 주의를 해태하지 아니하였다는 점을 주장 · 입증하여야 비로소 그 책임을 면할 수 있다. (○, ×) 2009 국회직 8급

1. ○

④

1. 위험의 존재를 인식하면서 그로 인한 피해를 용인하며 접근한 것으로 볼 수 있고 나아가 그 피해가 정신적 고통이나 생활방해의 정도에 그치며 그 침해행위에 고도의 공공성이 인정되는 때에는 위험에 접근한 후에 그 위험이 특별히 증대하였다는 등의 특별한 사정이 없는 이상 가해자의 면책을 인정하여야 하는 경우가 있다. (○, ×) 2021 경행경채
2. 소음 등을 포함한 공해 등의 위험지역으로 이주하여 거주하는 것이 피해자가 위험의 존재를 인식하고 그로 인한 피해를 용인하면서 접근한 것이라고 볼 수 있는 경우 가해자의 면책이 인정될 수 있다. (○, ×) 2016 국가직 9급

1. ○ 2. ○

① ○

국가배상법 제5조의 영조물은 그 용어에도 불구하고 공물로 보는 것이 통설 및 판례의 입장이다. 공물에는 도로 등 일반공중이 사용하는 공공용물(公共用物), 청사 건물 등 행정주체가 직접 사용하는 공용물(公用物)이 있으며, 인공공물 외에 하천 등 자연공물도 포함된다(대판 1995. 1. 24, 94다45302).

② ○

영조물 설치의 '하자'라 함은 영조물의 축조에 불완전한 점이 있어 이 때문에 영조물 자체가 통상 갖추어야 할 완전성을 갖추지 못한 상태에 있음을 말한다고 할 것인바 그 '하자' 유무는 객관적 견지에서 본 안전성의 문제이고 그 설치자의 재정사정이나 영조물의 사용목적에 의한 사정은 안전성을 요구하는 데 대한 정도 문제로서 참작사유에는 해당할지언정 안전성을 결정지을 절대적 요건에는 해당하지 아니한다 할 것이다(대판 1967. 2. 21. 66다1723).

③ ×

고속도로의 점유관리자가 손해의 방지에 필요한 주의의무를 해태하지 아니하였다는 사실은 면책사유로서 권리자의 권리행사를 방해하는 사실이므로 입증책임은 피해자인 국민이 아니라 관리자에게 있다. 따라서 피해자가 고속도로의 점유관리자가 손해의 방지에 필요한 주의의무를 해태하였다는 사실을 입증해야 할 책임이 있는 것이 아니라, 고속도로의 점유관리자가 손해의 방지에 필요한 주의를 해태하지 아니하였다는 점을 입증하여야 할 책임이 있다. 한편 이 판례는 엄밀히 말하면 국가배상법이 아니라 민법과 관련된 판례이다(국가배상법상 책임주체는 국가 또는 지방자치단체이며 지방자치단체 외의 공공단체는 원칙적으로 민법에 따른 배상책임을 질 뿐이다).

고속도로의 점유관리자가 도로의 관리상 하자로 인한 손해배상책임을 면하기 위해서는 그 하자가 불가항력에 의한 것이거나 손해의 방지에 필요한 주의를 해태하지 아니하였다는 점을 주장 · 입증하여야 한다.
고속도로의 관리상 하자가 인정되는 이상 고속도로의 점유관리자는 그 하자가 불가항력에 의한 것이거나 손해의 방지에 필요한 주의를 해태하지 아니하였다는 점을 주장 · 입증하여야 비로소 그 책임을 면할 수 있다(대판 2008. 3. 13, 2007다29287 · 29294).

④ **빈출** ○

1. 소음 등을 포함한 공해 등의 위험지역으로 이주하여 들어가 거주하는 경우와 같이 위험의 존재를 인식하거나 과실로 인식하지 못하고 이주한 경우에는 손해배상액의 산정에 있어 형평의 원칙상 과실상계에 준하여 감경 또는 면제사유로 고려하여야 한다.
2. 특히 소음 등의 공해로 인한 법적 쟁송이 제기되거나 그 피해에 대한 보상이 실시되는 등 피해지역임이 구체적으로 드러나고 또한 이러한 사실이 그 지역에 널리 알려진 이후에 이주하여 오는 경우에는 위와 같은 위험에의 접근에 따른 가해자의 면책 여부를 보다 적극적으로 인정할 여지가 있다(대판 2010. 11. 11, 2008다57975).

정답 05 ③

06 중 2016 교육행정직 9급

국가배상에 관한 설명으로 옳은 것을 모두 고른 것은? (다툼이 있으면 판례에 따름)

> □□□ ㉠ 공무원의 직무상 불법행위에 대한 국가배상의 요건이 되는 '위법'은 형식적 의미의 법령에 명시적으로 위반한 경우만을 말한다.
> □□□ ㉡ 영조물의 설치 · 관리상 하자로 인한 국가배상의 기초가 되는 '공공의 영조물'은 공공의 목적에 공여된 유체물 내지 물적 설비를 말한다.
> □□□ ㉢ 영조물의 설치 · 관리상 하자로 인한 국가배상에 관하여는 명문의 헌법상 근거가 없다.
> □□□ ㉣ 국회가 제정한 법률이 헌법재판소에 의해 위헌결정을 받은 경우 국회는 그에 대해 국가배상책임을 진다.

① ㉠, ㉡ ② ㉠, ㉣
③ ㉡, ㉢ ④ ㉢, ㉣

관련기출

㉣

1. 판례는 입법내용이 헌법의 문언에 명백히 위배됨에도 불구하고 국회가 굳이 당해 입법을 한 것과 같은 특수한 경우에 한하여 위법 및 과실을 인정하고 있다. (○, ×) 2018 소방직 9급
2. 국회의원의 입법행위는 그 입법내용이 헌법의 문언에 명백히 위반됨에도 불구하고 국회가 굳이 당해 입법을 한 것과 같은 특수한 경우가 아닌 한 국가배상법 제2조 제1항 소정의 위법행위에 해당한다고 볼 수 없다. (○, ×) 2017 경행경채, 2016 지방직 9급

1. ○ 2. ○

③ ㉡㉢이 옳다.

㉠ ×

'법령에 위반하여'라고 함은 엄격하게 형식적 의미의 법령에 명시적으로 공무원의 작위의무가 정하여져 있음에도 이를 위반하는 경우만을 의미하는 것은 아니라고 봄이 판례의 입장이다(대판 2012. 7. 26, 2010다95666).

㉡ ○

'공공의 영조물'이라 함은 국가 또는 지방자치단체에 의하여 특정 공공의 목적에 공여된 유체물 내지 물적 설비를 말한다는 것이 판례의 입장이다(대판 1998. 10. 23, 98다17381).

㉢ ○

헌법은 제29조에서 직무행위로 인한 손해배상에 관해서는 명문규정을 두고 있으나 영조물의 설치 · 관리상 하자로 인한 손해배상에 관해서는 명문규정을 두고 있지 않다.

> **헌법 제29조** ① 공무원의 직무상 불법행위로 손해를 받은 국민은 법률이 정하는 바에 의하여 국가 또는 공공단체에 정당한 배상을 청구할 수 있다. 이 경우 공무원 자신의 책임은 면제되지 아니한다.

㉣ ×

국회가 제정한 법률이 헌법재판소에 의해 위헌결정을 받았다는 것만으로 국가배상책임이 인정되는 것은 아니다.

> 국회의 입법행위는 그 입법내용이 헌법의 문언에 명백히 위배됨에도 국회가 '굳이 당해 입법을 한 것'과 같은 특수한 경우가 아닌 한, 위법행위에 해당하지 않는다(대판 2008. 5. 29, 2004다33469).

정답 06 ③

07 중 2014 국가직 7급

국가배상법 제5조의 국가배상책임에 대한 설명으로 옳은 것은? (다툼이 있는 경우 판례에 의함)

□□□ ① 국가 또는 지방자치단체가 관리하지만 사인의 소유에 속하는 공물에 대하여는 국가배상법 제5조가 적용되지 아니한다.

□□□ ② 국가배상법의 규정에 의하면 영조물의 설치·관리를 맡은 자와 영조물의 설치·관리비용을 부담하는 자가 동일하지 아니한 경우에는 영조물의 설치·관리 비용을 부담하는 자가 우선적으로 손해를 배상하여야 한다.

□□□ ③ 학생이 담배를 피우기 위하여 3층 건물 화장실 밖의 난간을 지나다가 실족하여 사망한 경우, 학교 관리자에게 그와 같은 이례적인 사고가 있을 것을 예상하여 화장실 창문에 난간으로의 출입을 막기 위한 출입금지장치나 추락위험을 알리는 경고표지판을 설치할 의무는 없으므로 학교시설의 설치·관리상의 하자는 인정되지 아니한다.

□□□ ④ 강설에 대처하기 위하여 완벽한 방법으로 도로 자체에 융설 설비를 갖추는 것은 현대의 과학기술 수준이나 재정사정에 비추어 사실상 불가능하다고 할 것이므로, 고속도로의 관리자에게 도로의 구조, 기상예보 등을 고려하여 사전에 충분한 인적·물적 설비를 갖추어 강설시 신속한 제설작업을 하고 필요한 경우 제때에 교통통제조치를 취할 관리의무가 있다고 할 수 없다.

관련기출

③

1. 학교관리자에게 고등학교 학생이 교사의 단속을 피해 담배를 피우기 위하여 3층 건물 화장실 밖의 난간을 지나다가 실족할 경우까지 대비하여 화장실 창문에 난간으로의 출입을 막는 출입금지장치를 설치할 의무가 있다고 볼 수는 없다. (○, ×) 2024 소방간부
2. 고등학교 3학년 학생이 학교건물의 3층 난간을 넘어 흡연을 하던 중 실족하여 사망한 경우, 이와 같은 이례적인 사고가 있을 것을 예상하여 복도나 화장실 창문에 난간으로의 출입을 막기 위하여 출입금지장치나 추락위험을 알리는 경고표지판을 설치할 의무가 있으므로 학교시설의 설치·관리상의 하자가 있다. (○, ×) 2022 해경간부

1. ○ 2. ×

① ×

국가배상법 제5조에서 말하는 공공의 영조물이란 본래적 의미의 영조물이 아니라 강학상 공물을 의미한다는 것이 통설 및 판례의 입장이다. 그런데 이러한 공물은 행정주체에 의해 직접 공적 목적에 제공된 물건으로서 행정주체가 관리를 하면 충분하고 반드시 행정주체의 소유일 필요는 없다. 따라서 사인 소유에 속하는 물건이라도 행정주체에 의해 공적 목적에 제공된 물건이면 공물이 되며 이러한 공물이 사유공물이다. 따라서 사(私)소유물이라도 공물인 한 국가배상법 제5조상의 영조물에 해당한다.

② ×

설치·관리자와 비용부담자가 다른 경우 비용부담자도 배상책임을 진다. 따라서 국민은 양자에 대해 선택적으로 손해배상청구권을 행사할 수 있다. 즉, 피해자가 선택적으로 배상을 청구할 수 있는 것이지 비용부담자가 우선적으로 손해를 배상하여야 하는 것은 아니다.

③ ○

> 고등학교 3학년 학생이 학교건물의 3층 난간을 넘어 들어가 흡연을 하던 중 실족하여 사망한 경우, 위 건물의 설치·보존상의 하자가 인정되지 않는다. 고등학교 3학년 학생이 교사의 단속을 피해 담배를 피우기 위하여 3층 건물 화장실 밖의 난간을 지나다가 실족하여 사망한 사안에서 학교 관리자에게 그와 같은 '이례적인 사고'가 있을 것을 예상하여 복도나 화장실 창문에 난간으로의 출입을 막기 위하여 출입금지장치나 추락위험을 알리는 경고표지판을 설치할 의무가 있다고 볼 수는 없으므로 학교시설의 설치·관리상의 하자가 없다(대판 1997. 5. 16, 96다54102).

④ ×

> 1. 공작물인 도로의 설치·관리상의 하자는 도로의 위치 등 장소적인 조건, 도로의 구조, 교통량, 사고시에 있어서의 교통사정 등 도로의 이용상황과 그 본래의 이용목적 등 여러 사정과 물적 결함의 위치, 형상 등을 종합적으로 고려하여 사회통념에 따라 구체적으로 판단하여야 한다.
> 2. 강설에 대처하기 위하여 완벽한 방법으로 도로 자체에 융설 설비를 갖추는 것이 현대의 과학기술 수준이나 재정사정에 비추어 사실상 불가능하다고 하더라도, 최저속도의 제한이 있는 '고속도로'의 경우에 있어서는 도로관리자가 도로의 구조, 기상예보 등을 고려하여 사전에 충분한 인적·물적 설비를 갖추어 강설시 신속한 제설작업을 하고 나아가 필요한 경우 제때에 교통통제조치를 취함으로써 고속도로로서의 기본적인 기능을 유지하거나 신속히 회복할 수 있도록 하는 관리의무가 있다.
> 3. 폭설로 차량 운전자 등이 고속도로에서 장시간 고립된 사안에서, 고속도로의 관리자가 고립구간의 교통정체를 충분히 예견할 수 있었음에도 교통제한 및 운행정지 등 필요한 조치를 충실히 이행하지 아니하였으므로 고속도로의 관리상 하자가 있다(대판 2008. 3. 13, 2007다29287).
>
> **비교판례**
> 1. 적설지대가 아닌 지역의 도로 또는 고속도로 등 특수 목적의 도로가 아닌 '일반도로'에서 강설로 인하여 발생한 도로통행상의 위험을 즉시 배제하여 그 안전성을 확보할 의무는 도로의 설치·관리자에게 없다.
> 2. 강설의 특성(통상 광범위한 지역에 걸치며, 일시에 나타나고 시간이 경과하면 소멸하는 점 등), 기상적 요인과 지리적 요인, 이에 따른 도로의 상대적 안전성을 고려하면 '겨울철 산간지역에 위치한 도로'에 강설로 생긴 빙판을 그대로 방치하고 도로상황에 대한 경고나 위험표지판을 설치하지 않았다는 사정만으로 도로관리상의 하자가 있다고 볼 수 없다(대판 2000. 4. 25, 99다54998).

정답 07 ③

08 중

2011 사회복지직 9급

국가배상에 대한 판례의 태도로 옳지 않은 것은?

□□□ ① A가 운전하던 트럭의 앞바퀴가 고속도로상에 떨어져 있는 타이어에 걸려 중앙분리대를 넘어가 맞은편에서 오던 트럭과 충돌하여 부상을 입었다. 그런데 위 타이어가 사고지점 고속도로상에 떨어진 것은 사고가 발생하기 10분 내지 15분 전이었다. A는 국가배상책임을 물을 수 없다.

□□□ ② 지방자치단체의 장이 국도의 관리청이 되었다 하더라도 국가는 도로관리상 하자로 인한 손해배상책임을 면할 수 없다.

□□□ ③ 공무원의 직무집행상의 과실이라 함은 공무원이 그 직무를 수행함에 있어 당해 직무를 담당하는 평균인이 통상 갖추어야 할 주의의무를 게을리한 것을 말한다.

□□□ ④ 영조물이 공공의 목적에 이용됨에 있어 그 이용상태 및 정도가 일정한 한도를 초과하여 제3자에게 사회통념상 수인할 것이 기대되는 한도를 넘는 피해를 입히는 경우는 손실보상의 대상으로 논의될 수 있을 뿐, 국가배상법 제5조 제1항의 '영조물의 설치 또는 관리의 하자'에 해당될 수 없다.

① ○

1. 도로의 설치 후 제3자의 행위에 의하여 그 본래의 목적인 통행상의 안전에 결함이 발생된 경우 제반 사정을 종합하여 그와 같은 결함을 제거하여 원상으로 복구할 수 있는데도 이를 방치한 것인지 여부를 개별적 · 구체적으로 심리하여 하자의 유무를 판단하여야 할 것이다.
2. 트럭 앞바퀴가 고속도로상에 떨어져 있는 자동차 타이어에 걸려 중앙분리대를 넘어가 사고가 발생한 경우에 있어서 타이어가 사고지점 고속도로상에 떨어진 것은 사고가 발생하기 10분 내지 15분 전이었다면 손해배상책임을 물을 수는 없다(대판 1992. 9. 14, 92다3243).

② ○

도로법 제22조 제2항에 의하여 지방자치단체의 장인 시장이 국도의 관리청이 되었다 하더라도 이는 시장이 국가로부터 관리업무를 위임받아 국가행정기관의 지위에서 집행하는 것이므로 국가는 도로관리상 하자로 인한 손해배상책임을 면할 수 없다(대판 1993. 1. 26, 92다2684).

③ ○

공무원의 직무집행상의 과실이라 함은 공무원이 그 직무를 수행함에 있어 당해 직무를 담당하는 평균인이 보통(통상) 갖추어야 할 주의의무를 게을리한 것을 말한다는 것이 판례의 입장이다(대판 1987. 9. 22, 87다카1164).

④ ×

영조물이 공공의 목적에 이용됨에 있어 그 이용상태 및 정도가 일정한 한도를 초과하여 제3자에게 사회통념상 참을 수 없는 피해를 입히는 경우(수인한도를 넘는 경우)에도 국가배상법 제5조상의 손해배상책임이 인정될 수 있다.

하자란 이용상태 및 정도가 제3자에게 사회통념상 수인한도를 넘는 피해를 입히는 경우까지 포함한다. 즉, 타인에게 위해를 끼칠 위험성이 있는 상태라 함은 당해 영조물을 구성하는 물적 시설 그 자체에 있는 물리적 · 외형적 흠결이나 불비로 인하여 그 이용자에게 위해를 끼칠 위험성이 있는 경우뿐만 아니라, 그 영조물이 공공의 목적에 이용됨에 있어 그 이용상태 및 정도가 일정한 한도를 초과하여 제3자에게 사회통념상 수인할 것이 기대되는 한도를 넘는 피해를 입히는 경우까지 포함된다고 보아야 한다(대판 2005. 1. 27, 2003다49566).

정답 08 ④

02 손해배상청구권

기 630~637쪽 핵 T 55

09 정답률 64% 중 2024 지방직 · 서울시 9급

국가배상에 대한 설명으로 옳은 것은? (다툼이 있는 경우 판례에 의함)

□□□ ① 국가배상법에 따른 손해배상의 소송은 배상심의회에 배상신청을 하지 아니하면 제기할 수 없다.

□□□ ② 국가배상소송을 제기하는 경우 민사소송이 아니라 공법상 당사자소송으로 제기하여야 한다.

□□□ ③ 군 복무 중 사망한 사람의 유족이 국가배상을 받은 경우, 관할행정청 등은 군인연금법상 사망보상금에서 소극적 손해배상금 상당액을 공제할 수 있을 뿐, 이를 넘어 정신적 손해배상금까지 공제할 수는 없다.

□□□ ④ 공공시설물의 하자로 손해를 입은 외국인에게는 해당 국가와 상호보증이 없더라도 국가배상법이 적용된다.

① 정답률 8% ×

> 국가배상법 제9조【소송과 배상신청의 관계】이 법에 따른 손해배상의 소송은 배상심의회(이하 '심의회'라 한다)에 배상신청을 하지 아니하고도 제기할 수 있다.

② 정답률 13% ×

행정상 손해배상청구권은 공권으로서 국가배상청구소송은 행정소송 중 당사자소송에 해당한다는 것이 통설의 입장이나, 판례는 민사소송으로 다루고 있다.

> 국가배상법은 민사상 손해배상책임의 특별법이다.
>
> 공무원의 직무상 불법행위로 손해를 받은 국민이 국가 또는 공공단체에 배상을 청구하는 경우 국가 또는 공공단체에 대하여 그의 불법행위를 이유로 손해배상을 구함은 국가배상법이 정한 바에 따른다 하여도 이 역시 민사상의 손해배상책임을 특별법인 국가배상법이 정한 데 불과하며 …… (대판 1972. 10. 10, 69다701)

③ 정답률 64% ○

구 군인연금법 제31조에서는 군인이 복무 중 사망한 경우 사망보상금지급에 관한 규정을 두고 있다. 또한 구 군인연금법 제41조는 "다른 법령에 따라 국가나 지방자치단체의 부담으로 군인연금법에 따른 급여와 같은 종류의 급여를 받은 사람에게는 그 급여금에 상당하는 금액에 대하여는 이 법에 따른 급여를 지급하지 아니한다."고 규정하고 있다.

사람이 사망 또는 부상을 입은 경우 발생하는 손해는 크게 3가지로 구분된다. 적극적 손해, 소극적 손해(일실(逸失)손해), 정신적 손해가 그것이다. 먼저 적극적 손해란 치료비, 장례비 등 이미 가지고 있던 재산에 손실이 발생한 것을 말한다. 소극적 손해(일실손해)란 사망 또는 부상이 없었다면 피해자가 얻을 수 있었던 수입의 상실손해를 말한다. 정신적 손해란 적극적, 소극적인 재산상의 손해 외의 정신상의 고통으로 인한 손해를 말한다. 그런데 군인연금법 제31조의 사망보상금은 이러한 손해 중 소극적 손해와 같은 종류의 급여이다. 따라서 사망한 군인의 유족이 국가배상법에 따른 소극적 손해에 대한 배상금을 지급받은 경우에는, 군인연금법 제41조에 의해 이미 지급받은 국가배상법상 손해배상금에 해당하는 액수에 대해서는 군인연금법상 사망보상금을 지급받을 수 없다. 그러나 국가배상법에 따른 배상금액을 받은 경우라도 그것이 정신상 고통으로 인한 손해배상금이라면 군인연금법상 사망보상금과는 다른 종류의 급여이므로 군인연금법상 사망보상금을 지급하여야 한다. 즉, 유족이 군인연금법상 사망보상금 지급을 청구하는 경우, 이미 국가배상법상 받은 금액이 있으므로 사망보상금에서 빼겠다(공제하겠다)고 국가가 주장할 수는 없다.

> 구 군인연금법이 정하고 있는 급여 중 사망보상금은 일실손해의 보전을 위한 것으로 불법행위로 인한 소극적 손해배상과 같은 종류의 급여이므로, 군 복무 중 사망한 망인의 유족이 국가배상을 받은 경우 피고는 사망보상금에서 소극적 손해배상금 상당액을 공제할 수 있을 뿐, 이를 넘어 정신적 손해배상금 상당액까지 공제할 수는 없다(대판 2022. 3. 31. 2019두36711).

④ 정답률 13% ×

> 국가배상법 제7조【외국인에 대한 책임】이 법은 외국인이 피해자인 경우에는 해당 국가와 상호보증이 있을 때에만 적용한다.

정답 09 ③

10 중 2023 군무원 7급

국가배상법상의 배상책임에 관한 설명으로 옳은 것은? (다툼이 있는 경우 판례에 의함)

□□□ ① 국가배상법상 손해배상의 소송은 배상심의회의 배상심의를 거치지 아니하면 이를 제기할 수 없다.

□□□ ② 공익근무요원도 국가배상법 제2조 제1항 단서의 이중배상이 금지되는 자에 해당한다.

□□□ ③ 피해자에게 직접 손해를 배상한 경과실이 있는 공무원은 국가에 대해 구상권을 행사할 수 없다.

□□□ ④ 국가배상청구권은 피해자나 법정대리인이 손해 및 가해자를 안 날로부터 3년간, 불법행위가 있은 날로부터 5년간 이를 행사하지 않으면 시효로 인하여 소멸된다.

관련기출

②

1. 공익근무요원은 국가배상법 제2조 제1항 단서규정에 의하여 손해배상청구가 제한된다. (○, ×) 2022 · 2010 국가직 7급
2. 공익근무요원은 국가배상법 제2조 제1항 단서의 군인 · 군무배상청구가 제한되지 않는다. (○, ×) 2019 서울시 1회 7급

1. × 2. ○

① ×

국가배상법 제9조【소송과 배상신청의 관계】 이 법에 따른 손해배상의 소송은 배상심의회(이하 '심의회'라 한다)에 배상신청을 하지 아니하고도 제기할 수 있다.

② **빈출** ×

공익근무요원은 소집되어 군에 복무하지 않는 한 이중배상금지가 적용되는 군인이 아니다.

공익근무요원은 병역법 제2조 제1항 제9호, 제5조 제1항의 규정에 의하면 국가기관 또는 지방자치단체의 공익목적 수행에 필요한 경비 · 감시 · 보호 또는 행정업무 등의 지원과 국제협력 또는 예술 · 체육의 육성을 위하여 소집되어 공익 분야에 종사하는 사람으로서 보충역에 편입되어 있는 자이기 때문에, 소집되어 군에 복무하지 않는 한 군인이라고 말할 수 없으므로, …… (대판 1997. 3. 28, 97다4036)

③ ×

1. 경과실이 있는 공무원이 피해자에 대하여 손해배상책임을 부담하지 아니함에도 피해자에게 손해를 배상하였다면 그것은 채무자 아닌 사람이 타인의 채무를 변제한 경우에 해당한다.
2. 공무원이 직무수행 중 불법행위로 타인에게 손해를 입힌 경우, 피해자에게 손해를 직접 배상한 경과실이 있는 공무원은 원칙적으로 국가에 대하여 구상권을 취득한다.

공무원이 직무수행 중 불법행위로 타인에게 손해를 입힌 경우에 국가 등이 국가배상책임을 부담하는 외에 공무원 개인도 고의 또는 중과실이 있는 경우에는 불법행위로 인한 손해배상책임을 지고, 공무원에게 경과실이 있을 뿐인 경우에는 공무원 개인은 손해배상책임을 부담하지 아니한다. 이처럼 경과실이 있는 공무원이 피해자에 대하여 손해배상책임을 부담하지 아니함에도 피해자에게 손해를 배상하였다면 그것은 채무자 아닌 사람이 타인의 채무를 변제한 경우에 해당하고, 이는 민법 제469조의 '제3자의 변제' 또는 민법 제744조의 '도의관념에 적합한 비채변제'에 해당하여 피해자는 공무원에 대하여 이를 반환할 의무가 없고, 그에 따라 피해자의 국가에 대한 손해배상청구권이 소멸하여 국가는 자신의 출연 없이 채무를 면하게 되므로, 피해자에게 손해를 직접 배상한 경과실이 있는 공무원은 특별한 사정이 없는 한 국가에 대하여 국가의 피해자에 대한 손해배상책임의 범위 내에서 공무원이 변제한 금액에 관하여 구상권을 취득한다(대판 2014. 8. 20, 2012다54478).

④ ○

국가배상법은 배상청구권의 소멸시효에 대하여 명문규정을 두고 있지 않은데, 이 경우 국가배상법 제8조에 따라 민법규정에 의하게 되므로 민법 제766조에 따라서 국가배상청구권은 손해 및 가해자를 안 날로부터 3년이 경과하면 시효로 소멸한다. 한편, 피해자나 법정대리인이 손해 및 가해자를 알지 못한 경우 등에는 불법행위의 종료일로부터 국가재정법 제96조 제1항에 따라 5년간 손해배상 청구권을 행사하지 아니하면 시효로 소멸한다는 것이 판례의 취지이다.

국가배상법 제8조【다른 법률과의 관계】 국가나 지방자치단체의 손해배상책임에 관하여는 이 법에 규정된 사항 외에는 민법에 따른다.

민법 제766조【손해배상청구권의 소멸시효】 ① 불법행위로 인한 손해배상의 청구권은 피해자나 그 법정대리인이 그 손해 및 가해자를 안 날로부터 3년간 이를 행사하지 아니하면 시효로 인하여 소멸한다.

국가재정법 제96조【금전채권 · 채무의 소멸시효】 ① 금전의 급부를 목적으로 하는 국가의 권리로서 시효에 관하여 다른 법률에 규정이 없는 것은 5년 동안 행사하지 아니하면 시효로 인하여 소멸한다.

국가배상법 제2조 제1항에 따른 손해배상청구권을 불법행위의 종료일로부터 5년간 행사하지 아니한 경우, 국가재정법 제96조에 의하여 시효소멸한다(대판 2008. 11. 27, 2008다60223).

정답 10 ④

11 정답률 72% 중 2023 국가직 9급

국가배상법상 이중배상금지에 대한 판례의 입장으로 옳지 않은 것은?

□□□ ① 국가배상법 제2조 제1항 단서에서 정한 '다른 법령의 규정'에 따른 보상금청구권이 모두 시효로 소멸된 경우라고 하더라도 국가배상법 제2조 제1항 단서 규정이 적용된다.

□□□ ② 경찰공무원인 피해자가 공무원연금법에 따라 공무상 요양비를 지급받는 것은 국가배상법 제2조 제1항 단서에서 정한 '다른 법령의 규정'에 따라 보상을 지급받는 것에 해당하지 않는다.

□□□ ③ 훈련으로 공상을 입은 군인이 국가배상법에 따라 손해배상금을 지급받은 다음 「보훈보상대상자 지원에 관한 법률」이 정한 보훈급여금의 지급을 청구하는 경우, 국가는 국가배상법 제2조 제1항 단서에 따라 그 지급을 거부할 수 있다.

□□□ ④ 군인이 교육훈련으로 공상을 입은 경우라도 군인연금법 또는 「국가유공자예우 등에 관한 법률」에 의하여 재해보상금 · 유족연금 · 상이연금 등 별도의 보상을 받을 수 없는 경우에는 국가배상법 제2조 제1항 단서의 적용대상에서 제외하여야 한다.

관련기출

③

1. 직무집행과 관련하여 공상을 입은 군인이 먼저 국가배상법에 따라 손해배상금을 지급받았다면 「국가유공자 등 예우 및 지원에 관한 법률」이 정한 보상금 등 보훈급여금의 지급을 청구하는 것은 이중배상금지원칙에 따라 인정되지 아니한다. (○, ×) 2022 국가직 7급
2. 직무집행과 관련하여 공상을 입은 군인 등이 먼저 국가배상법에 따라 손해배상금을 지급받은 다음, 구 「국가유공자 등 예우 및 지원에 관한 법률」이 정한 보상금 등 보훈급여금의 지급을 청구하는 경우, 국가배상법에 따라 손해배상을 받았다는 이유로 그 지급을 거부할 수 없다. (○, ×) 2020 지방직 · 서울시 7급
3. 전투 · 훈련 등 직무집행과 관련하여 공상을 입은 군인이 국가배상법에 따라 손해배상금을 지급받은 다음에 「국가유공자 등 예우 및 지원에 관한 법률」이 정한 보훈급여금의 지급을 청구하는 경우, 국가는 국가배상법에 따라 손해배상을 받았다는 사정을 들어 보훈급여금의 지급을 거부할 수 있다. (○, ×) 2019 경행경채 2차

1. × 2. ○ 3. ×

① ○

이중배상금지에 관한 규정은 보상금청구권이 시효로 소멸된 경우에도 적용된다(대판 2002. 5. 10, 2000다39735).

② ○

구 공무원연금법 제33조 내지 제37조 소정의 장해보상금지급제도와 국가배상법 제2조 제1항 단서 소정의 재해보상금 등의 보상을 지급하는 제도와는 취지와 목적을 달리하는 것이어서 두 제도는 서로 아무런 관련이 없다 할 것이므로 구 공무원연금법상의 장해보상금지급규정은 국가배상법 제2조 제1항 단서 소정의 '다른 법령의 규정'에 해당하지 아니하고, 따라서 경찰공무원이 구 공무원연금법의 규정에 의하여 장해보상을 지급받는 것은 국가배상법 제2조 제1항 단서 소정의 '다른 법령의 규정'에 의한 재해보상을 지급받은 것에 해당하지 아니한다(대판 1988. 12. 27, 84다카796).

③ ×

직무집행과 관련하여 공상을 입은 군인 등이 먼저 국가배상법에 따라 손해배상금을 지급받은 다음 「보훈보상대상자 지원에 관한 법률」이 정한 보상금 등 보훈급여금의 지급을 청구하는 경우, 국가배상법에 따라 손해배상을 받았다는 이유로 그 지급을 거부할 수 없다(대판 2017. 2. 3, 2015두60075).

④ ○

군인 · 군무원 등 국가배상법 제2조 제1항에 열거된 자가 전투, 훈련 기타 직무집행과 관련하는 등으로 공상을 입은 경우라고 하더라도 군인연금법 또는 「국가유공자 예우 등에 관한 법률」에 의하여 재해보상금 · 유족연금 · 상이연금 등 별도의 보상을 받을 수 없는 경우에는 국가배상법 제2조 제1항 단서의 적용 대상에서 제외하여야 한다(국가배상법에 따른 손해배상을 청구할 수 있다는 의미이다)(대판 1997. 2. 14, 96다28066).

정답 11 ③

12 중 2021 소방직 9급

국가배상법에 대한 설명으로 옳지 않은 것은? (다툼이 있는 경우 판례에 의함)

□□□ ① 판례는 「자동차손해배상 보장법」은 배상책임의 성립요건에 관하여는 국가배상법에 우선하여 적용된다고 판시하였다.

□□□ ② 헌법재판소는 국가배상법 제2조 제1항 단서 이중배상금지규정에 대하여 헌법에 위반되지 아니한다고 판시하였다.

□□□ ③ 생명 · 신체의 침해로 인한 국가배상을 받을 권리는 양도는 가능하지만, 압류는 하지 못한다.

□□□ ④ 판례는 국가배상법 제5조의 영조물의 설치 · 관리상의 하자로 인한 손해가 발생한 경우, 피해자의 위자료 청구권이 배제되지 아니한다고 판시하였다.

관련기출

③

1. 생명 · 신체의 침해로 인한 국가배상을 받을 권리는 양도하지 못한다. (O, X) 2023 행정사
2. 국가배상법상 생명 · 신체의 침해로 인한 국가배상을 받을 권리는 압류하지 못하나 양도할 수는 있다. (O, X) 2013 경행특채
3. 생명 · 신체의 침해로 인한 국가배상을 받을 권리는 양도하거나 압류하지 못한다. (O, X) 2013 국가직 9급
4. 신체 · 생명의 침해로 인한 손해배상청구권은 양도할 수는 있지만 압류하지는 못한다. (O, X) 2011 국가직 7급

1. O 2. X 3. O 4. X

④

1. 영조물의 설치 · 관리 하자로 인한 손해배상의 경우 피해자의 위자료청구는 포함되지 않는다. (O, X) 2008 국회직 8급

1. X

① O

「자동차손해배상 보장법」은 배상책임의 성립요건에 관해 국가배상법보다 우선 적용되므로 국가에 운행자성(즉, 운행지배나 운행이익)이 인정되고 면책사유가 없는 한 배상책임이 성립한다.

> 「자동차손해배상 보장법」 제1조, 제3조, 제28조의 규정의 취지를 종합하면 국가와 지방자치단체가 보유하는 자동차에 의하여 타인을 사상하게 한 경우에 일어나는 손해배상책임을 묻는 요건에 관하여는 그것이 국가배상법과 저촉되는 범위에서는 「자동차손해배상 보장법」 제3조가 국가배상법의 관계규정보다 우선 적용된다고 보는 것이 상당하다(대판 1970. 3. 24, 70다135).

② O

> 군인의 국가 등에 대한 손해배상청구권을 제한하고 있는 국가배상법 제2조 제1항 단서는 헌법에 위반되지 않는다.
> 국가배상법 제2조 제1항 단서는 헌법 제29조 제1항에 의하여 보장되는 국가배상청구권을 헌법 내재적으로 제한하는 헌법 제29조 제2항에 직접 근거하고, 실질적으로 그 내용을 같이하는 것이므로 헌법에 위반되지 아니한다(헌재 2001. 2. 22, 2000헌바38).

③ **빈출** X

지문의 앞부분이 옳지 않다. 생명 · 신체의 침해로 인한 손해배상청구권은 양도 또는 압류할 수 없다고 국가배상법에 명문규정을 두고 있다. 반면 재산권침해로 인한 손해배상청구권은 양도할 수 있다.

> **국가배상법 제4조 【양도 등 금지】** 생명 · 신체의 침해로 인한 국가배상을 받을 권리는 양도하거나 압류하지 못한다.

④ O

> 국가배상법 제5조 제1항의 영조물의 설치 · 관리상의 하자로 인한 손해가 발생한 경우 같은 법 제3조 제1항 내지 제5항의 해석상 피해자의 위자료 청구권이 배제되지 아니한다(대판 1990. 11. 13, 90다카25604).

정답 12 ③

13 중

2015 경행특채 1차

다음 국가배상과 관련한 판례의 태도로 가장 적절하지 않은 것은?

□□□ ① 인감증명사무를 처리하는 공무원은 인감증명이 타인과의 권리 · 의무에 관계되는 일에 사용되는 것을 예상하여 그 발급된 인감증명으로 인한 부정행위의 발생을 방지할 직무상의 의무가 있다.

□□□ ② 법령에 대한 해석이 복잡 · 미묘하여 워낙 어렵고, 이에 대한 학설 · 판례조차 귀일되어 있지 않는 등의 특별한 사정이 없는 한 공무원이 관계법규를 알지 못하거나 필요한 지식을 갖추지 못하고 잘못된 법규해석으로 행정처분을 하였다면 그가 법률전문가가 아니라 할지라도 과실을 인정할 수 있다.

□□□ ③ 지방자치단체의 장인 시장이 국도의 관리청이 되었다 하더라도 국가는 도로관리상 하자로 인한 손해배상책임을 면할 수 없다.

□□□ ④ 현역병으로 입영한 후 군사교육을 마치고 경비교도로 전임되어 근무하는 자는 국가배상법 제2조 제1항 단서 소정의 군인 등에 해당하므로 국가배상청구권 행사에 제한을 받는다.

관련기출

①

1. 인감증명사무를 처리하는 공무원은 인감증명이 타인과의 권리 · 의무에 관계되는 일에 사용되는 것을 예상하여 그 발급된 인감증명으로 인한 부정행위의 발생을 방지할 직무상의 의무가 있다. (○, ×) 2012 국가직 7급

1. ○

③

1. 지방자치단체의 장이 국도의 관리청이 되었다 하더라도 국가는 도로관리상 하자로 인한 손해배상책임을 면할 수 없다. (○, ×) 2011 사회복지직 9급

1. ○

① ○

(위조인장에 의하여 타인 명의의 인감증명서가 발급되고 이를 토대로 소유권이전등기가 경료된 부동산을 담보로 금전을 대여한 자가 손해를 입게 된 경우, 인감증명 발급업무 담당공무원의 직무집행상의 과실을 인정하면서) 인감증명사무를 처리하는 공무원에게 그 발급된 인감으로 인한 부정행위의 발생을 방지할 직무상의 의무가 있다(대판 2004. 3. 26, 2003다54490).

② ○

공무원의 법령의 부지(不知) 등에 대해서도 과실이 인정될 수 있다. 법령에 대한 해석이 복잡 · 미묘하여 워낙 어렵고, 이에 대한 학설 · 판례조차 귀일되어 있지 않는 등의 특별한 사정이 없는 한 일반적으로 공무원이 관계법규를 알지 못하거나 필요한 지식을 갖추지 못하고 법규의 해석을 그르쳐 행정처분을 하였다면 그가 법률전문가가 아닌 행정직 공무원이라고 하여 과실이 없다고는 할 수 없다는 것이 판례의 입장이다(대판 2001. 2. 9, 98다52988).

③ ○

국도(國道)에 관한 관리사무가 서귀포시로 위임된 경우 서귀포시는 비용부담자로서, 국가는 사무귀속주체로서 손해배상책임을 진다.
도로법 제22조 제2항에 의하여 지방자치단체의 장인 시장이 국도의 관리청이 되었다 하더라도 이는 시장이 국가로부터 관리업무를 위임받아 국가행정기관의 지위에서 집행하는 것이므로 국가는 도로관리상 하자로 인한 손해배상책임을 면할 수 없다(대판 1993. 1. 26, 92다2684).

④ ×

현역병으로 입영하여 소정의 군사교육을 마치고 병역법 제25조의 규정에 의하여 전임되어 구 교정시설경비교도대설치법 제3조에 의하여 경비교도로 임용된 자는, 군인의 신분을 상실하고 군인과는 다른 경비교도로서의 신분을 취득하게 되었다고 할 것이어서 국가배상법 제2조 제1항 단서가 정하는 군인 등에 해당하지 아니한다(대판 1998. 2. 10, 97다45914).

정답 13 ④

14 ㊅ 2011 지방직(하) 7급

국가배상법 제2조 제1항 단서는 "군인 · 군무원 · 경찰공무원 또는 예비군대원이 전투 · 훈련 등 직무집행과 관련하여 전사 · 순직하거나 공상을 입은 경우에 본인이나 그 유족이 다른 법령에 따라 재해보상금 · 유족연금 · 상이연금 등의 보상을 지급받을 수 있을 때에는 이 법 및 민법에 따른 손해배상을 청구할 수 없다."라고 규정하고 있다. 이에 대한 내용으로 옳지 않은 것은? (다툼이 있는 경우 판례에 의함)

□□□ ① 국가배상법 제2조 제1항 단서에 대해서는 위헌성 시비가 있으나, 헌법재판소와 대법원은 헌법에 위반되지 않는 것으로 보고 있다.

□□□ ② 경비교도나 공익근무요원은 국가배상법 제2조 제1항 단서의 적용대상에 해당하지 아니하나, 전투경찰순경은 국가배상법 제2조 제1항 단서의 적용대상에 해당한다.

□□□ ③ 헌법재판소는 일반국민이 직무집행 중인 군인과의 공동불법행위로 다른 군인에게 공상을 입혀 그 피해자에게 손해 전부를 배상했을지라도, 공동불법행위자인 군인의 부담부분에 관하여 국가에 대한 구상권은 허용되지 않는다고 본다.

□□□ ④ 경찰서 숙직실에서 순직한 경찰공무원의 유족들은 국가배상법에 의한 손해배상을 청구할 권리가 있다.

① ○

헌법재판소는 이 조항의 위헌 여부에 대해 합헌결정을 한 바 있으며(헌재 2001. 2. 22, 2000헌바38), 현행 헌법하에서는 대법원도 합헌이라는 전제하에 판결을 하고 있다.

② ○

판례는 공익근무요원, 군입대 후 경비교도로 임용된 자는 군인의 신분을 상실하였으므로 이중배상금지의 적용대상에 해당하지 아니하여 손해배상청구권이 허용되나, 전투경찰순경의 경우 경찰공무원의 신분을 가지므로 이중배상금지의 적용대상에 해당하여 손해배상청구권이 제한된다고 판시한 바 있다.

③ ×

헌법재판소는 대법원과 달리 공동불법행위자인 군인의 부담부분에 관하여 국가에 대하여 구상권을 행사할 수 있다는 입장이다.

> 국가배상법 제2조 제1항 단서 중 군인에 관련되는 부분은 국가에 대하여 구상권을 행사하는 것을 허용하지 아니한다고 해석하는 한, 헌법에 위반된다(편저자 주 : 구상권을 행사할 수 있다는 의미이다).
>
> 국가배상법 제2조 제1항 단서 중 군인에 관련되는 부분을, 일반국민이 직무집행 중인 군인과 행한 공동불법행위로 직무집행 중인 다른 군인에게 공상을 입혀 그 피해자에게 공동의 불법행위로 인한 손해를 배상한 다음 공동불법행위자인 군인의 부담부분에 관하여 국가에 대하여 구상권을 행사하는 것을 허용하지 않는다고 해석한다면, 이는 위 단서 규정의 헌법상 근거규정인 헌법 제29조가 구상권의 행사를 배제하지 아니하는데도 이를 배제하는 것으로 해석하는 것으로서 합리적인 이유 없이 일반국민을 국가에 대하여 지나치게 차별하는 경우에 해당하므로 헌법 제11 · 29조에 위반되며, …… (헌재 1994. 12. 29, 93헌바21)

④ ○

> 경찰서 지서의 숙직실은 국가배상법 제2조 제1항 단서에서 말하는 전투 · 훈련에 관련된 시설이라고 볼 수 없으므로 위 숙직실에서 순직한 경찰공무원의 유족들은 국가배상법 제2조 제1항 본문에 의하여 국가배상법 및 민법의 규정에 의한 손해배상을 청구할 권리가 있다(대판 1979. 1. 30, 77다2389 전합).

정답 14 ③

제 30 강 행정상 손실보상 1 (손실보상청구권의 요건)

1회독	2회독	3회독
/	/	/

정답률 공단기/소방단기 합격예측 풀서비스 통계 데이터 기준 기 기본서 핵 핵심집약

01 행정상 손실보상 기 642~653쪽 핵 T 56

01 정답률 67% 중 2017 지방직 9급

행정상 손실보상제도에 대한 설명으로 옳지 않은 것은?

□□□ ① 헌법 제23조 제1항의 규정이 재산권의 존속을 보호하는 것이라면 제23조 제3항의 수용제도를 통해 존속보장은 가치보장으로 변하게 된다.

□□□ ② 평등의 원칙으로부터 파생된 '공적 부담 앞의 평등'은 손실보상의 이론적 근거가 될 수 있다.

□□□ ③ 헌법 제23조 제3항을 불가분조항으로 볼 경우, 보상규정을 두지 아니한 수용법률은 헌법위반이 된다.

□□□ ④ 대법원은 구 하천법 부칙 제2조와 이에 따른 특별조치법에 의한 손실보상청구권의 법적 성질을 사법상의 권리로 보아 그에 대한 쟁송은 행정소송이 아닌 민사소송절차에 의하여야 한다고 판시하고 있다.

관련기출

④

1. 대법원은 하천구역으로 편입된 토지에 대한 손실보상청구권과 관련하여 공법상의 법률관계를 대상으로 하는 당사자소송 절차에 의하지 않고 민사소송 절차에 따라야 한다고 판시하였다. (○, ×) 2024 소방직 9급
2. 판례는 구 하천법상 하천구역 편입토지에 대한 손실보상청구를 공법상의 권리라고 보아 항고소송에 의하여야 한다고 보고 있다. (○, ×) 2014 서울시 7급
3. 법률 제3782호 하천법 중 개정법률 부칙 제2조의 규정에 의한 보상청구권의 소멸시효가 만료된 구 「하천구역 편입토지 보상에 관한 특별조치법」 제2조에 의한 손실보상청구권은 사법상의 권리이고 그에 관한 쟁송도 민사소송절차에 의하여야 한다. (○, ×) 2014 지방직 9급
4. 대법원은 구 하천법상 하천구역 편입토지에 대한 손실보상청구를 공법상의 권리라고 보아 당사자소송에 의하여야 한다고 보고 있다. (○, ×) 2011 지방직(상) 9급

1. × 2. × 3. × 4. ○

① ○

존속보장이란 재산권자가 재산권을 보유하고 누리는 것(사용, 수익, 처분 등)을 보장하는 것을 말한다. 이에 반해 가치보장이란 공공필요에 의해 재산권에 대한 공권적 침해가 행해지는 경우, 재산권의 가치를 보장해 주기 위해 금전적인 보상 등을 행하는 것을 말한다. 헌법 제23조 제1항은 재산권의 보장을 규정하고 있는데 이는 존속보장을 의미한다. 그러나 헌법 제23조 제3항은 공공필요를 위해 공용침해(수용 등)가 행해질 수 있음을 규정하고 있으며 공용침해시에는 정당한 보상을 하도록 하고 있는데, 이 경우 재산권의 존속보장은 가치보장으로 전환된다.

> **헌법 제23조** ① 모든 국민의 재산권은 보장된다. 그 내용과 한계는 법률로 정한다.
> ② 재산권의 행사는 공공복리에 적합하도록 하여야 한다.
> ③ 공공필요에 의한 재산권의 수용 · 사용 또는 제한 및 그에 대한 보상은 법률로써 하되, 정당한 보상을 지급하여야 한다.

② ○

손실보상의 이론적 근거에 대해 통설인 특별희생설에 따르면, 공공의 이익을 위해 특정개인에게 부과된 특별한 희생 내지 불평등한 희생은, 이를 공동체 전체의 부담으로 하여 보상을 하는 것이 정의와 공평의 요구에 합치한다고 본다. 즉, 공적 부담 앞의 평등이 손실보상의 이론적 근거이다.

③ ○

불가분조항이란 공용침해를 규정한 법률은 반드시 보상규정까지 함께 규정하고 있어야만 한다는 것을 의미한다. 헌법 제23조 제3항을 불가분조항이라고 보는 견해에 따르면 어떤 법률에서 공용침해만 규정하고 손실보상에 관한 규정을 두고 있지 않다면 그러한 법률은 헌법 제23조 제3항에 위반되어 위헌인 법률이 된다(이른바 위헌무효설).

④ **빈출** ×

> 하천법 부칙 제2조 제2항에서 규정에 의한 손실보상청구권은 모두 종전의 하천법 규정 자체에 의하여 하천구역으로 편입되어 국유로 되었으나 그에 대한 보상규정이 없었거나 보상청구권이 시효로 소멸되어 보상을 받지 못한 토지들에 대하여, 국가가 반성적 고려와 국민의 권리구제 차원에서 그 손실을 보상하기 위하여 규정한 것으로서, 그 법적 성질은 하천법 본칙이 원래부터 규정하고 있던 하천구역에의 편입에 의한 손실보상청구권과 하등 다를 바가 없는 것이어서 공법상의 권리임이 분명하므로 그에 관한 쟁송도 행정소송(편저자 주 : 당사자소송)절차에 의하여야 한다(대판 2006. 5. 18, 2004다6207 전합).

정답 01 ④

02 정답률 45% 상 2017 국가직 9급

행정상 손실보상에 대한 설명으로 옳은 것은?

□□□ ① 손실보상의 이론적 근거로서 특별희생설에 의하면, 공공복지와 개인의 권리 사이에 충돌이 있는 경우에는 개인의 권리가 우선한다.

□□□ ② 손실보상청구권을 공권으로 보게 되면 손실보상청구권을 발생시키는 침해의 대상이 되는 재산권에는 공법상의 권리만이 포함될 뿐 사법상의 권리는 포함되지 않는다.

□□□ ③ 헌법재판소는 헌법 제23조 제3항의 '공공필요'는 '국민의 재산권을 그 의사에 반하여 강제적으로라도 취득해야 할 공익적 필요성'을 의미하고, 이 요건 중 공익성은 기본권 일반의 제한사유인 '공공복리'보다 좁은 것으로 보고 있다.

□□□ ④ 헌법 제23조 제3항을 국민에 대한 직접적인 효력이 있는 규정으로 보는 견해는 동 조항의 재산권의 수용·사용·제한 규정과 보상규정을 불가분조항으로 본다.

관련기출

②

1. 손실보상청구권을 발생시키는 침해는 재산권에 대한 것이면 족하며 재산권의 종류는 불문한다. (○, ×) 2014 서울시 9급

1. ○

① ×

개인의 재산권에 대해 특별한 희생을 가하는 경우에는 손실보상을 해주어야 하는데 이에 대한 이론적 근거로서 기득권설, 은혜설, 특별희생설이 있다. 이 중 통설인 특별희생설이란, 공공의 이익을 위해 특정개인에게 부과된 특별한 희생 내지 불평등한 희생은, 이를 공동체 전체의 부담으로 하여 보상을 하는 것이 정의와 공평의 요구에 합치하는 것이라는 견해이다. 즉, 특별희생설은 공공의 복리와 개인의 재산권과의 관계에서 개인의 재산권이 침해되는 것을 전제로 하여 그에 대한 보상을 해주는 이론적 근거에 불과하다. 따라서 공공복지와 개인의 권리 사이에 충돌이 있는 경우에는 개인의 권리가 우선하는 것이 아니다.

② ×

손실보상청구권의 성질을 공권으로 볼 것인지 아니면 사권으로 볼 것인지에 대하여 견해의 대립이 있다. 그러나 이와 무관하게 손실보상청구권을 발생시키는 공용침해의 대상이 되는 재산권이란, 일체의 재산적 가치 있는 권리를 의미하며 사법상의 권리와 공법상의 권리가 모두 포함된다.

③ ○

> 헌법재판소는 헌법 제23조 제3항에서 규정하고 있는 '공공필요'의 의미를 "국민의 재산권을 그 의사에 반하여 강제적으로라도 취득해야 할 공익적 필요성"으로 해석하여 왔다. 즉, '공공필요'의 개념은 '공익성'과 '필요성'이라는 요소로 구성되어 있다.
> 오늘날 공익사업의 범위가 확대되는 경향에 대응하여 재산권의 존속보장과의 조화를 위해서는, '공공필요'의 요건에 관하여, 공익성은 추상적인 공익 일반 또는 국가의 이익 이상의 중대한 공익을 요구하므로 기본권 일반의 제한사유인 '공공복리'보다 좁게 보는 것이 타당하며, 공익성의 정도를 판단함에 있어서는 공용수용을 허용하고 있는 개별법의 입법목적, 사업내용, 사업이 입법목적에 이바지하는 정도는 물론, 특히 그 사업이 대중을 상대로 하는 영업인 경우에는 그 사업시설에 대한 대중의 이용·접근가능성도 아울러 고려하여야 한다(헌재 2014. 10. 30, 2011헌바172).

> **헌법 제37조** ② 국민의 모든 자유와 권리는 국가안전보장·질서유지 또는 공공복리를 위하여 필요한 경우에 한하여 법률로써 제한할 수 있으며, 제한하는 경우에도 자유와 권리의 본질적인 내용을 침해할 수 없다.

④ ×

헌법 제23조 제3항을 국민에 대한 직접적인 효력이 있는 규정으로 보는 견해는 직접효력설이다. 직접효력설은 헌법 제23조 제3항의 재산권의 수용·사용·제한 규정과 보상규정을 불가분조항으로 보지 않는다. 직접효력설에 따르면 보상청구권은 '헌법' 제23조 제3항으로부터 직접 도출되므로 '법률'에 보상규정을 두지 않아도 무방하다(불가분조항에 대해서는 01 ③ 해설 참조).

정답 02 ③

02 경계이론 · 분리이론

기 654~659쪽 핵 T 57

03 상

2013 서울시 7급

갑(甲)은 개발제한구역 내 소재한, 지목은 대지이나 건축되지 아니한 토지(나대지)의 소유자이다. 갑(甲)은 당해 토지가 개발제한구역으로 지정됨으로써 건축을 할 수 없게 되어 사용 및 수익이 불가능하게 되었다. 이 사례에 대한 설명으로 옳지 않은 것은?

□□□ ① 헌법재판소는 개발제한구역제도를 공용침해가 아니라 재산권의 내용과 한계에 관한 문제로 본다.

□□□ ② 헌법재판소의 판례이론에 의할 경우 사례의 근거법률에 손실보상에 관한 규정이 없음에도 불구하고 행정청이 갑(甲)에게 손실보상을 하는 것은 국회 입법권의 침해이다.

□□□ ③ 헌법재판소의 판례이론에 의할 경우 사례와 같은 경우 법률에 조정적 보상규정을 두지 않는 것은 비례의 원칙을 위반한 위헌이다.

□□□ ④ 대법원의 판례이론에 의할 경우 법률에 손실보상에 관한 규정이 없는 때에도 관련법률의 유추해석 등을 통하여 갑(甲)에게 손실보상이 주어질 수 있다.

□□□ ⑤ 헌법재판소의 판례이론에 의할 경우 갑(甲)은 개발제한구역의 지정에 대한 취소소송과 손해배상청구소송을 통하여 재산권침해의 구제를 받을 수 있다.

① ○

헌법재판소는 경계이론이 아닌 분리이론을 따르고 있는바, 분리이론에 따르면 법령상의 개발제한구역제도는 공용침해가 아니라 재산권의 내용과 한계의 문제가 된다. 즉, 개발제한구역제도를 규정한 법률조항은 입법자가 토지재산권에 관한 권리와 의무를 일반적 · 추상적으로 확정하는 규정으로 법질서 안에서 보호받을 수 있는 권리로서 재산권의 내용과 한계를 정하는, 재산권을 형성하는 규정인 동시에 공익적 요청에 따른 재산권의 사회적 제약을 구체화하는 규정으로 이해한다. 따라서 헌법 제23조 제1항상의 재산권의 내용과 한계의 문제로 보며 분리이론에 따르면 이 경우 상대방의 재산권을 침해하는 정도가 강하더라도 비례의 원칙 위반 등이 문제될 수 있을 뿐 헌법 제23조 제3항의 공용침해의 문제로 되지는 않는다.

② ○

헌법재판소에 따르면 보상의 구체적 기준과 방법은 광범위한 입법형성권을 가진 입법자가 입법정책적으로 정할 사항이므로 보상에 관한 근거규정이 없음에도 행정청이 甲에게 손실보상을 하는 것은 국회 입법권의 침해가 될 수 있다.

> 1. 도시계획법 제21조에 규정된 개발제한구역제도 그 자체는 원칙적으로 합헌적인 규정인데, 다만 개발제한구역의 지정으로 말미암아 일부 토지소유자에게 사회적 제약의 범위를 넘는 가혹한 부담이 발생하는 예외적인 경우에 대하여 보상규정을 두지 않은 것에 위헌성이 있다.
> 2. 보상의 구체적 기준과 방법은 헌법재판소가 결정할 성질의 것이 아니라 광범위한 입법형성권을 가진 입법자가 입법정책적으로 정할 사항이므로, 입법자가 보상입법을 마련함으로써 위헌적인 상태를 제거할 때까지 위 조항을 형식적으로 존속하게 하기 위하여 헌법불합치결정을 한다(헌재 1998. 12. 24, 89헌마214, 90헌바16, 97헌바78 병합).

③ ○

> 이 사건 법률조항에 의한 재산권의 제한은 개발제한구역으로 지정된 토지를 원칙적으로 지정 당시의 지목과 토지현황에 의한 이용방법에 따라 사용할 수 있는 한, 재산권에 내재하는 사회적 제약을 비례의 원칙에 합치하게 합헌적으로 구체화한 것이라고 할 것이나, 종래의 지목과 토지현황에 의한 이용방법에 따른 토지의 사용도 할 수 없거나 실질적으로 사용 · 수익을 전혀 할 수 없는 예외적인 경우에도 아무런 보상 없이(편저자 주 : 조정규정 없이) 이를 감수하도록 하고 있는 한, 비례의 원칙에 위반되어 당해 토지소유자의 재산권을 과도하게 침해하는 것으로서 헌법에 위반된다 할 것이다(헌재 1998. 12. 24, 89헌마214).

④ ○

대법원은 재산권 규제가 공용침해에 해당함에도 법률에서 보상규정을 두고 있지 않는 경우, 관련법률의 유추해석을 통해 손실보상을 인정하고 있다. 따라서 대법원의 판례이론에 의할 경우 법률에 손실보상에 관한 규정이 없는 때에도 관련법률의 유추해석 등을 통하여 甲에게 손실보상이 주어질 수도 있다.

> **법률에 직접적으로 손실보상청구를 인정하는 명문규정이 없는 경우에도 관련법령을 유추적용하여 손실보상을 하여야 한다.**
> 공유수면매립사업의 시행자로서는 위 구 「공공용지의 취득 및 손실보상에 관한 특례법 시행규칙」 제25조의2의 규정을 유추적용하여 위와 같은 어민들에게 손실보상을 하여 줄 의무가 있다(대판 1999. 11. 23, 98다11529).

⑤ ×

> 입법자는 되도록 빠른 시일 내에 보상입법을 하여 위헌적 상태를 제거할 의무가 있고, 행정청은 보상입법이 마련되기 전에는 새로 개발제한구역을 지정하여서는 아니 되며, 토지소유자는 보상입법을 기다려 그에 따른 권리행사를 할 수 있을 뿐 개발제한구역의 지정이나 그에 따른 토지재산권의 제한 그 자체의 효력을 다투거나 위 조항에 위반하여 행한 자신들의 행위의 정당성을 주장할 수는 없다(헌재 1998. 12. 24, 89헌마214).

정답 03 ⑤

04 ㉦ 2010 서울교행

분리이론과 경계이론에 관한 설명으로 틀린 것은?

□□□ ① 경계이론은 당해 침해행위의 폐지를 주장함으로써 위헌적 침해의 억제에 중점을 두고 있음에 비하여, 분리이론은 보상을 통한 가치의 보장에 중점을 두고 있다.

□□□ ② 경계이론은 공공필요에 의한 재산권의 제한과 그에 대한 구제를 손실보상의 문제로 보고 있다.

□□□ ③ 헌법재판소는 분리이론에 입각하고 있다.

□□□ ④ 분리이론은 헌법 제23조 제1항 및 제2항을 재산권의 내용을 제한하는 규정으로 보고, 사회적 제약을 넘어서는 경우 비례의 원칙 및 평등의 원칙에 반한다고 본다.

① ×

② ○

경계이론은 재산권의 내용규정과 공용침해는 별개의 제도가 아니며, 양자는 재산권 제한의 정도에 따라 구별되는 것으로서 재산권 제한의 정도가 일정한 경계를 넘어서는 순간 보상의무가 있는 공용침해로 전환된다고 본다. 경계이론에 따르면 재산권 제한의 정도가 약한 경우 사회적 제약의 한계 내에 있으므로 보상이 필요없게 되고 재산권 제한의 정도가 강한 경우 헌법 제23조 제3항의 공용침해가 되므로 손실보상이 필요하게 된다. 따라서 경계이론은 공공필요에 의한 재산권 제한과 구제를 손실보상의 문제로 보게 되므로 가치보장을 강조하는 입장이다.
분리이론은 제32강 01 ② 해설처럼 위법한 침해에 대한 취소소송의 제기를 통해 위헌적 침해의 억제를 강조하고 있다.

③ ○

우리 헌법재판소도 분리이론을 따르고 있다.

> 이 사건 법률조항은 입법자가 토지재산권에 관한 권리와 의무를 일반적 · 추상적으로 확정하는 규정으로 법질서 안에서 보호받을 수 있는 권리로서 재산권의 내용과 한계를 정하는, 재산권을 형성하는 규정인 동시에 공익적 요청에 따른 재산권의 사회적 제약을 구체화하는 규정(편저자 주 : 그린벨트와 관련된 조항)이기도 하다(헌법 제23조 제1 · 2항). 이 사건 법률조항에 의한 재산권의 제한은 개발제한구역으로 지정된 토지를 원칙적으로 지정 당시의 지목과 토지현황에 의한 이용방법에 따라 사용할 수 있는 한, 재산권에 내재하는 사회적 제약을 비례의 원칙에 합치하게 합헌적으로 구체화한 것이라고 할 것이나, 종래의 지목과 토지현황에 의한 이용방법에 따른 토지의 사용도 할 수 없거나 실질적으로 사용 · 수익을 전혀 할 수 없는 예외적인 경우에도 아무런 보상 없이 이를 감수하도록 하고 있는 한, 비례의 원칙에 위반되어 당해 토지소유자의 재산권을 과도하게 침해하는 것으로서 헌법에 위반된다 할 것이다. …… 따라서 입법자가 이 사건 법률조항을 통하여 국민의 재산권을 비례의 원칙에 부합하게 합헌적으로 제한하기 위해서는, 수인의 한계를 넘어 가혹한 부담이 발생하는 예외적인 경우에는 이를 완화하는 보상규정을 두어야 한다. 이러한 보상규정은 입법자가 헌법 제23조 제1 · 2항에 의하여 재산권의 내용을 구체적으로 형성하고 공공의 이익을 위하여 재산권을 제한하는 과정에서 이를 합헌적으로 규율하기 위하여 두어야 하는 규정이다.
> 재산권의 침해와 공익 간의 비례성을 회복하기 위해서 헌법상 반드시 금전보상만을 해야 하는 것은 아니다. 입법자는 지정의 해제 또는 토지매수청구권제도와 같이 금전보상을 갈음하거나 기타 손실을 완화할 수 있는 제도를 보완하는 등 여러 가지 다른 방법을 사용할 수 있다. 즉, 입법자에게는 헌법적으로 가혹한 부담의 조정이란 '목적'을 달성하기 위하여 이를 완화 · 조정할 수 있는 '방법'의 선택에 있어서 광범위한 형성의 자유가 부여된다(헌재 1998. 12. 24, 89헌마214).

④ ○

분리이론에 따르면 양자를 전혀 별개의 분리된 제도로 이해하므로 만약 내용규정이 헌법적 한계를 넘어서 개인에게 특별한 희생을 강요한다고 평가되는 경우라도 그것이 공용침해규정으로 전환되어 개인에게 보상이 필요한 것이 아니라, 그러한 규정은 비례의 원칙 내지는 평등의 원칙을 위반한 것으로 위헌 · 위법이 된다.

정답 04 ①

05 ㊤ 2008 국가직 7급

헌법 제23조는 "① 모든 국민의 재산권은 보장된다. 그 내용과 한계는 법률로 정한다. ② 재산권의 행사는 공공복리에 적합하도록 하여야 한다. ③ 공공필요에 의한 재산권의 수용·사용 또는 제한 및 그에 대한 보상은 법률로써 하되, 정당한 보상을 지급하여야 한다."라고 규정하고 있다. 다음 설명 중 옳은 것은?

□□□ ① 재산권의 사회적 제약과 공용침해는 별개의 제도가 아니라 재산권 규제의 강도에 따라서 상대적으로 구분되는 것으로 사회적 제약의 경계를 벗어나면 보상의무가 있는 공용침해로 전환된다고 보는 경계이론은 독일의 연방헌법재판소의 판결에서 유래한다.

□□□ ② 헌법 제23조 제3항을 입법자에 대한 구속규정으로 보는 위헌무효설에 따르면, 보상규정이 없는 공용침해법률은 위헌법률이 되며 이러한 위헌법률에 근거한 공용침해는 위법한 공용침해에 해당하기 때문에 그러한 공용침해에 대해서는 다른 법률의 유추해석을 통하여 보상이 주어져야 한다고 본다.

□□□ ③ 사회적 제약을 벗어나는 무보상의 공용침해에 대하여, 분리이론은 당해 침해행위의 폐지를 주장함으로써 위헌적 침해의 억제에 중점을 두고 있음에 비하여, 경계이론은 보상을 통한 가치의 보장에 중점을 두고 있다.

□□□ ④ 개발제한구역지정으로 말미암아 일부 토지소유자에게 사회적 제약의 범위를 넘는 가혹한 부담이 발생하는 예외적인 경우임에도 보상규정을 두지 않은 것이 위헌이라는 견해는 보상을 통한 가치의 보장을 강조하는 입장이다.

① ×

경계이론은 재산권의 사회적 제약과 공용침해는 별개의 제도가 아니라 재산권 규제의 정도(강도)에 따라서 상대적으로 구분되는 것으로 사회적 제약의 경계를 벗어나면 보상의무가 있는 공용침해로 전환된다고 본다. 따라서 내용 자체는 맞는 말이나 경계이론은 독일의 연방최고법원의 판례에서 유래하며 연방헌법재판소의 판결에서 유래하는 것은 이른바 분리이론이다.

② ×

위헌무효설에 따르면 보상규정이 없는 공용침해법률은 위헌무효이기 때문에 그 법률에 근거한 행정처분은 위법하게 된다. 따라서 사인은 당해 처분으로 인해 재산상 손해를 입은 경우에는 '손해배상'을 청구할 수 있게 된다.

③ ○

분리이론은 존속보장에 중점을 두는 이론이고, 경계이론은 가치보장에 중점을 두는 이론이다.

④ ×

존속보장을 중시하는 분리이론에 따르면 보상규정을 두지 않은 경우 비례의 원칙에 위반되어 위헌이라고 본다. 분리이론을 따르고 있는 것으로 평가받고 있는 헌법재판소도 이러한 입장에서 판시한 바 있다. 따라서 설문의 내용이 반드시 가치보장을 강조하는 입장이라고 보기는 어렵다.

정답 05 ③

제 31 강 행정상 손실보상 2 (손실보상의 기준과 내용 등)

1회독	2회독	3회독
/	/	/

정답률 공단기/소방단기 합격예측 풀서비스 통계 데이터 기준 기 기본서 핵 핵심집약

01 손실보상의 기준과 내용 기 662~676쪽 핵 T 58

01 정답률 70% 중 2023 국가직 9급

손실보상에 대한 설명으로 옳은 것은? (다툼이 있는 경우 판례에 의함)

① 「공익사업을 위한 토지 등의 취득 및 보상에 관한 법률」상 사업시행자와 토지소유자 사이의 협의취득에 대한 분쟁은 민사소송으로 다투어야 한다.

② 「공익사업을 위한 토지 등의 취득 및 보상에 관한 법률」에 따라 사업인정고시가 된 후 토지의 사용으로 인하여 토지의 형질이 변경되는 경우에 토지소유자는 중앙토지수용위원회에 그 토지의 매수청구권을 행사할 수 있다.

③ 헌법재판소는 「개발제한구역의 지정 및 관리에 관한 특별조치법」 제11조 제1항 등에 대한 위헌소원사건에서 토지의 효용이 감소한 토지소유자에게 토지매수청구권을 인정하는 등 보상규정을 두었지만 적절한 손실보상에 해당하지 않는다고 위헌결정을 하였다.

④ 사업시행자는 동일한 사업지역에 보상시기를 달리하는 동일인 소유의 토지 등이 여러 개가 있는 경우 토지 등의 소유자가 일괄보상을 요구하더라도 「공익사업을 위한 토지 등의 취득 및 보상에 관한 법률」에 따라 단계적으로 보상금을 지급하여야 한다.

① ○

협의취득은 사법(私法)상의 법률행위이므로 그에 대한 분쟁은 민사소송의 대상이 된다.

> 「공익사업을 위한 토지 등의 취득 및 보상에 관한 법률」에 의한 협의취득은 사법(私法)상의 법률행위이다(대판 2012. 2. 23, 2010다91206).

② ×

> 「공익사업을 위한 토지 등의 취득 및 보상에 관한 법률」 제72조【사용하는 토지의 매수청구 등】 사업인정고시가 된 후 다음 각 호의 어느 하나에 해당할 때에는 해당 토지소유자는 사업시행자에게 해당 토지의 매수를 청구하거나 관할 토지수용위원회에 그 토지의 수용을 청구할 수 있다. 이 경우 관계인은 사업시행자나 관할 토지수용위원회에 그 권리의 존속(存續)을 청구할 수 있다.
> 1. 토지를 사용하는 기간이 3년 이상인 경우
> 2. 토지의 사용으로 인하여 토지의 형질이 변경되는 경우
> 3. 사용하려는 토지에 그 토지소유자의 건축물이 있는 경우

③ ×

> 도시의 무질서한 확산을 방지하고 도시주변의 자연환경을 보전하여 도시민의 건전한 생활환경을 확보하기 위하여 도시의 개발을 제한할 필요가 있으므로 개발제한구역지정으로 인한 토지재산권의 제한은 그 목적의 정당성이 인정되고, 개발제한구역 내에서 그 구역지정의 목적에 위배되는 건축물의 건축, 공작물의 설치 등을 원칙적으로 그리고 전면적으로 금지하는 것은 위와 같은 개발제한구역의 입법목적을 달성하는 데 기여하므로 수단의 적정성도 인정되며, 개발제한구역 내의 토지에 대한 선별적, 부분적, 예외적 이용제한의 수단만을 선택하여서는 목적의 효율적인 달성을 기대하기 어려우므로 전면적인 규제수단은 입법목적을 달성하기 위해 필요한 최소한의 조치인 것으로 인정된다. 그리고 같은 법이 개발제한구역의 지정으로 인하여 토지의 효용이 현저히 감소하거나 그 사용 · 수익이 사실상 불가능한 토지소유자에게 토지매수청구권을 인정하는 등 보상규정을 두고 있는 점에 비추어, 이 사건 특조법 조항이 토지재산권의 제한을 통하여 실현하고자 하는 공익의 비중과 이 사건 특조법 조항에 의하여 발생하는 토지재산권의 침해의 정도를 비교형량할 때 양자 사이에 적정한 비례관계가 성립한다고 보이므로 법익균형성도 충족된다. 따라서 개발제한구역내에서 건축물의 건축 및 용도변경 등의 행위를 제한하는 이 사건 특조법 조항이 비례의 원칙을 위반하여 청구인들의 재산권을 과도하게 침해한 것으로 보기 어렵다(편저자 주 : 합헌결정을 내림)(헌재 2004. 2. 26, 2001헌바80 · 84 병합, 「개발제한구역의 지정 및 관리에 관한 특별조치법」 제11조 제1항 등 위헌소원).

④ **빈출** ×

> 「공익사업을 위한 토지 등의 취득 및 보상에 관한 법률」 제65조【일괄보상】 사업시행자는 동일한 사업지역에 보상시기를 달리하는 동일인 소유의 토지 등이 여러 개 있는 경우 토지소유자나 관계인이 요구할 때에는 한꺼번에 보상금을 지급하도록 하여야 한다.

정답 01 ①

02 빈출 중 2021 군무원 7급

손실보상에 대한 판례의 내용으로 옳지 않은 것은?

□□□ ① 보상가액 산정시 공익사업으로 인한 개발이익은 토지의 객관적 가치에 포함된다.

□□□ ② 개별공시지가가 아닌 표준지공시지가를 기준으로 보상액을 산정하는 것은 헌법 제23조 제3항에 위반되지 않는다.

□□□ ③ 민간기업도 토지수용의 주체가 될 수 있다.

□□□ ④ 공유수면매립으로 인하여 위탁판매수수료 수입을 상실한 수산업협동조합에 대해서는 법률의 보상규정이 없더라도 손실보상의 대상이 된다.

관련기출

①

1. 헌법 제23조 제3항이 규정하는 정당한 보상이란 원칙적으로 피수용재산의 객관적인 재산가치를 완전하게 보상하는 것이어야 한다는 완전보상을 뜻한다. (○, ×) 2024 소방간부
2. 헌법 제23조 제3항에 규정된 '정당한 보상'은 상당보상을 의미한다는 것이 헌법재판소의 입장이다. (○, ×) 2019 소방직 9급
3. 헌법 제23조 제3항에서 규정한 '정당한 보상'이란 원칙적으로 피수용재산의 객관적인 재산가치를 완전하게 보상하여야 한다는 완전보상을 뜻하는 것이지만, 공익사업의 시행으로 인한 개발이익은 완전보상의 범위에 포함되는 피수용토지의 객관적 가치 내지 피수용자의 손실이라고는 볼 수 없다. (○, ×) 2017 경행경채

1. ○ 2. × 3. ○

① 빈출 ×

1. 정당한 보상이란 완전보상을 뜻하는 것으로서 보상금액뿐만 아니라 보상의 시기나 방법 등에 있어서도 어떠한 제한을 두어서는 아니 된다는 것을 의미한다.
2. 개발이익은 성질상 완전보상의 범위에 포함되지 아니한다.

헌법 제23조 제3항이 규정하는 정당한 보상이란 원칙적으로 피수용재산의 객관적인 재산가치를 완전하게 보상하는 것이어야 한다는 완전보상을 뜻하는 것으로서 보상금액뿐만 아니라 보상의 시기나 방법 등에 있어서도 어떠한 제한을 두어서는 아니 된다는 것을 의미한다고 할 것이다. …… 개발이익은 그 성질상 완전보상의 범위에 포함되지 아니한다(헌재 1995. 4. 20, 93헌바20, 94헌바4, 95헌바6).

② ○

수용대상토지의 보상가격을 정함에 있어 표준지공시지가를 기준으로 비교한 금액이 수용대상토지의 수용사업인정 전의 개별공시지가보다 적은 경우가 있다 하더라도, 이것만으로는 정당보상의 원리에 어긋나지 않으므로 위헌이 아니다(헌재 1990. 6. 25, 89헌마107).

③ ○

민간기업을 수용의 주체로 규정한 「산업입지 및 개발에 관한 법률」 제22조 제1항은 공공필요 요건을 충족하므로 헌법 제23조 제3항에 위반되지 않는다(헌재 2009. 9. 24, 2007헌바114).

④ ○

(공유수면매립사업으로 인하여 수산업협동조합이 관계법령에 의해 대상지역에서 독점적 지위가 부여되어 있던 위탁판매사업을 중단하게 된 경우, 그로 인한 위탁판매수수료 수입상실에 대해 명문의 규정이 없더라도 「공공용지의 취득 및 손실보상에 관한 특례법 시행규칙」을 유추적용하여 손실보상을 청구할 수 있다고 판시하면서) 공공사업의 시행 결과 공공사업의 기업지 밖에서 발생한 간접손실에 대하여 사업시행자와 협의가 이루어지지 아니하고, 그 보상에 관한 명문의 법령이 없는 경우, 피해자는 「공공용지의 취득 및 손실보상에 관한 특례법 시행규칙」상의 손실보상에 관한 규정을 유추적용하여 사업시행자에게 보상을 청구할 수 있다(대판 1999. 10. 8, 99다27231).

정답 02 ①

03 중 2020 국회직 8급

「공익사업을 위한 토지 등의 취득 및 보상에 관한 법률」상 이주대책에 대한 설명으로 옳지 않은 것은? (다툼이 있는 경우 판례에 의함)

□□□ ① 이주대책은 생활보상의 일환으로 국가의 적극적이고 정책적인 배려에 의하여 마련된 제도이다.

□□□ ② 이주대책의 수립의무자는 사업시행자이며, 법령에서 정한 일정한 경우 이주대책을 수립할 의무가 있다.

□□□ ③ 사업시행자는 이주대책을 수립하려면 미리 관할 지방자치단체의 장과 협의하여야 한다.

□□□ ④ 도시개발사업의 사업시행자가 이주대책기준을 정하여 이주대책대상자 가운데 이주대책을 수립·실시하여야 할 자를 선정하여 그들에게 공급할 택지 등을 정할 때는 재량권을 갖는다.

□□□ ⑤ 주거용 건물의 거주자에 대하여는 주거이전에 필요한 비용 외에 가재도구 등 동산의 운반에 필요한 비용은 보상하지 않아도 된다.

관련기출

①

1. 이주대책은 이주자들에게 종전의 생활상태를 회복시키기 위한 생활보상의 일환으로서 국가의 정책적인 배려에 의하여 마련된 제도이므로, 이주대책의 실시 여부는 입법자의 입법정책적 재량의 영역에 속한다. (○, ×) 2017 국가직(하) 9급
2. 「공익사업을 위한 토지 등의 취득 및 보상에 관한 법률」상 이주대책은 이주대책대상자들에 대하여 종전의 생활상태를 원상으로 회복시키면서 동시에 인간다운 생활을 보장하여 주기 위한 생활보상의 일환이다. (○, ×) 2014 사회복지직 9급
3. 이주대책의 실시 여부는 입법자의 입법정책적 재량의 영역에 속한다. (○, ×) 2011 사회복지직 9급

1. ○ 2. ○ 3. ○

④

1. 도시개발사업의 사업시행자는 이주대책기준을 정하여 이주대책대상자 가운데 이주대책을 수립·실시하여야 할 자를 선정하여 그들에게 공급할 택지 등을 정하는 데 재량을 갖는다. (○, ×) 2015 국회직 8급

1. ○

① **빈출** ○

이주대책은 헌법 제23조 제3항에 규정된 정당한 보상에 포함되는 것이라기보다는 생활보상의 일환으로서 국가의 정책적인 배려에 의하여 마련된 제도라고 볼 것이다.

이주대책은 헌법 제23조 제3항에 규정된 정당한 보상에 포함되는 것이라기보다는 이에 부가하여 이주자들에게 종전의 생활상태를 회복시키기 위한 생활보상의 일환으로서 국가의 정책적인 배려에 의하여 마련된 제도라고 볼 것이다. 따라서 이주대책의 실시 여부는 입법자의 입법정책적 재량의 영역에 속하므로 「공익사업을 위한 토지 등의 취득 및 보상에 관한 법률 시행령」 제40조 제3항 제3호가 이주대책의 대상자에서 세입자를 제외하고 있는 것이 세입자의 재산권을 침해하는 것이라 볼 수 없다(헌재 2006. 2. 23, 2004헌마19).

②③ ○

⑤ ×

「공익사업을 위한 토지 등의 취득 및 보상에 관한 법률」 제78조 【이주대책의 수립 등】 ① 사업시행자는 공익사업의 시행으로 인하여 주거용 건축물을 제공함에 따라 생활의 근거를 상실하게 되는 자(이하 '이주대책대상자'라 한다)를 위하여 대통령령으로 정하는 바에 따라 이주대책을 수립·실시하거나 이주정착금을 지급하여야 한다(②).
② 사업시행자는 제1항에 따라 이주대책을 수립하려면 미리 관할 지방자치단체의 장과 협의하여야 한다(③).
⑥ 주거용 건물의 거주자에 대하여는 주거이전에 필요한 비용과 가재도구 등 동산의 운반에 필요한 비용을 산정하여 보상하여야 한다(⑤).

④ ○

사업시행자는 법령에서 정한 일정한 경우 이주대책을 수립할 의무를 지지만, 이주대책의 '내용결정'에 있어서는 법령에 의해 정해진 것을 제외하고는 재량권을 가지므로 사업시행자는 이주대책기준을 설정할 재량이 있다는 것이 판례의 입장이다.

도시개발사업의 사업시행자는 이주대책기준을 정하여 이주대책대상자 가운데 이주대책을 수립·실시하여야 할 자를 선정하여 그들에게 공급할 택지 등을 정하는 데 재량을 가진다(대판 2009. 3. 12, 2008두12610).

정답 03 ⑤

04 중

2018 교육행정직 9급 변형

행정상 손실보상에 관한 설명으로 옳지 않은 것은? (단, 다툼이 있는 경우 판례에 따름)

□□□ ① 분리이론과 경계이론은 재산권의 내용 · 한계설정과 공용침해를 보다 합리적으로 구분하려는 이론이다.

□□□ ② 헌법 제23조 제3항에서 보상은 법률로써 하되 정당한 보상을 지급하여야 한다고 하여 구체적인 보상액의 산출기준은 법률에 유보하고 있다.

□□□ ③ 중앙토지수용위원회의 이의재결에 대한 행정소송은 재결서를 받은 날부터 60일 이내에 제기해야 한다.

□□□ ④ 헌법재판소는 헌법 제23조 제3항의 정당한 보상에 세입자의 이주대책까지 포함된다고 본다.

관련기출

④

1. 「공익사업을 위한 토지 등의 취득 및 보상에 관한 법률 시행령」에서 이주대책의 대상자에서 세입자를 제외하고 있는 것이 세입자의 재산권을 침해하는 것이라 볼 수 없다. (○, ×) 2022 군무원 9급
2. 세입자를 이주대책대상자에서 제외하는 것은 세입자의 평등권과 재산권을 침해한다. (○, ×) 2011 사회복지직 9급
3. (판례에 따르면) 이주대책은 그 본래의 취지에 있어 이주자들에 대하여 종전의 생활상태를 원상으로 회복시키면서 동시에 인간다운 생활을 보장하여 주기 위한 이른바 생활보상의 일환으로 국가의 적극적이고 정책적인 배려에 의하여 마련된 제도이다. (○, ×) 2010 지방직 7급

1. ○ 2. × 3. ○

① ○

개인의 재산권을 제한하는 경우, 이것이 헌법 제23조 제3항에서 규정하고 있는 보상이 필요한 공용침해인지, 아니면 헌법 제23조 제1 · 2항에서 규정하고 있는 보상이 필요 없는 재산권의 내용과 한계(즉, 사회적 제약)를 설정한 것인지가 문제된다. 이러한 경우 '공용침해'와 '재산권의 내용과 한계의 설정'의 합리적 구분을 위해 경계이론과 분리이론이 대립한다. 경계이론과 분리이론을 조금 더 설명하면 다음과 같다.

경계이론은 재산권의 내용규정과 공용침해는 별개의 제도가 아니며, 양자는 재산권 제한의 정도에 따라 구별되는 것으로서 재산권 제한의 정도가 일정한 경계를 넘어서는 순간 보상의무가 있는 공용침해로 전환된다고 본다.

이에 반해 분리이론은 재산권에 대한 제한이 공용침해인지 아니면 내용과 한계를 설정한 것인지는 법률의 목적 및 형식으로 구분한다. 즉, 법률의 규정에 의한 재산권의 제한이 일반적인 공익을 위하여 일반적 · 추상적으로 재산권을 새롭게 정의하려는 목적을 가진 경우에는 헌법 제23조 제1 · 2항의 재산권의 내용과 한계문제(사회적 제약)로 보고, 법률의 규정에 의한 재산권의 제한이 특정한 공익사업을 위하여 개별적 · 구체적으로 기존의 재산권을 박탈 내지는 축소하려는 목적을 가진 경우에는 헌법 제23조의 공용침해라고 본다.

② ○

> 헌법 제23조 ③ 공공필요에 의한 재산권의 수용 · 사용 또는 제한 및 그에 대한 보상은 법률로써 하되, 정당한 보상을 지급하여야 한다.

③ ○

> 「공익사업을 위한 토지 등의 취득 및 보상에 관한 법률」 제85조【행정소송의 제기】① 사업시행자, 토지소유자 또는 관계인은 제34조에 따른 재결에 불복할 때에는 재결서를 받은 날부터 90일 이내에, 이의신청을 거쳤을 때에는 이의신청에 대한 재결서를 받은 날부터 60일 이내에 각각 행정소송을 제기할 수 있다. 이 경우 사업시행자는 행정소송을 제기하기 전에 제84조에 따라 늘어난 보상금을 공탁하여야 하며, 보상금을 받을 자는 공탁된 보상금을 소송이 종결될 때까지 수령할 수 없다.

④ 빈출 ×

> 1. 이주대책의 실시 여부는 '입법자'의 입법정책적 재량의 영역에 속한다.
> 2. 「공익사업을 위한 토지 등의 취득 및 보상에 관한 법률 시행령」 제40조 제3항 제3호가 이주대책의 대상자에서 세입자를 제외하고 있는 것은 세입자의 재산권을 침해하지 않는다.
>
> 이주대책은 헌법 제23조 제3항에 규정된 정당한 보상에 포함되는 것이라기보다는 이에 부가하여 이주자들에게 종전의 생활상태를 회복시키기 위한 생활보상의 일환으로서 국가의 정책적인 배려에 의하여 마련된 제도라고 볼 것이다. 따라서 이주대책의 실시 여부는 입법자의 입법정책적 재량의 영역에 속하므로 「공익사업을 위한 토지 등의 취득 및 보상에 관한 법률 시행령」 제40조 제3항 제3호가 이주대책의 대상자에서 세입자를 제외하고 있는 것이 세입자의 재산권을 침해하는 것이라 볼 수 없다(헌재 2006. 2. 23, 2004헌마19).

정답 04 ④

05 중 2010 지방직 7급

생활보상으로서의 이주대책에 관한 설명으로 옳지 않은 것은? (다툼이 있는 경우 판례에 의함)

□□□ ① 이주대책은 그 본래의 취지에 있어 이주자들에 대하여 종전의 생활상태를 원상으로 회복시키면서 동시에 인간다운 생활을 보장하여 주기 위한 이른바 생활보상의 일환으로 국가의 적극적이고 정책적인 배려에 의하여 마련된 제도이다.

□□□ ② 사업시행자는 이주대책을 수립 · 실시하지 아니하는 경우 또는 이주대책대상자가 이주정착지가 아닌 다른 지역으로 이주하고자 하는 경우에는 이주대책대상자에게 이주정착금을 지급하여야 한다.

□□□ ③ 사업시행자가 이주대책을 수립하고자 하는 때에는 미리 관할 지방자치단체의 장과 협의하여야 한다.

□□□ ④ 사업시행자는 이주대책을 수립할 의무를 질 뿐, 그 내용결정에 있어서 재량권을 갖는 것은 아니다.

① ○

특례법상의 이주대책은 공공사업의 시행에 필요한 토지 등을 제공함으로 인하여 생활의 근거를 상실하게 되는 이주자들을 위하여 사업시행자가 '기본적인 생활시설이 포함된' 택지를 조성하거나 그 지상에 주택을 건설하여 이주자들에게 이를 '그 투입비용원가만의 부담하에' 개별공급하는 것으로서, 그 본래의 취지에 있어 이주자들에 대하여 종전의 생활상태를 원상으로 회복시키면서 동시에 인간다운 생활을 보장하여 주기 위한 이른바 생활보상의 일환으로 국가의 적극적이고 정책적인 배려에 의하여 마련된 제도라 할 것이다(대판 2003. 7. 25, 2001다57778).

② ○

「공익사업을 위한 토지 등의 취득 및 보상에 관한 법률 시행령」 제41조 【이주정착금의 지급】 사업시행자는 법 제78조 제1항에 따라 다음 각 호의 어느 하나에 해당하는 경우에는 이주대책대상자에게 국토교통부령으로 정하는 바에 따라 이주정착금을 지급해야 한다.

1. 이주대책을 수립 · 실시하지 아니하는 경우
2. 이주대책대상자가 이주정착지가 아닌 다른 지역으로 이주하려는 경우

③ ○

「공익사업을 위한 토지 등의 취득 및 보상에 관한 법률」 제78조 【이주대책의 수립 등】 ② 사업시행자는 제1항에 따라 이주대책을 수립하려면 미리 관할 지방자치단체의 장과 협의하여야 한다.

④ ×

사업자는 이주대책의 내용결정에 있어서 재량권을 갖는다는 것이 판례의 입장이다(대판 2009. 3. 12, 2008두12610).

정답 05 ④

02 손실보상의 유형과 지급 기 677~679쪽 핵 T 58

06 정답률 82% 중 2024 소방직 9급

행정상 손실보상에 관한 설명으로 옳은 것은? (다툼이 있는 경우 판례에 의함)

① 헌법재판소는 공시지가에 의한 보상을 하는 것은 합헌으로 보았으나, 개발이익을 배제하여 보상금액을 결정하는 것은 위헌이라고 결정하였다.

② 「공익사업을 위한 토지 등의 취득 및 보상에 관한 법률」에 따라 공익사업에 필요한 토지 등의 취득 또는 사용으로 인하여 토지소유자나 관계인이 입은 손실은 사업시행자가 보상하여야 한다. 이때 보상은 해당 공익사업을 위한 공사에 착수하기 이전에 이루어지며, 다른 특별한 규정이 없는 한 현금 지급을 원칙으로 한다.

③ 대법원은 국군보안사가 사인 소유의 방송사 주식을 강제로 국가에게 증여하게 한 사건에서 수용유사적 침해이론에 근거해 손실보상을 인정한다고 판시하였다.

④ 대법원은 하천구역으로 편입된 토지에 대한 손실보상청구권과 관련하여 공법상의 법률관계를 대상으로 하는 당사자소송절차에 의하지 않고 민사소송절차에 따라야 한다고 판시하였다.

① 정답률 4% ×

1. 공익사업을 위한 토지수용의 경우 「부동산 가격공시 및 감정평가에 관한 법률」(현 「부동산 가격공시에 관한 법률」)이 정한 공시지가를 기준으로 보상하도록 하는 구 「공익사업을 위한 토지 등의 취득 및 보상에 관한 법률」 제70조 제1항은 정당보상의 원칙에 위배되지 않는다.
   동 조항이 「부동산 가격공시 및 감정평가에 관한 법률」에 의한 공시지가를 기준으로 토지수용으로 인한 손실보상액을 산정하되, 개발이익을 배제하고 공시기준일부터 재결시까지의 시점보정을 인근토지의 가격변동률과 생산자물가상승률에 의하도록 한 것은 …… 헌법 제23조 제3항이 규정한 정당보상의 원칙에 위배되지 않는다(헌재 2013. 12. 26, 2011헌바162).
2. 당해 사업으로 인한 개발이익은 피수용자의 객관적 재산가치에 포함되지 아니하므로 개발이익을 배제하는 것은 정당하다(대판 1993. 7. 27, 92누11084).

② **빈출** 정답률 82% ○

「공익사업을 위한 토지 등의 취득 및 보상에 관한 법률」 제61조【사업시행자 보상】 공익사업에 필요한 토지 등의 취득 또는 사용으로 인하여 토지소유자나 관계인이 입은 손실은 사업시행자가 보상하여야 한다.

제62조【사전보상】 사업시행자는 해당 공익사업을 위한 공사에 착수하기 이전에 토지소유자와 관계인에게 보상액 전액(全額)을 지급하여야 한다. 다만, 제38조에 따른 천재지변시의 토지사용과 제39조에 따른 시급한 토지사용의 경우 또는 토지소유자 및 관계인의 승낙이 있는 경우에는 그러하지 아니하다.

제63조【현금보상 등】 ① 손실보상은 다른 법률에 특별한 규정이 있는 경우를 제외하고는 현금으로 지급하여야 한다. (이하 생략)

③ 정답률 9% ×

우리 대법원은 수용유사침해이론에 대해 유보적 입장을 보인 바 있을 뿐, 명시적으로 인정한 경우는 없다. 제32강 참조

국군보안사령부 정보처장이 언론통폐합조치의 일환으로 사인 소유의 방송사 주식을 강압적으로 국가에 증여하게 한 것은 사법상의 증여계약일 뿐 수용유사침해행위에 해당되지 않는다.

수용유사적 침해의 이론은 국가, 기타 공권력의 주체가 위법하게 공권력을 행사하여 국민의 재산권을 침해하였고 그 효과가 실제 수용과 다름없을 때에는 적법한 수용이 있는 것과 마찬가지로 국민이 그로 인한 손실의 보상을 청구할 수 있다는 내용으로 이해되는데, 과연 우리 법제하에서 그와 같은 이론을 채택할 수 있는 것인가는 별론으로 하더라도 이 사건에서 피고 대한민국의 이 사건 주식취득이 그러한 공권력의 행사에 의한 수용유사적 침해에 해당한다고 볼 수는 없다.
국가가 이 사건 주식을 취득한 것이 원심 판시와 같이 공공의 필요에 의한 것이라고 본다 하여도 그 수단이 사법상의 증여계약에 의한 것인 경우에는 비록 공무원이 그 증여계약 체결과정에서 위법하게 강박을 행사했더라도 그것만으로 이 사건 주식의 취득 자체를 공권력의 행사에 의한 것이라고는 볼 수 없고, …… (대판 1993. 10. 26, 93다6409)

④ 정답률 3% 제30강 참조 ×

1. 구 하천법상 하천구역 편입토지 보상에 대한 손실보상청구권의 법적 성질은 공법상 권리로서 이에 따른 손실보상금의 지급을 구하거나 손실보상청구권의 확인을 구하는 소송은 당사자소송이다(대판 2006. 5. 18, 2004다6207 전합).
2. 「하천구역 편입토지 보상에 관한 특별조치법」에 정한 하천편입 토지 소유자의 보상청구권에 기하여 손실보상금의 지급을 구하거나 손실보상청구권의 확인을 구하는 소송은 당사자소송이다(대판 2006. 11. 9, 2006다23503).

정답 06 ②

07 빈출 ⓢ 2023 국회직 9급

「공익사업을 위한 토지 등의 취득 및 보상에 관한 법률」에 대한 설명으로 옳지 않은 것은? (다툼이 있는 경우 판례에 의함)

□□□ ① 사업시행자는 해당 공익사업을 위한 공사에 착수하기 이전에 토지소유자와 관계인에게 원칙적으로 보상액 전액 또는 일부를 지급할 수 있다.

□□□ ② 협의 또는 재결에 의하여 사용하는 토지에 대하여는 그 토지와 인근 유사토지의 지료(地料), 임대료, 사용방법, 사용기간 및 그 토지의 가격 등을 고려하여 평가한 적정가격으로 보상하여야 한다.

□□□ ③ 토지에 대한 보상액은 일시적인 이용상황과 토지소유자나 관계인이 갖는 주관적 가치 및 특별한 용도에 사용할 것을 전제로 한 경우 등은 고려하지 아니한다.

□□□ ④ 사업시행자, 토지소유자 또는 관계인은 「공익사업을 위한 토지 등의 취득 및 보상에 관한 법률」 제34조에 따른 재결에 불복할 때에는 재결서를 받은 날부터 90일 이내에, 이의신청을 거쳤을 때에는 이의신청에 대한 재결서를 받은 날부터 60일 이내에 각각 행정소송을 제기할 수 있다.

□□□ ⑤ 공익사업에 필요한 토지 등의 취득 또는 사용으로 인하여 토지소유자나 관계인이 입은 손실은 사업시행자가 보상하여야 한다.

관련기출

④

1. 중앙토지수용위원회의 이의재결에 대한 행정소송은 재결서를 받은 날부터 90일 이내에 제기하여야 한다. (○, ×) 2023 국회직 8급
2. 토지소유자 甲은 수용재결에 불복할 때에는 그 재결서를 받은 날부터 60일 이내에, 이의신청을 거쳤을 때에는 이의신청에 대한 재결서를 받은 날부터 30일 이내에 각각 행정소송을 제기하여야 한다. (○, ×) 2022 국가직 7급 변형

1. × 2. ×

① ×

「공익사업을 위한 토지 등의 취득 및 보상에 관한 법률」 제62조【사전보상】 사업시행자는 해당 공익사업을 위한 공사에 착수하기 이전에 토지소유자와 관계인에게 보상액 전액(全額)을 지급하여야 한다. 다만, 제38조에 따른 천재지변시의 토지사용과 제39조에 따른 시급한 토지사용의 경우 또는 토지소유자 및 관계인의 승낙이 있는 경우에는 그러하지 아니하다.

② ○

「공익사업을 위한 토지 등의 취득 및 보상에 관한 법률」 제71조【사용하는 토지의 보상 등】 ① 협의 또는 재결에 의하여 사용하는 토지에 대하여는 그 토지와 인근 유사토지의 지료(地料), 임대료, 사용방법, 사용기간 및 그 토지의 가격 등을 고려하여 평가한 적정가격으로 보상하여야 한다.

③ ○

「공익사업을 위한 토지 등의 취득 및 보상에 관한 법률」 제70조【취득하는 토지의 보상】 ② 토지에 대한 보상액은 가격시점에서의 현실적인 이용상황과 일반적인 이용방법에 의한 객관적 상황을 고려하여 산정하되, 일시적인 이용상황과 토지소유자나 관계인이 갖는 주관적 가치 및 특별한 용도에 사용할 것을 전제로 한 경우 등은 고려하지 아니한다.

④ 빈출 ○

「공익사업을 위한 토지 등의 취득 및 보상에 관한 법률」 제85조【행정소송의 제기】 ① 사업시행자, 토지소유자 또는 관계인은 제34조에 따른 재결에 불복할 때에는 재결서를 받은 날부터 90일 이내에, 이의신청을 거쳤을 때에는 이의신청에 대한 재결서를 받은 날부터 60일 이내에 각각 행정소송을 제기할 수 있다. 이 경우 사업시행자는 행정소송을 제기하기 전에 제84조에 따라 늘어난 보상금을 공탁하여야 하며, 보상금을 받을 자는 공탁된 보상금을 소송이 종결될 때까지 수령할 수 없다.

⑤ ○

「공익사업을 위한 토지 등의 취득 및 보상에 관한 법률」 제61조【사업시행자 보상】 공익사업에 필요한 토지 등의 취득 또는 사용으로 인하여 토지소유자나 관계인이 입은 손실은 사업시행자가 보상하여야 한다.

정답 07 ①

08 중

2022 국회직 8급

「공익사업을 위한 토지 등의 취득 및 보상에 관한 법률」(이하 '토지보상법'이라 함)에 대한 설명으로 옳지 않은 것은? (다툼이 있는 경우 판례에 의함)

□□□ ① 보상액의 산정은 협의에 의한 경우에는 협의 성립 당시의 가격을, 재결에 의한 경우에는 수용 또는 사용의 재결 당시의 가격을 기준으로 한다.

□□□ ② 사업인정고시가 된 후 사업시행자가 토지를 사용하는 기간이 3년 이상인 경우 토지소유자는 토지수용위원회에 토지의 수용을 청구할 수 있고, 토지수용위원회가 이를 받아들이지 않는 재결을 한 경우에는 사업시행자를 피고로 하여 토지보상법상 보상금의 증감에 관한 소송을 제기할 수 있다.

□□□ ③ 사업시행자는 동일한 사업지역에 보상시기를 달리하는 동일인 소유의 토지 등이 여러 개 있는 경우 토지소유자나 관계인이 요구할 때에는 한꺼번에 보상금을 지급하도록 하여야 한다.

□□□ ④ 사업시행자는 동일한 소유자에게 속하는 일단의 토지의 일부를 취득하는 경우 해당 공익사업의 시행으로 인하여 잔여지의 가격이 증가한 경우에 그 이익을 그 취득으로 인한 손실과 상계한다.

□□□ ⑤ 영업을 폐업하거나 휴업함에 따른 영업손실에 대하여는 영업이익과 시설의 이전비용 등을 고려하여 보상하여야 한다.

① **빈출** ○

> 「공익사업을 위한 토지 등의 취득 및 보상에 관한 법률」 제67조【보상액의 가격시점 등】① 보상액의 산정은 협의에 의한 경우에는 협의 성립 당시의 가격을, 재결에 의한 경우에는 수용 또는 사용의 재결 당시의 가격을 기준으로 한다.

② ○

> 「공익사업을 위한 토지 등의 취득 및 보상에 관한 법률」 제72조【사용하는 토지의 매수청구 등】 사업인정고시가 된 후 다음 각 호의 어느 하나에 해당할 때에는 해당 토지소유자는 사업시행자에게 해당 토지의 매수를 청구하거나 관할 토지수용위원회에 그 토지의 수용을 청구할 수 있다. 이 경우 관계인은 사업시행자나 관할 토지수용위원회에 그 권리의 존속(存續)을 청구할 수 있다.
> 1. 토지를 사용하는 기간이 3년 이상인 경우
> 2. 토지의 사용으로 인하여 토지의 형질이 변경되는 경우
> 3. 사용하려는 토지에 그 토지소유자의 건축물이 있는 경우

1. 토지보상법 제72조에 의한 사용토지에 대한 수용청구권은 형성권의 성질을 가진다.
2. 토지소유자의 토지수용청구를 받아들이지 아니한 토지수용위원회의 재결에 대하여 토지소유자가 불복하여 제기하는 소송은 토지보상법 제85조 제2항에 규정되어 있는 '보상금의 증감에 관한 소송'에 해당하고, 피고는 토지수용위원회가 아니라 사업시행자로 하여야 한다.

   「공익사업을 위한 토지 등의 취득 및 보상에 관한 법률」(이하 '토지보상법'이라고 한다) 제72조의 문언, 연혁 및 취지 등에 비추어 보면, 위 규정이 정한 수용청구권은 토지보상법 제74조 제1항이 정한 잔여지수용청구권과 같이 손실보상의 일환으로 토지소유자에게 부여되는 권리로서 그 청구에 의하여 수용효과가 생기는 형성권의 성질을 지니므로, 토지소유자의 토지수용청구를 받아들이지 아니한 토지수용위원회의 재결에 대하여 토지소유자가 불복하여 제기하는 소송은 토지보상법 제85조 제2항에 규정되어 있는 '보상금의 증감에 관한 소송'에 해당하고, 피고는 토지수용위원회가 아니라 사업시행자로 하여야 한다(대판 2015. 4. 9, 2014두46669).

③ **빈출** ○

> 「공익사업을 위한 토지 등의 취득 및 보상에 관한 법률」 제65조【일괄보상】 사업시행자는 동일한 사업지역에 보상시기를 달리하는 동일인 소유의 토지 등이 여러 개 있는 경우 토지소유자나 관계인이 요구할 때에는 한꺼번에 보상금을 지급하도록 하여야 한다.

④ **빈출** ×

> 「공익사업을 위한 토지 등의 취득 및 보상에 관한 법률」 제66조【사업시행 이익과의 상계금지】 사업시행자는 동일한 소유자에게 속하는 일단(一團)의 토지의 일부를 취득하거나 사용하는 경우 해당 공익사업의 시행으로 인하여 잔여지(殘餘地)의 가격이 증가하거나 그 밖의 이익이 발생한 경우에도 그 이익을 그 취득 또는 사용으로 인한 손실과 상계(相計)할 수 없다.

⑤ ○

> 「공익사업을 위한 토지 등의 취득 및 보상에 관한 법률」 제77조【영업의 손실 등에 대한 보상】① 영업을 폐업하거나 휴업함에 따른 영업손실에 대하여는 영업이익과 시설의 이전비용 등을 고려하여 보상하여야 한다.

정답 08 ④

09 중 2008 지방직 7급

행정상 손실보상에 대한 설명으로 옳은 것은? (다툼이 있는 경우 판례에 의함)

□□□ ① 토지수용으로 인한 손실보상액을 산정함에 있어 당해 공공사업의 시행과 관련이 없는 다른 사업으로 인한 개발이익을 배제한 가격으로 평가하여야 한다.

□□□ ② 영업손실에 관한 보상에 있어서 영업의 휴업과 폐지를 구별하는 기준은 당해 영업을 다른 장소로 실제로 이전하였는지의 여부에 달려 있다.

□□□ ③ 잔여지수용청구권은 그 요건을 구비한 때에 형성권의 성질을 갖는다.

□□□ ④ 토지수용보상액 산정시 당해 공공사업의 시행을 직접 목적으로 하는 계획의 승인·고시로 인한 가격변동을 고려하여야 한다.

관련기출

②

1. 영업손실에 관한 보상에 있어서 영업의 휴업과 폐지를 구별하는 기준은 당해 영업을 다른 장소로 실제로 이전하였는지의 여부에 달려 있는 것이 아니라, 당해 영업을 그 영업소 소재지나 인접 시·군 또는 구지역 안의 다른 장소로 이전하는 것이 가능한지의 여부에 달려 있다. (○, ×) 2011 경행특채

1. ○

①④ ×

토지수용으로 인한 손실보상액을 산정함에 있어서 당해 공공사업의 시행을 직접 목적으로 하는 계획의 승인·고시로 인한 가격변동은 이를 고려함이 없이 수용재결 당시의 가격을 기준으로 하여 적정가격을 정하여야(④) 하나, 당해 공공사업과는 관계없는 다른 사업의 시행으로 인한 개발이익은 이를 배제하지 아니한 가격으로 평가하여야(①) 한다(대판 1999. 1. 15, 98두8896).

② ×

영업손실에 관한 보상에서 영업의 폐지와 휴업의 구별기준은 실제로 이전하였는지가 아니라 영업을 다른 장소로 이전하는 것이 가능한지에 달려있다. 또한 이전 가능 여부는 법령상 이전장애사유 유무와 사실상의 이전장애사유 유무 등을 종합하여 판단함이 상당하다(대판 2001. 11. 13, 2000두1003).

③ ○

잔여지수용청구권이 그 요건을 구비한 때에는 토지수용위원회의 특별한 조치를 기다릴 것 없이 청구에 의하여 수용의 효과가 발생하므로 이는 형성권적 성질을 가진다(대판 1993. 11. 12, 93누11159).

정답 09 ③

03 손실보상의 절차와 불복 기 680~685쪽 핵 T 58

10 빈출 상 2024 변호사 변형

다음 사례에 관한 설명 중 옳은 것을 모두 고른 것은? (다툼이 있는 경우 판례에 의함)

국토교통부장관은 「공익사업을 위한 토지 등의 취득 및 보상에 관한 법률」(이하 '토지보상법'이라 한다)에 따라 A광역시가 추진하는 관할구역 내 甲 소유의 대규모 토지를 부지로 하는 도시공원 내 체육시설 조성사업에 대해 사업인정을 하였고, 사업시행자인 A광역시는 甲과의 협의가 성립하지 않자 중앙토지수용위원회의 수용재결을 거쳤다.

□□□ ㉠ 토지보상법에 따른 국토교통부장관의 사업인정에 취소사유의 하자가 있다고 하더라도 甲은 제소기간이 도과한 사업인정의 위법을 이유로 수용재결의 취소를 구하는 행정소송을 제기할 수 없다.

□□□ ㉡ 甲은 중앙토지수용위원회의 수용재결서 정본을 받은 날부터 30일 이내에 중앙토지수용위원회에 이의를 신청할 수 있으며, 중앙토지수용위원회는 수용재결이 위법 또는 부당하다고 인정하는 때에는 그 전부 또는 일부를 취소하거나 보상액을 변경할 수 있다.

□□□ ㉢ 甲이 이의신청을 거쳤으나 재차 불복하고자 할 경우에는 중앙토지수용위원회의 이의재결을 대상으로 하여 그 재결서를 받은 날부터 90일 이내에 행정소송을 제기할 수 있다.

□□□ ㉣ 甲이 이의신청을 거치지 않고 수용재결을 대상으로 행정소송을 제기하는 경우, 그 재결서 정본을 받은 날부터 60일 이내에 소를 제기하여야 한다.

□□□ ㉤ 행정소송이 보상금의 증감에 관한 소송인 경우 그 소송을 제기하는 자가 甲일 때에는 A광역시를, A광역시일 때에는 甲을 각각 피고로 한다.

① ㉠, ㉡　② ㉠, ㉡, ㉤
③ ㉠, ㉡, ㉢　④ ㉠, ㉢, ㉤
⑤ ㉡, ㉣, ㉤

㉠ 제16강 참조 ○

선행 사업인정과 후행 수용재결 사이는 하자의 승계가 부정된다.
도시재개발법에 의한 재개발사업의 시행을 위하여 토지 등을 수용하는 경우 도시재개발법 제17조 등에 의한 재개발사업시행인가는 토지수용법 제14조 소정의 사업인정으로 볼 것인바, 재개발사업시행인가처분 자체의 위법은 사업시행인가단계에서 다투어야 하고 이미 그 쟁송기간이 도과한 수용재결단계에서는 그 인가처분이 당연무효라고 볼 만한 특단의 사정이 없는 한 그 위법을 이유로 토지수용재결처분의 취소를 구할 수는 없다고 할 것이다(대판 1992. 12. 11, 92누5584).

㉡ ○

「공익사업을 위한 토지 등의 취득 및 보상에 관한 법률」 제83조 【이의의 신청】 ① 중앙토지수용위원회의 제34조에 따른 재결에 이의가 있는 자는 중앙토지수용위원회에 이의를 신청할 수 있다.
③ 제1항 및 제2항에 따른 이의의 신청은 재결서의 정본을 받은 날부터 30일 이내에 하여야 한다.
제84조 【이의신청에 대한 재결】 ① 중앙토지수용위원회는 제83조에 따른 이의신청을 받은 경우 제34조에 따른 재결이 위법하거나 부당하다고 인정할 때에는 그 재결의 전부 또는 일부를 취소하거나 보상액을 변경할 수 있다.

㉢㉣ ×

「공익사업을 위한 토지 등의 취득 및 보상에 관한 법률」 제85조 【행정소송의 제기】 ① 사업시행자, 토지소유자 또는 관계인은 제34조에 따른 재결에 불복할 때에는 재결서를 받은 날부터 90일 이내에(㉣), 이의신청을 거쳤을 때에는 이의신청에 대한 재결서를 받은 날부터 60일 이내에(㉢) 각각 행정소송을 제기할 수 있다. 이 경우 사업시행자는 행정소송을 제기하기 전에 제84조에 따라 늘어난 보상금을 공탁하여야 하며, 보상금을 받을 자는 공탁된 보상금을 소송이 종결될 때까지 수령할 수 없다.

토지소유자 등이 수용재결에 불복하여 이의신청을 거친 후 취소소송을 제기하는 경우 피고적격을 가지는 자는 수용재결을 한 토지수용위원회이며 소송대상은 수용재결이 된다(㉢)(대판 2010. 1. 28, 2008두1504).

㉤ ○

「공익사업을 위한 토지 등의 취득 및 보상에 관한 법률」 제85조 【행정소송의 제기】 ② 제1항에 따라 제기하려는 행정소송이 보상금의 증감(增減)에 관한 소송인 경우 그 소송을 제기하는 자가 토지소유자 또는 관계인일 때에는 사업시행자를, 사업시행자일 때에는 토지소유자 또는 관계인을 각각 피고로 한다.

정답 10 ②

11 중

2023 서울시 연구사 변형

「공익사업을 위한 토지 등의 취득 및 보상에 관한 법률」에 따른 손실보상에 대한 설명으로 가장 옳은 것은? (다툼이 있는 경우 판례에 따름)

① 사업시행자가 토지소유자 및 관계인과 행하는 토지 등에 대한 보상의 협의는 공법상 계약이다.

② 「공익사업을 위한 토지 등의 취득 및 보상에 관한 법률」상 보상금의 증감에 관한 소송은 이른바 형식적 당사자소송이다.

③ 당사자 간 협의가 성립되지 아니하거나 협의를 할 수 없는 경우 피수용자는 사업인정고시가 된 날부터 1년 이내 관할 토지수용위원회에 재결을 신청할 수 있다.

④ 「공익사업을 위한 토지 등의 취득 및 보상에 관한 법률」상 보상금의 증감에 관한 소송인 경우 행정청인 토지수용위원회를 피고로 한다.

① ×

「공익사업을 위한 토지 등의 취득 및 보상에 관한 법률」에 의한 보상합의는 공공기관이 사경제주체로서 행하는 사법상 계약의 실질을 가지는 것이다(대판 2013. 8. 22, 2012다3517).

② ○

토지보상법은 제85조 제2항에서 토지소유자 등이 재결에 불복하는 행정소송으로 토지수용 부분의 위법을 다투지 아니하고 보상금의 액수만 다투려는 경우에는 재결청을 상대로 재결 취소소송을 제기할 필요 없이 사업시행자를 피고로 하여 정당한 보상액과 이의재결 보상액의 차액을 당사자소송의 형식으로 구할 수 있게 하였다. 이러한 보상금 증액 청구의 소는 실질적으로는 재결청의 재결을 다투는 것이지만 형식적으로는 재결로 형성된 법률관계를 다투기 위하여 위 법률관계의 한쪽 당사자인 사업시행자를 피고로 하는 소송이고, 이를 형식적 당사자소송이라 하고 있다(대판 2022. 11. 24, 2018두67 전합).

「공익사업을 위한 토지 등의 취득 및 보상에 관한 법률」 제85조 **【행정소송의 제기】** ② 제1항에 따라 제기하려는 행정소송이 보상금의 증감(增減)에 관한 소송인 경우 그 소송을 제기하는 자가 토지소유자 또는 관계인일 때에는 사업시행자를, 사업시행자일 때에는 토지소유자 또는 관계인을 각각 피고로 한다.

③ ×

토지수용위원회에 재결을 신청할 수 있는 자는 사업시행자뿐이다. 피수용자, 즉 토지소유자는 재결을 신청할 수 없고 사업시행자에게 재결신청을 청구할 수 있을 뿐이다.

「공익사업을 위한 토지 등의 취득 및 보상에 관한 법률」 제28조 **【재결의 신청】** ① 제26조에 따른 협의가 성립되지 아니하거나 협의를 할 수 없을 때(제26조 제2항 단서에 따른 협의요구가 없을 때를 포함한다)에는 사업시행자는 사업인정고시가 된 날부터 1년 이내에 대통령령으로 정하는 바에 따라 관할 토지수용위원회에 재결을 신청할 수 있다.

제30조 **【재결 신청의 청구】** ① 사업인정고시가 된 후 협의가 성립되지 아니하였을 때에는 토지소유자와 관계인은 대통령령으로 정하는 바에 따라 서면으로 사업시행자에게 재결을 신청할 것을 청구할 수 있다.
② 사업시행자는 제1항에 따른 청구를 받았을 때에는 그 청구를 받은 날부터 60일 이내에 대통령령으로 정하는 바에 따라 관할 토지수용위원회에 재결을 신청하여야 한다..

④ ×

토지보상법 제85조 제2항은 보상금증액청구소송에서의 피고를 '사업시행자'로 하고 있으므로 보상 의무를 지는 국가 또는 공공단체 등의 사업시행자가 피고가 되는 것이지 행정청인 토지수용위원회가 피고가 되는 것은 아니다. ② 해설 조문 참조

정답 11 ②

12 정답률 60% 중 2023 지방직 · 서울시 9급

「공익사업을 위한 토지 등의 취득 및 보상에 관한 법률」에 대한 설명으로 옳지 않은 것은?

□□□ ① 구 하천법에 의한 하천수 사용권은 「공익사업을 위한 토지 등의 취득 및 보상에 관한 법률」이 손실보상의 대상으로 규정하고 있는 '물의 사용에 관한 권리'에 해당한다.

□□□ ② 토지수용위원회의 재결에 대한 토지소유자의 행정소송제기는 사업의 진행 및 토지의 수용 또는 사용을 정지시키지 아니한다.

□□□ ③ 사업인정은 공익사업의 시행자에게 그 후 일정한 절차를 거칠 것을 조건으로 일정한 내용의 수용권을 설정하여 주는 형성행위이다.

□□□ ④ 어떤 보상항목이 공익사업을 위한 토지 등의 취득 및 보상에 관한 법령상 손실보상대상에 해당함에도 관할 토지수용위원회가 사실을 오인하거나 법리를 오해함으로써 손실보상대상에 해당하지 않는다고 잘못된 내용의 재결을 한 경우에는, 피보상자는 관할 토지수용위원회를 상대로 재결취소소송을 제기하여야 한다.

관련기출

①

1. 하천법 제50조에 따른 하천수 사용권은 「공익사업을 위한 토지 등의 취득 및 보상에 관한 법률」이 손실보상의 대상으로 규정하고 있는 '물의 사용에 관한 권리'에 해당한다. (○, ×) 2021 국가직 7급, 2020 경행경채

1. ○

① ○

하천법 제50조에 의한 하천수 사용권은 토지보상법 제76조 제1항이 손실보상의 대상으로 규정하고 있는 '물의 사용에 관한 권리'에 해당한다(대판 2018. 12. 27, 2014두11601).

② ○

「공익사업을 위한 토지 등의 취득 및 보상에 관한 법률」 제88조 **【처분효력의 부정지】** 제83조에 따른 이의의 신청이나 제85조에 따른 행정소송의 제기는 사업의 진행 및 토지의 수용 또는 사용을 정지시키지 아니한다.

③ ○

토지보상법상 사업인정은 수용권을 설정해 주는 행정처분이다(설권행위로서 특허에 해당).

토지수용법(현 토지보상법) 제14조의 규정에 의한 사업인정은 그 후 일정한 절차를 거칠 것을 조건으로 하여 일정한 내용의 수용권을 설정해 주는 행정처분의 성격을 띠는 것으로서 …… (대판 1994. 11. 11, 93누19375)

④ ×

어떤 보상항목이 손실보상대상에 해당하지 않는다고 잘못된 내용의 재결을 한 경우에도 피보상자로서는 결국은 보상금 액수에 불만이 있는 것이므로 보상금 증감소송을 제기하여야 한다.

어떤 보상항목이 공익사업을 위한 토지 등의 취득 및 보상에 관한 법령상 손실보상대상에 해당함에도 관할 토지수용위원회가 사실을 오인하거나 법리를 오해함으로써 손실보상대상에 해당하지 않는다고 잘못된 내용의 재결을 한 경우에는, 피보상자는 관할 토지수용위원회를 상대로 그 재결에 대한 취소소송을 제기할 것이 아니라, 사업시행자를 상대로 구 「공익사업을 위한 토지 등의 취득 및 보상에 관한 법률」 제85조 제2항에 따른 보상금증감소송을 제기하여야 한다(대판 2018. 7. 20, 2015두4044).

정답 12 ④

13 중 2023 국회직 8급

「공익사업을 위한 토지 등의 취득 및 보상에 관한 법률」(이하 '토지보상법'이라 함)에 대한 설명으로 옳은 것은? (다툼이 있는 경우 판례에 의함)

□□□ ① 중앙토지수용위원회의 이의재결에 대한 행정소송은 재결서를 받은 날부터 90일 이내에 제기하여야 한다.

□□□ ② 지방토지수용위원회의 재결에 대하여 이의를 신청하여 중앙토지수용위원회의 재결을 받은 자가 재결의 취소소송을 제기하려면 중앙토지수용위원회의 이의재결을 대상으로 하여야 한다.

□□□ ③ 공익사업의 시행자는 해당 공익사업을 위한 공사에 착수하기 이전에 토지소유자에게 보상액 전액을 지급하여야 하나, 사업시행자가 보상액을 지급하지 않고 승낙도 받지 않은 채 공사에 착수하였다 하더라도 토지소유자에 대하여 불법행위로 인한 손해배상책임이 발생하는 것은 아니다.

□□□ ④ 공익사업시행지구 밖에서 영업을 휴업하는 자는 토지보상법에 규정된 재결절차를 거치지 않고 곧바로 사업시행자를 상대로 영업손실에 대한 보상청구를 할 수 있다.

□□□ ⑤ 토지수용위원회가 토지보상법상 손실보상대상에 해당하는 보상항목을 손실보상대상에 해당하지 않는다고 잘못된 내용의 재결을 한 경우에는 피보상자는 그 재결에 대한 취소소송을 제기할 것이 아니라 사업시행자를 상대로 토지보상법에 따른 보상금증감소송을 제기하여야 한다.

① ×

「공익사업을 위한 토지 등의 취득 및 보상에 관한 법률」 제85조【행정소송의 제기】① 사업시행자, 토지소유자 또는 관계인은 제34조에 따른 재결에 불복할 때에는 재결서를 받은 날부터 90일 이내에, 이의신청을 거쳤을 때에는 이의신청에 대한 재결서를 받은 날부터 60일 이내에 각각 행정소송을 제기할 수 있다. 이 경우 사업시행자는 행정소송을 제기하기 전에 제84조에 따라 늘어난 보상금을 공탁하여야 하며, 보상금을 받을 자는 공탁된 보상금을 소송이 종결될 때까지 수령할 수 없다.

② ×

행정소송법에 따라 원처분주의가 적용되므로 수용재결에 대해 이의재결을 거친 후라도 원칙적으로 원처분인 수용재결을 소송대상으로, 수용재결을 행한 토지수용위원회를 피고로 하여야 한다는 것이 판례의 입장이다(대판 2010. 1. 28, 2008두1504 참조). 따라서 중앙토지수용위원회의 이의재결이 아니라 지방토지수용위원회의 수용재결을 대상으로 하여야 한다.

③ ×

지문의 뒷부분이 옳지 않다. 토지보상법을 위반한 위법행위이므로 손해를 배상할 책임이 있다.

「공익사업을 위한 토지 등의 취득 및 보상에 관한 법률」 제62조【사전보상】사업시행자는 해당 공익사업을 위한 공사에 착수하기 이전에 토지소유자와 관계인에게 보상액 전액(全額)을 지급하여야 한다. 다만, 제38조에 따른 천재지변시의 토지사용과 제39조에 따른 시급한 토지사용의 경우 또는 토지소유자 및 관계인의 승낙이 있는 경우에는 그러하지 아니하다.

사업시행자가 보상금 지급이나 토지소유자 및 관계인의 승낙 없이 공익사업을 위한 공사에 착수하여 영농을 계속할 수 없게 한 경우에는 손해를 배상할 책임이 있다(대판 2013. 11. 14, 2011다27103).

④ ×

「공익사업을 위한 토지 등의 취득 및 보상에 관한 법률」(이하 '토지보상법'이라 한다) 제26조, 제28조, 제30조, 제34조, 제50조, 제61조, 제79조, 제80조, 제83조 내지 제85조의 규정 내용과 입법 취지 등을 종합하면, 공익사업으로 인하여 공익사업시행지구 밖에서 영업을 휴업하는 자가 사업시행자로부터 「공익사업을 위한 토지 등의 취득 및 보상에 관한 법률 시행규칙」 제47조 제1항에 따라 영업손실에 대한 보상을 받기 위해서는, 토지보상법 제34조, 제50조 등에 규정된 재결절차를 거친 다음 그 재결에 대하여 불복이 있는 때에 비로소 토지보상법 제83조 내지 제85조에 따라 권리구제를 받을 수 있을 뿐이다. 이러한 재결절차를 거치지 않은 채 곧바로 사업시행자를 상대로 손실보상을 청구하는 것은 허용되지 않는다(대판 2019. 11. 28, 2018두227).

⑤ ○

어떤 보상항목이 공익사업을 위한 토지 등의 취득 및 보상에 관한 법령상 손실보상대상에 해당함에도 관할 토지수용위원회가 사실을 오인하거나 법리를 오해함으로써 손실보상대상에 해당하지 않는다고 잘못된 내용의 재결을 한 경우에는, 피보상자는 관할 토지수용위원회를 상대로 그 재결에 대한 취소소송을 제기할 것이 아니라, 사업시행자를 상대로 구 「공익사업을 위한 토지 등의 취득 및 보상에 관한 법률」 제85조 제2항에 따른 보상금증감소송을 제기하여야 한다(대판 2018. 7. 20, 2015두4044).

정답 13 ⑤

14 정답률 33% 상 2022 소방직 9급

행정상 손실보상에 대한 설명으로 옳지 않은 것은? (다툼이 있는 경우 판례에 의함)

① 손실보상과 손해배상은 근거규정 및 요건 · 효과를 달리하지만 손실보상청구권에 '손해전보'라는 요소가 포함되어 있어 실질적으로 같은 내용의 손해에 관하여 양자의 청구권이 동시에 성립한다면 청구권자는 어느 하나만을 선택적으로 행사할 수 있을 뿐이다.

② 공공사업시행지구 밖에서 발생한 간접손실에 관하여 그 피해자와 사업시행자 사이에 협의가 이루어지지 아니하고, 그 보상에 관한 명문의 근거법령이 없는 경우라고 하더라도 공공사업의 시행으로 인하여 그러한 손실이 발생하리라는 것을 쉽게 예견할 수 있고, 그 손실의 범위도 구체적으로 특정할 수 있다면 그 손실보상에 관하여 관련규정 등을 유추적용할 수 있다.

③ 수용재결에 불복하여 취소소송을 제기하는 때에는 이의신청을 거친 경우에도 이의신청에 대한 재결 자체에 고유한 위법이 없는 한 수용재결을 한 중앙토지수용위원회 또는 지방토지수용위원회를 피고로 하여 수용재결의 취소를 구하여야 한다.

④ 어떤 보상항목이 공익사업을 위한 토지 등의 취득 및 보상에 관한 법령상 손실보상대상에 해당함에도 관할 토지수용위원회가 법리를 오해함으로써 손실보상대상에 해당하지 않는다고 잘못된 내용의 재결을 한 경우에는, 피보상자는 관할 토지수용위원회를 상대로 그 재결에 대한 취소소송을 제기하여야 한다.

관련기출

②

1. 공유수면매립으로 인하여 위탁판매수수료 수입을 상실한 수산업협동조합에 대해서는 법률의 보상규정이 없더라도 손실보상의 대상이 된다. (○, ×) 2021 군무원 7급
2. 간접적 영업손실은 특별한 희생이 될 수 없다. (○, ×) 2019 사회복지직 9급
3. 공공사업시행으로 사업시행지 밖에서 발생한 간접손실은 손실발생을 쉽게 예견할 수 있고 손실범위도 구체적으로 특정할 수 있더라도, 사업시행자와 협의가 이루어지지 않고 그 보상에 관한 명문의 근거법령이 없는 경우에는 보상의 대상이 아니다. (○, ×) 2019 국가직 7급

1. ○ 2. × 3. ×

④

1. 어떤 보상항목이 손실보상대상에 해당함에도 관할 토지수용위원회가 사실이나 법리를 오해하여 손실보상대상에 해당하지 않는다고 잘못된 내용의 재결을 한 경우, 피보상자는 관할 토지수용위원회를 상대로 그 재결에 대한 취소소송을 제기하여야 한다. (○, ×) 2020 지방직 · 서울시 7급

1. ×

① ○

「공익사업을 위한 토지 등의 취득 및 보상에 관한 법률」(이하 '토지보상법'이라 한다) 제79조 제2항(그 밖의 토지에 관한 비용보상 등)에 따른 손실보상과 환경정책기본법 제44조 제1항(환경오염의 피해에 대한 무과실책임)에 따른 손해배상은 근거규정과 요건 · 효과를 달리하는 것으로서, 각 요건이 충족되면 성립하는 별개의 청구권이다. 다만 손실보상청구권에는 이미 '손해전보'라는 요소가 포함되어 있어 실질적으로 같은 내용의 손해에 관하여 양자의 청구권을 동시에 행사할 수 있다고 본다면 이중배상의 문제가 발생하므로, 실질적으로 같은 내용의 손해에 관하여 양자의 청구권이 동시에 성립하더라도 영업자는 어느 하나만을 선택적으로 행사할 수 있을 뿐이고, 양자의 청구권을 동시에 행사할 수는 없다(대판 2019. 11. 28, 2018두227).

② **빈출** ○

간접손실이 발생하리라는 것을 쉽게 예견할 수 있고, 손실의 범위도 구체적으로 특정될 수 있다면 사업시행자와 협의가 이루어지지 아니하고, 그 보상에 관한 명문의 법령이 없는 경우라도 관련법규를 유추적용하여 보상해 주어야 한다는 것이 판례의 입장이다.

1. 간접적인 영업손실도 일정한 요건을 갖춘 경우 헌법 제23조 제3항에 규정한 손실보상의 대상이 된다.
   간접적인 영업손실이라고 하더라도 피침해자인 수산업협동조합이 공공의 이익을 위하여 당연히 수인하여야 할 재산권에 대한 제한의 범위를 넘어 수산업협동조합의 위탁판매사업으로 얻고 있는 영업상의 재산이익을 본질적으로 침해하는 특별한 희생에 해당하고, 사업시행자는 공유수면매립면허고시 당시 그 매립사업으로 인하여 위와 같은 영업손실이 발생한다는 것을 상당히 확실하게 예측할 수 있었고 그 손실의 범위도 구체적으로 확정할 수 있으므로, 위 위탁판매수수료 수입손실은 헌법 제23조 제3항에 규정한 손실보상의 대상이 된다.
2. (공유수면매립사업으로 인하여 수산업협동조합이 관계법령에 의해 대상지역에서 독점적 지위가 부여되어 있던 위탁판매사업을 중단하게 된 경우, 그로 인한 위탁판매수수료 수입상실에 대해 「공공용지의 취득 및 손실보상에 관한 특례법 시행규칙」을 유추적용하여 손실보상을 청구할 수 있다고 판시하면서) 공공사업의 시행 결과 공공사업의 기업지 밖에서 발생한 간접손실에 대하여 사업시행자와 협의가 이루어지지 아니하고, 그 보상에 관한 명문의 법령이 없는 경우, 피해자는 「공공용지의 취득 및 손실보상에 관한 특례법 시행규칙」상의 손실보상에 관한 규정을 유추적용하여 사업시행자에게 보상을 청구할 수 있다(대판 1999. 10. 8, 99다27231).

③ 13 ② 해설 참조 ○

④ ×

어떤 보상항목이 공익사업을 위한 토지 등의 취득 및 보상에 관한 법령상 손실보상대상에 해당함에도 관할 토지수용위원회가 사실을 오인하거나 법리를 오해함으로써 손실보상대상에 해당하지 않는다고 잘못된 내용의 재결을 한 경우에는, 피보상자는 관할 토지수용위원회를 상대로 그 재결에 대한 취소소송을 제기할 것이 아니라, 사업시행자를 상대로 구 「공익사업을 위한 토지 등의 취득 및 보상에 관한 법률」 제85조 제2항에 따른 보상금증감소송을 제기하여야 한다(대판 2018. 7. 20, 2015두4044).

정답 14 ④

15 정답률 79% 중 2021 국가직 7급

행정상 손실보상에 대한 설명으로 옳지 않은 것은? (다툼이 있는 경우 판례에 의함)

□□□ ① 하천법 제50조에 따른 하천수 사용권은 「공익사업을 위한 토지 등의 취득 및 보상에 관한 법률」이 손실보상의 대상으로 규정하고 있는 '물의 사용에 관한 권리'에 해당한다.

□□□ ② 국가지정문화재에 대하여 관리단체로 지정된 지방자치단체의 장은 문화재보호법(현 「문화유산의 보존 및 활용에 관한 법률」) 및 「공익사업을 위한 토지 등의 취득 및 보상에 관한 법률」에 따라 국가지정문화재나 그 보호구역에 있는 토지 등을 수용할 수 있다.

□□□ ③ 「공익사업을 위한 토지 등의 취득 및 보상에 관한 법률」상 보상대상이 되는 '기타 토지에 정착한 물건에 대한 소유권, 그 밖의 권리를 가진 관계인'에는 수거 · 철거권 등 실질적 처분권을 가진 자도 포함된다.

□□□ ④ 「공익사업을 위한 토지 등의 취득 및 보상에 관한 법률」상 보상금증액소송은 처분청인 토지수용위원회를 피고로 한다.

① ○

하천법 제50조에 의한 하천수 사용권은 토지보상법 제76조 제1항이 손실보상의 대상으로 규정하고 있는 '물의 사용에 관한 권리'에 해당한다는 것이 판례의 입장이다(대판 2018. 12. 27, 2014두11601).

② ○

> 국가지정문화재에 대하여 관리단체로 지정된 지방자치단체의 장은 문화재보호법(현 「문화유산의 보존 및 활용에 관한 법률」) 제83조 제1항 및 토지보상법에 따라 국가지정문화재(풍납토성)나 그 보호구역에 있는 토지 등을 수용할 수 있다(대판 2019. 2. 28, 2017두71031).

> **「문화유산의 보존 및 활용에 관한 법률」 제83조【토지의 수용 또는 사용】** ① 국가유산청장이나 지방자치단체의 장은 문화유산의 보존 · 관리를 위하여 필요하면 지정문화유산이나 그 보호구역에 있는 토지, 건물, 나무, 대나무, 그 밖의 공작물을 「공익사업을 위한 토지 등의 취득 및 보상에 관한 법률」에 따라 수용하거나 사용할 수 있다.

③ ○

> 「공익사업을 위한 토지 등의 취득 및 보상에 관한 법률」상 보상대상이 되는 '기타 토지에 정착한 물건에 대한 소유권, 그 밖의 권리를 가진 관계인'에는 수거 · 철거권 등 실질적 처분권을 가진 자도 포함된다(대판 2019. 4. 11, 2018다277419).

> **「공익사업을 위한 토지 등의 취득 및 보상에 관한 법률」 제2조【정의】** 이 법에서 사용하는 용어의 뜻은 다음과 같다.
> 5. '관계인'이란 사업시행자가 취득하거나 사용할 토지에 관하여 지상권 · 지역권 · 전세권 · 저당권 · 사용대차 또는 임대차에 따른 권리 또는 그 밖에 토지에 관한 소유권 외의 권리를 가진 자나 그 토지에 있는 물건에 관하여 소유권이나 그 밖의 권리를 가진 자를 말한다. 다만, 제22조에 따른 사업인정의 고시가 된 후에 권리를 취득한 자는 기존의 권리를 승계한 자를 제외하고는 관계인에 포함되지 아니한다.

④ ×

토지소유자가 보상금 증액을 구하는 소송은 당사자소송에 해당하며 이 경우 소송의 피고는 행정청인 토지수용위원회가 아니라 사업시행자이다.

> **「공익사업을 위한 토지 등의 취득 및 보상에 관한 법률」 제85조【행정소송의 제기】** ① 사업시행자, 토지소유자 또는 관계인은 제34조에 따른 재결에 불복할 때에는 재결서를 받은 날부터 90일 이내에, 이의신청을 거쳤을 때에는 이의신청에 대한 재결서를 받은 날부터 60일 이내에 각각 행정소송을 제기할 수 있다. 이 경우 사업시행자는 행정소송을 제기하기 전에 제84조에 따라 늘어난 보상금을 공탁하여야 하며, 보상금을 받을 자는 공탁된 보상금을 소송이 종결될 때까지 수령할 수 없다.
> ② 제1항에 따라 제기하려는 행정소송이 보상금의 증감(增減)에 관한 소송인 경우 그 소송을 제기하는 자가 토지소유자 또는 관계인일 때에는 사업시행자를, 사업시행자일 때에는 토지소유자 또는 관계인을 각각 피고로 한다.

정답 15 ④

16 중

2013 행정사

「공익사업을 위한 토지 등의 취득 및 보상에 관한 법률」에 관한 내용이다. ( ) 안에 들어갈 것으로 옳은 것은?

> 토지수용위원회의 재결에서 정한 보상금에 대하여 사업시행자 또는 토지소유자가 그 증감을 다투는 행정소송을 제기하는 경우, 그 소송을 제기하는 자가 토지소유자일 때에는 (㉠)을(를), 사업시행자일 때에는 (㉡)을(를) 피고로 한다.

① ㉠ : 토지수용위원회 ㉡ : 국토교통부장관
② ㉠ : 국토교통부장관 ㉡ : 토지수용위원회
③ ㉠ : 토지수용위원회 ㉡ : 토지소유자
④ ㉠ : 사업시행자 ㉡ : 토지소유자
⑤ ㉠ : 사업시행자 ㉡ : 토지수용위원회

④

> 「공익사업을 위한 토지 등의 취득 및 보상에 관한 법률」 제85조【행정소송의 제기】 ② 제1항에 따라 제기하려는 행정소송이 보상금의 증감(增減)에 관한 소송인 경우 그 소송을 제기하는 자가 토지소유자 또는 관계인일 때에는 사업시행자를, 사업시행자일 때에는 토지소유자 또는 관계인을 각각 피고로 한다.

정답 16 ④

17 ㊤ 2011 국가직 9급

행정상 손실보상에 대한 설명으로 옳지 않은 것은? (다툼이 있는 경우 판례에 의함)

□□□ ① 토지수용위원회는 손실보상의 신청범위와 관계없이 손실보상의 증액재결을 할 수 없다.

□□□ ② 공공용물에 관하여 적법한 개발행위 등이 이루어짐으로 말미암아 이에 대한 일정범위의 사람들의 일반사용이 종전에 비하여 제한받게 되었다 하더라도 특별한 사정이 없는 한 그로 인한 불이익은 손실보상의 대상이 되는 특별한 손실에 해당한다고 할 수 없다.

□□□ ③ 손실보상청구권의 성질에 관하여 대법원은 전통적으로 사권설의 입장에서 민사소송으로 다루어 왔으나, 최근에는 당사자소송으로 보는 판례도 나타나고 있다.

□□□ ④ 헌법재판소는 재산권의 제한이 특별한 희생에 해당하는 경우에 보상규정을 두지 않는 것은 위헌이라고 하면서도 단순위헌이 아닌 헌법불합치결정을 하였다.

관련기출

②

1. 공공용물에 관하여 적법한 개발행위 등이 이루어져 일정 범위의 사람들의 일반사용이 종전에 비하여 제한받게 되었다 하더라도 특별한 사정이 없는 한 이는 특별한 손실에 해당한다고 할 수 없다. (○, ×) 2018 서울시 9급
2. 공공용물에 관하여 적법한 개발행위 등이 이루어짐으로 말미암아 이에 대한 일정 범위의 사람들의 일반사용이 종전에 비하여 제한받게 되었다면, 특별한 사정이 없는 한 그로 인한 불이익은 손실보상의 대상이 되는 특별한 손실에 해당한다. (○, ×) 2016 경행경채
3. 공공용물에 대한 일반사용은 다른 개인의 자유이용과 국가 또는 지방자치단체 등의 공공목적을 위한 개발 또는 관리 · 보존행위를 방해하지 않는 범위 내에서만 허용된다 할 것이므로, 적법한 개발행위 등이 이루어짐으로 말미암아 발생한 불이익은 특별한 사정이 없는 한 손실보상의 대상이 되는 특별한 손실에 해당한다고 할 수 없다. (○, ×) 2016 서울시 7급

🔒 1. ○ 2. × 3. ○

① ×

「공익사업을 위한 토지 등의 취득 및 보상에 관한 법률」 제50조【재결사항】② 토지수용위원회는 사업시행자, 토지소유자 또는 관계인이 신청한 범위에서 재결하여야 한다. 다만, 제1항 제2호의 손실보상의 경우에는 증액재결을 할 수 있다.

② ○

공공용물에 관하여 적법한 개발행위 등이 이루어짐으로 말미암아 이에 대한 일정범위의 사람들의 일반사용이 종전에 비하여 제한받게 되었다 하더라도 특별한 사정이 없는 한 그로 인한 불이익은 손실보상의 대상이 되는 특별한 손실에 해당한다고 할 수 없다(대판 2002. 2. 26, 99다35300).

③ ○

전통적인 판례는 손실보상청구권은 사권으로서 손실보상청구소송은 민사소송으로 다루어 왔으나, 최근에는 하천법상 하천구역 편입토지에 대한 손실보상청구를 공법상 권리로 보아 행정소송법상 당사자소송의 대상이 된다고 판시하는 등 당사자소송으로 보는 판례도 나타나고 있다.

구 하천법상 하천구역 편입토지 보상에 대한 손실보상청구권의 법적 성질은 공법상 권리로서 이에 따른 손실보상금의 지급을 구하거나 손실보상청구권의 확인을 구하는 소송은 당사자소송이다(대판 2006. 5. 18, 2004다6207).

④ ○

헌법재판소는 개발제한구역제도 자체는 합헌이나 개발제한구역지정으로 말미암아 일부 토지소유자에게 사회적 제약의 범위를 넘는 부담이 발생하는 예외적인 경우에도 아무런 보상 없이 이를 감수하도록 하는 것은 비례의 원칙에 위배되어 당해 토지소유자의 재산권을 과도하게 침해하는 것으로서 헌법에 위반된다고 판시하였다. 다만, 헌법재판소는 도시계획법(현 「국토의 계획 및 이용에 관한 법률」) 제21조에 대해 위헌성을 인정하면서도 개발제한구역제도의 단순위헌결정으로 인해 생기는 혼란을 피하기 위하여 단순 위헌결정이 아닌 헌법불합치결정을 선고하였다.

정답 17 ①

제 32 강 손해전보를 위한 그 밖의 제도 등

1회독	2회독	3회독
/	/	/

정답률 공단기/소방단기 합격예측 풀서비스 통계 데이터 기준 기 기본서 핵 핵심집약

01 손해전보를 위한 그 밖의 제도

기 688~693쪽 핵 T 59

01 상 2008 국가직 9급

수용유사침해보상에 관한 설명으로 옳은 것은?

□□□ ① 적법한 공행정작용의 비전형적이고 비의도적인 부수적 효과로써 발생한 개인의 재산권에 대한 손해를 전보하는 것을 말한다.

□□□ ② 분리이론보다는 경계이론과 밀접한 관련이 있다.

□□□ ③ 통상적인 공용침해가 적법 · 무책인 데 비하여, 수용유사침해는 위법 · 유책이다.

□□□ ④ 수용유사침해는 우리 대법원의 판례를 통해서 발전된 이론으로 그에 관한 명시적인 법률규정은 없다.

① ×

수용유사침해의 보상은 위법한 공용침해에 대한 보상인 점에서, 적법한 공용침해에 대한 보상인 본래 의미의 손실보상과 구별된다. ①은 수용적 침해에 대한 설명이다.

② ○

경계이론은 재산권의 내용규정과 공용침해규정은 별개의 제도가 아니며, 양자는 재산권 제한의 정도에 따라 구별되는 것으로서 재산권 제한의 정도가 일정한 경계(문턱, 한계)를 넘어서는 순간 보상의무가 있는 공용침해로 전환된다는 견해이다. 경계이론에 따르면 헌법 제23조 제1 · 2항의 재산권의 내용규정과 헌법 제23조 제3항의 공용침해규정을 구별하는 기준은 오로지 침해의 정도, 즉 특별한 희생이 있는지에 따라 결정된다. 따라서 재산권침해가 헌법과 법률에 의해 허용되는지 또는 법률에 보상규정이 있는지 여부와 상관없이 일정한 정도를 넘는 재산권침해는 그것이 합법적이든 또는 그 효과가 수용과 유사하나 위법한 침해에 대해서도 합법적 수용과 같이 보상을 하여야 한다고 본다. 경계이론은 재산권보장에 대해 가치보장을 강조하고 있으며 독일 연방법원이 취하는 견해이다.
분리이론은 내용규정과 공용침해규정은 서로 분리된 별개이며 서로 다른 기능을 수행하는 제도로서, 양자는 단순히 재산권 제한의 정도에 따라 구별되는 것이 아니고 침해의 형태 및 목적을 기준으로 구별된다고 한다. 즉, 입법자의 의사에 따라 입법목적을 기준으로 내용규정(내용과 한계의 문제)은 일반적인 공익목적을 위하여 재산권자의 권리와 의무를 장래를 향해서 새롭게 규율하는 것이고 공용침해규정(공용제한과 손실보상의 문제)은 침해를 통해서 기존의 재산권자의 법적 지위를 완전하게 또는 부분적으로 박탈하는 것이 목적이라고 본다(형태에 따른 부분은 각자 교재를 참조). 분리이론에 따르면 양자를 전혀 별개의 분리된 제도로 이해하므로 만약 내용규정이 헌법적 한계를 넘어서 개인에게 특별한 희생을 강요한다고 평가되는 경우라도 그것이 공용침해규정으로 전환되어 개인에게 보상이 필요한 것이 아니라, 그러한 규정은 비례의 원칙 내지는 평등의 원칙을 위반한 것으로 위헌 · 위법이 된다. 따라서 동 규정에 따라 행한 위법한 재산권침해처분에 대해 상대방은 취소소송을 제기하여 구제받을 수 있게 된다. 이런 점에서 분리이론은 재산권보장에 대해 존속보장을 강조하고 있다고 볼 수 있으며 독일 연방헌법재판소가 취하는 견해이다.
한편 수용유사침해보상이란 공용침해행위로 인해 개인에게 특별한 희생이 발생했음에도 불구하고 그 근거법령에 보상규정이 없거나 하여 그 공권력행사가 위법한 경우에도 이를 수용행위와 유사한 공용침해로 보아 손실보상을 인정하자는 이론이다. 따라서 수용유사침해이론은 분리이론보다 경계이론과 밀접한 관련이 있다.

③ ×

수용유사침해는 위법 · 무책의 공용침해에 대한 손해전보제도이다. 위법 · 유책은 손해배상과 관련된 내용이다.

④ ×

우리 대법원은 수용유사침해이론에 대해 유보적 입장을 보인 바 있을 뿐, 명시적으로 인정한 경우는 없다.

> 수용유사적 침해의 이론은 국가 기타 공권력의 주체가 위법하게 공권력을 행사하여 국민의 재산권을 침해하였고 그 효과가 실제에 있어서 수용과 다름없을 때에는 적법한 수용이 있는 것과 마찬가지로 국민이 그로 인한 손실의 보상을 청구할 수 있다는 것인데, 1980. 6. 말경의 비상계엄 당시 국군보안사령부 정보처장이 언론통폐합조치의 일환으로 사인 소유의 방송사 주식을 강압적으로 국가에 증여하게 한 것이 위 수용유사행위에 해당되지 않는다(대판 1993. 10. 26, 93다6409).

정답 01 ②

02 행정상의 결과제거청구 기 694~697쪽 핵 T 59

02 빈출 정답률 77% 중 2021 군무원 9급

공법상 결과제거청구권에 대한 설명으로 옳지 않은 것은?

□□□ ① 공법상 결과제거청구권의 대상은 가해행위와 상당인과관계가 있는 손해이다.

□□□ ② 결과제거청구는 권력작용뿐만 아니라 관리작용에 의한 침해의 경우에도 인정된다.

□□□ ③ 원상회복이 행정주체에게 기대가능한 것이어야 한다.

□□□ ④ 피해자의 과실이 위법상태의 발생에 기여한 경우에는 그 과실에 비례하여 결과제거청구권이 제한되거나 상실된다.

① ×

대상에 있어서 손해배상은 가해행위와 상당인과관계가 있는 손해를 대상으로 하지만, 결과제거청구는 공행정작용의 직접적인 결과만을 대상으로 한다.

+ 행정상 손해배상청구권과 결과제거청구권의 구별

구 분	손해배상청구권	결과제거청구권
목 적	위법한 공행정작용에 대한 구제(금전배상)	위법한 결과의 제거(원상회복)
위 법	가해행위의 위법	결과의 위법성
고의 · 과실	필요(특히 국가배상법 제2조)	요건 아님
대 상	가해행위와 상당인과관계가 있는 손해	공행정작용의 직접적인 결과
효 과	금전배상	결과제거, 원상회복

양자는 요건 면에서 구별되므로 결과제거청구권으로 충분히 구제되지 않은 경우 손해배상청구권을 행사할 수 있음.

② ○

결과제거청구는 행정주체의 공행정작용으로 인한 침해가 존재하여야 한다. 공행정작용에는 법적 행위뿐 아니라 사실행위도 포함되고 권력작용뿐만 아니라 비권력적 작용(관리작용)도 포함된다.

③ ○

결과제거청구는 원래의 상태 또는 동일한 가치의 상태로 회복함이 사실상 가능하며, 법적으로 허용되고 또한 의무자에게 기대가능한 것을 내용으로 해야 한다. 이러한 요건이 구비되지 아니하면 손해배상이나 손실보상만이 문제된다.

④ ○

민법상의 과실상계에 관한 규정은 공법상 결과제거청구권에 유추적용될 수 있다. 따라서 피해자의 과실이 위법상태 발생에 기여한 경우에는 그 과실에 비례하여 결과제거청구권이 제한되거나 상실된다.

정답 02 ①

2025
써니 행정법총론
기출문제집

Sunny

제 6 편

행정구제 2 (행정쟁송)

제 33 강 행정심판의 개관 등

1회독	2회독	3회독
/	/	/

정답률 공단기/소방단기 합격예측 풀서비스 통계 데이터 기준 기 기본서 핵 핵심집약

01 행정심판의 개관

기 702~709쪽 핵 T 60

01

정답률 59% 상 2024 군무원 9급

다음 중 행정기본법상 처분에 대한 이의신청에 대한 설명으로 가장 적절하지 않은 것은?

① 행정청의 처분에 이의가 있는 당사자는 처분을 받은 날부터 30일 이내에 해당 행정청에 이의신청을 할 수 있다.

② 이의신청을 한 경우에도 그 이의신청과 관계없이 행정심판법에 따른 행정심판 또는 행정소송법에 따른 행정소송을 제기할 수 있다.

③ 과태료·과징금의 부과 및 징수에 관한 사항에 대하여는 행정기본법을 적용하지 않는다.

④ 다른 법률에서 이의신청과 이에 준하는 절차에 대하여 정하고 있는 경우에도 그 법률에서 규정하지 아니한 사항에 관하여는 행정기본법이 정하는 바에 따른다.

① **빈출** 정답률 19% ② 정답률 7% ④ 정답률 13% ○

③ **빈출** 정답률 59% ×

과징금의 부과에 관한 사항은 행정심판의 대상이 되는 처분이므로 행정기본법상 이의신청에 관한 규정인 제36조가 적용되지만, 과태료 부과 및 징수에 관한 사항에는 동조가 적용되지 않는다.

> **행정기본법 제36조【처분에 대한 이의신청】** ① 행정청의 처분(행정심판법 제3조에 따라 같은 법에 따른 행정심판의 대상이 되는 처분을 말한다. 이하 이 조에서 같다)에 이의가 있는 당사자는 처분을 받은 날부터 30일 이내에 해당 행정청에 이의신청을 할 수 있다(①).
> ② 행정청은 제1항에 따른 이의신청을 받으면 그 신청을 받은 날부터 14일 이내에 그 이의신청에 대한 결과를 신청인에게 통지하여야 한다. 다만, 부득이한 사유로 14일 이내에 통지할 수 없는 경우에는 그 기간을 만료일 다음 날부터 기산하여 10일의 범위에서 한 차례 연장할 수 있으며, 연장사유를 신청인에게 통지하여야 한다.
> ③ 제1항에 따라 이의신청을 한 경우에도 그 이의신청과 관계없이 행정심판법에 따른 행정심판 또는 행정소송법에 따른 행정소송을 제기할 수 있다(②).
> ⑤ 다른 법률에서 이의신청과 이에 준하는 절차에 대하여 정하고 있는 경우에도 그 법률에서 규정하지 아니한 사항에 관하여는 이 조에서 정하는 바에 따른다(④).
> ⑦ 다음 각 호의 어느 하나에 해당하는 사항에 관하여는 이 조를 적용하지 아니한다.
> 1. 공무원 인사관계법령에 따른 징계 등 처분에 관한 사항
> 2. 국가인권위원회법 제30조에 따른 진정에 대한 국가인권위원회의 결정
> 3. 노동위원회법 제2조의2에 따라 노동위원회의 의결을 거쳐 행하는 사항
> 4. 형사, 행형 및 보안처분 관계법령에 따라 행하는 사항
> 5. 외국인의 출입국·난민인정·귀화·국적회복에 관한 사항
> 6. 과태료 부과 및 징수에 관한 사항(③)

02

정답률 74% 중 2024 군무원 7급

다음 중 행정기본법상 처분의 재심사가 적용되지 않는 경우로서 가장 적절하지 않은 것은?

① 공무원 인사관계법령에 따른 징계 등 처분에 관한 사항

② 형사, 행형 및 보안처분 관계법령에 따라 행하는 사항

③ 외국인의 출입국·난민인정·귀화·국적회복에 관한 사항

④ 부담금 부과 및 징수에 관한 사항

④ ×

부담금 부과 및 징수에 관한 사항은 행정기본법 제37조의 적용 제외사유가 아니다.

> **행정기본법 제37조【처분의 재심사】** ⑧ 다음 각 호의 어느 하나에 해당하는 사항에 관하여는 이 조를 적용하지 아니한다.
> 1. 공무원 인사관계법령에 따른 징계 등 처분에 관한 사항(①)
> 2. 노동위원회법 제2조의2에 따라 노동위원회의 의결을 거쳐 행하는 사항
> 3. 형사, 행형 및 보안처분 관계법령에 따라 행하는 사항(②)
> 4. 외국인의 출입국·난민인정·귀화·국적회복에 관한 사항(③)
> 5. 과태료 부과 및 징수에 관한 사항
> 6. 개별 법률에서 그 적용을 배제하고 있는 경우

정답 01 ③ 02 ④

03 빈출 중 2023 서울시 지적 7급

행정기본법상 처분에 대한 이의신청 및 재심사에 대한 설명으로 가장 옳지 않은 것은? (다툼이 있는 경우 판례에 따름)

□□□ ① 행정청이 부득이한 사유로 14일 이내에 이의신청에 대한 결과를 통지할 수 없는 경우에는 그 기간을 만료일 다음 날부터 기산하여 10일의 범위에서 한 차례 연장할 수 있다.

□□□ ② 이의신청에 대한 결과를 통지받은 후 행정심판을 제기하려는 자는 그 결과를 통지받은 날부터 90일 이내에 행정심판을 제기할 수 있다.

□□□ ③ 당사자는 제재처분을 행정심판, 행정소송 및 그 밖의 쟁송을 통하여 다툴 수 없게 된 경우에 해당 처분을 한 행정청에 처분을 취소 또는 철회하여 줄 것을 신청할 수 없다.

□□□ ④ 당사자는 국가인권위원회법에 따른 진정에 대한 국가인권위원회의 결정을 행정심판, 행정소송 및 그 밖의 쟁송을 통하여 다툴 수 없게 된 경우에 해당 결정을 한 국가인권위원회에 결정을 취소 또는 철회하여 줄 것을 신청할 수 없다.

①② ○

행정기본법 제36조【처분에 대한 이의신청】 ① 행정청의 처분(행정심판법 제3조에 따라 같은 법에 따른 행정심판의 대상이 되는 처분을 말한다. 이하 이 조에서 같다)에 이의가 있는 당사자는 처분을 받은 날부터 30일 이내에 해당 행정청에 이의신청을 할 수 있다.
② 행정청은 제1항에 따른 이의신청을 받으면 그 신청을 받은 날부터 14일 이내에 그 이의신청에 대한 결과를 신청인에게 통지하여야 한다. 다만, 부득이한 사유로 14일 이내에 통지할 수 없는 경우에는 그 기간을 만료일 다음 날부터 기산하여 10일의 범위에서 한 차례 연장할 수 있으며, 연장사유를 신청인에게 통지하여야 한다(①).
④ 이의신청에 대한 결과를 통지받은 후 행정심판 또는 행정소송을 제기하려는 자는 그 결과를 통지받은 날(제2항에 따른 통지기간 내에 결과를 통지받지 못한 경우에는 같은 항에 따른 통지기간이 만료되는 날의 다음 날을 말한다)부터 90일 이내에 행정심판 또는 행정소송을 제기할 수 있다(②).

③ ○

행정기본법 제37조【처분의 재심사】 ① 당사자는 처분(제재처분 및 행정상 강제는 제외한다. 이하 이 조에서 같다)이 행정심판, 행정소송 및 그 밖의 쟁송을 통하여 다툴 수 없게 된 경우(법원의 확정판결이 있는 경우는 제외한다)라도 다음 각 호의 어느 하나에 해당하는 경우에는 해당 처분을 한 행정청에 처분을 취소·철회하거나 변경하여 줄 것을 신청할 수 있다.
⑧ 다음 각 호의 어느 하나에 해당하는 사항에 관하여는 이 조를 적용하지 아니한다.
1. 공무원 인사관계법령에 따른 징계 등 처분에 관한 사항
2. 노동위원회법 제2조의2에 따라 노동위원회의 의결을 거쳐 행하는 사항
3. 형사, 행형 및 보안처분 관계법령에 따라 행하는 사항
4. 외국인의 출입국·난민인정·귀화·국적회복에 관한 사항
5. 과태료 부과 및 징수에 관한 사항
6. 개별 법률에서 그 적용을 배제하고 있는 경우

④ ×

국가인권위원회법에 따른 진정에 대한 국가인권위원회의 결정은 처분의 재심사 규정의 적용제외 대상이 아니다(③ 해설 조문 참조).

정답 03 ④

04 정답률 44% 상 2022 국가직 9급

다음 중 행정심판법에 따른 행정심판을 제기할 수 없는 경우만을 모두 고르면? (다툼이 있는 경우 판례에 의함)

> ㉠ 「공공기관의 정보공개에 관한 법률」상 정보공개와 관련한 공공기관의 비공개결정에 대하여 이의신청을 한 경우
> ㉡ 「공익사업을 위한 토지 등의 취득 및 보상에 관한 법률」상 토지수용위원회의 수용재결에 이의가 있어 중앙토지수용위원회에 이의를 신청한 경우
> ㉢ 난민법상 난민불인정결정에 대해 법무부장관에게 이의신청을 한 경우
> ㉣ 「민원처리에 관한 법률」상 법정민원에 대한 행정기관의 장의 거부처분에 대해 그 행정기관의 장에게 이의신청을 한 경우

① ㉠, ㉡ ② ㉠, ㉣
③ ㉡, ㉢ ④ ㉢, ㉣

관련기출

㉡

1. 토지수용위원회의 수용재결에 대한 이의절차는 실질적으로 행정심판의 성질을 갖는 것이므로 토지수용법에 특별한 규정이 있는 것을 제외하고는 행정심판법의 규정이 적용된다고 할 것이다. (○, ×) 2023 군무원 9급

1. ○

③ 행정심판법에 따른 행정심판을 제기할 수 없는 경우는 ㉡㉢이다.

㉠ ○

이의신청 유무와 관계없이 행정심판을 제기할 수 있다.

> **「공공기관의 정보공개에 관한 법률」 제19조【행정심판】** ① 청구인이 정보공개와 관련한 공공기관의 결정에 대하여 불복이 있거나 정보공개청구 후 20일이 경과하도록 정보공개결정이 없는 때에는 행정심판법에서 정하는 바에 따라 행정심판을 청구할 수 있다. 이 경우 국가기관 및 지방자치단체 외의 공공기관의 결정에 대한 감독행정기관은 관계 중앙행정기관의 장 또는 지방자치단체의 장으로 한다.
> ② 청구인은 제18조에 따른 이의신청절차를 거치지 아니하고 행정심판을 청구할 수 있다.

㉡ ×

「공익사업을 위한 토지 등의 취득 및 보상에 관한 법률」상 이의신청은 명칭에도 불구하고 이의신청이 아닌 행정심판으로서의 성질을 가진다. 한편 행정심판법 제51조에 따르면 심판청구에 대해 재결이 있는 경우 그 재결 및 같은 처분 또는 부작위에 대하여 다시 심판청구를 할 수 없다. 따라서 「공익사업을 위한 토지 등의 취득 및 보상에 관한 법률」상 이의신청을 한 경우에 다시 행정심판법상 행정심판을 제기할 수 없다.

> 토지수용위원회의 수용재결에 대한 이의절차는 실질적으로 행정심판의 성질을 갖는 것이므로 토지수용법(현 토지보상법)에 특별한 규정이 있는 것을 제외하고는 행정심판법의 규정이 적용된다고 할 것이다(대판 1992. 6. 9, 92누565).

> **행정심판법 제51조【행정심판 재청구의 금지】** 심판청구에 대한 재결이 있으면 그 재결 및 같은 처분 또는 부작위에 대하여 다시 행정심판을 청구할 수 없다.

㉢ ×

난민법에 따르면 이의신청을 한 경우 행정심판을 제기할 수 없다.

> **난민법 제21조【이의신청】** ① 제18조 제2항 또는 제19조에 따라 난민불인정결정을 받은 사람 또는 제22조에 따라 난민인정이 취소 또는 철회된 사람은 그 통지를 받은 날부터 30일 이내에 법무부장관에게 이의신청을 할 수 있다. 이 경우 이의신청서에 이의의 사유를 소명하는 자료를 첨부하여 지방출입국 · 외국인관서의 장에게 제출하여야 한다.
> ② 제1항에 따른 이의신청을 한 경우에는 행정심판법에 따른 행정심판을 청구할 수 없다.

㉣ ○

이의신청 유무와 관계없이 행정심판을 제기할 수 있다.

> **「민원처리에 관한 법률」 제35조【거부처분에 대한 이의신청】** ① 법정민원에 대한 행정기관의 장의 거부처분에 불복하는 민원인은 그 거부처분을 받은 날부터 60일 이내에 그 행정기관의 장에게 문서로 이의신청을 할 수 있다.
> ③ 민원인은 제1항에 따른 이의신청 여부와 관계없이 행정심판법에 따른 행정심판 또는 행정소송법에 따른 행정소송을 제기할 수 있다.

정답 04 ③

05 빈출 ㊦ 2020 군무원 9급

행정심판법의 규정내용으로 옳지 않은 것은?

□□□ ① 관계행정기관의 장이 특별행정심판 또는 행정심판법에 따른 행정심판절차에 대한 특례를 신설하거나 변경하는 법령을 제정 · 개정할 때에는 미리 법무부장관과 협의하여야 한다.

□□□ ② 행정청의 처분 또는 부작위에 대하여는 다른 법률에 특별한 규정이 있는 경우 외에는 이 법에 따라 행정심판을 청구할 수 있다.

□□□ ③ 대통령의 처분 또는 부작위에 대하여는 다른 법률에서 행정심판을 청구할 수 있도록 정한 경우 외에는 행정심판을 청구할 수 없다.

□□□ ④ 행정청이란 행정에 관한 의사를 결정하여 표시하는 국가 또는 지방자치단체의 기관, 그 밖에 법령 또는 자치법규에 따라 행정권한을 가지고 있거나 위탁을 받은 공공단체나 그 기관 또는 사인(私人)을 말한다.

관련기출

①

1. 특별행정심판 또는 행정심판법에 따른 행정심판절차에 대한 특례를 신설하거나 변경하는 법령을 제정 · 개정할 때 중앙행정심판위원회와 사전에 협의하여야 하는 것은 아니다. (○, ×) 2018 국회직 8급
2. (행정심판법상) 관계행정기관의 장이 특별행정심판 또는 이 법에 따른 행정심판절차에 대한 특례를 신설하거나 변경하는 법령을 제정 · 개정할 때에는 미리 중앙행정심판위원회의 동의를 구하여야 한다. (○, ×) 2017 경행경채, 2013 국회직 8급

1. × 2. ×

① **빈출** ×

> **행정심판법 제4조【특별행정심판 등】** ③ 관계행정기관의 장이 특별행정심판 또는 이 법에 따른 행정심판절차에 대한 특례를 신설하거나 변경하는 법령을 제정 · 개정할 때에는 미리 중앙행정심판위원회와 협의하여야 한다.

②③ ○

> **행정심판법 제3조【행정심판의 대상】** ① 행정청의 처분 또는 부작위에 대하여는 다른 법률에 특별한 규정이 있는 경우 외에는 이 법에 따라 행정심판을 청구할 수 있다(②).
> ② 대통령의 처분 또는 부작위에 대하여는 다른 법률에서 행정심판을 청구할 수 있도록 정한 경우 외에는 행정심판을 청구할 수 없다(③).

④ ○

> **행정심판법 제2조【정의】** 이 법에서 사용하는 용어의 뜻은 다음과 같다.
> 4. '행정청'이란 행정에 관한 의사를 결정하여 표시하는 국가 또는 지방자치단체의 기관, 그 밖에 법령 또는 자치법규에 따라 행정권한을 가지고 있거나 위탁을 받은 공공단체나 그 기관 또는 사인(私人)을 말한다.

정답 05 ①

06 중

2018 경행경채 3차

행정심판에 대한 설명으로 가장 적절하지 않은 것은? (다툼이 있는 경우 판례에 의함)

□□□ ① 행정심판에서 처분의 적법성 여부뿐만 아니라 법원이 판단할 수 없는 처분의 당·부당의 문제에 관해서도 심사를 받을 수 있다.

□□□ ② 행정심판에서 행정심판위원회에 의한 형성적 재결이 있은 경우에는 그 대상이 된 행정처분은 재결 자체에 의하여 당연히 취소되어 소멸된다.

□□□ ③ 처분청이 재조사결정의 주문 및 그 전제가 된 요건사실의 인정과 판단, 즉 처분의 구체적 위법사유에 관한 판단에 반하여 당초 처분을 그대로 유지하는 것은 재조사결정의 기속력에 저촉되지 않는다.

□□□ ④ 이의신청을 제기해야 할 사람이 처분청에 표제를 '행정심판청구서'로 한 서류를 제출한 경우라 할지라도 서류의 내용에 이의신청요건에 맞는 불복취지와 사유가 충분히 기재되어 있다면 이를 처분에 대한 이의신청으로 볼 수 있다.

관련기출

④

1. 이의신청을 제기하여야 할 사람이 처분청에 표제를 '행정심판청구서'로 한 서류를 제출하는 경우 그 서류의 실질이 이의신청일지라도 이를 행정심판으로 다룬다. (○, ×) 2016 국회직 8급
2. 법률상 이의신청을 제기해야 할 사람이 처분청에 표제를 '행정심판청구서'로 한 서류를 제출하였다면, 서류의 내용에 이의신청요건에 맞는 불복취지와 사유가 충분히 기재되어 있다고 하여도 이를 처분에 대한 이의신청으로 볼 수 없다. (○, ×) 2015 지방직 9급

1. × 2. ×

① ○

행정심판의 경우 행정소송과 달리 처분의 적법성 여부뿐만 아니라 처분의 당·부당에 대해서도 판단할 수 있다.

> **행정심판법 제5조【행정심판의 종류】** 행정심판의 종류는 다음 각 호와 같다.
> 1. 취소심판 : 행정청의 위법 또는 부당한 처분을 취소하거나 변경하는 행정심판
> 2. 무효등확인심판 : 행정청의 처분의 효력 유무 또는 존재 여부를 확인하는 행정심판
> 3. 의무이행심판 : 당사자의 신청에 대한 행정청의 위법 또는 부당한 거부처분이나 부작위에 대하여 일정한 처분을 하도록 하는 행정심판

② 제34강 참조 ○

> 처분취소재결의 경우 행정처분은 재결의 형성력에 의해 별도의 처분을 기다릴 것 없이 당연히 효력이 소멸된다.
>
> 행정심판법 제32조 제3항에 의하면 재결청은 취소심판의 청구가 이유 있다고 인정할 때에는 처분을 취소·변경하거나 처분청에 취소·변경할 것을 명한다고 규정하고 있으므로, 행정심판재결의 내용이 처분청에 처분의 취소를 명하는 것이 아니라 재결청이 스스로 처분을 취소하는 것일 때에는 그 재결의 형성력에 의하여 당해 처분은 별도의 행정처분을 기다릴 것 없이 당연히 취소되어 소멸되는 것이다(대판 1998. 4. 24, 97누17131).

③ ×

> 심판청구 등에 대한 결정의 한 유형으로 실무상 행해지고 있는 재조사결정은 재결청의 결정에서 지적된 사항에 관하여 처분청의 재조사결과를 기다려 그에 따른 후속처분의 내용을 심판청구 등에 대한 결정의 일부분으로 삼겠다는 의사가 내포된 변형결정에 해당하므로 처분청은 재조사결정의 취지에 따라 재조사를 한 후 그 내용을 보완하는 후속처분만을 할 수 있다고 보아야 한다. 따라서 처분청이 재조사결정의 주문 및 그 전제가 된 요건사실의 인정과 판단, 즉 처분의 구체적 위법사유에 관한 판단에 반하여 당초 처분을 그대로 유지하는 것은 재조사결정의 기속력에 저촉된다(대판 2017. 5. 11, 2015두37549).

④ **빈출** ○

> 이의신청을 제기해야 할 사람이 처분청에 표제를 '행정심판청구서'로 한 서류를 제출한 경우라 할지라도 서류의 내용에 이의신청요건에 맞는 불복취지와 사유가 충분히 기재되어 있다면 표제에도 불구하고 이를 처분에 대한 이의신청으로 볼 수 있다(대판 2012. 3. 29, 2011두26886).

정답 06 ③

07 하 2017 국가직(하) 9급

행정심판법상 행정심판에 대한 설명으로 옳지 않은 것은?

□□□ ① 행정심판청구는 처분의 효력이나 그 집행 또는 절차의 속행에 영향을 주지 않는다.

□□□ ② 행정심판법에서 규정한 행정심판의 종류로는 행정소송법상 항고소송에 대응하는 취소심판, 무효등확인심판, 의무이행심판과 당사자소송에 대응하는 당사자심판이 있다.

□□□ ③ 행정심판위원회는 취소심판청구가 이유 있다고 인정하는 경우에도 이를 인용하는 것이 공공복리에 크게 위배된다고 인정하면 그 심판청구를 기각하는 재결을 할 수 있다.

□□□ ④ 행정심판청구에 대한 재결이 있으면 그 재결에 대하여 다시 행정심판을 청구할 수 없다.

① ○

> 행정심판법 제30조【집행정지】① 심판청구는 처분의 효력이나 그 집행 또는 절차의 속행(續行)에 영향을 주지 아니한다.

② ×

행정심판에 관한 일반법인 행정심판법은 당사자심판에 관해서는 규정하고 있지 않다.

> 행정심판법 제5조【행정심판의 종류】행정심판의 종류는 다음 각 호와 같다.
> 1. 취소심판 : 행정청의 위법 또는 부당한 처분을 취소하거나 변경하는 행정심판
> 2. 무효등확인심판 : 행정청의 처분의 효력 유무 또는 존재 여부를 확인하는 행정심판
> 3. 의무이행심판 : 당사자의 신청에 대한 행정청의 위법 또는 부당한 거부처분이나 부작위에 대하여 일정한 처분을 하도록 하는 행정심판

③ ○

> 행정심판법 제44조【사정재결】① 위원회는 심판청구가 이유가 있다고 인정하는 경우에도 이를 인용(認容)하는 것이 공공복리에 크게 위배된다고 인정하면 그 심판청구를 기각하는 재결을 할 수 있다. 이 경우 위원회는 재결의 주문(主文)에서 그 처분 또는 부작위가 위법하거나 부당하다는 것을 구체적으로 밝혀야 한다.

④ ○

> 행정심판법 제51조【행정심판 재청구의 금지】심판청구에 대한 재결이 있으면 그 재결 및 같은 처분 또는 부작위에 대하여 다시 행정심판을 청구할 수 없다.

정답 07 ②

08 상 2017 경행경채

행정심판법에 대한 설명이다. 아래 ㉠부터 ㉤까지의 설명 중 옳고 그름의 표시(○, ×)가 바르게 된 것은?

□□□ ㉠ 행정청의 처분 또는 부작위에 대하여는 다른 법률에 특별한 규정이 있는 경우 외에는 이 법에 따라 행정심판을 청구할 수 있다.

□□□ ㉡ 대통령의 처분 또는 부작위에 대하여는 다른 법률에서 행정심판을 청구할 수 있도록 정한 경우 외에는 행정심판을 청구할 수 없다.

□□□ ㉢ 사안(事案)의 전문성과 특수성을 살리기 위하여 특히 필요한 경우 외에는 이 법에 따른 행정심판을 갈음하는 특별한 행정불복절차(이하 '특별행정심판'이라 한다)나 이 법에 따른 행정심판절차에 대한 특례를 다른 법률로 정할 수 있다.

□□□ ㉣ 다른 법률에서 특별행정심판이나 이 법에 따른 행정심판절차에 대한 특례를 정한 경우에도 그 법률에서 규정하지 아니한 사항에 관하여는 이 법에서 정하는 바에 따른다.

□□□ ㉤ 관계행정기관의 장이 특별행정심판 또는 이 법에 따른 행정심판절차에 대한 특례를 신설하거나 변경하는 법령을 제정 · 개정할 때에는 미리 중앙행정심판위원회의 동의를 구하여야 한다.

① ㉠(○) ㉡(○) ㉢(○) ㉣(○) ㉤(×)
② ㉠(○) ㉡(○) ㉢(×) ㉣(○) ㉤(×)
③ ㉠(○) ㉡(○) ㉢(×) ㉣(○) ㉤(○)
④ ㉠(×) ㉡(×) ㉢(○) ㉣(○) ㉤(○)

㉠㉡㉣ ○
㉢㉤ ×

행정심판법 제3조 【행정심판의 대상】 ① 행정청의 처분 또는 부작위에 대하여는 다른 법률에 특별한 규정이 있는 경우 외에는 이 법에 따라 행정심판을 청구할 수 있다(㉠).
② 대통령의 처분 또는 부작위에 대하여는 다른 법률에서 행정심판을 청구할 수 있도록 정한 경우 외에는 행정심판을 청구할 수 없다(㉡).

제4조 【특별행정심판 등】 ① 사안(事案)의 전문성과 특수성을 살리기 위하여 특히 필요한 경우 외에는 이 법에 따른 행정심판을 갈음하는 특별한 행정불복절차(이하 '특별행정심판'이라 한다)나 이 법에 따른 행정심판절차에 대한 특례를 다른 법률로 정할 수 없다(㉢).
② 다른 법률에서 특별행정심판이나 이 법에 따른 행정심판절차에 대한 특례를 정한 경우에도 그 법률에서 규정하지 아니한 사항에 관하여는 이 법에서 정하는 바에 따른다(㉣).
③ 관계행정기관의 장이 특별행정심판 또는 이 법에 따른 행정심판절차에 대한 특례를 신설하거나 변경하는 법령을 제정 · 개정할 때에는 미리 중앙행정심판위원회와 협의하여야 한다(㉤).

정답 08 ②

09 빈출 정답률 60% 중 2016 국가직 9급

행정심판에 대한 설명으로 옳지 않은 것은?

□□□ ① 행정청의 위법 · 부당한 거부처분이나 부작위에 대하여 일정한 처분을 하도록 하는 의무이행심판은 현행 법상 인정된다.

□□□ ② 행정심판위원회는 심판청구의 대상이 되는 처분보다 청구인에게 불리한 재결을 하지 못한다.

□□□ ③ 행정심판의 재결에 대해서는 재결 자체에 고유한 위법이 있음을 이유로 하는 경우에 한하여 다시 행정심판을 청구할 수 있다.

□□□ ④ 행정심판위원회는 당사자의 신청에 의한 경우는 물론 직권으로도 임시처분을 결정할 수 있다.

① 07 ② 해설 조문 참조 ○

② ○

> **행정심판법 제47조【재결의 범위】** ① 위원회는 심판청구의 대상이 되는 처분 또는 부작위 외의 사항에 대하여는 재결하지 못한다.
> ② 위원회는 심판청구의 대상이 되는 처분보다 청구인에게 불리한 재결을 하지 못한다.

③ ×

> **행정심판법 제51조【행정심판 재청구의 금지】** 심판청구에 대한 재결이 있으면 그 재결 및 같은 처분 또는 부작위에 대하여 다시 행정심판을 청구할 수 없다.

④ ○

> **행정심판법 제31조【임시처분】** ① 위원회는 처분 또는 부작위가 위법 · 부당하다고 상당히 의심되는 경우로서 처분 또는 부작위 때문에 당사자가 받을 우려가 있는 중대한 불이익이나 당사자에게 생길 급박한 위험을 막기 위하여 임시지위를 정하여야 할 필요가 있는 경우에는 직권으로 또는 당사자의 신청에 의하여 임시처분을 결정할 수 있다.

정답 09 ③

02 행정심판의 당사자 등 기 710~713쪽 핵 T 61

10 중 2023 국회직 8급

행정심판법상 행정심판에 대한 설명으로 옳지 않은 것은? (다툼이 있는 경우 판례에 의함)

□□□ ① 법인이 아닌 사단 또는 재단으로서 대표자나 관리인이 정하여져 있는 경우에는 그 사단이나 재단의 이름으로 심판청구를 할 수 있다.

□□□ ② 행정청의 거부처분에 대해서는 의무이행심판을 청구하여야 하고, 취소심판은 청구할 수 없다.

□□□ ③ 행정심판의 결과에 이해관계가 있는 행정청은 해당 심판청구에 대한 행정심판위원회의 의결이 있기 전까지 그 사건에 대하여 심판참가를 할 수 있다.

□□□ ④ 행정심판위원회는 필요할 경우 당사자가 주장하지 아니한 사실에 대해서도 심리할 수 있다.

□□□ ⑤ 행정심판위원회는 심판청구가 이유가 있다고 인정하는 경우에도 이를 인용하는 것이 공공복리에 크게 위배된다고 인정하면 그 심판청구를 기각하는 재결을 할 수 있다.

관련기출

①

1. 법인이 아닌 사단 또는 재단으로서 대표자나 관리인이 정하여져 있는 경우에는 그 사단이나 재단의 이름으로 심판청구를 할 수 있다. (○, ×)
2015 서울시 9급

1. ○

②

1. 당사자의 신청에 대한 행정청의 부당한 거부처분에 대하여 일정한 처분을 하도록 하는 행정심판은 현행법상 허용된다. (○, ×)
2020 지방직·서울시 9급, 2019 국가직 9급
2. 당사자의 신청에 대한 행정청의 위법한 부작위에 대하여 행정청의 부작위가 위법하다는 것을 확인하는 행정심판은 현행법상 허용되지 않는다. (○, ×)
2020 지방직·서울시 9급
3. 거부처분에 대하여서는 의무이행심판을 제기하여야 하며, 취소심판을 제기할 수 없다. (○, ×) 2017 국회직 8급

1. ○ **2.** ○ **3.** ×

① ○

> **행정심판법 제14조【법인이 아닌 사단 또는 재단의 청구인능력】** 법인이 아닌 사단 또는 재단으로서 대표자나 관리인이 정하여져 있는 경우에는 그 사단이나 재단의 이름으로 심판청구를 할 수 있다.

② **빈출** ×

종래 명문규정이 없어 거부처분에 대해서 취소심판청구가 허용되느냐에 대한 견해대립이 있었으나(다수설과 판례는 허용된다고 보고 있었음), 2017년 4월 개정 행정심판법에서 명문으로 거부처분에 대한 취소심판을 인정(행정심판법 제49조 제2항 참조)하고 있다. 따라서 거부처분에 대해서는 의무이행심판 외에 취소심판도 청구할 수 있다.

> **행정심판법 제49조【재결의 기속력 등】** ② 재결에 의하여 취소되거나 무효 또는 부존재로 확인되는 처분이 당사자의 신청을 거부하는 것을 내용으로 하는 경우에는 그 처분을 한 행정청은 재결의 취지에 따라 다시 이전의 신청에 대한 처분을 하여야 한다.

③ ○

> **행정심판법 제20조【심판참가】** ① 행정심판의 결과에 이해관계가 있는 제3자나 행정청은 해당 심판청구에 대한 제7조 제6항 또는 제8조 제7항에 따른 위원회나 소위원회의 의결이 있기 전까지 그 사건에 대하여 심판참가를 할 수 있다.

④ ○

> **행정심판법 제39조【직권심리】** 위원회는 필요하면 당사자가 주장하지 아니한 사실에 대하여도 심리할 수 있다.

⑤ 제34강 참조 ○

> **행정심판법 제44조【사정재결】** ① 위원회는 심판청구가 이유가 있다고 인정하는 경우에도 이를 인용(認容)하는 것이 공공복리에 크게 위배된다고 인정하면 그 심판청구를 기각하는 재결을 할 수 있다. 이 경우 위원회는 재결의 주문(主文)에서 그 처분 또는 부작위가 위법하거나 부당하다는 것을 구체적으로 밝혀야 한다.

정답 10 ②

대표

11 중 2018 국회직 8급

행정심판에 있어서 당사자와 관계인에 대한 설명으로 옳지 않은 것은?

□□□ ① 심판청구의 대상과 관계되는 권리나 이익을 양수한 자는 위원회의 허가를 받아 청구인의 지위를 승계할 수 있다.

□□□ ② 법인이 아닌 사단 또는 재단으로서 대표자나 관리인이 정하여져 있는 경우에는 그 대표자나 관리인의 이름으로 심판청구를 할 수 있다.

□□□ ③ 청구인이 피청구인을 잘못 지정한 경우에는 위원회는 직권으로 또는 당사자의 신청에 의하여 결정으로써 피청구인을 경정할 수 있다.

□□□ ④ 행정심판의 경우 여러 명의 청구인이 공동으로 심판청구를 할 때에는 청구인들 중에서 3명 이하의 선정대표자를 선정할 수 있다.

□□□ ⑤ 참가인은 행정심판절차에서 당사자가 할 수 있는 심판절차상의 행위를 할 수 있다.

① ○

> **행정심판법 제16조【청구인의 지위승계】** ⑤ 심판청구의 대상과 관계되는 권리나 이익을 양수한 자는 위원회의 허가를 받아 청구인의 지위를 승계할 수 있다.

② ×

> **행정심판법 제14조【법인이 아닌 사단 또는 재단의 청구인능력】** 법인이 아닌 사단 또는 재단으로서 대표자나 관리인이 정하여져 있는 경우에는 그 사단이나 재단의 이름으로 심판청구를 할 수 있다.

③ ○

피청구인의 경정은 직권으로 가능하나, 취소소송에서 원고가 피고를 잘못 지정한 때 피고의 경정은 원고의 신청이 있어야 한다는 것과 구별하기 바란다.

> **행정심판법 제17조【피청구인의 적격 및 경정】** ① 행정심판은 처분을 한 행정청(의무이행심판의 경우에는 청구인의 신청을 받은 행정청)을 피청구인으로 하여 청구하여야 한다. 다만, 심판청구의 대상과 관계되는 권한이 다른 행정청에 승계된 경우에는 권한을 승계한 행정청을 피청구인으로 하여야 한다.
> ② 청구인이 피청구인을 잘못 지정한 경우에는 위원회는 직권으로 또는 당사자의 신청에 의하여 결정으로써 피청구인을 경정(更正)할 수 있다.
>
> **비교**
> **행정소송법 제14조【피고경정】** ① 원고가 피고를 잘못 지정한 때에는 법원은 원고의 신청에 의하여 결정으로써 피고의 경정을 허가할 수 있다.

④ ○

> **행정심판법 제15조【선정대표자】** ① 여러 명의 청구인이 공동으로 심판청구를 할 때에는 청구인들 중에서 3명 이하의 선정대표자를 선정할 수 있다.

⑤ ○

> **행정심판법 제22조【참가인의 지위】** ① 참가인은 행정심판절차에서 당사자가 할 수 있는 심판절차상의 행위를 할 수 있다.

정답 11 ②

03 행정심판위원회

기 714~719쪽 핵 T 62

12 중

2024 국회직 8급

행정심판법의 내용에 대한 설명으로 옳지 않은 것은? (다툼이 있는 경우 판례에 의함)

□□□ ① 심판청구기간은 부작위에 대한 의무이행심판청구에는 적용되지 아니한다.

□□□ ② 청구의 변경결정이 있으면 처음 행정심판이 청구되었을 때부터 변경된 청구의 취지나 이유로 행정심판이 청구된 것으로 본다.

□□□ ③ 중앙행정심판위원회의 상임위원은 위원장의 제청으로 국무총리를 거쳐 대통령이 임명하고, 상임위원의 임기는 2년으로 하되 1차에 한하여 연임할 수 있다.

□□□ ④ 위원회는 당사자의 권리 및 권한의 범위에서 당사자의 동의를 받아 심판청구의 신속하고 공정한 해결을 위하여 조정을 할 수 있고, 조정은 당사자가 합의한 사항을 조정서에 기재한 후 당사자가 서명 또는 날인하고 위원회가 이를 확인함으로써 성립하며, 성립한 조정에는 행정심판법 제50조(위원회의 직접처분)의 규정을 준용한다.

□□□ ⑤ 관계행정기관의 장이 특별행정심판 또는 행정심판법에 따른 행정심판절차에 대한 특례를 신설하거나 변경하는 법령을 제정 · 개정할 때에는 미리 중앙행정심판위원회와 협의하여야 한다.

① ○

부작위에 대한 의무이행심판은 청구기간의 제한이 없다. 제34강 참조

> **행정심판법 제27조【심판청구의 기간】** ① 행정심판은 처분이 있음을 알게 된 날부터 90일 이내에 청구하여야 한다.
> ③ 행정심판은 처분이 있었던 날부터 180일이 지나면 청구하지 못한다. 다만, 정당한 사유가 있는 경우에는 그러하지 아니하다.
> ⑦ 제1항부터 제6항까지의 규정은 무효등확인심판청구와 부작위에 대한 의무이행심판청구에는 적용하지 아니한다.

② ○

> **행정심판법 제29조【청구의 변경】** ① 청구인은 청구의 기초에 변경이 없는 범위에서 청구의 취지나 이유를 변경할 수 있다.
> ⑧ 청구의 변경결정이 있으면 처음 행정심판이 청구되었을 때부터 변경된 청구의 취지나 이유로 행정심판이 청구된 것으로 본다.

③ ×

> **행정심판법 제8조【중앙행정심판위원회의 구성】** ③ 중앙행정심판위원회의 상임위원은 일반직 공무원으로서 국가공무원법 제26조의5에 따른 임기제 공무원으로 임명하되, 3급 이상 공무원 또는 고위공무원단에 속하는 일반직 공무원으로 3년 이상 근무한 사람이나 그 밖에 행정심판에 관한 지식과 경험이 풍부한 사람 중에서 중앙행정심판위원회 위원장의 제청으로 국무총리를 거쳐 대통령이 임명한다.
>
> **제9조【위원의 임기 및 신분보장 등】** ② 제8조 제3항에 따라 임명된 중앙행정심판위원회 상임위원의 임기는 3년으로 하며, 1차에 한하여 연임할 수 있다.

④ ○

> **행정심판법 제43조의2【조정】** ① 위원회는 당사자의 권리 및 권한의 범위에서 당사자의 동의를 받아 심판청구의 신속하고 공정한 해결을 위하여 조정을 할 수 있다. 다만, 그 조정이 공공복리에 적합하지 아니하거나 해당 처분의 성질에 반하는 경우에는 그러하지 아니하다.
> ③ 조정은 당사자가 합의한 사항을 조정서에 기재한 후 당사자가 서명 또는 날인하고 위원회가 이를 확인함으로써 성립한다.
> ④ 제3항에 따른 조정에 대하여는 제48조(재결의 송달과 효력 발생)부터 제50조(위원회의 직접처분)까지, 제50조의2(위원회의 간접강제), 제51조(행정심판 재청구의 금지)의 규정을 준용한다.

⑤ ○

> **행정심판법 제4조【특별행정심판 등】** ③ 관계행정기관의 장이 특별행정심판 또는 이 법에 따른 행정심판절차에 대한 특례를 신설하거나 변경하는 법령을 제정 · 개정할 때에는 미리 중앙행정심판위원회와 협의하여야 한다.

정답 12 ③

13 정답률 41% 상 2022 국가직 7급

행정심판법에 따른 행정심판기관이 아닌 특별행정심판기관에 의하여 처리되는 특별행정심판에 해당하는 것만을 모두 고르면? (다툼이 있는 경우 판례에 의함)

> □□□ ㉠ 국세기본법상 조세심판
> □□□ ㉡ 도로교통법상 행정심판
> □□□ ㉢ 국가공무원법상 소청심사
> □□□ ㉣ 「공익사업을 위한 토지 등의 취득 및 보상에 관한 법률」상 토지수용재결에 대한 이의신청

① ㉠, ㉡ ② ㉠, ㉢, ㉣
③ ㉡, ㉢, ㉣ ④ ㉠, ㉡, ㉢, ㉣

특별행정심판이란 행정심판법에 따른 행정심판기관이 아닌 개별법에서 규정하고 있는 특수한 형태의 행정심판을 말한다.

㉠ ○

> **국세기본법 제67조【조세심판원】** ① 심판청구에 대한 결정을 하기 위하여 국무총리 소속으로 조세심판원을 둔다.

㉡ ×

도로교통법상 행정심판은 특별행정심판기관에 의하여 처리되는 특별행정심판이 아니라 행정심판법에 따른 행정심판위원회에서 처리한다.

> **행정심판법 제8조【중앙행정심판위원회의 구성】** ⑥ 중앙행정심판위원회는 심판청구사건(이하 '사건'이라 한다) 중 도로교통법에 따른 자동차운전면허 행정처분에 관한 사건(소위원회가 중앙행정심판위원회에서 심리·의결하도록 결정한 사건은 제외한다)을 심리·의결하게 하기 위하여 4명의 위원으로 구성하는 소위원회를 둘 수 있다.

㉢ ○

> **국가공무원법 제9조【소청심사위원회의 설치】** ① 행정기관 소속 공무원의 징계처분, 그 밖에 그 의사에 반하는 불리한 처분이나 부작위에 대한 소청을 심사·결정하게 하기 위하여 인사혁신처에 소청심사위원회를 둔다.
> ② 국회, 법원, 헌법재판소 및 선거관리위원회 소속 공무원의 소청에 관한 사항을 심사·결정하게 하기 위하여 국회사무처, 법원행정처, 헌법재판소사무처 및 중앙선거관리위원회사무처에 각각 해당 소청심사위원회를 둔다.

㉣ ○

> **「공익사업을 위한 토지 등의 취득 및 보상에 관한 법률」 제83조【이의의 신청】** ① 중앙토지수용위원회의 제34조에 따른 재결에 이의가 있는 자는 중앙토지수용위원회에 이의를 신청할 수 있다.
> ② 지방토지수용위원회의 제34조에 따른 재결에 이의가 있는 자는 해당 지방토지수용위원회를 거쳐 중앙토지수용위원회에 이의를 신청할 수 있다.

정답 13 ②

14 상 2021 국회직 8급

행정심판위원회에 대한 설명으로 옳은 것은? (다툼이 있는 경우 판례에 의함)

□□□ ① 국회사무총장의 처분에 대한 행정심판의 청구에 대해서는 국민권익위원회에 두는 중앙행정심판위원회에서 심리 · 재결한다.

□□□ ② 행정심판위원회의 임시처분 결정은 당사자의 신청이 있어야 하며 직권으로 할 수는 없다.

□□□ ③ 중앙행정심판위원회의 위원장은 그 행정심판위원회가 소속된 행정청이 되며, 위원장이 부득이한 사유로 직무를 수행할 수 없거나 위원장이 필요하다고 인정하는 경우에는 위원장이 사전에 지명한 위원이 있는 경우 그 위원이 위원장의 직무를 대행한다.

□□□ ④ 행정심판위원회는 당사자의 권리 및 권한의 범위에서 직권으로 심판청구의 신속하고 공정한 해결을 위하여 조정을 할 수 있지만, 그 조정이 공공복리에 적합하지 아니하거나 해당 처분의 성질에 반하는 경우에는 그러하지 아니하다.

□□□ ⑤ 중앙행정심판위원회는 심판청구를 심리 · 재결할 때에 처분 또는 부작위의 근거가 되는 명령 등이 상위법령에 위반되면 관계행정기관에 그 명령 등의 개정 · 폐지 등 적절한 시정조치를 요청할 수 있고, 그 사실을 법제처장에게 통보하여야 한다.

관련기출

③

1. 중앙행정심판위원회의 위원장은 법제처장이 되고 유고시에는 법제처 차장이 그 직무를 대행한다. (○, ×) 2018 교육행정직 9급

1. ×

④

1. 행정심판위원회는 당사자의 권리 및 권한의 범위에서 당사자의 동의를 받아 조정을 할 수 있다. 다만, 그 조정이 공공복리에 적합하지 아니하거나 해당 처분의 성질에 반하는 경우에는 그러하지 아니하다. (○, ×) 2018 지방직 7급, 2018 경행경채
2. 행정심판위원회는 공공복리에 적합하지 아니하거나 해당 처분의 성질에 반하는 경우가 아니라면 당사자의 권리 및 권한의 범위에서 당사자의 동의를 받아 조정을 할 수 있다. (○, ×) 2018 국가직 7급

1. ○ 2. ○

① ×

행정심판법 제6조【행정심판위원회의 설치】① 다음 각 호의 행정청 또는 그 소속 행정청(행정기관의 계층구조와 관계없이 그 감독을 받거나 위탁을 받은 모든 행정청을 말하되, 위탁을 받은 행정청은 그 위탁받은 사무에 관하여는 위탁한 행정청의 소속 행정청으로 본다. 이하 같다)의 처분 또는 부작위에 대한 행정심판의 청구(이하 '심판청구'라 한다)에 대하여는 다음 각 호의 행정청에 두는 행정심판위원회에서 심리 · 재결한다.
2. 국회사무총장 · 법원행정처장 · 헌법재판소사무처장 및 중앙선거관리위원회사무총장

② ×

행정심판법 제31조【임시처분】① 위원회는 처분 또는 부작위가 위법 · 부당하다고 상당히 의심되는 경우로서 처분 또는 부작위 때문에 당사자가 받을 우려가 있는 중대한 불이익이나 당사자에게 생길 급박한 위험을 막기 위하여 임시지위를 정하여야 할 필요가 있는 경우에는 직권으로 또는 당사자의 신청에 의하여 임시처분을 결정할 수 있다.

③ ×

행정심판법 제8조【중앙행정심판위원회의 구성】② 중앙행정심판위원회의 위원장은 국민권익위원회의 부위원장 중 1명이 되며, 위원장이 없거나 부득이한 사유로 직무를 수행할 수 없거나 위원장이 필요하다고 인정하는 경우에는 상임위원(상임으로 재직한 기간이 긴 위원 순서로, 재직기간이 같은 경우에는 연장자 순서로 한다)이 위원장의 직무를 대행한다.

④ ×

행정심판법 제43조의2【조정】① 위원회는 당사자의 권리 및 권한의 범위에서 당사자의 동의를 받아 심판청구의 신속하고 공정한 해결을 위하여 조정을 할 수 있다. 다만, 그 조정이 공공복리에 적합하지 아니하거나 해당 처분의 성질에 반하는 경우에는 그러하지 아니하다.

⑤ ○

행정심판법 제59조【불합리한 법령 등의 개선】① 중앙행정심판위원회는 심판청구를 심리 · 재결할 때에 처분 또는 부작위의 근거가 되는 명령 등(대통령령 · 총리령 · 부령 · 훈령 · 예규 · 고시 · 조례 · 규칙 등을 말한다. 이하 같다)이 법령에 근거가 없거나 상위법령에 위배되거나 국민에게 과도한 부담을 주는 등 크게 불합리하면 관계행정기관에 그 명령 등의 개정 · 폐지 등 적절한 시정조치를 요청할 수 있다. 이 경우 중앙행정심판위원회는 시정조치를 요청한 사실을 법제처장에게 통보하여야 한다.

정답 14 ⑤

15 정답률 39% 상 2021 소방직 9급

행정심판법상 위원회에 대한 설명으로 옳지 않은 것은?

□□□ ① 중앙행정심판위원회의 비상임위원은 일정한 요건을 갖춘 사람 중에서 중앙행정심판위원회 위원장의 제청으로 국무총리가 성별을 고려하여 위촉한다.

□□□ ② 중앙행정심판위원회의 회의는 위원장, 상임위원 및 위원장이 회의마다 지정하는 비상임위원을 포함하여 총 15명으로 구성한다.

□□□ ③ 행정심판법 제10조에 의하면, 위원장은 제척신청이나 기피신청을 받으면 제척 또는 기피 여부에 대한 결정을 한다.

□□□ ④ 중앙행정심판위원회는 위원장 1명을 포함하여 70명 이내의 위원으로 구성한다.

①④ ○

② ×

> **행정심판법 제8조【중앙행정심판위원회의 구성】** ① 중앙행정심판위원회는 위원장 1명을 포함하여 70명 이내의 위원으로 구성하되, 위원 중 상임위원은 4명 이내로 한다(④).
> ④ 중앙행정심판위원회의 비상임위원은 제7조 제4항 각 호의 어느 하나에 해당하는 사람 중에서 중앙행정심판위원회 위원장의 제청으로 국무총리가 성별을 고려하여 위촉한다(①).
> ⑤ 중앙행정심판위원회의 회의(제6항에 따른 소위원회 회의는 제외한다)는 위원장, 상임위원 및 위원장이 회의마다 지정하는 비상임위원을 포함하여 총 9명으로 구성한다(②).

③ ○

> **행정심판법 제10조【위원의 제척 · 기피 · 회피】** ④ 제척신청이나 기피신청이 제3항을 위반하였을 때에는 위원장은 결정으로 이를 각하한다.
> ⑤ 위원장은 제척신청이나 기피신청의 대상이 된 위원에게서 그에 대한 의견을 받을 수 있다.
> ⑥ 위원장은 제척신청이나 기피신청을 받으면 제척 또는 기피 여부에 대한 결정을 하고, 지체 없이 신청인에게 결정서 정본(正本)을 송달하여야 한다.

16 중 2018 교육행정직 9급

행정심판법상 행정심판에 관한 설명으로 옳은 것은?

□□□ ① 시 · 도행정심판위원회와 중앙행정심판위원회는 모두 행정심판의 심리권한과 재결권한을 가진다.

□□□ ② 중앙행정심판위원회의 위원장은 법제처장이 되고 유고시에는 법제처 차장이 그 직무를 대행한다.

□□□ ③ 행정심판위원회는 필요하다고 판단하는 경우에는 심판청구의 대상이 되는 처분보다 청구인에게 불리한 재결을 할 수 있다.

□□□ ④ 예외적으로 당해 지방자치단체의 조례에서 시 · 도행정심판위원회의 위원장을 공무원이 아닌 위원으로 정한 경우에 그는 상임으로 직무를 수행한다.

① ○

행정심판위원회(시 · 도행정심판위원회, 중앙행정심판위원회 불문)는 그 심판청구에 대하여 심리할 권한뿐만 아니라 재결할 권한도 갖는다.

② ×

> **행정심판법 제8조【중앙행정심판위원회의 구성】** ② 중앙행정심판위원회의 위원장은 국민권익위원회의 부위원장 중 1명이 되며, 위원장이 없거나 부득이한 사유로 직무를 수행할 수 없거나 위원장이 필요하다고 인정하는 경우에는 상임위원(상임으로 재직한 기간이 긴 위원 순서로, 재직기간이 같은 경우에는 연장자 순서로 한다)이 위원장의 직무를 대행한다.

③ ×

행정심판의 재결에는 불이익변경금지의 원칙이 적용되어 행정심판위원회는 심판청구의 대상이 되는 처분보다 청구인에게 불리한 재결을 할 수 없다.

> **행정심판법 제47조【재결의 범위】** ② 위원회는 심판청구의 대상이 되는 처분보다 청구인에게 불리한 재결을 하지 못한다.

④ ×

> **행정심판법 제7조【행정심판위원회의 구성】** ③ 제2항에도 불구하고 제6조 제3항에 따라 시 · 도지사 소속으로 두는 행정심판위원회의 경우에는 해당 지방자치단체의 조례로 정하는 바에 따라 공무원이 아닌 위원을 위원장으로 정할 수 있다. 이 경우 위원장은 비상임으로 한다.

정답 15 ② 16 ①

17 상

2019 국회직 8급

행정심판법상 중앙행정심판위원회의 구성에 대한 내용으로 옳은 것만을 <보기>에서 모두 고르면?

보기

□□□ ㉠ 중앙행정심판위원회는 위원장 1명을 포함하여 50명 이내의 위원으로 구성하되 위원 중 상임위원은 5명 이내로 한다.

□□□ ㉡ 중앙행정심판위원회의 위원장은 국민권익위원회의 부위원장 중 1명이 된다.

□□□ ㉢ 중앙행정심판위원회의 상임위원은 행정심판에 관한 지식과 경험이 풍부한 사람 중에서 중앙행정심판위원회 위원장의 제청으로 국무총리를 거쳐 대통령이 임명할 수 있다.

□□□ ㉣ 중앙행정심판위원회의 비상임위원은 변호사 자격을 취득한 후 3년 이상의 실무경험이 있는 사람 중에서 중앙행정심판위원회 위원장의 제청으로 국무총리가 성별을 고려하여 위촉할 수 있다.

□□□ ㉤ 중앙행정심판위원회의 회의는 소위원회 회의를 제외하고 위원장, 상임위원 및 위원장이 회의마다 지정하는 비상임위원을 포함하여 총 7명으로 구성한다.

① ㉠　② ㉠, ㉡
③ ㉡, ㉢　④ ㉡, ㉢, ㉣
⑤ ㉢, ㉣, ㉤

③ ㉡㉢은 옳고, ㉠㉣㉤은 옳지 않은 설명이다.

㉠㉣㉤ ×

㉡㉢ ○

행정심판법 제8조【중앙행정심판위원회의 구성】 ① 중앙행정심판위원회는 위원장 1명을 포함하여 70명 이내의 위원으로 구성하되, 위원 중 상임위원은 4명 이내로 한다(㉠).

② 중앙행정심판위원회의 위원장은 국민권익위원회의 부위원장 중 1명이 되며(㉡), 위원장이 없거나 부득이한 사유로 직무를 수행할 수 없거나 위원장이 필요하다고 인정하는 경우에는 상임위원(상임으로 재직한 기간이 긴 위원 순서로, 재직기간이 같은 경우에는 연장자 순서로 한다)이 위원장의 직무를 대행한다.

③ 중앙행정심판위원회의 상임위원은 일반직 공무원으로서 국가공무원법 제26조의5에 따른 임기제공무원으로 임명하되, 3급 이상 공무원 또는 고위공무원단에 속하는 일반직 공무원으로 3년 이상 근무한 사람이나 그 밖에 행정심판에 관한 지식과 경험이 풍부한 사람 중에서 중앙행정심판위원회 위원장의 제청으로 국무총리를 거쳐 대통령이 임명한다(㉢).

④ 중앙행정심판위원회의 비상임위원은 제7조 제4항 각 호의 어느 하나에 해당하는 사람 중에서 중앙행정심판위원회 위원장의 제청으로 국무총리가 성별을 고려하여 위촉한다(㉣).

⑤ 중앙행정심판위원회의 회의(제6항에 따른 소위원회 회의는 제외한다)는 위원장, 상임위원 및 위원장이 회의마다 지정하는 비상임위원을 포함하여 총 9명으로 구성한다(㉤).

제7조【행정심판위원회의 구성】 ④ 행정심판위원회의 위원은 해당 행정심판위원회가 소속된 행정청이 다음 각 호의 어느 하나에 해당하는 사람 중에서 성별을 고려하여 위촉하거나 그 소속 공무원 중에서 지명한다.

1. 변호사 자격을 취득한 후 5년 이상의 실무경험이 있는 사람(㉣)
2. 고등교육법 제2조 제1호부터 제6호까지의 규정에 따른 학교에서 조교수 이상으로 재직하거나 재직하였던 사람
3. 행정기관의 4급 이상 공무원이었거나 고위공무원단에 속하는 공무원이었던 사람
4. 박사학위를 취득한 후 해당 분야에서 5년 이상 근무한 경험이 있는 사람
5. 그 밖에 행정심판과 관련된 분야의 지식과 경험이 풍부한 사람

정답 17 ③

18 정답률 52% 상 2015 지방직 9급

행정심판에 대한 설명으로 옳지 않은 것은? (다툼이 있는 경우 판례에 의함)

□□□ ① 시 · 도의 관할구역에 있는 둘 이상의 시 · 군 · 자치구 등이 공동으로 설립한 행정청의 처분에 대하여는 시 · 도지사 소속 행정심판위원회에서 심리 · 재결한다.

□□□ ② 행정청이 행정심판청구기간 등을 고지하지 아니하였다고 하여도 처분의 상대방이 처분이 있었다는 사실을 알았을 경우에는 처분이 있은 날로부터 90일 이내에 심판청구를 하여야 한다.

□□□ ③ 행정심판청구 후 피청구인인 행정청이 새로운 처분을 하거나 대상인 처분을 변경한 때에는 청구인은 새로운 처분이나 변경된 처분에 맞추어 청구의 취지 또는 이유를 변경할 수 있다.

□□□ ④ 행정심판에 있어서 행정처분의 위법 · 부당 여부는 원칙적으로 처분시를 기준으로 판단하여야 할 것이나, 재결 당시까지 제출된 모든 자료를 종합하여 처분 당시 존재하였던 객관적 사실을 확정하고 그 사실에 기초하여 처분의 위법 · 부당 여부를 판단할 수 있다.

관련기출

④

1. 처분의 위법 · 부당에 대한 판단의 기준시점은 원칙적으로 처분시점을 기준으로 판단해야 한다. (○, ×) 2012 경행특채

1. ○

① ○

행정심판법 제6조【행정심판위원회의 설치】 ③ 다음 각 호의 행정청의 처분 또는 부작위에 대한 심판청구에 대하여는 시 · 도지사 소속으로 두는 행정심판위원회에서 심리 · 재결한다.
1. 시 · 도 소속 행정청
2. 시 · 도의 관할구역에 있는 시 · 군 · 자치구의 장, 소속 행정청 또는 시 · 군 · 자치구의 의회(의장, 위원회의 위원장, 사무국장, 사무과장 등 의회 소속 모든 행정청을 포함한다)
3. 시 · 도의 관할구역에 있는 둘 이상의 지방자치단체(시 · 군 · 자치구를 말한다) · 공공법인 등이 공동으로 설립한 행정청

② ×

행정청이 처분의 상대방에게 청구기간을 고지하지 않은 경우에는 처분의 상대방이 처분이 있음을 알았다고 하더라도 처분이 있었던 날부터 180일 이내에 행정심판을 제기할 수 있다.

행정심판법 제27조【심판청구의 기간】 ① 행정심판은 처분이 있음을 알게 된 날부터 90일 이내에 청구하여야 한다.
③ 행정심판은 처분이 있었던 날부터 180일이 지나면 청구하지 못한다. 다만, 정당한 사유가 있는 경우에는 그러하지 아니하다.
⑥ 행정청이 심판청구기간을 알리지 아니한 경우에는 제3항에 규정된 기간에 심판청구를 할 수 있다.

③ ○

행정심판법 제29조【청구의 변경】 ② 행정심판이 청구된 후에 피청구인이 새로운 처분을 하거나 심판청구의 대상인 처분을 변경한 경우에는 청구인은 새로운 처분이나 변경된 처분에 맞추어 청구의 취지나 이유를 변경할 수 있다.

④ ○

행정심판에 있어서 행정처분의 위법 · 부당 여부는 원칙적으로 처분시를 기준으로 판단하여야 할 것이나, 재결청은 처분 당시 존재하였거나 행정청에 제출되었던 자료뿐만 아니라, 재결 당시까지 제출된 모든 자료를 종합하여 처분 당시 존재하였던 객관적 사실을 확정하고 그 사실에 기초하여 처분의 위법 · 부당 여부를 판단할 수 있다(대판 2001. 7. 27, 99두5092).

정답 18 ②

19 빈출 정답률 68% 중 2015 서울시 7급

다음 중 행정심판에 관한 설명으로 옳지 않은 것은?

□□□ ① 행정청의 위법 · 부당한 부작위에 대해서는 의무이행심판을 제기할 수 있다.

□□□ ② 서울특별시장의 처분에 대한 행정심판은 중앙행정심판위원회에서 심리 · 재결한다.

□□□ ③ 행정심판위원회의 위원에 대한 기피신청은 그 사유를 소명한 문서로 하여야 한다.

□□□ ④ 법원행정처장의 부당한 처분에 대해서는 중앙행정심판위원회에 행정심판을 제기할 수 있다.

① ○

의무이행심판은 당사자의 신청에 대한 행정청의 위법 또는 부당한 거부처분이나 부작위에 대하여 일정한 처분을 하도록 하는 행정심판을 말한다. 행정소송법상으로는 의무이행소송이 인정되지 않으나 행정심판법상으로는 의무이행심판이 인정된다. 또한 행정심판에서는 위법뿐만 아니라 부당에 대해서도 다툴 수 있다. 따라서 행정청의 위법 또는 부당한 부작위에 대해서는 의무이행심판을 제기할 수 있다.

② ○

광역자치단체장의 처분 또는 부작위에 대해서는 중앙행정심판위원회에서 심리 · 재결한다.

> **행정심판법 제6조【행정심판위원회의 설치】** ② 다음 각 호의 행정청의 처분 또는 부작위에 대한 심판청구에 대하여는 「부패방지 및 국민권익위원회의 설치와 운영에 관한 법률」에 따른 국민권익위원회(이하 '국민권익위원회'라 한다)에 두는 중앙행정심판위원회에서 심리 · 재결한다.
> 2. 특별시장 · 광역시장 · 특별자치시장 · 도지사 · 특별자치도지사(특별시 · 광역시 · 특별자치시 · 도 또는 특별자치도의 교육감을 포함한다. 이하 '시 · 도지사'라 한다) 또는 특별시 · 광역시 · 특별자치시 · 도 · 특별자치도(이하 '시 · 도'라 한다)의 의회(의장, 위원회의 위원장, 사무처장 등 의회 소속 모든 행정청을 포함한다)

③ ○

> **행정심판법 제10조【위원의 제척 · 기피 · 회피】** ③ 위원에 대한 제척신청이나 기피신청은 그 사유를 소명(疏明)한 문서로 하여야 한다. 다만, 불가피한 경우에는 신청한 날부터 3일 이내에 신청 사유를 소명할 수 있는 자료를 제출하여야 한다.

④ ×

법원행정처장 소속의 행정심판위원회에서 심리 · 재결한다.

> **행정심판법 제6조【행정심판위원회의 설치】** ① 다음 각 호의 행정청 또는 그 소속 행정청(행정기관의 계층구조와 관계없이 그 감독을 받거나 위탁을 받은 모든 행정청을 말하되, 위탁을 받은 행정청은 그 위탁받은 사무에 관하여는 위탁한 행정청의 소속 행정청으로 본다. 이하 같다)의 처분 또는 부작위에 대한 행정심판의 청구(이하 '심판청구'라 한다)에 대하여는 다음 각 호의 행정청에 두는 행정심판위원회에서 심리 · 재결한다.
> 1. 감사원, 국가정보원장, 그 밖에 대통령령으로 정하는 대통령 소속기관의 장
> 2. 국회사무총장 · 법원행정처장 · 헌법재판소사무처장 및 중앙선거관리위원회사무총장
> 3. 국가인권위원회, 그 밖에 지위 · 성격의 독립성과 특수성 등이 인정되어 대통령령으로 정하는 행정청

20 하 2014 서울시 9급

서울특별시 소속 행정청의 처분에 대한 행정심판을 관할하는 기관은?

□□□ ① 서울특별시행정심판위원회

□□□ ② 해당 행정청이 위치한 구(區)행정심판위원회

□□□ ③ 중앙행정심판위원회

□□□ ④ 서울특별시장

□□□ ⑤ 행정심판청구인이 임의적으로 선택할 수 있다.

①

> **행정심판법 제6조【행정심판위원회의 설치】** ③ 다음 각 호의 행정청의 처분 또는 부작위에 대한 심판청구에 대하여는 시 · 도지사 소속으로 두는 행정심판위원회에서 심리 · 재결한다.
> 1. 시 · 도 소속 행정청

정답 19 ④ 20 ①

제 34 강 행정심판절차 등

1회독	2회독	3회독
/	/	/

⊘정답률 공단기/소방단기 합격예측 풀서비스 통계 데이터 기준 기 기본서 핵 핵심집약

01 행정심판의 청구 기 722~729쪽 핵 T 63

01

정답률 72% 중 2017 지방직 7급

행정심판법에 대한 설명으로 옳지 않은 것은? (다툼이 있는 경우 판례에 의함)

① 심판청구에 대하여 일부 인용하는 재결이 있는 경우에도 그 재결 및 같은 처분에 대하여 다시 행정심판을 청구할 수 없다.

② 행정처분이 있음을 안 날부터 90일을 넘겨 행정심판을 청구하였다가 각하재결을 받은 후 그 재결서를 송달받은 날부터 90일 내에 원래의 처분에 대하여 취소소송을 제기한 경우, 취소소송의 제소기간을 준수한 것으로 볼 수 없다.

③ 행정심판의 재결이 확정되었다 하더라도 처분의 기초가 된 사실관계나 법률적 판단이 확정되는 것은 아니므로, 당사자들이나 법원이 이에 기속되어 모순되는 주장이나 판단을 할 수 없게 되는 것은 아니다.

④ 행정청은 당초 처분사유와 기본적 사실관계가 동일하지 아니한 처분사유를 행정소송 계속 중에는 추가·변경할 수 없으나 행정심판단계에서는 추가·변경할 수 있다.

① ○

행정심판법 제51조【행정심판 재청구의 금지】 심판청구에 대한 재결이 있으면 그 재결 및 같은 처분 또는 부작위에 대하여 다시 행정심판을 청구할 수 없다.

② 제38강 참조 ○

행정심판을 거쳐 취소소송을 제기하는 경우 취소소송은 재결서의 정본을 송달받은 날로부터 90일 이내에 제기하여야 한다(행정소송법 제20조 제1항 단서). 그러나 행정심판제기기간을 넘긴 것을 이유로 한 각하재결이 있은 후 취소소송을 제기하는 경우라면 재결서를 받은 날로부터 90일 이내에 소송을 제기한 경우라도 제소기간을 준수한 것으로 볼 수는 없다. 만일 이 경우에도 제소기간을 준수한 것으로 인정해준다면 제소기간이 지났어도 일단 행정심판을 청구만 하면 행정소송을 제기할 수 있는 결과가 되어 제소기간을 제한한 입법취지가 몰각되기 때문이다.

행정처분이 있음을 안 날부터 90일을 넘겨 행정심판을 청구하였다가 부적법하다는 이유로 각하재결을 받은 후 재결서를 송달받은 날부터 90일 내에 원래의 처분에 대하여 취소소송을 제기한 경우, 취소소송의 제소기간을 준수한 것으로 볼 수는 없다(대판 2011. 11. 24, 2011두18786).

③ ○

행정심판의 재결에는 판결에서와 같은 기판력이 인정되는 것은 아니라고 봄이 판례의 입장이다.

행정심판의 재결은 피청구인인 행정청을 기속하는 효력을 가지므로 재결청이 취소심판의 청구가 이유 있다고 인정하여 처분청에 처분을 취소할 것을 명하면 처분청으로서는 재결의 취지에 따라 처분을 취소하여야 하지만, 나아가 재결에 판결에서와 같은 기판력이 인정되는 것은 아니어서 재결이 확정된 경우에도 처분의 기초가 된 사실관계나 법률적 판단이 확정되고 당사자들이나 법원이 이에 기속되어 모순되는 주장이나 판단을 할 수 없게 되는 것은 아니다(대판 2015. 11. 27, 2013다6759).

④ ×

항고소송에서 행정청이 처분의 근거 사유를 추가하거나 변경하기 위한 요건인 '기본적 사실관계의 동일성'은 행정심판단계에서도 적용된다.
행정처분의 취소를 구하는 항고소송에서 처분청은 당초 처분의 근거로 삼은 사유와 기본적 사실관계가 동일성이 있다고 인정되는 한도 내에서만 다른 사유를 추가 또는 변경할 수 있고, 이러한 법리는 행정심판단계에서도 그대로 적용된다(대판 2014. 5. 16, 2013두26118).

정답 01 ④

02 중 2017 국회직 8급 변형

행정심판에 대한 설명으로 옳은 것은? (다툼이 있는 경우 판례에 의함)

□□□ ① 거부처분에 대하여서는 의무이행심판을 제기하여야 하며, 취소심판을 제기할 수 없다.

□□□ ② 행정심판청구서는 피청구인인 행정청을 거쳐 행정심판위원회에 제출하여야 한다.

□□□ ③ 임시처분은 집행정지로 목적을 달성할 수 있는 경우에는 허용되지 아니한다.

□□□ ④ 행정심판의 재결에 고유한 위법이 있는 경우에는 재결에 대하여 다시 행정심판을 청구할 수 있다.

□□□ ⑤ 행정심판에는 기속력의 확보수단으로 간접강제를 규정하고 있지 않다.

① ×

거부처분에 대해 취소심판을 제기할 수 있는지에 판례는 긍정하는 입장이다. 한편 2017년 개정 행정심판법에 따르면 거부처분에 대해 취소심판을 제기할 수 있다는 전제에서 거부처분취소심판에도 재처분의무를 인정하고 있다.

> 당사자의 신청을 거부하는 처분을 취소하는 재결이 있는 경우에는 행정청은 그 재결의 취지에 따라 이전의 신청에 대한 처분을 하여야 한다(대판 1988. 12. 13, 88누7880).

> **행정심판법 제49조【재결의 기속력 등】** ① 심판청구를 인용하는 재결은 피청구인과 그 밖의 관계행정청을 기속(羈束)한다.
> ② 재결에 의하여 취소되거나 무효 또는 부존재로 확인되는 처분이 당사자의 신청을 거부하는 것을 내용으로 하는 경우에는 그 처분을 한 행정청은 재결의 취지에 따라 다시 이전의 신청에 대한 처분을 하여야 한다.

② ×

위원회에 곧바로 제출하는 것도 허용된다.

> **행정심판법 제23조【심판청구서의 제출】** ① 행정심판을 청구하려는 자는 제28조에 따라 심판청구서를 작성하여 피청구인이나 위원회에 제출하여야 한다. 이 경우 피청구인의 수만큼 심판청구서 부본을 함께 제출하여야 한다.

③ ○

> **행정심판법 제31조【임시처분】** ③ 제1항에 따른 임시처분은 제30조 제2항에 따른 집행정지로 목적을 달성할 수 있는 경우에는 허용되지 아니한다.

④ ×

> **행정심판법 제51조【행정심판 재청구의 금지】** 심판청구에 대한 재결이 있으면 그 재결 및 같은 처분 또는 부작위에 대하여 다시 행정심판을 청구할 수 없다.

⑤ ×

종전에 행정소송법에서만 인정되던 간접강제제도가 2017년 4월 개정 행정심판법에 도입됨으로써 행정심판에도 기속력의 확보수단으로 간접강제가 규정되어 있다.

> **행정심판법 제50조의2【위원회의 간접강제】** ① 위원회는 피청구인이 제49조 제2항(제49조 제4항에서 준용하는 경우를 포함한다) 또는 제3항에 따른 처분을 하지 아니하면 청구인의 신청에 의하여 결정으로 상당한 기간을 정하고 피청구인이 그 기간 내에 이행하지 아니하는 경우에는 그 지연기간에 따라 일정한 배상을 하도록 명하거나 즉시 배상을 할 것을 명할 수 있다.

정답 02 ③

03 상　2010 국회직 8급 변형

아래 사례들에 있어서 행정심판청구에 관한 다음 설명 중 옳지 않은 것은?

(가) 서울특별시 A구청장은 甲에게 OO처분의 통지서를 등기우편으로 발송하였고, 부재시 등기우편물을 수령하여 甲에게 전달해 온 주거지 아파트 경비원이 2010년 2월 8일에 이를 수령하였다. 그런데 당시 甲은 미국에 있는 자신의 아들 집에 가 있는 상태였고, 甲의 주거지에는 그동안 아무도 살지 아니하였다. 이에 아파트 경비원은 甲이 집으로 돌아온 같은 해 2월 16일에 위 등기우편물을 甲에게 전달하였고, 甲은 같은 해 5월 11일에 행정심판을 청구하였다.

(나) 乙은 2009년 8월 11일에 B시장으로부터 건축허가를 받았다. 乙에 이웃하여 주택을 가지고 있는 丙은 그동안 미국에 머무르다가 같은 해 12월 3일 돌아와 이러한 사실을 알게 되었다. 丙은 乙에 대한 건축허가로 자신의 일조권 · 환경권이 침해된다고 보아 2010년 2월 18일에 乙에 대한 건축허가의 취소를 구하는 행정심판을 청구하였다.

행정심판법 제27조【심판청구의 기간】① 행정심판은 처분이 있음을 알게 된 날부터 90일 이내에 청구하여야 한다.
③ 행정심판은 처분이 있었던 날부터 180일이 지나면 청구하지 못한다. 다만, 정당한 사유가 있는 경우에는 그러하지 아니하다.

□□□ ① 제1항과 제3항의 기간 중 어느 하나가 경과되면 행정심판을 청구할 수 없게 된다.

□□□ ② (가)의 경우, 부재시 등기우편물을 수령하여 전달해 온 주거지 아파트 경비원은 수령권한을 위임받은 것으로 볼 수 있으므로, 경비원이 처분서를 수령하였다면 적법한 송달이 있는 것으로 보게 된다.

□□□ ③ (가)의 경우, 경비원이 처분서를 수령한 날인 2010년 2월 8일부터 제1항의 심판청구기간이 진행되므로, 甲이 제기한 행정심판은 제1항의 심판청구기간이 경과된 뒤에 제기된 것이다.

□□□ ④ (나)의 경우, 2009년 8월 11일부터 제3항의 심판청구기간이 진행되므로, 丙이 제기한 행정심판은 제3항 본문의 심판청구기간이 경과된 뒤에 제기된 것이지만, 정당한 사유가 인정될 수 있다.

① ○
행정심판법 제27조 제1항과 제3항의 기간 중 어느 하나라도 경과되면 심판청구는 부적법한 것으로 각하된다.

② ○

③ ×
아파트 경비원이 그동안의 관례에 따라 甲의 우편물을 수령한 경우라면 甲이 우편물 수령권한을 경비원에게 위임한 것으로 볼 수 있으므로 송달 자체는 적법한 것으로 볼 수 있다(②). 그러나 경비원은 아파트의 경비원이지 甲의 경비원은 아니므로 경비원이 우편물을 수령한 것만으로 甲이 그 부과처분이 있음을 안 것으로 볼 수는 없다. 따라서 제1항의 청구기간은 아파트 경비원이 우편물을 수령한 날인 2010년 2월 8일부터 진행하는 것이 아니라, 甲이 우편물을 전달받아 처분이 있음을 현실적으로 알게 된 2010년 2월 16일부터 진행한다. 결국 행정심판은 2010년 2월 16일부터 90일 내인 2010년 5월 17일 24시까지 제기하면 되는데 사안에서 甲은 5월 11일에 행정심판을 제기했으므로 적법한 제기기간 내에 제기한 것이다(③).

> 1. 아파트 경비원이 관례에 따라 부재중인 납부의무자에게 배달되는 과징금 부과처분의 납부고지서를 수령한 경우, 납부의무자가 아파트 경비원에게 우편물 등의 수령권한을 위임한 것으로 볼 수는 있더라도(②) 과징금 부과처분의 대상으로 된 사항에 관하여 납부의무자를 대신하여 처리할 권한까지 위임한 것으로 볼 수는 없다.
> 2. 경비원이 위 납부고지서를 수령한 때에 위 부과처분이 있음을 알았다고 하더라도 이로써 납부의무자 자신이 그 부과처분이 있음을 안 것과 동일하게 볼 수는 없다(③)(대판 2002. 8. 27, 2002두3850).

④ ○
제3자효 행정행위에 있어 처분의 상대방이 아닌 제3자가 행정심판을 제기하는 경우에도 그 기간은 원칙적으로 처분이 있음을 안 날로부터 90일 이내, 처분이 있었던 날로부터 180일 이내이다. 사례에서 처분이 2009년 8월 11일에 있었으므로 그 날로부터 제3항의 심판청구기간이 진행된다. 따라서 2010년 2월 18일에 제기한 행정심판청구는 행정심판법 제27조 제3항의 본문의 기간인 180일이 경과한 뒤에 제기된 것이다. 그런데 처분의 상대방이 아닌 제3자는 일반적으로 처분이 있는 것을 바로 알 수 없는 처지에 있으므로 제3항 단서의 정당한 사유가 있는 것으로 보아 제3항 본문의 기간인 180일의 기간이 경과한 후에도 심판청구를 할 수 있다는 것이 판례의 입장이다.

> 행정처분의 직접 상대방이 아닌 제3자는 처분이 있은 날로부터 180일이 지나더라도 특별한 사정이 없는 한 정당한 사유가 있는 것으로 보아 행정심판청구가 가능하다.
> 행정처분의 상대방이 아닌 제3자는 일반적으로 처분이 있는 것을 바로 알 수 없는 처지에 있으므로 처분이 있은 날로부터 180일이 경과하더라도 특별한 사유가 없는 한 행정심판법 제18조 제3항 단서 소정의 정당한 사유가 있는 것으로 보아 심판청구가 가능하다(대판 2002. 5. 24, 2000두3641).

정답 03 ③

02 행정심판의 심리 · 재결 기 730~742쪽 핵 T 64

04 빈출 중 2024 소방간부

甲은 단란주점영업을 하던 중 관할행정청으로부터 식품위생법 위반을 이유로 1개월의 영업정지처분을 받게 되었다. 이에 甲이 관할행정청을 피청구인으로 하여 취소심판을 제기한 경우에 관한 설명으로 옳은 것은?

□□□ ① 행정심판위원회는 1개월의 영업정지처분의 취소를 명하는 재결을 할 수 있다.

□□□ ② 행정심판위원회가 1개월의 영업정지처분 취소재결을 내린 경우, 관할행정청은 취소재결 취소소송을 제기할 수 있다.

□□□ ③ 행정심판위원회는 취소심판청구가 이유 있다고 인정하면 처분을 다른 처분으로 변경할 수 있다.

□□□ ④ 甲이 구술심리를 신청하는 경우 행정심판위원회는 구술심리를 하여야 한다.

□□□ ⑤ 甲은 심판청구에 대하여 구두로 심판청구를 취하할 수 있다.

① ×

③ ○

행정심판위원회는 취소심판의 재결로서 처분취소재결, 처분변경재결, 처분변경명령재결을 할 수 있지만, 처분취소명령재결은 할 수 없다. 제33강 참조

> **행정심판법 제43조【재결의 구분】** ③ 위원회는 취소심판의 청구가 이유가 있다고 인정하면 처분을 취소 또는 다른 처분으로 변경하거나(③) 처분을 다른 처분으로 변경할 것을 피청구인에게 명한다.

② ×

> 인용재결이 있는 경우 처분청은 그러한 재결에 기속되므로 이에 불복하여 취소소송을 제기할 수 없다(대판 1998. 5. 8, 97누15432).

④ ×

당사자가 구술심리를 신청한 경우에도 서면심리만으로 결정할 수 있다고 인정되는 경우에는 구술심리를 하지 않을 수 있다.

> **행정심판법 제40조【심리의 방식】** ① 행정심판의 심리는 구술심리나 서면심리로 한다. 다만, 당사자가 구술심리를 신청한 경우에는 서면심리만으로 결정할 수 있다고 인정되는 경우 외에는 구술심리를 하여야 한다.

⑤ ×

> **행정심판법 제42조【심판청구 등의 취하】** ① 청구인은 심판청구에 대하여 제7조 제6항 또는 제8조 제7항에 따른 의결이 있을 때까지 서면으로 심판청구를 취하할 수 있다.

05 정답률 74% 중 2023 군무원 9급

다음 중 행정심판의 재결의 효력에 관한 설명으로 옳지 않은 것은? (다툼이 있는 경우 판례에 의함)

□□□ ① 재결의 기속력은 인용재결의 효력이며 기각재결에는 인정되지 않는다.

□□□ ② 재결이 확정된 경우에는 처분의 기초가 된 사실관계나 법률적 판단이 확정되고 당사자들이나 법원이 이에 기속되어 모순되는 주장이나 판단을 할 수 없게 된다.

□□□ ③ 당해 처분에 관하여 위법한 것으로 재결에서 판단된 사유와 기본적 사실관계에 있어 동일성이 인정되는 사유를 내세워 다시 동일한 내용의 처분을 하는 것은 허용되지 않는다.

□□□ ④ 형성력이 인정되는 재결로는 취소재결, 변경재결, 처분재결이 있다.

① **빈출** ○

재결의 기속력은 피청구인인 행정청이나 관계행정청으로 하여금 재결의 취지에 따라 행동할 의무를 발생시키는 효력을 말하며 인용재결의 경우에만 발생하고 각하재결, 기각재결에는 발생하지 않는다.

> **행정심판법 제49조【재결의 기속력 등】** ① 심판청구를 인용하는 재결은 피청구인과 그 밖의 관계행정청을 기속(羈束)한다.

② 제15강 참조 ×

행정심판의 재결에는 판결에 있어서와 같은 기판력이 인정되는 것은 아니어서 그 처분의 기초가 된 사실관계나 법률적 판단이 확정되고 당사자들이나 법원이 이에 기속되어 모순되는 주장이나 판단을 할 수 없게 되는 것은 아니라는 것이 판례의 입장이다(대판 2004. 7. 8, 2002두11288).

③ ○

청구인용재결이 있게 되면 행정청은 동일한 사정하에서 동일인에게 재결의 내용에 모순되는 동일내용의 처분을 할 수 없는 의무를 가진다. 반복금지의무에 위반되는지의 여부는 기본적 사실관계의 동일성 유무를 기준으로 판단한다.

> (구)행정심판법 제37조가 정하고 있는 재결은 당해 처분에 관하여 재결주문 및 그 전제가 된 요건사실의 인정과 판단에 대하여 처분청을 기속하므로, 당해 처분에 관하여 위법한 것으로 재결에서 판단된 사유와 기본적 사실관계에 있어 동일성이 인정되는 사유를 내세워 다시 동일한 내용의 처분을 하는 것은 허용되지 않는다(대판 2003. 4. 25, 2002두3201).

④ ○

형성력이란 처분을 취소하는 재결이 있으면 당해 처분은 행정청의 별도의 처분이 없더라도 처분시에 소급하여 효력이 소멸되어 처음부터 존재하지 않은 것으로 되는 효력을 의미한다. 취소재결 · 변경재결과 처분재결에는 형성력이 발생한다. 이에 반해 변경명령재결 · 처분명령재결에는 기속력이 인정될 뿐 형성력은 발생하지 않는다.

정답 04 ③ 05 ②

06 중 2023 군무원 7급

행정심판법상 의무이행심판에 관한 설명으로 옳지 않은 것은?

① 의무이행심판은 거부처분이나 부작위에 대하여 일정한 처분을 구할 법률상 이익이 있는 자가 청구인적격을 갖는다.

② 당사자의 신청을 거부하거나 부작위로 방치한 처분의 이행을 명하는 재결이 있는 경우에는 처분청은 지체 없이 그 재결의 취지에 따라 다시 이전의 신청에 대한 처분을 하여야 한다.

③ 의무이행재결은 행정심판위원회가 의무이행심판의 청구가 이유 있다고 인정할 때에 지체 없이 신청에 따른 처분을 하거나 처분청에게 그 신청에 따른 처분을 할 것을 명하는 재결을 말한다.

④ 거부처분이나 부작위에 대한 의무이행심판청구는 청구기간의 제한이 있다.

관련기출

②

1. 당사자의 신청을 거부하거나 부작위로 방치한 처분의 이행을 명하는 재결이 있으면 행정청은 지체 없이 이전의 신청에 대하여 재결의 취지에 따라 처분을 하여야 한다. (○, ×) 2019 경행경채 2차
2. 당사자의 신청을 거부하는 처분에 대한 취소심판에서 인용재결이 내려진 경우, 의무이행심판과 달리 행정청은 재처분의무를 지지 않는다. (○, ×) 2019 지방직·교육행정직 9급
3. (행정심판법상) 심판청구를 인용하는 재결은 청구인과 피청구인, 그 밖의 관계행정청을 기속한다. (○, ×) 2019 국회직 8급
4. 재결에 의하여 취소되거나 무효 또는 부존재로 확인되는 처분이 당사자의 신청을 거부하는 것을 내용으로 하는 경우에는 그 처분을 한 행정청은 재결의 취지에 따라 다시 이전의 신청에 대한 처분을 하여야 한다. (○, ×) 2019 국가직 7급
5. 취소재결의 기속력으로서 재처분의무가 없으므로 현행법상 거부처분에 불복할 때에는 취소심판보다 의무이행심판이 더 효과적이다. (○, ×) 2019 서울시 1회 7급

1. ○ 2. × 3. × 4. ○ 5. ×

① ○

> 행정심판법 제13조【청구인 적격】③ 의무이행심판은 처분을 신청한 자로서 행정청의 거부처분 또는 부작위에 대하여 일정한 처분을 구할 법률상 이익이 있는 자가 청구할 수 있다.

② **빈출** ○

> 행정심판법 제49조【재결의 기속력 등】① 심판청구를 인용하는 재결은 피청구인과 그 밖의 관계행정청을 기속(羈束)한다.
> ② 재결에 의하여 취소되거나 무효 또는 부존재로 확인되는 처분이 당사자의 신청을 거부하는 것을 내용으로 하는 경우에는 그 처분을 한 행정청은 재결의 취지에 따라 다시 이전의 신청에 대한 처분을 하여야 한다.
> ③ 당사자의 신청을 거부하거나 부작위로 방치한 처분의 이행을 명하는 재결이 있으면 행정청은 지체 없이 이전의 신청에 대하여 재결의 취지에 따라 처분을 하여야 한다.
> ④ 신청에 따른 처분이 절차의 위법 또는 부당을 이유로 재결로써 취소된 경우에는 제2항을 준용한다.

③ ○

> 행정심판법 제43조【재결의 구분】⑤ 위원회는 의무이행심판의 청구가 이유가 있다고 인정하면 지체 없이 신청에 따른 처분을 하거나 처분을 할 것을 피청구인에게 명한다.

④ ×

지문의 뒷부분이 옳지 않다. 행정심판 가운데 무효등확인심판과 부작위에 대한 의무이행심판은 청구기간의 제한이 없다. 청구기간의 제한은 취소심판과 거부처분(소극적 처분)에 대한 의무이행심판에만 해당된다.

> 행정심판법 제27조【심판청구의 기간】⑦ 제1항부터 제6항까지의 규정은 무효등확인심판청구와 부작위에 대한 의무이행심판청구에는 적용하지 아니한다.

정답 06 ④

07 상 2023 소방직 9급

자신이 소유한 모텔에서 성인 乙과 청소년 丙을 투숙시켜 이성 혼숙하도록 한 사실이 적발되어 A도 관할 B군 군수 丁으로부터 공중위생관리법에 따라 영업정지 3개월의 처분을 받은 甲이 처분의 취소를 구하는 행정심판을 청구하려는 경우, 이에 관한 설명으로 옳지 않은 것은?

□□□ ① 본 사안은 이른바 행정심판전치주의가 적용되지 않으므로, 甲은 행정심판을 거치지 아니하고도 곧바로 취소소송을 제기할 수 있다.

□□□ ② 본 사안에서 丁의 영업정지처분에 대한 불복은 A도 행정심판위원회가 심리 · 재결한다.

□□□ ③ 행정심판위원회가 甲의 청구를 기각하는 재결을 한 경우, 甲은 재결서의 정본을 송달받은 날부터 90일 이내에 행정소송을 제기할 수 있다.

□□□ ④ 행정심판위원회가 甲의 청구를 인용하는 재결을 한 경우, 丁이 인용재결의 취소를 구하는 행정소송을 제기할 수 있다.

① ○

공중위생관리법상 행정심판을 거쳐야한다는 규정이 없으므로 甲은 행정심판을 거치지 아니하고도 곧바로 취소소송을 제기할 수 있다.

> **행정소송법 제18조【행정심판과의 관계】** ① 취소소송은 법령의 규정에 의하여 당해 처분에 대한 행정심판을 제기할 수 있는 경우에도 이를 거치지 아니하고 제기할 수 있다. 다만, 다른 법률에 당해 처분에 대한 행정심판의 재결을 거치지 아니하면 취소소송을 제기할 수 없다는 규정이 있는 때에는 그러하지 아니하다.

② ○

기초자치단체장의 처분에 대하여는 광역지방자치단체 소속의 행정심판위원회에서 심리 · 재결한다. 따라서 A도 관할 B군 군수 丁의 영업정지처분에 대한 불복은 A도행정심판위원회가 심리 · 재결한다.

> **행정심판법 제6조【행정심판위원회의 설치】** ③ 다음 각 호의 행정청의 처분 또는 부작위에 대한 심판청구에 대하여는 시 · 도지사 소속으로 두는 행정심판위원회에서 심리 · 재결한다.
> 1. 시 · 도 소속 행정청
> 2. 시 · 도의 관할구역에 있는 시 · 군 · 자치구의 장, 소속 행정청 또는 시 · 군 · 자치구의 의회(의장, 위원회의 위원장, 사무국장, 사무과장 등 의회 소속 모든 행정청을 포함한다)
> 3. 시 · 도의 관할구역에 있는 둘 이상의 지방자치단체(시 · 군 · 자치구를 말한다) · 공공법인 등이 공동으로 설립한 행정청

③ ○

행정심판을 거쳐 취소소송을 제기하는 경우 취소소송은 재결서의 정본을 송달받은 날로부터 90일 이내에 제기하여야 한다.

> 행정소송법 제20조 제1항에 따르면, 취소소송은 처분 등이 있음을 안 날부터 90일 이내에 제기하여야 하는데, 행정심판청구를 할 수 있는 경우에 행정심판청구가 있은 때의 기간은 재결서의 정본을 송달받은 날부터 기산한다(대판 2014. 4. 24, 2013두10809).

> **행정소송법 제20조【제소기간】** ① 취소소송은 처분 등이 있음을 안 날부터 90일 이내에 제기하여야 한다. 다만, 제18조 제1항 단서에 규정한 경우와 그 밖에 행정심판청구를 할 수 있는 경우 또는 행정청이 행정심판청구를 할 수 있다고 잘못 알린 경우에 행정심판청구가 있은 때의 기간은 재결서의 정본을 송달받은 날부터 기산한다.

④ ×

> 인용재결이 있는 경우 처분청은 그러한 재결에 기속되므로 이에 불복하여 취소소송을 제기할 수 없다(대판 1998. 5. 8, 97누15432).

정답 07 ④

08 정답률 89% 하 2022 소방직 9급

행정심판법에 대한 설명으로 옳지 않은 것은?

① 청구인이 피청구인을 잘못 지정한 경우에는 위원회는 직권으로 또는 당사자의 신청에 의하여 결정으로써 피청구인을 경정할 수 있다.

② 행정심판위원회는 심판청구의 대상이 되는 처분보다 청구인에게 불리한 재결을 할 수 있다.

③ 중앙행정심판위원회는 위법 또는 불합리한 명령 등의 시정조치를 관계행정기관에 요청할 수 있다.

④ 법령의 규정에 따라 공고하거나 고시한 처분이 재결로써 취소되거나 변경되면 처분을 한 행정청은 지체 없이 그 처분이 취소 또는 변경되었다는 것을 공고하거나 고시하여야 한다.

관련기출

②

1. 행정심판위원회는 필요하다고 판단하는 경우에는 심판청구의 대상이 되는 처분보다 청구인에게 불리한 재결을 할 수 있다. (○, ×) 2018 교육행정직 9급
2. 행정심판위원회는 심판청구의 대상이 되는 처분보다 청구인에게 불리한 재결을 하지 못한다. (○, ×) 2016 국가직 9급
3. 행정심판은 행정의 자기통제절차이므로 심판청구의 대상이 되는 처분보다 청구인에게 불리한 재결을 하는 것도 가능하다. (○, ×) 2013 지방직 9급

1. × 2. ○ 3. ×

① 제33강 참조 ○

행정심판법 제17조【피청구인의 적격 및 경정】 ② 청구인이 피청구인을 잘못 지정한 경우에는 위원회는 직권으로 또는 당사자의 신청에 의하여 결정으로써 피청구인을 경정(更正)할 수 있다.

② **빈출** ×

행정심판법 제47조【재결의 범위】 ② 위원회는 심판청구의 대상이 되는 처분보다 청구인에게 불리한 재결을 하지 못한다.

③ ○

행정심판법 제59조【불합리한 법령 등의 개선】 ① 중앙행정심판위원회는 심판청구를 심리·재결할 때에 처분 또는 부작위의 근거가 되는 명령 등(대통령령·총리령·부령·훈령·예규·고시·조례·규칙 등을 말한다. 이하 같다)이 법령에 근거가 없거나 상위법령에 위배되거나 국민에게 과도한 부담을 주는 등 크게 불합리하면 관계행정기관에 그 명령 등의 개정·폐지 등 적절한 시정조치를 요청할 수 있다. 이 경우 중앙행정심판위원회는 시정조치를 요청한 사실을 법제처장에게 통보하여야 한다.

④ ○

행정심판법 제49조【재결의 기속력 등】 ⑤ 법령의 규정에 따라 공고하거나 고시한 처분이 재결로써 취소되거나 변경되면 처분을 한 행정청은 지체 없이 그 처분이 취소 또는 변경되었다는 것을 공고하거나 고시하여야 한다.

정답 08 ②

09 정답률 63% 중 2021 국가직 7급

행정심판에 대한 설명으로 옳지 않은 것은? (다툼이 있는 경우 판례에 의함)

□□□ ① 취소심판의 인용재결로서 취소재결, 변경재결, 변경명령재결을 할 수 있다.

□□□ ② 당사자의 신청을 받아들이지 않은 거부처분이 재결에서 취소된 경우에 행정청은 재결 후에 발생한 새로운 사유를 내세워 다시 거부처분을 할 수 있다.

□□□ ③ 정보공개명령재결은 행정심판위원회에 의한 직접처분의 대상이 된다.

□□□ ④ 인용재결의 기속력은 피청구인과 그 밖의 관계행정청에 미치고, 행정심판위원회의 간접강제결정의 효력은 피청구인인 행정청이 소속된 국가 · 지방자치단체 또는 공공단체에 미친다.

① 제33강 참조 ○

취소심판의 인용재결로는 취소재결, 변경재결, 변경명령재결이 있다.

> **행정심판법 제43조【재결의 구분】** ③ 위원회는 취소심판의 청구가 이유가 있다고 인정하면 처분을 취소 또는 다른 처분으로 변경하거나 처분을 다른 처분으로 변경할 것을 피청구인에게 명한다.

② ○

> 당사자의 신청을 받아들이지 않은 거부처분이 재결에서 취소된 경우에 행정청은 종전 거부처분 또는 재결 후에 발생한 새로운 사유를 내세워 다시 거부처분을 할 수 있다. 그 재결의 취지에 따라 이전의 신청에 대하여 다시 어떠한 처분을 하여야 할지는 처분을 할 때의 법령과 사실을 기준으로 판단하여야 하기 때문이다(대판 2017. 10. 31, 2015누45045).

③ ×

정보공개를 명하는 재결의 경우 정보공개는 정보를 보유하는 기관만이 할 수 있으므로 처분의 성질상 행정심판위원회는 직접 정보공개처분을 할 수 없다. 따라서 정보공개명령재결은 행정심판위원회에 의한 직접처분의 대상이 되지 않는다.

> **행정심판법 제50조【위원회의 직접처분】** ① 위원회는 피청구인이 제49조 제3항에도 불구하고 처분을 하지 아니하는 경우에는 당사자가 신청하면 기간을 정하여 서면으로 시정을 명하고 그 기간에 이행하지 아니하면 직접처분을 할 수 있다. 다만, 그 처분의 성질이나 그 밖의 불가피한 사유로 위원회가 직접처분을 할 수 없는 경우에는 그러하지 아니하다.

④ ○

> **행정심판법 제49조【재결의 기속력 등】** ① 심판청구를 인용하는 재결은 피청구인과 그 밖의 관계행정청을 기속(羈束)한다.
>
> **제50조의2【위원회의 간접강제】** ① 위원회는 피청구인이 제49조 제2항(제49조 제4항에서 준용하는 경우를 포함한다) 또는 제3항에 따른 처분을 하지 아니하면 청구인의 신청에 의하여 결정으로 상당한 기간을 정하고 피청구인이 그 기간 내에 이행하지 아니하는 경우에는 그 지연기간에 따라 일정한 배상을 하도록 명하거나 즉시 배상을 할 것을 명할 수 있다.
> ⑤ 제1항 또는 제2항에 따른 결정의 효력은 피청구인인 행정청이 소속된 국가 · 지방자치단체 또는 공공단체에 미치며, 결정서 정본은 제4항에 따른 소송제기와 관계없이 민사집행법에 따른 강제집행에 관하여는 집행권원과 같은 효력을 가진다. 이 경우 집행문은 위원장의 명에 따라 위원회가 소속된 행정청 소속 공무원이 부여한다.

정답 09 ③

10 빈출 중 2021 군무원 7급

행정심판의 재결에 대한 설명으로 옳은 것은? (단, 다툼이 있는 경우 판례에 의함)

□□□ ① 행정심판을 거친 후에 원처분에 대하여 취소소송을 제기할 경우 재결서의 정본을 송달받은 날부터 60일 이내에 제기하여야 한다.

□□□ ② 의무이행심판의 청구가 이유 있다고 인정되는 경우에는 행정심판위원회는 직접 신청에 따른 처분을 할 수 없고, 피청구인에게 처분을 할 것을 명하는 재결을 할 수 있을 뿐이다.

□□□ ③ 사정재결은 취소심판의 경우에만 인정되고, 의무이행심판과 무효확인심판의 경우에는 인정되지 않는다.

□□□ ④ 취소심판의 심리 후 행정심판위원회는 영업허가취소처분을 영업정지처분으로 적극적으로 변경하는 변경재결 또는 변경명령재결을 할 수 있다.

관련기출

②

1. 행정심판위원회는 의무이행심판의 청구가 이유가 있다고 인정하면 지체 없이 신청에 따른 처분을 하거나 처분을 할 것을 피청구인에게 명한다. (O, ×) 2019 국회직 8급

1. O

① **빈출** ×

행정심판을 거쳐 취소소송을 제기하는 경우 취소소송은 재결서의 정본을 송달받은 날로부터 90일 이내에 제기하여야 하고 재결서의 정본을 송달받지 못한 경우에는 재결이 있은 날부터 1년 이내에 제기하여야 한다.

> **행정소송법 제20조【제소기간】** ① 취소소송은 처분 등이 있음을 안 날부터 90일 이내에 제기하여야 한다. 다만, 제18조 제1항 단서에 규정한 경우와 그 밖에 행정심판청구를 할 수 있는 경우 또는 행정청이 행정심판청구를 할 수 있다고 잘못 알린 경우에 행정심판청구가 있은 때의 기간은 재결서의 정본을 송달받은 날부터 기산한다.
> ② 취소소송은 처분 등이 있은 날부터 1년(제1항 단서의 경우는 재결이 있은 날부터 1년)을 경과하면 이를 제기하지 못한다. 다만, 정당한 사유가 있는 때에는 그러하지 아니하다.
> ③ 제1항의 규정에 의한 기간은 불변기간으로 한다.

② ×

행정심판위원회는 의무이행심판의 청구가 이유 있다고 인정할 때에는 재결로 지체 없이 신청에 따른 처분을 하거나 처분을 할 것을 피청구인인 행정청에게 명한다. 따라서 의무이행재결에는 처분재결과 처분명령재결이 있다.

> **행정심판법 제43조【재결의 구분】** ⑤ 위원회는 의무이행심판의 청구가 이유 있다고 인정할 때에는 재결로 지체 없이 신청에 따른 처분을 하거나 처분을 할 것을 피청구인인 행정청에게 명한다.

③ ×

사정재결은 취소심판 및 의무이행심판에만 인정되고 무효등확인심판에는 인정되지 아니한다.

> **행정심판법 제44조【사정재결】** ① 위원회는 심판청구가 이유가 있다고 인정하는 경우에도 이를 인용(認容)하는 것이 공공복리에 크게 위배된다고 인정하면 그 심판청구를 기각하는 재결을 할 수 있다. 이 경우 위원회는 재결의 주문(主文)에서 그 처분 또는 부작위가 위법하거나 부당하다는 것을 구체적으로 밝혀야 한다.
> ③ 제1항과 제2항은 무효등확인심판에는 적용하지 아니한다.

④ **빈출** ○

행정심판법상 변경재결에서의 변경은 소극적 변경뿐만 아니라 적극적 변경, 즉 원처분을 갈음하는 다른 처분으로 변경하는 것까지 포함한다(예 운전면허취소처분을 6개월의 운전면허정지처분으로 변경하는 것).

정답 10 ④

11 빈출 ⓗ 2019 경행경채 2차

행정심판법상 의무이행심판에 대한 설명으로 가장 적절하지 않은 것은? (다툼이 있는 경우 판례에 의함)

□□□ ① 당사자의 신청에 대한 행정청의 위법 또는 부당한 거부처분이나 부작위에 대하여 일정한 처분을 하도록 하는 행정심판을 말한다.

□□□ ② 당사자의 신청을 거부하거나 부작위로 방치한 처분의 이행을 명하는 재결이 있으면 행정청은 지체 없이 이전의 신청에 대하여 재결의 취지에 따라 처분을 하여야 한다.

□□□ ③ 행정심판위원회는 처분의 이행을 명하는 재결에도 불구하고 처분을 하지 아니하는 피청구인에게 배상을 할 것을 명할 수 있다.

□□□ ④ 피청구인이 처분의 이행을 명하는 재결에도 불구하고 처분을 하지 않는다고 해서 행정심판위원회가 직접처분을 할 수는 없다.

① ○

> **행정심판법 제5조【행정심판의 종류】** 행정심판의 종류는 다음 각 호와 같다.
> 1. 취소심판 : 행정청의 위법 또는 부당한 처분을 취소하거나 변경하는 행정심판
> 2. 무효등확인심판 : 행정청의 처분의 효력 유무 또는 존재 여부를 확인하는 행정심판
> 3. 의무이행심판 : 당사자의 신청에 대한 행정청의 위법 또는 부당한 거부처분이나 부작위에 대하여 일정한 처분을 하도록 하는 행정심판

② ○

> **행정심판법 제49조【재결의 기속력 등】** ③ 당사자의 신청을 거부하거나 부작위로 방치한 처분의 이행을 명하는 재결이 있으면 행정청은 지체 없이 이전의 신청에 대하여 재결의 취지에 따라 처분을 하여야 한다.

③ ○

> **행정심판법 제50조의2【위원회의 간접강제】** ① 위원회는 피청구인이 제49조 제2항(제49조 제4항에서 준용하는 경우를 포함한다) 또는 제3항에 따른 처분을 하지 아니하면 청구인의 신청에 의하여 결정으로 상당한 기간을 정하고 피청구인이 그 기간 내에 이행하지 아니하는 경우에는 그 지연기간에 따라 일정한 배상을 하도록 명하거나 즉시 배상을 할 것을 명할 수 있다.

④ ×

> **행정심판법 제49조【재결의 기속력 등】** ③ 당사자의 신청을 거부하거나 부작위로 방치한 처분의 이행을 명하는 재결이 있으면 행정청은 지체 없이 이전의 신청에 대하여 재결의 취지에 따라 처분을 하여야 한다.
>
> **제50조【위원회의 직접처분】** ① 위원회는 피청구인이 제49조 제3항에도 불구하고 처분을 하지 아니하는 경우에는 당사자가 신청하면 기간을 정하여 서면으로 시정을 명하고 그 기간에 이행하지 아니하면 직접처분을 할 수 있다. 다만, 그 처분의 성질이나 그 밖의 불가피한 사유로 위원회가 직접처분을 할 수 없는 경우에는 그러하지 아니하다.

정답 11 ④

12 정답률 44% 상 2017 서울시 9급

행정심판법에 따른 행정심판에 관한 설명으로 가장 옳은 것은? (다툼이 있는 경우 판례에 의함)

□□□ ① 취소심판의 인용재결에는 취소재결 · 변경재결 · 취소명령재결 · 변경명령재결이 있다.

□□□ ② 거부처분은 취소심판의 대상이므로 거부처분의 상대방은 이에 대하여 취소심판만 청구할 수 있다.

□□□ ③ 행정심판위원회가 처분을 취소하거나 변경하는 재결을 하면, 행정청은 재결의 기속력에 따라 처분을 취소 또는 변경하는 처분을 하여야 하고, 이를 통하여 당해 처분은 처분시에 소급하여 소멸되거나 변경된다.

□□□ ④ 거부처분취소재결이 있는 경우에는 행정청은 그 재결의 취지에 따라 이전의 신청에 대한 처분을 하여야 하는 것이므로 행정청이 그 재결의 취지에 따른 처분을 하지 아니하고 그 처분과는 양립할 수 없는 다른 처분을 하는 것은 재결의 기속력에 반하여 위법하다.

① ×

취소명령재결은 존재하지 않는다(필수편 19 ① 해설 참조).

> **행정심판법 제43조【재결의 구분】** ③ 위원회는 취소심판의 청구가 이유가 있다고 인정하면 처분을 취소 또는 다른 처분으로 변경하거나 처분을 다른 처분으로 변경할 것을 피청구인에게 명한다.

② ×

거부처분은 의무이행심판의 대상이 될 수도 있다.

> **행정심판법 제5조【행정심판의 종류】** 행정심판의 종류는 다음 각 호와 같다.
> 3. 의무이행심판 : 당사자의 신청에 대한 행정청의 위법 또는 부당한 거부처분이나 부작위에 대하여 일정한 처분을 하도록 하는 행정심판

③ ×

행정심판위원회가 처분을 취소하거나 변경하는 재결을 하면 재결의 기속력이 아니라 형성력에 의해 처분은 소급적으로 효력을 상실하거나 원처분이 변경되어 존재하는 것이 된다. 기속력이란 처분청 및 관계행정청이 재결의 취지에 따르도록 하는 구속력을 말하는 것으로 변경명령재결 등에 인정된다.

④ ○

> 당사자의 신청을 거부하는 처분을 취소하는 재결이 있는 경우에는 행정청은 그 재결의 취지에 따라 이전의 신청에 대한 처분을 하여야 하는 것이므로 행정청이 그 재결의 취지에 따른 처분을 하지 아니하고 그 처분과는 양립할 수 없는 다른 처분을 하는 것은 위법한 것이라 할 것이고 이 경우 그 재결의 신청인은 위법한 다른 처분의 취소를 소구할 이익이 있다(대판 1988. 12. 13, 88누7880).

정답 12 ④

13 정답률 54% 상 2016 서울시 7급

행정심판법에 대한 설명으로 가장 옳은 것은?

□□□ ① 임시처분은 의무이행심판을 인정하면서도 가처분제도를 인정하지 않아 제한된 재결의 실효성을 제고하기 위한 것이므로 집행정지로 그 목적을 달성할 수 있는 경우에도 허용된다.

□□□ ② 심판청구에 대한 재결에는 기판력이 인정되지 않으므로 그 재결 및 같은 처분 또는 부작위에 대하여 다시 행정심판을 청구할 수 있다.

□□□ ③ 행정심판의 심리는 당사자가 구술심리를 신청한 경우를 제외하고는 서면심리주의를 원칙으로 하고 있다.

□□□ ④ 의무이행심판의 재결에서 처분재결은 형성재결의 성질을 처분명령재결은 이행재결의 성격을 가지고 있다.

① ×

> **행정심판법 제31조【임시처분】** ① 위원회는 처분 또는 부작위가 위법·부당하다고 상당히 의심되는 경우로서 처분 또는 부작위 때문에 당사자가 받을 우려가 있는 중대한 불이익이나 당사자에게 생길 급박한 위험을 막기 위하여 임시지위를 정하여야 할 필요가 있는 경우에는 직권으로 또는 당사자의 신청에 의하여 임시처분을 결정할 수 있다.
> ③ 제1항에 따른 임시처분은 제30조 제2항에 따른 집행정지로 목적을 달성할 수 있는 경우에는 허용되지 아니한다.

② ×

> **행정심판법 제51조【행정심판 재청구의 금지】** 심판청구에 대한 재결이 있으면 그 재결 및 같은 처분 또는 부작위에 대하여 다시 행정심판을 청구할 수 없다.

③ **빈출** ×

> **행정심판법 제40조【심리의 방식】** ① 행정심판의 심리는 구술심리나 서면심리로 한다. 다만, 당사자가 구술심리를 신청한 경우에는 서면심리만으로 결정할 수 있다고 인정되는 경우 외에는 구술심리를 하여야 한다.

④ ○

의무이행재결에는 처분재결과 처분명령재결이 있다. 처분재결은 행정심판위원회가 스스로 처분을 하는 것이므로 형성재결이다. 처분명령재결은 처분청에게 처분의 이행을 명하는 재결이므로 이행재결에 속한다.

> **행정심판법 제43조【재결의 구분】** ⑤ 위원회는 의무이행심판의 청구가 이유가 있다고 인정하면 지체 없이 신청에 따른 처분을 하거나 처분을 할 것을 피청구인에게 명한다.

정답 13 ④

14 정답률 59% 중 2015 서울시 9급

행정심판과 행정소송의 관계에 관한 설명으로 가장 타당한 것은? (다툼이 있는 경우 판례에 의함)

□□□ ① 양자는 행정권에 대한 국민의 권리구제 기능을 한다는 점에서는 공통되지만, 행정소송이 제3자 기관인 법원에 의해 심판되므로 당사자가 청구한 범위 내에서만 심리 · 판단하는 데 대하여, 행정심판은 행정조직 내에서 자기통제 기능을 겸하기 때문에 심판청구의 대상이 되는 처분 또는 부작위 외의 사항에 대하여도 재결할 수 있다.

□□□ ② 행정소송은 철저한 대심주의를 관철하여 당사자가 제출한 공격 · 방어방법에 한정하여서만 심리 판단하지만, 행정심판에서는 직권탐지주의를 원칙으로 한다.

□□□ ③ 행정심판에서는 변경재결과 같이 원처분을 적극적으로 변경하는 것도 가능하다.

□□□ ④ 행정심판과 행정소송이 동시에 제기되어 진행 중 행정심판의 인용재결이 행해지면 동일한 처분 등을 다투는 행정소송에 영향이 없지만, 기각재결이 있으면 행정소송은 소의 이익을 상실한다.

관련기출

①

1. 행정심판위원회는 심판청구의 대상이 되는 처분 또는 부작위 외의 사항에 대하여는 재결하지 못한다. (○, ×) 2016 국회직 8급
2. (행정심판)위원회는 직권에 의하여 심판청구의 대상이 되는 처분 또는 부작위 외의 사항에 대하여도 재결할 수 있다. (○, ×) 2010 국가직 9급
3. (행정심판에는) 불고불리의 원칙이 적용된다. (○, ×) 2009 지방직(하) 7급

1. ○ 2. × 3. ○

① **빈출** ×

행정심판의 경우에도 불고불리의 원칙이 적용되므로 행정심판위원회는 심판청구의 대상이 되는 처분 또는 부작위 외의 사항에 대하여는 재결할 수 없다.

> **행정심판법 제47조【재결의 범위】** ① 위원회는 심판청구의 대상이 되는 처분 또는 부작위 외의 사항에 대하여는 재결하지 못한다.

② ×

행정심판법은 심판청구의 당사자를 청구인과 피청구인으로 하여 이들 당사자가 각각 공격 · 방어방법을 제출하게 하고, 이와 같이 제출된 공격 · 방어방법을 기초로 하여 심리 · 재결하는 당사자주의, 즉 대심주의를 원칙적으로 취하고 있다. 다만 당사자주의, 처분권주의를 원칙으로 하면서도, 심판청구의 심리를 위하여 필요하다고 인정되는 경우에는 행정심판위원회로 하여금 당사자가 주장하지 아니한 사실에 대하여도 심리할 수 있도록 하고, 증거조사를 할 수 있도록 함으로써 직권주의도 채택하고 있다. 한편 행정소송도 당사자주의가 원칙이지만 직권탐지주의도 가미되어 있다.

③ ○

행정심판에서는 행정소송과 달리 처분을 적극적으로 변경하는 것도 가능하다.

④ ×

처분 후의 사정변경에 의하여 권익침해가 해소된 경우에는 처분의 취소를 구할 소의 이익이 없다. 따라서 동일한 처분에 대해 행정심판과 행정소송이 동시에 제기되어 진행 중 행정심판의 인용재결이 행해지면 동일한 처분을 다투는 행정소송은 소의 이익이 없어 각하된다. 한편 기각재결이 있게 되는 경우에는 행정소송이 소의 이익을 상실하게 되는 것은 아니다.

정답 14 ③

15 상

2015 국회직 8급

다음 중 행정심판에 대한 설명으로 옳지 않은 것은?

□□□ ① 처분의 취소 또는 변경을 구하는 취소심판의 경우에 변경의 의미는 소극적 변경뿐만 아니라 적극적 변경까지 포함한다.

□□□ ② 취소심판청구에 대한 기각재결이 있는 경우에도 처분청은 당해 처분을 직권으로 취소 또는 변경할 수 있다.

□□□ ③ 행정심판위원회는 피청구인이 처분이행명령재결에도 불구하고 처분을 하지 아니하는 경우에는 당사자가 신청하면 기간을 정하여 서면으로 이행을 명하고 그 기간에 이행하지 아니하면 직접처분을 할 수 있다.

□□□ ④ 행정심판위원회는 사정재결을 함에 있어서 청구인에 대하여 상당한 구제방법을 취하거나 피청구인에게 상당한 구제방법을 취할 것을 명할 수 있으나, 재결주문에 그 처분 등이 위법 또는 부당함을 명시할 필요는 없다.

□□□ ⑤ 행정심판위원회가 직접처분을 한 경우에는 그 사실을 해당 행정청에 통보하여야 하며, 통보를 받은 행정청은 행정심판위원회가 한 처분을 자기가 한 처분으로 보아 관계법령에 따라 관리 · 감독 등 필요한 조치를 하여야 한다.

① ○
행정심판법이 취소와 함께 변경을 따로 인정한 점과 의무이행재결을 인정한 점에 비추어 변경재결에서의 변경은 적극적 변경, 즉 원처분을 갈음하는 다른 처분으로 변경하는 것을 포함한다는 것이 일반적 견해이다.

② ○
기속력은 형성력과 동일하게 청구인용재결의 경우에만 인정되며 청구기각재결에는 인정되지 않는다. 따라서 행정심판위원회가 처분을 적법하다고 보아 청구기각재결을 한 경우에도 처분청은 처분을 위법하다고 보아 처분을 직권으로 취소할 수 있다.

③⑤ ○

> **행정심판법 제50조【위원회의 직접처분】** ① 위원회는 피청구인이 제49조 제3항에도 불구하고 처분을 하지 아니하는 경우에는 당사자가 신청하면 기간을 정하여 서면으로 시정을 명하고 그 기간에 이행하지 아니하면 직접처분을 할 수 있다(③). 다만, 그 처분의 성질이나 그 밖의 불가피한 사유로 위원회가 직접처분을 할 수 없는 경우에는 그러하지 아니하다.
> ② 위원회는 제1항 본문에 따라 직접처분을 하였을 때에는 그 사실을 해당 행정청에 통보하여야 하며, 그 통보를 받은 행정청은 위원회가 한 처분을 자기가 한 처분으로 보아 관계법령에 따라 관리 · 감독 등 필요한 조치를 하여야 한다(⑤).

④ ×
주문(主文)에서 명시하여야 한다.

> **행정심판법 제44조【사정재결】** ① 위원회는 심판청구가 이유가 있다고 인정하는 경우에도 이를 인용(認容)하는 것이 공공복리에 크게 위배된다고 인정하면 그 심판청구를 기각하는 재결을 할 수 있다. 이 경우 위원회는 재결의 주문(主文)에서 그 처분 또는 부작위가 위법하거나 부당하다는 것을 구체적으로 밝혀야 한다.
> ② 위원회는 제1항에 따른 재결을 할 때에는 청구인에 대하여 상당한 구제방법을 취하거나 상당한 구제방법을 취할 것을 피청구인에게 명할 수 있다.

16 중

2013 지방직(하) 7급

행정심판의 심리에 대한 설명으로 옳은 것은?

□□□ ① 행정심판의 심리는 원칙적으로 행정심판위원회가 주도하며, 당사자의 처분권주의는 예외적으로 인정된다.

□□□ ② 행정심판위원회의 심리는 당사자가 주장한 사실에 한정되지 않으며, 필요한 때에는 당사자가 주장하지 아니한 사실에 대하여도 심리할 수 있다.

□□□ ③ 행정심판법은 구술심리를 원칙으로 하며, 당사자의 신청이 있는 때에는 서면심리로 할 것을 규정하고 있다.

□□□ ④ 행정심판법은 원칙적으로 공개심리주의를 채택하고 있다.

① ×
처분권주의란 절차의 개시, 심판의 대상 및 절차의 종결을 당사자의 의사에 맡기는 것을 말하는바, 행정심판법에 따르면 행정심판은 청구인의 심판청구에 의해 개시된다는 점 등을 고려하면 행정심판법도 처분권주의를 채택하고 있다고 볼 수 있다.

② ○

> **행정심판법 제39조【직권심리】** 위원회는 필요하면 당사자가 주장하지 아니한 사실에 대하여도 심리할 수 있다.

③ ×
행정심판법에 따르면 행정심판의 심리는 구술심리와 서면심리가 모두 원칙적인 형태로 규정되어 있다.

④ ×
비공개주의는 행정심판의 심리 · 재결과정을 일반에게 공개하지 않는다는 원칙이다. 행정심판법에는 이에 관한 명문규정은 없으나, 서면심리 등을 채택한 행정심판법의 구조로 보아 비공개주의를 채택하고 있는 것으로 봄이 일반적이다.

> **행정심판법 제41조【발언 내용 등의 비공개】** 위원회에서 위원이 발언한 내용이나 그 밖에 공개되면 위원회의 심리 · 재결의 공정성을 해칠 우려가 있는 사항으로서 대통령령으로 정하는 사항은 공개하지 아니한다.

정답 15 ④ 16 ②

17 상

2014 지방직 9급 변형

행정심판에 대한 설명으로 옳은 것은?

□□□ ① 행정심판위원회는 직접처분을 하였을 때에는 그 사실을 해당 행정청에 통보하여야 하며, 그 통보를 받은 행정청은 행정심판위원회가 한 처분을 자기가 한 처분으로 보아 관계법령에 따라 관리 · 감독 등 필요한 조치를 하여야 한다.

□□□ ② 임시처분은 집행정지와 보충성 관계가 없고, 행정심판위원회는 집행정지로 목적을 달성할 수 있는 경우에도 임시처분 결정을 할 수 있다.

□□□ ③ 취소심판의 인용재결에는 취소재결, 취소명령재결, 변경재결, 변경명령재결이 있다.

□□□ ④ 행정심판법에서는 간접강제제도를 두고 있지 않다.

① ○

> **행정심판법 제50조【위원회의 직접처분】** ① 위원회는 피청구인이 제49조 제3항에도 불구하고 처분을 하지 아니하는 경우에는 당사자가 신청하면 기간을 정하여 서면으로 시정을 명하고 그 기간에 이행하지 아니하면 직접처분을 할 수 있다. 다만, 그 처분의 성질이나 그 밖의 불가피한 사유로 위원회가 직접처분을 할 수 없는 경우에는 그러하지 아니하다.
> ② 위원회는 제1항 본문에 따라 직접처분을 하였을 때에는 그 사실을 해당 행정청에 통보하여야 하며, 그 통보를 받은 행정청은 위원회가 한 처분을 자기가 한 처분으로 보아 관계법령에 따라 관리 · 감독 등 필요한 조치를 하여야 한다.

② ×

임시처분은 집행정지와의 관계에서 보충성을 갖는다. 따라서 집행정지로 목적을 달성할 수 있는 경우에는 임시처분은 허용되지 않는다.

> **행정심판법 제31조【임시처분】** ③ 제1항에 따른 임시처분은 제30조 제2항에 따른 집행정지로 목적을 달성할 수 있는 경우에는 허용되지 아니한다.

③ ×

개정 전 행정심판법에서는 취소명령재결이 있었으나 위원회의 재결이 있음에도 처분청이 처분을 취소하지 않는 경우에는 실효성이 떨어진다는 점에서 개정 행정심판법에는 취소명령재결을 삭제하였다. 따라서 취소심판의 인용재결에는 취소재결, 변경재결, 변경명령재결이 있다.

> **행정심판법 제43조【재결의 구분】** ③ 위원회는 취소심판의 청구가 이유가 있다고 인정하면 처분을 취소 또는 다른 처분으로 변경하거나 처분을 다른 처분으로 변경할 것을 피청구인에게 명한다.

④ ×

행정소송법은 제34조에서 간접강제에 관한 규정을 두고 있는 반면에, 행정심판법에는 간접강제에 관한 규정이 없었다. 그러나 2017년 4월 개정 행정심판법 제50조의2에 의해 간접강제제도를 두고 있다.

> **행정심판법 제50조의2【위원회의 간접강제】** ① 위원회는 피청구인이 제49조 제2항(제49조 제4항에서 준용하는 경우를 포함한다) 또는 제3항에 따른 처분을 하지 아니하면 청구인의 신청에 의하여 결정으로 상당한 기간을 정하고 피청구인이 그 기간 내에 이행하지 아니하는 경우에는 그 지연기간에 따라 일정한 배상을 하도록 명하거나 즉시 배상을 할 것을 명할 수 있다.

정답 17 ①

03 행정심판의 고지

기 743~746쪽 핵 T 64

18 정답률 55% 중 2022 지방직 · 서울시 9급

행정처분의 위법성에 대한 설명으로 옳지 않은 것은? (다툼이 있는 경우 판례에 의함)

□□□ ① 행정청이 행정처분을 하면서 상대방에게 불복절차에 관한 고지의무를 이행하지 않았다면 이는 절차적 하자로서 그 행정처분은 위법하게 된다.

□□□ ② 행정처분이 나중에 항고소송에서 위법하다고 판단되어 취소되더라도 그러한 사실만으로 바로 행정처분이 공무원의 고의나 과실로 인한 불법행위를 구성한다고 할 수 없다.

□□□ ③ 절차상의 하자를 이유로 행정처분을 취소하는 판결이 선고되어 확정된 경우, 그 확정판결의 기속력은 취소사유로 된 절차의 위법에 한하여 미치는 것이므로 행정청은 적법한 절차를 갖추어 동일한 내용의 처분을 다시 할 수 있다.

□□□ ④ 권한 없는 행정청이 한 위법한 행정처분을 취소할 수 있는 권한은 그 행정처분을 한 처분청에게 속하는 것이고, 그 행정처분을 할 수 있는 적법한 권한을 가지는 행정청에게 그 취소권이 귀속되는 것은 아니다.

① ×

> 처분청이 고지의무를 이행하지 아니하였다고 하더라도 경우에 따라서는 행정심판의 제기기간이 연장될 수 있는 것에 그치고, 이로 인하여 심판의 대상이 되는 행정처분에 어떤 하자가 수반된다고 할 수 없다(대판 1987. 11. 24, 87누529).

② 제28강 참조 ○

> 어떠한 행정처분이 후에 항고소송에서 취소된 사실만으로 당해 행정처분이 곧바로 공무원의 고의 또는 과실로 인한 것으로서 불법행위를 구성한다고 단정할 수 없다(대판 2000. 5. 12, 99다70600).

③ 제39강 참조 ○

처분이 절차나 형식의 하자를 이유로 취소된 경우 처분청 스스로 판결에 의해 적시된 위법사유를 보완한 후 동일내용의 처분을 하는 것은 기속력에 반하지 않는다.

> 과세처분시 납세고지서에 절차 내지 형식의 위법을 이유로 과세처분을 취소하는 판결이 확정된 경우에 그 확정판결의 기판력(편저자 주 : 기속력)은 확정판결에 적시된 절차 내지 형식의 위법사유에 한하여 미친다고 할 것이므로 과세처분취소소송의 확정판결에 적시된 위법사유를 보완하여 새로이 행한 과세처분은 종전의 과세처분과는 별개의 처분으로서 확정판결의 기판력(편저자 주 : 기속력)에 저촉되지 않는다(대판 1986. 11. 11, 85누231).

④ 제17강 참조 ○

> 권한 없는 행정기관이 한 당연무효인 행정처분을 취소할 수 있는 권한은 당해 행정처분을 한 처분청에 속하고, 당해 행정처분을 할 수 있는 적법한 권한을 가지는 행정청에 그 취소권이 귀속되는 것이 아니다(대판 1984. 10. 10, 84누463).

정답 18 ①

제 35 강 행정소송 개관, 당사자소송 및 객관적 소송

1회독	2회독	3회독
/	/	/

⊘정답률 공단기/소방단기 합격예측 풀서비스 통계 데이터 기준 기 기본서 핵 핵심집약

01 행정소송의 개관 기 750~752쪽 핵 T 65

01 중 2023 행정사

행정소송법의 내용에 관한 설명으로 옳지 않은 것은?

□□□ ① 처분 등을 취소하는 확정판결은 당사자에 대해서만 효력이 있다.

□□□ ② 처분 등이라 함은 행정청이 행하는 구체적 사실에 관한 법집행으로서의 공권력의 행사 또는 그 거부와 그 밖에 이에 준하는 행정작용 및 행정심판에 대한 재결을 말한다.

□□□ ③ 행정소송의 종류로는 항고소송, 당사자소송, 민중소송, 기관소송이 규정되어 있다.

□□□ ④ 무효등확인소송은 처분 등의 효력 유무 또는 존재 여부의 확인을 구할 법률상 이익이 있는 자가 제기할 수 있다.

□□□ ⑤ 행정청의 재량에 속하는 처분이라도 재량권의 한계를 넘거나 그 남용이 있는 때에는 법원은 이를 취소할 수 있다.

① **빈출** ×

이른바 형성력은 원고 · 피고 등 당사자뿐만 아니라 제3자에 대하여도 효력이 있다.

> **행정소송법 제29조【취소판결 등의 효력】** ① 처분 등을 취소하는 확정판결은 제3자에 대하여도 효력이 있다.

② ○

> **행정소송법 제2조【정의】** ① 이 법에서 사용하는 용어의 정의는 다음과 같다.
> 1. '처분 등'이라 함은 행정청이 행하는 구체적 사실에 관한 법집행으로서의 공권력의 행사 또는 그 거부와 그 밖에 이에 준하는 행정작용(이하 '처분'이라 한다) 및 행정심판에 대한 재결을 말한다.

③ **빈출** ○

> **행정소송법 제3조【행정소송의 종류】** 행정소송은 다음의 네 가지로 구분한다.
> 1. 항고소송 : 행정청의 처분 등이나 부작위에 대하여 제기하는 소송
> 2. 당사자소송 : 행정청의 처분 등을 원인으로 하는 법률관계에 관한 소송 그 밖에 공법상의 법률관계에 관한 소송으로서 그 법률관계의 한쪽 당사자를 피고로 하는 소송
> 3. 민중소송 : 국가 또는 공공단체의 기관이 법률에 위반되는 행위를 한 때에 직접 자기의 법률상 이익과 관계없이 그 시정을 구하기 위하여 제기하는 소송
> 4. 기관소송 : 국가 또는 공공단체의 기관 상호 간에 있어서의 권한의 존부 또는 그 행사에 관한 다툼이 있을 때에 이에 대하여 제기하는 소송. 다만, 헌법재판소법 제2조의 규정에 의하여 헌법재판소의 관장사항으로 되는 소송은 제외한다.

④ ○

> **행정소송법 제35조【무효등확인소송의 원고적격】** 무효등확인소송은 처분 등의 효력 유무 또는 존재 여부의 확인을 구할 법률상 이익이 있는 자가 제기할 수 있다.

⑤ ○

> **행정소송법 제27조【재량처분의 취소】** 행정청의 재량에 속하는 처분이라도 재량권의 한계를 넘거나 그 남용이 있는 때에는 법원은 이를 취소할 수 있다.

정답 01 ①

02 주관적 소송 (기 753~764쪽 핵 T 65)

02 ⓢ 2024 군무원 5급

다음 중 당사자소송에 대한 설명으로 가장 적절하지 않은 것은? (다툼이 있는 경우 판례에 의함)

□□□ ① 「도시 및 주거환경정비법」상 주택재건축정비 사업조합을 상대로 관리처분계획안에 대한 조합총회결의의 효력을 다투는 소송은 행정소송법상 당사자소송에 해당하고, 이를 본안으로 하는 가처분에 대하여는 민사집행법상 가처분에 관한 규정이 준용된다.

□□□ ② 공무원연금법령상 급여를 받으려고 하는 자는 우선 관계법령에 따라 공단에 급여지급을 신청하여 공무원연금관리공단이 이를 거부한 경우 그 결정을 대상으로 항고소송을 제기하는 등으로 구체적 권리를 인정받은 다음에야 당사자소송으로 그 급여의 지급을 구하여야 한다.

□□□ ③ 「공익사업을 위한 토지 등의 취득 및 보상에 관한 법률」상 환매권은 상대방에 대한 의사표시를 요하는 공법상 형성권의 일종으로서 이러한 환매권의 존부에 관한 확인을 구하는 소송은 당사자소송에 해당한다.

□□□ ④ 원고가 고의 또는 중대한 과실 없이 당사자소송으로 제기하여야 할 사건을 민사소송으로 잘못 제기한 경우, 수소법원으로서는 만약 그 당사자소송에 대한 관할도 동시에 가지고 있다면 이를 당사자소송으로 심리 · 판단하여야 한다.

관련기출

①

1. 당사자소송은 공법상 법률관계에 관한 소송이므로 이를 본안으로 하는 가처분에 대하여는 민사집행법상 가처분에 관한 규정이 준용되지 않는다. (○, ×) 2023 지방직 · 서울시 9급
2. 당사자소송에는 항고소송에서의 집행정지규정은 적용되지 않고 민사집행법상의 가처분규정은 준용된다. (○, ×) 2021 국가직 7급
3. 당사자소송에 대하여는 행정소송법 제23조 제2항의 집행정지에 관한 규정이 준용되지 아니하므로, 이를 본안으로 하는 가처분에 대하여는 민사집행법상의 가처분에 관한 규정이 준용되어야 한다. (○, ×) 2019 경행경채 2차
4. 민사집행법상 가처분은 당사자소송에서 허용된다. (○, ×) 2017 사회복지직 9급
5. 당사자소송을 본안으로 하는 가처분에 대하여는 행정소송법상 집행정지에 관한 규정이 준용되지 않고, 민사집행법상 가처분에 관한 규정이 준용되어야 한다. (○, ×) 2016 국가직 7급

1. × 2. ○ 3. ○ 4. ○ 5. ○

① **빈출** ○

당사자소송에 대하여는 행정소송법 제23조 제2항의 집행정지에 관한 규정이 준용되지 아니하므로, 이를 본안으로 하는 가처분에 대하여는 행정소송법 제8조 제2항에 따라 민사집행법상 가처분에 관한 규정이 준용되어야 한다.

「도시 및 주거환경정비법」(이하 '도시정비법'이라 한다)상 행정주체인 주택재건축정비사업조합을 상대로 관리처분계획안에 대한 조합총회결의의 효력을 다투는 소송은 행정처분에 이르는 절차적 요건의 존부나 효력 유무에 관한 소송으로서 소송결과에 따라 행정처분의 위법 여부에 직접 영향을 미치는 공법상 법률관계에 관한 것이므로, 이는 행정소송법상 당사자소송에 해당한다. 그리고 이러한 당사자소송에 대하여는 행정소송법 제23조 제2항의 집행정지에 관한 규정이 준용되지 아니하므로(행정소송법 제44조 제1항 참조), 이를 본안으로 하는 가처분에 대하여는 행정소송법 제8조 제2항에 따라 민사집행법상 가처분에 관한 규정이 준용되어야 한다(대결 2015. 8. 21, 2015무26).

② ○

공무원연금법에서 정한 급여를 받으려고 하는 자는 우선 관계법령에 따라 공단에 급여지급을 신청하여 공단이 이를 거부하거나 일부 금액만 인정하는 급여지급결정을 하는 경우 그 결정을 대상으로 항고소송을 제기하는 등 구체적인 권리를 인정받은 다음 비로소 당사자소송으로 그 급여의 지급을 구하여야 할 것이고, 구체적인 권리가 발생하지 않은 상태에서 곧바로 공단 등을 상대로 한 당사자소송으로 급여의 지급을 소구하는 것은 허용되지 아니한다(대판 2019. 6. 13, 2017다277986 · 277993).

③ **빈출** ×

구 「공익사업을 위한 토지 등의 취득 및 보상에 관한 법률」 제91조에 규정된 환매권의 존부에 관한 확인을 구하는 소송 및 같은 조 제4항에 따라 환매금액의 증감을 구하는 소송은 민사소송에 해당한다(대판 2013. 2. 28, 2010두22368).

④ ○

원고가 고의 또는 중대한 과실 없이 행정소송으로 제기하여야 할 사건을 민사소송으로 잘못 제기한 경우, 수소법원으로서는 만약 그 행정소송에 대한 관할도 동시에 가지고 있다면 이를 행정소송으로 심리 · 판단하여야 하고, 그 행정소송에 대한 관할을 가지고 있지 아니하다면 관할법원에 이송하여야 한다(대판 2020. 10. 15, 2020다222382).

정답 02 ③

03 정답률 46% 상 2022 국가직 9급

행정법관계에 대한 설명으로 옳지 않은 것은? (다툼이 있는 경우 판례에 의함)

□□□ ① 군인연금법령상 급여를 받으려고 하는 사람이 국방부장관에게 급여지급을 청구하였으나 거부된 경우, 곧바로 국가를 상대로 한 당사자소송으로 급여의 지급을 청구할 수 있다.

□□□ ② 법무사가 사무원을 채용할 때 소속 지방법무사회로부터 승인을 받아야 할 의무는 공법상 의무이다.

□□□ ③ 사무처리의 긴급성으로 인하여 해양경찰의 직접적인 지휘를 받아 보조로 방제작업을 한 경우, 사인은 그 사무를 처리하며 지출한 필요비 내지 유익비의 상환을 국가에 대하여 민사소송으로 청구할 수 있다.

□□□ ④ 「공익사업을 위한 토지 등의 취득 및 보상에 관한 법률」상 환매권의 존부에 관한 확인을 구하는 소송 및 환매금액의 증감을 구하는 소송은 민사소송이다.

① ×

공법관계에서 금전지급신청이 거부된 경우, ㉠ 권리의 존부 또는 범위가 법령에 의하여 바로 확정되는 경우에는 당사자소송을 제기하여야 하고 ㉡ 행정청의 결정에 의하여 비로소 확정되는 경우라면 행정청의 결정에 대해 항고소송을 제기하여야 한다.

> 퇴직연금결정 후의 퇴직연금청구소송은 당사자소송이나 구 군인연금법에 의한 퇴역연금 등의 급여를 받을 권리는 국방부장관의 인정으로 인해 비로소 구체적 권리가 발생하는 것이므로 국방부장관이 인정청구를 거부한 경우 항고소송을 제기하여야 한다(대판 2003. 9. 5, 2002두3522).

② 제36강 참조 ○

> 1. 법무사의 사무원 채용승인 신청에 대하여 소속 지방법무사회가 '채용승인을 거부'하는 조치 또는 일단 채용승인을 하였으나 법무사규칙 제37조 제6항을 근거로 '채용승인을 취소'하는 조치는 항고소송의 대상인 '처분'에 해당한다. 구체적인 이유는 다음과 같다. …… 법무사가 사무원 채용에 관하여 법무사법이나 법무사규칙을 위반하는 경우에는 소관 지방법원장으로부터 징계를 받을 수 있으므로, 법무사에 대하여 지방법무사회로부터 채용승인을 얻어 사무원을 채용할 의무는 법무사법에 의하여 강제되는 공법적 의무이다.
> 2. 지방법무사회가 법무사의 사무원 채용승인 신청을 거부하거나 채용승인을 얻어 채용 중인 사람에 대한 채용승인을 취소한 경우, 그 때문에 사무원이 될 수 없게 된 사람에게 항고소송을 제기할 원고적격이 인정된다(대판 2020. 4. 9, 2015다34444).

③ 제8강 참조 ○

> 甲 주식회사 소유의 유조선에서 원유가 유출되는 사고가 발생하자 乙 주식회사가 피해 방지를 위해 해양경찰의 직접적인 지휘를 받아 방제작업을 보조한 사안에서, 乙 회사는 사무관리에 근거하여 국가에 방제비용을 청구할 수 있다.
>
> 사무관리가 성립하기 위하여는 우선 그 사무가 타인의 사무이고 타인을 위하여 사무를 처리하는 의사, 즉 관리의 사실상 이익을 타인에게 귀속시키려는 의사가 있어야 하며, 나아가 사무의 처리가 본인에게 불리하거나 본인의 의사에 반한다는 것이 명백하지 아니할 것을 요한다. 다만 타인의 사무가 국가의 사무인 경우, 원칙적으로 사인이 법령상 근거 없이 국가의 사무를 수행할 수 없다는 점을 고려하면, 사인이 처리한 국가의 사무가 사인이 국가를 대신하여 처리할 수 있는 성질의 것으로서, 사무처리의 긴급성 등 국가의 사무에 대한 사인의 개입이 정당화되는 경우에 한하여 사무관리가 성립하고, 사인은 그 범위 내에서 국가에 대하여 국가의 사무를 처리하면서 지출된 필요비 내지 유익비의 상환을 청구할 수 있다(대판 2014. 12. 11, 2012다15602).

④ 제5강 참조 ○

구 「공익사업을 위한 토지 등의 취득 및 보상에 관한 법률」 제91조에 규정된 환매권의 존부에 관한 확인을 구하는 소송 및 같은 조 제4항에 따라 환매금액의 증감을 구하는 소송은 민사소송에 해당한다는 것이 판례의 입장이다(대판 2013. 2. 28, 2010두22368).

정답 03 ①

04 중 2016 교육행정직 9급

당사자소송에 관한 설명으로 옳은 것은? (다툼이 있으면 판례에 따름)

□□□ ① TV방송수신료 통합징수권한의 부존재확인은 당사자소송으로 다툴 수 있다.

□□□ ② 행정소송법상 당사자소송을 항고소송으로 변경하는 것은 허용되지 않는다.

□□□ ③ 시립무용단원의 해촉에 대해서는 항고소송으로 다투어야 하고 당사자소송으로 다툴 수는 없다.

□□□ ④ 행정소송법은 당사자소송의 원고적격을 당사자소송을 제기할 법률상 이익이 있는 자로 규정하고 있다.

관련기출

①

1. 한국전력공사가 텔레비전방송수신료 징수권한이 있는지 여부를 다투는 소송은 판례상 당사자소송이다. (○, ×) 2015 국회직 8급
2. 텔레비전방송수신료 통합징수권한 부존재확인은 공법상 당사자소송의 대상이다. (○, ×) 2009 세무사

1. ○ 2. ○

③

1. 서울특별시립무용단원의 위촉은 공법상 계약에 해당하며, 따라서 그 단원의 해촉에 대하여는 공법상의 당사자소송으로 무효확인을 청구할 수 있다. (○, ×) 2015 지방직 7급

1. ○

① **빈출** ○

한국전력공사가 TV방송수신료를 징수할 권한이 있는지 여부를 다투는 소송은 당사자소송에 의하여야 한다(대판 2008. 7. 24, 2007다25261).

② ×

행정소송법 제21조【소의 변경】① 법원은 취소소송을 당해 처분 등에 관계되는 사무가 귀속하는 국가 또는 공공단체에 대한 당사자소송 또는 취소소송 외의 항고소송으로 변경하는 것이 상당하다고 인정할 때에는 청구의 기초에 변경이 없는 한 사실심의 변론종결시까지 원고의 신청에 의하여 결정으로써 소의 변경을 허가할 수 있다.

제42조【소의 변경】제21조의 규정은 당사자소송을 항고소송으로 변경하는 경우에 준용한다.

③ ×

서울시립무용단원의 위촉은 공법상 계약이며 그 해촉에 관한 분쟁은 행정소송인 공법상 당사자소송의 대상이 된다.

(구)지방자치법 제9조 제2항 제5호 (라)목 및 (마)목 등의 규정에 의하면, 서울특별시립무용단원의 공연 등 활동은 지방문화 및 예술을 진흥시키고자 하는 서울특별시의 공공적 업무수행의 일환으로 이루어진다고 해석될 뿐 아니라, …… 서울특별시립무용단원이 가지는 지위가 공무원과 유사한 것이라면, 서울특별시립무용단 단원의 위촉은 공법상의 계약이라고 할 것이고, 그 단원의 해촉에 대하여는 공법상의 당사자소송으로 그 무효확인을 청구할 수 있다(대판 1995. 12. 22, 95누4636).

④ ×

행정소송법에는 당사자소송의 원고적격에 관해 별도의 규정을 두고 있지 않으며 취소소송의 원고적격에 관한 규정이 당사자소송에 준용되지도 않는다. 당사자소송에서 원고적격을 가지는 자는 당사자소송을 통하여 주장하는 공법상 법률관계의 주체이다.

정답 04 ①

05 중 2014 행정사

당사자소송에 관한 설명으로 옳은 것은? (다툼이 있는 경우에는 판례에 의함)

□□□ ① 당사자소송에는 행정청의 소송참가가 허용되지 않는다.

□□□ ② 당사자소송의 피고는 원칙적으로 처분을 행한 행정청이 된다.

□□□ ③ 지방소방공무원이 소속 지방자치단체를 상대로 초과근무수당의 지급을 구하는 소송은 당사자소송절차에 따라야 한다.

□□□ ④ 지방전문직 공무원 채용계약의 해지에 대한 불복은 당사자소송이 아니라 항고소송으로 하여야 한다.

□□□ ⑤ 당사자소송의 제소기간에 대해서는 취소소송의 제소기간에 관한 규정이 준용된다.

① ×

분쟁의 일회적 해결의 필요성은 당사자소송에도 존재하므로 당사자소송에도 취소소송의 소송참가에 관한 규정(제3자의 소송참가에 관한 행정소송법 제16조 규정과 행정청의 소송참가에 관한 동법 제17조 규정)은 준용된다. 당사자소송의 경우 피고는 아래 해설처럼 행정청이 아니라 권리주체가 된다. 그러나 소송참가는 행정청이 하는 경우도 있을 수 있다. 예컨대 서울특별시장이 한 파면처분이 무효임을 이유로 서울특별시를 피고로 하여 공무원지위확인소송을 당사자소송으로 제기하는 경우 서울특별시장은 피고는 아니지만 소송참가는 할 수 있다. 이 점에서 당사자소송의 피고는 행정청이 아니라 권리주체가 된다는 것과 당사자소송에도 행정청이 피고는 될 수 없지만 소송참가는 할 수 있다는 것을 구별해서 이해하기 바란다.

② ×

당사자소송의 피고는 처분청을 피고로 하는 항고소송과 달리 권리주체가 된다.

> **행정소송법 제39조【피고적격】** 당사자소송은 국가 · 공공단체 그 밖의 권리주체를 피고로 한다.

③ ○

> 지방소방공무원이 소속 지방자치단체를 상대로 초과근무수당의 지급을 구하는 소송을 제기하는 경우, 행정소송법상 당사자소송의 절차에 따라야 한다(대판 2013. 3. 28, 2012다102629).

④ ×

지방전문직 공무원 채용계약해지의 의사표시는 행정처분이 아니므로 항고소송이 아니라 당사자소송의 대상이 된다는 것이 판례의 입장이다(대판 1993. 9. 14, 92누4611).

⑤ ×

당사자소송에는 취소소송의 제소기간에 관한 규정이 준용되지 않는다.

06 중 2013 지방직 9급

당사자소송에 대한 설명으로 옳지 않은 것은? (다툼이 있는 경우 판례에 의함)

□□□ ① 대등 당사자 간에 다투어지는 공법상의 법률관계를 소송의 대상으로 한다.

□□□ ② 개인의 권익구제를 주된 목적으로 하는 주관적 소송이다.

□□□ ③ 당사자소송에도 제3자의 소송참가가 허용된다.

□□□ ④ 당사자소송이 부적법하여 각하되는 경우 그에 병합된 관련청구소송 역시 부적법 각하되어야 하는 것은 아니다.

① ○

당사자소송은 대등한 당사자 간에 다투어지는 공법상의 법률관계를 소송의 대상으로 한다는 점에서 행정주체가 우월한 지위에서 갖는 구체적인 공권력의 행사 · 불행사를 다투는 소송인 항고소송과는 구별된다.

② ○

행정소송은 그 내용에 따라 개인의 권리구제를 주된 목적으로 하는 주관적 소송과 적법성 통제가 주된 목적인 객관적 소송으로 나눌 수 있다. 주관적 소송에는 항고소송과 당사자소송이 있다.

③ ○

당사자소송에도 제3자의 소송참가와 행정청의 소송참가가 허용된다.

④ ×

> 본래의 당사자소송이 부적법하여 각하되는 경우, 행정소송법 제44 · 10조에 따라 병합된 관련청구소송도 소송요건 흠결로 부적합하여 각하되어야 한다.
>
> 행정소송법 제44 · 10조에 의한 관련청구소송 병합은 본래의 당사자소송이 적법할 것을 요건으로 하는 것이어서 본래의 당사자소송이 부적법하여 각하되면 그에 병합된 관련청구소송도 소송요건을 흠결하여 부적합하므로 각하되어야 한다(대판 2011. 9. 29, 2009두10963).

정답 05 ③ 06 ④

03 객관적 소송

기 765~767쪽 핵 T 65

07 정답률 56% 중 2019 소방직 9급

행정소송법에 관한 설명으로 옳지 않은 것은?

□□□ ① 행정청의 처분 등의 효력 유무 또는 존재 여부를 확인하는 소송은 무효등확인소송이다.

□□□ ② 국가 또는 공공단체의 기관이 법률에 위반되는 행위를 한 때에 직접 자기의 법률상 이익과 관계없이 그 시정을 구하기 위하여 제기하는 소송은 기관소송이다.

□□□ ③ 행정소송법은 행정소송사항에 관하여 개괄주의를 채택하였지만, 민중소송은 예외적으로 열기주의를 채택하였다.

□□□ ④ 당사자소송에 관하여 법령에 제소기간이 정하여져 있는 경우 그 기간은 불변기간으로 한다.

관련기출

②

1. 국가 또는 공공단체의 기관이 법률에 위반되는 행위를 한 때에 직접 자기의 법률상 이익과 관계없이 그 시정을 구하기 위하여 제기하는 소송을 기관소송이라 한다. (○, ×) 2021 소방직 9급

1. ×

④

1. 당사자소송은 취소소송의 제소기간이 적용되지 않으나, 법령에 제소기간이 정해져 있는 경우에 그 기간은 불변기간이다. (○, ×) 2016 국회직 8급
2. 당사자소송에 관하여 법령에 제소기간이 정하여져 있는 경우에는 그 기간은 불변기간으로 한다. (○, ×) 2010 세무사

1. ○ 2. ○

① ○

> **행정소송법 제4조【항고소송】** 항고소송은 다음과 같이 구분한다.
> 1. 취소소송 : 행정청의 위법한 처분 등을 취소 또는 변경하는 소송
> 2. 무효등확인소송 : 행정청의 처분 등의 효력 유무 또는 존재 여부를 확인하는 소송
> 3. 부작위위법확인소송 : 행정청의 부작위가 위법하다는 것을 확인하는 소송

② ×

> **행정소송법 제3조【행정소송의 종류】** 행정소송은 다음의 네 가지로 구분한다.
> 3. 민중소송 : 국가 또는 공공단체의 기관이 법률에 위반되는 행위를 한 때에 직접 자기의 법률상 이익과 관계없이 그 시정을 구하기 위하여 제기하는 소송
> 4. 기관소송 : 국가 또는 공공단체의 기관 상호 간에 있어서의 권한의 존부 또는 그 행사에 관한 다툼이 있을 때에 이에 대하여 제기하는 소송. 다만, 헌법재판소법 제2조의 규정에 의하여 헌법재판소의 관장사항으로 되는 소송은 제외한다.

③ ○

항고소송, 예컨대 취소소송은 법률에서 소송을 제기할 수 있다는 규정이 없더라도 처분성이 인정되면 소송을 제기할 수 있다(이른바 개괄주의). 그런데 행정소송법에 따르면 객관적 소송인 민중소송 및 기관소송은 법률이 정한 경우에 법률에 정한 자에 한하여 제기할 수 있다고 규정하고 있는바 이를 민중소송 법정주의 또는 열기주의라고 한다.

> **행정소송법 제45조【소의 제기】** 민중소송 및 기관소송은 법률이 정한 경우에 법률에 정한 자에 한하여 제기할 수 있다.

④ ○

> **행정소송법 제41조【제소기간】** 당사자소송에 관하여 법령에 제소기간이 정하여져 있는 때에는 그 기간은 불변기간으로 한다.

정답 07 ②

08 중

2016 국회직 8급

행정소송에 대한 설명으로 옳지 않은 것은? (다툼이 있는 경우 판례에 의함)

□□□ ① 행정소송법에서 행정청이 일정한 처분을 하지 못하도록 그 부작위를 구하는 청구는 허용되지 않는다.

□□□ ② 취소판결의 기판력은 소송물로 된 행정처분의 위법성 존부에 관한 판단 그 자체에만 미친다.

□□□ ③ 항고소송은 주관소송으로 보는 것이 통설이며, 취소소송의 소송물은 당해 처분의 개개의 위법사유이다.

□□□ ④ 민중소송은 특별히 법률의 규정이 있을 때에 한하여 예외적으로 인정된다.

□□□ ⑤ 지방자치단체의 장이 지방의회의 재의결에 대하여 제기하는 무효확인소송은 기관소송이다.

관련기출

②

1. 취소판결의 기판력은 소송물로 된 행정처분의 위법성 존부에 관한 판단 그 자체에만 미친다. (○, ×) 2015 사회복지직 9급
2. 확정판결의 기판력은 소송물로 주장된 법률관계의 존부에 관한 판단 및 그 전제가 되는 법률관계의 존부에 미친다. (○, ×) 2011 국회직 8급
3. 판례는 기판력의 객관적 범위가 판결의 주문 이외에 판결이유에 설시된 그 전제가 되는 법률관계의 존부에도 미친다고 판시하고 있다. (○, ×) 2011 지방직(상) 9급, 2010 국가직 9급

1. ○ 2. × 3. ×

③

1. 판례는 취소소송의 소송물을 처분의 위법성과 그로 인해 원고의 권리가 침해되었다는 원고의 '법적 주장'이라고 보고 있다. (○, ×) 2011 지방직(상) 9급, 2010 국가직 9급

1. ×

① ○

1. 어떤 처분을 하여서는 아니 된다는 내용의 부작위를 구하는 청구는 행정소송에서 허용되지 아니한다.
2. 신축건물의 준공처분을 하여서는 아니 된다는 내용의 부작위를 구하는 청구는 허용되지 않는다(대판 1987. 3. 24, 86누182).

② **빈출** 제39강 참조 ○

기판력은 판결주문에 대해서 미친다.

기판력의 객관적 범위는 그 판결의 주문에 포함된 것, 즉 소송물로 주장된 법률관계의 존부에 관한 판단의 결론(편저자 주 : 위법성 존부에 관한 판단) 그 자체에만 미치는 것이고, 판결이유에 설시된 그 전제가 되는 법률관계의 존부에까지 미치는 것은 아니다(대판 1987. 6. 9, 86다카2756).

③ **빈출** 제39강 참조 ×

행정소송은 그 내용에 따라 개인의 권리구제를 주된 목적으로 하는 주관적 소송과 적법성 통제가 주된 목적인 객관적 소송으로 나눌 수 있는데, 항고소송은 당사자소송과 함께 주관적 소송에 해당한다는 견해가 통설이다. 한편, 판례는 "과세처분취소소송의 소송물은 그 취소원인이 되는 위법성 일반이다."라고 판시하여 당해 처분의 개개의 위법사유가 아닌 '처분의 위법성 일반(처분의 위법성 그 자체)'을 취소소송의 소송물로 본다.

과세처분취소소송의 소송물은 그 취소원인인 위법성 일반이다.

원래 과세처분이란 법률에 규정된 과세요건이 충족됨으로써 객관적, 추상적으로 성립한 조세채권의 내용을 구체적으로 확인하여 확정하는 절차로서, 과세처분취소소송의 소송물은 그 취소원인이 되는 위법성 일반이고 그 심판의 대상은 과세처분에 의하여 확인된 조세채무인 과세표준 및 세액의 객관적 존부이다(대판 1990. 3. 23, 89누5386).

④ ○

행정소송법 제45조【소의 제기】 민중소송 및 기관소송은 법률이 정한 경우에 법률에 정한 자에 한하여 제기할 수 있다.

⑤ ○

지방자치단체의 장이 지방의회의 재의결에 대하여 제기하는 무효확인소송은 행정소송법 제3조 제4호에서 규정하고 있는 기관소송이다.

정답 08 ③

09 상 2012 지방직(하) 9급

다음 중 행정소송법상 행정소송의 유형이 다른 하나는?

□□□ ① 구 「광주민주화운동 관련자 보상 등에 관한 법률」에 따른 보상금지급청구소송

□□□ ② 주민투표법에 따른 주민투표의 효력에 관한 소송

□□□ ③ 구 석탄산업법상의 석탄가격안정지원금 지급청구에 관한 소송

□□□ ④ 구 방송법에 근거한 수신료부과행위를 다투는 소송

①③④는 주관적 소송 중 당사자소송, ②는 객관적 소송 중 민중소송에 해당한다.

객관적 소송의 예로는 민중소송으로 공직선거법상의 선거 · 당선소송, 국민투표법상의 국민투표에 관한 소송, 주민투표법상의 주민투표에 관한 소송, 지방자치법상 주민소송을 들 수 있으며, 기관소송으로 지방자치단체의 장이 지방의회를 상대로 제기하는 소송(지방자치법), 교육감이 지방의회를 상대로 제기하는 소송(「지방교육자치에 관한 법률」)을 들 수 있다.

10 상 2011 국가직 9급

지방자치단체인 A광역시가 부과하는 지방세의 징수를 담당하는 소속 공무원인 B는 납세의무자인 D의 허위신고를 묵인하고 해당 지방세를 징수하지 않았다. 이에 감사청구를 한 주민 C가 60일이 경과해도 감사가 종료되지 않았을 때 제기할 수 있는 소송의 유형은?

□□□ ① 민법상 손해배상청구소송

□□□ ② 공법상 당사자소송

□□□ ③ 항고소송

□□□ ④ 민중소송으로서의 주민소송

④ 사안의 경우는 지방자치법상의 주민소송으로서 국가 또는 공공단체의 기관이 법률에 위반되는 행위를 한 때에 직접 자기의 법률상 이익과 관계없이 그 시정을 구하기 위하여 제기하는 소송을 의미하는 이른바 민중소송에 해당한다.

정답 09 ② 10 ④

제 36 강 항고소송 1(취소소송의 의의 등)

1회독	2회독	3회독
/	/	/

정답률 공단기/소방단기 합격예측 풀서비스 통계 데이터 기준 기 기본서 핵 핵심집약

01 취소소송의 일반론 기 770~776쪽 핵 T 66

1 재판관할

01 중 2023 군무원 7급

행정소송법상 행정소송에 대한 설명으로 옳지 않은 것은? (다툼이 있는 경우 판례에 의함)

□□□ ① 토지의 수용에 대한 취소소송은 그 부동산 소재지를 관할하는 행정법원에 이를 제기할 수 있다.

□□□ ② 행정소송법을 적용함에 있어서 행정청에는 행정권한의 위임 또는 위탁을 받은 사인이 포함된다.

□□□ ③ 행정소송에 대한 대법원판결에 의하여 명령 · 규칙이 헌법 또는 법률에 위반된다는 것이 확정된 경우에는 대법원은 지체 없이 그 사유를 국무총리에게 통보하여야 한다.

□□□ ④ 원고의 고의 또는 중대한 과실 없이 행정소송이 심급을 달리하는 법원에 잘못 제기된 경우에는 관할위반을 이유로 관할법원에 이송한다.

① **빈출** ○

행정소송법 제9조【재판관할】 ① 취소소송의 제1심 관할법원은 피고의 소재지를 관할하는 행정법원으로 한다.
② 제1항에도 불구하고 다음 각 호의 어느 하나에 해당하는 피고에 대하여 취소소송을 제기하는 경우에는 대법원 소재지를 관할하는 행정법원에 제기할 수 있다.
1. 중앙행정기관, 중앙행정기관의 부속기관과 합의제 행정기관 또는 그 장
2. 국가의 사무를 위임 또는 위탁받은 공공단체 또는 그 장
③ 토지의 수용 기타 부동산 또는 특정의 장소에 관계되는 처분 등에 대한 취소소송은 그 부동산 또는 장소의 소재지를 관할하는 행정법원에 이를 제기할 수 있다.

② ○

행정소송법 제2조【정의】 ② 이 법을 적용함에 있어서 행정청에는 법령에 의하여 행정권한의 위임 또는 위탁을 받은 행정기관, 공공단체 및 그 기관 또는 사인이 포함된다.

③ ×

행정소송법 제6조【명령 · 규칙의 위헌판결 등 공고】 ① 행정소송에 대한 대법원판결에 의하여 명령 · 규칙이 헌법 또는 법률에 위반된다는 것이 확정된 경우에는 대법원은 지체 없이 그 사유를 행정안전부장관에게 통보하여야 한다.

④ ○

행정소송법 제7조【사건의 이송】 민사소송법 제34조 제1항의 규정은 원고의 고의 또는 중대한 과실 없이 행정소송이 심급을 달리하는 법원에 잘못 제기된 경우에도 적용한다.

민사소송법 제34조【관할위반 또는 재량에 따른 이송】 ① 법원은 소송의 전부 또는 일부에 대하여 관할권이 없다고 인정하는 경우에는 결정으로 이를 관할법원에 이송한다.

정답 01 ③

❷ 관련청구의 이송과 병합

02 중 2011 세무사

관련청구소송의 병합에 관한 설명으로 옳은 것은?

□□□ ① 처분과 관련되는 손해배상청구소송이 계속된 법원에 당해 처분에 대한 취소소송을 병합할 수는 없다.

□□□ ② 취소소송의 사실심변론종결 후라도 관련청구소송의 병합이 가능하다.

□□□ ③ 병합이 허용되기 위해서는 관련청구소송의 피고가 주된 소송의 피고와 동일하여야 한다.

□□□ ④ 취소소송이 소송요건을 갖추는 한 병합되는 관련청구소송은 소송요건을 흠결하여도 무방하다.

□□□ ⑤ 취소소송과 취소소송 간에는 관련청구인 경우에도 병합이 허용되지 않는다.

관련기출

①

1. (甲은 A시장의 영업허가취소처분이 위법함을 이유로 국가배상청구소송을 제기하였다) 甲이 국가배상청구소송을 제기한 이후에 영업허가취소처분에 대한 취소소송을 제기한 경우 그 취소소송은 국가배상청구소송에 병합할 수 있다. (○, ×) 2017 국회직 8급
2. 당해 처분의 취소소송을 당해 처분이 원인이 되어 발생한 손해배상청구소송이 계속된 법원으로 이송할 수 있다. (○, ×) 2009 지방직(하) 7급

1. × 2. ×

① **빈출** ○

관련청구소송의 이송 및 병합은 관련청구소송을 취소소송이 계속된 법원에 이송 및 병합하는 것을 말한다.

> **행정소송법 제10조【관련청구소송의 이송 및 병합】** ① 취소소송과 다음 각 호의 1에 해당하는 소송(이하 '관련청구소송'이라 한다)이 각각 다른 법원에 계속되고 있는 경우에 관련청구소송이 계속된 법원이 상당하다고 인정하는 때에는 당사자의 신청 또는 직권에 의하여 이를 취소소송이 계속된 법원으로 이송할 수 있다.
> 1. 당해 처분 등과 관련되는 손해배상 · 부당이득반환 · 원상회복 등 청구소송
> 2. 당해 처분 등과 관련되는 취소소송
>
> ② 취소소송에는 사실심의 변론종결시까지 관련청구소송을 병합하거나 피고 외의 자를 상대로 한 관련청구소송을 취소소송이 계속된 법원에 병합하여 제기할 수 있다.

② ×

관련청구소송의 병합은 사실심변론종결시까지 하여야 한다.

> **행정소송법 제10조【관련청구소송의 이송 및 병합】** ② 취소소송에는 사실심의 변론종결시까지 관련청구소송을 병합하거나 피고 외의 자를 상대로 한 관련청구소송을 취소소송이 계속된 법원에 병합하여 제기할 수 있다.

③ ×

취소소송(피고는 행정청)과 손해배상청구(피고는 국가 또는 지방자치단체)와 같이 피고가 다른 경우에도 병합이 인정된다(① 해설 조문 행정소송법 제10조 제1항 제1호 참조).

④ ×

관련청구소송의 병합은 그 본체인 취소소송이 그 자체로서 소송요건을 갖춘 적법한 것임을 전제로 하며 또한 관련청구소송도 소송요건을 갖추어야 한다.

⑤ ×

취소소송과 당해 처분 등과 관련되는 취소소송도 관련청구소송으로서 이송 및 병합이 인정된다(예 甲과 乙이 하나의 구역에 대한 어업면허를 신청한 경원관계에서 하천점용허가를 거부당한 甲이 乙에 대한 면허처분의 취소청구와 甲 자신에 대한 거부처분취소청구를 하는 경우)(① 해설 조문 행정소송법 제10조 제1항 제2호 참조).

정답 02 ①

03 빈출 중 2009 지방직(하) 7급

행정소송법상 관련청구소송의 이송과 병합에 관한 설명으로 옳지 않은 것은?

□□□ ① 관련청구소송의 이송은 그 소송이 계속되어 있는 법원이 당해 소송을 취소소송이 계속되어 있는 법원에 이송하는 것이 상당하다고 인정하는 때에 당사자의 신청 또는 직권에 의하여 할 수 있다.

□□□ ② 당해 처분의 취소를 선결문제로 하는 부당이득반환청구소송이 다른 법원에 계속되고 있는 경우에, 이를 당해 처분의 취소소송이 계속된 법원으로 이송할 수 있다.

□□□ ③ 관련청구소송의 병합은 본래의 항고소송이 적법할 것을 요건으로 하는 것이어서 본래의 항고소송이 부적법하여 각하되면 그에 병합된 관련청구도 소송요건을 흠결한 부적법한 것으로 각하되어야 한다.

□□□ ④ 당해 처분의 취소소송을 당해 처분이 원인이 되어 발생한 손해배상청구소송이 계속된 법원으로 이송할 수 있다.

①② ○

④ ×

손해배상청구소송을 당해 처분의 취소소송이 계속된 법원으로 이송할 수 있다(④).

> **행정소송법 제10조【관련청구소송의 이송 및 병합】** ① 취소소송과 다음 각 호의 1에 해당하는 소송(이하 '관련청구소송'이라 한다)이 각각 다른 법원에 계속되고 있는 경우에 관련청구소송이 계속된 법원이 상당하다고 인정하는 때에는 당사자의 신청 또는 직권에 의하여(①) 이를 취소소송이 계속된 법원으로 이송할 수 있다(④).
> 1. 당해 처분 등과 관련되는 손해배상 · 부당이득반환(②) · 원상회복 등 청구소송
> 2. 당해 처분 등과 관련되는 취소소송

③ ○

> 행정소송법 제10조에 의한 관련청구소송의 병합은 본래의 취소소송이 적법할 것을 요건으로 하는 것이므로, 본래의 취소소송이 부적법하여 각하되면 그에 병합된 청구도 소송요건을 흠결한 부적합한 것으로서 각하되어야 한다(대판 1997. 3. 14, 95누13708).

정답 03 ④

02 취소소송의 당사자 등 기 777~811쪽 핵 T 67

1 원 고

04 상 2022 국회직 8급 변형

항고소송의 원고적격이 인정되는 것만을 <보기>에서 모두 고르면? (다툼이 있는 경우 판례에 의함)

보기

□□□ ㉠ 경기도선거관리위원회 소속 공무원인 甲이 「부패방지 및 국민권익위원회의 설치와 운영에 관한 법률」에 따라 국민권익위원회에 신고를 하면서 신분보장조치를 요구하였고, 이에 국민권익위원회가 경기도선거관리위원회 위원장에게 甲에 대한 중징계요구를 취소하고 향후 신고로 인한 신분상 불이익 등을 주지 말 것을 요구하는 조치요구를 한 사안에서 이에 불복하는 경기도선거관리위원회 위원장

□□□ ㉡ 교육부장관이 사학분쟁조정위원회의 심의를 거쳐 대학의 학교법인의 임시이사를 선임한 데 대하여 그 선임처분의 취소를 구하는 그 대학의 노동조합

□□□ ㉢ 대학에 대한 국가연구개발사업의 협약해지통보에 불복하여 협약해지통보의 효력을 다투는 그 연구개발사업의 연구팀장인 교수

① ㉠, ㉡ ② ㉠, ㉢
③ ㉡, ㉢ ④ 없음

관련기출

㉠
1. 국민권익위원회가 「부패방지 및 국민권익위원회의 설치와 운영에 관한 법률」 소정의 조치를 요구한 경우에 그 요구에 불응하면 제재를 받을 수 있는데도 불구하고 기관소송을 제기할 수 없는 시 · 도선거관리위원회 위원장으로서는 그 요구에 대해 항고소송을 제기할 수 있다. (○, ×) 2019 경행경채 2차
2. 국가기관인 시 · 도선거관리위원회 위원장은 국민권익위원회가 그에게 소속 직원에 대한 중징계요구를 취소하라는 등의 조치요구를 한 것에 대해서 취소소송을 제기할 원고적격을 가진다고 볼 수 없다. (○, ×) 2016 국가직 9급

1. ○ 2. ×

㉡
1. 교육부장관이 사학분쟁조정위원회의 심의를 거쳐 이사와 임시이사를 선임한 데 대하여 대학 교수협의회와 총학생회는 제3자로서 취소소송을 제기할 자격이 있다. (○, ×) 2017 지방직 9급
2. 교육부장관이 사학분쟁조정위원회의 심의를 거쳐 학교법인의 이사와 임시이사를 선임한 데 대하여 그 대학교의 교수협의회와 총학생회는 이사선임처분을 다툴 법률상 이익을 가지지만, 직원으로 구성된 노동조합은 법률상 이익을 가지지 않는다. (○, ×) 2017 국가직(하) 7급

1. ○ 2. ○

③ 항고소송의 원고적격이 인정되는 것은 ㉠㉢이다.

㉠ **빈출** ○

행정기관은 원고가 될 수 있는 능력은 원칙적으로 없다. 다만, 다른 기관의 처분에 의해 국가기관이 권리를 침해받거나 의무를 부과받는 등 중대한 불이익을 받았음에도 그 처분을 다툴 별다른 방법이 없고, 그 처분의 취소를 구하는 항고소송을 제기하는 것이 유효 · 적절한 권익구제수단인 경우에는 국가기관에게 당사자능력과 원고적격을 인정하여야 한다는 것이 판례의 입장이다.

> 국가기관인 시 · 도선거관리위원회 위원장은 국민권익위원회가 그에게 소속 직원에 대한 중징계요구를 취소하라는 등의 조치요구를 한 것에 대해서 취소소송을 제기할 원고적격을 가진다.
>
> 국가기관 일방의 조치요구에 불응한 상대방 국가기관에 국민권익위원회법상의 세새규성과 같은 중내한 불이익을 직접적으로 규정한 다른 법령의 사례를 찾아보기 어려운 점, 그럼에도 乙(경기도선거관리위원회 위원장)이 국민권익위원회의 조치요구를 다툴 별다른 방법이 없는 점 등에 비추어 보면, 처분성이 인정되는 위 조치요구에 불복하고자 하는 乙로서는 조치요구의 취소를 구하는 항고소송을 제기하는 것이 유효 · 적절한 수단이므로 비록 乙(경기도선거관리위원회 위원장)이 국가기관이더라도 당사자능력 및 원고적격을 가진다고 보는 것이 타당하고, 乙이 위 조치요구 후 甲을 파면하였다고 하더라도 조치요구가 곧바로 실효된다고 할 수 없고 乙은 여전히 조치요구를 따라야 할 의무를 부담하므로 乙에게는 위 조치요구의 취소를 구할 법률상 이익(협의의 소의 이익)도 있다고 본 원심판단은 정당하다(대판 2013. 7. 25, 2011두1214).

㉡ ×

> (교육부장관이 사학분쟁조정위원회의 심의를 거쳐 甲 대학교를 설치 · 운영하는 乙학교법인의 이사 8인과 임시이사 1인을 선임한 데 대하여 甲대학교 교수협의회와 총학생회 등이 이사선임처분의 취소를 구하는 소송을 제기한 사안에서) 甲대학교 교수협의회와 총학생회는 이사선임처분을 다툴 법률상 이익을 가지지만, 전국대학노동조합 甲 대학교지부는 법률상 이익이 없다(대판 2015. 7. 23, 2012두19496).

㉢ ○

> (재단법인 한국연구재단이 甲 대학교 총장에게 연구개발비의 부당집행을 이유로 '해양생물유래 고부가식품 · 향장 · 한약 기초소재 개발 인력양성 사업에 대한 2단계 두뇌한국(BK)21 사업' 협약을 해지하고 연구팀장 乙에 대한 국가연구개발사업의 3년간 참여제한 등을 명하는 통보를 하자 乙이 통보의 취소를 청구한 사안에서) 연구팀장 乙은 위 사업에 관한 협약의 해지통보의 효력을 다툴 법률상 이익이 있다(대판 2014. 12. 11, 2012두28704).

정답 04 ②

05 ⓢ

2017 국가직(하) 9급

다음 사례에 대한 설명으로 옳은 것은? (다툼이 있는 경우 판례에 의함)

> 국토교통부장관은 몰디브 직항 항공노선 1개의 면허를 국내항공사에 발급하기로 결정하고, 이 사실을 공고하였다. 이에 따라 A항공사와 B항공사는 각각 노선면허취득을 위한 신청을 하였는데, 국토교통부장관은 심사를 거쳐 A항공사에게 노선면허를 발급(이하 '이 사건 노선면허발급처분'이라 한다)하였다.

□□□ ① B항공사는 이 사건 노선면허발급처분에 대해 취소소송을 제기할 원고적격이 인정되지 않는다.

□□□ ② B항공사가 자신에 대한 노선면허발급거부처분에 대해 취소소송을 제기하여 인용판결을 받더라도 이 사건 노선면허발급처분이 취소되지 않는 이상 자신이 노선면허를 발급받을 수는 없으므로 B항공사에게는 자신에 대한 노선면허발급거부처분의 취소를 구할 소의 이익이 인정되지 않는다.

□□□ ③ 만약 B항공사가 이 사건 노선면허발급처분에 대한 행정심판을 청구하여 인용재결을 받는다면, A항공사는 그 인용재결의 취소를 구하는 소송을 제기할 수 있다.

□□□ ④ 만약 위 사례와 달리 C항공사가 몰디브 직항 항공노선에 관하여 이미 노선면허를 가지고 있었는데, A항공사가 국토교통부장관에게 몰디브 직항 항공노선면허를 신청하였고 이에 대해 국토교통부장관이 A항공사에게도 신규로 노선면허를 발급한 것이라면, C항공사는 A항공사에 대한 노선면허발급처분에 대해 취소소송을 제기할 원고적격이 없다.

관련기출

③

1. 제3자효를 수반하는 행정행위에 대한 행정심판청구에 있어서, 그 청구를 인용하는 내용의 재결로 인해 비로소 권리이익을 침해받게 되는 자라도 인용재결에 대해서는 항고소송을 제기하지 못한다. (○, ×) 2015 서울시 7급
2. 제3자효 행정행위에서 인용재결이 있는 경우에 그 인용재결로 인하여 비로소 권리이익을 침해받은 자는 그 인용재결에 대하여 취소를 구할 수 있다. (○, ×) 2012 국회직 8급

1. × 2. ○

① ×

> 인·허가 등의 수익적 행정처분을 신청한 수인이 서로 경쟁관계에 있어서 일방에 대한 허가 등의 처분이 타방에 대한 불허가 등으로 귀결될 수밖에 없는 때 허가 등의 처분을 받지 못한 자는 비록 경원자에 대하여 이루어진 허가 등 처분의 상대방이 아니라 하더라도 당해 처분의 취소를 구할 원고적격이 있다. 다만, 명백한 법적 장애로 인하여 원고 자신의 신청이 인용될 가능성이 처음부터 배제되어 있는 경우에는 당해 처분의 취소를 구할 정당한 이익이 없다(대판 2009. 12. 10, 2009두8359).

② ×

경원관계에서 거부처분을 받은 자가 상대방에 대한 허가 등의 처분을 다투는 것이 아니라 자신에 대한 거부처분을 다투는 경우에도 판결의 기속력을 고려할 때 소의 이익이 있다는 것이 판례의 입장이다.

> 인·허가 등 수익적 행정처분을 신청한 여러 사람이 서로 경원관계에 있어서 한 사람에 대한 허가 등 처분이 다른 사람에 대한 불허가 등으로 귀결될 수밖에 없을 때 허가 등 처분을 받지 못한 사람은 신청에 대한 거부처분의 직접 상대방으로서 원칙적으로 자신에 대한 거부처분의 취소를 구할 원고적격이 있고, 취소판결이 확정되는 경우 판결의 직접적인 효과로 경원자에 대한 허가 등 처분이 취소되거나 효력이 소멸되는 것은 아니더라도 행정청은 취소판결의 기속력에 따라 판결에서 확인된 위법사유를 배제한 상태에서 취소판결의 원고와 경원자의 각 신청에 관하여 처분요건의 구비 여부와 우열을 다시 심사하여야 할 의무가 있으며, 재심사 결과 경원자에 대한 수익적 처분이 직권취소되고 취소판결의 원고에게 수익적 처분이 이루어질 가능성을 완전히 배제할 수는 없으므로, 특별한 사정이 없는 한 경원관계에서 허가 등 처분을 받지 못한 사람은 자신에 대한 거부처분의 취소를 구할 소의 이익이 있다(대판 2015. 10. 29, 2013두27517).

③ ○

행정소송법은 원처분주의와 재결주의 중 원처분주의를 채택하고 있으므로 재결에 대한 취소소송은 재결 자체에 '고유한 위법'이 있는 경우에 한해 제기할 수 있다. 그런데 처분이 아닌 인용재결로 인하여 비로소 권익을 침해받는 자는 재결의 고유한 하자가 있음을 이유로 인용재결의 취소를 구할 수 있다.

> **행정소송법 제19조【취소소송의 대상】** 취소소송은 처분 등을 대상으로 한다. 다만, 재결취소소송의 경우에는 재결 자체에 고유한 위법이 있음을 이유로 하는 경우에 한한다.

> 이른바 복효적 행정행위, 특히 제3자효를 수반하는 행정행위에 대한 행정심판청구에 있어서 그 청구를 인용하는 내용의 재결로 인하여 비로소 권리이익을 침해받게 되는 자는 그 인용재결에 대하여 다툴 필요가 있고, 그 인용재결은 원처분과 내용을 달리하는 것이므로 그 인용재결의 취소를 구하는 것은 원처분에는 없는 재결에 고유한 하자를 주장하는 셈이어서 당연히 항고소송의 대상이 된다(대판 1997. 12. 23, 96누10911).

④ ×

경업자소송으로 기존업자가 특허업자이므로 원고적격이 있다는 것이 판례의 취지이다.

> 면허나 인·허가 등의 수익적 행정처분의 근거가 되는 법률이 해당 업자들 사이의 과당경쟁으로 인한 경영의 불합리를 방지하는 것도 목적으로 하고 있는 경우, 기존의 업자는 경업자에 대하여 이루어진 면허나 인·허가 등 행정처분의 취소를 구할 당사자적격이 있다(대판 2010. 11. 11, 2010두4179).

정답 05 ③

06 빈출 정답률 84% 중 2015 국가직 9급

취소소송의 원고적격 및 협의의 소익에 대한 설명으로 옳지 않은 것은? (다툼이 있는 경우 판례에 의함)

□□□ ① 허가를 받은 경업자에게는 원고적격이 인정되나, 특허사업의 경업자는 특별한 사정이 없는 한 원고적격이 부인된다.

□□□ ② 원천납세의무자는 원천징수의무자에 대한 납세고지를 다툴 수 있는 원고적격이 없다.

□□□ ③ 사법시험 제2차 시험 불합격처분 이후 새로 실시된 제2차 및 제3차 시험에 합격한 자는 불합격처분의 취소를 구할 협의의 소익이 없다.

□□□ ④ 고등학교 졸업학력 검정고시에 합격하였다 하더라도, 고등학교에서 퇴학처분을 받은 자는 퇴학처분의 취소를 구할 협의의 소익이 있다.

관련기출

②

1. 원천납세의무자는 원천징수의무자에 대한 납세고지를 다툴 수 있는 원고적격이 없다. (O, ×) 2014 서울시 7급

1. O

③

1. 사법시험 제2차 시험 불합격처분 이후 새로이 실시된 제2차와 제3차 시험에 합격한 자는 이전의 제2차 시험 불합격처분의 취소를 구할 법률상 이익이 없다. (O, ×) 2014 사회복지직 9급

1. O

① ×

취소소송을 제기하기 위한 원고적격, 즉 처분의 취소를 구할 법률상 이익의 성립 여부는 관련규범을 해석함에 있어 그러한 규범이 업자들 간의 과다경쟁으로 인한 경영의 불합리를 미리 방지하는 것을 목적으로 하는 것이라면 기존업자는 타인에 대한 신규 인 · 허가의 취소를 구할 법률상 이익이 있다고 보아야 한다. 경업자관계에서 기존업자가 특허업자인 경우에는 일반적으로 관련법규가 기존업자의 경영상 이익을 보호하고 있는 것으로 해석되므로 원고적격이 인정되지만, 허가업자인 경우에는 일반적으로 기존업자의 이익은 반사적 이익으로 해석되므로 원고적격이 인정되지 않는다.

② ○

> 과세권자의 원천징수의무자에 대한 납세고지(현 납부고지)에 대하여 원천납세의무자가 항고소송을 제기할 수 없다.
>
> 원천징수에 있어서 원천납세의무자는 과세권자가 직접 그에게 원천세액을 부과한 경우가 아닌 한 과세권자의 원천징수의무자에 대한 납세고지로 인하여 자기의 원천세납세의무의 존부나 범위에 아무런 영향을 받지 아니하므로 이에 대하여 항고소송을 제기할 수 없다(대판 1994. 9. 9, 93누22234).

③ ○

> 사법시험 제2차 시험 불합격처분 이후에 새로이 실시된 제2차와 제3차 시험에 합격한 사람은 불합격처분의 취소를 구할 법률상 이익이 없다(대판 2007. 9. 21, 2007두12057).

④ ○

> 고등학교에서 퇴학처분을 당한 후 고등학교 졸업학력 검정고시에 합격한 경우라 하더라도 퇴학처분을 받은 자는 퇴학처분의 취소를 구할 소의 이익이 있다(대판 1992. 7. 14, 91누4737).

정답 06 ①

07 중

2014 서울시 7급

취소소송의 원고적격 및 협의의 소익에 대한 다음 설명 중 옳지 않은 것은? (다툼이 있을 경우 판례에 의함)

□□□ ① 고등학교 졸업학력 검정고시에 합격하였다 하더라도, 고등학교에서 퇴학처분을 받은 자는 퇴학처분의 취소를 구할 협의의 소익이 있다.

□□□ ② 원천납세의무자는 원천징수의무자에 대한 납세고지를 다툴 수 있는 원고적격이 없다.

□□□ ③ 협의의 소익은 상고심 계속 중에도 존속해야 한다.

□□□ ④ 건축공사 완료 후에는 건물준공처분의 취소를 구할 협의의 소익이 없다.

□□□ ⑤ 경찰허가를 받은 경업자에게는 원고적격이 인정되나, 특허사업의 경업자는 특별한 사정이 없는 한 원고적격이 부인된다.

① ○

고등학교에서 퇴학처분을 당한 후 고등학교 졸업학력 검정고시에 합격한 경우라 하더라도 퇴학처분을 받은 자는 퇴학처분의 취소를 구할 소의 이익이 있다는 것이 판례의 입장이다(대판 1992. 7. 14, 91누4737).

② ○

과세권자의 원천징수의무자에 대한 납세고지(현 납부고지)에 대하여 원천납세의무자는 항고소송을 제기할 수 없다는 것이 판례의 입장이다(대판 1994. 9. 9, 93누22234).

③ ○

소의 이익은 소송요건으로서 상고심에서도 존속해야 한다. 따라서 상고심에서도 소의 이익이 없어지면 법원은 각하판결을 한다.

④ ○

> 인접건물이 건축공사완료 후 준공검사를 받은 경우 인접건물 소유자가 건물준공처분의 무효확인이나 취소를 구할 법률상 이익은 없다(대판 1993. 11. 9, 93누13988).

⑤ ×

설명이 바뀌었다. 일반적으로 경찰허가를 받은 기존 경업자의 경우 신규업자에 대한 허가로 인해 영업이익이 감소되더라도 이는 반사적 이익이 침해된 것에 불과하므로 기존업자는 원고적격이 없다. 그러나 일반적으로 특허를 받은 기존 경업자의 경우 신규업자에 대한 특허로 인해 영업이익이 감소되면 이는 법률상 이익이 침해된 것으로 기존업자는 원고적격이 있다.

08 빈출 중

2015 경행특채 1차

다음 <보기> 중 판례가 원고적격을 인정하고 있는 것은 모두 몇 개인가?

보기

□□□ ㉠ 개발제한구역 중 일부취락을 개발제한구역에서 해제하는 내용의 도시관리계획변경결정에 대하여, 개발제한구역 해제대상에서 누락된 토지의 소유자가 도시관리계획변경결정의 취소를 구할 때

□□□ ㉡ 원자로 시설부지 인근주민들이 방사성물질 등에 의한 생명 · 신체의 안전침해를 이유로 부지사전승인처분의 취소를 구할 때

□□□ ㉢ 제약회사가 보건복지부 고시인 「약제급여 · 비급여목록 및 급여상한금액표」의 취소를 구할 때

□□□ ㉣ 학과에 재학 중인 대학생들이 전공이 다른 교수의 임용으로 인해 학습권을 침해당하였다는 이유를 들어 교수 임용처분의 취소를 구할 때

① 1개 ② 2개 ③ 3개 ④ 4개

관련기출

㉣

1. 전임강사임용처분취소소송에서 그 학과의 학생에게는 판례가 원고적격이 있다고 보았다. (○, ×) 2012 국회직 8급

1. ×

② ㉡㉢이 원고적격이 인정된다.

㉠ ×

> 개발제한구역 중 일부취락을 개발제한구역에서 해제하는 내용의 도시관리계획변경결정에 대하여, 개발제한구역 해제대상에서 누락된 토지의 소유자는 위 결정의 취소를 구할 법률상 이익이 없다(대판 2008. 7. 10, 2007두10242).

㉡ ○

> 원자로 시설부지 인근주민들에게 방사성물질 등에 의한 생명 · 신체의 안전침해를 이유로 부지 사전승인처분의 취소를 구할 원고적격이 있다(대판 1998. 9. 4, 97누19588).

㉢ ○

> 제약회사는 보건복지부 고시인 「약제급여 · 비급여목록 및 급여상한금액표」의 취소를 구할 원고적격이 있다(대판 2006. 9. 22, 2005두2506).

㉣ ×

> 대학생들은 전공이 다른 교수의 임용으로 인해 학습권을 침해당하였다는 이유를 들어 교수(전임강사)임용처분의 취소를 구할 원고적격이 없다.
> 원고들은 OO대학교 세무학과에 재학 중인 학생들로서 조세정책과목을 수강하고 있는데 피고가 경제학적으로 접근하여야 하는 조세정책과목의 담당교수를 행정학을 전공한 소외 OOO로 임용함으로써 원고들의 학습권을 침해하였다는 것이나 설령 피고의 이 사건 임용처분으로 말미암아 원고들이 그 주장과 같은 불이익을 받더라도 그 불이익은 간접적 · 사실적인 불이익에 지나지 아니하여 그것만으로는 원고들에게 이 사건 임용처분의 취소를 구할 소의 이익이 없다(대판 1993. 7. 27, 93누8139).

정답 07 ⑤ 08 ②

09 상

2011 국가직 9급

취소소송의 원고적격에 대한 설명 중 옳지 않은 것은? (다툼이 있는 경우 판례에 의함)

□□□ ① 대법원은 속리산국립공원 용화집단시설지구의 개발을 위한 공원사업시행허가에 대한 취소소송사건에서 자연공원법령뿐만 아니라 허가와 불가분적으로 관계가 있는 환경영향평가법령도 공원사업시행허가처분의 근거법령이 된다고 판시하여 근거법률의 범위를 확대하였다.

□□□ ② 행정처분의 직접상대방이 아닌 제3자라도 당해 행정처분의 취소를 구할 법률상의 이익이 있는 경우에는 원고적격이 인정된다.

□□□ ③ 법률상 이익의 의미에 관하여 법률상 보호이익설(법률상 이익구제설)은 위법한 처분에 의하여 침해되고 있는 이익이 근거법률에 의하여 보호되고 있는 이익인 경우에는 그러한 이익이 침해된 자에게 당해 처분의 취소를 구할 원고적격이 인정된다고 한다.

□□□ ④ 행정처분의 취소를 구할 이익은 불이익처분의 상대방뿐만 아니라 수익처분의 상대방에게도 인정되는 것이 원칙이다.

① ○

(국립공원의 관리청인 장관이 속리산국립공원 용화집단시설지구 내 시설물기본설계를 승인하는 처분을 한 것과 관련하여) 국립공원 집단시설지구 개발사업의 조성면적이 10만m^2 이상인 경우에는 환경영향평가대상사업에 해당하므로 환경부장관이 집단시설지구 내 시설물기본설계 변경승인처분 등을 함에 있어서는 반드시 자연공원법령 및 환경영향평가법령 소정의 환경영향평가를 거쳐서 그 환경영향평가의 협의내용을 사업계획에 반영시키도록 하여야 하므로 자연공원법령뿐 아니라, '환경영향평가법령'도 위 변경승인처분 등에 직접적인 영향을 미치는 근거법령이 된다고 볼 수밖에 없고, …… (대판 2001. 7. 27, 99두2970)

② ○

행정처분의 상대방이 아닌 제3자라도 당해 행정처분의 취소를 구할 법률상의 이익이 있는 경우에는 그 처분의 취소를 구할 수 있으나, 이 경우 법률상의 이익이란 당해 처분의 근거법률에 의하여 직접 보호되는 구체적인 이익을 말하므로 제3자가 단지 간접적인 사실상 경제적인 이해관계를 가지는 경우에는 그 처분의 취소를 구할 원고적격이 없다(대판 2002. 8. 23, 2002추61).

③ ○

통설인 법률상 이익구제설(법률상 보호된 이익구제설)은 취소소송의 기능을 법에 의하여 보호되는 이익을 구제하는 데 있는 것으로 보아 위법한 처분에 의해 침해되고 있는 이익이 고유한 의미의 권리(예 광업권)뿐만 아니라 근거법률에서 보호되고 있는 이익인 경우에도 그러한 이익을 가진 자는 소송을 제기할 수 있는 원고적격을 가진다고 본다.

④ ×

수익적 처분 또는 신청대로 이루어진 처분의 경우 처분상대방은 취소를 제기할 이익이 없다.

행정처분이 수익적인 처분이거나 신청에 의하여 신청내용대로 이루어진 처분인 경우에는 처분상대방의 권리나 법률상 보호되는 이익이 침해되었다고 볼 수 없으므로 달리 특별한 사정이 없는 한 처분의 상대방은 그 취소를 구할 이익이 없다고 할 것이다(대판 1995. 5. 26, 94누7324).

정답 09 ④

2 협의의 소익(권리보호의 필요)

10 정답률 75% 중 2023 국가직 9급

다음 사례에 대한 설명으로 옳은 것은? (다툼이 있는 경우 판례에 의함)

> A구 의회 의원인 甲은 공무원을 폭행하는 등 의원으로서 품위를 손상시키는 행위를 하였다. 이러한 사유를 들어 A구 의회는 甲을 의원직에서 제명하는 의결을 하였다. 이에 甲은 위 제명의결을 행정소송의 방법으로 다투고자 한다.

① 甲이 제명의결을 행정소송으로 다투는 경우 소송의 유형은 무효확인소송으로 하여야 하며 취소소송으로는 할 수 없다.

② A구 의회는 입법기관으로서 행정청의 지위를 가지지 못하므로 甲에 대한 제명의결을 다투는 행정소송에서는 A구 의회 사무총장이 피고가 되어야 한다.

③ 행정소송법 제12조의 '법률상 이익' 개념에 관하여 법률상 이익구제설에 따르는 판례에 의하면 甲은 제명의결을 다툴 원고적격을 갖지 못한다.

④ 법원이 甲이 제기한 행정소송을 받아들여 소송의 계속 중에 甲의 임기가 만료되었더라도 수소법원은 소의 이익을 인정할 수 있다.

관련기출

①

1. 국회의원에 대한 징계처분에 대하여는 헌법 제64조 제4항이 법원에 제소할 수 없다고 규정하고 있으므로 행정소송의 대상이 되지 아니하나, 그러한 특별한 규정이 없는 지방의회 의원에 대한 징계의결은 항고소송의 대상이 된다. (○, ×) 2023 변호사

1. ○

④

1. 지방의회의원에 대한 제명의결 취소소송계속 중 의원의 임기가 만료되었다면, 제명의결시부터 임기만료일까지의 기간에 대한 월정수당의 지급을 구할 수 있다고 하더라도 그 제명의결의 취소를 구할 법률상 이익이 없다. (○, ×) 2023 소방직 9급
2. 지방의회의원에 대한 제명의결 취소소송계속 중 의원의 임기가 만료된 경우에도 여전히 제명의결의 취소를 구할 법률상 이익이 인정된다. (○, ×) 2019 국가직 9급
3. 지방의회의원의 제명의결 취소소송계속 중 임기만료로 지방의원으로서의 지위를 회복할 수 없는 자는 제명의결의 취소를 구할 소의 이익이 없다. (○, ×) 2017 지방직 9급

1. × 2. ○ 3. ×

① ×

제명의결은 항고소송의 대상이 되는 행정처분이므로 취소소송의 대상도 된다.

> 지방의회 의원제명의결은 행정처분으로서 행정소송의 대상이 된다.
> 지방자치법 제78조 내지 제81조의 규정에 의거한 지방의회의 의원징계의결은 그로 인해 의원의 권리에 직접 법률효과를 미치는 행정처분의 일종으로서 행정소송의 대상이 되고 …… (대판 1993. 11. 26, 93누7341)

② ×

지방의회는 원칙적으로 강학상의 행정청이 아니므로 취소소송의 피고가 될 수 없으나 의원에 대한 징계의결, 의장불신임 결의, 지방의회의장 선거와 같은 행위를 하는 경우에는 지방의회도 행정청으로서 피고가 될 수 있다. 따라서 A구 의회가 피고가 되어야 한다.

③ ×

뒷부분이 옳지 않다. 甲은 불이익처분의 상대방으로서 제명의결을 다툴 원고적격을 갖는다.

> 불이익처분의 상대방은 직접 개인적 이익의 침해를 받은 자로서 원고적격이 인정된다(대판 2018. 3. 27, 2015두47492).

④ **빈출** ○

> 지방의회의원에 대한 제명의결 취소소송계속 중 의원의 임기가 만료된 경우, 비록 제명의결의 취소로 의원의 지위를 회복할 수는 없다 하더라도 제명의결시부터 임기만료일까지의 기간에 대한 월정수당의 지급을 구할 수 있는 등 여전히 그 제명의결의 취소를 구할 법률상 이익이 있다.
> 수의 일종으로 봄이 상당하다. 따라서 원고가 이 사건 제명의결 취소소송 계속 중 임기가 만료되어 제명의결의 취소로 지방의회의원으로서의 지위를 회복할 수는 없다 할지라도, 그 취소로 인하여 최소한 제명의결시부터 임기만료일까지의 기간에 대해 월정수당의 지급을 구할 수 있는 등 여전히 그 제명의결의 취소를 구할 법률상 이익은 남아 있다고 보아야 한다(대판 2009. 1. 30, 2007두13487).

정답 10 ④

11 정답률 84% 중 2023 소방직 9급 변형

행정소송법에 따른 법률상 이익에 관한 설명으로 옳지 않은 것은? (다툼이 있는 경우 판례에 의함)

□□□ ① 행정처분의 무효확인 또는 취소를 구하는 소에서, 비록 행정처분의 위법을 이유로 무효확인 또는 취소 판결을 받더라도 그 처분에 의하여 발생한 위법상태를 원상으로 회복시키는 것이 불가능한 경우에는 원칙적으로 그 무효확인 또는 취소를 구할 법률상 이익이 없다.

□□□ ② 행정청이 한 처분 등의 취소를 구하는 것보다 실효적이고 직접적인 구제수단이 있음에도 처분 등의 취소를 구하는 것은 특별한 사정이 없는 한 분쟁해결의 유효적절한 수단이라고 할 수 없어 법률상 이익이 없다.

□□□ ③ 지방의회의원에 대한 제명의결 취소소송계속 중 의원의 임기가 만료되었다면, 제명의결시부터 임기만료일까지의 기간에 대한 월정수당의 지급을 구할 수 있다고 하더라도 그 제명의결의 취소를 구할 법률상 이익이 없다.

□□□ ④ 행정처분이 취소되면 그 처분은 취소로 인하여 그 효력이 상실되어 더 이상 존재하지 않는 것이고, 그 처분을 대상으로 한 취소소송의 경우 원칙적으로 법률상 이익이 없다.

관련기출

①

1. 행정처분의 취소를 구하는 소에서, 비록 행정처분의 위법을 이유로 취소판결을 받더라도 처분에 의하여 발생한 위법상태를 원상회복시키는 것이 불가능한 경우에는 원칙적으로 취소를 구할 법률상 이익이 없으므로, 수소법원은 소를 각하하여야 한다. (○, ×) 2022 국가직 9급

1. ○

④

1. 행정처분의 취소소송 계속 중 처분청이 다툼의 대상이 되는 행정처분을 직권으로 취소하면 그 처분은 효력을 상실하여 더 이상 존재하지 않는 것이므로 존재하지 않는 처분을 대상으로 한 항고소송은 원칙적으로 소의 이익이 소멸하여 부적법하다. (○, ×) 2022 군무원 9급
2. 행정처분의 무효확인 또는 취소를 구하는 소가 제소 당시에는 소의 이익이 있어 적법하였더라도, 소송계속 중 처분청이 다툼의 대상이 되는 행정처분을 직권으로 취소했다면 원칙적으로 소의 이익이 소멸하여 부적법하다. (○, ×) 2021 소방간부

1. ○ 2. ○

① ○

행정처분의 무효확인 또는 취소를 구하는 소에서, 비록 행정처분의 위법을 이유로 무효확인 또는 취소판결을 받더라도 그 처분에 의하여 발생한 위법상태를 원상으로 회복시키는 것이 불가능한 경우에는 원칙적으로 그 무효확인 또는 취소를 구할 법률상 이익이 없고, 다만 원상회복이 불가능하더라도 그 무효확인 또는 취소로써 회복할 수 있는 다른 권리나 이익(부수적 이익)이 남아 있는 경우 예외적으로 법률상 이익이 인정될 수 있다(대판 2016. 6. 10, 2013두1638).

② ○

1. 행정청이 한 처분 등의 취소를 구하는 소송은 처분에 의하여 발생한 위법상태를 배제하여 원래 상태로 회복시키고 처분으로 심해된 권리나 이익을 구제하고자 하는 것이다.
2. 따라서 해당 처분 등의 취소를 구하는 것보다 실효적이고 직접적인 구제수단이 있음에도 처분 등의 취소를 구하는 것은 특별한 사정이 없는 한 분쟁해결의 유효적절한 수단이라고 할 수 없어 법률상 이익이 있다고 할 수 없다(대판 2017. 10. 31, 2015두45045).

③ ×

지방의회의원에 대한 제명의결 취소소송계속 중 의원의 임기가 만료된 경우, 비록 제명의결의 취소로 의원의 지위를 회복할 수는 없다 하더라도 제명의결시부터 임기만료일까지의 기간에 대한 월정수당의 지급을 구할 수 있는 등 여전히 그 제명의결의 취소를 구할 법률상 이익이 있다는 것이 판례의 입장이다(대판 2009. 1. 30, 2007두13487).

④ **빈출** ○

소송계속 중 처분청이 다툼의 대상이 되는 행정처분을 직권으로 취소하면 그 처분은 효력을 상실하여 더 이상 존재하지 않는 것이므로, 존재하지 않는 처분을 대상으로 한 항고소송은 원칙적으로 소의 이익이 소멸하여 부적법하다고 보아야 한다(대판 2020. 4. 9, 2019두49953).

정답 11 ③

12 중 2022 서울시 지적 7급

항고소송에서의 소의 이익에 대한 설명으로 가장 옳지 않은 것은? (다툼이 있는 경우 판례에 의함)

□□□ ① 처분청의 직권취소에도 완전한 원상회복이 이루어지지 않아 무효확인 또는 취소로써 회복할 수 있는 다른 권리나 이익이 남아 있는 경우, 예외적으로 그 처분의 취소를 구할 소의 이익이 있다.

□□□ ② 건축허가취소처분을 받은 건축물 소유자는 그 건축물이 완공된 후에도 여전히 취소처분의 취소를 구할 법률상 이익을 가진다.

□□□ ③ 행정소송법 제12조의 '법률상의 이익'이란 당해 처분의 근거법률에 의하여 직접 보호되는 구체적인 이익을 말하고, 이는 제3자가 간접적인 이해관계를 가지는 경우에도 인정된다.

□□□ ④ 거부처분이 재결에서 취소된 경우 재결에 따른 후속처분이 아니라 그 재결의 취소를 구하는 것은 실효적이고 직접적인 권리구제수단이 될 수 없어 분쟁해결의 유효적절한 수단이라고 할 수 없으므로 법률상 이익이 없다.

관련기출

①

1. 취소소송 계속 중에 처분청이 계쟁 처분을 직권으로 취소하더라도, 동일한 소송 당사자 사이에서 그 처분과 동일한 사유로 위법한 처분이 반복될 위험성이 있어 그 처분에 대한 위법성의 확인이 필요한 경우에는 그 처분의 취소를 구할 소의 이익이 있다. (○, ×) 2023 국가직 7급
2. 처분청의 직권취소에도 불구하고 완전한 원상회복이 이루어지지 않아 무효확인 또는 취소로써 회복할 수 있는 다른 권리나 이익이 남아 있더라도 그 처분의 취소를 구할 소의 이익을 인정할 수 없다. (○, ×) 2021 소방간부

1. ○ 2. ×

③

1. 처분의 직접 상대방이 아닌 경우에는 처분의 근거법률에 의하여 보호되는 법률상 이익이 있는 경우에도 원고적격이 인정될 수 없다. (○, ×) 2013 국가직 9급

1. ×

④

1. 거부처분이 행정심판의 재결을 통해 취소된 경우 재결에 따른 후속처분이 아니라 그 재결의 취소를 구하는 것은 분쟁해결의 유효적절한 수단이라고 할 수 없어 소의 이익이 없다. (○, ×) 2020 군무원 7급

1. ○

① ○

처분청의 직권취소에도 완전한 원상회복이 이루어지지 않아 무효확인 또는 취소로써 회복할 수 있는 다른 권리나 이익이 남아 있거나 또는 동일한 소송당사자 사이에서 그 행정처분과 동일한 사유로 위법한 처분이 반복될 위험성이 있어 행정처분의 위법성 확인 내지 불분명한 법률문제에 대한 해명이 필요한 경우 행정의 적법성 확보와 그에 대한 사법통제, 국민의 권리구제의 확대 등의 측면에서 예외적으로 그 처분의 취소를 구할 소의 이익을 인정할 수 있다(대판 2020. 4. 9, 2019두49953).

② ○

건축허가를 받아 건축물을 완공하였더라도 건축허가가 취소되면 그 건축물은 철거 등 시정명령의 대상이 되고 이를 이행하지 않은 건축주 등은 건축법 제80조에 따른 이행강제금 부과처분이나 행정대집행법 제2조에 따른 행정대집행을 받게 되며, 나아가 건축법 제79조 제2항에 의하여 다른 법령상의 인·허가 등을 받지 못하게 되는 등의 불이익을 입게 된다. 따라서 건축허가취소처분을 받은 건축물 소유자는 그 건축물이 완공된 후에도 여전히 위 취소처분의 취소를 구할 법률상 이익을 가진다고 보아야 한다(대판 2015. 11. 12, 2015두47195).

③ ×

제3자가 간접적인 이해관계를 가질 뿐일 경우에는 법률상 이익이 인정되지 않는다.

1. 행정처분의 직접 상대방이 아닌 제3자라 하더라도 당해 행정처분으로 인하여 법률상 보호되는 이익을 침해당한 경우에는 취소소송을 제기하여 그 당부의 판단을 받을 자격이 있다.
2. 여기에서 말하는 법률상 보호되는 이익은 당해 처분의 근거법규 및 관련법규에 의하여 보호되는 개별적·직접적·구체적 이익이 있는 경우를 말한다(대판 2013. 9. 12, 2011두33044).

④ ○

당사자의 신청을 받아들이지 않은 거부처분이 재결에서 취소된 경우, 재결의 취소를 구할 법률상 이익은 없다.

거부처분이 재결에서 취소된 경우 재결에 따른 후속처분이 아니라 그 재결의 취소를 구하는 것은 실효적이고 직접적인 권리구제수단이 될 수 없어 분쟁해결의 유효적절한 수단이라고 할 수 없으므로 법률상 이익이 없다(대판 2017. 10. 31, 2015두45045).

정답 12 ③

13 정답률 41% 상 2021 지방직 · 서울시 9급

행정소송상 협의의 소익에 대한 설명으로 옳은 것만을 모두 고르면? (다툼이 있는 경우 판례에 의함)

□□□ ㉠ 월정수당을 받는 지방의회의원에 대한 제명의결 취소소송계속 중 의원의 임기가 만료된 경우 지방의회의원은 그 제명의결의 취소를 구할 법률상 이익이 있다.

□□□ ㉡ 파면처분 취소소송의 사실심변론종결 전에 금고 이상의 형을 선고받아 당연퇴직된 경우에도 해당 공무원은 파면처분의 취소를 구할 이익이 있다.

□□□ ㉢ 공익근무요원 소집해제신청을 거부한 후에 원고가 계속하여 공익근무요원으로 복무함에 따라 복무기간만료를 이유로 소집해제처분을 한 경우, 원고는 거부처분의 취소를 구할 소의 이익이 있다.

① ㉠ ② ㉡
③ ㉠, ㉡ ④ ㉡, ㉢

관련기출

㉢

1. 공익근무요원 소집해제신청을 거부한 후 원고가 계속 공익근무요원으로 복무함에 따라 복무기간만료를 이유로 소집해제처분을 한 경우, 거부처분의 취소를 구할 소의 이익이 없다. (○, ×) 2013 지방직(하) 7급

1. ○

③ ㉠㉡이 옳은 내용이다.

㉠ ○

지방의회의원에 대한 제명의결 취소소송계속 중 의원의 임기가 만료된 경우, 비록 제명의결의 취소로 의원의 지위를 회복할 수는 없다 하더라도 제명의결시부터 임기만료일까지의 기간에 대한 월정수당의 지급을 구할 수 있는 등 여전히 그 제명의결의 취소를 구할 법률상 이익이 있다는 것이 판례의 입장이다(대판 2009. 1. 30, 2007두13487).

㉡ ○

> 파면처분이 있은 후 파면처분을 다투던 중 금고 이상의 형을 선고받아 당연퇴직된 경우와 같이 공무원의 지위를 회복할 여지가 없게 된 경우라도 급여청구의 관계에서 이익이 있는 이상, 위 파면처분의 취소를 구할 이익이 있다.
>
> 공무원의 파면처분을 다투고 있는 중에 정년퇴직 등 다른 사정으로 공무원의 지위를 회복할 여지가 없게 된 경우에 기본적인 권리인 공무원의 지위의 회복은 불가능하더라도 그동안의 급여청구의 관계에서 아직 이익이 있는 이상, 소를 제기할 수 있다(대판 1985. 6. 25, 85누39).

㉢ ×

> 공익근무요원 소집해제신청을 거부한 후 복무기간이 만료되어 소집해제처분이 이루어진 경우라면 소집해제 신청거부처분의 취소를 구할 소의 이익이 없다.
>
> 공익근무요원 소집해제신청을 거부한 후에 원고가 계속하여 공익근무요원으로 복무함에 따라 복무기간만료를 이유로 소집해제처분을 한 경우, 원고가 입게 되는 권리와 이익의 침해는 소집해제처분으로 해소되었으므로 위 거부처분의 취소를 구할 소의 이익이 없다(대판 2005. 5. 13, 2004두4369).

정답 13 ③

14 정답률 53% 중 2018 지방직 9급

협의의 소익에 대한 판례의 입장으로 옳은 것은?

□□□ ① 학교법인 임원취임승인의 취소처분 후 그 임원의 임기가 만료되고 구 사립학교법 소정의 임원결격사유기간마저 경과한 경우에 취임승인이 취소된 임원은 취임승인취소처분의 취소를 구할 소의 이익이 없다.

□□□ ② 배출시설에 대한 설치허가가 취소된 후 그 배출시설이 철거되어 다시 가동할 수 없는 상태라도 그 취소처분이 위법하다는 판결을 받아 손해배상청구소송에서 이를 원용할 수 있다면 배출시설의 소유자는 당해 처분의 취소를 구할 법률상 이익이 있다.

□□□ ③ 건축물에 대한 사용검사처분이 취소되면 사용검사 전의 상태로 돌아가 건축물을 사용할 수 없게 되므로 구 주택법상 입주자나 입주예정자가 사용검사처분의 무효확인 또는 취소를 구할 법률상 이익이 있다.

□□□ ④ 구 「도시 및 주거환경정비법」상 조합설립추진위원회 구성승인처분을 다투는 소송계속 중에 조합설립인가처분이 이루어졌다면 조합설립추진위원회 구성승인처분의 취소를 구할 법률상 이익은 없다.

관련기출

①

1. 취임승인이 취소된 학교법인의 정식이사들에 대해 원래 정해져 있던 임기가 만료되면 그 임원취임승인취소처분의 취소를 구할 소의 이익이 없다. (○, ×) 2017 지방직 9급
2. 임원취임승인의 취소처분과 임시이사선임처분의 취소소송을 동시에 제기하여 소송계속 중 임시이사의 임기가 만료되고 새로운 임시이사가 선임된 경우 (판례에 의할 때 적법한 소로 볼 수 없다) (○, ×) 2012 국회직 8급

1. × 2. ×

②

1. 소음 · 진동배출시설에 대한 설치허가가 취소된 후 그 배출시설이 어떠한 경위로든 철거되어 다시 복구 등을 통하여 배출시설을 가동할 수 없는 상태라면 이는 배출시설 설치허가의 대상이 되지 아니하므로 외형상 설치허가취소행위가 잔존하고 있다고 하여도 특단의 사정이 없는 한 이제 와서 굳이 위 처분의 취소를 구할 법률상의 이익이 없다. (○, ×) 2020 군무원 9급

1. ○

④

1. 「도시 및 주거환경정비법」상 조합설립추진위원회 구성승인처분을 다투는 소송계속 중 조합설립인가처분이 이루어진 경우에도 조합설립추진위원회 구성승인처분에 대하여 취소 또는 무효확인을 구할 법률상 이익이 있다. (○, ×) 2023 군무원 9급
2. 구 「도시 및 주거환경정비법」상 조합설립추진위원회 구성승인처분을 다투는 소송계속 중 조합설립인가처분이 이루어진 경우 조합설립추진위원회 구성승인처분에 대하여 취소 또는 무효확인을 구할 법률상 이익이 없다. (○, ×) 2017 지방직(하) 9급

1. × 2. ○

① ×

1. 학교법인의 임시이사선임처분에 대한 취소소송 제기 후 소송계속 중 임시이사가 교체되어 새로운 임시이사가 선임된 경우, 당초의 임시이사선임처분의 취소를 구할 소의 이익이 있다(위법한 처분이 반복될 가능성이 있어서 소의 이익을 인정한 판결이다).
2. 취임승인이 취소된 학교법인의 정식이사들에 대해 원래 정해져 있던 임기가 만료되고 구 사립학교법 소정의 임원결격사유기간마저 경과한 경우라고 하더라도 후임이사 선임시까지 직무수행에 관한 긴급처리권을 인정받을 수 있는 경우에는 그 임원취임승인취소처분의 취소를 구할 소의 이익이 있다(대판 2007. 7. 19, 2006두19297 전합).

② ×

(소음 · 진동배출시설에 대한 설치허가가 취소된 후 그 배출시설이 철거된 경우, 허가취소처분의 취소를 구하는 소송에서 소의 이익을 부정하면서) 소음 · 진동배출시설에 대한 설치허가가 취소된 후 그 배출시설이 어떠한 경위로든 철거되어 다시 복구 등을 통하여 배출시설을 가동할 수 없는 상태라면 이는 배출시설 설치허가의 대상이 되지 아니하므로 외형상 설치허가취소행위가 잔존하고 있다고 하여도 특단의 사정이 없는 한 이제 와서 굳이 위 처분의 취소를 구할 법률상의 이익이 없다. …… 원고가 처분이 위법하다는 점에 대한 판결을 받아 피고에 대한 손해배상청구소송에서 이를 원용할 수 있는 이익은 사실적 · 경제적 이익에 불과하여 소의 이익에 해당하지 않는다(대판 2002. 1. 11, 2000두2457).

③ ×

구 주택법상 입주자나 입주예정자가 사용검사처분의 취소를 구할 법률상 이익은 없다.

건축물에 대한 사용검사처분이 취소된다고 하더라도 사용검사 이전의 상태로 돌아가 건축물을 사용할 수 없게 되는 것에 그칠 뿐 곧바로 건축물의 하자 상태 등이 제거되거나 보완되는 것도 아니다. 그리고 입주자나 입주예정자들은 사용검사처분을 취소하지 않고서도 민사소송 등을 통하여 분양계약에 따른 법률관계 및 하자 등을 주장 · 증명함으로써 사업주체 등으로부터 하자 제거 · 보완 등에 관한 권리구제를 받을 수 있으므로, 사용검사처분의 취소 여부에 의하여 법률적인 지위가 달라진다고 할 수 없다(대판 2014. 7. 24, 2011두30465).

④ **빈출** ○

구 「도시 및 주거환경정비법」상 조합설립추진위원회 구성승인처분을 다투는 소송계속 중 조합설립인가처분이 이루어진 경우 조합설립추진위원회 구성승인처분에 대하여 취소 또는 무효확인을 구할 법률상 이익은 없다.

조합설립추진위원회 구성승인처분에 대한 취소 또는 무효확인 판결의 확정만으로는 이미 조합설립인가를 받은 조합에 의한 정비사업의 진행을 저지할 수 없다. 따라서 추진위원회 구성승인처분을 다투는 소송계속 중에 조합설립인가처분이 이루어진 경우에는, 추진위원회 구성승인처분에 위법이 존재하여 조합설립인가 신청행위가 무효라는 점 등을 들어 직접 조합설립인가처분을 다툼으로써 정비사업의 진행을 저지하여야 하고, 이와는 별도로 추진위원회 구성승인처분에 대하여 취소 또는 무효확인을 구할 법률상의 이익은 없다고 보아야 한다(대판 2013. 1. 31, 2011두11112, 2011두11129).

정답 14 ④

15 ⓢ

2018 서울시 1회 7급

항고소송의 소의 이익에 대한 판례로서 가장 옳지 않은 것은?

□□□ ① 처분청이 당초의 운전면허 취소처분을 철회하고 정지처분을 하였다면, 당초의 처분인 운전면허 취소처분은 철회로 인하여 그 효력이 상실되어 더 이상 존재하지 않는 것이고 그 후의 운전면허 정지처분만이 남아 있는 것이라 할 것이며, 존재하지 않는 행정처분을 대상으로 한 취소소송은 소의 이익이 없어 부적법하다.

□□□ ② 주택건설사업계획 사전결정반려처분 취소청구소송의 계속 중 구 주택건설촉진법의 개정으로 주택건설사업계획 사전결정제도가 폐지된 경우 소의 이익이 없다.

□□□ ③ 지방의회의원에 대한 제명의결 취소소송계속 중 의원의 임기가 만료된 사안에서, 제명의결의 취소로 의원의 지위를 회복할 수는 없다 하더라도 제명의결시부터 임기만료일까지의 기간에 대한 월정수당의 지급을 구할 수 있는 등 여전히 그 제명의결의 취소를 구할 법률상 이익이 있다.

□□□ ④ 건축허가처분의 취소를 구하는 소를 제기하기 전에 건축공사가 완료된 경우에는 소의 이익이 없으나, 소를 제기한 후 사실심변론종결일 전에 건축공사가 완료된 경우에는 소의 이익이 있다.

① ○

처분청이 당초의 운전면허 취소처분을 신뢰보호의 원칙과 형평의 원칙에 반하는 너무 무거운 처분으로 보아 이를 철회하고 새로이 265일간의 운전면허 정지처분을 하였다면, 당초의 처분인 운전면허 취소처분은 철회로 인하여 그 효력이 상실되어 더 이상 존재하지 않는 것이고 그 후의 운전면허 정지처분만이 남아 있는 것이라 할 것이며, 한편 존재하지 않는 행정처분을 대상으로 한 취소소송은 소의 이익이 없어 부적법하다(대판 1997. 9. 26, 96누1931).

② ○

주택건설사업계획 사전결정반려처분 취소청구소송의 계속 중 구 주택건설촉진법의 개정으로 주택건설사업계획 사전결정제도가 폐지된 경우, 소의 이익은 없다(대판 1999. 6. 11, 97누379).

③ ○

제명의결의 취소로 의원의 지위를 회복할 수는 없다 하더라도 제명의결시부터 임기만료일까지의 기간에 대한 월정수당의 지급을 구할 수 있는 등 여전히 그 제명의결의 취소를 구할 법률상 이익이 있다는 것이 판례의 입장이다(대판 2009. 1. 30, 2007두13487).

④ ×

위법한 행정처분의 취소를 구하는 소는 위법한 처분에 의하여 발생한 위법상태를 배제하여 원상으로 회복시키고 그 처분으로 침해되거나 방해받은 권리와 이익을 보호 · 구제하고자 하는 소송이므로 비록 그 위법한 처분을 취소한다 하더라도 원상회복이 불가능한 경우에는 그 취소를 구할 이익이 없다 할 것인바, 건축허가에 기하여 이미 건축공사를 완료하였다면 그 건축허가처분의 취소를 구할 이익이 없다 할 것이고, 이와 같이 건축허가처분의 취소를 구할 이익이 없게 되는 것은 건축허가처분의 취소를 구하는 소를 제기하기 전에 건축공사가 완료된 경우뿐 아니라 소를 제기한 후 사실심변론종결일 전에 건축공사가 완료된 경우에도 마찬가지이다(대판 2007. 4. 26, 2006두18409).

관련기출

①

1. 행정처분이 취소되면 그 처분은 효력을 상실하여 더 이상 존재하지 않는 것이고, 존재하지 않는 행정처분을 대상으로 한 취소소송은 소의 이익이 없어 부적법하다. (○, ×) 2013 서울시 7급

1. ○

정답 15 ④

16 정답률 49% 중 2017 지방직 9급

협의의 소의 이익에 대한 설명으로 옳은 것은? (다툼이 있는 경우 판례에 의함)

① 취임승인이 취소된 학교법인의 정식이사들에 대해 원래 정해져 있던 임기가 만료되면 그 임원취임승인 취소처분의 취소를 구할 소의 이익이 없다.

② 지방의회의원의 제명의결 취소소송계속 중 임기만료로 지방의원으로서의 지위를 회복할 수 없는 자는 제명의결의 취소를 구할 소의 이익이 없다.

③ 수형자의 영치품에 대한 사용신청 불허처분 후 수형자가 다른 교도소로 이송된 경우 원래 교도소로의 재이송 가능성이 소멸되었으므로 그 불허처분의 취소를 구할 소의 이익이 없다.

④ 법인세 과세표준과 관련하여 과세관청이 법인의 소득처분 상대방에 대한 소득처분을 경정하면서 증액과 감액을 동시에 한 결과 전체로서 소득처분금액이 감소된 경우, 법인이 소득금액변동통지의 취소를 구할 소의 이익이 없다.

① ×

비록 취임승인이 취소된 학교법인의 정식이사들에 대하여 원래 정해져 있던 임기가 만료되고 구 사립학교법 제22조 제2호 소정의 임원결격사유기간마저 경과한 경우 또는 위 취소처분에 대한 취소소송 제기 후 임시이사가 교체되어 새로운 임시이사가 선임된 경우, 위 취임승인취소처분 및 당초의 임시이사선임처분의 취소를 구할 소의 이익이 있다는 것이 판례의 입장이다(대판 2007. 7. 19, 2006두19297 전합).

② ×

지방의회의원에 대한 제명의결 취소소송계속 중 의원의 임기가 만료된 사안에서 제명의결의 취소로 의원의 지위를 회복할 수는 없다 하더라도 제명의결시부터 임기만료일까지의 기간에 대한 월정수당의 지급을 구할 수 있는 등 여전히 그 제명의결의 취소를 구할 법률상 이익이 있다는 것이 판례의 입장이다(대판 2009. 1. 30, 2007두13487).

③ ×

수형자의 영치품에 대한 사용신청 불허처분 후 수형자가 다른 교도소로 이송되었다 하더라도 수형자의 권리와 이익의 침해 등이 해소되지 않은 점 등에 비추어, 위 영치품 사용신청 불허처분의 취소를 구할 이익이 있다.

원고의 형기가 만료되기까지는 아직 상당한 기간이 남아 있을 뿐만 아니라, 진주교도소가 전국 교정시설의 결핵 및 정신질환 수형자들을 수용 · 관리하는 의료교도소인 사정을 감안할 때 원고의 진주교도소로의 재이송 가능성이 소멸하였다고 단정하기 어려운 점 등을 종합하면, 원고로서는 이 사건 처분의 취소를 구할 이익이 있다고 봄이 상당하다(대판 2008. 2. 14, 2007두13203).

④ ○

법인세 과세표준과 관련하여 과세관청이 법인의 소득처분 상대방에 대한 소득처분을 경정하면서 증액과 감액을 동시에 한 결과 전체로서 소득처분금액이 감소된 경우, 법인이 소득금액변동통지의 취소를 구할 소의 이익은 없다.

과세관청이 직권으로 상대방에 대한 소득처분을 경정하면서 일부 항목에 대한 증액과 다른 항목에 대한 감액을 동시에 한 결과 전체로서 소득처분금액이 감소된 경우에는 그에 따른 소득금액변동통지가 납세자인 당해 법인에 불이익을 미치는 처분이 아니므로 당해 법인은 그 소득금액변동통지의 취소를 구할 이익이 없다(대판 2012. 4. 13, 2009두5510).

정답 16 ④

17 정답률 59% 상 2017 서울시 9급

다음 판례 중 협의의 소의 이익(권리보호의 필요)이 인정되지 않는 것은?

□□□ ① 현역입영대상자로서 현실적으로 입영을 한 자가 입영 이후의 법률관계에 영향을 미치고 있는 현역병입영통지처분 등을 한 관할 지방병무청장을 상대로 위법을 주장하여 그 취소를 구하는 경우

□□□ ② 행정청이 영업허가신청 반려처분의 취소를 구하는 소의 계속 중 사정변경을 이유로 위 반려처분을 직권취소함과 동시에 위 신청을 재반려하는 내용의 재처분을 한 경우 당초의 반려처분의 취소를 구하는 경우

□□□ ③ 도시개발사업의 공사 등이 완료되고 원상회복이 사회통념상 불가능하게 된 경우 도시개발사업의 시행에 따른 도시계획변경결정처분과 도시개발구역지정처분 및 도시개발사업 실시계획인가처분의 취소를 구하는 경우

□□□ ④ 행정처분의 효력기간이 경과하였다고 하더라도 그 처분을 받은 전력이 장래에 불이익하게 취급되는 것으로 법정(법률)상 가중요건으로 되어 있고, 법정가중요건에 따라 새로운 제재적인 행정처분이 가해지고 있는 경우

관련기출

②

1. 행정청이 당초의 분뇨 등 관련 영업허가신청반려처분의 취소를 구하는 소의 계속 중, 사정변경을 이유로 위 반려처분을 직권취소함과 동시에 위 신청을 재반려하는 내용의 재처분을 한 경우, 당초의 반려처분의 취소를 구하는 소는 더 이상 소의 이익이 없다. (○, ×) 2011 경행특채

1. ○

③

1. 도시개발사업의 공사 등이 완료되고 원상회복이 사회통념상 불가능하게 된 경우 도시개발사업의 시행에 따른 도시계획변경결정처분과 도시개발구역지정처분 및 도시개발사업실시계획인가처분의 취소를 구하는 경우는 소의 이익이 있다. (○, ×) 2008 지방직 7급

1. ○

① ○

현역병입영대상자의 경우 현역병으로 입영한 후에라도 현역병입영통지처분의 취소를 구할 소송상의 이익이 있다는 것이 판례의 입장이다(대판 2003. 12. 26, 2003두1875).

② ×

> 행정청이 당초의 분뇨 등 관련 영업허가신청 반려처분의 취소를 구하는 소의 계속 중, 사정변경을 이유로 위 반려처분을 직권취소함과 동시에 위 신청을 재반려하는 내용의 재처분을 한 경우, 당초의 반려처분의 취소를 구하는 소는 더 이상 소의 이익이 없다(대판 2006. 9. 28, 2004두5317).

③ ○

> 도시개발사업의 공사 등이 완료되고 원상회복이 사회통념상 불가능하게 되었더라도, 도시개발사업의 시행에 따른 도시계획변경결정처분과 도시개발구역지정처분 및 도시개발사업실시계획인가처분의 취소를 구할 법률상 이익이 있다.
>
> 도시계획변경결정처분과 도시개발구역지정처분 및 도시개발사업실시계획인가처분은 도시개발사업시행자에게 단순히 도시개발에 관련된 공사의 시공권한을 부여하는 데 그치지 않고 당해 도시개발사업을 시행할 수 있는 권한을 설정하여 주는 처분으로서 위 각 처분 자체로 그 처분의 목적이 종료되는 것이 아니고 위 각 처분이 유효하게 존재하는 것을 전제로 하여 당해 도시개발사업에 따른 일련의 절차 및 처분이 행해지기 때문에 위 각 처분이 취소된다면 그것이 유효하게 존재하는 것을 전제로 하여 이루어진 토지수용이나 환지 등에 따른 각종의 처분이나 공공시설의 귀속 등에 관한 법적 효력은 영향을 받게 되므로, 도시개발사업의 공사 등이 완료되고 원상회복이 사회통념상 불가능하더라도 위 각 처분의 취소를 구할 법률상 이익은 소멸한다고 할 수 없다(대판 2005. 9. 9, 2003두5402 · 5419).

④ ○

> 제재적 행정처분이 그 처분에서 정한 제재기간의 경과로 인하여 그 효과가 소멸되었다 하더라도 그 처분이 후행처분의 가중적 요건사실이 되는 경우 선행처분의 취소를 구할 소의 이익이 있다(대판 2006. 6. 22, 2003두1684 전합).

정답 17 ②

❸ 피 고

18 정답률 75% 상 2023 국가직 9급 변형

서훈 또는 서훈취소에 대한 설명으로 옳은 것만을 모두 고르면? (다툼이 있는 경우 판례에 의함)

□□□ ㉠ 서훈은 서훈대상자의 특별한 공적에 의하여 수여되는 고도의 일신전속적 성격을 가지는 것이므로 유족이라고 하더라도 처분의 상대방이 될 수 없다.

□□□ ㉡ 건국훈장 독립장이 수여된 망인에 대한 서훈취소를 국무회의에서 의결하고 대통령이 결재함으로써 서훈취소가 결정된 후에 국가보훈처장이 망인의 유족에게 독립유공자 서훈취소결정 통보를 하였다면 서훈취소처분취소소송에서의 피고적격은 국가보훈처장에 있다.

□□□ ㉢ 국가보훈처장이 서훈추천 신청자에 대한 서훈추천을 거부한 것은 항고소송의 대상으로 볼 수는 없어 항고소송을 제기할 수는 없으나 행정권력의 부작위에 대한 헌법소원으로서 다툴 수 있다.

① ㉠ ② ㉠, ㉡
③ ㉠, ㉢ ④ ㉡, ㉢

관련기출

㉠

1. 망인(亡人)에게 수여된 서훈을 취소하는 경우, 그 유족은 서훈취소처분의 상대방이 되지 않는다. (○, ×) 2019 서울시 2회 7급
2. 망인에 대한 서훈취소는 유족에 대한 것이 아니므로 유족에 대한 통지에 의해서만 성립하여 효력이 발생한다고 볼 수 없고, 그 결정이 처분권자의 의사에 따라 상당한 방법으로 대외적으로 표시됨으로써 행정행위로서 성립하여 효력이 발생한다고 봄이 타당하다. (○, ×) 2017 지방직(하) 9급

1. ○ 2. ○

㉡

1. 건국훈장 독립장이 수여된 망인에 대하여 사후적으로 친일 행적이 확인되었다는 이유로 대통령에 의하여 망인에 대한 독립유공자서훈취소가 결정되고, 그 서훈취소에 따라 훈장 등을 환수조치하여 달라는 당시 행정안전부장관의 요청에 의하여 국가보훈처장이 망인의 유족에게 독립유공자서훈취소결정을 통보한 사안에서, 독립유공자서훈취소결정에 대한 취소소송에서의 피고적격이 있는 자는 국가보훈처장이다. (○, ×) 2016 지방직 9급
2. 처분청과 통지한 자가 다른 경우에는 처분청이 피고가 된다. (○, ×) 2012 국회(속기 · 경위직) 9급

1. × 2. ○

㉠ **빈출** 제15강 참조 ○

1. 서훈은 서훈대상자의 특별한 공적에 의하여 수여되는 고도의 일신전속적 성격을 가지는 것이다. …… 이러한 서훈의 일신전속적 성격은 서훈취소의 경우에도 마찬가지이므로, 망인에게 수여된 서훈의 취소에서도 유족은 그 처분의 상대방이 되는 것이 아니다.
2. 망인에 대한 서훈취소는 유족에 대한 것이 아니므로 유족에 대한 통지에 의해서만 성립하여 효력이 발생한다고 볼 수 없고, 그 결정이 처분권자의 의사에 따라 상당한 방법으로 대외적으로 표시됨으로써 행정행위로서 성립하여 효력이 발생한다고 봄이 타당하다(대판 2014. 9. 26, 2013두2518).

㉡ **빈출** ×

처분을 행한 행정청(처분청)과 처분을 통보한 자(통지한 자)가 다른 경우 피고는 처분청이 된다.

국무회의에서 건국훈장 독립장이 수여된 망인에 대한 서훈취소를 의결하고 대통령이 결재함으로써 서훈취소가 결정된 후 국가보훈처장(현 국가보훈부장관)이 망인의 유족 甲에게 '독립유공자서훈취소결정통보'를 하자 甲이 국가보훈처장을 상대로 서훈취소결정의 무효확인 등의 소를 제기한 사안에서, 甲이 서훈취소처분을 행한 행정청(대통령)이 아니라 국가보훈처장을 상대로 제기한 위 소는 피고를 잘못 지정한 경우에 해당하므로, 법원으로서는 석명권을 행사하여 정당한 피고로 경정하게 하여 소송을 진행해야 한다(대판 2014. 9. 26, 2013두2518).

㉢ ×

국가보훈처장의 서훈추천 거부는 항고소송과 헌법소원의 대상이 되지 않는다는 것이 판례의 입장이다.

1. 서훈추천권의 행사, 불행사가 당연무효임의 확인, 또는 그 부작위가 위법함의 확인을 구하는 청구는 과거의 역사적 사실관계의 존부나 공법상의 구체적인 법률관계가 아닌 사실관계에 관한 것들을 확인의 대상으로 하는 것이거나 행정청의 단순한 부작위를 대상으로 하는 것으로서 항고소송의 대상이 되지 아니하는 것이다(대판 1990. 11. 23. 90누3553).
2. 서훈추천을 할지 말지에 관한 판단에 있어서 국가는 나름대로의 재량을 지닌다. 따라서 국가보훈처장이 서훈추천 신청자에 대한 서훈추천을 하여 주어야 할 헌법적 작위의무가 있다고 할 수는 없으므로, 서훈추천을 거부한 것에 대하여 행정권력의 부작위에 대한 헌법소원으로서 다툴 수 없다(헌재 2005. 6. 30, 2004헌마859).

정답 18 ①

19 정답률 77% 중 2021 군무원 9급

행정소송제도에 대한 설명으로 옳지 않은 것은?

① 개별법령에 합의제 행정청의 장을 피고로 한다는 명문규정이 없는 한 합의제 행정청 명의로 한 행정처분의 취소소송의 피고적격자는 당해 합의제 행정청이 아닌 합의제 행정청의 장이다.

② 원고가 피고를 잘못 지정한 경우 피고경정은 취소소송과 당사자소송 모두에서 사실심변론종결에 이르기까지 허용된다.

③ 법원은 당사자소송을 취소소송으로 변경하는 것이 상당하다고 인정할 때에는 청구의 기초에 변경이 없는 한 사실심의 변론종결시까지 원고의 신청에 의하여 결정으로써 소의 변경을 허가할 수 있다.

④ 당사자소송의 원고가 피고를 잘못 지정하여 피고경정신청을 한 경우 법원은 결정으로써 피고의 경정을 허가할 수 있다.

관련기출

②④

1. 원고가 피고를 잘못 지정한 때에는 법원은 원고의 신청에 의하여 결정으로써 피고의 경정을 허가할 수 있다. (○, ×) 2012 국회(속기·경위직) 9급
2. (당사자소송에 관한 행정소송법의 규정내용과 관련하여) 원고가 피고를 잘못 지정한 때에는 법원은 원고의 신청에 의하여 결정으로써 피고의 경정을 허가할 수 있다. (○, ×) 2010 세무사

1. ○ 2. ○

① ×

합의제 행정청의 처분에 대해서는 합의제 행정청의 장이 아니라 원칙적으로 합의제 행정청이 피고가 된다. 예컨대 공정거래위원회, 토지수용위원회의 처분에 대해서는 각각 공정거래위원회, 토지수용위원회가 취소소송의 피고가 된다.

②④ ○

취소소송의 피고경정에 관한 규정은 당사자소송에도 적용되므로 원고가 피고를 잘못 지정한 때에는 법원은 원고의 신청에 의해 결정으로써 피고의 경정을 허가할 수 있고(④) 이러한 피고경정은 취소소송과 당사자소송 모두에서 사실심변론종결에 이르기까지 허용된다(②).

> 행정소송법 제14조에 의한 피고경정은 사실심변론종결시까지 허용된다.
> 행정소송법 제14조에 의한 피고경정은 사실심변론종결에 이르기까지 허용되는 것으로 해석하여야 할 것이고, 굳이 제1심 단계에서만 허용되는 것으로 해석할 근거는 없다(대결 2006. 2. 23, 2005부4).

> **행정소송규칙 제6조【피고경정】** 법 제14조 제1항에 따른 피고경정은 사실심변론을 종결할 때까지 할 수 있다.

> **행정소송법 제14조【피고경정】** ① 원고가 피고를 잘못 지정한 때에는 법원은 원고의 신청에 의하여 결정으로써 피고의 경정을 허가할 수 있다
> **제44조【준용규정】** ① 제14조 내지 제17조, 제22조, 제25조, 제26조, 제30조 제1항, 제32조 및 제33조의 규정은 당사자소송의 경우에 준용한다.

③ ○

소의 변경에 관한 행정소송법 제21조는 당사자소송을 항고소송으로 변경하는 경우에도 준용된다. 따라서 법원은 사실심변론종결시까지 원고의 신청에 의하여 결정으로써 소의 변경을 허가할 수 있다.

> **행정소송법 제21조【소의 변경】** ① 법원은 취소소송을 당해 처분 등에 관계되는 사무가 귀속하는 국가 또는 공공단체에 대한 당사자소송 또는 취소소송 외의 항고소송으로 변경하는 것이 상당하다고 인정할 때에는 청구의 기초에 변경이 없는 한 사실심의 변론종결시까지 원고의 신청에 의하여 결정으로써 소의 변경을 허가할 수 있다.
> **제42조【소의 변경】** 제21조의 규정은 당사자소송을 항고소송으로 변경하는 경우에 준용한다.

정답 19 ①

20 정답률 49% 상 2020 국가직 9급

행정소송법상 피고 및 피고의 경정에 대한 설명으로 옳은 것은? (다툼이 있는 경우 판례에 의함)

□□□ ① 취소소송에서 원고가 처분청 아닌 행정관청을 피고로 잘못 지정한 경우, 법원은 석명권의 행사 없이 소송요건의 불비를 이유로 소를 각하할 수 있다.

□□□ ② 소의 종류의 변경에 따른 피고의 변경은 교환적 변경에 한한다고 봄이 상당하므로 예비적 청구만이 있는 피고의 추가경정신청은 예외적 규정이 있는 경우를 제외하고는 원칙적으로 허용되지 않는다.

□□□ ③ 상급행정청의 지시에 의해 하급행정청이 자신의 명의로 처분을 하였다면, 당해 처분에 대한 취소소송에서는 지시를 내린 상급행정청이 피고가 된다.

□□□ ④ 취소소송에서 피고가 될 수 있는 행정청에는 대외적으로 의사를 표시할 수 있는 기관이 아니더라도 국가나 공공단체의 의사를 실질적으로 결정하는 기관이 포함된다.

관련기출

①

1. 항고소송에서 원고가 피고를 잘못 지정하였다면 법원은 석명권을 행사하여 피고를 경정하게 하여 소송을 진행하여야 한다. (○, ×) 2016 서울시 7급

1. ○

① ×

> 행정소송에서 피고 지정이 잘못된 경우, 법원이 석명권을 행사하여 원고로 하여금 피고를 경정하게 하지 않고 바로 소를 각하한 것은 위법하다.
> 원고가 피고를 잘못 지정하였다면 법원으로서는 당연히 석명권을 행사하여 원고로 하여금 피고를 경정하게 하여 소송을 진행하게 하였어야 할 것임에도 불구하고 이러한 조치를 취하지 아니한 채 피고의 지정이 잘못되었다는 이유로 소를 각하한 것은 위법하다(대판 2004. 7. 8, 2002두7852).

② ○

일반적으로 소의 변경에는 교환적 변경과 추가적 변경이 있는데, 전자는 기존의 청구를 새로운 청구로 대체하는 것이고 후자는 기존의 청구를 유지하면서 새로운 청구를 추가하는 것이다. 판례는 행정소송에서 소의 종류의 변경에 따른 피고의 변경은 교환적 변경에 한하여 인정되며, 추가적 변경은 허용되지 않는다고 본다. 왜냐하면 법조문 자체가 '…… 취소소송을 …… 당사자소송 또는 취소소송 외의 항고소송으로 변경하는 것 ……'으로 규정되어 있기 때문이다. 따라서 추가적 변경의 필요가 있는 경우에는 행정소송법 제10조 제2항의 '관련청구의 병합제기'의 방법에 의하여야 한다.
난도를 높이기 위한 지문이며 중요한 지문은 아니다. 앞서도 언급한 바와 같이 출제자가 난도를 높이는 방법으로 사용하는 것이 익숙한 지문 세 개와 낯선 지문 한 개를 한 문제로 엮어 낯선 지문을 정답 처리하는 것이다. 이런 형태로 잘 훈련하기 바란다.

> 행정소송법상 소의 종류의 변경에 따른 당사자(피고)의 변경은 교환적 변경에 한한다고 봄이 상당하므로 예비적 청구만이 있는 피고의 추가경정신청은 허용되지 않는다(대결 1989. 10. 27, 89두1).

③ ×

> 행정처분의 취소 또는 무효확인을 구하는 행정소송은 다른 법률에 특별한 규정이 없는 한 소송의 대상인 행정처분 등을 외부적으로 그의 명의로 행한 행정청을 피고로 하여야 하는 것으로서 그 행정처분을 하게 된 연유가 상급행정청이나 타행정청의 지시나 통보에 의한 것이라 하여 다르지 않다고 할 것이다(대판 1995. 12. 22, 95누14688).

④ ×

피고적격을 가진 자는 처분 등을 행한 행정청, 즉 처분청이 됨이 원칙이다(행정소송법 제13조). 이때 처분청이라 함은 국가 또는 공공단체 등의 의사를 결정하여 외부적으로 표시할 수 있는 기관을 의미한다. 따라서 대외적으로 의사를 표시할 수 있는 기관이 아닌 내부기관은 실질적인 의사가 그 기관에 의하여 결정되더라도 피고적격을 갖지 못한다(예 징계위원회).

정답 20 ②

21 빈출 정답률 53% 중 2018 소방직 9급 변형

행정소송에 관한 설명으로 옳지 않은 것은? (다툼이 있는 경우 판례에 의함)

□□□ ① 행정처분에 대한 무효확인과 취소청구는 서로 양립할 수 없는 청구로서 주위적 · 예비적 청구로서만 병합이 가능하고 선택적 청구로서의 병합이나 단순병합은 허용되지 않는다.

□□□ ② 판례는 항고소송에 있어서 행정청은 피고적격이 인정되며, 국가기관인 시 · 도선거관리위원회 위원장과 충북대학교 총장의 원고가 될 수 있는 당사자능력을 인정하였다.

□□□ ③ 지방의회가 의결한 조례가 그 자체로서 직접 주민의 권리 · 의무에 영향을 미쳐 항고소송의 대상이 되는 경우에도 그 피고는 조례를 공포한 지방자치단체의 장이 된다.

□□□ ④ 처분은 행정청이 행한 구체적 사실에 관한 법집행 행위이므로 일반적 · 추상적 행위는 처분이 아니나, 그 효력이 다른 집행 행위의 매개 없이 그 자체로서 직접 국민의 구체적인 권리와 의무나 법률관계를 규율하는 성격을 가지는 처분법규는 처분이 된다.

① ○

행정처분에 대한 무효확인과 취소청구의 선택적 병합 또는 단순병합은 허용되지 않는다.

행정처분에 대한 무효확인과 취소청구는 서로 양립할 수 없는 청구로서 주위적 · 예비적 청구로서만 병합이 가능하고 선택적 청구의 병합이나 단순병합은 허용되지 아니한다(대판 1999. 8. 20, 97누6889).

② ×

취소소송은 원칙적으로 그 처분 등을 행한 행정청을 피고로 한다. 그리고 판례는 시 · 도선거관리위원회 위원장의 원고적격을 긍정함으로써 당사자능력을 인정한 적이 있으나 충북대학교 총장에 대해서는 부정하였다.

행정소송법 제13조【피고적격】 ① 취소소송은 다른 법률에 특별한 규정이 없는 한 그 처분등을 행한 행정청을 피고로 한다. 다만, 처분 등이 있은 뒤에 그 처분 등에 관계되는 권한이 다른 행정청에 승계된 때에는 이를 승계한 행정청을 피고로 한다.

1. 국가기관인 시 · 도선거관리위원회 위원장은 국민권익위원회가 그에게 소속직원에 대한 중징계요구를 취소하라는 등의 조치요구를 한 것에 대해서 취소소송을 제기할 원고적격을 가진다(대판 2013. 7. 25, 2011두1214).
2. 지방자치단체를 피고로 한 취소소송에서 충북대학교 총장은 원고가 될 수 있는 당사자능력이 없다.
   충북대학교 총장의 소는, 원고 충북대학교 총장이 원고 대한민국이 설치한 충북대학교의 대표자일 뿐 항고소송의 원고가 될 수 있는 당사자능력이 없어 부적법하다(대판 2007. 9. 20, 2005두6935).

③ ○

조례가 항고소송의 대상이 되는 행정처분에 해당되는 경우 피고적격은 공포권자인 지방자치단체의 장에게 있으며, 특히 그 조례가 교육 · 학예에 관한 조례인 경우 공포권자인 교육감이 피고가 된다(대판 1996. 9. 20, 95누8003).

④ ○

처분은 구체적 사실에 관한 행위이어야 하므로 일반적 · 추상적 법령은 원칙적으로 행정소송의 대상이 되는 처분이 될 수 없다. 다만, 집행행위의 개입 없이도 그 자체로서 직접 국민의 구체적인 권리 · 의무나 법적 이익에 영향을 미치는 처분법규의 경우는 항고소송의 대상이 되는 처분에 해당한다.

1. 일반적 · 추상적 법령〔재무부령(현 기획재정부령)〕은 행정소송의 대상이 될 수 없다(대판 1987. 3. 24, 86누656).
2. 어떠한 고시가 일반적 · 추상적 성격을 가질 때에는 법규명령 또는 행정규칙에 해당할 것이지만, 다른 집행행위의 매개 없이 그 자체로서 직접 국민의 구체적인 권리 · 의무나 법률관계를 규율하는 성격을 가질 때에는 행정처분에 해당한다(대판 2006. 9. 22, 2005두2506).

정답 21 ②

22 중
2017 경행경채

행정소송의 피고적격에 대한 설명이다. 아래 ㉠부터 ㉣까지의 설명 중 옳은 것을 모두 고른 것은?

> ㉠ 헌법재판소장이 한 처분에 대한 행정소송의 피고는 헌법재판소 사무처장으로 한다.
> ㉡ 대법원장이 한 처분에 대한 행정소송의 피고는 대법원장이다.
> ㉢ 중앙노동위원회의 처분에 대한 행정소송은 중앙노동위원회 위원장을 피고로 한다.
> ㉣ 국회의장이 행한 처분에 대한 행정소송의 피고는 국회부의장이 된다.

① ㉠, ㉢ ② ㉡, ㉢
③ ㉢, ㉣ ④ ㉠, ㉡

23 중
2017 사회복지직 9급

취소소송에 대한 기술로 옳은 것은? (단, 다툼이 있는 경우 판례에 의함)

① 과세처분취소소송에서 과세처분의 위법성 판단시점은 처분시이므로 과세행정청은 처분 당시의 자료만에 의하여 처분의 적법 여부를 판단하고 처분 당시의 처분사유만을 주장할 수 있다.

② 시행규칙에 법 위반 횟수에 따라 가중처분하게 되어 있는 제재적 처분기준이 규정되어 있다 하더라도, 기간의 경과로 효력이 소멸한 제재적 처분을 취소소송으로 다툴 법률상 이익은 없다.

③ 상급행정청으로부터 내부위임을 받은 데 불과한 하급행정청이 권한 없이 행정처분을 한 경우에는 실제로 그 처분을 행한 하급행정청을 피고로 취소소송을 제기해야 한다.

④ 취소소송을 제기하기 위해서는 처분 등이 존재하여야 하며, 거부처분이 성립하기 위해서는 개인의 신청권이 존재하여야 하고, 여기서 신청권이란 신청인이 신청의 인용이라는 만족적 결과를 얻을 권리를 의미하는 것이다.

① ㉠㉢이 옳은 내용이다.

㉠ ○

> 헌법재판소법 제17조【사무처】⑤ 헌법재판소장이 한 처분에 대한 행정소송의 피고는 헌법재판소 사무처장으로 한다.

㉡ ×

> 법원조직법 제70조【행정소송의 피고】대법원장이 한 처분에 대한 행정소송의 피고는 법원행정처장으로 한다.

㉢ ○

합의제 행정청의 처분에 대해서는 합의제 행정청이 피고가 된다. 그러나 중앙노동위원회의 경우 법률의 규정에 의해 중앙노동위원회가 아닌 중앙노동위원회의 위원장이 피고가 된다.

> 노동위원회법 제27조【중앙노동위원회의 처분에 대한 소송】① 중앙노동위원회의 처분에 대한 소송은 중앙노동위원회 위원장을 피고로 하여 처분의 송달을 받은 날부터 15일 이내에 제기하여야 한다.

㉣ ×

> 국회사무처법 제4조【사무총장】③ 의장이 한 처분에 대한 행정소송의 피고는 사무총장으로 한다.

① ×

> 항고소송에 있어서 행정처분의 위법 여부를 판단하는 기준시점에 대하여 판결시가 아니라 처분시라고 하는 의미는 행정처분이 있을 때의 법령과 사실상태를 기준으로 하여 위법 여부를 판단할 것이며 처분 후 법령의 개폐나 사실상태의 변동에 영향을 받지 않는다는 뜻이고 처분 당시 존재하였던 자료나 행정청에 제출되었던 자료만으로 위법 여부를 판단한다는 의미는 아니므로, 처분 당시의 사실상태 등에 대한 입증은 사실심변론종결 당시까지 할 수 있고, 법원은 행정처분 당시 행정청이 알고 있었던 자료뿐만 아니라 사실심변론종결 당시까지 제출된 모든 자료를 종합하여 처분 당시 존재하였던 객관적 사실을 확정하고 그 사실에 기초하여 처분의 위법 여부를 판단할 수 있다(대판 1993. 5. 27, 92누19033).

② ×

판례는 법 위반 횟수에 따라 가중처분을 하도록 하는 내용이 법률에 규정되어 있든, 법규명령에 규정되어 있든, 행정규칙에 규정되어 있든지를 불문하고 가중처분을 하도록 되어 있으면 소의 이익을 긍정한다. 따라서 법 위반 횟수에 따라 가중처분하게 되어 있는 제재적 처분기준이 시행규칙에 규정되어 있더라도 소의 이익은 있다(필수편 21 ① 해설 참조).

③ ○

> 상급행정청으로부터 내부위임을 받은 데 불과한 하급행정청이 권한 없이 한 행정처분에 대한 행정소송의 피고적격이 있는 자는 처분을 행할 적법한 권한 있는 상급행정청이 아닌 실제로 처분을 행한 하급행정청이다(대판 1991. 2. 22, 90누5641).

④ 제37강 참조 ×

> 거부처분의 처분성을 인정하기 위한 전제요건이 되는 신청권의 존부는 신청인이 누구인가를 고려하지 않고 관계법규해석에 의해 일반국민에게 신청권을 인정하고 있는가를 살펴 추상적으로 결정되는 것이고 신청의 인용이라는 만족적 결과를 얻을 권리를 의미하는 것은 아니다(대판 1996. 6. 11, 95누12460).

정답 22 ① 23 ③

24 상

2014 지방직 7급

다음 중 행정소송의 피고적격에 대한 설명으로 옳은 것만을 모두 고른 것은? (다툼이 있는 경우 판례에 의함)

> □□□ ㉠ 국회의장이 행한 처분의 경우 국회사무총장이 피고가 된다.
> □□□ ㉡ 당사자소송은 국가·공공단체 그 밖의 권리주체가 피고가 된다.
> □□□ ㉢ 처분 등이 있은 뒤에 그 처분 등에 관계되는 권한이 다른 행정청에 승계된 때에는 이를 승계한 행정청이 피고가 된다.
> □□□ ㉣ 대통령이 행한 처분의 경우 국무총리가 피고가 된다.
> □□□ ㉤ 구 저작권법상 저작권등록처분에 대한 무효확인소송에서 저작권심의조정위원회위원장이 피고가 된다.
> □□□ ㉥ 시·도의 교육·학예에 관한 조례가 항고소송의 대상이 되는 경우에는 지방자치단체장이 피고가 된다.

① ㉠, ㉡, ㉢　　② ㉠, ㉤, ㉥
③ ㉡, ㉣, ㉤　　④ ㉢, ㉣, ㉥

① ㉠㉡㉢이 옳은 설명이다.

㉠ ○

국회의장이 행한 처분에 대한 행정소송의 피고는 국회사무총장이 되며, 대법원장이 행한 처분에 대한 행정소송의 피고는 법원행정처장으로 하고, 헌법재판소장이 행한 처분에 대한 행정소송의 피고는 헌법재판소 사무처장으로 한다.

㉡ ○

> **행정소송법 제39조【피고적격】** 당사자소송은 국가·공공단체 그 밖의 권리주체를 피고로 한다.

㉢ ○

> **행정소송법 제13조【피고적격】** ① 취소소송은 다른 법률에 특별한 규정이 없는 한 그 처분 등을 행한 행정청을 피고로 한다. 다만, 처분 등이 있은 뒤에 그 처분 등에 관계되는 권한이 다른 행정청에 승계된 때에는 이를 승계한 행정청을 피고로 한다.

㉣ ×

법률에 특별한 규정이 있는 경우에는 처분청 외에도 피고가 될 수 있는바 공무원 등에 대한 징계, 기타 불이익처분의 처분청이 대통령인 경우에는 소속장관이 피고가 된다. 예컨대, 대통령의 검사임용거부와 관련된 취소소송의 피고적격을 가지는 자는 소속장관인 법무부장관이다(대결 1990. 3. 14, 90두4).

㉤ ×

합의제 행정기관의 경우 원칙적으로 합의제 행정기관의 장이 아니라 합의제 행정기관이 된다.

> 저작권등록처분에 대한 무효확인소송에서 피고적격자는 저작권심의조정위원회이다(대판 2009. 7. 9, 2007두16608).

㉥ ×

조례가 항고소송의 대상이 되는 행정처분에 해당되는 경우 피고적격은 공포권자인 지방자치단체의 장에게 있으며, 특히 그 조례가 교육·학예에 관한 조례인 경우 공포권자인 교육감이 피고가 된다는 것이 판례의 입장이다(대판 1996. 9. 20, 95누8003).

정답 24 ①

관련기출

㉠

1. 국회의장이 행한 처분에 대한 행정소송의 피고는 국회의원이 된다. (○, ×)
2008 관세사

1. ×

④ 공동소송인, 소송참가, 소송대리인

25 정답률 48% 상 2020 지방직 · 서울시 9급

행정소송의 소송요건 등에 대한 설명으로 옳지 않은 것은? (다툼이 있는 경우 판례에 의함)

① 통상 고시 또는 공고에 의하여 행정처분을 하는 경우 그 행정처분에 이해관계를 갖는 사람이 고시 또는 공고가 있었다는 사실을 현실적으로 알았는지 여부에 관계없이 고시 또는 공고가 효력을 발생한 날에 행정처분이 있음을 알았다고 보아야 한다.

② 행정소송법상 제3자 소송참가의 경우 참가인이 상소를 하였더라도, 소송당사자 본인인 피참가인은 참가인의 의사에 반하여 상소취하나 상소포기를 할 수 있다.

③ 무효인 과세처분에 근거하여 세금을 납부한 경우 부당이득반환청구의 소로써 직접 위법상태의 제거를 구할 수 있는지 여부와 관계없이 행정소송법 제35조에 규정된 '무효확인을 구할 법률상 이익'을 가진다.

④ 공법상 당사자소송으로서 납세의무부존재확인의 소는 과세처분을 한 과세관청이 아니라 행정소송법 제3조 제2호, 제39조에 의하여 그 법률관계의 한쪽 당사자인 국가 · 공공단체, 그 밖의 권리주체가 피고적격을 가진다.

① ○

> 불특정 다수인에게 고시 또는 공고하는 경우 상대방이 고시 또는 공고사실을 현실적으로 알았는지와 무관하게 고시가 효력이 발생하는 날에 처분이 있음을 알았다고 보아야 한다(대판 2007. 6. 14, 2004두619).

② ×

행정소송법상 제3자 소송참가의 경우 참가인과 피참가인에게 유리한 행위는 참가인과 피참가인 중 1인이 하여도 전원에 대하여 효력이 생기는 반면 불리한 행위는 전원이 함께하지 않는 한 효력이 없다. 지문에서 참가인이 상소를 했다고 한 것은 원심에서 각하나 기각판결 등 불리한 판결을 받았다는 뜻인데 상소취하나 상소포기를 하게 되면 원고 패소판결인 원심판결이 확정되는 효과가 발생하므로 참가인에게 불리하다. 따라서 피참가인은 참가인의 의사에 반하여 상소취하나 상소포기를 할 수 없다는 것이 판례의 입장이다.

> 피참가인의 소송행위는 모두의 이익을 위하여서만 효력을 가지고, 보조참가인에게 불이익이 되는 것은 효력이 없으므로, 참가인이 상소를 할 경우에 피참가인이 상소취하나 상소포기를 할 수는 없다(대판 2017. 10. 12, 2015두36836).

> **행정소송법 제16조【제3자의 소송참가】** ④ 제1항의 규정에 의하여 소송에 참가한 제3자에 대하여는 민사소송법 제67조의 규정을 준용한다.
>
> **민사소송법 제67조【필수적 공동소송에 대한 특별규정】** ① 소송목적이 공동소송인 모두에게 합일적으로 확정되어야 할 공동소송의 경우에 공동소송인 가운데 한 사람의 소송행위는 모두의 이익을 위하여서만 효력을 가진다.

③ 제40강 참조 ○

무효인 조세부과처분에 대하여 세금을 납부한 자가 부당이득반환청구소송 등 실질적으로 권익을 구제받고자 하는 다른 소송을 제기하여 그 소송에서 처분의 무효를 주장하여 구제받을 수 있다 하더라도 조세부과처분의 무효확인소송을 독립된 소로서 제기할 수 있다는 것이 판례의 입장이다.

> 1. 항고소송으로 무효확인소송을 제기하는 경우 무효확인소송의 '보충성'이 요구되는 것은 아니다.
> 2. 행정소송법 제35조에 규정된 '무효확인을 구할 법률상 이익'이 있는지를 판단할 때 행정처분의 무효를 전제로 한 이행소송 등과 같은 직접적인 구제수단이 있는지를 따져볼 필요가 없다(대판 2008. 3. 20, 2007두6342 전합).

④ ○

> 납세의무부존재확인의 소는 공법상의 법률관계 그 자체를 다투는 소송으로서 당사자소송이라 할 것이므로 행정소송법 제3조 제2호, 제39조에 의하여 그 법률관계의 한쪽 당사자인 국가 · 공공단체 그 밖의 권리주체가 피고적격을 가진다(대판 2000. 9. 8, 99두2765).

정답 25 ②

26

정답률 35% 상 2018 국가직 7급

행정소송법상 행정청의 소송참가에 대한 설명으로 옳지 않은 것은?

□□□ ① 법원은 다른 행정청을 취소소송에 참가시킬 필요가 있다고 인정할 때에는 당사자 또는 당해 행정청의 신청 또는 직권에 의하여 결정으로써 그 행정청을 소송에 참가시킬 수 있다.

□□□ ② 행정청의 소송참가는 당사자소송에서도 허용된다.

□□□ ③ 소송참가할 수 있는 행정청이 자기에게 책임 없는 사유로 소송에 참가하지 못함으로써 판결의 결과에 영향을 미칠 공격 · 방어방법을 제출하지 못한 때에는 이를 이유로 확정된 종국판결에 대하여 재심을 청구할 수 있다.

□□□ ④ 행정청의 소송참가는 처분의 효력 유무가 민사소송의 선결문제가 되어 당해 민사소송의 수소법원이 이를 심리 · 판단하는 경우에도 허용된다.

관련기출

③

1. 처분 등을 취소하는 판결에 의하여 권리 또는 이익을 침해받은 제3자는 소송에 참가하지 못함으로써 판결의 결과에 영향을 미칠 공격 또는 방어 방법을 제출하지 못한 때에는 그 귀책사유 여부와 관계없이 확정된 종국판결에 대하여 재심의 청구를 할 수 있다. (○, ×) 2015 국회직 8급

1. ×

① ○

행정소송법 제17조【행정청의 소송참가】 ① 법원은 다른 행정청을 소송에 참가시킬 필요가 있다고 인정할 때에는 당사자 또는 당해 행정청의 신청 또는 직권에 의하여 결정으로써 그 행정청을 소송에 참가시킬 수 있다.
② 법원은 제1항의 규정에 의한 결정을 하고자 할 때에는 당사자 및 당해 행정청의 의견을 들어야 한다.
③ 제1항의 규정에 의하여 소송에 참가한 행정청에 대하여는 민사소송법 제76조의 규정을 준용한다.

② ○

당사자소송에서는 행정소송법 제17조 행정청의 소송참가에 관한 규정을 준용한다.

행정소송법 제17조【행정청의 소송참가】 ① 법원은 다른 행정청을 소송에 참가시킬 필요가 있다고 인정할 때에는 당사자 또는 당해 행정청의 신청 또는 직권에 의하여 결정으로써 그 행정청을 소송에 참가시킬 수 있다.

제44조【준용규정】 ① 제14조 내지 제17조, 제22조, 제25조, 제26조, 제30조 제1항, 제32조 및 제33조의 규정은 당사자소송의 경우에 준용한다.

③ ×

소송에 참가할 수 있는 제3자는 일정한 사유가 있는 경우에 재심청구를 할 수 있으나, 행정청의 경우에는 그러하지 아니하다.

행정소송법 제31조【제3자에 의한 재심청구】 ① 처분 등을 취소하는 판결에 의하여 권리 또는 이익의 침해를 받은 제3자는 자기에게 책임 없는 사유로 소송에 참가하지 못함으로써 판결의 결과에 영향을 미칠 공격 또는 방어방법을 제출하지 못한 때에는 이를 이유로 확정된 종국판결에 대하여 재심의 청구를 할 수 있다.
② 제1항의 규정에 의한 청구는 확정판결이 있음을 안 날로부터 30일 이내, 판결이 확정된 날로부터 1년 이내에 제기하여야 한다.

④ ○

행정소송법 제11조【선결문제】 ① 처분 등의 효력 유무 또는 존재 여부가 민사소송의 선결문제로 되어 당해 민사소송의 수소법원이 이를 심리 · 판단하는 경우에는 제17조, 제25조, 제26조 및 제33조의 규정을 준용한다.
② 제1항의 경우 당해 수소법원은 그 처분 등을 행한 행정청에게 그 선결문제로 된 사실을 통지하여야 한다.

정답 26 ③

27 중 2010 국회직 8급

행정소송에 관한 설명 중 옳지 않은 것은? (다툼이 있는 경우 판례에 따름)

□□□ ① 기간제로 임용된 국공립대학의 조교수에 대해 임용기간의 만료를 이유로 재임용을 거부한 임용기간만료의 통지는 행정소송의 대상이 되는 처분에 해당한다.

□□□ ② 관련청구소송의 병합에 있어서는 취소소송의 적법성이 전제되어야 하며, 사실심변론종결 전에 관련청구가 병합되어야 한다.

□□□ ③ 국가는 국토이용계획과 관련한 기관위임사무의 처리에 관하여 지방자치단체의 장을 상대로 취소소송을 제기할 수 있다.

□□□ ④ 소송참가인의 지위의 성질에 대해서는 공동소송적 보조참가와 비슷하다는 것이 통설이다.

□□□ ⑤ "행정청이 소송의 대상인 처분을 소가 제기된 후 변경한 때에는 원고의 신청에 의하여 법원의 결정으로써 청구의 취지 또는 원인의 변경을 허가할 수 있다."는 행정소송법 제22조는 소의 각하나 새로운 소의 제기라는 무용한 절차의 반복을 배제하여 간편하고도 신속하게 개인의 권익구제를 확보할 수 있다.

① 제37강 참조 ○

대학 교원의 임용권자가 기간제로 임용되어 임용기간이 만료된 조교수에 대하여 재임용을 거부하는 취지로 한 임용기간만료의 통지는 행정소송의 대상이 되는 처분에 해당한다(대판 2004. 4. 22, 2000두7735 전합).

② ○

취소소송에 관련청구를 병합하는 경우 그러한 병합은 사실심변론종결 전까지 가능하며, 취소소송의 적법성이 전제되어야 한다.

행정소송법 제38조, 제10조에 의한 관련청구소송의 병합은 본래의 항고소송이 적법할 것을 요건으로 하는 것이어서 본래의 항고소송이 부적법하여 각하되면 그에 병합된 관련청구도 소송요건을 흠결한 부적합한 것으로 각하되어야 한다(대판 2001. 11. 27, 2000두697).

③ ×

국가는 국토이용계획과 관련한 기관위임사무의 처리에 관하여 지방자치단체의 장을 상대로 취소소송을 제기할 수 없다.

건설교통부장관(현 국토교통부장관)은 지방자치단체의 장에게 기간을 정하여 직무이행명령을 하고 지방자치단체의 장이 이를 이행하지 아니할 때에는 직접 필요한 조치를 할 수도 있으므로, 국가가 국토이용계획과 관련한 지방자치단체의 장의 기관위임사무의 처리에 관하여 지방자치단체의 장을 상대로 취소소송을 제기하는 것은 허용되지 않는다(대판 2007. 9. 20, 2005두6935).

④ ○

+ 제3자의 소송참가와 행정청의 소송참가의 비교

구 분	제3자의 소송참가 (행정소송법 제16조)	행정청의 소송참가 (행정소송법 제17조)
참가방법	당사자 또는 제3자의 신청 및 법원 직권	당사자 또는 행정청의 신청 및 법원 직권
참가인의 지위	공동소송적 보조참가인	보조참가인
소송행위	피참가인의 소송행위와 저촉되는 행위도 가능	피참가인의 소송행위와 저촉되는 행위는 불가

⑤ ○

행정소송법 제22조는 처분변경으로 인한 소변경에 관한 조문인바, 이는 처분이 변경된 경우 변경 전의 처분에 대한 소는 각하될 수밖에 없으므로 당사자의 권익구제와 또한 변경된 처분에 대한 새로운 소를 제기하는 절차를 밟는 것보다는 당초 소송절차에서 소변경이라는 간이한 절차를 통함으로써 쓸데없는 절차의 반복을 피하는 데 그 취지가 있다.

정답 27 ③

28 상 2012 국가직 9급

제3자의 소송참가에 대한 설명으로 옳지 않은 것은?

□□□ ① 제3자의 소송참가에는 신청에 의한 경우와 직권에 의한 경우가 있다.

□□□ ② 행정소송법은 제3자 보호를 위하여 제3자의 소송참가 외에 제3자의 재심청구를 인정하고 있다.

□□□ ③ 취소소송의 제3자 소송참가에 관한 규정은 무효등확인소송, 부작위위법확인소송, 당사자소송에도 준용된다.

□□□ ④ 제3자는 판결의 형성력에 의해 권리 또는 이익의 침해를 받을 자를 말하며, 판결의 기속력에 의해 권리 또는 이익의 침해를 받는 경우는 포함되지 않는다.

① ○

행정소송법 제16조【제3자의 소송참가】 ① 법원은 소송의 결과에 따라 권리 또는 이익의 침해를 받을 제3자가 있는 경우에는 당사자 또는 제3자의 신청 또는 직권에 의하여 결정으로써 그 제3자를 소송에 참가시킬 수 있다.

② ○

행정소송법 제31조【제3자에 의한 재심청구】 ① 처분 등을 취소하는 판결에 의하여 권리 또는 이익의 침해를 받은 제3자는 자기에게 책임 없는 사유로 소송에 참가하지 못함으로써 판결의 결과에 영향을 미칠 공격 또는 방어방법을 제출하지 못한 때에는 이를 이유로 확정된 종국판결에 대하여 재심의 청구를 할 수 있다.

③ ○

소송참가제도는 취소소송 이외의 다른 항고소송(무효등확인소송과 부작위위법확인소송), 당사자소송, 민중소송 및 기관소송에도 준용된다(행정소송법 제16조, 제38조 제1 · 2항, 제44조, 제46조).

④ ×

'소송의 결과'에 따라 권리 또는 이익의 침해를 받는다는 것은 취소판결의 결과 직접 자기의 권리 또는 이익을 침해받는 것을 말한다. 구체적으로 보면 형성력 자체에 의하여 직접 자신의 권리 또는 이익의 침해를 받는 경우뿐만 아니라 취소판결의 기속력 때문에 이루어지는 행정청의 새로운 처분에 의해서 권리 또는 이익을 침해받는 경우도 역시 여기서 말하는 권리 또는 이익을 침해받는 경우에 해당한다.

예컨대, 동일한 구역에 2인이 하천점용허가를 신청한 경우, 즉 경원관계를 생각해 보자. 이 경우에 허가를 받지 못한 신청인이 허가처분의 취소를 청구한 경우에 이 소송에서 허가처분이 취소되면 허가를 받은 제3자는 판결의 형성력에 의해 허가처분의 효력을 상실하게 되므로 제3자로서 소송참가를 할 수 있다. 또 다른 경우, 허가를 받지 못한 자가 자신에 대한 거부처분의 취소소송을 제기하여 승소하면 다른 신청인에 대한 허가처분이 당연히 효력을 상실하게 되지는 않지만 판결의 기속력에 의해 처분청은 다른 신청에 대한 허가처분을 취소할 수 있기 때문에 허가처분을 받은 자는 소송참가를 할 수 있는 제3자가 된다.

정답 28 ④

제 37 강 항고소송 2(처분 등)

1회독	2회독	3회독
/	/	/

⊘정답률 공단기/소방단기 합격예측 풀서비스 통계 데이터 기준 기 기본서 핵 핵심집약

01 처분 등의 존재(대상적격의 문제)

기 815~845쪽 핵 T 68~69

❶ 처분(취소소송의 제1대상)

01 상 2024 변호사

행정처분의 변경에 따른 효과에 관한 설명 중 옳은 것을 모두 고른 것은? (다툼이 있는 경우 판례에 의함)

□□□ ㉠ 집단에너지사업허가의 주요 부분을 실질적으로 변경하는 내용으로 사업변경허가를 한 경우에 본래의 집단에너지사업허가는 특별한 사정이 없는 한 그 효력을 상실한다.

□□□ ㉡ 선행처분이 후행처분에 의하여 변경되지 아니한 범위 내에서 존속하고 후행처분은 선행처분의 내용 중 일부를 변경하는 범위 내에서 효력을 가지는 경우에, 선행처분에만 존재하는 취소사유를 이유로 후행처분의 취소를 청구할 수 있다.

□□□ ㉢ 당초의 조세부과처분의 과세표준과 세액을 증액하는 경정처분이 있으면 당초처분은 경정처분에 흡수됨으로써 독립한 존재가치를 잃게 된다.

□□□ ㉣ 당초의 과징금 부과처분을 한 후 그 과징금 액수를 감액하는 처분을 한 경우, 감액처분은 당초처분과 별개인 독립의 과징금 부과처분이 아니라 그 실질은 당초 과징금의 일부취소라는 유리한 결과를 가져오는 처분에 불과하므로 독립한 항고소송의 대상이 되지 않는다.

□□□ ㉤ 영업정지처분을 영업자에게 유리하게 변경하는 처분을 한 경우 당초의 영업정지처분은 변경처분에 흡수되어 독립한 존재가치를 잃게 된다.

① ㉠, ㉡, ㉢
② ㉠, ㉢, ㉣
③ ㉠, ㉣, ㉤
④ ㉡, ㉢, ㉣
⑤ ㉡, ㉣, ㉤

㉠ ○
㉡ ×

1. 선행처분의 주요 부분을 실질적으로 변경하는 내용으로 후행처분을 한 경우에 선행처분은 특별한 사정이 없는 한 그 효력을 상실하지만(㉠), 후행처분이 있었다고 하여 일률적으로 선행처분이 존재하지 않게 되는 것은 아니고 선행처분의 내용 중 일부만을 소폭 변경하는 정도에 불과한 경우에는 선행처분이 소멸한다고 볼 수 없다.
2. 선행처분이 후행처분에 의하여 변경되지 아니한 범위 내에서 존속하고 후행처분은 선행처분의 내용 중 일부를 변경하는 범위 내에서 효력을 가지는 경우에, 선행처분의 취소를 구하는 소를 제기한 후 후행처분의 취소를 구하는 청구를 추가하여 청구를 변경하였다면 후행처분에 관한 제소기간 준수 여부는 청구변경 당시를 기준으로 판단하여야 하나, 선행처분에만 존재하는 취소사유를 이유로 후행처분의 취소를 청구할 수는 없다(㉡)(대판 2012. 12. 13, 2010두20782 · 20799).

㉢ ○

과세관청이 과세처분을 한 뒤에 과세표준과 세액을 증액하는 것으로 다시 경정하는 처분을 하는 경우, 그 증액경정처분은 당초 결정된 과세표준과 세액을 그대로 둔 채 탈루된 부분만을 추가하는 것이 아니라 증액되는 부분을 포함시켜 전체로서 하나의 과세표준과 세액을 다시 결정하는 것이므로, 당초 결정은 증액경정처분에 흡수됨으로써 독립된 존재가치를 잃게 된다고 보아야 할 것이어서 증액경정처분만이 항고소송의 심판대상이 된다(대법원 2011. 10. 13, 선고 2009두22270).

㉣ **빈출** ○

행정청이 과징금 부과처분을 하였다가 **감액처분**을 한 것에 대하여 그 감액처분으로도 아직 취소되지 않고 남아 있는 부분이 위법하다고 하여 다투는 경우 **항고소송의 대상**은 **처음의 부과처분 중** 감액처분에 의하여 취소되지 않고 **남은 부분**이고 감액처분이 항고소송의 대상이 되는 것은 아니다(대판 2008. 2. 15, 2006두3957).

㉤ ×

행정청이 식품위생법령에 따라 영업자에게 행정제재처분을 한 후 당초처분을 영업자에게 유리하게 변경하는 처분을 한 경우, 취소소송의 대상 및 제소기간의 판단기준이 되는 처분은 변경된 내용의 당초처분이다.
행정청이 식품위생법령에 따라 영업자에게 행정제재처분을 한 후 그 처분을 영업자에게 유리하게 변경하는 처분을 한 경우, 변경처분에 의하여 당초 처분은 소멸하는 것이 아니고 당초부터 유리하게 변경된 내용의 처분으로 존재하는 것이므로, 변경처분에 의하여 유리하게 변경된 내용의 행정제재가 위법하다 하여 그 취소를 구하는 경우 그 취소소송의 대상은 변경된 내용의 당초 처분이지 변경처분은 아니고, 제소기간의 준수 여부도 변경처분이 아닌 변경된 내용의 당초 처분을 기준으로 판단하여야 한다(대판 2007. 4. 27, 2004두9302).

정답 01 ②

02 중 2023 변호사

항고소송의 대상인 처분에 관한 설명으로 옳지 않은 것은? (다툼이 있는 경우 판례에 의함)

□□□ ① 국회의원에 대한 징계처분에 대하여는 헌법 제64조 제4항이 법원에 제소할 수 없다고 규정하고 있으므로 행정소송의 대상이 되지 아니하나, 그러한 특별한 규정이 없는 지방의회 의원에 대한 징계의결은 항고소송의 대상이 된다.

□□□ ② 청소년유해매체물 결정 및 고시처분은 일반 불특정 다수인에 대하여 청소년에 대한 판매 · 대여 등의 금지의무 등 각종 의무를 발생시키는 행정처분으로서, 방송통신심의위원회와 여성가족부장관이 특정 인터넷 웹사이트에 대하여 청소년유해매체물 결정 및 고시처분이 있었음을 해당 웹사이트 운영자에게 통지하지 않았더라도 위 처분의 효력이 발생하지 아니한 것으로 볼 수 없다.

□□□ ③ 법무부장관의 입국금지결정이 공식적인 방법으로 외부에 표시된 것이 아니라 단지 그 정보를 내부전산망인 '출입국관리정보시스템'에 입력하여 관리한 것에 지나지 않는 경우라면, 위 입국금지결정은 항고소송의 대상이 될 수 있는 처분에 해당하지 않는다.

□□□ ④ 공기업 · 준정부기관이 법령 또는 계약에 근거하여 선택적으로 입찰참가자격제한조치를 할 수 있는 경우, 계약상대방에 대한 입찰참가자격제한조치가 법령에 근거한 행정처분인지 아니면 계약에 근거한 권리행사인지는 원칙적으로 의사표시 해석의 문제이다.

□□□ ⑤ 근로복지공단이 사업주에 대하여 하는 '개별 사업장의 사업종류 변경결정'만으로는 사업주의 권리 · 의무에 직접적인 변동이나 불이익이 발생한다고 볼 수 없고, 국민건강보험공단이 보험료 부과처분을 함으로써 비로소 사업주에게 현실적인 불이익이 발생하게 되므로, 위 사업종류 변경결정은 항고소송의 대상이 되는 처분에 해당하지 않는다.

관련기출

⑤

1. 근로복지공단이 사업주에 대하여 하는 개별 사업장의 사업종류변경결정은 사업종류결정의 주체, 내용과 결정기준을 고려할 때 확인적 행정행위로서 처분에 해당한다. (○, ×) 2021 국회직 8급

1. ○

① ○

국회의원에 대한 징계처분과 달리 지방의회 의원에 대한 징계의결은 행정소송의 대상이 된다.

> 헌법 제64조 ② 국회는 의원의 자격을 심사하며, 의원을 징계할 수 있다.
> ④ 제2항과 제3항의 처분에 대하여는 법원에 제소할 수 없다.

> 지방의회 의원제명의결은 행정처분으로서 행정소송의 대상이 된다.
> 지방자치법 제78조 내지 제81조의 규정에 의거한 지방의회의 의원징계의결은 그로 인해 의원의 권리에 직접 법률효과를 미치는 행정처분의 일종으로서 행정소송의 대상이 되고 …… (대판 1993. 11. 26, 93누7341)

② 제15강 참조 ○

> 1. 구 청소년보호법에 따른 청소년유해매체물 결정 · 고시처분은 행정처분이다.
>   구 청소년보호법에 따른 청소년유해매체물 결정 및 고시처분은 당해 유해매체물의 소유자 등 특정인만을 대상으로 한 행정처분이 아니라 일반 불특정 다수인을 상대방으로 하여 일률적으로 표시의무, 포장의무, 청소년에 대한 판매 · 대여 등의 금지의무 등 각종 의무를 발생시키는 행정처분이다.
> 2. 정보통신윤리위원회(현 방송통신심의위원회)가 특정 인터넷 웹사이트를 청소년유해매체물로 결정하고 청소년보호위원회가 효력발생시기를 명시하여 고시함으로써 그 명시된 시점에 효력이 발생하였다.
> 3. 정보통신윤리위원회와 청소년보호위원회가 위 처분이 있었음을 위 웹사이트 운영자에게 제대로 통지하지 아니하였다고 하여 그 효력 자체가 발생하지 아니한 것으로 볼 수는 없다(대판 2007. 6. 14, 2004두619).

③ 제15강 참조 ○

> 병무청장이 법무부장관에게 "가수 甲이 공연을 위하여 국외여행허가를 받고 출국한 후 미국 시민권을 취득함으로써 사실상 병역의무를 면탈하였으므로 재외동포 자격으로 재입국하고자 하는 경우 국내에서 취업, 가수활동 등 영리활동을 할 수 없도록 하고, 불가능할 경우 입국 자체를 금지해 달라."고 요청함에 따라 법무부장관이 甲의 입국을 금지하는 결정을 하고, 그 정보를 내부전산망인 '출입국관리정보시스템'에 입력하였으나, 甲에게는 통보하지 않은 사안에서, 위 입국금지결정은 항고소송의 대상이 되는 '처분'에 해당하지 않는다(대판 2019. 7. 11, 2017두38874).

④ ○

> 공기업 · 준정부기관이 법령 또는 계약에 근거하여 선택적으로 입찰참가자격제한조치를 할 수 있는 경우, 계약상대방에 대한 입찰참가자격제한조치가 법령에 근거한 행정처분인지 아니면 계약에 근거한 권리행사인지는 원칙적으로 의사표시의 해석 문제이다(대판 2018. 10. 25, 2016두33537).
> ✚ 조달계약 및 공법상 계약에 관한 입찰참가자격제한이 법적 근거에 따른 경우 처분에 해당한다. 이에 반해 입찰참가자격제한조치가 계약상의 의사표시인 경우에는 항고소송의 대상이 되는 처분이 아니라는 것이 판례의 취지이다.

⑤ ×

> 근로복지공단이 사업주에 대하여 하는 '개별 사업장의 사업종류 변경결정'은 행정청이 행하는 구체적 사실에 관한 법집행으로서의 공권력의 행사인 '처분'에 해당한다(대판 2020. 4. 9, 2019두61137).

정답 02 ⑤

03 빈출 정답률 81% 중 2021 지방직 · 서울시 9급

판례의 입장으로 옳지 않은 것은?

□□□ ① 개인의 고유성, 동일성을 나타내는 지문은 그 정보주체를 타인으로부터 식별가능하게 하는 개인정보이다.

□□□ ② 거부처분의 처분성을 인정하기 위한 전제요건이 되는 신청권은 신청인이 그 신청에 따른 단순한 응답을 받을 권리를 넘어서 신청의 인용이라는 만족적 결과를 얻을 권리를 의미한다.

□□□ ③ 지적공부 소관청의 지목변경신청 반려행위는 국민의 권리관계에 영향을 미치는 것으로서 항고소송의 대상이 되는 행정처분에 해당한다.

□□□ ④ 산업단지개발계획상 산업단지 안의 토지소유자로서 산업단지개발계획에 적합한 시설을 설치하여 입주하려는 자는 산업단지지정권자 또는 그로부터 권한을 위임받은 기관에 대하여 산업단지개발계획의 변경을 요청할 수 있는 법규상 또는 조리상 신청권이 있다.

관련기출

①

1. 판례는 지문(指紋)을 개인정보에 해당하지 않는 것으로 본다. (○, ×) 2016 교육행정직 9급

1. ×

②

1. 신청에 대한 거부행위가 항고소송의 대상인 처분이 되기 위해서는 단순히 신청권의 존재 여부를 넘어서 구체적으로 그 신청이 인용될 수 있는 정도에 이르러야 한다. (○, ×) 2020 변호사
2. 거부행위의 처분성을 인정하기 위한 전제요건이 되는 신청권의 존부는 구체적 사건에서 신청인이 누구인가를 고려하지 말고 관계법규에서 일반국민에게 그러한 신청권을 인정하고 있는가를 살펴 추상적으로 결정하여야 한다. (○, ×) 2019 사회복지직 9급
3. 취소소송을 제기하기 위해서는 처분 등이 존재하여야 하며, 거부처분이 성립하기 위해서는 개인의 신청권이 존재하여야 하고, 여기서 신청권이란 신청인이 신청의 인용이라는 만족적 결과를 얻을 권리를 의미하는 것이다. (○, ×) 2017 사회복지직 9급
4. 신청권은 행정청의 응답을 구하는 권리이며, 신청된 대로의 처분을 구하는 권리는 아니다. (○, ×) 2014 지방직 9급

1. × 2. ○ 3. × 4. ○

① 제22강 참조 ○

> 개인의 고유성, 동일성을 나타내는 지문은 그 정보주체를 타인으로부터 식별가능하게 하는 개인정보이다(헌재 2005. 5. 26, 99헌마513, 2004헌마190 병합).

② **빈출** ×

> 거부처분의 처분성을 인정하기 위한 전제요건이 되는 신청권의 존부는 신청인이 누구인가를 고려하지 않고 관계법규해석에 의해 일반국민에게 신청권을 인정하고 있는가를 살펴 추상적으로 결정되는 것이고 신청의 인용이라는 만족적 결과를 얻을 권리를 의미하는 것은 아니다.
>
> 거부처분의 처분성을 인정하기 위한 전제요건이 되는 신청권의 존부는 구체적 사건에서 신청인이 누구인가를 고려하지 않고 관계법규의 해석에 의하여 일반국민에게 그러한 신청권을 인정하고 있는가를 살펴 추상적으로 결정되는 것이고, 신청인이 그 신청에 따른 단순한 응답을 받을 권리를 넘어서 신청의 인용이라는 만족적 결과를 얻을 권리를 의미하는 것은 아니다. 따라서 국민이 어떤 신청을 한 경우에 그 신청의 근거가 된 조항의 해석상 행정발동에 대한 개인의 신청권을 인정하고 있다고 보여지면 그 거부행위는 항고소송의 대상이 되는 처분으로 보아야 할 것이고, 구체적으로 그 신청이 인용될 수 있는가 하는 점은 본안에서 판단하여야 할 사항인 것이다(대판 1996. 6. 11, 95누12460).

③ ○

지목은 토지소유권을 제대로 행사하기 위한 전제요건으로서 토지소유자의 실체적 권리관계에 밀접하게 관련되어 있으므로 지적공부 소관청의 지목변경신청 반려행위는 국민의 권리관계에 영향을 미치는 것으로서 항고소송의 대상이 되는 행정처분에 해당한다는 것이 판례의 입장이다(대판 2004. 4. 22, 2003두9015).

④ 제18강 참조 ○

> 산업단지개발계획상 산업단지 안의 토지소유자로서 산업단지개발계획에 적합한 시설을 설치하여 입주하려는 자에게 산업단지지정권자 또는 그로부터 권한을 위임받은 기관에 대하여 산업단지개발계획의 변경을 요청할 수 있는 법규상 또는 조리상 신청권이 있으며 따라서 이러한 신청에 대한 거부행위는 항고소송의 대상이 되는 행정처분에 해당한다.
>
> 산업입지에 관한 법령은 산업단지에 적합한 시설을 설치하여 입주하려는 자와 토지소유자에게 산업단지 지정과 관련한 산업단지개발계획 입안과 관련한 권한을 인정하고, 산업단지 지정뿐만 아니라 변경과 관련해서도 이해관계인에 대한 절차적 권리를 보장하는 규정을 두고 있다. 또한 산업단지 안에는 다수의 기반시설 등 도시계획시설 등을 포함하고 있고, 「국토의 계획 및 이용에 관한 법률」의 해석상 도시계획시설부지 소유자에게는 그에 관한 도시 · 군관리계획의 변경 등을 요구할 수 있는 법규상 또는 조리상 신청권이 인정된다고 해석되고 있다. 헌법상 재산권보장의 취지에 비추어 보면 토지의 소유자에게 위와 같은 절차적 권리와 신청권을 인정한 것은 정당하다고 볼 수 있다(대판 2017. 8. 29, 2016두44186).

정답 03 ②

04 ㊤ 2021 국회직 8급

항고소송의 처분 등에 대한 설명으로 옳지 않은 것은? (다툼이 있는 경우 판례에 의함)

□□□ ① 어떠한 처분에 법령상 근거가 있는지, 행정절차법에서 정한 처분절차를 준수하였는지는 본안에서 당해 처분이 적법한가를 판단하는 단계에서 고려할 요소이지, 소송요건 심사단계에서 고려할 요소가 아니다.

□□□ ② 방위사업법령 및 '국방전력발전업무훈령'에 따른 연구개발확인서 발급은 사업관리기관이 개발업체에게 해당 품목의 양산과 관련하여 수의계약의 방식으로 국방조달계약을 체결할 수 있는 지위가 있음을 인정해 주는 확인적 행정행위로서 처분에 해당한다.

□□□ ③ 근로복지공단이 사업주에 대하여 하는 개별 사업장의 사업종류 변경결정은 사업종류결정의 주체, 내용과 결정기준을 고려할 때 확인적 행정행위로서 처분에 해당한다.

□□□ ④ 甲 시장이 감사원으로부터 감사원법에 따라 乙에 대하여 징계의 종류를 정직으로 정한 징계요구를 받게 되자 감사원에 징계요구에 대한 재심의를 청구하였는데 감사원이 재심의청구를 기각한 사안에서, 감사원의 징계요구와 재심의청구 기각결정은 항고소송의 대상이 되는 행정처분이다.

□□□ ⑤ 교육공무원법상 승진후보자명부에 의한 승진심사방식으로 행해지는 승진임용에서 승진후보자명부에 포함되어 있던 후보자를 승진임용인사발령에서 제외하는 행위는 불이익처분으로서 항고소송의 대상인 처분에 해당한다.

관련기출

⑤

1. 교육공무원법상 승진후보자 명부에 의한 승진심사방식으로 행해지는 승진임용에서 승진후보자명부에 있던 후보자를 승진임용인사발령에서 제외하는 행위는 행정처분에 해당한다. (○, ×) 2022 소방간부, 2019 지방직 7급
2. 교육공무원법상 승진후보자명부에 의한 승진심사방식으로 행해지는 승진임용에서 승진후보자명부에 포함되어 있던 후보자를 승진임용인사발령에서 제외하는 행위는 항고소송의 대상인 처분에 해당하지 않는다. (○, ×) 2019 지방직 · 교육행정직 9급
3. 교육공무원법상 승진후보자명부에 의한 승진심사방식으로 행하여지는 승진임용에서 승진후보자명부에 포함되어 있던 후보자를 승진임용인사발령에서 제외하는 행위는 항고소송의 대상이 되는 행정처분에 해당한다. (○, ×) 2019 국회직 8급

1. ○ 2. × 3. ○

① ○

어떠한 처분에 법령상 근거가 있는지, 행정절차법에서 정한 처분절차를 준수하였는지는 본안에서 당해 처분이 적법한가를 판단하는 단계에서 고려할 요소이지, 소송요건 심사단계에서 고려할 요소가 아니라는 것이 판례의 입장이다(대판 2016. 8. 30, 2015두60617).

② ○

국방전력발전업무훈령에 따른 연구개발확인서 발급 및 그 거부는 행정처분이라는 것이 판례의 입장이다(대판 2020. 1. 16, 2019다264700).

③ ○

근로복지공단이 사업주에 대하여 하는 '개별 사업장의 사업종류 변경결정'은 행정청이 행하는 구체적 사실에 관한 법집행으로서의 공권력의 행사인 '처분'에 해당한다는 것이 판례의 입장이다(대판 2020. 4. 9, 2019두61137).

④ ×

감사원의 징계요구와 재심의결정은 항고소송의 대상이 되는 행정처분이라고 할 수 없다는 것이 판례의 입장이다(대판 2016. 12. 27, 2014두5637).

⑤ **빈출** ○

> 교육공무원법상 승진후보자명부에 의한 승진심사방식으로 행해지는 승진임용에서 승진후보자명부에 포함되어 있던 후보자를 승진임용인사발령에서 제외하는 행위는 불이익처분으로서 항고소송의 대상인 처분에 해당한다(대판 2018. 3. 27, 2015두47492).

정답 04 ④

05 빈출 정답률 61% 중 2020 지방직 · 서울시 9급

판례상 항고소송의 대상으로 인정되는 것만을 모두 고르면?

□□□ ㉠ 교도소장이 특정 수형자를 '접견내용 녹음 · 녹화 및 접견시 교도관 참여대상자'로 지정한 행위
□□□ ㉡ 행정청이 토지대장상의 소유자명의변경신청을 거부한 행위
□□□ ㉢ 지방경찰청장(현 시 · 도경찰청장)의 횡단보도 설치행위
□□□ ㉣ 상표권자인 법인에 대한 청산종결등기가 되었음을 이유로 특허청장이 행한 상표권 말소등록행위

① ㉠, ㉡ ② ㉠, ㉢
③ ㉡, ㉣ ④ ㉢, ㉣

관련기출

㉠
1. 교도소장이 수형자를 '접견내용 녹음 · 녹화 및 접견시 교도관 참여대상자'로 지정한 행위는 수형자의 구체적 권리 · 의무에 직접적 변동을 가져오는 행정청의 공법상 행위로서 항고소송의 대상이 되는 처분에 해당한다. (○, ×) 2022 지방직 7급, 2020 군무원 9급

1. ○

㉢
1. 지방경찰청(현 시 · 도경찰청)이 횡단보도를 설치하여 보행자 통행방법 등을 규제하는 것은 행정처분이다. (○, ×) 2019 소방직 9급
2. 지방경찰청장(현 시 · 도경찰청장)의 횡단보도 설치행위는 국민의 구체적인 권리 · 의무에 직접적인 변동을 초래하지 않으므로 행정소송법상 처분에 해당하지 않는다. (○, ×) 2017 사회복지직 9급
3. 구체적 사실을 규율하는 경우라도 불특정 다수인을 상대방으로 하는 처분이라면 행정행위가 아니다. (○, ×) 2016 서울시 9급

1. ○ 2. × 3. ×

② ㉠㉢이 항고소송의 대상이 된다.

㉠ **빈출** ○

교도소장이 수형자 甲을 '접견내용 녹음 · 녹화 및 접견시 교도관 참여대상자'로 지정한 사안에서, 위 지정행위는 수형자의 구체적 권리 · 의무에 직접적 변동을 가져오는 행정청의 공법상 행위로서 항고소송의 대상이 되는 '처분'에 해당한다(대판 2014. 2. 13, 2013두20899).

㉡ ×

행정청이 토지대장의 소유자명의변경신청을 거부한 행위는 항고소송의 대상이 되는 행정처분이 아니다.

토지대장에 기재된 일정한 사항을 변경하는 행위는, 그것이 지목의 변경이나 정정 등과 같이 토지소유권행사의 전제요건으로서 토지소유자의 실체적 권리관계에 영향을 미치는 사항에 관한 것이 아닌 한 행정사무집행의 편의와 사실증명의 자료로 삼기 위한 것일 뿐이어서, 그 소유자 명의가 변경된다고 하여도 이로 인하여 당해 토지에 대한 실체상의 권리관계에 변동을 가져올 수 없고 토지소유권이 지적공부의 기재만에 의하여 증명되는 것도 아니다. 따라서 소관청이 토지대장상의 소유자명의변경신청을 거부한 행위는 이를 항고소송의 대상이 되는 행정처분이라고 할 수 없다(대판 2012. 1. 12, 2010두12354).

㉢ **빈출** ○

지방경찰청장(현 시 · 도경찰청장)이 **횡단보도를 설치**하여 보행자의 통행방법 등을 규제하는 것은, 행정청이 특정사항에 대하여 의무의 부담을 명하는 행위이고 이는 국민의 권리 · 의무에 직접 관계가 있는 행위로서 행정**처분**이라고 보아야 할 것이다(대판 2000. 10. 27, 98두8964).

㉣ ×

상표권자인 법인에 대한 청산종결등기가 되었음을 이유로 한 상표권의 말소등록행위는 항고소송의 대상이 될 수 없다.

상표원부에 상표권자인 법인에 대한 청산종결등기가 되었음을 이유로 상표권의 말소등록이 이루어졌다고 해도 이는 상표권이 소멸하였음을 확인하는 사실적 · 확인적 행위에 지나지 않고, 말소등록으로 비로소 상표권 소멸의 효력이 발생하는 것이 아니어서, 상표권의 말소등록은 국민의 권리 · 의무에 직접적으로 영향을 미치는 행위라고 할 수 없다. 한편 상표법 제39조 제3항의 위임에 따른 특허권 등의 등록령(이하 '등록령'이라 한다) 제27조는 "말소한 등록의 회복을 신청하는 경우에 등록에 대한 이해관계가 있는 제3자가 있을 때에는 신청서에 그 승낙서나 그에 대항할 수 있는 재판의 등본을 첨부하여야 한다."고 규정하고 있는데, 상표권 설정등록이 말소된 경우에도 등록령 제27조에 따른 회복 등록의 신청이 가능하고, 회복신청이 거부된 경우에는 거부처분에 대한 항고소송이 가능하다. 이러한 점들을 종합하면, 상표권자인 법인에 대한 청산종결등기가 되었음을 이유로 한 상표권의 말소등록행위는 항고소송의 대상이 될 수 없다(대판 2015. 10. 29, 2014두2362).

정답 05 ②

06 상 2019 경행경채 2차

행정소송법상 항고소송의 대상에 대한 설명으로 가장 적절하지 않은 것은? (다툼이 있는 경우 판례에 의함)

□□□ ① 징계혐의자에 대한 감봉 1월의 징계처분을 견책으로 변경한 소청결정 중 그를 견책에 처한 조치가 재량권의 남용 또는 일탈로서 위법하다는 사유는 소청결정 자체에 고유한 위법을 주장하는 것으로 볼 수 없어 소청결정의 취소사유가 될 수 없다.

□□□ ② 변경처분에 의하여 유리하게 변경된 내용의 행정제재가 위법하다는 이유로 그 취소를 구하는 경우 취소소송의 대상은 변경된 내용의 당초 처분이지 변경처분은 아니고, 제소기간의 준수 여부도 변경처분이 아닌 변경된 내용의 당초 처분을 기준으로 판단하여야 한다.

□□□ ③ 선행처분의 주요 부분을 실질적으로 변경하는 내용으로 후행처분을 한 경우에 선행처분은 특별한 사정이 없는 한 그 효력을 상실하지만, 후행처분이 있었다고 하여 일률적으로 선행처분이 존재하지 않게 되는 것은 아니다.

□□□ ④ 후속처분이 종전 처분의 유효를 전제로 그 내용 중 일부만을 추가·철회·변경하는 것이고 그 추가·철회·변경된 부분이 나머지 부분과 불가분적인 것인 경우에는 후속처분에도 불구하고 종전 처분이 여전히 항고소송의 대상이 된다고 보아야 한다.

관련기출

①

1. 소청심사위원회가 징계혐의자에 대한 감봉 1월의 징계처분을 견책으로 변경한 소청결정 중 그를 견책에 처한 조치는 재량권의 남용 또는 일탈로서 위법하다는 주장은 소청결정 자체에 고유한 위법을 주장하는 것으로 볼 수 없다. (○, ×) 2012 서울시 9급

1. ○

③④

1. 종전처분이 주요 부분을 실질적으로 변경하는 내용의 새로운 처분으로 대체되었다면, 종전처분의 효력은 소급하여 소멸한다. (○, ×) 2024 국회직 8급

1. ×

① ○

징계혐의자에 대한 감봉 1월의 징계처분을 견책으로 변경한 소청결정이 재량남용으로 위법하다는 주장은 소청결정 자체에 고유한 위법을 주장하는 것으로 볼 수 없어 소청결정의 취소사유가 될 수 없다.

항고소송은 원칙적으로 당해 처분을 대상으로 하나, 당해 처분에 대한 재결 자체에 고유한 주체, 절차, 형식 또는 내용상의 위법이 있는 경우에 한하여 그 재결을 대상으로 할 수 있다고 해석되므로, 징계혐의자에 대한 감봉 1월의 징계처분을 견책으로 변경한 소청결정 중 그를 견책에 처한 조치는 재량권의 남용 또는 일탈로서 위법하다는 사유는 소청결정 자체에 고유한 위법을 주장하는 것으로 볼 수 없어 소청결정의 취소사유가 될 수 없다(대판 1993. 8. 24, 93누5673).

② **빈출** ○

1. 처분변경명령재결에 따른 변경처분의 경우 취소소송의 대상은 변경된 내용의 당초 처분이며 제소기간은 재결서의 정본을 송달받은 날로부터 90일 이내이다.
2. 행정청이 식품위생법령에 따라 영업자에게 행정제재처분을 한 후 당초 처분을 영업자에게 유리하게 변경하는 처분을 한 경우, 취소소송의 대상 및 제소기간의 판단기준이 되는 처분은 '변경된 내용의 당초 처분'이다(대판 2007. 4. 27, 2004두9302).

③ ○

④ ×

추가·철회·변경된 부분이 나머지 부분과 불가분적인 것인 경우가 아니라 불가분적인 것이 아닌 경우에는, 후속처분에도 불구하고 종전 처분이 여전히 항고소송의 대상이 된다.

1. 기존의 행정처분을 변경하는 내용의 행정처분이 뒤따르는 경우, 후속처분이 종전 처분을 완전히 대체하는 것이거나 그 주요 부분을 실질적으로 변경하는 내용인 경우에는 특별한 사정이 없는 한 종전 처분은 그 효력을 상실하고 후속처분만이 항고소송의 대상이 된다(③).
2. 그러나 후속처분의 내용이 종전 처분의 유효를 전제로 그 내용 중 일부만을 추가·철회·변경하는 것이고 그 추가·철회·변경된 부분이 그 내용과 성질상 나머지 부분과 불가분적인 것이 아닌 경우에는, 후속처분에도 불구하고 종전 처분이 여전히 항고소송의 대상이 된다고 보아야 한다(③④)(대판 2015. 11. 19, 2015두295 전합).

정답 06 ④

07 중 2018 경행경채

항고소송의 소송요건에 대한 설명으로 가장 적절하지 않은 것은? (다툼이 있는 경우 판례에 의함)

□□□ ① 지방의회의장에 대한 불신임의결은 행정처분으로 볼 수 없으므로 항고소송의 대상이 되지 아니한다.

□□□ ② 현역병입영대상자로 병역처분을 받은 자가 그 취소소송 도중에 모병에 응하여 현역병으로 자진입대한 경우에는 권리보호의 필요가 없는 경우로서 소의 이익을 인정할 수 없다.

□□□ ③ 검사의 공소에 대하여는 형사소송절차에 의하여서만 다툴 수 있고 행정소송의 방법으로 공소의 취소를 구할 수는 없다.

□□□ ④ 행정심판전치주의의 요건을 충족하였는지의 여부는 사실심변론종결시를 기준으로 한다.

관련기출

①

1. 지방의회의장에 대한 불신임의결은 의장으로서의 권한을 박탈하는 것으로서 행정처분에 해당한다. (○, ×) 2015 국회직 8급
2. 지방의회의장에 대한 지방의회의 불신임의결은 처분성이 인정된다. (○, ×) 2014 사회복지직 9급

1. ○ 2. ○

③

1. 검사의 공소제기가 적법절차에 따라 정당하게 이루어진 것인지 여부에 관계없이 검사의 공소에 대하여는 형사소송절차에 의하여서만 다툴 수 있고, 행정소송의 방법으로 공소의 취소를 구할 수 없다. (○, ×) 2020 국회직 8급
2. 형사사건에 대한 검사의 기소결정은 처분성이 인정된다. (○, ×) 2014 사회복지직 9급

1. ○ 2. ×

① **빈출** ×

> 지방의회의장에 대한 불신임의결은 행정처분으로서 행정소송의 대상이 된다.
> 지방의회를 대표하고 의사를 정리하며 회의장 내의 질서를 유지하고 의회의 사무를 감독하며 위원회에 출석하여 발언할 수 있는 등의 직무권한을 가지는 지방의회의장에 대한 불신임의결은 의장의 권한을 박탈하는 행정처분의 일종으로서 항고소송의 대상이 된다(대결 1994. 10. 11, 94두23).

② ○

현역병입영대상자로 병역처분을 받은 자가 그 취소소송 중 모병에 응하여 현역병으로 자진입대한 경우, 소의 이익이 없다는 것이 판례의 입장이다(대판 1998. 9. 8, 98두9165).

③ ○

> 검사의 공소는 행정소송의 대상이 되는 처분이 아니다.
> 검사의 공소에 대하여는 형사소송절차에 의하여서만 이를 다툴 수 있고 행정소송의 방법으로 공소의 취소를 구할 수는 없다(대판 2000. 3. 28, 99두11264).

④ ○

행정심판전치주의 요건의 충족여부는 제소시가 아니라 사실심변론종결시를 기준으로 한다.

> 행정심판전치주의가 적용되는 경우에 행정심판을 거치지 않고 소제기를 하였더라도 사실심변론종결 전까지 행정심판을 거친 경우 하자는 치유된 것으로 볼 수 있다(대판 1987. 4. 28, 86누29).

정답 07 ①

08 중

2018 서울시 1회 7급

<보기>의 행위 가운데 처분성이 인정된 것을 모두 고른 것은? (다툼이 있는 경우 판례에 따름)

보기
- ㉠ 인감증명행위
- ㉡ 자동차운전면허대장상 등재행위
- ㉢ 지적공부상 지목신청변경반려행위
- ㉣ 건축물대장작성신청의 반려행위

① ㉠, ㉢　② ㉡, ㉢
③ ㉢, ㉣　④ ㉡, ㉢, ㉣

③ ㉢㉣이 처분성이 인정된다.

㉠ ×

인감증명행위는 인감증명청이 적법한 신청이 있는 경우에 인감대장에 이미 신고된 인감을 기준으로 출원자의 현재 사용하는 인감을 증명하는 것으로서 구체적인 사실을 증명하는 것일 뿐, 나아가 출원자에게 어떠한 권리가 부여되거나 변동 또는 상실되는 효력을 발생하는 것이 아니고, 인감증명의 무효확인을 받아들인다 하더라도 이로써 이미 침해된 당사자의 권리가 회복되거나 또는 곧바로 이와 관련된 새로운 권리가 발생하는 것도 아니므로 무효확인을 구할 법률상 이익이 없어 부적법하다(대판 2001. 7. 10, 2000두2136).

㉡ ×

자동차운전면허대장상의 등재행위는 행정처분이 아니라는 것이 판례의 입장이다(대판 1991. 9. 24, 91누1400).

㉢ ○

지적공부 소관청의 지목변경신청반려행위는 항고소송의 대상이 되는 행정처분이라는 것이 판례의 입장이다(대판 2004. 4. 22, 2003두9015).

㉣ ○

행정청이 건축물대장의 작성신청을 거부한 행위는 항고소송의 대상이 되는 행정처분에 해당한다는 것이 판례의 입장이다(대판 2009. 2. 12, 2007두17359).

09 정답률 71% 중

2017 서울시 7급

행정소송에 관한 설명으로 옳지 않은 것은? (다툼이 있는 경우 판례에 의함)

① 행정청의 위법한 처분 등으로 인한 국민의 권리 또는 이익의 침해를 구제하고 공법상 권리관계 또는 법률적용에 관한 다툼을 적정하게 해결함을 목적으로 한다.

② 항고소송의 대상적격 여부는 행위의 성질·효과 이외에 행정소송제도의 목적이나 사법권(司法權)에 의한 국민의 권익보호기능도 충분히 고려하여 합목적적으로 판단해야 한다.

③ 행정청이 한 행위가 단지 사인 간 법률관계의 존부를 공적으로 증명하는 공증행위에 불과하더라도 그 효력을 둘러싼 분쟁의 해결이 사법원리(私法原理)에 맡겨져 있는 경우에는 항고소송의 대상이 된다.

④ 어떤 행위가 상대방의 권리를 제한하는 행위라 하더라도 행정청 또는 그 소속기관이나 권한을 위임받은 공공단체 등의 행위가 아닌 한 이를 행정처분이라고 할 수 없다.

① ○

행정소송법 제1조【목적】 이 법은 행정소송절차를 통하여 행정청의 위법한 처분 그 밖에 공권력의 행사·불행사 등으로 인한 국민의 권리 또는 이익의 침해를 구제하고, 공법상의 권리관계 또는 법적용에 관한 다툼을 적정하게 해결함을 목적으로 한다.

② ○

③ ×

행정소송의 대상이 되는 행정처분에 해당하는지의 여부는 그 행위의 성질·효과 이외에 행정소송제도의 목적이나 사법(司法)권에 의한 국민의 권익보호의 기능도 충분히 고려하여 합목적적으로 판단(②)하여야 할 것인바, 행정소송제도의 목적에 비추어 볼 때 행정처분이 단지 사인 간의 법률관계의 존부를 공적으로 증명하는 공증행위에 불과하여 그 효력을 둘러싼 분쟁의 해결이 사법원리에 맡겨져 있고, 위법한 행정처분의 취소가 국민의 권익구제나 분쟁의 근본적인 해결을 위한 적절한 수단이 되지 못하는 경우에는, 취소소송의 대상이 되지 아니한다(③)고 보아야 할 것이다(대판 1991. 8. 13, 90누9414).

④ ○

행정소송의 대상이 되는 행정처분이란 행정청 또는 그 소속기관이나 법령에 의하여 행정권한의 위임 또는 위탁을 받은 공공단체 등이 국민의 권리·의무에 관계되는 사항에 관하여 직접 효력을 미치는 공권력의 발동으로서 하는 공법상의 행위를 말하며, 그것이 상대방의 권리를 제한하는 행위라 하더라도 행정청 또는 그 소속기관이나 권한을 위임받은 공공단체 등의 행위가 아닌 한 이를 행정처분이라고 할 수 없다(대판 2008. 1. 31, 2005두8269).

정답 08 ③ 09 ③

10 정답률 57% 중 2017 서울시 7급

항고소송의 제기요건에 관한 판례의 입장으로 옳은 것은?

□□□ ① 행정소송의 제기요건은 법원의 직권조사사항이므로 행정소송에 있어서 처분청의 처분권한 유무는 직권조사사항이다.

□□□ ② 법인세법령에 따른 과세관청의 원천징수의무자인 법인에 대한 소득금액변동통지 및 소득세법 시행령에 따른 소득의 귀속자에 대한 소득금액변동통지는 항고소송의 대상이다.

□□□ ③ 절대보전지역 변경처분에 대해 지역주민회와 주민들이 항고소송을 제기한 경우에는 절대보전지역 유지로 지역주민회 · 주민들이 가지는 주거 및 생활환경상 이익은 지역의 경관 등이 보호됨으로써 누리는 법률상 이익이다.

□□□ ④ 행정청이 식품위생법령에 따라 영업자에게 행정제재처분을 한 후 당초 처분을 영업자에게 유리하게 변경하는 처분을 한 경우, 취소소송의 대상 및 제소기간 판단기준은 변경처분이 아니라 변경된 내용의 당초 처분이다.

관련기출

①

1. 행정소송에 있어서 처분청의 처분권한 유무는 직권조사사항이 아니다. (O, X) 2020 군무원 9급

1. O

① ×

행정소송의 제기요건, 즉 소송요건은 법원의 직권조사사항이다. 그런데 처분청의 처분권한 유무는 처분의 위법 · 적법과 관련된 것으로 본안의 문제로서 원칙적으로 변론주의가 적용되는 영역이며 법원의 직권조사사항이 아니다.

> 행정소송에 있어서 처분청의 처분권한 유무는 직권조사사항이라고 할 수 없다(대판 1997. 6. 19, 95누8669 전합).

② ×

> 1. 과세관청의 '**원천징수의무자**인 법인'에 대한 **소득금액변동통지**는 항고소송의 대상이 되는 행정처분이다.
> 과세관청의 소득처분과 그에 따른 '소득금액변동통지'가 있는 경우 '원천징수의무자인 법인'은 소득금액변동통지서를 받은 날에 그 통지서에 기재된 소득의 귀속자에게 당해 소득금액을 지급한 것으로 의제되어 그때 원천징수하는 소득세의 납세의무가 성립함과 동시에 확정되고, 원천징수의무자인 법인으로서는 소득금액변동통지서에 기재된 소득처분의 내용에 따라 원천징수세액을 그 다음달 10일까지 관할 세무서장 등에게 납부하여야 할 의무를 부담하며, 만일 이를 이행하지 아니하는 경우에는 가산세의 제재를 받게 됨은 물론이고 형사처벌까지 받도록 규정되어 있는 점에 비추어 보면, 소득금액변동통지는 '원천징수의무자'인 법인의 납세의무에 직접 영향을 미치는 과세관청의 행위로서, 항고소송의 대상이 되는 조세행정처분이라고 봄이 상당하다(대판 2006. 4. 20, 2002두1878 전합).
> 2. **'소득의 귀속자'**에 대한 **소득금액변동통지**는 원천납세의무자인 소득귀속자의 법률상 지위에 직접적인 법률적 변동을 가져오는 것이 아니므로, 항고소송의 대상이 되는 행정처분이라고 볼 수 없다(대판 2015. 3. 26, 2013두9267).

③ ×

> [국방부 민 · 군 복합형 관광미항(제주해군기지) 사업시행을 위한 해군본부의 요청에 따라 제주특별자치도지사가 절대보존지역이던 서귀포시 강정동 해안변지역에 관하여 절대보존지역을 변경(축소)하고 고시한 사안에서] 절대보존지역의 유지로 지역주민회와 주민들이 가지는 주거 및 생활환경상 이익은 지역의 경관 등이 보호됨으로써 반사적으로 누리는 것일 뿐 근거법규 또는 관련법규에 의하여 보호되는 개별적 · 직접적 · 구체적 이익이라고 할 수 없다(대판 2012. 7. 5, 2011두13187).

④ ○

행정청이 식품위생법령에 따라 영업자에게 행정제재처분을 한 후 당초 처분을 영업자에게 유리하게 변경하는 처분을 한 경우, 취소소송의 대상 및 제소기간의 판단기준이 되는 처분은 변경된 내용의 당초 처분이라는 것이 판례의 입장이다(대판 2007. 4. 27, 2004두9302).

정답 10 ④

11 정답률 45% 중 2017 지방직 9급

항고소송의 대상인 행정처분에 대한 설명으로 옳지 않은 것은? (다툼이 있는 경우 판례에 의함)

□□□ ① 중소기업기술정보진흥원장이 甲주식회사와 체결한 중소기업 정보화지원사업 지원대상인 사업의 지원협약을 甲의 책임 있는 사유로 해지하고 협약에서 정한 대로 지급받은 정부지원금을 반환할 것을 통보한 경우, 협약의 해지 및 그에 따른 환수통보는 행정청이 우월한 지위에서 행하는 공권력의 행사로서 행정처분에 해당한다.

□□□ ② 재단법인 한국연구재단이 甲대학교 총장에게 연구개발비의 부당집행을 이유로 두뇌한국(BK)21 사업협약을 해지하고 연구팀장 乙에 대한 대학 자체 징계를 요구한 것은 항고소송의 대상인 행정처분에 해당하지 않는다.

□□□ ③ 지방자치단체 등이 건축물을 건축하기 위해 건축물 소재지 관할 허가권자인 지방자치단체의 장과 건축협의를 하였는데 허가권자인 지방자치단체의 장이 그 협의를 취소한 경우, 건축협의 취소는 항고소송의 대상인 행정처분에 해당한다.

□□□ ④ 甲 시장이 감사원으로부터 소속 공무원 乙에 대하여 징계의 종류를 정직으로 정한 징계요구를 받게 되자 감사원에 징계요구에 대한 재심의를 청구하였고 감사원이 재심의청구를 기각한 경우, 감사원의 징계요구와 재심의결정은 항고소송의 대상이 되는 행정처분에 해당하지 않는다.

① ×

(중소기업기술정보진흥원장이 甲주식회사와 중소기업 정보화지원사업 지원대상인 사업의 지원에 관한 협약을 체결하였는데, 협약이 甲회사에 책임이 있는 사업실패로 해지되었다는 이유로 협약에서 정한 대로 지급받은 정부지원금을 반환할 것을 통보한 사안에서) 중소기업 정보화지원사업을 위한 협약의 해지 및 그에 따른 환수통보는 공법상 계약에 따라 행정청이 대등한 당사자의 지위에서 하는 의사표시로 보아야 하고, 이를 행정청이 우월한 지위에서 행하는 공권력의 행사로서 행정처분에 해당한다고 볼 수는 없다(대판 2015. 8. 27, 2015두41449).

② ○

(재단법인 한국연구재단이 甲대학교 총장에게 연구개발비의 부당집행을 이유로 '해양생물유래 고부가식품 · 향장 · 한약 기초소재 개발 인력양성 사업에 대한 2단계 두뇌한국(BK)21 사업'협약을 해지하고 연구팀장 乙에 대한 대학 자체 징계요구 등을 통보한 사안에서) 乙에 대한 대학 자체 징계요구는 항고소송의 대상이 되는 행정처분에 해당하지 않는다.

피고가 ○○대학교 총장에게 원고에 대한 대학 자체 징계를 요구한 것은 법률상 구속력이 없는 권유 또는 사실상의 통지로서 원고의 권리 · 의무 등 법률상 지위에 직접적인 법률적 변동을 일으키지 않는 행위에 해당하므로, 이러한 행위는 항고소송의 대상인 행정처분에 해당하지 않는다(대판 2014. 12. 11, 2012두28704).

③ ○

1. 구 건축법 제29조 제1항에서 정한 건축협의의 취소는 처분에 해당한다.
2. 지방자치단체 등이 건축물 소재지 관할 허가권자인 지방자치단체의 장을 상대로 건축협의 취소의 취소를 구할 수 있다.

구 건축법 제29조 제1 · 2항, 제11조 제1항 등의 규정내용에 의하면, 건축협의의 실질은 지방자치단체 등에 대한 건축허가와 다르지 아니하므로, 지방자치단체 등이 건축물을 건축하려는 경우 등에는 미리 건축물의 소재지를 관할하는 허가권자인 지방자치단체의 장과 건축협의를 하지 아니하면, 지방자치단체라 하더라도 건축물을 건축할 수 없다. 그리고 구 지방자치법 등 관련법령을 살펴보아도 지방자치단체의 장이 다른 지방자치단체를 상대로 한 건축협의 취소에 관하여 다툼이 있는 경우에 그 법적 분쟁을 실효적으로 해결할 구제수단을 찾기도 어렵다. 따라서 이 사건 건축협의 취소는 비록 그 상대방이 다른 지방자치단체 등 행정주체라 하더라도 '행정청이 행하는 구체적 사실에 관한 법집행으로서의 공권력행사'(행정소송법 제2조 제1항 제1호)로서 처분에 해당한다고 볼 수 있고, 지방자치단체인 원고가 이를 다툴 실효적 해결수단이 없는 이상, 원고는 피고를 상대로 항고소송을 통해 이 사건 건축협의 취소의 취소를 구할 수 있다고 봄이 타당하다(대판 2014. 2. 27, 2012두22980).

④ ○

감사원의 징계요구와 재심의결정은 항고소송의 대상이 되는 행정처분이라고 할 수 없다.

감사원법상 징계요구는 징계요구를 받은 기관의 장이 요구받은 내용으로 처분하지 않더라도 불이익을 받는 규정도 없고, 징계요구 내용대로 효과가 발생하는 것도 아니며, 징계요구에 의하여 행정청이 일정한 행정처분을 하였을 때 비로소 이해관계인의 권리관계에 영향을 미칠 뿐, 징계요구 자체만으로는 징계요구 대상 공무원의 권리 · 의무에 직접적인 변동을 초래하지도 아니하므로 행정처분이라고 할 수 없다(대판 2016. 12. 27, 2014두5637).

정답 11 ①

12 **빈출** 정답률 30% 중 2016 사회복지직 9급

항고소송의 대상인 처분에 대한 설명으로 옳지 않은 것은? (다툼이 있는 경우 판례에 의함)

□□□ ① 행정청의 지침에 의해 내린 행위가 상대방에게 권리의 설정이나 의무의 부담을 명하거나 기타 법적 효과에 직접적 영향을 미치는 경우에는 처분성을 긍정한다.

□□□ ② 취소소송에서 처분의 위법성은 소송요건이 아니다.

□□□ ③ 병역법에 따른 군의관의 신체등위판정은 처분이 아니지만 그에 따른 지방병무청장의 병역처분은 처분이다.

□□□ ④ 행정청이 식품위생법령에 따라 영업자에게 행정제재처분을 한 후 당초 처분을 영업자에게 유리하게 변경하는 처분을 한 경우, 취소소송의 대상 및 제소기간 판단기준이 되는 처분은 유리하게 변경된 처분이다.

① ○

어떠한 처분의 근거가 행정규칙(행정청의 지침)에 규정되어 있다고 하더라도, 그 처분이 상대방에게 권리의 설정 또는 의무의 부담을 명하거나 기타 법적인 효과를 발생하게 하는 등으로 그 상대방의 권리 · 의무에 직접 영향을 미치는 행위라면, 이 경우에도 항고소송의 대상이 되는 행정처분에 해당한다(대판 2004. 11. 26, 2003두10251 · 10268).

② ○

'처분의 위법성' 여부는, '처분성' 여부와 달리 소송요건이 아니다. 소송요건이 결여된 경우 법원은 소송에 대해 부적법 각하판결을 한다. 소송요건이 모두 구비되면 법원은 본안심리에 들어가는데 본안에서는 '처분의 위법성' 여부를 심리하게 되며 처분이 위법하면 청구인용판결을, 처분이 적법하면 청구기각판결을 하게 된다.

③ ○

지방병무청장의 병역처분은 항고소송의 대상이 되는 처분이지만 군의관이 행한 징병검사시의 신체등위판정은 아직 국민에게 구체적 의무를 부과하는 것이 아니므로 행정처분이 아니다(대판 1993. 8. 27, 93누3356).

④ ×

행정청이 식품위생법령에 따라 영업자에게 행정제재처분을 한 후 당초 처분을 영업자에게 유리하게 변경하는 처분을 한 경우, 취소소송의 대상 및 제소기간의 판단기준이 되는 처분은 변경된 내용의 당초 처분이라는 것이 판례의 입장이다(대판 2007. 4. 27, 2004두9302).

정답 12 ④

13 중

2015 국회직 8급

다음 중 항고소송의 대상적격에 대한 판례의 설명으로 옳은 것은?

① 법률에 의하여 당연퇴직된 공무원의 복직 또는 재임용신청에 대한 행정청의 거부행위는 항고소송의 대상이 되는 행정처분에 해당한다.

② 한국마사회가 조교사 또는 기수의 면허를 부여하거나 취소하는 것은 국가 기타 행정기관으로부터 위탁받은 행정권한의 행사에 해당하므로 처분성이 인정된다.

③ 행정청이 금전부과처분을 한 후 감액처분을 한 경우에는 감액처분이 항고소송의 대상이 된다.

④ 「남녀차별금지 및 구제에 관한 법률」에 의한 국가인권위원회의 성희롱결정과 이에 따른 시정조치의 권고는 처분성이 인정되지 않는다.

⑤ 과세관청이 사업자등록을 관리하는 과정에서 위장사업자의 사업자명의를 직권으로 실사업자의 명의로 정정하는 행위는 항고소송의 대상이 되는 행정처분이 아니다.

① ×

> 과거에 법률에 의하여 당연퇴직된 공무원의 복직 또는 재임용신청에 대한 행정청의 거부행위는 항고소송의 대상이 되는 행정처분에 해당하지 아니한다.
>
> 과거에 법률에 의하여 당연퇴직된 공무원이 자신을 복직 또는 재임용시켜 줄 것을 요구하는 신청에 대하여 그와 같은 조치가 불가능하다는 행정청의 거부행위는 당연퇴직의 효과가 계속하여 존재한다는 것을 알려주는 일종의 안내에 불과하므로 당연퇴직된 공무원의 실체상 권리관계에 직접적인 변동을 일으키는 것으로 볼 수 없고, 당연퇴직의 근거법률이 헌법재판소의 위헌결정으로 효력을 잃게 되었다고 하더라도 당연퇴직된 이후 헌법소원 등의 청구기간이 도과한 경우에는 당연퇴직의 내용과 상반되는 처분을 요구할 수 있는 조리상의 신청권을 인정할 수도 없다고 할 것이어서, 이와 같은 경우 행정청의 복직 또는 재임용거부행위는 항고소송의 대상이 되는 행정처분에 해당한다고 할 수 없다(대판 2005. 11. 25, 2004두12421).

② ×

> 한국마사회의 조교사 및 기수 면허 부여 또는 취소는 국가 기타 행정기관으로부터 위탁받은 행정권한의 행사가 아니라 일반사법상의 법률관계에서 이루어지는 단체 내부에서의 징계 내지 제재처분이므로 행정처분이 아니다(대판 2008. 1. 31, 2005두8269).

③ ×

감액경정처분의 경우에는 감액처분이 항고소송의 대상이 되는 처분이 아니라 감액되고 남은 당초 처분이 항고소송의 대상이 된다.

> 행정청이 과징금 부과처분을 하였다가 감액처분을 한 것에 대하여 그 감액처분으로도 아직 취소되지 않고 남아 있는 부분이 위법하다고 하여 다투는 경우 항고소송의 대상은 처음의 부과처분 중 감액처분에 의하여 취소되지 않고 남은 부분이고 감액처분이 항고소송의 대상이 되는 것은 아니다(대판 2008. 2. 15, 2006두3957).

④ ×

구 「남녀차별금지 및 구제에 관한 법률」상 국가인권위원회의 성희롱결정 및 시정조치권고는 행정소송의 대상이 되는 행정처분에 해당한다는 것이 판례의 입장이다(대판 2005. 7. 8, 2005두487).

⑤ ○

> 과세관청이 사업자등록을 관리하는 과정에서 위장사업자의 사업자명의를 직권으로 실사업자의 명의로 정정하는 행위는 항고소송의 대상이 되는 행정처분이 아니다.
>
> 부가가치세법상의 사업자등록은 과세관청으로 하여금 부가가치세의 납세의무자를 파악하고 그 과세자료를 확보하게 하려는 데 제도의 취지가 있는바, 이는 단순한 사업사실의 신고로서 사업자가 관할 세무서장에게 소정의 사업자등록신청서를 제출함으로써 성립하는 것이고, 사업자등록증의 교부는 이와 같은 등록사실을 증명하는 증서의 교부행위에 불과한 것이다. 나아가 구 부가가치세법 제5조 제5항에 의한 과세관청의 사업자등록 직권말소행위도 폐업사실의 기재일 뿐 그에 의하여 사업자로서의 지위에 변동을 가져오는 것이 아니라는 점에서 항고소송의 대상이 되는 행정처분으로 볼 수 없다. 이러한 점에 비추어 볼 때, 과세관청이 사업자등록을 관리하는 과정에서 위장사업자의 사업자명의를 직권으로 실사업자의 명의로 정정하는 행위 또한 당해 사업사실 중 주체에 관한 정정기재일 뿐 그에 의하여 사업자로서의 지위에 변동을 가져오는 것이 아니므로 항고소송의 대상이 되는 행정처분으로 볼 수 없다(대판 2011. 1. 27, 2008두2200).

정답 13 ⑤

② 재결(취소소송의 제2대상)

14 중 2023 군무원 7급

행정소송에 관한 설명으로 옳지 않은 것은? (다툼이 있는 경우 판례에 의함)

① 행정심판청구가 부적법하지 않음에도 각하한 재결은 심판청구인의 실체심리를 받을 권리를 박탈한 것으로서 재결에 고유한 하자가 있는 경우에 해당하여 재결 자체가 취소소송의 대상이 된다.

② 항고소송은 원칙적으로 당해 처분을 대상으로 하나, 당해 처분에 대한 재결 자체에 고유한 주체, 절차, 형식 또는 내용상의 위법이 있는 경우에 한하여 그 재결을 대상으로 할 수 있다.

③ 한국자산공사가 당해 부동산을 인터넷을 통해 재공매하기로 한 결정도 항고소송의 대상이 되는 행정처분이라고 볼 수 있다.

④ 병역법상 신체등위판정은 항고소송의 대상이 되는 행정처분이라 보기 어렵다.

관련기출

①②

1. 행정심판청구가 부적법하지 않음에도 각하한 재결은 심판청구인의 실체심리를 받을 권리를 박탈한 것으로서 원처분에 없는 고유한 하자가 있는 경우에 해당하고, 따라서 위 재결은 취소소송의 대상이 된다. (○, ×) 2021 국가직 7급, 2020 소방간부
2. 행정심판청구가 부적법하지 않음에도 각하한 재결은 원처분주의에 의해서 취소소송의 대상이 되지 않는다. (○, ×) 2015 지방직 9급
3. 행정심판청구가 부적법하지 않음에도 각하한 재결은 심판청구인의 실체심리를 받을 권리를 박탈한 것으로서 원처분에는 없는 고유한 하자에 해당하고, 이 재결은 취소소송의 대상이 된다. (○, ×) 2013 서울시 7급

1. ○ 2. × 3. ○

③

1. 한국자산공사가 사건의 부동산을 인터넷을 통하여 재공매(입찰)하기로 한 결정 자체는 내부적인 의사결정에 불과하여 항고소송의 대상이 아니다. (○, ×) 2018 경행경채 3차
2. 한국자산공사가 당해 부동산을 인터넷을 통하여 재공매하기로 한 결정 자체는 내부적인 의사결정에 불과하여 항고소송의 대상이 되는 행정처분이라고 볼 수 없지만, 이에 관한 공매통지는 공매사실 자체를 체납자에게 알려줌으로써 통지의 상대방의 법적 지위나 권리 · 의무에 직접 영향을 주게 되므로 항고소송의 대상인 행정처분에 해당한다. (○, ×) 2017 지방직 7급
3. 한국자산관리공사가 인터넷을 통하여 재공매(입찰)하기로 한 결정 자체는 상대방의 법적 지위나 권리 · 의무에 직접 영향을 주는 것으로 행정처분에 해당한다. (○, ×) 2016 국가직 7급

1. ○ 2. × 3. ×

①② **빈출** ○

행정심판청구가 부적법하지 않음에도 각하한 재결은 심판청구인의 실체심리를 받을 권리를 박탈한 것으로서 원처분에 없는 고유한 하자가 있는 경우에 해당하고, 따라서 동 재결은 취소소송의 대상이 된다.

행정소송법 제19조에 의하면 행정심판에 대한 재결에 대하여도 그 재결 자체에 고유한 위법이 있음을 이유로 하는 경우에는 항고소송을 제기하여 그 취소를 구할 수 있고, 여기에서 말하는 '재결 자체에 고유한 위법'이란 그 재결 자체에 주체, 절차, 형식 또는 내용상의 위법이 있는 경우를 의미하는데(②), 행정심판청구가 부적법하지 않음에도 각하한 재결은 심판청구인의 실체심리를 받을 권리를 박탈한 것으로서 원처분에 없는 고유한 하자가 있는 경우에 해당하고, 따라서 위 재결은 취소소송의 대상이 된다(①)(대판 2001. 7. 27, 99두2970).

③ **빈출** 제24강 참조 ×

한국자산공사(현 한국자산관리공사)의 재공매(입찰)결정 및 공매통지는 항고소송의 대상이 되는 행정처분이 아니다.

한국자산공사가 당해 부동산을 인터넷을 통하여 재공매(입찰)하기로 한 결정 자체는 내부적인 의사결정에 불과하여 항고소송의 대상이 되는 행정처분이라고 볼 수 없고, 또한 한국자산공사의 공매통지는 공매의 요건이 아니라 공매사실 자체를 체납자에게 알려주는 데 불과한 것으로서, 통지의 상대방의 법적 지위나 권리 · 의무에 직접 영향을 주는 것이 아니라고 할 것이므로 이것 역시 행정처분에 해당한다고 할 수 없다(대판 2007. 7. 27, 2006두8464).

④ ○

지방병무청장의 병역처분은 항고소송의 대상이 되는 처분이지만 군의관이 행한 징병검사시의 신체등위판정은 아직 국민에게 구체적 의무를 부과하는 것이 아니므로 행정처분이 아니다.

병역법상 신체등위판정은 행정청이라고 볼 수 없는 군의관이 하도록 되어 있으며, 그 자체만으로 바로 병역법상의 권리 · 의무가 정하여지는 것이 아니라 그에 따라 지방병무청장이 병역처분을 함으로써 비로소 병역의무의 종류가 정하여지는 것이므로 항고소송의 대상이 되는 행정처분이라 보기 어렵다(대판 1993. 8. 27, 93누3356).

정답 14 ③

15 상 2019 국회직 8급

재결과 항고소송에 대한 설명으로 옳지 않은 것은? (다툼이 있는 경우 판례에 의함)

□□□ ① 재결취소소송의 경우 재결 자체에 고유한 위법이 있는지 여부를 심리할 것이고 재결 자체에 고유한 위법이 없는 경우에는 원처분의 당부와는 상관없이 당해 재결취소소송은 기각되어야 한다.

□□□ ② 소청심사위원회가 해임처분을 정직 2월로 변경한 경우 처분의 상대방은 소청심사위원회를 피고로 하여 정직 2월의 재결에 대한 취소소송을 제기할 수 있다.

□□□ ③ 감사원의 변상판정처분에 대하여서는 행정소송을 제기할 수 없고 그 재결에 해당하는 재심의판정에 대하여만 감사원을 피고로 하여 행정소송을 제기할 수 있다.

□□□ ④ 중앙토지수용위원회의 이의재결에 불복하여 취소소송을 제기하는 경우에는 원처분인 수용재결을 대상으로 하여야 한다.

□□□ ⑤ 불리한 처분을 받은 사립학교 교원 甲의 소청심사청구에 대하여 교원소청심사위원회가 그 사유 자체가 인정되지 않는다는 이유로 처분을 취소하는 결정을 하고 이에 대하여 乙 학교법인이 제기한 행정소송절차에서 심리한 결과 처분사유 중 일부사유는 인정된다고 판단되는 경우 법원은 교원소청심사위원회의 결정을 취소하여야 한다.

관련기출

①

1. 행정심판을 청구하여 기각재결을 받은 후 재결 자체에 고유한 위법이 있음을 주장하며 그 기각재결에 대하여 취소소송을 제기한 경우, 수소법원은 심리 결과 재결 자체에 고유한 위법이 없다면 각하판결을 하여야 한다. (○, ×) 2019 국가직 9급
2. 원처분주의에 반하여 재결에 대해 항고소송을 제기했으나 재결 자체에 고유한 위법이 없다면, 각하판결을 해야 한다. (○, ×) 2015 서울시 7급
3. 재결취소소송의 경우 재결 자체에 고유한 위법이 없더라도 원처분의 당부에 따라 기각 여부의 판결을 하여야 한다. (○, ×) 2014 국회직 8급

1. × 2. × 3. ×

③

1. 변상판정에 대한 감사원의 재심의판결은 행정소송의 대상이 된다. (○, ×) 2020 경행경채
2. 감사원의 변상판정처분에 대하여서는 행정소송을 제기할 수 없고 그 재결에 해당하는 재심의판정에 대하여만 감사원을 피고로 하여 행정소송을 제기할 수 있다. (○, ×) 2013 서울시 7급
3. 감사원의 변상판정처분에 대하여는 항고소송을 제기할 수 없고, 그에 대한 재결에 해당하는 재심의판정만이 항고소송의 대상이 된다. (○, ×) 2008 세무사

1. ○ 2. ○ 3. ○

① **빈출** ○

> 재결취소소송에 있어 재결 자체에 고유한 위법이 없는 경우 법원은 재결취소소송을 기각하여야 한다.
>
> 재결취소소송의 경우 재결 자체에 고유한 위법이 있는지 여부를 심리할 것이고, 재결 자체에 고유한 위법이 없는 경우에는 원처분의 당부와는 상관없이 당해 재결취소소송은 이를 기각하여야 한다(대판 1994. 1. 25, 93누16901).

② ×

공무원에 대한 해임처분이 행정심판기관인 소청심사위원회에서 정직 2월로 변경된 경우, 즉 수정재결의 경우 통설과 판례는 원처분주의원칙을 관철하여 피고를 행정심판기관인 소청심사위원회가 아니라 원처분청으로 하여, 소송의 대상인 처분은 수정처분이 아니라 수정된 원처분(2개월 정직처분으로 변경된 해임처분)을 대상으로 하여 취소소송을 제기하여야 한다고 본다.

③ ○

감사원법에서는 재결주의를 취하고 있으므로 감사원의 변상판정에 대해서는 행정소송을 제기할 수 없고 재결에 해당하는 재심의판정에 대해서만 소송을 제기할 수 있다.

> 감사원의 변상판정처분에 대하여서는 행정소송을 제기할 수 없고, 재결에 해당하는 재심의판정에 대하여서만 감사원을 피고로 하여 행정소송을 제기할 수 있다(대판 1984. 4. 10, 84누91).

④ ○

토지보상법은 원처분주의를 취하고 있다.

> 토지소유자 등이 수용재결에 불복하여 이의신청을 거친 후 취소소송을 제기하는 경우 피고적격을 가지는 자는 수용재결을 한 토지수용위원회이며 소송대상은 수용재결이 된다(대판 2010. 1. 28, 2008두1504).

⑤ ○

> 1. 교원소청심사위원회의 결정은 처분청에 대하여 기속력을 가지고, 이는 그 결정의 주문에 포함된 사항뿐 아니라 그 전제가 된 요건사실의 인정과 판단, 즉 처분 등의 구체적 위법사유에 관한 판단에까지 미친다.
> 2. 징계처분을 받은 사립학교 교원의 소청심사청구에 대하여 교원소청심사위원회가 징계사유 자체가 인정되지 않는다는 이유로 징계처분을 취소하는 결정을 하고, 그에 대하여 학교법인 등이 제기한 행정소송절차에서 심리한 결과 징계사유 중 일부사유는 인정된다고 판단되는 경우, 법원으로서는 위원회의 결정을 취소하여야 한다(대판 2013. 7. 25, 2012두12297).

정답 15 ②

16 정답률 27% 상 2018 서울시 9급

재결취소소송에 대한 설명으로 가장 옳지 않은 것은? (다툼이 있는 경우 판례에 따름)

□□□ ① 교원징계처분에 대해 취소소송을 제기하는 경우 사립학교 교원이나 국 · 공립학교 교원 모두 원처분주의가 적용된다.

□□□ ② 국 · 공립학교 교원의 경우에는 원처분주의에 따라 원처분만이 소의 대상이 된다.

□□□ ③ 사립학교 교원에 대한 학교법인의 징계는 항고소송의 대상이 되는 처분이 아니다.

□□□ ④ 사립학교 교원의 경우에는 소청심사위원회의 결정이 원처분이 된다.

관련기출

③

1. 사립학교 교원에 대한 학교법인의 해임처분을 취소소송의 대상이 되는 행정청의 처분으로 볼 수 있으므로 학교법인을 상대로 한 불복은 행정소송에 의한다. (○, ×) 2015 국가직 9급
2. 사립학교 교원에 대한 학교법인의 해임처분은 행정소송의 대상이 되는 행정처분에 해당한다고 볼 수 없다. (○, ×) 2010 국회속기직 9급

1. × 2. ○

① ○

행정심판의 재결에 불복하여 취소소송을 제기하는 경우에 원처분을 대상으로 하여야 하는지 아니면 재결을 대상으로 하여야 하는지와 관련하여 원처분주의와 재결주의의 대립이 있는데, 우리 행정소송법은 원칙적으로 원처분주의를 취하고 있다. 「교원의 지위향상을 위한 특별법」에 따르면 국 · 공립학교 교원은 징계처분에 대해 교원소청심사위원회에 소청심사를 청구한 후 그 결정에 대해 불복이 있는 경우 항고소송을 제기할 수 있는바, 이 경우 원처분주의에 따라 소청심사위원회의 결정이 아니라 원래의 징계처분이 소송대상이 된다. 한편 「교원의 지위향상을 위한 특별법」에 따르면 사립학교 교원의 경우에도 학교법인의 징계처분 등에 관해 교원소청심사위원회에 소청심사를 청구할 수 있는데, 이 경우 그 결정에 불복이 있는 경우에는 교원소청심사위원회의 결정을 대상으로 항고소송을 제기하여야 한다. 왜냐하면 사립학교법인이 사립학교 교원에 대해 행한 징계는 사법(私法)상의 결정일 뿐 항고소송의 대상이 되는 처분이 아니기 때문이다. 따라서 이 경우에는 애당초 항고소송의 대상이 될 수 있는 것이 교원소청심사위원회의 결정뿐이다. 그러므로 엄밀히 말하면 사립학교 교원의 징계와 관련하여서는 원처분주의, 재결주의의 논의 대상이 될 수 없는 것이지만 출제자의 취지를 좋게 해석하여 ①을 맞는 지문으로 본다.

② ×

원처분주의에 따르더라도 재결에 고유한 위법이 있으면 재결에 대한 취소소송을 제기할 수도 있다. 따라서 소청심사위원회의 결정에 고유한 하자가 있으면 원처분이 아니라 재결에 해당하는 소청심사위원회의 결정이 소송대상이 될 수도 있다.

> **행정소송법 제19조【취소소송의 대상】** 취소소송은 처분 등을 대상으로 한다. 다만, 재결취소소송의 경우에는 재결 자체에 고유한 위법이 있음을 이유로 하는 경우에 한한다.

③ ○

사립학교 교원이 학교법인으로부터 징계처분을 받은 경우 사립학교 교원과 학교법인의 관계는 사법(私法)관계에 해당하므로 학교법인의 징계는 항고소송의 대상이 되는 처분이 아니다.

> 사립학교 교원에 대한 징계처분의 경우에는 학교법인 등의 징계처분은 행정처분성이 없는 것이다(대판 2013. 7. 25, 2012두12297).

④ ○

사립학교법인이 행한 사립학교 교원에 대한 징계는 사법(私法)상의 행위에 불과하므로 교원소청심사위원회의 결정이 비로소 항고소송의 대상이 되는 (원)처분이 된다.

정답 16 ②

17 정답률 53% 상 2015 서울시 7급

행정심판의 재결에 대한 항고소송에 관한 설명으로 옳은 것은? (다툼이 있는 경우 판례에 의함)

□□□ ① 제3자효를 수반하는 행정행위에 대한 행정심판청구에 있어서, 그 청구를 인용하는 내용의 재결로 인해 비로소 권리이익을 침해받게 되는 자라도 인용재결에 대해서는 항고소송을 제기하지 못한다.

□□□ ② 원처분주의에 반하여 재결에 대해 항고소송을 제기했으나 재결 자체에 고유한 위법이 없다면, 각하판결을 해야 한다.

□□□ ③ 서면에 의하지 않은 재결의 경우 형식상 하자가 있으므로 재결에 대해서 항고소송을 제기할 수 있다.

□□□ ④ 기각재결에 대해서는 원칙적으로 재결 자체의 위법을 이유로 항고소송을 제기해야 한다.

① ×

> 제3자효를 수반하는 행정행위에 대한 행정심판청구의 인용재결로 권익을 침해받은 제3자는 재결취소를 구할 소의 이익이 있다.
>
> 이른바 복효적 행정행위, 특히 제3자효를 수반하는 행정행위에 대한 행정심판청구에 있어서 그 청구를 인용하는 내용의 재결로 인하여 비로소 권리이익을 침해받게 되는 자(예컨대, 제3자가 행정심판청구인인 경우의 행정처분 상대방 또는 행정처분 상대방이 행정심판청구인인 경우의 제3자)는 재결의 당사자가 아니라고 하더라도 그 인용재결의 취소를 구하는 소를 제기할 수 있으나, 그 인용재결로 인하여 새로이 어떠한 권리이익도 침해받지 아니하는 자인 경우에는 그 재결의 취소를 구할 소의 이익이 없다(대판 1995. 6. 13, 94누15592).

② ×

재결취소소송의 경우 재결 자체에 고유한 위법이 있는지 여부를 심리할 것이고, 재결 자체에 고유한 위법이 없는 경우에는 원처분의 당부와는 상관없이 당해 재결취소소송은 이를 기각하여야 한다는 것이 판례의 입장이다(대판 1994. 1. 25, 93누16901).

③ ○

원처분주의에 따르면 재결에 대한 취소소송은 재결 자체에 '고유한 위법'이 있는 경우에 한해 제기할 수 있고 그렇지 않은 경우에는 원처분을 대상으로 소송을 제기하여야 한다. 이때 고유한 위법이란 원처분에는 없고 재결 자체에만 존재하는 위법을 의미하는 것으로 재결의 주체, 형식, 절차, 내용상의 위법을 말한다. 재결은 서면의 형식으로 행해져야 하는데 재결을 서면 형식으로 하지 않은 경우에는 형식상의 하자가 있는 것이 되어 재결에 대해 항고소송을 제기할 수 있다.

④ ×

원처분이 정당하다고 판단하여 원처분을 유지하는 재결, 즉 청구기각재결을 한 경우에는 원칙적으로 재결 자체에 '고유한 하자'가 있는 것이 아니어서 원처분을 대상으로 행정소송을 제기해야 한다.

정답 17 ③

제 38 강 항고소송 3 (그 밖의 소송요건 및 소변경 등)

1회독	2회독	3회독
/	/	/

정답률 공단기/소방단기 합격예측 풀서비스 통계 데이터 기준 기 기본서 핵 핵심집약

01 그 밖의 소송요건 기 848~856쪽 핵 T 70

❶ 제소기간

01 빈출 상 2019 국회직 8급

행정쟁송의 제소기간에 대한 설명으로 옳지 않은 것은? (다툼이 있는 경우 판례에 의함)

□□□ ① 제소기간의 요건은 처분의 상대방이 소송을 제기하는 경우는 물론이고 법률상 이익이 침해된 제3자가 소송을 제기하는 경우에도 적용된다.

□□□ ② 부작위위법확인의 소는 부작위상태가 계속되는 한 그 위법의 확인을 구할 이익이 있다고 보아야 하므로 제소기간의 제한이 없음이 원칙이나 행정심판 등 전심절차를 거친 경우에는 제소기간의 제한이 있다.

□□□ ③ 당사자가 적법한 제소기간 내에 부작위위법확인의 소를 제기한 후 동일한 신청에 대하여 소극적 처분이 있다고 보아 처분취소소송으로 소를 교환적으로 변경한 후 부작위위법확인의 소를 추가적으로 병합한 경우 제소기간을 준수한 것으로 볼 수 있다.

□□□ ④ 소극적 처분과 부작위에 대한 의무이행심판은 처분이 있음을 알게 된 날부터 90일 이내에 청구하여야 한다.

□□□ ⑤ 행정처분의 당연무효를 선언하는 의미에서 그 취소를 구하는 행정소송을 제기하는 경우에는 취소소송의 제소기간을 준수하여야 한다.

① ○

취소소송의 제소기간에 관한 규정은 불이익처분의 상대방이 제기하는 경우뿐만 아니라 제3자효적 행정행위에서 제3자가 법률상 이익의 침해를 이유로 취소소송을 제기하는 경우에도 적용된다.

②③ ○

1. 행정심판 등 전심절차를 거친 경우에는 행정소송법 제20조가 정한 제소기간 내에 부작위위법확인의 소를 제기하여야 한다.
   부작위위법확인의 소는 부작위상태가 계속되는 한 그 위법의 확인을 구할 이익이 있다고 보아야 하므로 원칙적으로 제소기간의 제한을 받지 않는다. 그러나 행정소송법 제38조 제2항이 제소기간을 규정한 같은 법 제20조를 부작위위법확인소송에 준용하고 있는 점에 비추어 보면, 행정심판 등 전심절차를 거친 경우에는 행정소송법 제20조가 정한 제소기간 내에 부작위위법확인의 소를 제기하여야 한다(②).
2. 당사자가 적법한 제소기간 내에 부작위위법확인의 소를 제기한 후, 동일한 신청에 대하여 소극적 처분이 있다고 보아 처분취소소송으로 소를 교환적으로 변경한 후 부작위위법확인의 소를 추가적으로 병합한 경우, 제소기간을 준수한 것으로 볼 수 있다(③)(대판 2009. 7. 23, 2008두10560).

④ 제34강 참조 ×

의무이행심판과 관련하여 거부처분(소극적 처분)에 대해 의무이행심판을 청구하는 경우에는 기간제한이 있으나 부작위에 대한 의무이행심판의 경우에는 성질상 기간제한이 없다.

행정심판법 제27조【심판청구의 기간】 ① 행정심판은 처분이 있음을 알게 된 날부터 90일 이내에 청구하여야 한다.
⑦ 제1항부터 제6항까지의 규정은 무효등확인심판청구와 부작위에 대한 의무이행심판청구에는 적용하지 아니한다.

⑤ ○

행정처분의 당연무효를 선언하는 의미에서 그 취소를 구하는 행정소송을 제기하는 경우에는 전치절차와 그 제소기간의 준수 등 취소소송의 제소요건을 갖추어야 한다(대판 1987. 6. 9, 87누219).

정답 01 ④

02 정답률 71% 중 2019 소방직 9급

다음은 행정소송법과 행정심판법의 내용이다. ( ) 안에 들어갈 내용으로 옳은 것은?

> □□□ • 행정소송에 관하여 행정소송법에 특별한 규정이 없는 사항에 대하여는 법원조직법과 민사소송법 및 (가)의 규정을 준용한다.
>
> □□□ • 취소소송은 처분 등이 있은 날부터 (나)을 경과하면 이를 제기하지 못한다. 다만, 정당한 사유가 있는 때에는 그러하지 아니하다.
>
> □□□ • 행정심판은 처분이 있었던 날부터 (다)이 지나면 청구하지 못한다. 다만, 정당한 사유가 있는 경우에는 그러하지 아니하다.

	(가)	(나)	(다)
①	형사소송법	1년	90일
②	민사집행법	1년	180일
③	형사소송법	180일	90일
④	민사집행법	180일	180일

(가)

> 행정소송법 제8조【법적용례】② 행정소송에 관하여 이 법에 특별한 규정이 없는 사항에 대하여는 법원조직법과 민사소송법 및 민사집행법의 규정을 준용한다.

(나)

> 행정소송법 제20조【제소기간】① 취소소송은 처분 등이 있음을 안 날부터 90일 이내에 제기하여야 한다. 다만, 제18조 제1항 단서에 규정한 경우와 그 밖에 행정심판청구를 할 수 있는 경우 또는 행정청이 행정심판청구를 할 수 있다고 잘못 알린 경우에 행정심판청구가 있은 때의 기간은 재결서의 정본을 송달받은 날부터 기산한다.
> ② 취소소송은 처분 등이 있은 날부터 1년(제1항 단서의 경우는 재결이 있은 날부터 1년)을 경과하면 이를 제기하지 못한다. 다만, 정당한 사유가 있는 때에는 그러하지 아니하다.
> ③ 제1항의 규정에 의한 기간은 불변기간으로 한다.

(다)

> 행정심판법 제27조【심판청구의 기간】③ 행정심판은 처분이 있었던 날부터 180일이 지나면 청구하지 못한다. 다만, 정당한 사유가 있는 경우에는 그러하지 아니하다.

03 정답률 49% 상 2016 서울시 7급

다음 사례에서 갑(甲)이 취소소송을 제기할 때, 그 취소소송의 제소기간은?

> A구청장은 법령위반을 이유로 甲에 대하여 3월의 영업정지처분을 하였고, 甲은 2015년 12월 26일 처분서를 송달받았다. 이에 대하여 甲이 행정심판을 청구하자, 행정심판위원회는 2016년 3월 6일 "A구청장은 甲에 대하여 한 3월의 영업정지처분을 과징금 부과처분으로 변경하라."라는 일부기각(일부인용)의 재결을 하였고, 그 재결서 정본은 2016년 3월 10일 甲에게 도달하였다. A구청장은 이 재결취지에 따라 2016년 3월 13일 甲에 대하여 과징금 부과처분을 하였다. 甲은 A구청장을 상대로 과징금 부과처분의 취소를 구하는 취소소송을 제기하려고 한다.

□□□ ① 2015년 12월 26일로부터 90일

□□□ ② 2016년 3월 6일로부터 90일

□□□ ③ 2016년 3월 10일로부터 90일

□□□ ④ 2016년 3월 13일로부터 90일

③

행정심판을 거쳐 취소소송을 제기하는 경우의 제소기간은 재결서의 정본을 송달받은 날부터 90일 이내에 제기하여야 하며 또한 재결이 있은 날부터 1년을 경과하면 취소소송을 제기하지 못한다. 사안의 경우 행정심판의 재결서 정본을 송달받은 날인 2016년 3월 10일로부터 90일이 기산된다.

> 행정소송법 제20조【제소기간】① 취소소송은 처분 등이 있음을 안 날부터 90일 이내에 제기하여야 한다. 다만, 제18조 제1항 단서에 규정한 경우와 그 밖에 행정심판청구를 할 수 있는 경우 또는 행정청이 행정심판청구를 할 수 있다고 잘못 알린 경우에 행정심판청구가 있은 때의 기간은 재결서의 정본을 송달받은 날부터 기산한다.
> ② 취소소송은 처분 등이 있은 날부터 1년(제1항 단서의 경우는 재결이 있은 날부터 1년)을 경과하면 이를 제기하지 못한다. 다만, 정당한 사유가 있는 때에는 그러하지 아니하다.
> ③ 제1항의 규정에 의한 기간은 불변기간으로 한다.

정답 02 ② 03 ③

04 상

2010 국회속기직 9급

취소소송의 제소기간에 관한 기술 중 옳지 않은 것은? (다툼이 있는 경우 판례에 의함)

□□□ ① 행정심판을 거치지 아니하고 바로 취소소송을 제기하는 경우의 제소기간은 처분 등이 있음을 안 날로부터 90일 이내이다.

□□□ ② 처분 등이 있은 날이란 당해 처분이 그 효력을 발생한 날을 말하며, 상대방이 있는 처분의 경우에는 상대방에게 도달되어야 한다.

□□□ ③ 통상 고시 또는 공고에 의하여 처분을 하는 경우 당사자가 고시 또는 공고 등이 있음을 현실로 알았는지 여부를 불문하고 그 고시 또는 공고의 효력이 발생하는 날이 제소기간의 기산일이 된다.

□□□ ④ 특정인에 대한 처분을 주소불명 등의 이유로 송달할 수 없어 관보 · 공보 · 게시판 · 일간신문 등에 공고(공시송달)한 경우에는 당해 공고가 효력을 발생하는 날이 제소기간의 기산일이 된다.

□□□ ⑤ 행정절차법은 행정청이 처분을 하는 때에는 당사자에게 제소기간을 알려야 한다고 규정하고 있으나 제소기간을 알리지 아니하거나, 알렸지만 잘못 알린 경우에 관하여는 아무런 규정이 없다.

관련기출

④

1. 특정인에 대한 행정처분을 주소불명 등의 이유로 송달할 수 없어 관보 · 공보 · 게시판 · 일간신문 등에 공고한 경우에는, 공고가 효력을 발생하는 날에 상대방이 그 행정처분이 있음을 알았다고 보아야 한다. (○, ×) 2023 변호사

1. ×

① ○

행정심판을 거치지 않은 경우에는 처분 등이 있음을 안 날로부터 90일, 처분 등이 있은 날로부터 1년 이내에 소송을 제기해야 한다.

② ○

행정심판을 제기하지 아니하거나 그 재결을 거치지 아니하는 사건에 대한 제소기간을 규정한 행정소송법 제20조 제2항에서 '처분이 있은 날'이라 함은 상대방이 있는 행정처분의 경우는 특별한 규정이 없는 한 의사표시의 일반적 법리에 따라 그 행정처분이 상대방에게 고지되어 효력이 발생한 날을 말한다고 할 것이다(대판 1990. 7. 13, 90누2284).

③ ○

통상 고시 또는 공고에 의하여 행정처분을 하는 경우에는 그 처분의 상대방이 불특정 다수인이고 그 처분의 효력이 불특정 다수인에게 일률적으로 적용되는 것이므로, 그 행정처분에 이해관계를 갖는 자가 고시 또는 공고가 있었다는 사실을 현실적으로 알았는지 여부에 관계없이 고시가 효력을 발생하는 날 행정처분이 있음을 알았다고 보아야 한다(대판 2007. 6. 14, 2004두619).

④ ×

특정인에 대한 행정처분을 주소불명 등의 이유로 송달할 수 없어 관보 · 공보 · 게시판 · 일간신문 등에 공고한 경우에는, 공고가 효력을 발생하는 날에 상대방이 그 행정처분이 있음을 알았다고 볼 수는 없고, 상대방이 당해 처분이 있었다는 사실을 현실적으로 안 날에 그 처분이 있음을 알았다고 보아야 한다(대판 2006. 4. 28, 2005두14851).

⑤ ○

우리 현행법상 고지제도를 규정하고 있는 법으로는 행정심판법 제58조 외에도 행정절차법 제26조를 들 수 있다. 그런데 행정절차법의 고지규정에는 제소기간을 잘못 알린 경우(오고지), 알리지 아니한 경우(불고지)에 관해서 아무런 규정이 없다는 점에서 행정심판법상의 고지규정과 구별된다.

행정심판법 제27조【심판청구의 기간】 ⑤ 행정청이 심판청구기간을 제1항에 규정된 기간보다 긴 기간으로 잘못 알린 경우 그 잘못 알린 기간에 심판청구가 있으면 그 행정심판은 제1항에 규정된 기간에 청구된 것으로 본다.
⑥ 행정청이 심판청구기간을 알리지 아니한 경우에는 제3항에 규정된 기간에 심판청구를 할 수 있다.

정답 04 ④

❷ 행정심판과 취소소송의 관계

05 중 2017 교육행정직 9급

행정소송에 관한 설명으로 옳은 것은? (단, 다툼이 있는 경우 판례에 따름)

□□□ ① 국세부과처분 취소소송에는 임의적 행정심판전치주의가 적용된다.

□□□ ② 당사자소송 계속 중 법원의 허가를 얻어도 취소소송으로 변경할 수 없다.

□□□ ③ 취소소송에는 대세효(제3자효)가 있으나 당사자소송에는 인정되지 않는다.

□□□ ④ 취소소송에서 행정처분의 위법 여부는 판결선고 당시의 법령과 사실상태를 기준으로 판단한다.

① ×

행정심판은 원칙적으로 임의적 전치이나 개별법에 규정이 있으면 필요적으로 행정심판을 거칠 것이 요구된다. 국가공무원법, 지방공무원법, 교육공무원법, 관세법, 국세기본법, 지방세기본법, 도로교통법, 특허법 등의 개별법은 필요적 전치를 규정하고 있다. 따라서 국세부과처분 취소소송에는 필요적 행정심판전치주의가 적용된다.

> **국세기본법 제56조【다른 법률과의 관계】** ② 제55조에 규정된 위법한 처분에 대한 행정소송은 행정소송법 제18조 제1항 본문, 제2항 및 제3항에도 불구하고 이 법에 따른 심사청구 또는 심판청구와 그에 대한 결정을 거치지 아니하면 제기할 수 없다. 다만, 심사청구 또는 심판청구에 대한 제65조 제1항 제3호 단서(제81조에서 준용하는 경우를 포함한다)의 재조사결정에 따른 처분청의 처분에 대한 행정소송은 그러하지 아니하다.
>
> **행정소송법 제18조【행정심판과의 관계】** ① 취소소송은 법령의 규정에 의하여 당해 처분에 대한 행정심판을 제기할 수 있는 경우에도 이를 거치지 아니하고 제기할 수 있다. 다만, 다른 법률에 당해 처분에 대한 행정심판의 재결을 거치지 아니하면 취소소송을 제기할 수 없다는 규정이 있는 때에는 그러하지 아니하다.

② ×

소의 종류의 변경에 관한 규정은 무효등확인소송, 부작위위법확인소송을 다른 항고소송이나 당사자소송으로 변경하거나 당사자소송을 항고소송으로 변경하는 경우에도 준용되고 있다.

> **행정소송법 제21조【소의 변경】** ① 법원은 취소소송을 당해 처분 등에 관계되는 사무가 귀속하는 국가 또는 공공단체에 대한 당사자소송 또는 취소소송 외의 항고소송으로 변경하는 것이 상당하다고 인정할 때에는 청구의 기초에 변경이 없는 한 사실심의 변론종결시까지 원고의 신청에 의하여 결정으로써 소의 변경을 허가할 수 있다.
>
> **제42조【소의 변경】** 제21조의 규정은 당사자소송을 항고소송으로 변경하는 경우에 준용한다.

③ ○

원칙적으로 판결의 효력은 판결에 관여하지 않은 제3자에게는 미치지 않는다. 그러나 사법(私法)상 계약과 달리 행정처분의 경우에는 제3자에게도 그 효력이 미치는 경우가 있다(이른바 제3자효적 행정행위). 이 경우 법률관계의 통일적 해결을 위해 취소판결에는 제3자효를 인정하고 있으며 이 규정을 다른 항고소송에도 준용하고 있다. 그런데 당사자소송은 처분 등을 직접 다투는 것이 아니며 또한 그 실질이 대등한 당사자 간의 법률관계를 다툰다는 점에서 민사소송과 유사한 점이 있다. 이 점에서 당사자소송에는 취소판결의 제3자효에 관한 규정을 준용하고 있지 않으며(제44조에서는 제29조를 준용하고 있지 않다), 따라서 판결의 효력은 소송에 관여하지 않은 제3자에게는 미치지 않는다.

> **행정소송법 제29조【취소판결 등의 효력】** ① 처분 등을 취소하는 확정판결은 제3자에 대하여도 효력이 있다.
>
> **제44조【준용규정】** ① 제14조 내지 제17조, 제22조, 제25조, 제26조, 제30조 제1항, 제32조 및 제33조의 규정은 당사자소송의 경우에 준용한다.

④ ×

처분 등의 위법 여부의 판단은 판결 당시가 아니라 처분 당시의 법령 및 사실상태를 기준으로 하여야 한다.

> 행정처분의 위법 여부 판단의 기준시점은 처분시이다.
>
> 행정소송에서 행정처분의 위법 여부는 행정처분이 행하여졌을 때의 법령과 사실상태를 기준으로 하여 판단하여야 하고, 처분 후 법령의 개폐나 사실상태의 변동에 의하여 영향을 받지는 않는다(대판 2007. 5. 11, 2007두1811).

정답 05 ③

06 정답률 65% 중 2016 서울시 9급

행정소송법 제18조 제3항에서 규정하고 있는 '행정심판을 거칠 필요가 없는 경우'가 아닌 것은?

□□□ ① 동종사건에 관하여 이미 행정심판의 기각재결이 있은 때

□□□ ② 서로 내용상 관련되는 처분 또는 같은 목적을 위하여 단계적으로 진행되는 처분 중 어느 하나가 이미 행정심판의 재결을 거친 때

□□□ ③ 행정청이 사실심의 변론종결 후 소송의 대상인 처분을 변경하여 당해 변경된 처분에 관하여 소를 제기하는 때

□□□ ④ 법령의 규정에 의한 행정심판기관이 의결 또는 재결을 하지 못할 사유가 있는 때

④ ×

'행정심판을 제기할 필요가 없는 경우'와 '제기는 하되 재결을 거칠 필요가 없는 경우'를 구별하기 바란다.

행정소송법 제18조【행정심판과의 관계】 ① 취소소송은 법령의 규정에 의하여 당해 처분에 대한 행정심판을 제기할 수 있는 경우에도 이를 거치지 아니하고 제기할 수 있다. 다만, 다른 법률에 당해 처분에 대한 행정심판의 재결을 거치지 아니하면 취소소송을 제기할 수 없다는 규정이 있는 때에는 그러하지 아니하다.

② 제1항 단서의 경우에도 다음 각 호의 1에 해당하는 사유가 있는 때에는 **행정심판의 재결을 거치지 아니하고** 취소소송을 제기할 수 있다.

1. 행정심판청구가 있은 날로부터 60일이 지나도 재결이 없는 때
2. 처분의 집행 또는 절차의 속행으로 생길 중대한 손해를 예방하여야 할 긴급한 필요가 있는 때
3. 법령의 규정에 의한 행정심판기관이 의결 또는 재결을 하지 못할 사유가 있는 때(④)
4. 그 밖의 정당한 사유가 있는 때

③ 제1항 단서의 경우에 다음 각 호의 1에 해당하는 사유가 있는 때에는 **행정심판을 제기함이 없이** 취소소송을 제기할 수 있다.

1. 동종사건에 관하여 이미 행정심판의 기각재결이 있은 때(①)
2. 서로 내용상 관련되는 처분 또는 같은 목적을 위하여 단계적으로 진행되는 처분 중 어느 하나가 이미 행정심판의 재결을 거친 때(②)
3. 행정청이 사실심의 변론종결 후 소송의 대상인 처분을 변경하여 당해 변경된 처분에 관하여 소를 제기하는 때(③)
4. 처분을 행한 행정청이 행정심판을 거칠 필요가 없다고 잘못 알린 때

④ 제2항 및 제3항의 규정에 의한 사유는 이를 소명하여야 한다.

정답 06 ④

02 소의 변경과 소제기의 효과

기 857~867쪽 핵 T 71

❶ 소의 변경

07 중 2018 경행경채 3차

행정소송법에 대한 설명으로 가장 적절하지 않은 것은? (다툼이 있는 경우 판례에 의함)

① 경찰청장을 피고로 하여 취소소송을 제기하는 경우, 대법원 소재지를 관할하는 행정법원이 제1심 관할법원으로 될 수 있다.

② 부작위위법확인소송은 처분의 신청을 한 자로서 부작위의 위법의 확인을 구할 법률상 이익이 있는 자만이 제기할 수 있다.

③ 법원은 필요하다고 인정할 때에는 직권으로 증거조사를 할 수 있고, 당사자가 주장하지 아니한 사실에 대하여도 판단할 수 있다.

④ 법원은 행정청이 소송의 대상인 처분을 소가 제기된 후 변경한 때에는 원고의 신청이 없더라도 결정으로써 청구의 취지 또는 원인을 변경할 수 있다.

① ○

중앙행정기관, 중앙행정기관의 부속기관 또는 그 장을 피고로 할 때에는 대법원 소재지를 관할하는 행정법원에 취소소송을 제기할 수 있으므로, 중앙행정기관의 장인 경찰청장을 피고로 취소소송을 하고자 할 때에도 대법원 소재지를 관할하는 행정법원에 할 수 있다.

> **행정소송법 제9조【재판관할】** ① 취소소송의 제1심 관할법원은 피고의 소재지를 관할하는 행정법원으로 한다.
> ② 제1항에도 불구하고 다음 각 호의 어느 하나에 해당하는 피고에 대하여 취소소송을 제기하는 경우에는 대법원 소재지를 관할하는 행정법원에 제기할 수 있다.
> 1. 중앙행정기관, 중앙행정기관의 부속기관과 합의제 행정기관 또는 그 장
> 2. 국가의 사무를 위임 또는 위탁받은 공공단체 또는 그 장

② ○

> **행정소송법 제36조【부작위위법확인소송의 원고적격】** 부작위위법확인소송은 처분의 신청을 한 자로서 부작위의 위법의 확인을 구할 법률상 이익이 있는 자만이 제기할 수 있다.

③ ○

> **행정소송법 제26조【직권심리】** 법원은 필요하다고 인정할 때에는 직권으로 증거조사를 할 수 있고, 당사자가 주장하지 아니한 사실에 대하여도 판단할 수 있다.

④ ×

> **행정소송법 제22조【처분변경으로 인한 소의 변경】** ① 법원은 행정청이 소송의 대상인 처분을 소가 제기된 후 변경한 때에는 원고의 신청에 의하여 결정으로써 청구의 취지 또는 원인의 변경을 허가할 수 있다.

08 중 2010 세무사

다음 (　) 안의 내용을 올바르게 나열한 것은?

> • 행정소송에 관하여 행정소송법에 특별한 규정이 없는 사항에 대하여는 법원조직법과 민사소송법 및 (㉠)의 규정을 준용한다.
> • 처분변경으로 인한 소의 변경은 원고가 당해 처분의 변경이 있음을 안 날로부터 (㉡)일 이내에 소의 변경을 신청하여야 한다.

① ㉠ : 민사집행법, ㉡ : 60
② ㉠ : 민사집행법, ㉡ : 90
③ ㉠ : 행정심판법, ㉡ : 60
④ ㉠ : 행정심판법, ㉡ : 90
⑤ ㉠ : 행정절차법, ㉡ : 60

①

> **행정소송법 제8조【법적용례】** ② 행정소송에 관하여 이 법에 특별한 규정이 없는 사항에 대하여는 법원조직법과 민사소송법 및 민사집행법의 규정을 준용한다.
> **제22조【처분변경으로 인한 소의 변경】** ② 제1항의 규정에 의한 신청은 처분의 변경이 있음을 안 날로부터 60일 이내에 하여야 한다.

정답 07 ④ 08 ①

❷ 소제기의 효과(집행정지제도 등)

09 ㊤ 2024 변호사

행정소송법상 집행정지에 관한 설명 중 옳지 않은 것을 모두 고른 것은? (다툼이 있는 경우 판례에 의함)

> □□□ ㉠ 본안소송인 취소소송이 제기되었는데 그 소송의 대상인 행위가 처분이 아니라는 이유로 각하될 경우라도 긴급한 필요 등에 근거한 집행정지제도의 취지에 비추어 집행정지는 허용된다.
> □□□ ㉡ 집행정지의 요건 중 공공복리에 중대한 영향을 미칠 우려와 관련된 주장 및 소명책임은 집행정지결정 신청인에게 있다.
> □□□ ㉢ 집행정지결정의 취소사유는 특별한 사정이 없는 한 집행정지결정이 확정된 이후에 발생한 것이어야 한다.
> □□□ ㉣ 본안 확정판결로 제재처분이 적법하다는 점이 확인되었다면 제재처분의 상대방이 잠정적 집행정지를 통해 집행정지가 이루어지지 않은 경우와 비교하여 제재를 덜 받게 되는 결과가 초래되도록 해서는 안 된다.

① ㉠, ㉡ ② ㉠, ㉢
③ ㉡, ㉢ ④ ㉠, ㉡, ㉣
⑤ ㉡, ㉢, ㉣

관련기출

㉠

1. (A구 구청장은 관내에서 음식점을 운영하고 있는 甲이 청소년에게 주류를 판매하였다는 이유로, 甲에게 영업정지처분을 할 것을 고려하고 있다) 구청장이 영업정지처분을 하였고, 이에 대하여 甲이 취소소송을 제기하면서 집행정지를 신청한 경우, 甲이 제기한 취소소송이 적법하여야 한다는 것이 집행정지의 요건에 포함된다. (○, ×) 2023 변호사
2. 집행정지는 행정처분의 집행부정지원칙의 예외로 인정되는 것이므로 본안청구의 적법과는 상관이 없기 때문에 적법한 본안소송의 계속을 요건으로 하지 않는다. (○, ×) 2018 경행경채
3. 집행정지는 적법한 본안소송이 계속 중일 것을 요한다. (○, ×) 2016 국가직 9급
4. 본안문제인 행정처분 자체의 적법 여부는 집행정지신청의 요건이 되지 아니하는 것이 원칙이지만, 본안소송의 제기 자체는 적법한 것이어야 한다. (○, ×) 2014 국가직 9급

🔒 1. ○ 2. × 3. ○ 4. ○

㉡

1. 집행정지의 요건으로 규정하고 있는 '공공복리에 중대한 영향을 미칠 우려'가 없을 것이라고 할 때의 '공공복리'는 그 처분의 집행과 관련된 구체적이고도 개별적인 공익을 말하는 것으로서 이러한 집행정지의 소극적 요건에 대한 주장 · 소명책임은 행정청에게 있다. (○, ×) 2023 국가직 9급

🔒 1. ○

㉠ 빈출 ×

취소소송에 있어 집행정지신청은 민사소송과 달리 적법한 본안소송이 제기될 것이 집행정지의 요건이다.

> 행정처분의 효력정지나 집행정지를 구하는 신청사건에 있어서 본안청구가 적법한 것이어야 한다는 점이 집행정지의 요건이다(대결 1999. 11. 26, 99부3).

㉡ 빈출 ×

집행정지의 적극적 요건(적법한 본안소송의 계속, 처분 등의 존재, 회복하기 어려운 손해예방의 필요, 긴급한 필요)은 신청인에게 주장 · 소명책임이 있지만, 소극적 요건(공공복리에 중대한 영향을 미칠 우려'가 없을 것, 본안의 이유없음이 명백하지 않을 것)은 행정청에 주장 및 소명책임이 있다.

> 집행정지의 적극적 요건에 관한 주장 · 소명책임은 원칙적으로 신청인 측에 있다. 그리고 행정소송법 제23조 제3항에서 집행정지의 요건으로 규정하고 있는 '공공복리에 중대한 영향을 미칠 우려'가 없을 것이라고 할 때의 '공공복리'는 그 처분의 집행과 관련된 구체적이고도 개별적인 공익을 말하는 것으로서 이러한 집행정지의 소극적 요건에 대한 주장 · 소명책임은 행정청에게 있다(대결 1999. 12. 20, 99무42).

㉢ ○

> 행정소송법 제24조 제1항에서 규정하고 있는 집행정지결정의 취소사유는 특별한 사정이 없는 한 집행정지결정이 확정된 이후에 발생한 것이어야 하고, 그중 '집행정지가 공공복리에 중대한 영향을 미치는 때'라 함은 일반적 · 추상적인 공익에 대한 침해의 가능성이 아니라 당해 집행정지결정과 관련된 구체적 · 개별적인 공익에 중대한 해를 입힐 개연성을 말하는 것이다(대결 2005. 7. 15, 2005무16 ; 대결 2004. 5. 17, 2004무6).

㉣ ○

> 제재처분에 대한 행정쟁송절차에서 처분에 대해 집행정지결정이 이루어졌더라도 본안에서 해당 처분이 최종적으로 적법한 것으로 확정되어 집행정지결정이 실효되고 제재처분을 다시 집행할 수 있게 되면, 처분청으로서는 당초 집행정지결정이 없었던 경우와 동등한 수준으로 해당 제재처분이 집행되도록 필요한 조치를 취하여야 한다. 집행정지는 행정쟁송절차에서 실효적 권리구제를 확보하기 위한 잠정적 조치일 뿐이므로, 본안 확정판결로 해당 제재처분이 적법하다는 점이 확인되었다면 제재처분의 상대방이 잠정적 집행정지를 통해 집행정지가 이루어지지 않은 경우와 비교하여 제재를 덜 받게되는 결과가 초래되도록 해서는 안 된다. 반대로, 처분 상대방이 집행정지결정을 받지 못했으나 본안소송에서 해당 제재처분이 위법하다는 것이 확인되어 취소하는 판결이 확정되면, 처분청은 그 제재처분으로 처분 상대방에게 초래된 불이익한 결과를 제거하기 위하여 필요한 조치를 취하여야 한다(대판 2020. 9. 3, 2020두34070).

정답 09 ①

10 빈출 중 2022 소방간부

항고소송의 집행정지에 관한 설명으로 옳지 않은 것은? (다툼이 있는 경우 판례에 의함)

① 과징금을 납부하기 위하여 무리하게 외부자금을 차입할 경우 자금사정이 악화되어 회사의 존립자체가 위태롭게 될 정도의 중대한 경영상의 위기를 맞게 될 우려가 있다는 사정은 집행정지요건인 회복하기 어려운 손해에 해당한다.

② 회복하기 어려운 손해예방의 필요 등 집행정지의 적극적 요건에 관한 주장 · 소명책임은 원칙적으로 신청인에게 있으나, 공공복리에 중대한 영향을 미칠 우려가 없을 것 등 집행정지의 소극적 요건에 대한 주장 · 소명책임은 행정청에 있다.

③ 집행정지결정을 한 후에라도 본안소송이 취하되어 소송이 계속하지 아니한 것으로 되면 집행정지결정은 당연히 그 효력이 소멸되고 별도의 취소조치를 필요로 하는 것은 아니다.

④ 항고소송의 대상이 되는 행정처분의 효력이나 집행 혹은 절차속행 등의 정지를 구하는 신청은 행정소송법상 집행정지신청의 방법으로서만 가능할 뿐이고 민사소송법상 가처분의 방법으로는 허용될 수 없다.

⑤ 보조금 교부결정의 일부를 취소한 행정청의 처분에 대하여 법원이 효력정지결정을 하면서 주문에서 그 법원에 계속 중인 본안소송의 판결선고시까지 처분의 효력을 정지한다고 선언하였을 경우, 본안소송의 판결선고에 의하여 정지결정의 효력은 소멸하지만 당초의 보조금 교부결정 취소 처분의 효력이 당연히 되살아나는 것은 아니다.

관련기출

③

1. 집행정지결정을 한 후에라도 행정사건의 본안소송이 취하되어 그 소송이 계속하지 아니한 것으로 되면 이에 따라 집행정지결정은 당연히 그 효력이 소멸되며 별도의 취소조치가 필요한 것은 아니다. (○, ×) 2018 경행경채
2. 집행정지결정을 한 후에 본안소송이 취하되더라도 그 집행정지결정의 효력이 당연히 소멸하는 것은 아니고, 별도의 취소조치를 필요로 한다. (○, ×) 2016 서울시 9급

1. ○ 2. ×

⑤

1. 보조금 교부결정 취소처분에 대하여 법원이 효력정지결정을 하면서 주문에서 그 법원에 계속 중인 본안소송의 판결선고시까지 처분의 효력을 정지한다고 선언하였을 경우, 본안소송의 판결선고에 의하여 정지결정의 효력은 소멸하고 이와 동시에 당초의 보조금 교부결정 취소처분의 효력이 당연히 되살아난다. (○, ×) 2018 국가직 7급

1. ○

① 빈출 ○

> 과징금납부명령의 처분이 사업자의 자금사정이나 경영 전반에 미치는 파급효과가 매우 중대하다면 회복하기 어려운 손해에 해당한다.
> 사업여건의 악화 및 막대한 부채비율로 인하여 외부자금의 신규차입이 사실상 중단된 상황에서 285억원 규모의 과징금을 납부하기 위하여 무리하게 외부자금을 신규차입하게 되면 주거래은행에 대한 재무구조개선약정을 지키지 못하게 되어 사업자가 중대한 경영상의 위기를 맞게 될 것으로 보이는 경우, 그 과징금납부명령의 처분으로 인한 손해는 효력정지 내지 집행정지의 적극적 요건인 '회복하기 어려운 손해'에 해당한다(대결 2001. 10. 10, 2001무29).

② ○

집행정지의 적극적 요건은 신청인에게 주장 · 소명책임이 있지만, 소극적 요건은 행정청에 그 책임이 있다.

③ 빈출 ○

집행정지는 본안소송이 계속되어야 하므로 본안소송이 취하되면 집행정지결정은 당연히 소멸하며, 별도 취소조치는 필요 없다.

> 집행정지결정을 한 후에라도 본안소송이 취하되어 소송이 계속하지 아니한 것으로 되면 집행정지결정은 당연히 그 효력이 소멸되는 것이고 별도의 취소조치를 필요로 하는 것이 아니다(대판 1975. 11. 11, 75누97).

④ 빈출 ○

행정소송법에서는 명문의 규정이 없어 민사집행법상 가처분을 준용할 수 있는지가 문제되는데, 대법원은 민사집행법상의 가처분 규정이 항고소송에서는 준용되지 않는다고 본다.

> 항고소송의 대상이 되는 행정처분의 효력이나 집행 혹은 절차속행 등의 정지를 구하는 신청은 행정소송법상 집행정지신청의 방법으로서만 가능할 뿐 민사소송법상 가처분의 방법으로는 허용될 수 없다(대결 2009. 11. 2, 2009마596).

⑤ ×

> 보조금 교부결정의 일부를 취소한 행정청의 처분에 대한 효력정지결정의 효력이 소멸하여 보조금 교부결정 취소처분의 효력이 되살아난 경우, 원칙적으로 취소처분에 의하여 취소된 부분의 보조사업에 대하여 효력정지기간 동안 교부된 보조금의 반환을 명하여야 한다.
> 행정소송법 제23조에 의한 효력정지결정의 효력은 결정주문에서 정한 시기까지 존속하고 그 시기의 도래와 동시에 효력이 당연히 소멸하므로, 보조금 교부결정의 일부를 취소한 행정청의 처분에 대하여 법원이 효력정지결정을 하면서 주문에서 그 법원에 계속 중인 본안소송의 판결선고시까지 처분의 효력을 정지한다고 선언하였을 경우, 본안소송의 판결선고에 의하여 그 정지결정의 효력은 소멸하고 이와 동시에 당초의 보조금 교부결정 취소처분의 효력이 당연히 되살아난다고 할 것이다.
> 따라서 효력정지결정의 효력이 소멸하여 보조금 교부결정 취소처분의 효력이 되살아난 경우, 특별한 사정이 없는 한 행정청으로서는 구 「보조금의 예산 및 관리에 관한 법률」 제31조 제1항에 따라 그 취소처분에 의하여 취소된 부분의 보조사업에 대하여 효력정지기간 동안 교부된 보조금의 반환을 명하여야 할 것이다(대판 2017. 7. 11, 2013두25498).

정답 10 ⑤

11 상

2015 사회복지직 9급

행정소송법상 집행정지에 대한 설명으로 옳지 않은 것은? (다툼이 있는 경우 판례에 의함)

① 집행정지의 대상은 처분 등의 효력, 그 집행 또는 절차의 속행이다.

② '회복하기 어려운 손해'란 금전보상이 불가능한 경우뿐만 아니라 금전보상으로는 사회관념상 행정처분을 받은 당사자가 참고 견딜 수 없거나 또는 참고 견디기가 현저히 곤란한 경우의 유형 · 무형의 손해를 말한다.

③ 적법한 본안소송이 법원에 계속되어 있을 것을 요하지만, 본안소송의 제기와 집행정지신청이 동시에 행하여지는 경우도 허용된다.

④ 본안에 관한 이유 유무는 원칙적으로 집행정지 결정단계에서 판단할 것은 아니므로 집행정지사건 자체에 의하여 신청인의 본안청구가 이유 없음이 명백한 때에도 집행정지를 명할 수 있다.

관련기출

①

1. 행정소송법은 처분의 일부에 대한 집행정지도 가능하다고 규정하고 있다. (O, ×) 2012 국가직 9급

1. O

① O

행정소송법 제23조【집행정지】② 취소소송이 제기된 경우에 처분 등이나 그 집행 또는 절차의 속행으로 인하여 생길 회복하기 어려운 손해를 예방하기 위하여 긴급한 필요가 있다고 인정할 때에는 본안이 계속되고 있는 법원은 당사자의 신청 또는 직권에 의하여 '처분 등의 효력'이나 '그 집행' 또는 '절차의 속행'의 전부 또는 일부의 정지를 결정할 수 있다.

② O

행정처분의 집행정지나 효력정지결정을 하기 위하여는 행정소송법 제23조 제2항에 따라 회복하기 어려운 손해를 예방하기 위하여 긴급한 필요가 있어야 하고, 여기서 말하는 '회복하기 어려운 손해'라 함은 특별한 사정이 없는 한 금전으로 보상할 수 없는 손해라 할 것이며, 이는 금전보상이 불능한 경우뿐만 아니라 금전보상으로는 사회관념상 행정처분을 받은 당사자가 참고 견딜 수 없거나 또는 참고 견디기가 현저히 곤란한 경우의 유형 · 무형의 손해를 일컫는다(대결 1992. 8. 7, 92두30).

③ O

행정소송법상의 집행정지는 민사소송법상의 가구제와 달리 먼저 본안소송이 계속되어 있어야 한다. 다만, 본안소송의 제기와 동시에 집행정지를 신청하는 것은 허용된다.

④ ×

신청인의 본안청구가 이유 없음이 명백하지 않아야 한다는 것이 집행정지의 요건에 포함된다는 것이 판례의 입장이다(대결 1997. 4. 28, 96두75).

12 상

2014 국가직 9급

甲은 자신이 운영하는 사회복지시설의 재정이 어려워지자 관할행정청에 보조금을 신청하였으나 거부되었다. 이와 관련한 법률관계에 대한 설명으로 옳은 것은? (다툼이 있는 경우 판례에 의함)

① 甲이 위 거부행위에 대해 취소소송으로 다투기 위해서는 甲에게 보조금을 신청할 수 있는 권리가 성문법령에 규정되어 있어야만 한다.

② 甲이 위 거부행위에 대하여 취소소송을 제기하여 다투는 경우에 집행정지를 통한 권리구제는 허용되지 않는다.

③ 위 거부행위는 불이익처분이므로 관할행정청이 甲의 신청을 거부하는 경우에는 행정절차법상 사전통지절차를 거쳐야 한다.

④ 위 거부행위가 있은 후에 甲은 보조금지급을 요구하는 의무이행소송을 제기할 수 있다.

① ×

통설 · 판례는 거부행위가 항고소송의 대상이 되는 처분이 되기 위해서는 상대방에게 신청권이 있어야 한다고 보고 있는데, 이 경우 신청권은 성문법규상에 규정된 경우뿐만 아니라 조리상 인정될 수도 있다.

② O

거부처분은 집행정지의 대상이 아니라는 것이 판례의 입장이다(대결 1991. 5. 2, 91두15).

③ ×

신청에 대한 거부처분은 처분의 사전통지대상이 된다고 할 수 없다는 것이 판례의 입장이다(대판 2003. 11. 28, 2003두674).

④ ×

판례는 의무이행소송을 인정하지 않고 있다.

검사에게 이행을 명하는 의무이행소송은 인정되지 않는다.
피고에게 압수물 환부를 이행하라는 청구에 관하여는 현행 행정소송법상 행정청의 부작위에 대하여 일정한 처분을 하도록 하는 의무이행소송은 허용되지 아니한다(대판 1995. 3. 10, 94누14018).

정답 11 ④ 12 ②

제39강 항고소송 4 (취소소송의 심리 등)

1회독	2회독	3회독
/	/	/

⊘정답률 공단기/소방단기 합격예측 풀서비스 통계 데이터 기준 기 기본서 핵 핵심집약

01 취소소송의 심리 등 기 870~888쪽 핵 T 72

❶ 취소소송의 심리

01 상 2023 국회직 8급

행정소송법상 행정소송의 심리에 대한 설명으로 옳은 것만을 <보기>에서 모두 고르면? (다툼이 있는 경우 판례에 의함)

보기

ㄱ 당사자가 신청하지 아니한 사항에 대하여는 판결하지 못한다는 의미의 처분권주의가 적용된다.

ㄴ 취소소송의 직권심리주의를 규정하고 있는 행정소송법 제26조의 규정을 고려할 때, 행정소송에 있어서 법원은 원고의 청구범위를 초월하여 그 이상의 청구를 인용할 수 있다.

ㄷ 법원으로부터 행정심판기록의 제출명령을 받은 행정청은 지체 없이 당해 행정심판에 관한 기록을 법원에 제출하여야 한다.

ㄹ 사실심에서 변론종결시까지 당사자가 주장하지 않던 직권조사사항에 해당하는 사항을 상고심에서 비로소 주장하는 경우 그 직권조사사항에 해당하는 사항은 상고심의 심판범위에 해당하지 않는다.

① ㄱ, ㄴ ② ㄱ, ㄷ
③ ㄱ, ㄹ ④ ㄴ, ㄹ
⑤ ㄷ, ㄹ

관련기출

ㄱㄴ
1. 소송에 있어서 처분권주의는 사적 자치에 근거를 둔 법질서에 뿌리를 두고 있으므로 취소소송에는 적용되지 않는다. (O, ×) 2018 지방직 9급
2. 취소소송의 직권심리주의를 규정하고 있는 행정소송법 제26조의 규정을 고려할 때, 행정소송에 있어서 법원은 원고의 청구범위를 초월하여 그 이상의 청구를 인용할 수 있다. (O, ×) 2015 지방직 7급
3. 행정소송에도 처분권주의가 적용되므로 법원은 당사자의 소제기가 있어야만 심리를 개시할 수 있고, 분쟁대상도 원칙적으로 당사자가 청구한 범위에 한정된다. (O, ×) 2007 세무사

1. × 2. × 3. O

② ㄱㄷ이 옳은 설명이다.

ㄱ **빈출** O

ㄴ ×

처분권주의란 사적 자치의 원칙이 소송법에 적용된 것으로 소송의 개시, 심판대상의 결정, 소송의 종결 등을 당사자의 의사에 맡기는 것을 말한다. 행정소송에서도 처분권주의가 적용된다. 따라서 법원은 원고의 청구범위를 초월하여 그 이상의 청구를 인용할 수 없다.

> 행정소송에 있어서도 원고의 청구취지, 즉 청구범위 · 액수 등은 모두 원고가 청구하는 한도를 초월하여 판결할 수 없다.
> 행정소송에 있어서도 (구)행정소송법 제14조에 의하여 (구)민사소송법 제188조(처분권주의)가 준용되어 법원은 당사자가 신청하지 아니한 사항에 대하여는 판결할 수 없는 것이고(ㄱ), 행정소송법 제26조에서 직권심리주의를 채용하고 있으나 이는 행정소송에 있어서 원고의 청구범위를 초월하여 그 이상의 청구를 인용할 수 있다는 의미가 아니라 원고의 청구범위를 유지하면서 그 범위 내에서 필요에 따라 주장 외의 사실에 관하여도 판단할 수 있다는 뜻이다(ㄴ)(대판 1987. 11. 10, 86누491).

ㄷ O

> 행정소송법 제25조【행정심판기록의 제출명령】① 법원은 당사자의 신청이 있는 때에는 결정으로써 재결을 행한 행정청에 대하여 행정심판에 관한 기록의 제출을 명할 수 있다.
> ② 제1항의 규정에 의한 제출명령을 받은 행정청은 지체없이 당해 행정심판에 관한 기록을 법원에 제출하여야 한다.

ㄹ **빈출** ×

> 1. 행정소송에서 쟁송의 대상이 되는 행정처분의 존부는 소송요건으로서 직권조사사항이고, 자백의 대상이 될수 없는 것이므로, 설사 그 존재를 당사자들이 다투지 아니한다 하더라도 그 존부에 관하여 의심이 있는 경우에는 이를 직권으로 밝혀 보아야 한다.
> 2. 사실심에서 변론종결시까지 당사자가 주장하지 않던 직권조사사항에 해당하는 사항을 상고심에서 비로소 주장하는 경우 그 직권조사사항에 해당하는 사항은 상고심의 심판범위에 해당한다(대판 2004. 12. 24, 2003두15195).

정답 01 ②

02 정답률 60% 상 2020 국가직 9급

판례의 입장으로 옳은 것은?

□□□ ① 변상금 부과처분이 당연무효인 경우, 당해 변상금 부과처분에 의하여 납부한 오납금에 대한 납부자의 부당이득반환청구권의 소멸시효는 변상금 부과처분의 부과시부터 진행한다.

□□□ ② 행정소송에서 쟁송의 대상이 되는 행정처분의 존부에 관한 사항이 상고심에서 비로소 주장된 경우에 행정처분의 존부에 관한 사항은 상고심의 심판범위에 해당한다.

□□□ ③ 어떠한 처분의 근거나 법적인 효과가 행정규칙에 규정되어 있다면, 그 처분이 행정규칙의 내부적 구속력에 의하여 상대방의 권리 · 의무에 직접 영향을 미치는 행위라도 항고소송의 대상이 되는 행정처분이라 볼 수 없다.

□□□ ④ 어떠한 허가처분에 대하여 타법상의 인 · 허가가 의제된 경우, 의제된 인 · 허가는 통상적인 인 · 허가와 동일한 효력을 갖는 것은 아니므로 '부분 인 · 허가 의제'가 허용되는 경우에도 의제된 인 · 허가에 대한 쟁송취소는 허용되지 않는다.

관련기출

③

1. 어떠한 처분의 근거나 법적인 효과가 행정규칙에 규정되어 있다고 하더라도, 그 처분이 행정규칙의 내부적 구속력에 의하여 상대방에게 권리의 설정 또는 의무의 부담을 명하거나 기타 법적인 효과를 발생하게 하는 등 그 상대방의 권리 · 의무에 직접 영향을 미치는 행위라면, 이는 항고소송의 대상이 되는 행정처분에 해당한다. (○, ×) 2018 서울시 1회 7급
2. 행정청의 지침에 의해 내린 행위가 상대방에게 권리의 설정이나 의무의 부담을 명하거나 기타 법적 효과에 직접적 영향을 미치는 경우에는 처분성을 긍정한다. (○, ×) 2016 사회복지직 9급
3. 행정규칙에 근거한 처분이라도 상대방의 권리 · 의무에 직접 영향을 미치는 경우에는 항고소송의 대상이 되는 행정처분에 해당한다. (○, ×) 2015 사회복지직 9급

1. ○ 2. ○ 3. ○

① 제8강 참조 ×

> 오납금에 대한 납부자의 부당이득반환청구권은 납부 또는 징수시에 발생하여 확정되며 그때부터 소멸시효가 진행된다.
>
> 지방재정법 제87조 제1항에 의한 변상금 부과처분이 당연무효인 경우에 이 변상금 부과처분에 의하여 납부자가 납부하거나 징수당한 오납금은 지방자치단체가 법률상 원인 없이 취득한 부당이득에 해당하고, 이러한 오납금에 대한 납부자의 부당이득반환청구권은 처음부터 법률상 원인이 없이 납부 또는 징수된 것이므로 납부 또는 징수시에 발생하여 확정되며, 그때부터 소멸시효가 진행한다(대판 2005. 1. 27, 2004다50143).

② ○

사실심에서 변론종결시까지 당사자가 주장하지 않던 직권조사사항에 해당하는 사항을 상고심에서 비로소 주장하는 경우 그 직권조사사항에 해당하는 사항은 상고심의 심판범위에 해당한다는 것이 판례의 입장이다(대판 2004. 12. 24, 2003두15195).

③ **빈출** ×

> 어떠한 처분의 근거가 행정규칙에 규정되어 있다고 하더라도, 그 처분이 상대방에게 권리의 설정 또는 의무의 부담을 명하거나 기타 법적인 효과를 발생하게 하는 등으로 그 상대방의 권리 · 의무에 직접 영향을 미치는 행위라면, 이 경우에도 항고소송의 대상이 되는 행정처분에 해당한다(대판 2004. 11. 26, 2003두10251 · 10268).

④ **빈출** 제13강 참조 ×

> 주택건설사업계획승인처분에 따라 의제된 지구단위계획결정에 하자가 있음을 이해관계인이 다투고자 하는 경우, 주된 처분(주택건설사업계획승인처분)이 아니라 의제된 인 · 허가(지구단위계획결정)를 항고소송의 대상으로 삼아야 한다.
>
> 의제된 인 · 허가는 통상적인 인 · 허가와 동일한 효력을 가지므로, 적어도 '부분 인 · 허가 의제'가 허용되는 경우에는 그 효력을 제거하기 위한 법적 수단으로 의제된 인 · 허가의 취소나 철회가 허용될 수 있고, 이러한 직권취소 · 철회가 가능한 이상 그 의제된 인 · 허가에 대한 쟁송취소 역시 허용된다. 따라서 주택건설사업계획승인처분에 따라 의제된 인 · 허가가 위법함을 다투고자 하는 이해관계인은, 주택건설사업계획승인처분의 취소를 구할 것이 아니라 의제된 인 · 허가의 취소를 구하여야 하며, 의제된 인 · 허가는 주택건설사업계획승인처분과 별도로 항고소송의 대상이 되는 처분에 해당한다(대판 2018. 11. 29, 2016두38792).
>
> **비교판례**
> 건축불허가처분을 하면서 그 처분사유로 건축불허가사유뿐만 아니라 형질변경불허가사유나 농지전용불허가사유를 들고 있다고 하여 그 건축불허가처분 외에 별개로 형질변경불허가처분이나 농지전용불허가처분이 존재하는 것이 아니다(대판 2001. 1. 16, 99두10988).
>
> **참고** ㉠ 주된 인 · 허가 신청에 대해 거부처분을 한 경우에는 비록 의제되는 인 · 허가의 거부사유를 들어 거부한 경우라도 의제되는 인 · 허가가 아닌 주된 인 · 허가의 거부처분이 소송의 대상이 되며 그 소송에서 의제되는 인 · 허가의 거부사유를 다툴 수 있다. ㉡ 반면에 주된 인 · 허가 신청에 대해 인 · 허가 처분이 내려진 경우에는 주된 인 · 허가의 허가사유를 다투고자 하는 경우에는 '주된 인 · 허가'가, 의제되는 인 · 허가의 허가사유를 다투는 경우에는 '의제되는 인 · 허가'가 소송의 대상이 된다.

정답 02 ②

03 정답률 62% 중 2018 지방직 9급

항고소송에 대한 설명으로 옳은 것은? (다툼이 있는 경우 판례에 의함)

□□□ ① 취소소송의 소송물을 처분의 위법성 일반으로 보게 되면, 어떠한 처분에 대한 청구기각의 확정판결이 있는 경우에도 후에 제기되는 취소소송에서 그 처분의 위법성을 주장할 수 있다.

□□□ ② 소송에 있어서 처분권주의는 사적 자치에 근거를 둔 법질서에 뿌리를 두고 있으므로 취소소송에는 적용되지 않는다.

□□□ ③ 취소소송의 심리에 있어서 주장책임은 직권탐지주의를 보충적으로 인정하고 있는 한도 내에서 그 의미가 완화된다.

□□□ ④ 부작위위법확인소송에서 사인의 신청권의 존재 여부는 부작위의 성립과 관련하므로 원고적격의 문제와는 관련이 없다.

① ×

취소소송의 소송물을 통설 및 판례의 입장인 처분의 위법성 일반이라고 본다면, 처분에 대한 청구기각판결이 확정된 경우 그 처분은 위법하지 않은 것이 된다(즉, 적법한 처분으로 인정된다). 따라서 청구기각판결확정 후 이후에 제기되는 취소소송에서 그 처분의 위법성을 주장하는 것은 확정판결과 모순되는 주장을 하는 것으로 판결의 기판력에 저촉되어 허용되지 않는다.

② ×

처분권주의란 소송의 개시, 심판대상의 결정, 소송의 종결 등을 당사자의 의사에 맡기는 것을 말한다. 행정소송사건의 심리절차에 관하여 행정소송법에 특별한 규정이 없는 사항에 대하여는 민사소송법 및 민사집행법의 규정이 준용되므로 민사소송의 심리에 관한 일반원칙인 처분권주의, 구술심리주의, 변론주의 등이 행정소송의 심리에도 적용된다. 다만, 행정소송은 법치주의의 구현이라는 공익적 성격도 가지므로 행정심판기록제출명령(행정소송법 제25조), ③에서 살펴볼 직권심리주의(동법 제26조) 등의 특별한 규정을 두고 있다.

> **행정소송법 제8조【법적용례】** ② 행정소송에 관하여 이 법에 특별한 규정이 없는 사항에 대하여는 법원조직법과 민사소송법 및 민사집행법의 규정을 준용한다.
>
> **민사소송법 제203조【처분권주의】** 법원은 당사자가 신청하지 아니한 사항에 대하여는 판결하지 못한다.

> 원고가 청구하지 아니한 개별토지가격결정처분에 대하여 판결한 것은 처분권주의에 반하여 위법하다(대판 1993. 6. 8, 93누4526).

③ ○

주장책임이란 변론주의의 내용 중 하나로, 당사자가 분쟁의 중요한 사실을 주장하지 않는 경우, 법원이 그러한 사실이 없는 것으로 취급하여 재판함으로써 일방당사자가 받는 불이익을 말하는 것으로 행정소송에서도 인정된다. 다만, 행정소송은 행정권의 통제라는 공익적인 요소도 있으므로 일정 부분 변론주의가 완화되는바 행정소송법 제26조에서도 "당사자가 주장하지 아니한 사실에 대하여도 판단할 수 있다."고 변론주의를 보충하는 의미에서 직권탐지를 규정하고 있으며 그 한도 내에서는 주장책임이 완화된다.

> **행정소송법 제26조【직권심리】** 법원은 필요하다고 인정할 때에는 직권으로 증거조사를 할 수 있고, 당사자가 주장하지 아니한 사실에 대하여도 판단할 수 있다.

④ 제40강 참조 ×

판례 및 다수설은 부작위위법확인소송에서 부작위의 성립요소로 신청권을 요구하고 있는바, 이러한 입장에 따르면 부작위가 있으면 신청권이 있는 자에게 원고적격이 인정된다. 왜냐하면 신청권을 가지는 자는 부작위로 인해 응답을 받을 권리인 신청권이라는 법률상 이익이 침해되었기 때문이다.

> 당사자에게 법규상 · 조리상 신청권이 없는 경우 부작위위법확인의 소는 부적법하다.
>
> 부작위위법확인소송은 처분의 신청을 한 자로서 부작위의 위법의 확인을 구할 법률상의 이익이 있는 자만이 제기할 수 있다 할 것이며, 이를 통하여 구하는 행정청의 응답행위는 행정소송법 제2조 제1항 제1호 소정의 처분에 관한 것이라야 하므로, 당사자가 행정청에 대하여 어떠한 행정행위를 하여 줄 것을 신청하지 아니하거나 그러한 신청을 하였더라도 당사자가 행정청에 대하여 그러한 행정행위를 하여 줄 것을 요구할 수 있는 법규상 또는 조리상의 권리를 갖고 있지 아니하든지 또는 행정청이 당사자의 신청에 대하여 거부처분을 한 경우에는 원고적격이 없거나 항고소송의 대상인 위법한 부작위가 있다고 볼 수 없어 그 부작위위법확인의 소는 부적법하다(대판 1995. 9. 15, 95누7345).

정답 03 ③

04 상

2013 서울시 7급

취소소송에 대한 설명 중 옳지 않은 것은? (다툼이 있을 경우 판례에 의함)

□□□ ① 행정심판청구가 부적법하지 않음에도 각하한 재결은 심판청구인의 실체심리를 받을 권리를 박탈한 것으로서 원처분에는 없는 고유한 하자에 해당하고, 이 재결은 취소소송의 대상이 된다.

□□□ ② 감사원의 변상판정처분에 대해서는 행정소송을 제기할 수 없고, 재결에 해당하는 재심의판정에 대해서만 감사원을 피고로 하여 행정소송을 제기할 수 있다.

□□□ ③ 특허출원에 대한 심사관의 거절사정에 대하여 행정소송을 제기할 수 없고, 특허심판원에 심판청구를 한 후 그 심결을 소송대상으로 하여 특허법원에 심결취소를 요구하는 소를 제기하여야 한다.

□□□ ④ 행정소송에서 쟁송의 대상이 되는 행정처분의 존부는 자백의 대상이므로 그 존재를 당사자들이 다투지 아니하는 경우, 의심이 있어도 그 존부에 대해 법원이 직권으로 조사할 권한이 없다.

□□□ ⑤ 행정처분이 취소되면 그 처분은 효력을 상실하여 더 이상 존재하지 않는 것이고, 존재하지 않는 행정처분을 대상으로 한 취소소송은 소의 이익이 없어 부적법하다.

① ○

행정소송법은 원처분주의를 취하고 있으므로 재결은 재결에 고유한 하자가 있는 경우에 한해 항고소송의 대상이 된다. 그런데 적법한 행정심판청구를 부적법하다고 보아 본안심리를 하지 않고 각하한 재결은 청구인의 본안심리를 받을 권리를 박탈한 재결로서, 이는 원처분에는 없는 재결에 고유한 하자가 있는 것이므로 이러한 경우에는 재결이 항고소송의 대상이 된다.

②③ ○

감사원법에서는 재결주의를 취하고 있으므로 감사원의 변상판정에 대해서는 행정소송을 제기할 수 없고 재결에 해당하는 재심의판정에 대해서만 소송을 제기할 수 있다(②). 개별법에서 재결주의를 취하고 있는 법률로는 감사원법, 노동위원회법, 특허법을 들 수 있다. 따라서 특허출원에 대한 심사관의 거절결정에 대하여 행정소송을 제기할 수 없고, 특허심판원에 심판청구를 한 후 그 심결(심리하여 결정하는 것. 재결과 같은 의미로 생각하면 됨)을 소송대상으로 하여 특허법원에 심결취소를 구하는 소를 제기하여야 한다(③).

> 감사원의 변상판정처분에 대하여서는 행정소송을 제기할 수 없고, 재결에 해당하는 재심의판정에 대하여서만 감사원을 피고로 하여 행정소송을 제기할 수 있다(대판 1984. 4. 10, 84누91).

④ ×

> 행정소송에서 쟁송의 대상이 되는 행정처분의 존부는 소송요건으로서 직권조사사항이고, 자백의 대상이 될 수 없는 것이므로, 설사 그 존재를 당사자들이 다투지 아니한다 하더라도 그 존부에 관하여 의심이 있는 경우에는 이를 직권으로 밝혀 보아야 한다(대판 2004. 12. 24, 2003두15195).

⑤ ○

> 취소되어 더 이상 존재하지 않는 행정처분을 대상으로 한 취소소송은 소의 이익이 없다.
>
> 행정청이 당초의 분뇨 등 관련 영업허가신청 반려처분의 취소를 구하는 소의 계속 중, 사정변경을 이유로 위 반려처분을 직권취소함과 동시에 위 신청을 재반려하는 내용의 재처분을 한 경우, 당초의 반려처분의 취소를 구하는 소는 더 이상 소의 이익이 없다(대판 2006. 9. 28, 2004두5317).

정답 04 ④

05 중 2013 국가직 7급

다음 중 옳지 않은 것은?

□□□ ① 세액산출의 근거가 기재되지 않은 납세고지서에 의한 부과처분은 강행법규에 위반하여 당연무효라고 보는 것이 판례의 태도이다.

□□□ ② 판례는 당사자가 근거규정 등을 명시하여 신청하는 인·허가 등에 대하여 행정청이 거부처분을 하면서 당사자가 그 근거를 알 수 있을 정도로 상당한 이유를 제시한 경우에는, 당해 처분의 근거 및 이유를 구체적 조항 및 내용까지 명시하지 않았더라도 그로 말미암아 그 처분을 위법한 것으로 볼 수 없다는 입장이다.

□□□ ③ 처분사유의 추가·변경은 원칙적으로 행정소송의 제기 이후부터 사실심변론종결시 이전 사이에 문제된다.

□□□ ④ 이유제시의 하자의 치유는 행정쟁송의 제기 전까지만 가능하다고 보는 것이 판례의 태도이다.

① ×
이유제시의무를 위반한 처분의 경우 판례는 일반적으로 취소사유가 된다고 본다.

> 세액산출근거가 기재되지 아니한 납세고지서(현 납부고지서)에 의한 부과처분은 강행법규에 위반하여 취소대상이 된다.
> 세액산출근거가 기재되지 아니한 납세고지서에 의한 부과처분은 강행법규에 위반하여 취소대상이 된다 할 것이므로 …… (대판 1985. 4. 9, 84누431)

② ○

> 일반적으로 당사자가 근거규정 등을 명시하여 신청하는 인·허가 등을 거부하는 처분을 함에 있어 당사자가 그 근거를 알 수 있을 정도로 상당한 이유를 제시한 경우에는 당해 처분의 근거 및 이유를 구체적으로 명시하지 않았더라도 처분이 위법하다고 할 수 없다(대판 2002. 5. 17, 2000두8912).

③ ○
처분의 당시에 존재하였으나 행정청이 처분 당시 처분의 근거로 삼지 않았던 사유를 행정소송의 단계에서 추가하거나 그 내용을 변경하는 것을 처분사유의 추가·변경이라 한다. 따라서 처분사유의 추가·변경은 원칙적으로 행정소송의 제기 이후부터 사실심변론종결시 이전 사이에 문제된다.

④ 제16강 참조 ○
판례는 이유제시의 하자의 치유는 늦어도 '과세처분에 대한 불복 여부의 결정 및 불복신청에 편의를 줄 수 있는 상당한 기간 내'에 이루어져야 한다고 봄으로써 행정쟁송제기 전까지 가능하다는 입장이다.

정답 05 ①

❷ 처분사유의 추가 · 변경

06 상 2024 변호사

아래 사실관계에 기초한 설명 중 옳은 것은? (다툼이 있는 경우 판례에 의함)

- 甲은 공중위생관리법상 숙박업을 하는 자로서 관할 구청장 乙로부터 2022. 1. 5. 영업정지 3개월의 처분(이하 '이 사건 처분'이라 한다)을 받고 처분의 취소를 구하는 소(이하 '이 사건 소'라 한다)를 제기하였다.
- 이 사건 소는 2023. 12. 7. 항소심에서 변론종결되었다.
- A 사유 : 甲이 숙박자에게 성매매를 알선하였다(2022. 1. 5.자 당초 처분사유).
- B 사유 : 甲이 숙박자에게 음란행위를 알선하였다.
- A 사유와 B 사유는 이 사건 처분 당시에 있었던 일을 내용으로 하고 기본적 사실관계가 동일하다.

□□□ ① 이 사건 처분의 위법 여부를 판단하는 시점은 처분시이므로, 법원은 이 사건 처분 당시 행정청이 알고 있었던 자료에 기초하여 이 사건 처분의 위법 여부를 판단할 수 있을 뿐이고 이와 달리 사실심변론종결시까지 제출된 모든 자료를 종합하여 처분 당시 존재하였던 객관적 사실을 확정하고 그 사실에 기초하여 이 사건 처분의 위법 여부를 판단할 수는 없다.

□□□ ② 乙은 2023. 12. 7. 이후라도 판결선고 전이라면 이 사건 처분사유를 A 사유에서 B 사유로 변경할 수 있다.

□□□ ③ 乙이 이 사건 처분 당시에 적시한 A 사유를 변경하지 아니한 채 처분의 근거법령만을 변경하더라도 이는 처분사유의 변경이라고 보아야 하고, 처분의 근거법령을 변경하는 것이 별개의 처분을 하는 것과 다름없는 경우에도 마찬가지이다.

□□□ ④ 사실심변론종결시에 甲에게 법률상 이익이 인정되었다면, 상고심에서 법률상 이익이 존속하지 않더라도 부적법한 소가 되지 아니한다.

□□□ ⑤ A 사유가 인정되지 않는다는 이유로 법원의 확정판결에 의하여 이 사건 처분이 취소되었으나, 乙이 B 사유로 동일한 내용의 처분을 하는 것은 확정판결의 기속력에 저촉된다.

관련기출

②

1. 처분청은 원고의 권리방어가 침해되지 않는 한도 내에서 당해 취소소송의 대법원 확정판결이 있기 전까지 처분사유의 추가 · 변경을 할 수 있다. (O, ×) 2017 국가직 9급

1. ×

① ×

법원은 처분 당시 행정청이 알고 있었던 자료뿐만 아니라 사실심변론종결시까지 제출된 모든 자료를 종합하여 처분 당시의 객관적 사실을 확정하고 위법 여부를 판단할 수 있다.

> 행정처분의 위법 여부는 행정처분이 있을 때의 법령과 사실상태를 기준으로 판단하여야 하며, 법원은 행정처분 당시 행정청이 알고 있었던 자료뿐만 아니라 **사실심변론종결 당시까지 제출된 모든 자료를 종합**하여 처분 당시 존재하였던 객관적 사실을 확정하고 그 사실에 기초하여 처분의 위법 여부를 판단할 수 있다(대판 2019. 7. 25, 2017두55077).

② **빈출** ×

乙은 사실심변론종결일인 2023. 12. 7. 후에는 처분사유를 추가 · 변경할 수 없다.

> 취소소송에서 행정청의 처분사유의 추가 · 변경은 **사실심변론종결시**까지 **허용된다**(대판 1999. 8. 20, 98두17043).

③ ×

乙이 단순히 처분의 근거법령만을 변경한 것은 처분사유의 변경이라고 볼 수 없으므로 허용된다. 그러나 처분의 근거법령을 변경하는 것이 별개의 처분을 하는 것과 다름없을 경우는 허용되지 않는다.

> 처분청이 처분 당시에 적시한 구체적 사실을 변경하지 아니하는 범위 내에서 단지 그 처분의 근거법령만을 추가 · 변경하는 것에 불과한 경우에는 새로운 처분사유의 추가라고 볼 수 없으므로 행정청이 처분 당시에 적시한 구체적 사실에 대하여 처분 후에 추가 · 변경한 법령을 적용하여 그 처분의 적법 여부를 판단할 수 있다(대판 1987. 12. 8, 87누632 등 참조). 그러나 처분의 근거법령을 변경하는 것이 종전 처분과 동일성을 인정할 수 없는 별개의 처분을 하는 것과 다름없는 경우에는 허용될 수 없다(대판 2021. 7. 29, 2021두34756).

④ ×

사실심변론종결시에 甲에게 법률상 이익이 인정되었더라도, 상고심에서 법률상 이익이 존속하지 않게 되면 부적법한 소가 된다.

> 원고적격은 소송요건의 하나이므로 사실심변론종결시는 물론 상고심에서도 존속하여야 하고 이를 흠결하면 부적법한 소가 된다(대판 2007. 4. 12, 2004두7924).

⑤ **빈출** ○

새로운 처분의 처분사유와, 종전 처분에 관하여 위법한 것으로 판결에서 판단된 사유가 기본적 사실관계에 있어 동일성이 있는 경우 새로운 처분은 종전 처분에 대한 판결의 기속력에 저촉된다. 사례에서 A 사유와 B 사유는 기본적 사실관계가 동일하다고 제시되어 있는바, A 사유가 인정되지 않는다는 이유로 법원의 취소 확정판결이 있은 후에 乙이 A 사유와 기본적 사실관계가 동일한 B 사유로 동일한 내용의 처분을 하는 것은 확정판결의 기속력에 저촉된다.

정답 06 ⑤

07 정답률 41% 상 2022 국가직 9급

다음 사례에 대한 설명으로 옳은 것은? (다툼이 있는 경우 판례에 의함)

> A시 시장은 식품접객업주 甲에게 청소년고용금지업소에 청소년을 고용하였다는 사유로 식품위생법령에 근거하여 영업정지 2개월 처분에 갈음하는 과징금 부과처분을 하였고, 甲은 부과된 과징금을 납부하였다. 그러나 甲은 이후 과징금 부과처분에 하자가 있음을 알게 되었다.

□□□ ① 甲은 납부한 과징금을 돌려받기 위해 관할 행정법원에 과징금반환을 구하는 당사자소송을 제기할 수 있다.

□□□ ② A시 시장이 과징금 부과처분을 함에 있어 과징금부과통지서의 일부 기재가 누락되어 이를 이유로 甲이 관할 행정법원에 과징금 부과처분의 취소를 구하는 소를 제기한 경우, A시 시장은 취소소송절차가 종결되기 전까지 보정된 과징금 부과처분 통지서를 송달하면 일부 기재 누락의 하자는 치유된다.

□□□ ③ 식품위생법이 청소년을 고용한 행위에 대하여 영업허가를 취소하거나 6개월 이내의 기간을 정하여 그 영업의 전부 또는 일부를 정지하거나 영업소폐쇄를 명할 수 있다고 하면서 행정처분의 세부기준은 총리령으로 위임한다고 정하고 있는 경우에, 총리령에서 정하고 있는 행정처분의 기준은 재판규범이 되지 못한다.

□□□ ④ 甲이 자신은 청소년을 고용한 적이 없다고 주장하면서 제기한 과징금 부과처분의 취소소송계속 중에 A시 시장은 甲이 유통기한이 경과한 식품을 판매한 사실을 처분사유로 추가·변경할 수 있다.

관련기출

④

1. 〔신문사 기자 갑(甲)은 A광역시가 보유·관리하고 있던 시의원 을(乙)과 관련이 있는 정보를 사본 교부의 방법으로 공개하여 줄 것을 청구하였다〕 A광역시가 「공공기관의 정보공개에 관한 법률」상 비공개대상정보임을 이유로 비공개결정을 한 경우, A광역시는 당초 처분의 근거로 삼은 사유와 기본적 사실관계가 동일성이 있다고 인정되는 한도 내에서만 항고소송에서 다른 공개거부사유를 추가하거나 변경할 수 있다. (○, ×) 2022 소방직 9급
2. 처분사유의 추가·변경이 인정되기 위한 요건으로서의 기본적 사실관계의 동일성 유무는, 처분사유를 법률적으로 평가하기 이전의 구체적인 사실에 착안하여 그 기초적인 사회적 사실관계가 기본적인 점에서 동일한지 여부에 따라 결정된다. (○, ×) 2017 국가직 9급
3. 행정처분의 취소를 구하는 항고소송에서 처분청은 당초 처분의 근거로 삼은 사유와 기본적 사실관계가 동일성이 있다고 인정되는 한도 내에서만 다른 사유를 추가하거나 변경할 수 있다. (○, ×) 2017 국가직 7급

1. ○ 2. ○ 3. ○

① 제35강 참조 ×

과징금 부과처분은 공정력이 있으므로 당연무효이거나 취소되기 전까지는 과징금의 반환을 구할 수 없다. 당연무효이거나 취소된 경우에도 판례에 의하면 민사소송에 의할 것이지 당사자소송에 의할 것은 아니다(대판 1995. 4. 28, 94다55019 등). 따라서 甲은 납부한 과징금을 돌려받기 위해 관할 행정법원에 과징금반환을 구하는 당사자소송을 제기할 수 없다.

② 제16강 참조 ×

판례는 하자치유의 시간적 한계와 관련하여 쟁송제기전설을 취하고 있다(대판 1983. 7. 26, 82누420). 따라서 甲이 관할 행정법원에 과징금 부과처분의 취소를 구하는 소를 제기한 경우라면 하자의 치유는 인정되지 않는다.

③ 제11강 참조 ○

판례에 따르면 총리령으로 정한 제재적 처분기준은 행정규칙에 불과하므로 대외적 구속력이 없다. 따라서 그러한 처분기준은 재판규범이 되지 못한다.

> 1. 식품위생법 제58조 제1항에 의한 제재적 처분의 기준을 정한 같은 법 시행규칙 제53조는 행정규칙에 불과하므로 행정처분이 이에 위반되었다고 하여 곧바로 위법한 것으로 되지는 않는다.
> 2. 즉, 처분의 적법 여부는 위 규칙에 적합한 것인가의 여부에 따라 판단할 것이 아니라 위 법의 규정 및 그 취지에 적합한 것인가의 여부에 따라 판단하여야 한다.
>
> 식품위생법 시행규칙 제53조에서 [별표 15]로 식품위생법 제58조에 따른 행정처분의 기준을 정하였다고 하더라도 이는 형식만 부령(편저자 주 : 현재는 총리령이지만 부령으로 보든 총리령으로 보든 결론은 동일하다)으로 되어 있을 뿐, 그 성질은 행정기관 내부의 사무처리준칙을 정한 것으로서 행정명령의 성질을 가지는 것이고, 대외적으로 국민이나 법원을 기속하는 힘이 있는 것은 아니므로 식품위생법 제58조 제1항에 의한 처분의 적법 여부는 위 규칙에 적합한 것인가의 여부에 따라 판단할 것이 아니라 위 법의 규정 및 그 취지에 적합한 것인가의 여부에 따라 판단하여야 한다는 것이 당원의 확립된 견해이다(대판 1995. 3. 28, 94누6925).

④ **빈출** ×

판례에 의하면 당초의 처분사유와 '기본적 사실관계의 동일성'이 인정되는 한도 내에서만 새로운 처분사유의 추가나 변경이 허용된다. 사례에서 '甲이 청소년을 고용하였다'는 사유와 '甲이 유통기한이 경과한 식품을 판매하였다'는 사유는 기본적 사실관계의 동일성이 인정되지 않으므로 처분사유의 추가·변경은 허용되지 않는다.

> 행정처분의 취소를 구하는 항고소송에서 처분청은 당초 처분의 근거로 삼은 사유와 기본적 사실관계가 동일성이 있다고 인정되는 한도 내에서만 다른 사유를 추가 또는 변경할 수 있고, 이러한 기본적 사실관계의 동일성 유무는 처분사유를 법률적으로 평가하기 이전의 구체적 사실에 착안하여 그 기초인 사회적 사실관계가 기본적인 점에서 동일한지에 따라 결정되므로, 추가 또는 변경된 사유가 처분 당시에 이미 존재하고 있었다거나 당사자가 그 사실을 알고 있었다고 하여 당초의 처분사유와 동일성이 있다고 할 수 없다(대판 2014. 5. 16, 2013두26118).

정답 07 ③

08 정답률 42% 상 2019 서울시 2회 7급 변형

행정소송에 있어 처분사유의 추가·변경에 대한 설명으로 가장 옳은 것은?

① 처분사유의 추가·변경은 확정판결시까지 허용된다.

② 추가 또는 변경된 사유가 처분 당시 이미 존재하고 있었거나 당사자가 그 사실을 알고 있었던 경우, 이러한 사정만으로도 당초의 처분사유와 동일성이 인정된다.

③ 외국인 갑(甲)이 법무부장관에게 귀화신청을 하였으나 법무부장관이 '품행 미단정'을 불허사유로 국적법상의 요건을 갖추지 못하였다며 신청을 받아들이지 않는 처분을 하였는데, 법무부장관이 甲을 '품행 미단정'이라고 판단한 이유에 대하여 제1심 변론절차에서 자동차관리법위반죄로 기소유예를 받은 전력 등을 고려하였다고 주장한 후, 제2심 변론절차에서 불법체류전력 등의 제반 사정을 추가로 주장할 수 있다.

④ 이동통신요금 원가 관련 정보공개청구에 대해 행정청이 별다른 이유를 제시하지 아니한 채 통신요금과 관련한 총괄원가액수만을 공개한 후, 정보공개거부처분 취소소송에서 원가 관련 정보가 법인의 영업상 비밀에 해당한다는 비공개사유를 주장하는 것은, 그 기본적 사실관계가 동일하다고 볼 수 있는 사유를 추가하는 것이다.

① ×

> 취소소송에서 행정청의 처분사유의 추가·변경은 사실심변론종결시까지 허용된다(대판 1999. 8. 20, 98두17043).

② ×

판례는 추가·변경된 사유가 당초의 처분시 이미 존재하고 있었고 당사자도 그 사실을 알고 있었다는 것만으로는 당초의 처분사유와 동일성이 있는 것으로 볼 수는 없다고 한다(대판 2003. 12. 11, 2001두8827).

③ ○

처분사유 자체가 아니라 처분사유의 근거가 되는 기초사실 내지 평가요소에 지나지 않는 사정은 추가로 주장할 수 있다는 것이 판례의 입장이다.

> 구 국적법 제5조 각 호 사유 중 일부를 갖추지 못하였다는 이유로 행정청이 귀화신청을 받아들이지 않는 처분을 한 경우, '그 각 호 사유 중 일부를 갖추지 못하였다는 판단' 자체가 처분의 사유이다.
>
> 외국인 甲이 법무부장관에게 귀화신청을 하였으나 법무부장관이 심사를 거쳐 '품행 미단정'을 불허사유로 국적법상의 요건을 갖추지 못하였다며 신청을 받아들이지 않는 처분을 하였는데, 법무부장관이 甲을 '품행 미단정'이라고 판단한 이유에 대하여 제1심 변론절차에서 자동차관리법위반죄로 기소유예를 받은 전력 등을 고려하였다고 주장하였다가 원심 변론절차에서 불법체류한 전력이 있다는 추가적인 사정까지 고려하였다고 주장한 사안에서, 법무부장관이 원심에서 추가로 제시한 불법체류전력 등의 제반 사정은 처분사유의 근거가 되는 기초사실 내지 평가요소에 지나지 않으므로, 추가로 주장할 수 있다(대판 2018. 12. 13, 2016두31616).

④ ×

> 원심은, 피고(편저자 주 : 미래창조과학부장관)가 원고의 정보공개청구에 대하여 별다른 이유를 제시하지 않은 채 이동통신요금과 관련한 총괄원가액수만을 공개한 것은, 이 사건 원가 관련 정보에 대하여 비공개결정을 하면서 비공개이유를 명시하지 않은 경우에 해당하여 위법하다고 판단하면서, 피고가 이 사건 소송에서 비로소 이 사건 원가 관련 정보가 법인의 영업상 비밀에 해당한다는 비공개사유를 주장하는 것은, 그 기본적 사실관계가 동일하다고 볼 수 없는 사유를 추가하는 것이어서 허용될 수 없다고 판단하였는바, 원심의 위와 같은 판단은 정당하다(대판 2018. 4. 12, 2014두5477).

정답 08 ③

09 정답률 65% 중 2017 국가직 7급

행정소송에 있어서 처분사유의 추가·변경에 대한 설명으로 옳지 않은 것은? (다툼이 있는 경우 판례에 의함)

① 위법판단의 기준시점을 처분시로 볼 경우, 처분 이후에 발생한 새로운 사실적·법적 사유를 추가·변경하고자 하는 것은 허용될 수 없고 이러한 경우에는 계쟁처분을 직권취소하고 이를 대체하는 새로운 처분을 할 수 있다.

② 행정처분의 취소를 구하는 항고소송에서 처분청은 당초 처분의 근거로 삼은 사유와 기본적 사실관계가 동일성이 있다고 인정되는 한도 내에서만 다른 사유를 추가하거나 변경할 수 있다.

③ 처분청이 처분 당시에 적시한 구체적 사실을 변경하지 아니하는 범위 내에서 단지 처분의 근거법령만을 추가·변경하는 것은 새로운 처분사유의 추가라고 볼 수 없다.

④ 처분사유의 변경으로 소송물이 변경되는 경우, 반드시 청구가 변경되는 것은 아니므로 처분사유의 추가·변경은 허용될 수 있다.

관련기출

③

1. 처분청이 처분 당시 적시한 구체적 사실을 변경하지 아니하는 범위 내에서 단지 처분의 근거법령만을 추가·변경하는 경우에 법원은 처분청이 처분 당시 적시한 구체적 사실에 대하여 처분 후 추가·변경한 법령을 적용하여 처분의 적법 여부를 판단할 수 있다. (○, ×) 2016 국가직 9급
2. 처분청이 처분 당시에 적시한 구체적 사실을 변경하지 아니하는 범위 안에서 단지 그 처분의 근거법령만을 추가·변경하는 것은 새로운 처분사유의 추가라고 볼 수 없다. (○, ×) 2011 사회복지직 9급
3. 판례에 의할 때 사실관계의 변경 없이 단지 적용법조만을 추가·변경하는 것은 허용된다. (○, ×) 2006 세무사

1. ○ 2. ○ 3. ○

① ○

위법판단의 기준시에 관하여 처분시설을 취하는 경우 위법성 판단은 처분시를 기준으로 하므로 추가사유나 변경사유는 처분시에 객관적으로 존재하던 사유이어야 한다. 따라서 처분 이후에 발생한 새로운 사실적·법적 사유를 추가·변경할 수는 없다. 이러한 경우에는 계쟁(쟁송계속 중인)처분을 취소하고 새로운 사유에 기하여 다시 처분을 할 수는 있다.

② ○

> 행정처분의 취소를 구하는 항고소송에 있어서는 실질적 법치주의와 행정처분의 상대방인 국민에 대한 신뢰보호라는 견지에서 처분청은 당초 처분의 근거로 삼은 사유와 기본적 사실관계에 있어서 동일성이 인정되는 한도 내에서만 새로운 처분사유를 추가하거나 변경할 수 있을 뿐 기본적 사실관계와 동일성이 인정되지 않는 별개의 사실을 들어 서분사유로 주장하는 것은 허용되지 아니하며 법원으로서도 당초의 처분사유와 기본적 사실관계의 동일성이 없는 사실은 처분사유로 인정할 수 없는 것이다(대판 1992. 8. 18, 91누3659).

③ **빈출** ○

> 행정처분의 취소를 구하는 항고소송에서 처분청이 처분 당시에 적시한 구체적 사실을 변경하지 아니하는 범위 내에서 단지 그 처분의 근거법령만을 추가·변경하거나 당초의 처분사유를 구체적으로 표시하는 것에 불과한 경우, 새로운 처분사유의 추가·변경이 아니다(허용된다는 의미)(대판 2007. 2. 8, 2006두4899).

④ ×

처분사유의 추가·변경은 취소소송의 소송물의 범위 내에서만 가능하다. 처분사유의 추가·변경으로 소송물이 변경된다면 청구, 즉 소가 변경되는 것이므로 이 경우에는 소의 변경을 하여야 한다.

정답 09 ④

10 정답률 74% 상 2017 지방직 9급

행정소송에 있어 기속행위와 재량행위의 구별에 대한 설명으로 옳은 것은? (다툼이 있는 경우 판례에 의함)

□□□ ① 기속행위의 경우에는 절차상의 하자만으로 독립된 취소사유가 될 수 없으나, 재량행위의 경우에는 절차상의 하자만으로도 독립된 취소사유가 된다.

□□□ ② 기속행위의 경우에는 소송의 계속 중에 처분사유를 추가·변경할 수 있으나, 재량행위의 경우에는 처분사유의 추가·변경이 허용되지 않는다.

□□□ ③ 실체적 위법을 이유로 거부처분을 취소하는 판결이 확정된 경우, 해당 행정행위가 기속행위이든 재량행위이든 원고의 신청을 인용하여야 할 의무가 발생하는 점에서는 동일하다.

□□□ ④ 과징금 감경 여부는 과징금 부과 관청의 재량에 속하는 것이므로, 과징금 부과 관청이 이를 판단함에 있어서 재량권을 일탈·남용하여 과징금 부과처분이 위법하다고 인정될 경우, 법원으로서는 법원이 적정하다고 인정되는 부분을 초과한 부분만 취소할 수는 없다.

관련기출

④

1. 행정청이 행정제재수단으로 사업정지 또는 과징금을 부과할 것인지, 과징금의 경우 얼마로 할 것인지의 재량이 부여된 경우 과징금 부과처분이 법이 정한 한도액을 초과하여 위법한 경우 법원은 그 초과된 부분만을 취소할 수 있다. (○, ×) 2022 소방간부
2. (여객자동차운송사업을 하는 甲은 관련법규 위반을 이유로 사업정지처분에 갈음하는 과징금 부과처분을 받았다) 甲에게 부과된 과징금이 법이 정한 한도액을 초과하여 위법한 경우, 법원은 그 초과부분에 대하여 일부취소할 수 없고 그 전부를 취소하여야 한다. (○, ×) 2022 지방직·서울시 9급
3. 행정청의 재량권이 부여되어 있는 과징금 부과처분이 법이 정한 한도액을 초과하여 위법할 경우, 법원으로서는 그 한도액을 초과한 부분이나 법원이 적정하다고 인정되는 부분을 초과한 부분만을 취소할 수 있다. (○, ×) 2018 지방직 7급

1. × 2. ○ 3. ×

① ×

기속행위, 재량행위를 불문하고 절차상의 하자만으로 독자적인 위법사유, 즉 취소사유가 된다는 것이 판례의 입장이다.

> 1. (기속행위인 과세처분과 관련하여) 납세고지서(현 납부고지서)에 필요한 사항의 기재가 누락된 경우 과세처분은 위법한 처분이다.
>
> 과세표준과 세율, 세액, 세액산출근거 등의 필요한 사항을 납세자에게 서면으로 통지하도록 한 세법상의 제 규정들은 …… 강행규정으로서 납세고지서에 그 기재가 누락되면 그 과세처분 자체가 위법한 처분이 되어 취소의 대상이 된다(대판 1984. 5. 9, 84누116).
>
> 2. (재량행위인 영업정지처분과 관련하여) 청문절차에 하자가 있는 경우 처분은 위법하다.
>
> 식품위생법 제64조, 같은 법 시행령 제37조 제1항 소정의 청문절차를 전혀 거치지 아니하거나 거쳤다 하더라도 그 절차적 요건을 제대로 준수하지 아니한 경우에는 가사 영업정지사유가 인정된다 할지라도 그 처분은 위법하여 취소를 면할 수 없다(대판 1991. 7. 9, 91누971).

② ×

통설 및 판례는 재량행위와 기속행위를 구별하지 않고 기본적 사실관계의 동일성이 유지되는 한도 내에서 처분사유의 추가·변경을 인정하고 있다.

③ ×

거부처분이 취소된 경우 행정청은 판결의 취지에 따른 재처분의무를 진다. 즉, 행정청의 재처분의 내용은 판결의 취지를 존중하면 되는 것이고 반드시 원고가 신청한 내용으로 처분하여야 하는 것은 아니다. 구체적으로 살펴보면 먼저 거부처분이 형식상(절차상)의 위법을 이유로 취소된 경우에, 행정청은 동일한 형식상(절차상)의 위법을 반복하지 않고 다시 재처분을 하면 된다. 따라서 행정청은 실체적 요건을 심사하여 신청된 대로 처분을 할 수도 있고 다시 거부처분을 할 수도 있다. 다음으로 거부처분이 실체상의 위법을 이유로 취소된 경우(예컨대, 음식점영업허가신청에 대해 화장실이 법령상 기준에 미흡하다는 이유로 거부처분을 하였는데 법원이 기준을 충족하였다는 이유로 거부처분을 취소한 경우) 위법판단의 기준시에 관해 통설 및 판례의 입장인 처분시설에 따르면 거부처분 이후의 새로운 사유(예컨대, 법령의 변경 또는 사실상황의 변경)를 이유로 다시 거부처분을 하는 것은 가능하다. 따라서 재량행위이든 기속행위이든 원고의 신청을 인용하여야 할 의무가 발생하는 것은 아니다.

④ **빈출** ○

> 자동차운수사업 면허조건 등을 위반한 사업자에 대하여 행정청이 행정제재수단으로 사업정지를 명할 것인지, 과징금을 부과할 것인지, 과징금을 부과하기로 한다면 그 금액은 얼마로 할 것인지에 관하여 재량권이 부여되었다 할 것이므로 과징금 부과처분이 법이 정한 한도액을 초과하여 위법할 경우 법원으로서는 그 전부를 취소할 수밖에 없고, 그 한도액을 초과한 부분이나 법원이 적정하다고 인정되는 부분을 초과한 부분만을 취소할 수 없다(대판 1998. 4. 10, 98두2270).

정답 10 ④

11 ㊤ 2013 국가직 7급

처분사유의 추가 · 변경에 대한 판례의 태도로 옳은 것은?

□□□ ① 피고의 방어권 보장을 위해 기본적 사실관계의 동일성이 없더라도 처분사유의 추가 · 변경을 인정한다.

□□□ ② 추가 또는 변경된 사유가 당초의 처분시 그 사유가 명기되지 않았을 뿐 처분시에 이미 존재하고 있었고 당사자도 그 사실을 알고 있었다면 당초의 처분사유와 동일성이 인정된다.

□□□ ③ 군사시설보호구역 밖의 토지에 주유소를 설치 · 경영하도록 하기 위한 석유판매업 허가를 함에 있어서 관할 부대장의 동의를 얻어야 할 법령상의 근거가 없음에도 그 동의가 없다는 이유로 한 불허가처분에 대한 소송에서, 당해 토지가 탄약창에 근접한 지점에 위치하고 있다는 사실을 불허가사유로 추가하는 것은 허용되지 않는다.

□□□ ④ 주택신축을 위한 산림형질변경허가신청에 대한 거부처분의 근거로 제시된 준농림지역에서의 행위제한이라는 사유와 나중에 거부처분의 근거로 추가한 자연경관 및 생태계의 교란, 국토 및 자연의 유지와 환경보전 등 중대한 공익상의 필요라는 사유는 기본적 사실관계의 동일성이 없다.

관련기출

③

1. 석유판매업허가신청에 대하여, 관할 군부대장의 동의를 얻지 못하였다는 당초의 불허가사유와 토지가 탄약창에 근접한 지점에 있어 공익적인 측면에서 보아 허가신청을 불허한 것은 적법하다는 사유는 처분사유의 추가 · 변경시 기본적 사실관계의 동일성이 인정된다. (○, ×) 2022 군무원 9급

1. ×

①② ×

1. 행정처분의 취소를 구하는 항고소송에 있어서 당초의 처분사유와 기본적 사실관계의 동일성이 없는 별개의 사실을 처분사유로 주장하는 것을 허용하지 아니하는 입법취지는 행정처분의 상대방의 방어권을 보장함으로써 실질적 법치주의를 구현하고 행정처분의 상대방에 대한 신뢰를 보호하고자 함에 있다(①).
2. 추가 또는 변경된 사유가 당초의 처분시 그 사유를 명기하지 않았을 뿐 처분시에 이미 존재하고 있었고 당사자도 그 사실을 알고 있었다 하여 당초의 처분사유와 동일성이 있는 것으로 볼 수는 없다(②)(대판 2003. 12. 11, 2001두8827).

③ ○

피고는 석유판매업허가신청에 대하여 당초 사업장소인 토지가 군사보호시설구역 내에 위치하고 있는 관할 군부대장의 동의를 얻지 못하였다는 이유로 이를 불허가하였다가, 소송에서 위 토지는 탄약창에 근접한 지점에 위치하고 있어 공공의 안전과 군사시설의 보호라는 공익적인 측면에서 보아 허가신청을 불허한 것은 적법하다는 것을 불허가사유로 추가한 경우, 양자는 기본적 사실관계에 있어서의 동일성이 인정되지 아니하는 별개의 사유라고 할 것이므로 이와 같은 사유를 불허가처분의 근거로 추가할 수 없다(대판 1991. 11. 8, 91누70).

④ ×

준농림지역에서의 행위제한과 자연경관 및 생태계의 교란 등 중대한 공익상의 필요는 기본적 사실관계에 있어서 동일성이 인정된다(대판 2004. 11. 26, 2004두4482).

정답 11 ③

12 상 2011 사회복지직 9급

취소소송에서 처분사유의 추가·변경에 대한 판례의 태도로 옳지 않은 것은?

□□□ ① 처분청이 처분 당시에 적시한 구체적 사실을 변경하지 아니하는 범위 안에서 단지 그 처분의 근거법령만을 추가·변경하는 것은 새로운 처분사유의 추가라고 볼 수 없다.

□□□ ② 의료보험요양기관 지정취소처분의 당초의 처분사유인 구 의료보험법 제33조 제1항이 정하는 본인부담금 수납대장을 비치하지 아니한 사실과 항고소송에서 새로 주장한 처분사유인 같은 법 제33조 제2항이 정하는 보건복지부장관의 관계서류 제출명령에 위반하였다는 사실은 기본적 사실관계에 있어서 동일성이 인정되지 않는다.

□□□ ③ 행정청의 당초 처분사유인 기존 공동사업장과의 거리제한규정에 저촉된다는 사실과 피고 주장의 최소주차용지에 미달한다는 사실은 기본적 사실관계에 있어서 동일성이 인정된다.

□□□ ④ 토지형질변경 불허가처분의 당초의 처분사유인 국립공원에 인접한 미개발지의 합리적인 이용대책 수립시까지 그 허가를 유보한다는 사유와 그 처분의 취소소송에서 추가하여 주장한 처분사유인 국립공원 주변의 환경·풍치·미관 등을 크게 손상시킬 우려가 있으므로 공공목적상 원형유지의 필요가 있는 곳으로서 형질변경허가 금지대상이라는 사유는 기본적 사실관계에 있어서 동일성이 인정된다.

① ○

판례에 따르면 단지 처분의 근거법령만을 추가·변경하거나 당초의 처분사유를 구체적으로 밝히는 것에 불과한 경우, 새로운 처분사유의 추가·변경이 아니다.

> 행정처분의 취소를 구하는 항고소송에서 처분청이 처분 당시에 적시한 구체적 사실을 변경하지 아니하는 범위 내에서 단지 그 처분의 근거법령만을 추가·변경하거나 당초의 처분사유를 구체적으로 표시하는 것에 불과한 경우, 새로운 처분사유의 추가·변경이 아니다(허용된다는 의미)(대판 2007. 2. 8, 2006두4899).

② ○

> 의료보험요양기관 지정취소처분의 당초의 처분사유인 구 의료보험법 제33조 제1항이 정하는 본인부담금 수납대장을 비치하지 아니한 사실과 항고소송에서 새로 주장한 처분사유인 같은 법 제33조 제2항이 정하는 보건복지부장관의 관계서류 제출명령에 위반하였다는 사실은 기본적 사실관계에 있어서 동일성이 인정되지 않는다(대판 2001. 3. 23, 99두6392).

③ ×

> 당초 처분사유인 "기존 공동사업장의 거리제한규정에 저촉된다."는 사유와 "최소주차용지에 미달한다."는 사유는 기본적 사실관계에 있어서 동일성이 인정되지 않는다(대판 1995. 11. 21, 95누10952).

④ ○

> 토지형질변경 불허가처분의 당초의 처분사유인 "국립공원에 인접한 미개발지의 합리적인 이용대책 수립시까지 그 허가를 유보한다."라는 사유를 그 처분의 취소소송에서 추가하여 '국립공원 주변의 환경·풍치·미관 등을 크게 손상시킬 우려가 있으므로 공공목적상 원형유지의 필요가 있는 곳으로서 형질변경허가 금지대상'이라고 주장한 경우는 기본적 사실관계에 있어서 동일성이 인정된다(대판 2001. 9. 28, 2000두8684).

정답 12 ③

③ 위법판단의 기준시점

13 **빈출** 중 2021 국회직 8급

항고소송의 판결에 대한 설명으로 옳은 것은? (다툼이 있는 경우 판례에 의함)

□□□ ① 취소소송에서 법원은 사실심변론종결 당시에 존재하는 사실 및 법률상태를 기준으로 처분의 위법 여부를 판단하여야 한다.

□□□ ② 행정소송법 제4조 제1호에서 취소소송을 행정청의 위법한 처분 등을 취소 또는 변경하는 소송으로 정의하고 있는데, 여기에서 '변경'은 소극적 변경뿐만 아니라 적극적 변경까지 포함하는 의미로 본다.

□□□ ③ 처분의 취소소송에서 청구를 기각하는 확정판결의 기판력은 다시 그 처분에 대해 무효확인을 구하는 소송에 대해서는 미치지 않는다.

□□□ ④ 소청심사결정의 취소를 구하는 소송에서 소청심사단계에서 이미 주장된 사유만을 행정소송에서 판단대상으로 삼을 것은 아니고 소청심사결정 후에 생긴 사유가 아닌 이상 소청심사단계에서 주장하지 않은 사유도 행정소송에서 주장하는 것이 가능하다.

□□□ ⑤ 거부처분의 무효확인판결에 따른 재처분의무를 이행하지 않는 경우에는 법원은 간접강제결정을 할 수 있다.

관련기출

①

1. 행정소송에서 행정처분의 위법 여부는 행정처분이 있을 때의 법령과 사실상태를 기준으로 하여 판단하여야 하고 처분 후 법령의 개폐나 사실상태의 변동이 있다면 그러한 법령의 개폐나 사실상태의 변동에 의하여 처분의 위법성이 치유될 수 있다. (○, ×) 2020 소방직 9급
2. 행정처분의 위법 여부는 행정처분이 행하여졌을 때의 법령과 사실상태를 기준으로 판단해야 한다. (○, ×) 2019 사회복지직 9급
3. 취소소송에서 행정처분의 위법 여부는 판결선고 당시의 법령과 사실상태를 기준으로 판단한다. (○, ×) 2017 교육행정직 9급

1. × 2. ○ 3. ×

③

1. 취소소송에서 기각판결이 확정된 경우에는 처분이 적법하다는 점에 기판력이 발생하므로, 패소한 당사자는 해당 처분에 관한 무효확인소송에서 그 처분이 위법하다고 주장할 수 없다. (○, ×) 2021 변호사
2. 과세처분의 취소소송에서 청구가 기각된 확정판결의 기판력은 그 과세처분의 무효확인을 구하는 소송에는 미치지 아니한다. (○, ×) 2014 지방직 9급
3. 행정처분취소청구를 기각하는 판결이 확정되면 그 처분이 적법하다는 점에 관하여 기판력이 생기고 그 소의 원고뿐만 아니라 관계행정기관도 이에 기속된다 할 것이므로 면직처분이 위법하지 아니하다는 점이 판결에서 확정된 이상 원고가 다시 이를 무효라 하여 그 무효확인을 소구할 수는 없다. (○, ×) 2009 국회직 8급

1. ○ 2. × 3. ○

① **빈출** ×

> 행정처분의 위법 여부 판단의 기준시점은 처분시이다.
> 행정소송에서 행정처분의 위법 여부는 행정처분이 행하여졌을 때의 법령과 사실상태를 기준으로 하여 판단하여야 하고, 처분 후 법령의 개폐나 사실상태의 변동에 의하여 영향을 받지는 않는다(대판 2007. 5. 11, 2007두1811).

② ×

판례와 다수설은 행정소송법 제4조 제1호의 '변경'의 의미를 소극적 변경(일부취소)의 의미로 이해하여 적극적 변경(적극적 형성판결)은 허용되지 않는다는 입장이다. 따라서 행정소송에 의한 취소의 경우 행정심판에 의한 취소와는 달리 적극적 변경이 불가능하고 소극적 변경만 가능하다.

> 법원이 적극적 처분을 할 수는 없다.
> 법원이 새로운 내용의 행정처분을 직접 할 수는 없으나 조세부과처분의 일부를 취소하는 것은 법원의 정당한 권한행사라 할 것이다(대판 1964. 5. 19, 63누177).

③ **빈출** ×

> 과세처분취소소송에서 청구가 기각된 확정판결의 기판력은 과세처분 무효확인소송에도 미친다.
> 과세처분취소청구를 기각하는 판결이 확정되면 그 처분이 적법하다는 점에 관하여 기판력이 생기고 그 후 원고가 다시 이를 무효라 하여 그 무효확인을 소구할 수는 없는 것이어서, 과세처분의 취소소송에서 청구가 기각된 확정판결의 기판력은 그 과세처분의 무효확인을 구하는 소송에도 미친다(대판 1996. 6. 25, 95누1880).

④ ○

> 교원소청심사위원회가 한 결정의 취소를 구하는 소송에서 그 결정의 적부는 결정이 이루어진 시점을 기준으로 판단하여야 한다.
> 교원소청심사위원회가 한 결정의 취소를 구하는 소송에서 그 결정의 적부는 결정이 이루어진 시점을 기준으로 판단하여야 하지만, 그렇다고 하여 소청심사단계에서 이미 주장된 사유만을 행정소송의 판단대상으로 삼을 것은 아니다. 따라서 소청심사결정 후에 생긴 사유가 아닌 이상 소청심사단계에서 주장하지 아니한 사유도 행정소송에서 주장할 수 있고, 법원도 이에 대하여 심리·판단할 수 있다(대판 2018. 7. 12. 2017두65821).

⑤ 제40강 참조 ×

무효확인소송에서는 취소소송의 재처분의무**에 관한 규정은 준용**되나 간접강제**에 관한 규정은 준용되지 않으므로**(행정소송법 제38조 제1항 참조), 거부처분에 대한 무효확인판결이 내려진 경우 재처분의무는 인정되지만 간접강제는 허용되지 않는다.

> 행정소송법에는 간접강제를 준용한다는 규정이 없으므로 무효확인소송에는 간접강제가 인정되지 않는다.
> 행정소송법 제38조 제1항이 무효확인판결에 관해 취소판결에 관한 규정을 준용함에 있어서 같은 법 제30조 제2항(재처분의무에 관한 규정)을 준용한다고 규정하면서도 같은 법 제34조(간접강제에 관한 규정)는 이를 준용한다는 규정을 두지 않고 있으므로, 행정처분에 대하여 무효확인판결이 내려진 경우에는 그 행정처분이 거부처분인 경우에도 행정청에 판결의 취지에 따른 재처분의무가 인정될 뿐 그에 대하여 간접강제까지 허용되는 것은 아니다(대결 1998. 12. 24, 98무37).

정답 13 ④

02 취소소송의 판결 등 기 889~909쪽 핵 T 73

1 취소소송 판결의 종류

14 정답률 81% 중 2024 국가직 9급

행정처분에 대한 설명으로 옳지 않은 것은? (다툼이 있는 경우 판례에 의함)

□□□ ① 과징금 부과처분이 법이 정한 한도액을 초과하여 위법할 경우 법원으로서는 그 한도액을 초과한 부분이나 법원이 적정하다고 인정되는 부분을 초과한 부분만을 취소할 수 있다.

□□□ ② 건축물대장의 용도는 건축물의 소유권을 제대로 행사하기 위한 전제요건으로서 건축물 소유자의 실체적 권리관계에 밀접하게 관련되어 있으므로, 건축물대장 소관청의 용도변경신청 거부행위는 국민의 권리관계에 영향을 미치는 것으로서 항고소송의 대상이 되는 행정처분에 해당한다.

□□□ ③ 한국철도시설공단(현 국가철도공단)이 공사낙찰적격심사 감점처분의 근거로 내세운 규정은 공사낙찰적격심사세부기준이고, 이러한 규정은 공공기관이 사인과의 계약관계를 공정하고 합리적 · 효율적으로 처리할 수 있도록 관계공무원이 지켜야 할 계약사무처리에 관한 필요한 사항을 규정한 것으로서 공공기관의 내부규정에 불과하여 대외적 구속력이 없다.

□□□ ④ 식품위생법에 따른 식품접객업(일반음식점영업)의 영업신고의 요건을 갖춘 자라고 하더라도, 그 영업신고를 한 당해 건축물이 건축법 소정의 허가를 받지 아니한 무허가건물이라면 적법한 신고를 할 수 없다.

관련기출

①

1. 처분을 할 것인지 여부와 처분의 정도에 관하여 재량이 인정되는 과징금 납부명령에 대하여 그 명령이 재량권을 일탈하였을 경우, 법원은 재량권의 범위 내에서 어느 정도가 적정한 것인지에 관하여 판단할 수 있고 그 일부를 취소할 수 있다. (○, ×) 2020 지방직 · 서울시 9급
2. 재량행위인 과징금 부과처분이 해당 법령이 정한 한도액을 초과하여 부과된 경우 이러한 과징금 부과처분은 법이 정한 한도액을 초과하여 위법하므로 법원으로서는 그 전부를 취소할 수밖에 없고, 그 한도액을 초과한 부분만 취소할 수는 없다. (○, ×) 2018 국가직 9급

1. × 2. ○

① **빈출** 정답률 81% ×

재량행위인 과징금 부과처분이 해당 법령이 정한 한도액을 초과하여 부과된 경우, 법원으로서는 그 전부를 취소할 수밖에 없고, 그 한도액을 초과한 부분만 취소할 수는 없다.

> 자동차운수사업면허조건 등을 위반한 사업자에 대하여 행정청이 행정제재수단으로 사업정지를 명할 것인지, 과징금을 부과할 것인지, 과징금을 부과하기로 한다면 그 금액은 얼마로 할 것인지에 관하여 재량권이 부여되었다 할 것이므로 과징금 부과처분이 법이 정한 한도액을 초과하여 위법할 경우 법원으로서는 그 전부를 취소할 수밖에 없고, 그 한도액을 초과한 부분이나 법원이 적정하다고 인정되는 부분을 초과한 부분만을 취소할 수 없다(대판 1998. 4. 10, 98두2270 ; 대판 2017. 1. 12, 2015두2352).

② 정답률 6% 제13강 참조 ○

> 건축물대장의 용도는 건축물의 소유권을 제대로 행사하기 위한 전제요건으로서 건축물 소유자의 실체적 권리관계에 밀접하게 관련되어 있으므로, 건축물대장 소관청의 용도변경신청 거부행위는 국민의 권리관계에 영향을 미치는 것으로서 항고소송의 대상이 되는 행정처분에 해당한다(대판 2009. 1. 30, 2007두7277).

③ 정답률 8% 제37강 참조 ○

> 1. 원심판결 이유와 기록에 의하면, 피고가 2008. 12. 31. 원고에 대하여 한 공사낙찰적격심사 감점처분(이하 '이 사건 감점조치'라 한다)의 근거로 내세운 규정은 피고의 공사낙찰적격심사세부기준(이하 '이 사건 세부기준'이라 한다) 제4조 제2항인 사실, 이 사건 세부기준은 공공기관의 운영에 관한 법률 제39조 제1항, 제3항, 구 공기업 · 준정부기관 계약사무규칙 제12조에 근거하고 있으나, 이러한 규정은 공공기관이 사인과 사이의 계약관계를 공정하고 합리적 · 효율적으로 처리할 수 있도록 관계 공무원이 지켜야 할 계약사무처리에 관한 필요한 사항을 규정한 것으로서 공공기관의 내부규정에 불과하여 대외적 구속력이 없는 것임을 알 수 있다.
> 2. 한국철도시설공단이 甲 주식회사에 대하여 시설공사 입찰참가 당시 허위 실적증명서를 제출하였다는 이유로 향후 2년간 공사낙찰적격심사시 종합취득점수의 10/100을 감점한다는 내용의 통보를 한 경우, 위 통보는 행정소송의 대상이 되는 행정처분이라고 할 수 없다(대판 2014. 12. 24, 2010두6700).

④ 정답률 4% 제9강 참조 ○

> 식품위생법에 따른 식품접객업의 영업신고 요건을 갖추었으나, 그 영업신고를 한 당해 건축물이 무허가 건물일 경우 영업신고는 부적법하다.
> 식품위생법과 건축법은 그 입법목적, 규정사항, 적용범위 등을 서로 달리하고 있어 식품접객업에 관하여 식품위생법이 건축법에 우선하여 배타적으로 적용되는 관계에 있다고는 해석되지 않는다. 그러므로 식품위생법에 따른 식품접객업(일반음식점영업)의 영업신고의 요건을 갖춘 자라고 하더라도, 그 영업신고를 한 당해 건축물이 건축법 소정의 허가를 받지 아니한 무허가 건물이라면 적법한 신고를 할 수 없다(대판 2009. 4. 23, 2008도6829).

정답 14 ①

15 **빈출** 정답률 76% 중 2020 소방직 9급

사정판결에 대한 설명으로 옳은 것은? (다툼이 있는 경우 판례에 의함)

□□□ ① 행정청의 재량에 속하는 처분이라도 재량권의 한계를 넘거나 그 남용이 있는 때에는 법원은 이를 취소할 수 있고, 재량권 일탈 · 남용에 관하여는 피고인 행정청이 증명책임을 부담한다.

□□□ ② 법원은 사정판결을 하기 전에 원고가 그로 인하여 입게 될 손해의 정도와 배상방법, 그 밖의 사정을 조사하여야 한다.

□□□ ③ 사정판결을 하는 경우 법원은 처분의 위법함을 판결의 주문에 표기할 수 없으므로 판결의 내용에서 그 처분 등이 위법함을 명시함으로써 원고에 대한 실질적 구제가 이루어지도록 하여야 한다.

□□□ ④ 원고는 취소소송이 계속된 법원에 당해 행정청에 대한 손해배상청구 등을 병합하여 제기할 수 없으므로, 손해배상청구를 담당하는 민사법원의 판결이 먼저 내려진 경우라 할지라도 이 판결의 내용은 취소소송에 영향을 미치지 아니한다.

관련기출

③④

1. 사정판결을 함에 있어서는 그 판결의 주문에서 그 처분 등이 위법함을 명시하여야 한다. (○, ×) 2016 서울시 9급
2. 사정판결을 하는 경우 법원은 주문에 그 처분이 위법함을 명시하여야 하는데 그 위법성에 대하여 기판력이 발생한다. (○, ×) 2008 국회직 8급
3. (사정판결에 있어서) 원고는 피고 행정청이 속하는 국가 또는 공공단체를 상대로 손해배상 등 적당한 구제방법의 청구를 당해 취소소송 등이 계속된 법원에 병합하여 제기할 수 있다. (○, ×) 2014 서울시 7급, 2009 지방직 9급

1. ○ 2. ○ 3. ○

① ×

지문의 앞부분은 옳지만 뒷부분이 옳지 않다. 재량권의 일탈 · 남용은 원고가 입증책임을 진다는 것이 판례의 입장이다.

> **행정소송법 제27조【재량처분의 취소】** 행정청의 재량에 속하는 처분이라도 재량권의 한계를 넘거나 그 남용이 있는 때에는 법원은 이를 취소할 수 있다.

> 행정처분이 재량권을 일탈하였다는 것에 대한 입증책임은 처분의 효력을 다투는 원고에게 있다(대판 1987. 12. 8, 87누861).

② ○

③④ ×

> **행정소송법 제28조【사정판결】** ① 원고의 청구가 이유 있다고 인정하는 경우에도 처분 등을 취소하는 것이 현저히 공공복리에 적합하지 아니하다고 인정하는 때에는 법원은 원고의 청구를 기각할 수 있다. 이 경우 법원은 그 판결의 주문에서 그 처분 등이 위법함을 명시하여야 한다(③).
> ② 법원이 제1항의 규정에 의한 판결을 함에 있어서는 미리 원고가 그로 인하여 입게 될 손해의 정도와 배상방법 그 밖의 사정을 조사하여야 한다(②).
> ③ 원고는 피고인 행정청이 속하는 국가 또는 공공단체를 상대로 손해배상, 제해시설의 설치 그 밖에 적당한 구제방법의 청구를 당해 취소소송 등이 계속된 법원에 병합하여 제기할 수 있다(④).

정답 15 ②

16 상 2008 지방직 9급

행정소송법에 관한 설명으로 옳은 것은?

① 원고가 사망하거나 소송물인 권리관계의 성질상 이를 승계할 자가 없는 경우와 피고인 행정청이 없게 된 경우에 소송은 종료된다.

② 행정소송에 있어서도 소송절차에 관한 신청을 기각한 결정이나 명령에 대하여 불복이 있으면 항소할 수 있다.

③ 취소소송의 선결문제(구체적 규범심사)로서 명령 · 규칙이 대법원의 판결에 의하여 헌법 또는 법률에 위반됨이 확정된 경우에 대법원은 지체 없이 그 사유를 법무부장관에게 통보하여야 한다.

④ 행정처분에 대한 취소청구가 사정판결에 의하여 기각된 경우에 소송비용은 피고가 부담한다.

관련기출

①

1. 처분 후 처분을 한 행정청이 폐지된 경우에는 당해 처분청의 직근상급행정청이 피고가 된다. (○, ×) 2008 지방직(하) 7급

1. ×

① ×

원고가 사망하고 또한 소송물인 권리관계의 성질상 이를 승계할 자가 없을 때에는 소송은 종료된다. 그러나 피고인 행정청이 없게 된 때에는 그 처분 등에 관한 사무가 귀속되는 국가 또는 공공단체가 피고가 되므로 소송은 종료되지 않는다.

> **행정소송법 제13조【피고적격】** ② 제1항의 규정에 의한 행정청이 없게 된 때에는 그 처분 등에 관한 사무가 귀속되는 국가 또는 공공단체를 피고로 한다.

② ×

행정법원의 결정이나 명령에 불복하는 자는 고등법원에 '항고'할 수 있고, 고등법원의 결정 · 명령에 불복하는 자는 대법원에 '재항고'할 수 있다. 법원의 재판 중 판결에 대해 불복하는 절차가 항소, 상고이고 결정에 대해 불복하는 절차는 항고, 재항고이다.

③ ×

행정소송에 대한 대법원판결에 의하여 명령 · 규칙이 헌법 또는 법률에 위반된다는 것이 확정된 경우에는 대법원은 지체 없이 그 사유를 행정안전부장관에게 통보하여야 한다.

> **행정소송법 제6조【명령 · 규칙의 위헌판결 등 공고】** ① 행정소송에 대한 대법원판결에 의하여 명령 · 규칙이 헌법 또는 법률에 위반된다는 것이 확정된 경우에는 대법원은 지체 없이 그 사유를 행정안전부장관에게 통보하여야 한다.
> ② 제1항의 규정에 의한 통보를 받은 행정안전부장관은 지체 없이 이를 관보에 게재하여야 한다.

④ ○

취소청구가 사정판결의 규정에 의하여 기각된 경우, 소송비용은 피고의 부담으로 한다.

> **행정소송법 제32조【소송비용의 부담】** 취소청구가 제28조의 규정에 의하여 기각되거나 행정청이 처분 등을 취소 또는 변경함으로 인하여 청구가 각하 또는 기각된 경우에는 소송비용은 피고의 부담으로 한다.

정답 16 ④

2 취소소송 판결의 효력

17 상 2023 변호사

다음 사례에 관한 설명으로 옳은 것을 모두 고른 것은? (다툼이 있는 경우 판례에 의함)

> A구 구청장은 관내에서 음식점을 운영하고 있는 甲이 청소년에게 주류를 판매하였다는 이유로, 甲에게 영업정지처분을 할 것을 고려하고 있다.

㉠ 구청장이 영업정지처분을 하였고, 이에 대하여 甲이 취소소송을 제기하면서 집행정지를 신청한 경우, 甲이 제기한 취소소송이 적법하여야 한다는 것이 집행정지의 요건에 포함된다.

㉡ 甲이 적발 당시 위반사실을 시인하였다면, 이는 행정절차법 소정의 '의견청취가 현저히 곤란하거나 명백히 불필요하다고 인정될 만한 상당한 이유가 있는 경우'에 해당한다.

㉢ 구청장이 청소년 주류판매를 이유로 甲에게 영업정지 2개월의 처분을 하였고, 이에 대하여 甲이 취소소송을 제기하여 원고(甲) 승소판결이 확정되었는데, 그 후 구청장이 영업시간제한 위반을 이유로 재차 甲에게 영업정지 2개월의 처분을 한 경우, 후행 영업정지처분은 취소판결의 기속력에 반하지 아니한다.

㉣ 甲은 영업정지처분을 받고 이에 대해 취소소송을 제기하였으나 집행정지 신청을 하지 아니하였다. 이 경우 甲이 영업정지기간 동안 영업을 계속하였다면, 위 영업정지처분이 나중에 행정쟁송절차에 의해 취소되더라도 甲은 영업정지명령 위반을 이유로 한 형사처벌을 면할 수 없다.

① ㉠, ㉡　② ㉠, ㉢
③ ㉠, ㉣　④ ㉡, ㉢
⑤ ㉢, ㉣

② ㉠㉢이 옳은 설명이다.

㉠ 제38강 참조 ○

집행정지를 위해서는 본안소송인 취소소송이 소송요건을 갖춘 적법한 것이어야 한다.

> 행정처분의 효력정지나 집행정지를 구하는 신청사건에 있어서 본안청구가 적법한 것이어야 한다는 점이 집행정지의 요건이다(대결 1999. 11. 26, 99부3).

㉡ 제21강 참조 ×

의견청취 예외사유에 해당하지 않는다.

> 무단으로 용도변경된 건물에 대해 건물주에게 시정명령이 있을 것과 불이행시 이행강제금이 부과될 것이라는 점을 설명한 후, 다음 날 시정명령을 한 경우 비록 현장조사에서 원고가 위반사실을 시인하였다거나 위반경위를 진술하였더라도 그것만으로는 행정절차법 제21조 제4항 제3호가 정한 '의견청취가 현저히 곤란하거나 명백히 불필요하다고 인정될 만한 상당한 이유가 있는 경우'로서 처분의 사전통지를 하지 아니하여도 되는 경우에 해당한다고 볼 수도 없다(대판 2016. 10. 27, 2016두41811).

㉢ ○

기본적 사실관계가 동일하지 아니한 별도의 사유에 기하여 동일한 내용의 처분을 하는 것은 기속력에 위반되지 않는다. 사안에서 청소년 주류판매와 영업시간제한 위반은 기본적 사실관계에 동일성이 없는 다른 사유이므로 기속력에 반하지 않는다.

> 새로운 처분의 처분사유와 종전 처분에 관하여 위법한 것으로 판결에서 판단된 사유가 기본적 사실관계에 있어 동일성이 없는 경우 새로운 처분은 종전 처분에 대한 판결의 기속력에 저촉되지 않는다.
>
> 종전 처분이 판결에 의하여 취소되었더라도 종전 처분과 다른 사유를 들어서 새로이 처분을 하는 것은 기속력에 저촉되지 않는다. 확정판결의 당사자인 처분행정청은 종전 처분 후에 발생한 새로운 사유를 내세워 다시 처분을 할 수 있고, 새로운 처분의 처분사유가 종전 처분의 처분사유와 기본적 사실관계에서 동일하지 않은 다른 사유에 해당하는 이상, 처분사유가 종전 처분 당시 이미 존재하고 있었고 당사자가 이를 알고 있었더라도 이를 내세워 새로이 처분을 하는 것은 확정판결의 기속력에 저촉되지 않는다(대판 2016. 3. 24, 2015두48235).

㉣ ×

취소판결의 취소의 효과는 처분시로 소급하므로 영업정지처분이 행정쟁송절차에 의해 취소되었다면 처음부터 영업정지명령은 없었던 것으로 된다. 따라서 甲은 영업정지명령을 위반한 것이 아니다. 그러므로 영업정지명령 위반을 이유로 처벌할 수 없다.

> 영업허가취소처분이 행정쟁송절차에 의하여 취소된 경우 영업허가취소처분 이후의 영업행위를 무허가영업이라고 볼 수는 없다.
>
> 영업의 금지를 명한 영업허가취소처분 자체가 나중에 행정쟁송절차에 의하여 취소되었다면 그 영업허가취소처분은 그 처분시에 소급하여 효력을 잃게 되며, 그 영업허가취소처분에 복종할 의무가 원래부터 없었음이 확정되었다고 봄이 타당하고, 영업허가취소처분이 장래에 향하여서만 효력을 잃게 된다고 볼 것은 아니므로 그 영업허가취소처분 이후의 영업행위를 무허가영업이라고 볼 수는 없다(대판 1993. 6. 25, 93도277).

정답 17 ②

18 중 2021 군무원 7급

확정된 취소판결과 무효확인판결의 효력에 대한 설명으로 옳지 않은 것은? (단, 다툼이 있는 경우 판례에 의함)

① 당사자가 확정된 취소판결의 존재를 사실심변론종결시까지 주장하지 아니하였다고 하더라도 상고심에서 새로이 이를 주장 · 입증할 수 있다.

② 취소판결이 확정된 과세처분을 과세관청이 경정하는 처분을 하였다면 당연무효의 처분이라고 할 수 없고 단순위법인 취소사유를 가진 처분이 될 뿐이다.

③ 행정처분의 무효확인판결은 확인판결이라고 하여도 행정처분의 취소판결과 같이 소송당사자는 물론 제3자에게도 미치는 것이다.

④ 행정처분의 취소판결이 확정되면 그 판결에서 확인된 위법사유를 배제한 상태에서 다시 처분을 하거나 그 밖에 위법한 결과를 제거하는 조치를 할 의무가 있다.

관련기출

②

1. 취소판결 후에 취소된 처분을 대상으로 하는 처분은 당연히 무효이다. (○, ×) 2012 지방직(하) 7급

1. ○

③

1. 처분 등의 무효를 확인하는 확정판결은 소송당사자 이외의 제3자에 대하여는 효력이 미치지 않는다. (○, ×) 2019 서울시 9급

1. ×

④

1. 어떤 행정처분을 위법하다고 판단하여 취소하는 판결이 확정되면 행정청은 취소판결의 기속력에 따라 그 판결에서 확인된 위법사유를 배제한 상태에서 다시 처분을 하거나 그 밖에 위법한 결과를 제거하는 조치를 할 의무가 있다. (○, ×) 2021 경행경채

1. ○

① ○

확정판결의 존부(存否)는 직전조사 사항이다.

> 소송에서 다투어지고 있는 권리 또는 법률관계의 존부가 동일한 당사자 사이의 전소에서 이미 다루어져 이에 관한 확정판결이 있는 경우에 당사자는 이에 저촉되는 주장을 할 수 없고, 법원도 이에 저촉되는 판단을 할 수 없음은 물론, 위와 같은 확정판결의 존부는 당사자의 주장이 없더라도 법원이 이를 직권으로 조사하여 판단하지 않으면 안 되고, 더 나아가 당사자가 확정판결의 존재를 사실심변론종결시까지 주장하지 아니하였더라도 상고심에서 새로이 이를 주장 · 입증할 수 있는 것이다(대판 1989. 10. 10, 89누1308).

② ×

> 과세처분취소 판결의 확정 후에 한 당초 과세처분의 경정처분은 무효이다.
> 과세처분을 취소하는 판결이 확정되면 그 과세처분은 처분시에 소급하여 소멸하므로 그 뒤에 과세관청에서 그 과세처분을 경정하는 경정처분을 하였다면 이는 존재하지 않는 과세처분을 경정한 것으로서 그 하자가 중대하고 명백한 당연무효의 처분이다(대판 1989. 5. 9, 88다카16096).

③ ○

> 행정처분의 무효확인판결은 비록 형식상은 확인판결이라 하여도 그 효력은 취소판결의 경우와 같이 소송의 당사자는 물론 제3자에게도 미친다(대판 1982. 7. 27, 82다173).

행정소송법 제29조【취소판결 등의 효력】 ① 처분 등을 취소하는 확정판결은 제3자에 대하여도 효력이 있다.
② 제1항의 규정은 제23조의 규정에 의한 집행정지의 결정 또는 제24조의 규정에 의한 그 집행정지결정의 취소결정에 준용한다.

제38조【준용규정】 ① 제9조, 제10조, 제13조 내지 제17조, 제19조, 제22조 내지 제26조, 제29조 내지 제31조 및 제33조의 규정은 무효등확인소송의 경우에 준용한다.

④ **빈출** ○

> 어떤 행정처분을 위법하다고 판단하여 취소하는 판결이 확정되면 행정청은 취소판결의 기속력에 따라 그 판결에서 확인된 위법사유를 배제한 상태에서 다시 처분을 하거나 그 밖에 위법한 결과를 제거하는 조치를 할 의무가 있다(대판 2020. 4. 9, 2019두49953).

정답 18 ②

19 중

2019 사회복지직 9급

거부처분취소판결에 따른 행정청의 재처분의무에 관한 설명으로 옳지 않은 것은? (다툼이 있는 경우 판례에 따름)

□□□ ① 행정청의 재처분내용은 판결의 취지를 존중하는 것이면 되고 반드시 원고가 신청한 내용대로 처분해야 하는 것은 아니다.

□□□ ② 거부처분 후에 법령이 개정 · 시행된 경우, 거부처분 취소의 확정판결을 받은 행정청이 개정된 법령을 새로운 사유로 들어 다시 거부처분을 한 경우도 재처분에 해당한다.

□□□ ③ 위법판단의 기준시에 관하여 판결시설을 취하면 사실심변론종결시 이전의 사유를 내세워 다시 거부처분을 할 수 있다.

□□□ ④ 행정처분에 대하여 무효확인판결이 내려진 경우에는 그 행정처분이 거부처분인 경우에도 행정청에 판결의 취지에 따른 재처분의무가 인정될 뿐 그에 대하여 간접강제까지 허용되는 것은 아니다.

관련기출

②

1. (甲은 개발제한구역 내의 토지에 건축물을 건축하기 위하여 건축허가를 신청하였다) 허가가 거부되자 甲이 이에 대해 취소소송을 제기하여 승소하였고 판결이 확정되었다면, 관할행정청은 甲에게 허가를 하여야 하며 이전 처분사유와 다른 사유를 들어 다시 허가를 거부할 수 없다. (○, ×)
2019 국가직 7급

2. 거부처분의 취소판결이 확정되었더라도 그 거부처분 후에 법령이 개정 · 시행되었다면 처분청은 그 개정된 법령 및 허가기준을 새로운 사유로 들어 다시 이전 신청에 대하여 거부처분을 할 수 있다. (○, ×) 2018 국회직 8급

1. × 2. ○

① ○

행정소송법 제30조에 따르면 거부처분이 취소되면 그 처분을 행한 행정청은 판결의 취지에 따라 다시 이전의 신청에 대한 처분을 하여야 한다. 여기서 판결의 취지에 따른다는 의미는 판결의 취지를 존중한다는 의미일 뿐 반드시 원고가 신청한 대로 재처분을 하여야 한다는 것을 의미하는 것은 아니다.

> **행정소송법 제30조【취소판결 등의 기속력】** ② 판결에 의하여 취소되는 처분이 당사자의 신청을 거부하는 것을 내용으로 하는 경우에는 그 처분을 행한 행정청은 판결의 취지에 따라 다시 이전의 신청에 대한 처분을 하여야 한다.

② **빈출** ○

> **거부처분취소의 확정판결을 받은 행정청이 거부처분 후에 법령이 개정 · 시행된 경우 이를 새로운 사유로 내세워 다시 거부처분을 한 것은 기속력에 반하는 처분이 아니다.**
>
> 행정처분의 적법 여부는 그 행정처분이 행하여진 때의 법령과 사실을 기준으로 하여 판단하는 것이므로 거부처분 후에 법령이 개정 · 시행된 경우에는 개정된 법령 및 허가기준을 새로운 사유로 들어 다시 이전의 신청에 대한 거부처분을 할 수 있으며 그러한 처분도 행정소송법 제30조 제2항에 규정된 재처분에 해당된다(대결 1998. 1. 7, 97두22).

③ ×

거부처분취소소송에서 위법판단의 기준시에 관해 통설 및 판례의 입장인 처분시설에 따르면 거부처분 이후의 새로운 사유(법령의 변경 또는 사실상황의 변경)를 이유로 다시 거부처분을 하는 것이 가능하지만, 판결시설에 의하면 판결시(사실심변론종결시)를 기준으로 거부처분의 위법 여부를 판단하므로 처분청으로서는 판결시(사실심변론종결시) 이전의 사유를 내세워 다시 거부처분을 할 수는 없다.

④ ○

무효등확인판결에는 취소소송의 재처분의무에 관한 규정은 준용되나 간접강제에 관한 규정은 준용되지 않는다. 따라서 거부처분에 대해 무효확인판결이 내려진 경우 행정청에 판결의 취지에 따른 재처분의무가 인정되지만 재처분의무를 이행하지 않는다고 하여 간접강제까지 허용되는 것은 아니다.

> **행정소송법상 무효확인소송에는 취소소송에 관한 규정 중 간접강제를 준용한다는 규정이 없으므로 무효확인소송에는 간접강제가 인정되지 않는다.**
>
> 행정소송법 제38조 제1항이 무효확인판결에 관해 취소판결에 관한 규정을 준용함에 있어서 같은 법 제30조 제2항(재처분의무에 관한 규정)을 준용한다고 규정하면서도 같은 법 제34조(간접강제에 관한 규정)는 이를 준용한다는 규정을 두지 않고 있으므로, 행정처분에 대하여 무효확인판결이 내려진 경우에는 그 행정처분이 거부처분인 경우에도 행정청에 판결의 취지에 따른 재처분의무가 인정될 뿐 그에 대하여 간접강제까지 허용되는 것은 아니다(대결 1998. 12. 24, 98무37).

정답 19 ③

20 정답률 44% 상 2017 서울시 9급

행정소송법상 취소판결의 효력 중 기속력에 관한 설명으로 가장 옳지 않은 것은? (다툼이 있는 경우 판례에 의함)

□□□ ① 종전 확정판결의 행정소송과정에서 한 주장 중 처분사유가 되지 아니하여 판결의 판단대상에서 제외된 부분을 행정청이 그 후 새로이 행한 처분의 적법성과 관련하여 새로운 소송에서 다시 주장하는 것은 확정판결의 기판력에 저촉된다.

□□□ ② 여러 법규위반을 이유로 한 영업허가취소처분이 처분의 이유로 된 법규위반 중 일부가 인정되지 않고 나머지 법규위반으로는 영업허가취소처분이 비례의 원칙에 위반된다고 취소된 경우에 판결에서 인정되지 않은 법규위반사실을 포함하여 다시 영업정지처분을 내리는 것은 동일한 행위의 반복은 아니지만 판결의 취지에 반한다.

□□□ ③ 파면처분에 대한 취소판결이 확정되면 파면되었던 원고를 복직시켜야 한다.

□□□ ④ 법규위반을 이유로 내린 영업허가취소처분이 비례의 원칙 위반으로 취소된 경우에 동일한 법규위반을 이유로 영업정지처분을 내리는 것은 기속력에 반하지 않는다.

① ×

거부처분에 대한 취소소송의 계속 중 처분청이 처분사유를 추가한 경우 처분사유의 추가·변경에 관한 통설 및 판례의 입장에 따르면 기본적 사실관계의 동일성이 인정되는 한도 내에서만 추가·변경이 허용된다. 따라서 기본적 사실관계의 동일성이 인정되지 않는 처분사유라면 법원은 처분사유의 추가를 허용하지 않으므로 법원의 판단대상에서 당연히 제외되며 따라서 판결의 이유에서 제시된 바가 없다. 그런데 기속력은 판결의 주문과 이유에서 제시된 위법사유에만 미치므로 행정청이 판결에서 제외된 사유를 들어 처분을 하더라도 판결의 기속력에 위반되지 않는다. 지문과 판례에서 기판력이라는 용어를 사용하고 있으나 이는 기속력에 관한 것으로 이해해야 한다(판례 중에는 기속력과 기판력의 용어를 혼용하여 사용하고 있는 것도 존재함).

> 종전 확정판결의 행정소송과정에서 한 주장 중 처분사유가 되지 아니하여 판결의 판단대상에서 제외된 부분을 행정청이 그 후 새로이 행한 처분의 적법성과 관련하여 새로운 소송에서 다시 주장하는 것이 위 확정판결의 기판력(편저자 주 : 기속력)에 저촉되지 않는다.
>
> 이미 원고의 승소로 확정된 판결은 원고 출원의 광구 내에서의 불석채굴이 공익을 해한다는 이유로 한 피고의 불허가처분에 대하여 그것이 공익을 해한다고는 보기 어렵다는 이유로 이를 취소한 내용으로서 이 소송과정에서 피고가 원고 출원의 위 불석광은 광업권이 기히 설정된 고령토광과 동일 광상에 부존하고 있어 불허가대상이라는 주장도 하였으나 이 주장 부분은 처분사유로 볼 수 없다는 점이 확정되어 판결의 판단대상에서 제외되었다면, 피고가 그 후 새로이 행한 처분의 적법성과 관련하여 다시 위 주장을 하더라도 위 확정판결의 기판력(편저자 주 : 기속력)에 저촉된다고 할 수 없다(대판 1991. 8. 9, 90누7326).

② ○

기속력은 판결의 주문과 판결의 이유에서 제시된 위법사유에 대해 미친다. 따라서 판결의 이유에서 제시된 위법사유를 반복하는 것은 판결의 기속력에 위반된다. 예컨대, 청소년인 甲을 고용하였다는 이유와 청소년인 乙을 출입시켰다는 이유로 유흥주점에 대한 영업허가취소처분이 행해진 경우 이에 대한 취소소송에서 법원이 청소년인 甲을 고용하였다는 법규위반사실은 인정하지 않고, 청소년인 乙을 출입시켰다는 이유는 인정되나 영업허가취소는 비례의 원칙에 반한다는 이유로 취소판결을 확정했다는 사례를 생각해 보자. 이때 행정청이 3개월의 영업정지처분을 내리면서 청소년인 甲을 고용하였다는 이유와 청소년인 乙을 출입시켰다는 이유를 들고 있다면 이는 판결의 이유에서 제시된 위법사유를 반복하는 것으로 판결의 취지에 반한다. 따라서 위의 지문은 맞는 지문이다.

③ ○

판결의 기속력의 내용으로서 원상회복의무(결과제거의무)에 따르면 취소판결이 확정되면 행정청은 취소된 처분에 의해 초래된 위법상태를 제거하여 원상회복할 의무를 지게 된다. 따라서 파면처분이 취소되면 파면되었던 원고를 복직시켜야 한다.

④ ○

법규위반을 이유로 내린 '영업허가취소처분'이 비례원칙 위반으로 취소된 경우에 동일한 법규위반을 이유로 '영업정지처분'을 내리는 것은 판결에서 제시된 위법사유를 그대로 반복하는 것이 아니라 판결에서 제시된 위법사유를 보완하여 처분을 하는 것이므로 판결의 기속력에 저촉되지 않는다.

정답 20 ①

21 중 2016 국회직 8급

취소소송에서의 기속력에 대한 설명으로 옳은 것은? (다툼이 있는 경우 판례에 의함)

□□□ ① 처분청이 재처분을 하였더라도 기속력에 위반하는 경우에는 간접강제의 대상이 된다.

□□□ ② 기속력은 취소소송의 인용판결은 물론 기각판결에 대하여서도 인정된다.

□□□ ③ 원고의 신청을 거부하는 처분에 대해 취소판결이 확정되면 기속력의 결과 행정청은 원고의 신청을 인용하는 처분을 하여야 한다.

□□□ ④ 제3자효 행정처분에서 절차의 하자를 이유로 원고가 취소확정판결을 받은 경우 당해 처분청은 원처분과 동일한 처분을 할 수 없다.

□□□ ⑤ 취소판결의 기속력은 판결의 주문(主文)에 대하여서만 발생한다.

① ○

거부처분에 대한 취소의 확정판결이 있은 후, 처분청이 재처분을 하였다 하더라도 그것이 종전 거부처분에 대한 취소의 확정판결의 기속력에 반하는 등 당연무효라면 이는 아무런 재처분을 하지 아니한 때와 마찬가지이므로, 이러한 경우에는 행정소송법 제30조 제2항, 제34조 제1항 등에 의한 간접강제신청의 대상이 된다는 것이 판례의 입장이다(대결 2002. 12. 11, 2002무22).

② ×

기속력은 청구인용판결에만 인정된다.

③ ×

원고의 신청을 인용하는 처분을 하여야 하는 것은 아니며 판결의 취지에 따른 처분을 하면 된다.

> **행정소송법 제30조【취소판결 등의 기속력】** ② 판결에 의하여 취소되는 처분이 당사자의 신청을 거부하는 것을 내용으로 하는 경우에는 그 처분을 행한 행정청은 판결의 취지에 따라 다시 이전의 신청에 대한 처분을 하여야 한다(③④).
> ③ 제2항의 규정은 신청에 따른 처분이 절차의 위법을 이유로 취소되는 경우에 준용한다(④).

④ ×

신청에 따른 처분이 절차의 위법이 있음을 이유로 취소된 경우, 그 처분을 한 행정청은 판결의 취지에 따라 적법한 절차에 의하여 다시 이전의 신청에 대한 처분을 하여야 한다(위 ③ 해설 조문 참조). 이 경우 처분청은 절차상의 하자를 보완하여 다시 동일한 내용의 처분을 할 수 있다.

⑤ ×

기속력은 판결의 주문과 주문의 전제가 되는 처분 등의 구체적 위법사유에 관한 이유 중의 판단에도 미친다는 점에서, 기판력이 판결의 주문에만 미치는 것과 구별된다.

> 취소소송에서 처분 등을 취소하는 확정판결의 기속력은 판결의 주문뿐만 아니라 그 전제가 되는 처분 등의 구체적 위법사유에 관한 이유 중의 판단에 대하여도 인정된다(대판 2001. 3. 23, 99두5238).

22 상 2015 경행특채 1차

다음 취소판결의 효력과 관련된 설명으로 가장 적절하지 않은 것은? (다툼이 있으면 판례에 의함)

□□□ ① 전소와 후소의 소송물이 동일하지 않다고 하더라도 전소의 기판력 있는 법률관계가 후소의 선결적 법률관계가 되는 때에는 전소의 판결의 기판력이 후소에 미쳐 후소의 법원은 전에 한 판단과 모순되는 판단을 할 수 없다.

□□□ ② 판결에 의하여 취소되는 처분이 당사자의 신청을 거부하는 것을 내용으로 하는 경우에는 그 처분을 행한 행정청은 판결의 취지에 따라 다시 이전의 신청에 대한 처분을 할 수 있다.

□□□ ③ 행정처분을 취소한다는 확정판결이 있으면 그 취소판결의 형성력에 의하여 당해 행정처분의 취소나 취소통지 등의 별도의 절차를 요하지 아니하고 당연히 취소의 효과가 발생한다.

□□□ ④ 기판력의 객관적 범위는 소송물로 주장된 법률관계의 존부에 관한 판단의 결론 그 자체에만 미치는 것이다.

① ○

> 전소와 후소의 소송물이 동일하지 아니하여도 전소의 주문에 포함된 법률관계가 후소의 선결적 법률관계가 되는 때에는 전소의 판결의 기판력이 후소에 미쳐 후소의 법원은 전에 한 판단과 모순되는 판단을 할 수 없다(대판 2000. 2. 25, 99다55472).

② ×

> **행정소송법 제30조【취소판결 등의 기속력】** ② 판결에 의하여 취소되는 처분이 당사자의 신청을 거부하는 것을 내용으로 하는 경우에는 그 처분을 행한 행정청은 판결의 취지에 따라 다시 이전의 신청에 대한 처분을 하여야 한다.

③ ○

행정처분을 취소한다는 확정판결이 있으면 그 취소판결의 형성력에 의하여 당해 행정처분의 취소나 취소통지 등의 별도의 절차를 요하지 아니하고 당연히 취소의 효과가 발생한다는 것이 판례의 입장이다(대판 1991. 10. 11, 90누5443).

④ ○

> 기판력의 객관적 범위는 그 판결의 주문에 포함된 것, 즉 소송물로 주장된 법률관계의 존부에 관한 판단의 결론 그 자체에만 미치는 것이고, 판결이유에 설시된 그 전제가 되는 법률관계의 존부에까지 미치는 것은 아니다(대판 1987. 6. 9, 86다카2756).

정답 21 ① 22 ②

23 ⓢ 2012 지방직(하) 7급

행정소송에 대한 판례의 입장으로 옳은 것은?

□□□ ① 취소판결 후에 취소된 처분을 대상으로 하는 처분은 당연히 무효이다.

□□□ ② 사정판결은 무효등확인소송의 경우에도 허용된다.

□□□ ③ 당사자소송은 본질상 민사소송이므로 행정소송법상 직권증거조사규정이 적용될 수 없다.

□□□ ④ 거부처분의 효력정지는 그 거부처분으로 인하여 신청인에게 생길 손해를 방지하는 데 보탬이 되므로 효력정지를 구할 이익이 있다.

① ○

취소판결이 있으면 처분의 효력은 소멸하므로(형성력), 처분이 존재함을 전제로 소멸된 처분을 대상으로 하는 처분은 당연무효이다.

> **과세처분취소판결의 확정 후에 한 당초 과세처분의 경정처분은 무효이다.**
> 과세처분을 취소하는 판결이 확정되면 그 과세처분은 처분시에 소급하여 소멸하므로 그 뒤에 과세관청에서 그 과세처분을 경정하는 경정처분을 하였다면 이는 존재하지 않는 과세처분을 경정한 것으로서 그 하자가 중대하고 명백한 당연무효의 처분이다(대판 1989. 5. 9, 88다카16096).

② ×

사정판결은 취소소송에서만 허용된다.

③ ×

심리절차에 관한 행정심판기록제출명령, 변론주의, 처분권주의, 직권증거조사규정, 구술심리주의, 쌍방심문주의 등은 당사자소송에 적용된다.

> **행정소송법 제26조【직권심리】** 법원은 필요하다고 인정할 때에는 직권으로 증거조사를 할 수 있고, 당사자가 주장하지 아니한 사실에 대하여도 판단할 수 있다.
>
> **제44조【준용규정】** ① 제14조 내지 제17조, 제22조, 제25조, 제26조, 제30조 제1항, 제32조 및 제33조의 규정은 당사자소송의 경우에 준용한다.

✚ 취소소송에 관한 행정소송법 제9~34조 규정이 다른 주관적 소송에 준용되는지를 도표로 정리하면 다음과 같다.

내 용	무효등확인소송	부작위위법확인소송	당사자소송
피고적격(제13조)	○	○	×
행정심판임의주의 및 예외적 정심판전치주의(제18조)	×	○	×
제소기간의 제한(제20조)	×	○ (단, 행정심판을 거치지 않은 경우에는 제소기간의 제한이 없다)	×
소의 변경(제21조)	○	○	○
집행부정지의 원칙 및 예외적 집행정지(제23조)	○	×	×
직권심리(제26조)	○	○	○
사정판결(제28조)	×	×	×
확정판결의 대세적 효력(제3자효)(제29조)	○	○	×
판결의 기속력(제30조)	○	○	○
판결의 간접강제(제34조)	×	○	×

④ ×

> 행정청의 거부처분의 효력정지를 구할 이익은 없다(대결 1995. 6. 21, 95두26).

정답 23 ①

24 중 2012 서울시 9급

"행정처분취소청구를 기각하는 판결이 확정된 경우에 당해 처분이 위법하지 아니하다는 점이 판결에서 확정된 이상 원고가 다시 이를 무효라 하여 그 무효확인소송을 제기할 수 없다."라는 판결의 효력은 다음 보기 중 무엇에 해당하는가?

① 불가변력
② 기판력
③ 형성력
④ 구속력(기속력)
⑤ 집행력

② 기판력이란 법원이 행한 판단내용이 확정되면 이후 동일사항이 문제된 경우에 당사자(승계인 포함)는 그에 반하는 주장을 하여 다투는 것이 허용되지 않으며, 법원도 일사부재리의 원칙에 따라 그와 모순 · 저촉되는 판단을 해서는 안 되는 구속력을 말하는바, 사안은 이러한 기판력에 관한 것이다.

25 상 2010 국가직 9급

다음 취소판결의 효력에 관한 설명으로 옳은 것은?

① 판례는 취소소송의 소송물을 처분의 위법성과 그로 인해 원고의 권리가 침해되었다는 원고의 '법적 주장'이라고 보고 있다.
② 대법원은 기판력의 객관적 범위가 판결의 주문 이외에 판결이유에 설시된 그 전제가 되는 법률관계의 존부에도 미친다고 판시하고 있다.
③ 행정소송법은 기판력에 관한 명문의 규정을 두고 있다는 것이 통설, 판례의 입장이다.
④ 취소소송의 피고는 처분청이므로 행정청을 피고로 하는 취소소송에 있어서의 기판력은 당해 처분이 귀속하는 국가 또는 공공단체에 미친다.

① ×

취소소송의 소송물이 무엇인지에 대해서는 처분의 위법성 일반을 소송물로 보는 견해, 처분 개개의 위법사유를 소송물로 보는 견해, 대상이 되는 처분을 통하여 자신의 권리가 침해되었다는 원고의 '법적 주장'을 소송물로 보는 견해의 대립이 있는데 통설 · 판례는 처분의 위법성 일반(위법성 그 자체)을 소송물로 본다.

> 과세처분취소소송의 소송물은 그 취소원인이 되는 위법성 일반이고 ……(대판 1990. 3. 23, 89누5386)

② ×

기판력의 객관적 범위는 판결의 주문에 포함된 것에 대해서만 미친다(대판 1987. 6. 9, 86다카2756).

③ ×

행정소송법에서 기판력에 관한 명문규정을 두고 있는 것은 아니나, 기판력은 소송의 본질상 당연히 인정되는 효력이라고 볼 수 있으므로 행정소송에서도 기판력은 인정된다는 것이 통설의 입장이다.

④ ○

취소소송에서는 소송수행의 편의상 권리주체인 국가 · 공공단체가 아닌 처분행정청을 피고로 하는 것에 불과하기 때문에 그 판결의 기판력은 피고인 처분행정청이 속하는 국가나 공공단체에도 미친다.

> 처분청을 피고로 한 과세처분취소소송의 기판력은 당해 처분이 귀속하는 국가 또는 공공단체에 미친다.
>
> 과세처분취소소송의 피고는 처분청이므로 행정청을 피고로 하는 취소소송의 기판력은 당해 처분이 귀속하는 국가 또는 공공단체에 미친다(대판 1998. 7. 24, 98다10854).

정답 24 ② 25 ④

③ 기타(취소소송의 종료, 상소 및 재심)

26 상 2024 소방간부

제3자효 행정행위에 관한 설명으로 옳지 않은 것은? (다툼이 있는 경우 판례에 의함)

□□□ ① 행정청은 제3자인 이해관계인이 요구하면, 해당 처분이 행정심판의 대상이 되는 처분인지와 행정심판의 대상이 되는 경우 소관 위원회 및 심판청구기간을 지체 없이 알려 주어야 한다.

□□□ ② 처분 등을 취소하는 판결에 의하여 권리 또는 이익의 침해를 받은 제3자는 자기에게 책임 없는 사유로 소송에 참가하지 못함으로써 판결의 결과에 영향을 미칠 공격 또는 방어방법을 제출하지 못한 때에는 이를 이유로 확정된 종국판결에 대하여 재심의 청구를 할 수 있다.

□□□ ③ 제3자에 의한 재심청구는 제3자가 항고소송의 확정판결이 있음을 안 날로부터 90일 이내, 판결이 확정된 날로부터 1년 이내에 제기하여야 한다.

□□□ ④ 법원은 소송의 결과에 따라 권리 또는 이익의 침해를 받을 제3자가 있는 경우에는 당사자 또는 제3자의 신청 또는 직권에 의하여 결정으로써 그 제3자를 소송에 참가시킬 수 있다.

□□□ ⑤ 제3자효를 수반하는 행정행위에 대한 행정심판청구에 있어서 그 청구를 인용하는 내용의 재결로 인하여 비로소 권리이익을 침해받게 되는 자는 그 인용재결에 대하여 취소소송을 제기할 수 있다.

관련기출

③

1. 제3자에 의한 재심청구는 확정판결이 있음을 안 날로부터 (㉠) 이내, 판결이 확정된 날로부터 (㉡) 이내에 제기하여야 한다. 2009 세무사

1. ㉠ 30일 ㉡ 1년

① ○

행정심판법 제58조【행정심판의 고지】 ① 행정청이 처분을 할 때에는 처분의 상대방에게 다음 각 호의 사항을 알려야 한다.
1. 해당 처분에 대하여 행정심판을 청구할 수 있는지
2. 행정심판을 청구하는 경우의 심판청구절차 및 심판청구기간

② 행정청은 이해관계인이 요구하면 다음 각 호의 사항을 지체 없이 알려주어야 한다. 이 경우 서면으로 알려줄 것을 요구받으면 서면으로 알려주어야 한다.
1. 해당 처분이 행정심판의 대상이 되는 처분인지
2. 행정심판의 대상이 되는 경우 소관 위원회 및 심판청구기간

② ○

③ ×

행정소송법 제31조【제3자에 의한 재심청구】 ① 처분 등을 취소하는 판결에 의하여 권리 또는 이익의 침해를 받은 제3자는 자기에게 책임 없는 사유로 소송에 참가하지 못함으로써 판결의 결과에 영향을 미칠 공격 또는 방어방법을 제출하지 못한 때에는 이를 이유로 확정된 종국판결에 대하여 재심의 청구를 할 수 있다(②).
② 제1항의 규정에 의한 청구는 확정판결이 있음을 안 날로부터 30일 이내, 판결이 확정된 날로부터 1년 이내에 제기하여야 한다(③).

④ ○

행정소송법 제16조【제3자의 소송참가】 ① 법원은 소송의 결과에 따라 권리 또는 이익의 침해를 받을 제3자가 있는 경우에는 당사자 또는 제3자의 신청 또는 직권에 의하여 결정으로써 그 제3자를 소송에 참가시킬 수 있다.

⑤ ○

제3자효를 수반하는 행정행위에 대한 행정심판청구에 있어서 그 청구를 인용하는 내용의 재결로 인하여 비로소 권리이익을 침해받게 되는 자가 그 인용재결에 대하여 취소를 구하는 경우, 그 인용재결은 항고소송의 대상이 된다.

이른바 복효적 행정행위, 특히 제3자효를 수반하는 행정행위에 대한 행정심판청구에 있어서 그 청구를 인용하는 내용의 재결로 인하여 비로소 권리이익을 침해받게 되는 자는 그 인용재결에 대하여 다툴 필요가 있고, 그 인용재결은 원처분과 내용을 달리하는 것이므로 그 인용재결의 취소를 구하는 것은 원처분에는 없는 재결에 고유한 하자를 주장하는 셈이어서 당연히 항고소송의 대상이 된다(대판 2001. 5. 29, 99두10292).

정답 26 ③

27 정답률 53% 상 2018 지방직 9급

처분에 대하여 이해관계가 있는 제3자의 법적 지위에 대한 설명으로 옳은 것만을 모두 고르면?

> □□□ ㉠ 행정청이 처분을 서면으로 하는 경우 상대방과 제3자에게 행정심판을 제기할 수 있는지 여부와 제기하는 경우의 행정심판절차 및 청구기간을 직접 알려야 한다.
>
> □□□ ㉡ 행정소송의 결과에 따라 권리 또는 이익의 침해 우려가 있는 제3자는 당해 행정소송에 참가할 수 있으며, 이때 참가인인 제3자는 실제로 소송에 참가하여 소송행위를 하였는지 여부를 불문하고 판결의 효력을 받는다.
>
> □□□ ㉢ 처분을 취소하는 판결에 의하여 권리의 침해를 받은 제3자는 자기에게 책임 없는 사유로 인하여 소송에 참가하지 못함으로써 판결의 결과에 영향을 미칠 공격 또는 방어방법을 제출하지 못한 때에는 이를 이유로 확정된 종국판결에 대하여 재심의 청구를 할 수 있다.
>
> □□□ ㉣ 이해관계가 있는 제3자는 자신의 신청 또는 행정청의 직권에 의하여 행정절차에 참여하여 처분 전에 그 처분의 관할행정청에 서면이나 말로 또는 정보통신망을 이용하여 의견제출을 할 수 있다.

① ㉠, ㉡ ② ㉢, ㉣

③ ㉡, ㉢, ㉣ ④ ㉠, ㉡, ㉢, ㉣

③ ㉡㉢㉣이 옳은 내용이다.

㉠ ×

직권고지의 대상이 되는 자는 처분의 상대방이다. 이해관계인의 경우, 요구가 있는 경우에 행정청이 고지하면 된다. 조문의 미세한 차이를 묻는 문제는 최근 들어 자주 출제되는 유형이므로 정확히 정리하기 바란다.

> **행정심판법 제58조【행정심판의 고지】** ① 행정청이 처분을 할 때에는 처분의 상대방에게 다음 각 호의 사항을 알려야 한다.
> 1. 해당 처분에 대하여 행정심판을 청구할 수 있는지
> 2. 행정심판을 청구하는 경우의 심판청구절차 및 심판청구기간
>
> ② 행정청은 이해관계인이 요구하면 다음 각 호의 사항을 지체 없이 알려 주어야 한다. 이 경우 서면으로 알려 줄 것을 요구받으면 서면으로 알려 주어야 한다.
> 1. 해당 처분이 행정심판의 대상이 되는 처분인지
> 2. 행정심판의 대상이 되는 경우 소관 위원회 및 심판청구기간

㉡ ○

제3자의 소송참가의 경우 제3자의 지위는 학문상 공동소송적 보조참가인의 지위와 유사한 것으로 보는 것이 통설의 입장이다. 이 경우 참가인은 현실적으로 소송행위를 하였는지에 관계없이 참가한 소송의 판결의 효력을 받는다(소송참가의 요건이 '소송의 결과에 따라 권리 또는 이익의 침해를 받을 제3자', 즉 판결의 형성력 또는 기속력에 의해 권리 등의 침해를 받을 것이 요구되는 점을 생각해 보라).

> **행정소송법 제16조【제3자의 소송참가】** ① 법원은 소송의 결과에 따라 권리 또는 이익의 침해를 받을 제3자가 있는 경우에는 당사자 또는 제3자의 신청 또는 직권에 의하여 결정으로써 그 제3자를 소송에 참가시킬 수 있다.

㉢ **빈출** ○

> **행정소송법 제31조【제3자에 의한 재심청구】** ① 처분 등을 취소하는 판결에 의하여 권리 또는 이익의 침해를 받은 제3자는 자기에게 책임 없는 사유로 소송에 참가하지 못함으로써 판결의 결과에 영향을 미칠 공격 또는 방어방법을 제출하지 못한 때에는 이를 이유로 확정된 종국판결에 대하여 재심의 청구를 할 수 있다.

㉣ ○

> **행정절차법 제2조【정의】** 이 법에서 사용하는 용어의 뜻은 다음과 같다.
> 4. '당사자 등'이란 다음 각 목의 자를 말한다.
>   가. 행정청의 처분에 대하여 직접 그 상대가 되는 당사자
>   나. 행정청이 직권으로 또는 신청에 따라 행정절차에 참여하게 한 이해관계인
>
> **제27조【의견제출】** ① 당사자 등은 처분 전에 그 처분의 관할행정청에 서면이나 말로 또는 정보통신망을 이용하여 의견제출을 할 수 있다.

정답 27 ③

제 40 강 항고소송 5 (무효등확인소송, 부작위위법확인소송)

1회독	2회독	3회독
/	/	/

정답률 공단기/소방단기 합격예측 풀서비스 통계 데이터 기준 기 기본서 핵 핵심집약

01 무효등확인소송 기 912~919쪽 핵 T 74

01 중 2020 국회직 8급

항고소송의 제기요건에 대한 설명으로 옳지 않은 것은? (다툼이 있는 경우 판례에 의함)

① 체납자는 자신이 점유하는 제3자 소유의 동산에 대한 압류처분의 취소나 무효확인을 구할 원고적격이 있다.

② 원천징수의무자인 법인에 대한 소득금액변동통지는 법인의 납세의무에 직접 영향을 미치므로 항고소송의 대상이 되는 처분이다.

③ 사업의 양도행위가 무효임을 주장하는 양도자는 양도·양수행위의 무효를 구함이 없이 사업양도·양수에 따른 허가관청의 지위승계신고수리처분의 무효확인을 구할 법률상 이익은 없다.

④ 검사의 공소제기가 적법절차에 따라 정당하게 이루어진 것인지 여부에 관계없이 검사의 공소에 대하여는 형사소송절차에 의하여서만 다툴 수 있고, 행정소송의 방법으로 공소의 취소를 구할 수 없다.

⑤ 공정거래위원회의 처분에 대하여 불복의 소를 제기하였다가 청구취지를 추가하는 경우, 추가된 청구취지에 대한 제소기간의 준수 등은 원칙적으로 청구취지의 추가·변경 신청이 있는 때를 기준으로 판단하여야 한다.

관련기출

③

1. 사업양도·양수에 따른 허가관청의 지위승계신고의 수리에서 수리대상인 사업양도·양수가 존재하지 않거나 무효라 하더라도 수리행위가 당연무효는 아니라 할 것이므로 양도자는 허가관청을 상대로 위 신고수리처분의 무효확인소송을 제기할 수 없다. (○, ×) 2023 소방간부
2. 기본행위인 사업의 양도·양수계약이 무효인 경우, 기본행위의 무효를 구함이 없이 곧바로 영업자지위승계신고수리처분에 대한 무효확인소송을 제기할 법률상 이익이 없다. (○, ×) 2022 국회직 8급
3. 영업양도행위가 무효임에도 행정청이 승계신고를 수리하였다면 양도자는 민사쟁송이 아닌 행정소송으로 신고수리처분의 무효확인을 구할 수 있다. (○, ×) 2022 지방직·서울시 9급

1. × 2. × 3. ○

① ○

(재산압류는 체납자의 재산에 대해 행해져야 함에도 불구하고 체납자가 가지고 있을 뿐 체납자 아닌 제3자의 물건을 압류한 것과 관련하여) 과세관청이 체납자가 점유하고 있는 제3자 소유의 동산을 압류한 경우, 체납자는 그 압류처분의 취소나 무효확인을 구할 원고적격이 있다(대판 2006. 4. 13, 2005두15151).

② ○

과세관청의 원천징수의무자인 법인에 대한 소득금액변동통지는 항고소송의 대상이 되는 행정처분이다(대판 2006. 4. 20, 2002두1878 전합).

③ 빈출 ×

사업의 양도행위가 무효라고 주장하는 양도자가 양도·양수행위의 무효를 구함이 없이 사업양도·양수에 따른 허가관청의 지위승계신고수리처분의 무효확인을 구할 법률상 이익이 있다.

사업양도·양수에 따른 허가관청의 지위승계신고의 수리는 적법한 사업의 양도·양수가 있었음을 전제로 하는 것이므로 그 수리대상인 사업양도·양수가 존재하지 아니하거나 무효인 때에는 수리를 하였다 하더라도 그 수리는 유효한 대상이 없는 것으로서 당연히 무효라 할 것이고, 사업의 양도행위가 무효라고 주장하는 양도자는 민사쟁송으로 양도·양수행위의 무효를 구함이 없이 막바로 허가관청을 상대로 하여 행정소송으로 위 신고수리처분의 무효확인을 구할 법률상 이익이 있다(대판 2005. 12. 23, 2005두3554).

④ 빈출 ○

검사의 공소는 행정소송의 대상이 되는 처분이 아니다.

검사의 공소에 대하여는 형사소송절차에 의하여서만 이를 다툴 수 있고 행정소송의 방법으로 공소의 취소를 구할 수는 없다(대판 2000. 3. 28, 99두11264).

⑤ ○

소의 추가적 병합이 있는 경우 추가적으로 병합된 소의 제소기간은 원칙적으로 추가·변경 신청이 있는 때를 기준으로 판단하여야 한다. 필수편 07 ③과 비교할 것(청구취지를 추가하는 것과 동일한 처분에 대한 무효확인소송을 제기하였다가 추가로 취소소송을 병합하는 것을 구별하기 바란다)

청구취지를 추가하는 경우, 청구취지가 추가된 때에 새로운 소를 제기한 것으로 보므로, 추가된 청구취지에 대한 제소기간 준수 등은 원칙적으로 청구취지의 추가·변경 신청이 있는 때를 기준으로 판단하여야 한다(대판 2018. 11. 15, 2016두48737).

정답 01 ③

02 중
2017 국회직 8급 변형

무효등확인소송에 대한 설명으로 옳지 않은 것은? (다툼이 있는 경우 판례에 의함)

□□□ ① 처분 등을 취소하는 확정판결의 기속력 및 행정청의 재처분의무에 관한 행정소송법 제30조가 무효확인소송에도 준용되므로 무효확인판결 자체만으로도 실효성이 확보될 수 있다.

□□□ ② 거부처분에 대해서 무효확인판결이 내려진 경우에는 당해 행정청에 판결의 취지에 따른 재처분의무가 인정됨은 물론 간접강제도 허용된다.

□□□ ③ 행정처분의 당연무효를 주장하여 그 무효확인을 구하는 행정소송에 있어서는 원고에게 그 행정처분이 무효인 사유를 주장 · 입증할 책임이 있다.

□□□ ④ 압류등기가 말소된다고 하여도 압류처분이 외형적으로 효력이 있는 것처럼 존재하는 이상, 압류처분에 가한 압류등기가 경료되어 있는 경우에도 압류처분의 무효확인을 구할 이익이 있다.

① ○

행정소송법 제38조 제1항에서는 처분 등을 취소하는 확정판결의 기속력 및 행정청의 재처분의무에 관한 행정소송법 제30조를 무효확인소송에도 준용하고 있으므로 무효확인판결 자체만으로도 실효성을 확보할 수 있다 (대판 2008. 3. 20, 2007두6342 전합).

② ×

행정소송법상 무효확인소송에는 취소소송에 관한 규정 중 간접강제를 준용한다는 규정이 없으므로 무효확인소송에는 간접강제가 인정되지 않는다는 것이 판례의 입장이다(대결 1998. 12. 24, 98무37).

③ ○

무효확인소송에서는 원고가 처분이 무효라는 것을 입증해야 한다.

행정처분의 당연무효를 구하는 소송에 있어서는 그 무효를 구하는 사람(원고)에게 그 행정처분에 존재하는 하자가 중대하고 명백하다는 것을 주장 · 입증할 책임이 있다(대판 1984. 2. 28, 82누154).

④ ○

체납처분(현 강제징수)에 기한 압류처분은 행정처분으로서 이에 기하여 이루어진 집행방법인 압류등기와는 구별되므로 압류등기의 말소를 구하는 것을 압류처분 자체의 무효를 구하는 것으로 볼 수 없고, 또한 압류등기가 말소된다고 하여도 압류처분이 외형적으로 효력이 있는 것처럼 존재하는 이상 그 불안과 위험을 제거할 필요가 있다고 할 것이므로, 압류처분에 기한 압류등기가 경료되어 있는 경우에도 압류처분의 무효확인을 구할 이익이 있다 (대판 2003. 5. 16, 2002두3669).

03 중
2015 교육행정직 9급

행정소송에 관한 설명으로 옳은 것은?

□□□ ① 소송요건의 구비 여부는 법원에 의한 직권조사사항으로 당사자의 주장에 구속되지 않는다.

□□□ ② 무효확인소송은 즉시확정의 이익이 있는 경우에만 보충적으로 허용된다는 것이 판례의 입장이다.

□□□ ③ 부작위위법확인소송의 대상이 되는 부작위는 당사자의 신청이 없더라도 성립할 수 있다.

□□□ ④ 당사자소송의 피고는 원칙적으로 당해 처분을 행한 처분청이 된다.

① ○

소송요건의 구비 여부는 항변사항이 아니라 법원의 직권조사사항이다. 따라서 법원은 당사자의 주장, 즉 항변 여부에 구애받지 않고 직권으로 조사할 수 있다.

② ×

항고소송으로 무효확인소송을 제기하는 경우 무효확인소송의 '보충성'이 요구되는 것은 아니라는 것이 판례의 입장이다(대판 2008. 3. 20, 2007두6342 전합).

③ ×

행정소송법상 개념 정의에 따르면 부작위위법확인소송의 대상이 되는 부작위는 당사자의 신청이 있음을 전제로 하고 있다.

행정소송법 제2조【정의】 ① 이 법에서 사용하는 용어의 정의는 다음과 같다.
2. '부작위'라 함은 행정청이 당사자의 신청에 대하여 상당한 기간 내에 일정한 처분을 하여야 할 법률상 의무가 있음에도 불구하고 이를 하지 아니하는 것을 말한다.

④ ×

행정소송법 제39조【피고적격】 당사자소송은 국가 · 공공단체 그 밖의 권리주체를 피고로 한다.

정답 02 ② 03 ①

04 상 2014 서울시 7급

행정소송법상 취소소송의 규정이 무효확인소송에는 준용되나 부작위위법확인소송에는 준용되지 않는 것은?

□□□ ① 제3자에 의한 재심청구
□□□ ② 행정심판기록의 제출명령
□□□ ③ 처분변경으로 인한 소의 변경
□□□ ④ 거부처분취소판결의 간접강제
□□□ ⑤ 관련청구소송의 이송 및 병합

①②⑤ ×
무효확인소송과 부작위위법확인소송 모두 준용된다.
③ ○
무효확인소송에는 준용되나 부작위위법확인소송에는 준용되지 않는다.
④ ×
무효확인소송에는 준용되지 않지만 부작위위법확인소송에는 준용된다.

> **행정소송법 제38조【준용규정】** ① 제9조, 제10조(관련청구소송의 이송 및 병합), 제13조 내지 제17조, 제19조, 제22조(처분변경으로 인한 소의 변경), 제25조(행정심판기록의 제출명령) 내지 제26조, 제29조 내지 제31조(제3자에 의한 재심청구) 및 제33조의 규정은 무효등확인소송의 경우에 준용한다.
> ② 제9조, 제10조(관련청구소송의 이송 및 병합), 제13조 내지 제19조, 제20조, 제25조(행정심판기록의 제출명령) 내지 제27조, 제29조 내지 제31조(제3자에 의한 재심청구), 제33조 및 제34조(거부처분취소판결의 간접강제)의 규정은 부작위위법확인소송의 경우에 준용한다.

05 상 2013 지방직 9급

행정행위가 있은 후 그 근거가 된 법률이 헌법재판소에 의해 위헌으로 결정된 경우, ㉠ 당해 행정행위의 하자의 유형과 ㉡ 취소소송의 제소기간이 도과한 후 원고가 무효확인소송으로 이 사안을 다툰다고 할 때 법원은 어떻게 판단해야 하는지 바르게 연결한 것은? (다툼이 있는 경우 대법원 판례에 의함)

	㉠	㉡
□□□ ①	무효	각하
□□□ ②	무효	기각
□□□ ③	취소	각하
□□□ ④	취소	기각

④
처분 후 처분의 근거법률이 위헌으로 결정된 경우 그러한 처분은 취소사유가 있는 처분이 된다. 한편 취소사유에 해당하는 처분에 대해 불가쟁력이 발생한 후(쟁송기간이 경과한 후)에 무효확인소송을 제기한 경우에는 기각판결을 하여야 한다는 것이 판례의 입장이다.

정답 04 ③ 05 ④

02 부작위위법확인소송

기 920~927쪽 핵 T 75

06 상

2022 소방간부

부작위위법확인소송에 관한 설명으로 옳지 않은 것은? (다툼이 있는 경우 판례에 의함)

□□□ ① 조례를 통하여 노동운동이 허용되는 사실상의 노무에 종사하는 공무원의 구체적 범위를 규정하지 않고 있는 것에 대하여 부작위위법확인의 소를 제기하였으나 상고심 계속 중에 정년퇴직한 경우에 소의 이익은 인정되지 않는다.

□□□ ② 행정청이 당사자의 신청에 대하여 거부처분을 한 경우에는 부작위위법확인소송의 원고적격이 없거나 위 항고소송의 대상인 위법한 부작위가 있다고 볼 수 없어 그 부작위위법확인의 소는 부적법하다.

□□□ ③ 부작위위법확인소송에 대해서도 행정심판과 취소소송의 관계를 준용하여 임의적 전치가 원칙이며, 다른 법률이 정한 경우에만 예외적으로 행정심판전치주의가 적용된다.

□□□ ④ 신청에 대하여 처분을 하여야 할 법률상 의무란 처분요건이 충족된 경우에 상대방의 신청에 따라 처분을 하여야만 하는 기속행위에만 인정되고, 처분의 가부, 선택 여부가 행정청의 재량에 달려 있는 재량행위에는 인정되지 않는다.

□□□ ⑤ 국회의원에게는 대통령 및 외교통상부장관의 특임공관장에 대한 인사권행사 등과 관련하여 대사의 직을 계속 보유하게 하여서는 아니 된다는 요구를 할 수 있는 법규상 또는 조리상 신청권이 인정되지 않는다.

관련기출

①

1. 처분의 신청 후에 원고에게 생긴 사정의 변화로 인하여, 그 처분에 대한 부작위가 위법하다는 확인을 받아도 종국적으로 침해되거나 방해받은 원고의 권리 · 이익을 보호 · 구제받는 것이 불가능하게 되었다면, 법원은 각하판결을 내려야 한다. (○, ×) 2020 국가직 9급

1. ○

②

1. 당사자의 신청에 대한 행정청의 거부처분이 있는 경우에는 행정청이 당사자의 신청에 대하여 상당한 기간 내에 일정한 처분을 하여야 할 법률상 응답의무를 이행하지 아니함으로써 야기된 부작위라는 위법상태를 제거하기 위하여 제기하는 부작위위법확인소송은 허용되지 아니한다. (○, ×) 2023 소방간부
2. 당사자의 신청에 대한 행정청의 거부처분이 있는 경우에는 행정청이 당사자의 신청에 대하여 일정한 처분을 이행하지 아니함으로써 위법상태가 야기된 것이므로 이를 제거하기 위하여 부작위위법확인소송도 허용된다. (○, ×) 2016 서울시 7급

1. ○ 2. ×

① ○

부작위가 위법하다는 것을 구할 확인의 이익이 있어야 하므로 부작위위법확인 판결을 받는다 하더라도 원고의 권리와 이익을 보호받는 것이 불가능하게 되었다면 소의 이익이 없다.

> (지방자치단체가 노동운동이 허용되는 사실상의 노무에 종사하는 공무원의 구체적 범위를 조례를 통해 규정하지 않고 있는 것에 대해 버스전용차로 통행위반 단속업무에 종사하는 자가 부작위위법확인의 소를 제기하였으나 상고심 계속 중에 정년퇴직한 경우, 위 조례를 제정하지 아니한 부작위가 위법하다는 확인을 구할 소의 이익이 상실되었다고 판단하면서) 당사자의 신청이 있은 이후 당사자에게 생긴 사정의 변화로 인하여 부작위가 위법하다는 확인을 받는다고 하더라도 종국적으로 침해되거나 방해받은 권리와 이익을 보호 · 구제받는 것이 불가능하게 된 경우, 그 부작위가 위법하다는 확인을 구할 이익은 없다(대판 2002. 6. 28, 2000두4750).

② 빈출 ○

> 거부처분이 있는 경우 부작위위법확인소송을 제기할 수는 없다.
> 행정청이 당사자의 신청에 대하여 거부처분을 한 경우에는 항고소송의 대상인 위법한 부작위가 있다고 볼 수 없어 그 부작위위법확인의 소는 부적법하다(대판 1998. 1. 23, 96누12641).

③ ○

부작위위법확인소송에는 취소소송의 행정심판전치에 관한 행정소송법 제18조가 준용된다. 따라서 부작위위법확인소송도 행정심판은 임의적 전치가 원칙이며, 다른 법률이 정한 경우에만 예외적으로 행정심판을 거쳐야 한다.

> **행정소송법 제18조【행정심판과의 관계】** ① 취소소송은 법령의 규정에 의하여 당해 처분에 대한 행정심판을 제기할 수 있는 경우에도 이를 거치지 아니하고 제기할 수 있다. 다만, 다른 법률에 당해 처분에 대한 행정심판의 재결을 거치지 아니하면 취소소송을 제기할 수 없다는 규정이 있는 때에는 그러하지 아니하다.
>
> **제38조【준용규정】** ② 제9조, 제10조, 제13조 내지 제19조, 제20조, 제25조 내지 제27조, 제29조 내지 제31조, 제33조 및 제34조의 규정은 부작위위법확인소송의 경우에 준용한다.

④ ×

기속행위든 재량행위든 적법한 신청이 있으면 행정청은 신청에 대하여 응답을 하여야 할 법률상 의무가 있다. 다만, 재량행위라면 요건을 갖춘 적법한 신청이 있더라도 행정청은 공익상의 이유를 들어 거부처분을 할 수 있다. 즉, 재량행위라도 적법한 신청이 있으면 응답의무는 존재하므로 행정청은 처분을 하여야 한다.

⑤ ○

> 국회의원이 대통령 및 외교통상부(현 외교부)장관의 특임공관장에 대한 인사권행사 등과 관련하여 그 임면과정이나 지위변경 등에 관한 요구를 할 수 있는 법규상 또는 조리상 신청권은 없다(대판 2000. 2. 25, 99두11455).

정답 06 ④

07 정답률 50% 상 2015 국가직 7급

부작위위법확인판결의 효력에 대한 설명으로 옳지 않은 것은?

□□□ ① 부작위위법확인판결에는 취소판결의 기속력에 관한 규정과 거부처분취소판결의 간접강제에 관한 규정이 준용된다.

□□□ ② 실체적 심리설(특정처분의무설)에 의하면, 부작위위법확인소송의 인용판결에 실질적 기속력이 부인되게 된다.

□□□ ③ 절차적 심리설(응답의무설)에 의하면, 부작위위법확인소송의 인용판결의 경우에 행정청이 신청에 대한 가부의 응답만 하여도 행정소송법 제2조 제1항 제2호의 '일정한 처분'을 취한 것이 된다.

□□□ ④ 절차적 심리설(응답의무설)에 의하면, 신청의 대상이 기속행위인 경우에 행정청이 거부처분을 하여도 재처분의무를 이행한 것이 된다.

① ○

> 행정소송법 제30조【취소판결 등의 기속력】① 처분 등을 취소하는 확정판결은 그 사건에 관하여 당사자인 행정청과 그 밖의 관계행정청을 기속한다.
> ② 판결에 의하여 취소되는 처분이 당사자의 신청을 거부하는 것을 내용으로 하는 경우에는 그 처분을 행한 행정청은 판결의 취지에 따라 다시 이전의 신청에 대한 처분을 하여야 한다.
> ③ 제2항의 규정은 신청에 따른 처분이 절차의 위법을 이유로 취소되는 경우에 준용한다.
>
> 제34조【거부처분취소판결의 간접강제】① 행정청이 제30조 제2항의 규정에 의한 처분을 하지 아니하는 때에는 제1심 수소법원은 당사자의 신청에 의하여 결정으로써 상당한 기간을 정하고 행정청이 그 기간 내에 이행하지 아니하는 때에는 그 지연기간에 따라 일정한 배상을 할 것을 명하거나 즉시 손해배상을 할 것을 명할 수 있다.
> ② 제33조와 민사집행법 제262조의 규정은 제1항의 경우에 준용한다.
>
> 제38조【준용규정】② 제9조, 제10조, 제13조 내지 제19조, 제20조, 제25조 내지 제27조, 제29조 내지 제31조, 제33조 및 제34조의 규정은 부작위위법확인소송의 경우에 준용한다.

② ×

실체적 심리설은 부작위위법확인소송의 심리범위는 실체적 심리에까지 미쳐 부작위의 위법 여부뿐만 아니라 행정청의 특정 처분의무의 존재까지도 심리·판단할 수 있다는 견해이다. 실체적 심리설에 따르면 부작위위법확인소송의 인용판결의 기속력에 따른 처분의무는 원고가 신청한 특정한 처분을 하여야 할 의무를 뜻하게 된다. 실체적 심리설을 주장하는 학자들은, 만약 절차적 심리설에 따르게 되면 부작위위법확인소송의 인용판결이 내려진 경우에도 행정청은 응답의무만 이행하면 되므로 거부라는 응답을 한 것도 판결에 따른 것이라고 보게 된다는 점에서 원고의 권리구제 면에서 바람직하지 않다는 점을 들어 절차적 심리설(응답의무설)을 비판한다. 이러한 실체적 심리설에 따르면 절차적 심리설과 달리 부작위위법확인판결에 형식적인 기속력만이 인정되는 것이 아니라 실질적 기속력이 인정되게 된다.

③④ ○

절차적 심리설은 부작위위법확인소송에서는 그 심리범위가 부작위의 위법 여부에만 국한된다고 본다. 즉, 부작위위법확인소송은 의무이행소송과는 달리 행정청의 부작위가 위법한 것임을 확인하는 소송으로서 법원은 부작위의 위법 여부를 확인하는 데 그칠 뿐, 행정청이 행할 처분의 구체적 내용까지는 심리·판단할 수 없다고 한다. 따라서 인용판결의 경우에도 행정청은 신청에 대한 가부의 응답만 하여도 판결의 취지에 따른 것이 된다(③). 즉, 부작위위법확인소송의 인용판결이 내려진 경우 행정청이 신청에 대한 거부처분을 하여도 인용판결의 기속력을 위반한 것이 되지 않는다. 이 설이 판례의 입장이다. 이는 재량행위, 기속행위를 불문하고 동일하므로 부작위위법확인소송의 인용판결의 경우 신청의 대상이 기속행위인 경우에도 행정청은 거부처분을 할 수 있으며 동 처분의 기속력에 따른 처분의무를 이행한 것으로 본다(④).

정답 07 ②

08 빈출 중 2013 국가직 9급

행정소송법상 취소소송에 관한 규정 중 부작위위법확인소송에 준용되는 것을 모두 옳게 고른 것은?

□□□ ㉠ 행정심판과의 관계 □□□ ㉡ 제소기간 □□□ ㉢ 집행정지 □□□ ㉣ 사정판결 □□□ ㉤ 거부처분취소판결의 간접강제

① ㉠, ㉣ ② ㉠, ㉡, ㉤
③ ㉠, ㉡, ㉢, ㉣ ④ ㉠, ㉡, ㉢, ㉤

② 취소소송에 관한 규정 중 ㉠ 행정심판과의 관계(행정소송법 제18조), ㉡ 제소기간(동법 제20조), ㉤ 거부처분취소판결의 간접강제(동법 제34조)에 관한 규정은 부작위위법확인소송에 준용된다.
그러나 취소소송에 관한 규정 중 ㉢ 집행정지(동법 제23조), ㉣ 사정판결(동법 제28조)에 관한 규정은 부작위위법확인소송에 준용되지 않는다.

09 중 2008 세무사

판례상 부작위위법확인소송(A)과 거부처분취소소송(B)에 있어서 부작위 또는 거부처분의 위법성 판단의 기준시점을 각각 올바르게 나열한 것은?

	(A)	(B)
□□□ ①	사실심변론종결시	사실심변론종결시
□□□ ②	사실심변론종결시	처분시
□□□ ③	처분시	사실심변론종결시
□□□ ④	처분시	처분시
□□□ ⑤	처분시	소제기시

② ○
부작위위법확인소송의 위법성 판단의 기준시점은 사실심변론종결시(판결시)이고, 거부처분취소소송의 위법성 판단의 기준시점은 처분시이다.

정답 08 ② 09 ②

10 상

2013 국회직 8급

부작위위법확인소송에 관한 내용으로 옳지 않은 것은? (다툼이 있는 경우 판례에 따름)

□□□ ① 부작위의 직접 상대방이 아닌 제3자는 당해 행정처분의 부작위위법확인을 구할 법률상의 이익이 있는 경우 원고적격이 인정된다.

□□□ ② 행정청이 행한 공사중지명령의 상대방이 그 명령 이후에 그 원인사유가 소멸하였음을 들어 공사중지명령의 철회를 신청하였으나 행정청이 아무런 응답을 하지 않고 있는 경우 행정청의 부작위는 그 자체로 위법하다.

□□□ ③ 위법판단의 기준시점은 처분시가 아니라 사실심변론종결시로 보아야 한다.

□□□ ④ 부작위가 성립하기 위해서는 당사자의 신청이 있어야 하며, 여기서 신청이란 법규상 또는 조리상 신청권의 행사로서의 신청을 말한다.

□□□ ⑤ 부작위위법확인소송에 대해서는 행정소송법상 처분변경으로 인한 소의 변경에 관한 규정이 준용된다.

① ○

> 부작위의 직접 상대방이 아닌 제3자라 하더라도 그 처분의 취소 또는 부작위위법확인을 받을 법률상의 이익이 있는 경우에는 원고적격이 인정된다(대판 1989. 5. 23, 88누8135).

② ○

> 1. 행정청이 행한 공사중지명령의 상대방은 그 명령 이후에 그 원인사유가 소멸하였음을 들어 행정청에 대하여 공사중지명령의 철회를 요구할 수 있는 조리상의 신청권이 있다.
> 2. 행정청이 행한 공사중지명령의 상대방이 그 명령 이후에 그 원인사유가 소멸하였음을 들어 행정청에 대하여 공사중지명령의 철회를 신청하였으나 행정청이 이에 대하여 아무런 응답을 하지 않고 있는 경우, 그러한 행정청의 부작위는 그 자체로 위법하다(대판 2005. 4. 14, 2003두7590).

③ ○

취소소송에서 위법판단의 기준시에 대해서는 처분시설이 통설이나, 부작위위법확인소송에서는 처분이라는 것이 존재하지 않으므로 위법판단의 기준시에 대해서 판결시(사실심의 변론종결시)설이 통설이다.

④ ○

부작위가 성립하기 위하여는 당사자의 신청이 있어야 하며, 여기서 신청이라 함은 법규상 또는 조리상 신청권이 있음을 전제로 한다.

> 당사자가 행정청에 대하여 어떠한 행정행위를 하여 줄 것을 신청하지 아니하거나 그러한 신청을 하였더라도 당사자가 행정청에 대하여 그러한 행정행위를 하여 줄 것을 요구할 수 있는 법규상 또는 조리상의 권리를 갖고 있지 아니하든지 또는 행정청이 당사자의 신청에 대하여 거부처분을 한 경우에는 원고적격이 없거나 항고소송의 대상인 위법한 부작위가 있다고 볼 수 없어 그 부작위위법확인의 소는 부적법하다(대판 1995. 9. 15, 95누7345).

⑤ ×

처분변경으로 인한 소의 변경에 관한 규정은 무효등확인소송과 당사자소송의 경우는 준용이 되나, 처분이 없는 부작위위법확인소송의 경우에는 개념상 적용될 수 없기 때문에 준용되지 않는다. 다만, 소 종류변경에 관한 규정은 준용된다.

> **행정소송법 제22조【처분변경으로 인한 소의 변경】** ① 법원은 행정청이 소송의 대상인 처분을 소가 제기된 후 변경한 때에는 원고의 신청에 의하여 결정으로써 청구의 취지 또는 원인의 변경을 허가할 수 있다.
>
> **제38조【준용규정】** ① 제9조, 제10조, 제13조 내지 제17조, 제19조, 제22조 내지 제26조, 제29조 내지 제31조 및 제33조의 규정은 무효등확인소송의 경우에 준용한다.
> ② 제9조, 제10조, 제13조 내지 제19조, 제20조, 제25조 내지 제27조, 제29조 내지 제31조, 제33조 및 제34조의 규정은 부작위위법확인소송의 경우에 준용한다.

정답 10 ⑤

11 중 2010 국회속기직 9급

부작위위법확인소송에 관한 설명 중 옳지 않은 것은? (다툼이 있는 경우 판례에 의함)

□□□ ① 국가보훈처장 발행 서적의 독립투쟁에 관한 내용을 시정하여 관보에 그 뜻을 표명해야 할 의무의 확인을 구하는 청구는 항고소송의 대상이 되지 아니한다.

□□□ ② 압수가 해제된 것으로 간주된 물건에 대한 피압수자의 환부신청에 대하여 검사가 아무런 결정이나 통지를 하지 않았다고 하더라도 그와 같은 부작위는 부작위위법확인소송의 대상이 되지 않는다.

□□□ ③ 행정청에게 일정한 처분을 하여야 할 법률상 의무가 있어야 하는데, 이때 법률상 의무란 명문규정에 의해 인정되는 경우만을 뜻한다.

□□□ ④ 부작위위법확인소송은 처분의 신청을 한 자로서 부작위의 위법의 확인을 구할 법률상 이익이 있는 자만이 제기할 수 있다.

□□□ ⑤ 부작위위법확인소송을 제기한 뒤에 판결시까지 행정청이 그 신청에 대하여 적극적 또는 소극적 처분을 하였다면 소의 이익을 상실하게 되어 당해 소는 각하된다.

① ○

단순한 사실관계의 존부 등은 개인의 권리 · 의무관계에 직접 영향을 미치는 것은 아니므로 행정소송의 대상이 될 수는 없다.

> 국가보훈처장(현 국가보훈부장관) 등이 발행한 책자에서 독립운동가 등의 활동상을 잘못 기술하였다는 등의 이유로 사실관계의 확인을 구하거나 국가보훈처장의 서훈추천권의 행사, 불행사의 당연무효 또는 부작위위법확인을 구하는 청구는 사실관계에 관한 것이므로 항고소송의 대상이 되지 않는다(대판 1990. 11. 23, 90누3553).

② ○

검사가 압수해제된 것으로 간주된 압수물의 환부신청에 대하여 아무런 결정 · 통지도 하지 아니한 경우, 이러한 부작위는 부작위위법확인소송의 내상이 되지 않는다.

> 형사본안사건에서 무죄가 선고되어 확정되었다면 형사소송법 제332조 규정에 따라 검사가 압수물을 제출자나 소유자, 기타 권리자에게 환부하여야 할 의무가 당연히 발생한 것이고, 권리자의 환부신청에 대한 검사의 환부결정 등 어떤 처분에 의하여 비로소 환부의무가 발생하는 것은 아니므로 압수가 해제된 것으로 간주된 압수물에 대하여 피압수자나 기타 권리자가 민사소송으로 그 반환을 구함은 별론으로 하고 검사가 피압수자의 압수물 환부신청에 대하여 아무런 결정이나 통지도 하지 아니하고 있다고 하더라도 그와 같은 부작위는 현행 행정소송법상의 부작위위법확인소송의 대상이 되지 아니한다(대판 1995. 3. 10, 94누14018).

③ ×

부작위위법확인소송의 대상이 되는 부작위란 행정청이 어떤 처분을 해야 할 법률상 의무가 있음에도 불구하고 아무런 처분을 하지 않은 경우에 성립하는데 이러한 법률상 의무에는 명문규정에 의해 인정되는 경우뿐만 아니라 조리상 인정되는 경우도 포함된다.

④ ○

> **행정소송법 제36조【부작위위법확인소송의 원고적격】** 부작위위법확인소송은 처분의 신청을 한 자로서 부작위의 위법의 확인을 구할 법률상 이익이 있는 자만이 제기할 수 있다.

⑤ ○

> 부작위위법확인의 소는 …… 소제기의 전후를 통하여 판결시까지 행정청이 그 신청에 대하여 적극 또는 소극의 처분을 함으로써 부작위상태가 해소된 때에는 소의 이익을 상실하게 되어 당해 소는 각하를 면할 수가 없는 것이다(대판 1990. 9. 25, 89누4758).

정답 11 ③

2025
써니 행정법총론
기출문제집

Sunny

플러스
기출 모의고사

제 01 편 행정법통론

1회독	2회독	3회독
/	/	/

01

통치행위와 법치행정에 관한 다음 기술 중 옳은 것은? (다툼이 있는 경우 판례에 의함)

□□□ ① 대통령이 한미연합 군사훈련의 일종인 2007년 전시증원연습을 하기로 한 결정은 국방에 관련되는 고도의 정치적 결단에 해당하여 사법심사를 자제하여야 하는 통치행위에 해당한다.

□□□ ② 통치행위의 주체는 통상 정부가 거론되나 국회와 사법부에 의한 통치행위를 인정하는 것이 일반적이다.

□□□ ③ 법률의 우위원칙은 행정의 법률에의 구속성을 의미하는 적극적인 성격의 것인 반면에 법률유보의 원칙은 행정은 단순히 법률의 수권에 의하여 행해져야 한다는 소극적 성격의 것이다.

□□□ ④ 집회나 시위 해산을 위한 살수차 사용은 집회의 자유 및 신체의 자유에 대한 중대한 제한을 초래하므로 살수차 사용요건이나 기준은 법률에 근거를 두어야 한다.

① 2011 경행특채 ×

한미연합 군사훈련은 1978. 한미연합사령부의 창설 및 1979. 2. 15. 한미연합연습 양해각서의 체결 이후 연례적으로 실시되어 왔고, 특히 이 사건 연습은 대표적인 한미연합 군사훈련으로서, 피청구인이 2007. 3.경에 한 이 사건 연습결정이 새삼 국방에 관련되는 고도의 정치적 결단에 해당하여 사법심사를 자제하여야 하는 통치행위에 해당된다고 보기 어렵다(헌재 2009. 5. 28, 2007헌마369).

② 2013 서울시 7급 ×

계엄선포, 사면권 행사 등 통치행위는 주로 정부(대통령)가 행사함이 일반적이나, 국회의원의 제명 등 국회의 자율권 행사와 관련하여서는 국회도 통치행위의 주체가 될 수 있다. 다만, 법적인 판단을 하는 사법부는 정치적 행위와는 거리가 있다는 점에서 통치행위의 판단주체가 될 뿐이며 통치행위의 행위주체가 되기는 어렵다는 것이 일반적 견해이다.

③ 2013 국회속기직 9급 ×

법률우위의 원칙이 소극적으로 기존 법률의 침해를 금지하는 것인 반면, 법률유보의 원칙은 적극적으로 법률제정을 요구하며 행정부는 법률이 존재하지 않을 경우에는 행정작용을 하지 말고, 제정된 법률이 있을 때에만 그에 근거하여 행하라는 원칙으로서 적극적 원칙이라고 표현된다. 따라서 **법률유보의 원칙**이 **적극적 성격**을 가지며, **법률우위의 원칙**은 **소극적 성격**을 갖는다.

④ 2018 경행경채 ○

집회나 시위 해산을 위한 살수차 사용은 집회의 자유 및 신체의 자유에 대한 중대한 제한을 초래하므로 살수차 사용요건이나 기준은 법률에 근거를 두어야 하고, 살수차와 같은 위해성 경찰장비는 본래의 사용방법에 따라 지정된 용도로 사용되어야 하며 다른 용도나 방법으로 사용하기 위해서는 반드시 법령에 근거가 있어야 한다. 혼합살수방법은 법령에 열거되지 않은 새로운 위해성 경찰장비에 해당하고 이 사건 지침에 혼합살수의 근거규정을 둘 수 있도록 위임하고 있는 법령이 없으므로, 이 사건 지침은 법률유보원칙에 위배되고 이 사건 지침만을 근거로 한 이 사건 혼합살수행위 역시 법률유보원칙에 위배된다. 따라서 이 사건 혼합살수행위는 청구인들의 신체의 자유와 집회의 자유를 침해한다(헌재 2018. 5. 31, 2015헌마476).

정답 01 ④

02

법치행정의 원칙과 관련된 다음 설명 중 옳지 않은 것을 모두 고른 것은? (다툼이 있는 경우 판례에 의함)

□□□ ㉠ 급부행정유보설에 따르면 국민의 자유와 재산에 대한 침해행정에 대해서는 법률의 근거가 필요하지 않다고 한다.

□□□ ㉡ 지방자치단체의 「세 자녀 이상 세대 양육비 등 지원에 관한 조례안」은 저출산 문제의 국가적·사회적 심각성을 십분 감안하여 향후 지방자치단체의 출산을 적극 장려토록 하여 인구정책을 보다 전향적으로 실효성 있게 추진하고자 세 자녀 이상 세대 중 세 번째 이후 자녀에게 양육비 등을 지원할 수 있도록 하는 것으로서, 위와 같은 사무는 지방자치단체 고유의 자치사무이므로 그 제정에 있어서 반드시 법률의 개별적 위임이 따로 필요한 것은 아니다.

□□□ ㉢ 개인택시운송사업자의 운전면허가 아직 취소되지 않았더라도 운전면허취소사유가 있다면 행정청은 명문규정이 없더라도 개인택시운송사업면허를 취소할 수 있다.

□□□ ㉣ 행정청이 행정처분의 단계에서 당해 처분의 근거가 되는 법률이 위헌이라 판단하여 그 적용을 거부하는 것은 권력분립의 원칙상 허용될 수 없다.

① ㉠, ㉡　　② ㉠, ㉢
③ ㉡, ㉢　　④ ㉡, ㉣

관련기출

1. 개인택시기사가 음주운전사고로 사망한 경우 음주운전이 운전면허취소사유로만 규정되어 있으므로 관할관청은 당해 음주운전사고를 이유로 개인택시운송사업면허를 바로 취소할 수는 없다. (○, ×)　2019 국회직 8급
2. 관할관청은 비록 개인택시운송사업자에게 운전면허취소사유가 있다 하더라도 그로 인하여 운전면허취소처분이 이루어지지 않은 이상 개인택시운송사업면허를 취소할 수 없다. (○, ×)　2012 국회(속기·경위직) 9급

1. ○ 2. ○

㉠ 2012 지방직(상) 9급　×

법률유보원칙의 적용범위에 관한 학설 모두 침해행정의 경우에는 법률의 근거를 필요로 한다고 보고 있다. 급부행정유보설은 침해적 작용뿐만 아니라 급부적 작용도 법률의 근거가 필요하다는 견해이다.

㉡ 2018 서울시 2회 7급　○

지방자치법에 따르면 주민의 권리를 제한하거나 의무를 부과하는 내용의 조례를 제정하는 경우에는 법률의 위임이 필요하다. 따라서 반대 해석을 하면 주민의 복지를 증진하는 내용의 조례의 경우에는 법률의 위임이 없어도 제정이 가능하다.

> **지방자치법 제28조【조례】** ① 지방자치단체는 법령의 범위에서 그 사무에 관하여 조례를 제정할 수 있다. 다만, 주민의 권리제한 또는 의무부과에 관한 사항이나 벌칙을 정할 때에는 법률의 위임이 있어야 한다.

> 지방자치단체가 「세 자녀 이상 세대 양육비 등 지원에 관한 조례안」을 제정함에 있어서 법률의 개별적 위임은 필요 없다(대판 2006. 10. 12, 2006추38).

㉢ 2019 국가직 9급　×

> 1. 개인택시운송사업자에게 운전면허 취소사유가 있으나 그에 따른 운전면허취소처분이 이루어지지 않은 경우 관할관청이 개인택시운송사업면허를 취소할 수는 없다.
> 2. 개인택시운송사업자가 음주운전을 하다가 사망한 경우 망인의 운전면허를 취소하는 것은 불가능하고, 음주운전 그 자체는 개인택시운송사업면허의 취소사유가 될 수는 없으므로, 음주운전을 이유로 한 개인택시운송 사업면허의 취소처분은 위법하다(대판 2008. 5. 15, 2007두26001).

㉣ 2017 국가직 7급　○

> 행정청이 행정처분 단계에서 당해 처분의 근거가 되는 법률이 위헌이라고 판단하여 그 적용을 거부하는 것은 권력분립의 원칙상 허용될 수 없다. 다만, 행정처분에 대한 소송절차에서는 행정처분의 적법성·정당성뿐만 아니라 그 근거법률의 헌법적합성까지도 심판대상으로 되는 것이므로, 행정처분에 불복하는 당사자뿐만 아니라 행정처분의 주체인 행정청도 헌법의 최고규범력에 따른 구체적 규범통제를 위하여 근거법률의 위헌 여부에 대한 심판의 제청을 신청할 수 있고 헌법재판소법 제68조 제2항의 헌법소원을 제기할 수 있다고 봄이 상당하다(헌재 2008. 4. 24, 2004헌바44).

정답 02 ②

03

행정법의 법원과 효력에 관한 다음 설명의 옳고(○) 그름(×)을 올바르게 조합한 것은? (다툼이 있는 경우 판례에 의함)

□□□ ㉠ 사회의 거듭된 관행으로 생성된 사회생활규범이 관습법으로 승인되었다고 하더라도 사회구성원들이 그러한 관행의 법적 구속력에 대하여 확신을 갖지 않게 되었다면 그러한 관습법은 법적 규범으로서의 효력이 부정될 수밖에 없다.

□□□ ㉡ 행정법의 불문법원으로 관습법, 조리 등이 있다.

□□□ ㉢ 일반적으로 승인된 국제법규라도 의회에 의한 입법절차를 거쳐야 행정법의 법원(法源)이 된다.

□□□ ㉣ 판례에 따르면 헌법재판소가 법률의 위헌 여부를 판단하기 위하여 한 법률해석에 대법원이나 각급 법원이 구속되는 것은 아니다.

□□□ ㉤ 일반적으로 관습법은 성문법에 대하여 개폐적 효력을 가진다.

□□□ ㉥ 수강신청 후에 징계요건을 완화하는 학칙개정이 이루어지고 이어 시험이 실시되어 그 개정학칙에 따라 대학이 성적불량을 이유로 학생에 대하여 징계처분을 한 경우라면 이는 이른바 부진정소급효에 관한 것으로서 특별한 사정이 없는 한 위법이라고 할 수 없다.

① ㉠(○), ㉡(×), ㉢(×), ㉣(×), ㉤(○), ㉥(×)
② ㉠(○), ㉡(○), ㉢(○), ㉣(○), ㉤(×), ㉥(○)
③ ㉠(○), ㉡(○), ㉢(×), ㉣(○), ㉤(×), ㉥(○)
④ ㉠(×), ㉡(×), ㉢(○), ㉣(×), ㉤(○), ㉥(×)

관련기출

㉠

1. 관습법이란 사회의 거듭된 관행으로 생성한 사회생활규범이 사회의 법적 확신과 인식에 의하여 법적 규범으로 승인 강행되기에 이른 것을 말한다. (○, ×) 2015 경행특채 1차

1. ○

㉠ 2017 국가직(하) 9급 ○

1. 사회의 거듭된 관행으로 생성된 사회생활규범이 관습법으로 승인되었다고 하더라도 사회구성원들이 그러한 관행의 법적 구속력에 대하여 확신을 갖지 않게 되었다거나, 사회를 지배하는 기본적 이념이나 사회질서의 변화로 인하여 그러한 관습법을 적용하여야 할 시점에 있어서의 전체 법질서에 부합하지 않게 되었다면 그러한 관습법은 법적 규범으로서의 효력이 부정될 수밖에 없다(대판 2005. 7. 21, 2002다1178 전합).
2. 관습법이란 오랜 관행이 사회의 법적 확신을 얻어 법적 규범으로 승인된 것이다.
   관습법이란 사회의 거듭된 관행으로 생성한 사회생활규범이 사회의 법적 확신과 인식에 의하여 법적 규범으로 승인 강행되기에 이른 것을 말하고 …… (대판 1983. 6. 14, 80다3231)

㉡ 2014 경행특채 1차 ○

행정법은 성문법주의가 원칙이나 불문법도 중요한 보충적 법원이 된다. 이러한 불문법원의 예로는 관습법, 판례법, 조리를 들 수 있다.

㉢ 2015 경행특채 2차 ×

일반적으로 승인된 국제법규는 별도의 입법조치 없이 국내법으로 수용되어 행정법의 법원이 된다는 것이 통설의 입장이다.

㉣ 2010 국가직 9급 ○

합헌적 법률해석을 포함하는 법령의 해석 · 적용 권한은 대법원을 최고법원으로 하는 법원에 전속하는 것이며, 헌법재판소가 법률의 위헌 여부를 판단하기 위하여 불가피하게 법원의 최종적인 법률해석에 앞서 법령을 해석하거나 그 적용범위를 판단하더라도 **헌법재판소의 법률해석에 대법원이나 각급 법원이 구속되는 것은 아니다**(대판 2009. 2. 12, 2004두10289).

㉤ 2018 교육행정직 9급 ×

원칙적으로 관습법은 성문법의 결여시 성문법을 보충하는 한도에서 적용될 뿐 성문법을 개정 또는 폐지하는 효력은 없다는 견해가 통설의 입장이다.

관습법은 제정법에 대해 열후(劣後)적 · 보충적 성격을 가진다.
원심인정의 관습이 관습법이라는 취지라면 관습법의 제정법에 대한 열후적 · 보충적 성격에 비추어 그와 같은 관습법의 효력을 인정하는 것은 관습법의 법원으로서의 효력을 정한 위 민법 제1조의 취지에 어긋나는 것이다(대판 1983. 6. 14, 80다3231).

㉥ 2022 국가직 9급 ○

성적불량을 이유로 한 학생징계처분에 있어서 수강신청 이후 징계요건을 완화한 학칙개정은 부진정소급으로서 허용된다.
대학이 성적불량을 이유로 학생에 대하여 징계처분을 하는 경우에 있어서 수강신청이 있은 후 징계요건을 완화하는 학칙개정이 이루어지고 이어 당해 시험이 실시되어 그 개정학칙에 따라 징계처분을 한 경우라면 이는 이른바 부진정소급효에 관한 것으로서 구 학칙의 존속에 관한 학생의 신뢰보호가 대학당국의 학칙개정의 목적달성보다 더 중요하다고 인정되는 특별한 사정이 없는 한 위법이라고 할 수 없다(대판 1989. 7. 11, 87누1123).

정답 03 ③

04

행정법의 효력에 관한 다음 설명 중 옳지 않은 것은? (다툼이 있는 경우 판례에 의함)

□□□ ① 헌법개정·법률·조약·대통령령·총리령 및 부령의 공포와 헌법개정안·예산 및 예산 외 국고부담계약의 공고는 관보(官報)에 게재함으로써 한다.

□□□ ② 법률의 공포일은 해당 법률을 게재한 관보 또는 신문이 발행된 날로 한다.

□□□ ③ 법령의 공포시점은 관보 또는 공보가 판매소에 도달하여 누구든지 이를 구독할 수 있는 상태가 된 최초의 시점으로 보는 것이 판례의 입장이다.

□□□ ④ 한시법은 명문으로 정해진 유효기간이 경과하더라도 당연히 그 효력이 소멸되는 것은 아니다.

① 2018 경행경채 ○

「법령 등 공포에 관한 법률」 제11조【공포 및 공고의 절차】 ① 헌법개정·법률·조약·대통령령·총리령 및 부령의 공포와 헌법개정안·예산 및 예산 외 국고부담계약의 공고는 관보(官報)에 게재함으로써 한다.

② 2018 경행경채 ○

「법령 등 공포에 관한 법률」 제12조【공포일·공고일】 제11조의 법령 등의 공포일 또는 공고일은 해당 법령 등을 게재한 관보 또는 신문이 발행된 날로 한다.

③ 2009 국가직 9급 ○

구 광업법 시행령 제3조에 이른바 관보게재일이라 함은 관보에 인쇄된 발행일자를 뜻하는 것이 아니고 관보가 전국의 각 관보보급소 발송·배포되어 이를 일반인이 열람 또는 구독할 수 있는 상태에 놓이게 된 최초의 시기를 뜻한다(대판 1969. 11. 25, 69누129).

④ 2012 지방직(하) 9급 ×

법령의 유효기간을 정한 한시법은 유효기간이 도래하면 효력이 소멸한다.

05

행정법의 일반원칙에 관한 다음 설명 중 옳지 않은 것은? (다툼이 있는 경우 판례에 의함)

□□□ ① 비례의 원칙은 침해행정인가 급부행정인가를 가리지 아니하고 행정의 전 영역에 적용된다.

□□□ ② 신뢰보호의 원칙과 관련하여 신뢰의 대상인 행정청의 선행조치는 문서에 의한 형식적 행위이어야 한다.

□□□ ③ 신뢰보호의 원칙과 관련하여 공적 견해표명의 존재 여부를 판단함에 있어 법적 구속력이 있는 형식으로 표명되었는가 여부는 절대적인 기준이 되지 않는다.

□□□ ④ 보세운송면허세의 부과근거이던 지방세법 시행령이 1973. 10. 1. 제정되어 1977. 9. 20.에 폐지될 때까지 4년 동안 그 면허세를 부과할 수 있는 정을 알면서도 과세관청이 수출확대라는 공익상 필요에서 한 건도 이를 부과한 일이 없었다면 납세자는 그것을 믿을 수밖에 없고 그로써 비과세의 관행이 이루어졌다고 보아도 무방하다.

① 2013 국가직 9급 ○

비례의 원칙은 처음에 경찰권의 한계를 설정해 주는 법원칙으로 출발하였으나, 현재는 행정의 모든 영역에 적용되는 법원칙이다. 즉, 비례의 원칙은 침해행정뿐 아니라 급부행정의 영역에서도 적용된다.

② 2014 국회직 8급 ×

신뢰보호의 원칙이 적용되기 위한 요건으로는 상대방인 국민에게 신뢰를 주는 행정청의 선행조치가 있어야 하는데, 이러한 선행조치에는 법령·행정행위·확약·행정지도 등 사실행위, 기타 국민이 신뢰를 가지게 될 일체의 조치가 포함되며 명시적·묵시적 표시, 적극적·소극적 조치를 불문한다. 또한 그 형식도 반드시 문서로 할 필요는 없으며 구두로도 가능하다.

③ 2009 국회직 8급 ○

법적 구속력 없는 행위인 행정지도 등 비권력적 사실행위도 공적인 견해표명에 해당한다.

④ 2007 국가직 7급 ○

보세운송면허세의 부과근거이던 지방세법 시행령이 1973. 10. 1. 제정되어 1977. 9. 20.에 폐지될 때까지 4년 동안 그 면허세를 부과할 수 있는 정을 알면서도 과세관청이 수출확대라는 공익상 필요에서 한 건도 이를 부과한 일이 없었다면 납세자인 원고는 그것을 믿을 수밖에 없고 그로써 비과세의 관행이 이루어졌다고 보아도 무방하다(대판 1980. 6. 10, 80누6 전합).

정답 04 ④ 05 ②

06

행정법의 일반원칙에 관한 다음 설명 중 옳은 것은? (다툼이 있는 경우 판례에 의함)

□□□ ① 문화관광부장관(현 문화체육관광부장관)이 지방자치단체장에게 한 사업승인가능성에 대한 회신은 사업신청자인 민원인에 대한 공적 견해표명이다.

□□□ ② 행정청의 선행조치에 대하여 상대방인 사인의 아무런 처리행위가 없었던 경우라도 정신적 신뢰를 이유로 신뢰보호를 요구할 수 있다.

□□□ ③ 행정청의 선행조치와 무관하게 우연히 행해진 사인의 처리행위도 신뢰보호의 대상이 될 수 있다.

□□□ ④ 실효의 원칙이 적용되기 위한 요건으로서 실효기간의 길이와 의무자인 상대방이 권리가 행사되지 아니하리라고 신뢰할 만한 정당한 사유가 있었는지의 여부는 구체적인 경우마다 권리를 행사하지 아니한 기간의 장단, 당사자 쌍방의 사정 및 객관적으로 존재한 사정 등을 고려하여 사회통념에 따라 판단하여야 한다.

① 2012 경행특채 ×

사인이 행정청에 대해 질의를 한 것에 대해 행정청이 회신한 것이 아니라 지방자치단체장인 서울시장이 문화관광부장관(현 문화체육관광부장관)에게 질의를 하였고 이에 대해 장관이 지방자치단체장에게 회신한 것이므로 이는 행정청의 사인에 대한 공적인 견해표명이 있었다고 볼 수는 없다는 것이 판례의 취지이다.

> 문화관광부장관(현 문화체육관광부장관)의 지방자치단체장에 대한 회신은 사인의 신뢰이익을 보호하기 위한 공적 견해표명에 해당되지 않는다(대판 2006. 4. 28, 2005두6539).

②③ 2008 국회직 8급 ×

행징칭의 선행조치를 신뢰한 사인의 조치(처리)가 있어야 신뢰보호를 요구할 수 있다. 따라서 선행조치와 무관한 사인의 행위 또는 사인의 처리행위 자체가 없는 경우에는 신뢰보호원칙이 적용되지 않는다.

④ 2008 국가직 7급 ○

> 실효의 원칙이 적용되기 위하여 필요한 요건으로서의 실효기간(권리를 행사하지 아니한 기간)의 길이와 의무자인 상대방이 권리가 행사되지 아니하리라고 신뢰할 만한 정당한 사유가 있었는지의 여부는 일률적으로 판단할 수 있는 것이 아니라 구체적인 경우마다 권리를 행사하지 아니한 기간의 장단과 함께 권리자 측과 상대방 측 쌍방의 사정 및 객관적으로 존재한 사정 등을 모두 고려하여 사회통념에 따라 합리적으로 판단하여야 할 것이다(대판 2005. 10. 28, 2005다45827).

정답 06 ④

07

행정법의 일반원칙에 관한 다음 설명 중 옳은 것을 모두 고르면? (다툼이 있는 경우 판례에 의함)

□□□ ㉠ 운전면허취소사유에 해당하는 음주운전을 적발한 경찰관의 소속 경찰서장이 사무착오로 위반자에게 운전면허정지처분을 한 상태에서 위반자의 주소지 관할 지방경찰청장(현 시 · 도경찰청장)이 위반자에게 운전면허취소처분을 한 것은 선행처분에 대한 당사자의 신뢰 및 법적 안정성을 저해하는 것으로 볼 수 없다.

□□□ ㉡ 국립공원 관리권한을 가진 행정청이 실제의 공원구역과 다르게 경계측량과 표지를 설치한 십수 년 후 착오를 발견하여 지형도를 수정한 조치는 신뢰보호원칙에 위배된다.

□□□ ㉢ 도시계획구역 내 생산녹지로 답(畓)인 토지에 대하여 종교회관 건립을 이용목적으로 하는 토지거래계약의 허가를 받으면서 담당공무원이 관련 법규상 허용된다 하여 이를 신뢰하고 건축준비를 하였으나 그 후 토지형질변경허가신청을 불허가한 것은 신뢰보호원칙에 반한다.

□□□ ㉣ 입법예고를 통해 법령안의 내용을 국민에게 예고한 적이 있다고 하더라도 그것이 법령으로 확정되지 아니한 이상 국가가 이해관계자들에게 그 법령안에 관련된 사항을 약속하였다고 볼 수 없으며, 이러한 사정만으로 어떠한 신뢰를 부여하였다고 볼 수도 없다.

□□□ ㉤ 평등의 원칙은 행정작용에 있어서 특별히 합리적인 차별사유가 없는 한 국민을 공평하게 처우하여야 한다는 원칙으로 재량권행사의 한계원리로서 중요한 의미를 갖는다.

① ㉠, ㉡, ㉣　　② ㉡, ㉢, ㉤
③ ㉡, ㉣, ㉤　　④ ㉢, ㉣, ㉤

관련기출

㉠

1. 운전면허취소사유에 해당하는 음주운전을 적발한 경찰관의 소속 경찰서장이 사무착오로 위반자에게 운전면허정지처분을 한 상태에서 위반자의 주소지 관할 지방경찰청장(현 시 · 도경찰청장)이 위반자에게 운전면허취소처분을 한 것은 선행처분에 대한 당사자의 신뢰 및 법적 안정성을 저해하는 것으로서 허용될 수 없다. (○, ×) 2007 국가직 7급

1. ○

㉠ 2018 경행경채 ×

운전면허취소사유에 해당하는 음주운전을 적발한 경찰관의 소속 경찰서장이 사무착오로 위반자에게 운전면허정지처분을 한 상태에서 위반자의 주소지 관할 지방경찰청장(현 시 · 도경찰청장)이 위반자에게 운전면허취소처분을 한 것은 선행처분에 대한 당사자의 신뢰 및 법적 안정성을 저해하는 것으로서 허용될 수 없다.

동일한 사유에 관하여 보다 무거운 면허취소처분을 하기 위하여 이미 행하여진 가벼운 면허정지처분을 취소하는 것은 선행처분에 대한 당사자의 신뢰 및 법적 안정성을 크게 저해하는 것이 되어 허용될 수 없다 할 것이다(대판 2000. 2. 25, 99두10520).

㉡ 2015 사회복지직 9급 ×

실제의 공원구역과 다르게 경계측량 및 표지를 설치한 십수 년 후 착오를 발견하여 지형도를 수정한 조치가 신뢰보호의 원칙에 위배되거나 행정의 자기구속의 법리에 반하는 것이라 할 수 없다(대판 1992. 10. 13, 92누2325).

㉢ 2018 경행경채 3차 ○

도시계획구역 내 생산녹지로 답(畓)인 토지에 대하여 종교회관 건립을 이용목적으로 하는 토지거래계약의 허가를 받으면서 담당공무원이 관련법규상 허용된다 하여 이를 신뢰하고 건축준비를 하였으나, 그 후 토지형질변경허가신청을 불허가한 것은 신뢰보호원칙에 반한다.

토지거래계약의 허가과정에서 이 사건 토지형질변경이 가능하다는 피고 측의 견해표명은 원고의 요청에 의하여 우연히 피고의 소속 담당공무원이 은혜적으로 행정청의 단순한 정보제공 내지는 일반적인 법률상담 차원에서 이루어진 것이라고 보이기보다는, 이 사건 토지거래계약의 허가와 같이 그 이용목적이 토지형질변경을 거쳐 건축물을 건축하는 것인 경우 그러한 이용목적이 관계법령상 허용되는 것인지를 개별적 · 구체적으로 검토하여 그것이 가능할 경우에만 거래계약허가를 하여 주도록 하는 것이 당시 피고 시청의 실무처리관행이거나 내부업무처리지침이어서 그에 따라 이루어진 것으로 볼 여지가 더 많고, 나아가 위 토지거래허가신청과정에서 그 허가 담당공무원으로부터 이용목적대로 토지를 이용하겠다는 각서까지 제출할 것을 요구받아 이를 제출한 원고로서는 피고 측의 위와 같은 견해표명에 대하여 더 고도의 신뢰를 갖게 되었다고 할 것이다(대판 1997. 9. 12, 96누18380).

㉣ 2020 국가직 9급 ○

정책의 주무부처인 중앙행정기관이 그 소관 사항에 대하여 입안한 법령안은 법제처 심사 등의 절차를 거쳐 공포함으로써 확정되므로, 법령이 확정되기 이전에는 법적 효과가 발생할 수 없다. 따라서 입법예고를 통해 법령안의 내용을 국민에게 예고한 적이 있다고 하더라도 그것이 법령으로 확정되지 아니한 이상 국가가 이해관계자들에게 위 법령안에 관련된 사항을 약속하였다고 볼 수 없으며, 이러한 사정만으로 어떠한 신뢰를 부여하였다고 볼 수도 없다(대판 2018. 6. 15, 2017다249769).

㉤ 2010 지방직 9급 ○

평등의 원칙이란 특별히 합리적인 사유가 존재하지 않는 이상 행정기관은 행정작용을 함에 있어 그 상대방인 국민을 평등하게 대우해야 한다는 것을 의미하는 것으로 자의금지의 원칙이라고도 한다. 평등원칙은 특히 행정청의 재량권을 통제하는 원칙으로서, 행정청이 재량처분을 함에 있어 이미 행해진 동종사안에서의 제3자에 대한 처분과 비교하여 불리한 처분을 하게 되면 평등원칙에 반하는 위법한 재량권행사가 되므로 행정청의 재량의 한계원리로서 중요한 의미를 가진다.

정답 07 ④

08

행정법의 일반원칙에 관한 다음 설명 중 옳지 않은 것을 모두 고른 것은? (다툼이 있는 경우 판례에 의함)

□□□ ㉠ 지방의회의 감사 또는 조사를 위하여 출석요구를 받은 증인이 출석하지 않을 경우 증인의 사회적 지위에 따라 과태료의 액수에 차등을 두는 것을 내용으로 하는 조례안은 헌법에 규정된 평등의 원칙에 위배된다고 볼 수 없다.

□□□ ㉡ 국가유공자 등과 그 가족에 대한 가산점제도는 입법정책상 전혀 허용될 수 없다.

□□□ ㉢ 건축물에 인접한 도로의 개설을 위한 도시계획사업시행허가처분은 건축물에 대한 건축허가처분과는 별개의 행정처분이므로 사업시행허가를 함에 있어 조건으로 내세운 기부채납의무를 이행하지 않았음을 이유로 한 건축물에 대한 준공거부처분은 건축법에 근거 없이 이루어진 것으로서 위법하다.

□□□ ㉣ 제1종 보통면허로 운전할 수 있는 차량을 음주운전한 경우 제1종 보통면허의 취소 외에 동일인이 소지하고 있는 제1종 대형면허와 원동기장치자전거면허는 취소할 수 없다.

□□□ ㉤ 2종 소형면허로만 운전할 수 있는 이륜자동차를 음주운전한 사유만 가지고서는 제1종 대형면허나 보통면허의 취소나 정지를 할 수 없다.

① ㉠, ㉡, ㉣　　② ㉠, ㉢, ㉤
③ ㉡, ㉢, ㉣　　④ ㉢, ㉣, ㉤

관련기출

㉠

1. 조례안이 지방의회의 조사를 위하여 출석요구를 받은 증인이 5급 이상 공무원인지 여부, 기관(법인)의 대표나 임원인지 여부 등 증인의 사회적 신분에 따라 미리부터 과태료의 액수에 차등을 두고 있는 것은 평등의 원칙에 위반되지 않는다. (○, ×) 2016 국가직 7급

1. ×

㉣

1. 제1종 보통면허로 운전할 수 있는 차량을 운전면허정지기간 중에 운전한 경우 이와 관련된 원동기장치자전거면허까지 취소할 수 있다. (○, ×) 2022 소방간부
2. 제1종 보통면허로 운전할 수 있는 차량을 음주운전한 경우에 제1종 대형면허와 원동기장치자전거면허도 취소할 수 있다. (○, ×) 2010 국회직 8급
3. 대법원은 승합차를 혈중알코올농도 0.1% 이상의 음주상태로 운전한 자에 대하여 제1종 보통운전면허 외에 제1종 대형운전면허까지 취소한 행정청의 처분이 부당결부금지원칙을 위반한 것으로 보았다. (○, ×) 2010 지방직 9급

1. ○ 2. ○ 3. ×

㉠ 2017 서울시 9급 ×

> 지방의회의 조사 · 감사를 위해 채택된 증인의 불출석 등에 대한 과태료를 그 사회적 신분에 따라 차등 부과할 것을 규정한 조례는 헌법상 평등원칙에 위배되어 무효이다.
>
> 조례안이 지방의회의 감사 또는 조사를 위하여 출석요구를 받은 증인이 5급 이상 공무원인지 여부, 기관(법인)의 대표나 임원인지 여부 등 증인의 사회적 신분에 따라 미리부터 과태료의 액수에 차등을 두고 있는 경우, 그와 같은 차별은 증인의 불출석이나 증언거부에 대하여 과태료를 부과하는 목적에 비추어 볼 때 그 합리성을 인정할 수 없고 지위의 높고 낮음만을 기준으로 한 부당한 차별대우라고 할 것이어서 헌법에 규정된 평등의 원칙에 위배되어 무효이다(대판 1997. 2. 25, 96추213).

㉡ 2012 국회(속기 · 경위직) 9급 ×

평등의 원칙은 합리적 이유가 없는 한 차별취급을 하지 말아야 한다는 원칙인데, 합리적 이유 없는 차별취급은 두 가지 경우로 나뉜다. 먼저 동일한 사항을 다르게 취급하는 경우이고 또 하나는 차별취급 그 자체는 이유가 있지만 지나친 차별을 하는 경우이다. 국가유공자 가족에게 가산점을 주는 것 자체가 위헌이라는 것이 아니라 지나친 가산점이 위헌성이 있다는 판례이다.

> 10퍼센트를 가점하는 조항의 위헌성은 국가유공자 등과 그 가족에 대한 가산점제도 자체가 입법정책상 전혀 허용될 수 없다는 것이 아니고, 그 차별의 효과가 지나치다는 것에 기인한다. 그렇다면 입법자는 공무원시험에서 국가유공자의 가족에게 부여되는 가산점의 수치를, 그 차별효과가 일반 응시자의 공무담임권 행사를 지나치게 제약하지 않는 범위 내로 낮추고, 동시에 가산점 수혜 대상자의 범위를 재조정하는 등의 방법으로 그 위헌성을 치유하는 방법을 택할 수 있을 것이다(헌재 2006. 2. 23, 2004헌마675).

㉢ 2013 국가직 9급 ○

부당결부금지원칙에 위반된다는 취지이다.

> 건축물에 인접한 도로의 개설을 위한 도시계획사업시행허가처분은 건축물에 대한 건축허가처분과는 별개의 행정처분이므로 사업시행허가를 함에 있어 조건으로 내세운 기부채납의무를 이행하지 않았음을 이유로 한 건축물에 대한 준공거부처분은 건축법에 근거 없이 이루어진 것으로서 위법하다(대판 1992. 11. 27, 92누10364).

㉣ 2015 국가직 9급 ×

> **제1종 보통면허로 운전할 수 있는 차량을 음주운전한 경우에 이와 관련된 면허인 제1종 대형면허와 원동기장치자전거면허까지 취소할 수 있다.**
>
> 도로교통법 시행규칙 제26조 [별표 14]에 의하면, 제1종 대형면허 소지자는 제1종 보통면허로 운전할 수 있는 자동차와 원동기장치자전거를, 제1종 보통면허 소지자는 원동기장치자전거까지 운전할 수 있도록 규정하고 있어서 제1종 보통면허로 운전할 수 있는 차량의 음주운전은 당해 운전면허뿐만 아니라 제1종 대형면허로도 가능하고, 또한 제1종 대형면허나 제1종 보통면허의 취소에는 당연히 원동기장치자전거의 운전까지 금지하는 취지가 포함된 것이어서 이들 세 종류의 운전면허는 서로 관련된 것이라고 할 것이므로 제1종 보통면허로 운전할 수 있는 차량을 음주운전한 경우에 이와 관련된 면허인 제1종 대형면허와 원동기장치자전거면허까지 취소할 수 있는 것으로 보아야 한다(대판 1994. 11. 25, 94누9672).

㉤ 2023 소방승진 변형 ○

> 2종 소형면허로만 운전할 수 있는 이륜자동차를 음주운전한 사유만으로 제1종 대형면허나 보통면허의 취소 · 정지를 할 수 없다(대판 1992. 9. 22, 91누8289).

정답 08 ①

09

행정법관계에 관한 다음 설명 중 옳지 않은 것은? (다툼이 있는 경우 판례에 의함)

□□□ ① 행정편의를 위하여 사법상의 금전급부의무의 불이행에 대하여 국세징수법상 체납처분(현 강제징수)에 관한 규정을 준용하는 경우에 체납처분을 다투는 소송은 행정소송에 해당한다.

□□□ ② 공립유치원의 임용기간을 정한 전임강사의 근무관계는 공법관계이다.

□□□ ③ 행정재산의 무단점유자에 대한 변상금 부과행위는 처분이나, 대부한 일반재산에 대한 사용료 부과고지 행위는 처분이 아니다.

□□□ ④ 「국가를 당사자로 하는 계약에 관한 법률」에 따른 입찰절차에서의 낙찰자의 결정은 행정소송법상 처분에 해당한다.

□□□ ⑤ 서울특별시지하철공사의 사장이 소속 직원에게 한 징계처분에 대한 불복절차는 민사소송에 의하여야 한다.

관련기출

⑤

1. 서울특별시지하철공사 임직원을 징계하는 행위는 항고소송의 대상이 되는 행정처분에 해당한다. (○, ×) 2019 국회직 8급
2. 판례에 의하면 서울특별시지하철공사의 임원과 직원의 근무관계의 성질은 공법상 특별권력관계에 해당한다. (○, ×) 2013 지방직(하) 7급

1. × 2. ×

① 2018 지방직 9급 ○

행정편의를 위하여 사법(私法)상의 금전급부의무불이행(일반재산의 대부료를 연체한 경우)에 대해 국세징수법 중 체납처분에 관한 규정을 준용하는 경우, 비록 당해 의무가 법에 의해 행정상 강제징수의 대상이 되는 것으로 규정되어 있더라도 여전히 사법상 의무이며 공법상 의무가 되지 않는다(대판 1993. 12. 21, 93누13735). 다만, 체납처분행위는 공법행위로서 체납처분(현 강제징수)을 다투는 소송은 행정소송이며 특별한 사정이 없는 한 민사소송의 방법으로 대부료 등의 지급을 구하는 것은 허용되지 않는다는 것이 판례의 입장이다(대판 2014. 9. 4, 2014다203588).

② 2016 경행경채 ○

> 교육부장관(당시 문교부장관)의 권한을 재위임받은 공립교육기관의 장에 의하여 공립유치원의 임용기간을 정한 전임강사로 임용되어 지방자치단체로부터 보수를 지급받으면서 공무원복무규정을 적용받고 사실상 유치원 교사의 업무를 담당하여 온 유치원 교사의 자격이 있는 자에 대한 해임처분의 시정 및 수령지체된 보수의 지급을 구하는 소송은 행정소송의 대상이다(대판 1991. 5. 10, 90다10766).

③ 2017 지방직(하) 9급 ○

> 1. 국유재산 '무단점유자에 대한 변상금 부과처분'은 관리청이 우월적 지위에서 행한 것으로서 행정처분이다(대판 1988. 2. 23, 87누1046 · 1047).
> 2. 국유잡종재산(현 일반재산) 대부행위의 법적 성질은 사법상 계약이고 그 대부료 납부고지의 법적 성질은 사법상의 이행청구에 불과하다.
>
> 국유재산법 제31조, 제32조 제3항, 산림법 제75조 제1항의 규정 등에 의하여 국유잡종재산에 관한 관리처분의 권한을 위임받은 기관이 국유잡종재산을 대부하는 행위는 국가가 사경제주체로서 상대방과 대등한 위치에서 행하는 사법상의 계약이고, 행정청이 공권력의 주체로서 상대방의 의사 여하에 불구하고 일방적으로 행하는 행정처분이라고 볼 수 없으며, 국유잡종재산에 관한 대부료의 납부고지 역시 사법상의 이행청구에 해당하고, 이를 행정처분이라고 할 수 없다(대판 2000. 2. 11, 99다61675).

④ 2019 사회복지직 9급 ×

> 낙찰자의 결정으로 바로 계약이 성립된다고 볼 수는 없어 낙찰자는 지방자치단체에 대하여 계약을 체결하여 줄 것을 청구할 수 있는 권리를 갖는 데 그치고, 이러한 점에서 위 법률에 따른 낙찰자 결정의 법적 성질은 입찰과 낙찰행위가 있은 후에 더 나아가 본계약을 따로 체결한다는 취지로서(편저자 주 : 사법상) 계약의 예약에 해당한다(대판 2006. 6. 29, 2005다41603).

⑤ 2023 군무원 9급 ○

공기업과 직원의 근무관계(서울특별시지하철공사의 임원과 직원의 근무관계, 한국조폐공사직원의 근무관계, 한국방송공사의 직원채용관계 등)는 사법상의 근무관계이다.

> 서울특별시지하철공사의 임원과 직원의 근무관계의 성질은 지방공기업법의 모든 규정을 살펴보아도 공법상의 특별권력관계라고는 볼 수 없고 사법관계에 속할 뿐만 아니라, 위 지하철공사의 사장이 그 이사회 결의를 거쳐 제정된 인사규정에 의거하여 소속직원에 대한 징계처분을 한 경우 위 사장은 행정소송법 제13조 제1항 본문과 제2조 제2항 소정의 행정청에 해당되지 않으므로 공권력발동 주체로서 위 징계처분을 행한 것으로 볼 수 없고, 따라서 이에 대한 불복절차는 민사소송에 의할 것이지 행정소송에 의할 수는 없다(대판 1989. 9. 12, 89누2103).

정답 09 ④

10

행정법관계에 관한 다음 설명 중 옳은 것을 모두 고른 것은? (다툼이 있는 경우 판례에 의함)

□□□ ㉠ 서울특별시지하철공사 임원 및 직원에 대한 징계처분은 위 공사 사장이 공권력 발동주체로서 행정처분을 행한 것이 아니므로 이에 대한 불복절차는 민사소송에 의하여야 한다.

□□□ ㉡ 「징발재산정리에 관한 특별조치법」 제20조 소정의 환매권의 행사는 공법관계이다.

□□□ ㉢ 국유재산법의 규정에 의하여 총괄청 또는 그 권한을 위임받은 기관이 국유재산을 매각하는 행위는 사경제주체로서 행하는 사법상의 법률행위에 지나지 아니한다.

□□□ ㉣ 지방자치단체가 일반재산인 부동산을 무상으로 기부자에게 사용을 허용하는 행위는 사경제주체로서 상대방과 대등한 입장에서 하는 사법상 행위이지만 기부자가 그 부동산을 일정기간 무상사용한 후에 한 사용허가기간 연장신청을 지방자치단체가 거부한 경우, 당해 거부행위는 단순한 사법상의 행위가 아니라 행정처분에 해당한다.

① ㉠, ㉡　　② ㉠, ㉢
③ ㉡, ㉣　　④ ㉢, ㉣

관련기출

㉡
1. 환매권의 행사는 판례에서 공법상 법률관계로 본다. (O, ×) 2010 경행특채

1. ×

㉠ 2023 서울시 연구사 ○

서울특별시지하철공사의 임원과 직원의 근무관계의 성질은 지방공기업법의 모든 규정을 살펴보아도 공법상의 특별권력관계라고는 볼 수 없고 사법관계에 속할 뿐만 아니라, 위 지하철공사의 사장이 그 이사회의 결의를 거쳐 제정된 인사규정에 의거하여 소속 직원에 대한 징계처분을 한 경우 위 사장은 행정소송법 제13조 제1항 본문과 제2조 제2항 소정의 행정청에 해당되지 않으므로 공권력발동주체로서 위 징계처분을 행한 것으로 볼 수 없고, 따라서 이에 대한 불복절차는 민사소송에 의할 것이지 행정소송에 의할 수는 없다(대판 1989. 9. 12, 89누2103).

㉡ 2016 경행경채 ×

환매권은 재판상이든 재판 외이든 그 기간 내에 행사하면 이로써 매매의 효력이 생기고, 위 매매는 「징발재산정리에 관한 특별조치법」 제20조 제1항에 적힌 환매권자와 국가 간의 사법(私法)상의 매매라 할 것이다(대판 1992. 4. 24, 92다4673).

㉢ 2015 국회직 8급 ○

국유재산에는 행정재산과 일반재산이 있는바 이 중 일반재산의 대부, 매각 등은 사법관계에 해당한다. 지문에는 비록 일반재산이라는 표현은 없지만 행정재산은 그 자체로 사인에게 매각이 불가능한 재산이므로 지문의 재산은 일반재산을 의미한다는 점을 생각해서 지문을 이해해야 한다.

국유재산〔잡종재산(현 일반재산)〕의 매각 및 매각신청반려행위는 사법상의 행위에 불과하다(대판 1986. 6. 24, 86누171).

㉣ 2021 국회직 8급 ×

지방자치단체가 구 지방재정법 시행령 제71조의 규정에 따라 기부채납받은 일반재산을 무상으로 기부자에게 사용을 허용하는 행위는 사경제주체로서 상대방과 대등한 입장에서 하는 사법상 행위이지 행정청이 공권력의 주체로서 행하는 공법상 행위라고 할 수 없으므로, 기부자가 기부채납한 부동산을 일정기간 무상사용한 후에 한 사용허가기간 연장신청을 거부한 행정청의 행위도 단순한 사법상의 행위일 뿐 행정처분 기타 공법상 법률관계에 있어서의 행위는 아니다(대판 1994. 1. 25, 93누7365).

정답 10 ②

11

행정법관계에 관한 다음 설명 중 옳은 것을 모두 고른 것은? (다툼이 있는 경우 판례에 의함)

□□□ ㉠ 구 종합유선방송법상 종합유선방송위원회 직원의 근무관계는 공법관계이다.
□□□ ㉡ 관리관계는 공법관계에 속하므로 전면적으로 공법규정 내지 공법원리가 적용된다.
□□□ ㉢ 국가가 공무수탁사인의 공무수탁사무수행을 감독하는 경우 수탁사무수행의 합법성뿐만 아니라 합목적성까지도 감독할 수 있다.
□□□ ㉣ 공무수탁사인은 당사자소송의 피고가 될 수 있다.
□□□ ㉤ 지방법무사회는 법무사 감독 사무를 수행하기 위하여 법률에 의하여 설립과 법무사의 회원 가입이 강제된 공법인으로서 법무사 사무원 채용 승인에 관한 한 공권력 행사의 주체라고 보아야 한다.
□□□ ㉥ 행정권한의 위탁은 행정행위의 형식으로 하여야 하고 공법상 계약의 형식으로 할 수 없다.

① ㉠, ㉡, ㉥ ② ㉡, ㉢, ㉣
③ ㉢, ㉣, ㉤ ④ ㉢, ㉤, ㉥

관련기출

㉠

1. 구 종합유선방송법상의 종합유선방송위원회 직원의 근로관계는 판례에 의할 때 공법관계에 해당한다. (○, ×) 2011 경행특채

1. ×

㉠ 2016 경행경채 ×

종합유선방송위원회 직원들의 근로관계는 사법관계이다.
구 종합유선방송법상의 종합유선방송위원회는 그 설치의 법적 근거, 법에 의해 부여된 직무, 위원의 임명절차 등을 종합하여 볼 때 국가기관이고, 그 사무국 직원들의 근로관계는 사법(私法)상의 계약관계이므로, 사무국 직원들은 국가를 상대로 한 민사소송으로 그 계약에 따른 임금과 퇴직금의 지급을 청구할 수 있다(대판 2001. 12. 24, 2001다54038).

㉡ 2011 사회복지직 9급 ×

관리관계는 비권력관계로서 **원칙적으로 사법의 규율**을 받으며, 공익목적달성에 필요한 한도 안에서만 특별한 공법적 규율을 받는다는 것이 일반적인 견해이다(한편, 관리관계를 공법관계로 보면서도 원칙적으로 사법규정이 적용된다고 하는 것에 의문이 들 수 있고 실제로 이러한 비판도 유력하지만 수험생으로서는 일단 이렇게 알아두는 수밖에 없다).

㉢ 2017 서울시 7급 ○

공무를 위탁한 경우 위탁한 자는 공무수탁사인의 공무수탁사무수행을 감독한다. 이 경우 위탁자는 공무수탁사인이 공무를 위법하게 행사하는 경우에는 당연히 이를 통제할 수 있으며 또한 **합목적성**(예컨대 예산운용, 인력 및 조직 운영 등이 적절하게 이루어지고 있는지 등)**까지 감독할 수 있다.**

㉣ 2008 국가직 9급 ○

당사자소송은 국가 · 공공단체 그 밖의 권리주체를 피고로 하는데 공무수탁사인도 행정주체에 해당한다는 것이 일반적 견해이므로 당사자소송의 피고가 될 수 있다.

행정소송법 제39조【피고적격】 당사자소송은 국가 · 공공단체 그 밖의 권리주체를 피고로 한다.

㉤ 2024 변호사 ○

법무사 사무원 채용승인 제도의 법적 성질 및 연혁, 사무원 채용승인 거부에 대한 불복절차로서 소관 지방법원장에게 이의신청을 하도록 제도를 규정한 점 등에 비추어 보면, 지방법무사회의 법무사 사무원 채용승인은 단순히 지방법무사회와 소속 법무사 사이의 내부 법률문제라거나 지방법무사회의 고유사무라고 볼 수 없고, 법무사 감독이라는 국가사무를 위임받아 수행하는 것이라고 보아야 한다. 따라서 지방법무사회는 법무사 감독 사무를 수행하기 위하여 법률에 의하여 설립과 법무사의 회원 가입이 강제된 공법인으로서 법무사 사무원 채용승인에 관한 한 공권력 행사의 주체라고 보아야 한다(대판 2020. 4. 9, 2015다34444).

㉥ 2011 서울시 9급 ×

행정권한의 위탁은 행정행위 형식뿐만 아니라 공법상 계약에 의한 위탁(계약에 의한 별정우체국장의 지정)도 가능하다.

정답 11 ③

12

공권과 공의무에 관한 다음 설명 중 옳은 것은? (다툼이 있는 경우 판례에 의함)

□□□ ① 개인적 공권과 관련하여 오늘날 공권의 성립요건 가운데 '의사력(법상의 힘)의 존재'를 요구하는 것이 새로운 경향이다.

□□□ ② 산림을 무단형질변경한 자가 사망한 경우 당해 토지의 소유권 또는 점유권을 승계한 상속인은 그 복구의무가 일신전속적이어서 승계하지 않으므로 따라서 관할행정청은 그 상속인에 대하여 복구명령을 할 수 없다.

□□□ ③ 법률상의 이익이란 당해 처분의 근거법률에 의해 직접 보호되는 구체적인 이익을 말하기 때문에 관련법률까지 고려해서 법률상 이익을 논할 수 없다.

□□□ ④ 무하자재량행사청구권은 수익적 행정행위뿐만 아니라 부담적 행정행위에도 적용될 수 있다.

□□□ ⑤ 다수의 검사 임용신청자 중 일부만을 검사로 임용하는 결정을 함에 있어, 임용신청자들에게 전형의 결과인 임용 여부의 응답을 할 것인지는 임용권자의 편의재량사항이다.

관련기출

⑤

1. 검사의 임용 여부는 임용권자의 자유재량에 속하는 사항이므로, 임용권자가 동일한 검사신규임용의 기회에 원고를 비롯한 다수의 검사임용신청자 중 일부만을 검사로 임용하는 결정을 함에 있어, 임용신청자들에게 전형의 결과인 임용 여부의 응답을 할 것인지 여부는 임용권자의 편의재량사항이다. (○, ×) 2017 경행경채
2. 검사의 임용 여부는 임용권자의 자유재량에 속하는 사항이고, 임용권자가 동일한 검사신규임용의 기회에 원고를 비롯한 다수의 검사지원자들로부터 임용신청을 받아 전형을 거쳐 자체에서 정한 임용기준에 따라 이들 일부만을 선정하여 검사로 임용하는 경우에 있어서 법령상 검사임용신청 및 그 처리의 제도에 관한 명문규정이 없을 때 조리상 전형결과의 응답을 해줄 의무는 없다. (○, ×) 2012 지방직(하) 9급, 2012 사회복지직 9급

1. × 2. ×

① 2013 국가직 7급 ×

과거에는 개인적 공권이 성립하기 위해서는 개인이 행정주체에 대해 행정의무의 준수를 관철시킬 수 있는 법적인 가능성, 즉 재판청구가능성 - 의사력(법상의 힘)이 제도적으로 보장되어야 한다고 보아 재판청구가능성을 공권의 성립요건으로 보았다. 그러나 오늘날의 통설적 견해는 재판청구가능성 - 의사력(법상의 힘)은 공권의 성립요건으로서 더 이상 요구되지 않는다(공권성립의 2요소론)고 본다. 즉, 현대국가에서는 재판청구권이 헌법상 보장되어 있고, 행정소송사항에 대해 개괄주의를 취하고 있기 때문에 ㉠ 강행법규에 의한 행정청에 의무부과, ㉡ 관련법규의 사익보호성이라는 두 가지 요건만 충족되면 개인적 공권이 성립한다고 보고 있으며 재판청구가능성 - 의사력(법상의 힘)의 존재는 더 이상 공권성립요건으로 검토하지 않는 것이 통설의 입장이다.

② 2023 해경간부 ×

> 1. 구 산림법령상 채석허가를 받은 자가 사망한 경우, 상속인이 그 지위를 승계한다.
> 2. 산림을 무단형질변경한 자가 사망한 경우, 원상회복명령에 따른 복구의무는 타인이 대신하여 행할 수 있는 의무로서 일신전속적 성질을 갖는 것이 아니므로 당해 토지의 소유권 또는 점유권을 승계한 상속인이 그 복구의무를 부담한다(대판 2005. 8. 19, 2003두9817 · 9824).

③ 2014 경행특채 1차 ×

법률상 이익이란 처분의 근거법률에 의해 보호되는 구체적 이익을 말하는데 이러한 근거법률에는 직접적 근거법률 외에 관련법률까지 포함된다는 것이 판례의 입장이다(대판 2005. 5. 12, 2004두14229).

④ 2018 교육행정직 9급 ○

무하자재량행사청구권은 행정작용이 수익적 행정행위인 경우뿐만 아니라 부담적 행정행위인 경우에도 적용될 수 있다. 무하자재량행사청구권은 주로 수익적 행정행위, 예컨대 특허의 신청과 같은 경우 하자 없는 재량행사를 요구하는 권리로서 인정될 수 있다. 그런데 부담적 행정행위의 경우에도, 예컨대 건물의 철거처분과 같이 재량권이 인정되는 처분이라면 그 상대방에게 무하자재량행사청구권이 인정될 수도 있다.

⑤ 2015 국가직 9급 ×

임용 여부는 임용권자의 재량에 속하는 사항이지만 임용 여부의 응답을 할 것인지 여부는 재량이 아니다. 즉, 임용을 하든지 임용을 거부하든지 응답은 하여야 한다.

> 검사의 임용 여부는 임용권자의 자유재량에 속하는 사항이나, 임용권자가 동일한 검사신규임용의 기회에 원고를 비롯한 다수의 검사지원자들로부터 임용신청을 받아 전형을 거쳐 자체에서 정한 임용기준에 따라 이들 중 일부만을 선정하여 검사로 임용하는 경우에 있어서, 법령상 검사임용신청 및 그 처리의 제도에 관한 명문규정이 없다고 하여도 조리상 임용권자는 임용신청자들에게 전형의 결과인 임용 여부의 응답을 해줄 의무가 있다고 보아야 하고, 원고로서는 그 임용신청에 대하여 임용 여부의 응답을 받을 권리가 있다고 할 것이며, 응답할 것인지 여부조차도 임용권자의 편의재량사항이라고는 할 수 없다(대판 1991. 2. 12, 90누5825).

정답 12 ④

13

특별권력관계에 관한 다음 설명 중 옳은 것은? (다툼이 있는 경우 판례에 의함)

□□□ ① 특별권력관계의 성립은 직접 법률에 의거하는 경우와 상대방의 동의에 의하는 경우가 있는데, 상대방의 동의는 자유로운 의사에 기한 자발적인 동의만을 인정한다.

□□□ ② 특별권력관계를 기본관계와 경영수행관계로 나누는 견해에 따르면, 공무원에 대한 직무상 명령에 대해서 사법심사가 가능하게 된다.

□□□ ③ 특별권력관계에서는 특별권력에 따른 명령권과 형벌권이 인정된다.

□□□ ④ 군인의 복무에 관한 사항을 규율할 권한을 대통령령에 위임하는 경우에는 대통령령으로 규정될 내용 및 범위에 관한 기본적인 사항을 다소 광범위하게 위임하였다 하더라도 포괄위임금지원칙에 위배된다고 볼 수 없다.

① 2009 국회속기직 9급 ×

동의에 의한 특별권력관계의 성립은 공무원의 임용과 같은 자발적(임의적) 동의에 의해 성립하는 것과 취학연령이 된 아동의 입학과 같은 의무적 동의에 의해 성립하는 것이 있다.

② 2011 국회(속기 · 경위직) 9급 ×

이른바 울레(Ule) 교수의 견해인 **기본관계와 경영관계를 구분하는 견해**에 따르면, 특별권력관계 자체의 성립 · 변경 · 종료 등 구성원의 법적 지위의 본질적 사항에 해당하는 **기본관계적 사항**(공무원의 임명 · 파면, 군인의 입대 · 제대, 학생의 입학허가 · 퇴학 · 정학 등)에 대해서는 **사법심사가 가능**하나 내부질서를 유지하기 위한 관계인 **경영관계적 사항**(**공무원의 직무명령**, 군인의 훈련, 학생에 대한 강의 등)에 대해서는 **사법심사가 불가능**하다.

③ 2009 국회속기직 9급 ×

형벌권은 특별권력관계에서의 행정주체가 가지는 권리가 아니라 일반권력관계에서의 행정주체가 가지는 권리이다. 특별권력관계에서는 명령권과 징계권이 인정된다.

④ 2023 국회직 8급 ○

> 군인사법 제47조의2는 '군인의 복무에 관하여는 이 법에 규정한 것을 제외하고는 따로 대통령령이 정하는 바에 의한다.'고 규정하여 기본권 침해에 관하여 아무런 규율도 하지 아니한 채 이를 대통령령에 위임하고 있으므로, 그 내용이 국민의 권리관계를 직접 규율하는 것이라고 보기 어렵다. …… 이 사건 복무규율조항이 법률유보원칙을 준수하였는지를 살펴보면, 군인사법 제47조의2는 헌법이 대통령에게 부여한 군통수권을 실질적으로 존중한다는 차원에서 군인의 복무에 관한 사항을 규율할 권한을 대통령령에 위임한 것이라 할 수 있고, 대통령령으로 규정될 내용 및 범위에 관한 기본적인 사항을 다소 광범위하게 위임하였다 하더라도 포괄위임금지원칙에 위배된다고 볼 수 없다. 따라서 이 사건 복무규율조항은 이와 같은 군인사법 조항의 위임에 의하여 제정된 정당한 위임의 범위 내의 규율이라 할 것이므로 법률유보원칙을 준수한 것이다(헌재 2010. 10. 28, 2008헌마638).

정답 13 ④

14

다음 기술 중 옳은 것은? (다툼이 있는 경우 판례에 의함)

□□□ ① 육군3사관학교의 사관생도 행정예규에 따라 사관생도의 모든 사적 생활에서까지 예외 없이 금주의무를 이행할 것을 요구하면서 경위 등을 묻지 않고 일률적으로 2회 위반 시 원칙적으로 퇴학조치 하도록 정한 것은 사관생도의 기본권을 지나치게 침해하는 것은 아니다.

□□□ ② 군인은 국가의 존립과 안전을 보장함을 직접적인 존재의 목적으로 하는 군조직의 구성원인 특수한 신분관계에 있으므로, 그 존립목적을 달성하기 위하여 필요한 한도 내에서 일반국민보다 상대적으로 기본권이 더 제한될 수 있다.

□□□ ③ 태어난 지 1년 2개월이 지난 사람에 관해 행정 관련 나이 계산과 표시는 14개월로 한다.

□□□ ④ 국유재산 중 일반재산은 시효취득의 대상이 되지 아니한다.

① 2023 국회직 9급 ×

> 사관생도인 원고가 4회에 걸쳐 학교 밖에서 음주행위를 하였다는 이유로 퇴학처분을 당한 사안에서, 사관생도의 모든 사적 생활에서까지 예외 없이 금주의무를 이행할 것을 요구하는 것은 사관생도의 일반적 행동자유권은 물론 사생활의 비밀과 자유를 지나치게 제한한다고 판단하여, 사관생도 '음주 2회시 퇴학'예규는 무효이며, 원고에 대한 퇴학처분은 재량권을 일탈 · 남용한 위법한 처분이다(대판 2018. 8. 30, 2016두60591).

② 2019 경행경채 2차 ○

군인과 같은 특별행정법관계(특별권력관계)의 구성원은 일반국민보다 상대적으로 기본권이 더 제한될 수 있다. 다만 그 경우에도 헌법 제37조 제2항의 기본권제한의 원칙이 지켜져야 한다.

> 사관생도는 군 장교를 배출하기 위하여 국가가 모든 재정을 부담하는 특수교육기관인 육군3사관학교의 구성원으로서, 학교에 입학한 날에 육군 사관생도의 병적에 편입하고 준사관에 준하는 대우를 받는 특수한 신분관계에 있다(「육군3사관학교 설치법 시행령」 제3조). 따라서 그 존립 목적을 달성하기 위하여 필요한 한도 내에서 일반국민보다 상대적으로 기본권이 더 제한될 수 있으나, 그러한 경우에도 법률유보원칙, 과잉금지원칙 등 기본권제한의 헌법상 원칙들을 지켜야 한다(대판 2018. 8. 30, 2016두60591).

③ 2024 군무원 5급 ×

14개월이 아니라 1세로 한다.

> **행정기본법 제7조의2【행정에 관한 나이의 계산 및 표시】** 행정에 관한 나이는 다른 법령 등에 특별한 규정이 있는 경우를 제외하고는 출생일을 산입하여 만(滿) 나이로 계산하고, 연수(年數)로 표시한다. 다만, 1세에 이르지 아니한 경우에는 월수(月數)로 표시할 수 있다.

④ 2016 교육행정직 9급 ×

일반재산(개정 전 잡종재산)의 경우는 시효취득의 대상이 될 수 있다.

15

행정법상 법률요건에 관한 다음 설명 중 옳지 않은 것은 모두 몇 개인가? (다툼이 있는 경우 판례에 의함)

> □□□ ㉠ 자연인의 공법상 주소지는 다른 법률에 특별한 규정이 없는 한 1개소에 한정한다.
>
> □□□ ㉡ 민법상의 일반법원리적인 규정은 행정법상 권력관계에 대해서도 적용될 수 있다.
>
> □□□ ㉢ 공법상 부당이득에 관한 일반법은 없으므로 특별한 규정이 없는 경우, 민법상 부당이득반환의 법리가 준용된다.
>
> □□□ ㉣ 공법상 부당이득반환에 대한 청구권의 행사는 개별적인 사안에 따라 행정주체도 주장할 수 있다.

① 0개 ② 1개
③ 2개 ④ 3개

㉠ 2016 교육행정직 9급 ○

민법은 주소의 수에 관해 "주소는 동시에 두 곳 이상 있을 수 있다."라고 규정하여 주소복수주의를 취하고 있으나, 주민등록법은 주민등록의 신고를 이중으로 하는 것을 금지하고 있다. 따라서 공법상 자연인의 주소는 원칙적으로 1개소에 한정된다.

> **주민등록법 제10조【신고사항】** ① 주민(재외국민은 제외한다)은 다음 각 호의 사항을 해당 거주지를 관할하는 시장 · 군수 또는 구청장에게 신고하여야 한다. (중략)
> ② 누구든지 제1항의 신고를 이중으로 할 수 없다.
>
> **제23조【주민등록자의 지위 등】** ① 다른 법률에 특별한 규정이 없으면 이 법에 따른 주민등록지를 공법관계에서의 주소로 한다.

㉡ 2016 국가직 9급 ○

민법(사법(私法))상의 신의성실의 원칙과 같은 일반법원리적 · 법기술적인 규정은 행정법상 권력관계에 대해서도 적용됨이 원칙이다. 다만, 민법(사법(私法))상 사인 간의 이해조절 규정은 권력관계에는 원칙적으로 적용되지 않는다.

㉢ 2017 지방직 9급 ○

공법상 부당이득에 관한 일반법은 없다. 그런데 민법규정 중 부당이득에 관한 규정은 법일반원리적 규정에 해당하므로 특별한 규정이 없는 한 민법(私法)규정이 공법상 부당이득에도 적용될 수 있다.

㉣ 2017 지방직 9급 ○

사인이 국유지를 무단사용하는 경우, 공무원이 봉급을 초과수령한 경우처럼 사인이 법률상 원인 없이 부당이득을 하고 있는 경우에는 행정주체도 부당이득반환청구권을 주장할 수 있다.

정답 14 ② 15 ①

16

사인의 공법행위에 관한 다음 설명 중 옳은 것은 모두 몇 개인가? (다툼이 있는 경우 판례에 의함)

□□□ ㉠ 사인의 공법행위에는 행위능력에 관한 민법의 규정이 원칙적으로 적용된다.

□□□ ㉡ 권고사직의 형식을 취하고 있더라도 사직의 권고가 공무원의 의사결정의 자유를 박탈할 정도의 강박에 해당하는 경우에는 당해 권고사직은 무효이다.

□□□ ㉢ 명문의 금지규정이 있거나 일신전속적인 행위는 대리가 허용될 수 없으나, 그렇지 않은 사인의 공법행위는 대리에 관한 민법규정이 유추적용될 수 있다.

□□□ ㉣ 신고행위의 하자가 중대 · 명백하여 당연무효에 해당하는지에 대하여는 신고행위의 근거가 되는 법규의 목적, 의미, 기능 및 하자 있는 신고행위에 대한 법적 구제수단 등을 목적론적으로 고찰함과 동시에 신고행위에 이르게 된 구체적 사정을 개별적으로 파악하여 합리적으로 판단하여야 한다.

□□□ ㉤ 법령상 신고사항이 아닌 신고를 수리한 경우, 그 수리는 항고소송의 대상이 되지 않는다.

① 2개 ② 3개
③ 4개 ④ 5개

㉠ 2016 서울시 9급 ○

사인의 공법행위에 관한 일반법은 존재하지 않으나, 사인의 공법행위도 사인(私人)의 행위이므로 사인의 행위에 관한 규율인 민법의 규정이 적용될 수 있다. 행위능력에 관한 민법의 규정은 행위능력이 제한되는 미성년자 등을 보호하기 위한 규정이므로 사인의 공법행위에도 원칙적으로 적용된다.

㉡ 2014 국가직 7급 ○

1. 공무원이 감사기관이나 상급관청 등의 강박에 의하여 사직서를 제출한 경우, 사직의 의사표시는 그 강박의 정도에 따라 무효 또는 취소가 된다.
2. 사직서의 제출이 감사기관이나 상급관청 등의 강박에 의한 경우에는 그 정도가 의사결정의 자유를 박탈할 정도에 이른 것이라면 그 의사표시가 무효로 될 것이다(대판 1997. 12. 12, 97누13962).

㉢ 2014 국가직 7급 ○

사인의 공법행위는 개별법률의 규정상(예 병역법에 의한 징병검사(현 병역판정검사)의 대리금지) 또는 일신전속적 행위처럼 행위의 성질상 대리가 허용되지 않는 경우가 있다(예 선거, 투표 등). 그러나 일신전속적 성질을 가지지 않는 행위에 대해서는 대리가 허용되며, 그 경우 대리에 관한 민법규정이 유추적용된다.

㉣ 2017 지방직 7급 ○

취득세와 등록세는 신고납세방식의 조세로서 이러한 유형의 조세에 있어서는 원칙적으로 납세의무자가 스스로 과세표준과 세액을 정하여 신고하는 행위에 의하여 납세의무가 구체적으로 확정되고, 그 납부행위는 신고에 의하여 확정된 구체적 납세의무의 이행으로 하는 것이며 지방자치단체는 그와 같이 확정된 조세채권에 기하여 납부된 세액을 보유하는 것이므로, 납세의무자의 신고행위가 중대하고 명백한 하자로 인하여 당연무효로 되지 아니하는 한 그것이 바로 부당이득에 해당한다고 할 수 없고, 여기에서 신고행위의 하자가 중대하고 명백하여 당연무효에 해당하는지의 여부에 대하여는 신고행위의 근거가 되는 법규의 목적, 의미, 기능 및 하자 있는 신고행위에 대한 법적 구제수단 등을 목적론적으로 고찰함과 동시에 신고행위에 이르게 된 구체적 사정을 개별적으로 파악하여 합리적으로 판단하여야 한다(대판 2006. 1. 13, 2004다64340).

㉤ 2016 행정사 ○

신고사항이 아닌 사항을 신고한 것에 대해 행정청이 신고를 수리하였다 하더라도 그러한 수리는 항고소송의 대상이 되는 행정처분이 아니다(대판 2005. 2. 25, 2004두4031).

정답 16 ④

17

사인의 공법행위에 관한 다음 설명 중 옳지 않은 것은? (다툼이 있는 경우 판례에 의함)

□□□ ① 행정절차법은 수리를 요하는 신고와 수리를 요하지 않는 신고를 구분하여 별도로 규정하고 있다.

□□□ ② 자기완결적 신고를 규정한 법률상의 요건 외에 타법상의 요건도 충족하여야 하는 경우, 타법상의 요건을 충족시키지 못하는 한 적법한 신고를 할 수 없다.

□□□ ③ 구 주민등록법상 주민들의 거주지 이동에 따른 주민등록전입신고에 대하여 시장은 그 수리 여부를 심사할 수 있다.

□□□ ④ 수리를 요하지 아니하는 신고의 경우에 신고에 하자가 있다면 보정되기까지는 신고의 효과가 발생하지 않는다.

① 2015 교육행정직 9급 ×

행정절차법 제40조는 신고에 관한 조문을 두고 있는데, 이 조문에 대해 통설은 자기완결적 신고(수리를 요하지 않는 신고)를 규정하고 있다고 본다. 즉, 행정절차법은 수리를 요하는 신고와 수리를 요하지 않는 신고를 구분하여 별도로 규정하고 있는 것은 아니다.

② 2015 지방직 9급 ○

신고를 규정한 법률상의 요건 외에 타법상의 요건도 충족되어야 하는 경우 타법상의 요건을 갖추지 못하는 한 적법한 신고를 할 수 없다는 것이 판례의 입장이다(대판 2009. 4. 23, 2008도6829).

③ 2012 국가직 9급 ○

주민등록신고는 수리를 요하는 신고이다.

> 1. 주민등록전입신고에 대하여 시장은 그 수리 여부를 심사할 수 있다.
> 2. 시장 등의 주민등록전입신고 수리 여부에 대한 심사는 주민등록법의 입법목적의 범위 내에서 제한적으로 이루어져야 할 것이다(대판 2009. 6. 18, 2008두10997 전합).

④ 2018 소방직 9급 ○

행정청은 요건을 갖추지 못한 신고서가 제출된 경우에는 지체 없이 상당한 기간을 정하여 보완을 요구하여야 하며(행정절차법 제40조 제3항), 행정청은 신고인이 보완기간 내에 보완을 하지 아니한 때에는 그 이유를 명시하여 신고서를 되돌려 보내야 한다. 자기완결적 신고에서는 신고가 중요하므로 신고의 효과가 발생하기 위해서는 **적법한 신고**가 도달되어야 함이 원칙이다.

18

사인의 공법행위에 관한 다음 설명 중 옳지 않은 것은? (다툼이 있는 경우 판례에 의함)

□□□ ① 수산제조업 신고에 있어서 담당공무원이 관계법령에 규정되지 아니한 서류를 요구하여 신고서를 제출하지 못하였다는 사정만으로는 신고가 있었던 것으로 볼 수 없다.

□□□ ② 행위요건적 신고의 경우 부적법한 신고가 있는 경우에는 행정청이 신고를 수리하였다고 하더라도 신고의 효과가 발생하지 않는 것이 원칙이다.

□□□ ③ 수리를 요하는 신고에서 수리는 준법률행위적 행정행위의 하나로서 행정소송법상 처분에 해당한다.

□□□ ④ 흠결된 서류의 보완이 주요 서류의 대부분을 새로 작성함이 불가피하게 되어 사실상 새로운 신청으로 보아야 할 경우, 접수를 거부하거나 반려할 수 있다.

관련기출

①

1. 담당공무원이 관계법령에 규정되지 아니한 서류를 요구하여 신고서를 제출하지 못하였다는 사정만으로는 신고가 있었던 것으로 볼 수 없다. (○, ×)

2008 국가직 7급

1. ○

① 2015 국회직 8급 ○

> 1. 수산제조업을 하고자 하는 사람이 형식적 요건을 모두 갖춘 수산제조업 신고서를 제출한 경우에는 담당공무원이 관계법령에 규정되지 아니한 사유를 들어 그 신고를 수리하지 아니하고 반려하였다고 하더라도 그 신고서가 제출된 때에 신고가 있었다고 볼 것이다.
> 2. 다만 담당공무원이 관계법령에 규정되지 아니한 서류를 요구하여 신고서를 제출하지 못하였다는 사정만으로는 신고가 있었던 것으로 볼 수 없다(대판 2002. 3. 12, 2000다73612).

② 2012 국회직 8급 ×

행위요건적 신고의 경우 요건을 갖추지 못한 부적법한 신고에도 불구하고 행정청이 이를 수리하였다면, 그 수리행위는 하자 있는 행정행위가 된다. 따라서 그 하자가 중대 · 명백하다면 수리행위는 무효가 되며, 아무런 법적 효과가 발생하지 않는다. 다만, 수리행위의 하자가 취소사유에 불과한 경우에는 취소 전까지는 유효하므로 일정한 법적 효과가 발생한다.

③ 2014 경행특채 2차 ○

행위요건적 신고(수리를 요하는 신고)의 경우 신고만으로 완전한 법적 효과가 발생하지 않고, 행정청이 수리를 하여야 완전한 법적 효과가 발생하므로, 행정청의 수리 또는 수리의 거부는 준법률행위적 행정행위의 하나로서 행정소송법상의 처분개념에 해당한다.

④ 2018 소방직 9급 ○

> 흠결된 서류의 보완 또는 보정을 하면 이미 접수된 주요 서류의 대부분을 새로 작성함이 불가피하게 되어 사실상 새로운 신청으로 보아야 할 경우에는 그 흠결서류의 접수를 거부하거나 그것을 반려할 정당한 사유가 있는 경우에 해당하여 이의 접수를 거부하거나 반려하여도 위법이 되지 않는다(대판 1991. 6. 11, 90누8862).

정답 17 ① 18 ②

행정작용법

1회독	2회독	3회독
/	/	/

01

행정입법에 관한 다음 설명 중 옳은 것을 모두 고르면? (다툼이 있는 경우 판례에 의함)

□□□ ㉠ 행정규칙의 제정을 위해서는 행정의 법률적합성의 원칙상 위임입법금지의 원칙에 따라 법률적 근거가 필요하다.

□□□ ㉡ 상급행정기관이 발한 위법이 의심되는 재량준칙에 불복한 공무원은 정당하므로 징계의 대상이 될 수 없다.

□□□ ㉢ 행정규칙은 보통 훈령, 고시, 예규의 형식으로 행하여지며 고유한 서식에 따라야 한다.

□□□ ㉣ 판례는 '고시(告示)' 형식의 법규명령을 인정하고 있다.

□□□ ㉤ 행정청 내부에서의 사무처리지침이 단순히 하급 행정기관을 지도하고 통일적 법해석을 기하기 위하여 상위법규 해석의 준거기준을 제시하는 규범해석규칙의 성격을 가지는 것에 불과하다면 그러한 해석기준이 상위법규의 해석상 타당하다고 보여지는 한 그에 따랐다는 이유만으로 행정처분이 위법하게 되는 것은 아니다.

① ㉠, ㉡, ㉢　　② ㉡, ㉢, ㉤
③ ㉢, ㉣　　④ ㉣, ㉤

㉠ 2008 지방직 9급 ×
행정규칙을 제정함에 있어서는 법규명령과 달리 법률의 근거가 필요 없다.

㉡ 2008 지방직 9급 ×
공무원은 상급기관의 행정규칙에 따라야 할 복종의무가 있다. 다만, 법령준수의무와의 관계상 행정규칙의 내용이 위법함이 명백한 경우에는 복종을 거부하여야 한다. 그러나 위법함이 명백하지 않은 경우에는 행정규칙을 준수하여야 하며 이에 불복할 경우 징계책임이 인정된다.

㉢ 2011 국회(속기 · 경위직) 9급 ×
행정규칙은 보통 고시, 훈령, 예규, 지시 등으로 발령되나 특별한 형식이 있는 것은 아니다. 또한 조문의 형식으로 제정됨이 일반적이나 구술로도 가능하다.

㉣ 2008 지방직(하) 7급 ○
판례는 고시 형식의 법규명령을 인정하고 있다.

> 고시 또는 공고의 법적 성질은 일률적으로 판단될 것이 아니라 고시에 담겨진 내용에 따라 구체적인 경우마다 달리 결정된다고 보아야 한다. 즉, 고시가 일반 · 추상적 성격을 가질 때에는 법규명령 또는 행정규칙에 해당하지만, 고시가 구체적인 규율의 성격을 갖는다면 행정처분에 해당한다(헌재 1998. 4. 30, 97헌마141).

㉤ 2013 지방직(하) 7급 ○

> 행정청 내부에서의 사무처리지침이 행정부가 독자적으로 제정한 행정규칙으로서 상위법규의 규정내용을 벗어나 국민에게 새로운 제한을 가한 것이라면 그 효력을 인정할 수 없겠으나, 단순히 행정규칙 중 하급행정기관을 지도하고 통일적 법해석을 기하기 위하여 상위법규 해석의 준거기준을 제시하는 규범해석규칙의 성격을 가지는 것에 불과하다면 그러한 해석기준이 상위법규의 해석상 타당하다고 보여지는 한 그에 따랐다는 이유만으로 행정처분이 위법하게 되는 것은 아니라 할 것이다(대판 1992. 5. 12, 91누8128).

정답 01 ④

02

행정입법에 관한 다음 설명 중 옳은 것을 모두 고르면? (다툼이 있는 경우 판례에 의함)

- ㉠ 법규명령 형식의 행정규칙과 관련하여 대법원은 대통령령(시행령)과 부령(시행규칙) 간의 구분 없이 실질적인 행정규칙의 성질을 인정하고 있다.
- ㉡ 보건사회부장관이 정한 1994년도 노인복지사업지침은 노령수당의 지급대상자를 '70세 이상'의 생활보호대상자로 규정함으로써 구 노인복지법 제13조 제2항과 구 노인복지법 시행령 제20조 제1항에서 '65세 이상'의 자로 규정한 노령수당의 지급대상자를 부당하게 축소 · 조정하였으므로 그 부분은 법령의 위임한계를 벗어난 것이다.
- ㉢ 국토교통부장관이 「국토의 계획 및 이용에 관한 법률」에 근거하여 국토교통부 훈령으로 정한 개발행위허가운영지침은 법규명령에 해당한다.
- ㉣ 법률의 위임규정 자체가 그 의미 내용을 정확하게 알 수 있는 용어를 사용하여 위임의 한계를 분명히 하고 있는데도 고시에서 그 문언적 의미의 한계를 벗어나면 위임의 한계를 일탈한 것으로써 허용되지 아니한다.
- ㉤ 국세청장의 훈령 형식으로 되어 있는 재산제세사무처리규정은 소득세법 시행령의 위임에 따라 소득세법 시행령의 내용을 보충하는 기능을 가지므로 소득세법 시행령과 결합하여 대외적 효력을 갖는다.

① ㉠, ㉡　② ㉡, ㉢
③ ㉡, ㉣, ㉤　④ ㉢, ㉣, ㉤

관련기출

㉣

1. 법률의 위임규정 자체가 그 의미 내용을 정확하게 알 수 있는 용어를 사용하여 위임의 한계를 분명히 하고 있는데도 시행령이 위임규정에서 사용하고 있는 용어의 의미를 넘어 그 범위를 확장하거나 축소함으로써 위임내용을 구체화하는 단계를 벗어나 새로운 입법을 한 것으로 평가할 수 있는 경우라도 이를 위임의 한계를 일탈한 것으로 보기는 어렵다. (○, ×) 2017 국가직(하) 7급
2. 위임명령이 위임내용을 구체화하는 단계를 벗어나 새로운 입법을 한 것으로 평가할 수 있다고 하더라도 이는 위임의 한계를 일탈한 것이 아니다. (○, ×) 2016 국가직 7급

1. × 2. ×

㉤

1. 재산제세사무처리규정이 국세청장의 훈령 형식으로 되어 있다 하더라도 이에 의한 거래지정은 소득세법 시행령의 위임에 따라 그 규정의 내용을 보충하는 기능을 가지면서 그와 결합하여 대외적 효력을 발생하게 된다. (○, ×) 2010 경행특채

1. ○

㉠ 2011 국가직 9급 ×

판례는 부령 형식으로 정해진 제재적 처분기준은 그 성질과 내용이 행정 내부의 사무처리기준을 규정한 것에 불과하므로 행정규칙의 성질을 가지며 대외적으로 국민이나 법원을 구속하는 것은 아니라고 보고 있다. 그러나 판례는 대통령령의 형식으로 정해진 제재적 처분기준의 경우 당해 처분기준을 법규명령으로 본다.

㉡ 2018 경행경채 3차 ○

> 노인복지법 제13조 제2항의 규정에 따른 노인복지법 시행령 제17조, 제20조 제1항은 노령수당의 지급대상자의 연령범위에 관하여 위 법 조항과 동일하게 '65세 이상의 자'로 반복하여 규정한 다음 소득수준 등을 참작한 일정소득 이하의 자라고 하는 지급대상자의 선정기준과 그 지급대상자에 대한 구체적인 지급수준(지급액) 등의 결정을 보건사회부장관에게 위임하고 있으므로, …… 보건사회부장관이 정한 1994년도 노인복지사업지침은 노령수당의 지급대상자를 '70세 이상'의 생활보호대상자로 규정함으로써 당초 법령이 예정한 노령수당의 지급대상자를 부당하게 축소 · 조정하였고, 따라서 위 지침 가운데 노령수당의 지급대상자를 '70세 이상'으로 규정한 부분은 법령의 위임한계를 벗어난 것이어서 그 효력이 없다(대판 1996. 4. 12, 95누7727).

㉢ 2024 군무원 5급 ×

> 「국토의 계획 및 이용에 관한 법률 시행령」 제56조 제4항에 따라 국토교통부장관이 국토교통부 훈령으로 정한 '개발행위허가운영지침'은 세부적인 검토기준으로 이 지침의 법적 성격은 행정규칙에 불과하여 대외적 구속력이 없다(대판 2023. 2. 2, 2020두43722).

㉣ 2017 서울시 9급 ○

> 법률의 위임규정 자체가 그 의미 내용을 정확하게 알 수 있는 용어를 사용하여 위임의 한계를 분명히 하고 있는데도 고시에서 그 문언적 의미의 한계를 벗어나면 위임의 한계를 일탈한 것으로써 허용되지 아니한다.
>
> 특정 고시가 위임의 한계를 준수하고 있는지를 판단할 때에는, 법률규정의 입법목적과 규정내용, 규정의 체계, 다른 규정과의 관계 등을 종합적으로 살펴야 하고, 법률의 위임규정 자체가 의미 내용을 정확하게 알 수 있는 용어를 사용하여 위임의 한계를 분명히 하고 있는데도 고시에서 문언적 의미의 한계를 벗어났다든지, 위임규정에서 사용하고 있는 용어의 의미를 넘어 범위를 확장하거나 축소함으로써 위임내용을 구체화하는 단계를 벗어나 새로운 입법을 한 것으로 평가할 수 있다면, 이는 위임의 한계를 일탈한 것으로서 허용되지 아니한다(대판 2016. 8. 17, 2015두51132).

㉤ 2013 국가직 9급 ○

> (소득세법령에 따르면 부동산을 양도한 경우 양도차익계산을 기준시가에 의하도록 하면서 투기억제를 위해 필요한 경우 국세청장이 지정하는 거래에 있어서는 실거래가를 적용하여 양도차익을 계산하도록 위임하였으나 그 지정의 절차나 방법에 관해 아무런 제한을 두고 있지 않아서 국세청장이 훈령인 재산제세사무처리규정으로 투기거래유형을 열거한 것과 관련하여) 국세청훈령인 재산제세조사사무처리규정은 상위법령과 결합하여 법규명령으로서의 효력을 갖는다(대판 1987. 9. 29, 86누484).

정답 02 ③

03

재량행위에 관한 다음 설명 중 옳지 않은 것은? (다툼이 있는 경우 판례에 의함)

□□□ ① 「국토의 계획 및 이용에 관한 법률」상 개발행위허가는 허가기준 및 금지요건이 불확정개념으로 규정된 부분이 많아 그 요건에 해당하는지 여부는 행정청의 재량판단의 영역에 속한다.

□□□ ② 재량행위가 법령이나 평등원칙을 위반한 경우뿐만 아니라 합목적성의 판단을 그르친 경우에도 위법한 처분으로서 행정소송의 대상이 된다.

□□□ ③ 건설부장관(현 국토교통부장관)이 행한 국립공원지정처분에 따른 경계측량 및 표지의 설치 등은 처분이 아니다.

□□□ ④ 판단여지와 재량을 구별하는 입장에서 재량은 법률효과에서 인정된다.

관련기출

①

1. 「국토의 계획 및 이용에 관한 법률」이 정한 용도지역 안에서 토지의 형질변경(경작을 위한 경우로서 대통령령으로 정하는 토지의 형질변경은 제외)을 수반하는 건축허가는 건축법 제11조 제1항에 의한 건축허가와 「국토의 계획 및 이용에 관한 법률」상의 개발행위허가의 성질을 아울러 갖게 되므로 재량행위에 해당한다. (○, ×) 2021 경행경채

1. ○

③

1. 구 공원법에 의해 건설부장관이 행한 국립공원지정처분에 따라 공원관리청이 행한 경계측량 및 표지의 설치는 항고소송의 대상이 되는 처분에 해당하는 사실행위이다. (○, ×) 2017 지방직(하) 9급
2. 권한 있는 장관이 행한 국립공원지정처분에 따라 공원관리청이 행한 경계측량 및 표지의 설치는 행정처분이다. (○, ×) 2014 국가직 9급

1. × 2. ×

① 2020 지방직 · 서울시 9급 ○

「국토의 계획 및 이용에 관한 법률」(이하 '국토계획법'이라고 한다) 제56조에 따른 개발행위허가와 농지법 제34조에 따른 농지전용허가 · 협의는 금지요건 · 허가기준 등이 불확정개념으로 규정된 부분이 많아 그 요건 · 기준에 부합하는지의 판단에 관하여 행정청에 재량권이 부여되어 있으므로, 그 요건에 해당하는지 여부는 행정청의 재량판단의 영역에 속한다. 나아가 국토계획법이 정한 용도지역 안에서 토지의 형질변경행위 · 농지전용행위를 수반하는 건축허가는 건축법 제11조 제1항에 의한 건축허가와 위와 같은 개발행위허가 및 농지전용허가의 성질을 아울러 갖게 되므로 이 역시 재량행위에 해당한다(대판 2017. 10. 12, 2017두48956).

② 2020 지방직 · 서울시 9급 ×

재량행위의 경우 재량권의 일탈 · 남용이 있으면 위법한 처분이 되므로 행정소송의 대상이 된다. 그러나 부당한 재량행위는 적법한 처분으로 법원의 통제대상이 되지 않는다. 합목적성 판단을 그르친 재량행위는 부당한 처분에 불과하므로 적법한 처분이 되어 법원의 통제대상이 되지 않는다.

③ 2021 소방직 9급 ○

건설부(현 국토교통부)장관이 행한 국립공원지정처분에 따라 공원관리청이 행한 경계측량 및 표지의 설치 등은 공원구역의 효율적인 보호 · 관리를 위하여 이미 확정된 경계를 인식 · 파악하는 사실상의 행위로 행정처분이 아니다.

건설부장관이 행한 국립공원지정처분은 그 결정 및 첨부된 도면의 공고로써 그 경계가 확정되는 것이고, 시장이 행한 경계측량 및 표지의 설치 등은 공원관리청이 공원구역의 효율적인 보호 · 관리를 위하여 이미 확정된 경계를 인식 · 파악하는 사실상의 행위로 봄이 상당하며, 위와 같은 사실상의 행위를 가리켜 공권력행사로서의 행정처분의 일부라고 볼 수 없고, 이로 인하여 건설부장관이 행한 공원지정처분이나 그 경계에 변동을 가져온다고 할 수 없다(대판 1992. 10. 13, 92누2325).

④ 2015 국가직 7급 ○

판단여지와 재량을 구별하는 입장에서 판단여지는 구성요건의 포섭단계에서 관련되는 문제이며 재량은 법률효과의 결정 내지 선택과 관련되는 문제가 된다는 점에서 양자는 구별된다고 한다.

정답 03 ②

04

재량행위에 관한 다음 설명 중 옳은 것을 모두 고른 것은? (다툼이 있는 경우 판례에 의함)

□□□ ㉠ 숙박용 건물의 건축허가는 기속행위이므로 중대한 공익상의 이유가 있다 할지라도 그 허가를 거부할 수 없다.

□□□ ㉡ 마을버스운송사업면허의 허용 여부는 운수행정을 통한 공익실현과 아울러 합목적성을 추구하기 위하여 보다 구체적 타당성에 적합한 기준에 의하여야 할 것이므로 행정청의 재량에 속하는 것이라고 보아야 한다.

□□□ ㉢ 대법원은 교육과학기술부장관(현 교육부장관)의 교과서검정에 관한 처분과 관련하여 법원이 교과서의 저술내용이 교육에 적합한지의 여부를 심사할 수 있다고 보았다.

□□□ ㉣ 입법목적 등을 달리하는 법률들이 일정한 행위에 관한 요건을 각기 정하고 있는 경우 어느 법률이 다른 법률에 우선하여 배타적으로 적용된다고 풀이되지 아니하는 한 그 행위에 관하여 각 법률의 규정에 따른 허가를 받아야 할 것인바, 이러한 경우 그중 하나의 허가에 관한 관계법령 등에서 다른 법령상의 허가에 관한 규정을 원용하고 있는 경우나 그 행위가 다른 법령에 의하여 절대적으로 금지되고 있어 그것이 객관적으로 불가능한 것이 명백한 경우 등에는 그러한 요건을 고려하여 허가 여부를 결정할 수 있다.

① ㉠, ㉡, ㉢ ② ㉡, ㉣
③ ㉢ ④ ㉣

관련기출

㉡

1. 마을버스운송사업면허의 허용 여부는 사업구역의 교통수요, 노선결정, 운송업체의 수송능력, 공급능력 등에 관하여 기술적 · 전문적인 판단을 요하는 분야로서 이에 관한 행정처분은 운수행정을 통한 공익실현과 아울러 합목적성을 추구하기 위하여 보다 구체적 타당성에 적합한 기준에 의하여야 할 것이므로 그 범위 내에서는 법령이 특별히 규정한 바가 없으면 행정청의 재량에 속한다. (○, ×) 2021 경행경채
2. 구 여객자동차 운수사업법령상 마을버스운송사업면허의 허용 여부 및 마을버스 한정면허시 확정되는 마을버스노선을 정함에 있어서 기존 일반노선버스의 노선과의 중복 허용 정도에 대한 판단은 행정청의 재량에 속한다. (○, ×) 2017 지방직(하) 9급

1. ○ 2. ○

㉠ 2016 교육행정직 9급 ×

일반적인 건축허가는 기속행위에 해당하지만 위락시설이나 숙박시설의 경우 재량행위로 볼 수 있다.

> 건축법 제11조【건축허가】④ 허가권자는 …… 다음 각 호의 어느 하나에 해당하는 경우에는 이 법이나 다른 법률에도 불구하고 건축위원회의 심의를 거쳐 건축허가를 하지 아니할 수 있다.
> 1. 위락시설이나 숙박시설에 해당하는 건축물의 건축을 허가하는 경우 해당 대지에 건축하려는 건축물의 용도 · 규모 또는 형태가 주거환경이나 교육환경 등 주변 환경을 고려할 때 부적합하다고 인정되는 경우 (이하 생략)

㉡ 2020 지방직 · 서울시 9급 ○

> 마을버스운송사업면허는 재량행위이며, 마을버스 한정면허시 확정되는 마을버스노선을 정함에 있어서 기존 일반노선버스의 노선과의 중복 허용 정도에 대한 판단 또한 행정청의 재량에 속한다.
>
> 마을버스운송사업면허의 허용 여부는 사업구역의 교통수요, 노선결정, 운송업체의 수송능력, 공급능력 등에 관하여 기술적 · 전문적인 판단을 요하는 분야로서 이에 관한 행정처분은 운수행정을 통한 공익실현과 아울러 합목적성을 추구하기 위하여 보다 구체적 타당성에 적합한 기준에 의하여야 할 것이므로 그 범위 내에서는 법령이 특별히 규정한 바가 없으면 행정청의 재량에 속하는 것이라고 보아야 할 것이고, 마을버스 한정면허시 확정되는 마을버스노선을 정함에 있어서도 기존 일반노선버스의 노선과의 중복 허용 정도에 대한 판단도 행정청의 재량에 속한다고 할 것이며, 노선의 중복 정도는 마을버스노선과 각 일반버스노선을 개별적으로 대비하여 판단하여야 한다(대판 2002. 6. 28, 2001두10028).

㉢ 2012 경행특채 ×

판례는 교과서검정을 재량행위로 보는 전제에서, 법원이 장관과 동일한 입장에서 교과서의 저술내용이 교육에 적합한지의 여부를 심사할 수는 없다고 보았다.

> 문교부장관(현 교육부장관)이 시행하는 검정은 그 책을 교과용 도서로 쓰게 할 것인가 아닌가를 정하는 것일 뿐 그 책을 출판하는 것을 막는 것은 아니나 현행 교육제도하에서의 중 · 고등학교 교과용 도서를 검정함에 있어서 심사는 원칙적으로 오기, 오식 기타 객관적으로 명백한 잘못, 제본 기타 기술적 사항에만 그쳐야 하는 것은 아니고, 그 저술한 내용이 교육에 적합한 여부까지를 심사할 수 있다고 하여야 한다. 법원이 위 검정에 관한 처분의 위법 여부를 심사함에 있어서는 문교부장관과 동일한 입장에 서서 어떠한 처분을 하여야 할 것인가를 판단하고 그것과 동 처분과를 비교하여 당부를 논하는 것은 불가하고, …… (대판 1988. 11. 8, 86누618)

㉣ 2017 경행경채 ○

> 입법목적 등을 달리하는 법률들이 일정한 행위에 관한 요건을 각기 정하고 있는 경우 어느 법률이 다른 법률에 우선하여 배타적으로 적용된다고 풀이되지 아니하는 한 그 행위에 관하여 각 법률의 규정에 따른 허가를 받아야 할 것인바, 이러한 경우 그중 하나의 허가에 관한 관계법령 등에서 다른 법령상의 허가에 관한 규정을 원용하고 있는 경우나 그 행위가 다른 법령에 의하여 절대적으로 금지되고 있어 그것이 객관적으로 불가능한 것이 명백한 경우 등에는 그러한 요건을 고려하여 허가 여부를 결정할 수 있다(대판 1998. 3. 27, 96누19772).

정답 04 ②

05

재량행위에 관한 다음 설명 중 옳은 것을 모두 고른 것은? (다툼이 있는 경우 판례에 의함)

□□□ ㉠ 재량행위가 위법하다는 이유로 소송이 제기된 경우에 법원은 각하할 것이 아니라 그 일탈 · 남용 여부를 심사하여 그에 해당하지 않으면 청구를 기각하여야 한다.

□□□ ㉡ 법이 정한 재량권의 외적 한계를 넘어선 경우를 재량의 일탈이라 한다.

□□□ ㉢ 판례는 교과서검정의 위법성을 재량심사에 의하여 판단하고 있다.

□□□ ㉣ 구 전염병예방법 제54조의2 제2항에 따른 예방접종으로 인한 질병, 장애 또는 사망의 인정 여부 결정은 보건복지가족부장관(현 보건복지부장관)의 재량에 속한다.

① ㉠, ㉡, ㉢, ㉣　　② ㉠, ㉢
③ ㉡, ㉢, ㉣　　④ ㉡, ㉣

㉠ 2014 서울시 9급 ○

재량행위도 행정행위로서 행정소송법상 처분에 해당하므로 재량행위가 위법하다는 이유로 소송이 제기된 경우에 법원은 각하할 것이 아니라 일탈 · 남용이 있는지를 심사하여 일탈 · 남용이 있으면 청구를 인용하고 일탈 · 남용이 없으면 청구를 기각하여야 한다.

> **행정소송법 제27조【재량처분의 취소】** 행정청의 재량에 속하는 처분이라도 재량권의 한계를 넘거나 그 남용이 있는 때에는 법원은 이를 취소할 수 있다.

㉡ 2014 서울시 9급 ○

재량의 일탈(유월)이란, "법에서 6개월 이내의 영업정지처분을 할 수 있다고 규정하고 있음에도 불구하고 행정청이 1년의 영업정지처분을 내린 경우"와 같이 법률의 외적 한계를 넘어 재량권이 행사된 경우를 말한다. 이에 반해 재량의 남용이란 외적 한계를 넘지는 않았으나 비례의 원칙 등을 위반한 경우를 말한다.

㉢ 2010 지방직 9급 ○

이른바 판단여지론의 도입을 주장하는 견해와 달리, 판례는 이른바 판단여지가 인정될 수 있는 영역도 재량권이 인정되는 것으로 본다.

> (교과서검정은 재량행위라는 전제하에) 법원이 문교부장관(행정청)과 동일한 입장에서 어떠한 처분을 하여야 할 것인가를 판단하고 그것과 문교부장관(현 교육부장관)의 처분을 비교하여 당부를 논하는 것은 불가능하다(대판 1988. 11. 8, 86누618).

㉣ 2015 국회직 8급 ○

> 구 전염병예방법 제54조의2 제2항에 따른 예방접종으로 인한 질병, 장애 또는 사망의 인정 여부 결정이 보건복지가족부(현 보건복지부)장관의 재량에 속한다(대판 2014. 5. 16, 2014두274).

정답 05 ①

06

행정행위에 관한 다음 설명 중 옳지 않은 것은? (다툼이 있는 경우 판례에 의함)

□□□ ① 하명의 대상은 법률행위뿐만 아니라 사실행위일 수도 있다.

□□□ ② 형성적 행정행위는 명령적 행정행위와 함께 법률행위적 행정행위에 속하며, 이에는 특허 · 인가 · 대리가 속한다.

□□□ ③ 허가란 법령에 의해 개인의 자유가 제한되고 있는 경우에 그 제한을 해제하여 자유를 적법하게 행사할 수 있도록 회복하여 주는 행정행위이다.

□□□ ④ 식품위생법상 일반음식점영업허가는 성질상 일반적 금지의 해제에 불과하므로 허가권자는 허가신청이 법에서 정한 요건을 구비한 때에는 원칙적으로 허가를 하여야 하나, 다만 예외적으로 관계법령에서 정하는 제한사유 외에 공공복리 등의 사유를 들어 허가신청을 거부할 수 있다.

관련기출

④

1. 일반음식점영업허가는 관계법령이 정하는 제한사유 이외에 공익적 요소를 감안하여 그 허가를 거부할 수 있는 재량행위로 볼 것이다. (O, ×) 2014 국회직 8급
2. 식품위생법상 대중음식점영업허가는 성질상 일반적 금지에 대한 해제에 불과하므로 허가권자는 법에서 정한 요건을 구비한 때에는 허가하여야 하고 관계법규에서 정하는 제한사유를 들어 허가신청을 거부할 수 있다. (O, ×) 2012 국회(속기 · 경위직) 9급
3. 식품위생법에 의한 일반음식점영업허가는 판례에 따르면 재량행위이다. (O, ×) 2012 국가직 7급

1. × 2. ○ 3. ×

① 2008 지방직 9급 ○

하명의 대상은 영업양도금지와 같이 법률행위인 경우도 있고, 통행금지와 같이 사실행위인 경우도 있다.

② 2015 국가직 7급 ○

법률행위적 행정행위에는 명령적 행위와 형성적 행위가 있는바, 명령적 행위에는 하명 · 허가 · 면제가 있고, 형성적 행위에는 특허 · 대리 · 인가가 있다.

③ 2013 경행특채 ○

허가란 질서유지 · 위험예방 등을 위해 법률로써 개인의 자유를 일반적 · 잠정적으로 제한한 후 행정청이 일정한 요건이 구비된 경우에 그 제한을 해제하여 본래의 자유를 회복시켜 주는 행정행위를 말한다.

④ 2018 경행경채 ×

> 식품위생법상 일반음식점영업허가신청에 대하여 관계법령에서 정하는 제한사유 외에 공공복리 등의 사유를 들어 거부할 수 없으며 위 법리는 일반음식점허가사항의 변경허가의 경우에도 적용된다.
>
> 식품위생법상 일반음식점영업허가는 성질상 일반적 금지의 해제에 불과하므로 허가권자는 허가신청이 법에서 정한 요건을 구비한 때에는 허가하여야 하고 관계법령에서 정하는 제한사유 외에 공공복리 등의 사유를 들어 허가신청을 거부할 수는 없고, 이러한 법리는 일반음식점허가사항의 변경허가에 관하여도 마찬가지이다(대판 2000. 3. 24, 97누12532).

정답 06 ④

07

허가에 관한 다음 설명 중 옳은 것을 모두 고른 것은? (다툼이 있는 경우 판례에 의함)

> □□□ ㉠ 허가가 자유를 회복시켜 주는 행위라고 해서 법률이 허가를 반드시 기속행위로 규정하고 있는 것은 아니다.
> □□□ ㉡ 건축법상 건축허가신청의 경우 심사결과 그 신청이 법정요건에 합치하는 경우라 할지라도 소음공해, 먼지발생, 주변인 집단민원 등의 사유가 있는 경우 이를 불허가사유로 삼을 수 있고, 그러한 불허가처분이 비례원칙 등을 준수하였다면 처분 자체의 위법성은 인정될 수 없다.
> □□□ ㉢ 입목굴채허가는 기속행위에 해당한다.
> □□□ ㉣ 개축허가신청에 대해 착오로 행한 용도변경허가는 무효가 아니다.
> □□□ ㉤ 유기장 영업허가는 유기장영업권을 설정하는 설권행위이다.

① ㉠, ㉡, ㉤　② ㉠, ㉣
③ ㉡, ㉢, ㉤　④ ㉢, ㉣

08

허가에 관한 다음 설명 중 옳은 것은? (다툼이 있는 경우 판례에 의함)

□□□ ① 분뇨 관련 영업허가를 받은 기존업자가 다른 업자에 대한 영업허가처분을 다투는 경우는 원고적격이 인정된다.

□□□ ② 도로법과 건축법에서 각 규정하고 있는 건축허가는 그 허가권자의 허가를 받도록 한 목적, 허가의 기준, 허가 후의 감독에 있어서 동일하므로 도로법에 의하여 도로관리청인 도지사로부터 개축허가를 받았다면 건축법에 의하여 시장 또는 군수의 허가를 다시 받을 필요는 없다.

□□□ ③ 개발제한구역 내의 건축물의 용도변경에 대한 예외적 허가는 그 상대방에게 제한적이므로 기속행위에 속하는 것이다.

□□□ ④ 허가조건의 존속기간 내에 적법한 갱신신청이 있었음에도 갱신 가부의 결정이 없으면 주된 행정행위는 효력이 상실된다.

㉠ 2009 국회속기직 9급 ○
산림형질변경허가, 입목벌채허가와 같이 허가가 재량행위인 경우도 있다.

㉡ 2020 소방직 9급 ×

> 건축허가권자는 건축허가신청이 건축법 등 관계법령에서 정하는 어떠한 제한에 배치되지 않는 이상 같은 법령에서 정하는 건축허가를 하여야 하고, 중대한 공익상의 필요가 없음에도 불구하고 요건을 갖춘 자에 대한 허가를 관계법령에서 정하는 제한사유 이외의 사유를 들어 거부할 수는 없다. …… 기존 주유소사업자의 생계위협 및 위험시설물인 주유소 설치에 따른 집단민원발생은 이 사건 주유소의 건축허가를 제한할 만한 중대한 공익상의 필요에 해당한다고 보기 어려우므로, 이 사건 건축불허가처분은 위법하다(대판 2012. 11. 22, 2010두22962 전합).

㉢ 2012 지방직(하) 9급 ×
입목의 벌채허가는 재량행위로서 중대한 공익상의 필요가 있는 경우에는 허가를 거부할 수 있다는 것이 판례의 입장이다(대판 2001. 11. 30, 2001두5866).

㉣ 2011 국가직 7급 ○

> 개축허가신청에 대해 착오로 행한 용도변경허가는 무효가 아니다.
> 개축허가신청에 대하여 행정청이 착오로 대수선 및 용도변경허가를 하였다 하더라도 취소 등 적법한 조치 없이 그 효력을 부인할 수 없음은 물론 더구나 이를 다른 처분으로 볼 근거도 없다(대판 1985. 11. 26, 85누382).

㉤ ×
설권적 행위, 즉 특허가 아니라 학문상의 허가에 해당한다.

> 구 유기장법상 유기장의 영업허가는 대물적 허가로서 …… (대판 1990. 7. 13, 90누2284)

① 2014 서울시 9급 ○

> 분뇨 등 관련 영업허가를 받아 영업을 하고 있는 기존업자의 이익은 법률상 보호되는 이익이다.
> 구 「오수 · 분뇨 및 축산폐수의 처리에 관한 법률」과 시행령의 관계규정은 업자 간의 과당경쟁으로 인한 경영의 불합리를 미리 방지하자는 데 그 목적이 있는 점 등 제반 사정에 비추어 보면, 업종을 분뇨 등 수집 · 운반업 및 정화조청소업으로 하여 분뇨 등 관련 영업허가를 받아 영업을 하고 있는 기존업자의 이익은 단순한 사실상의 반사적 이익이 아니고 법률상 보호되는 이익이라고 해석된다(대판 2006. 7. 28, 2004두6716).

② 2012 국회(속기 · 경위직) 9급 ×

> 도로법과 건축법에서 각 규정하고 있는 건축허가는 그 허가권자의 허가를 받도록 한 목적, 허가의 기준, 허가 후의 감독에 있어서 같지 아니하므로 도로법 제50조 제1항에 의하여 접도구역으로 지정된 지역 안에 있는 건물에 관하여 같은 법조 제4 · 5항에 의하여 도로관리청인 도지사로부터 개축허가를 받았다고 하더라도 건축법 제5조 제1항에 의하여 시장 또는 군수의 허가를 다시 받아야 한다(대판 1991. 4. 12, 91도218).

③ 2021 소방직 9급 ×
예외적 허가는 보통의 허가와는 달리 재량행위라는 것이 일반적 견해이다.

> 구 도시계획법상의 개발제한구역 내의 건축물의 용도변경허가는 예외적 허가로서 재량행위의 성격을 가진다(대판 2001. 2. 9, 98두17593).

④ 2011 지방직(상) 9급 ×
허가조건의 존속기간 내에 적법한 갱신신청이 있었음에도 갱신 가부의 결정이 없는 경우에는 유효기간이 지나도 주된 행정행위는 효력이 상실되지 않는다.

정답 07 ② 08 ①

09

인 · 허가 의제에 관한 다음 설명 중 옳은 것은? (다툼이 있는 경우 판례에 의함)

□□□ ① 인 · 허가 의제가 인정되는 경우 민원인은 하나의 인 · 허가 신청과 더불어 의제를 원하는 인 · 허가 신청을 각각의 해당 기관에 제출하여야 한다.

□□□ ② 주된 인 · 허가인 사업계획승인은 그대로 유지하면서 하자 있는 의제된 인 · 허가의 효력을 소멸시킬 수는 없다.

□□□ ③ 주된 인 · 허가에 의해 의제되는 인 · 허가는 원칙적으로 주된 인 · 허가로 인한 사업을 시행하는 데 필요한 범위 내에서만 그 효력이 유지되는 것은 아니므로, 주된 인 · 허가로 인한 사업이 완료된 이후에도 효력이 있다.

□□□ ④ 인 · 허가와 관련 있는 행정기관 간에 협의가 모두 완료되기 전이라도 일정한 경우 인 · 허가에 대한 협의를 완료할 것을 조건으로 각종의 사업시행승인이나 시행인가를 할 수 있다.

① 2013 서울시 9급 ×

인 · 허가 의제가 인정되는 경우 민원인은 주된 인 · 허가 담당관청에만 신청하면 된다.

② 2023 서울시 지적 7급 ×

1. 사업계획승인으로 의제된 인 · 허가는 통상적인 인 · 허가와 동일한 효력을 가지므로, 그 효력을 제거하기 위한 법적 수단으로 의제된 인 · 허가의 취소나 철회가 허용될 필요가 있다.
2. 사업계획승인 후 의제된 인 · 허가 사항을 변경할 수 있다면 의제된 인 · 허가 사항과 관련하여 취소 또는 철회사유가 발생한 경우 해당 의제된 인 · 허가의 효력만을 소멸시키는 취소 또는 철회도 할 수 있다고 보아야 한다.
3. 사업계획승인으로 의제된 인 · 허가 중 일부를 취소 또는 철회하면, 취소 또는 철회된 인 · 허가를 제외한 나머지 인 · 허가만 의제된 상태가 된다(대판 2018. 7. 12, 2017두48734).

③ 2016 지방직 7급 ×

구 택지개발촉진법 제11조 제1항 제9호에서는 사업시행자가 택지개발사업 실시계획승인을 받은 때 도로법에 의한 도로공사시행허가 및 도로점용허가를 받은 것으로 본다고 규정하고 있는바, 이러한 인 · 허가 의제제도는 목적사업의 원활한 수행을 위해 행정절차를 간소화하고자 하는 데 그 취지가 있는 것이므로 위와 같은 실시계획승인에 의해 의제되는 도로공사시행허가 및 도로점용허가는 원칙적으로 당해 택지개발사업을 시행하는 데 필요한 범위 내에서만 그 효력이 유지된다고 보아야 한다. 따라서 원고가 이 사건 택지개발사업과 관련하여 그 사업시행의 일환으로 이 사건 도로예정지 또는 도로에 전력관을 매설하였다고 하더라도 사업시행완료 후 이를 계속 유지 · 관리하기 위해 도로를 점용하는 것에 대한 도로점용허가까지 그 실시계획승인에 의해 의제된다고 볼 수는 없다(대판 2010. 4. 29, 2009두18547).

④ 2014 지방직 9급 ○

지문은 이른바 선승인 후협의제와 관련된 내용이다. 선승인 후협의제란 인 · 허가와 관련 있는 행정기관 간에 협의가 모두 완료되기 전이라도 공익상 필요 등 일정한 경우 인 · 허가에 대한 협의를 완료할 것을 조건으로 각종의 사업시행승인이나 시행인가를 할 수 있는 제도를 말한다.

정답 09 ④

10

법률행위적 행정행위에 관한 다음 설명 중 옳지 않은 것은? (다툼이 있는 경우 판례에 의함)

□□□ ① 허가에 붙은 기한이 그 허가된 사업의 성질상 부당하게 짧아 이 기한을 그 허가조건의 존속기간으로 해석할 수 있더라도, 그 후 당초의 기한이 상당 기간 연장되어 연장된 기간을 포함한 존속기간 전체를 기준으로 보면 더 이상 허가된 사업의 성질상 부당하게 짧은 경우에 해당하지 않게 된 때에는, 관계법령상 허가 여부의 재량권을 가진 행정청은 허가조건의 개정만을 고려하여야 하는 것은 아니고, 재량권의 행사로서 더 이상의 기간연장을 불허가하여 허가의 효력을 상실시킬 수 있다.

□□□ ② 의무해제라는 점에서 허가와 면제는 같으나 허가는 부작위의무의 해제인 데 반하여 면제는 작위, 급부 및 수인의무의 해제라는 점에서 다르다.

□□□ ③ 인가의 대상이 되는 기본행위는 법률적 행위일 수도 있고, 사실행위일 수도 있다.

□□□ ④ 전기 · 가스 등의 공급사업이나 철도 · 버스 등의 운송사업에 대한 허가는 강학상의 특허로 보는 것이 일반적이다.

① 2016 지방직 7급 ○

1. 허가에 붙은 기한이 그 허가된 사업의 성질상 부당하게 짧은 경우 그 기한을 허가 자체의 존속기간이 아닌 허가조건의 존속기간으로 볼 수 있다.
2. 허가에 붙은 당초의 기한이 상당기간 연장되어 허가된 사업의 성질상 부당하게 짧은 경우에 해당하지 아니하게 된 경우, 관계법령의 규정에 따라 허가 여부의 재량권을 가진 행정청이 기간연장을 불허가하는 것이 가능하다.

일반적으로 행정처분에 효력기간이 정하여져 있는 경우에는 그 기간의 경과로 그 행정처분의 효력은 상실되며, 다만 허가에 붙은 기한이 그 허가된 사업의 성질상 부당하게 짧은 경우에는 이를 그 허가 자체의 존속기간이 아니라 그 허가조건의 존속기간으로 보아 그 기한이 도래함으로써 그 조건의 개정을 고려한다는 뜻으로 해석할 수 있지만, 이와 같이 당초에 붙은 기한을 허가 자체의 존속기간이 아니라 허가조건의 존속기간으로 보더라도 그 후 당초의 기한이 상당 기간 연장되어 연장된 기간을 포함한 존속기간 전체를 기준으로 볼 경우 더 이상 허가된 사업의 성질상 부당하게 짧은 경우에 해당하지 않게 된 때에는 관계법령의 규정에 따라 허가 여부의 재량권을 가진 행정청으로서는 그때에도 허가조건의 개정만을 고려하여야 하는 것은 아니고 재량권의 행사로서 더 이상의 기간연장을 불허가할 수도 있는 것이며, 이로써 허가의 효력은 상실된다(대판 2004. 3. 25, 2003두12837).

② 2013 국회직 8급 ○

면제도 의무를 해제하는 행위라는 점에서는 허가와 성질이 동일하지만, 허가는 부작위의무를 해제하는 데 반해, 면제는 작위 · 급부 · 수인 등의 의무를 해제한다는 점에서 허가와는 구별된다.

③ 2017 국가직(하) 9급 ×

인가는 법률행위를 대상으로 하고, 사실행위에 대한 인가란 있을 수 없다.

④ 2013 지방직(하) 7급 ○

자동차운수사업 · 도시가스사업 등 공익사업의 특허는 특정인에 대하여 새로운 권리, 능력 또는 포괄적 법률관계를 설정하는 행위로 강학상 특허에 해당한다.

정답 10 ③

11

인가에 관한 다음 설명 중 옳지 않은 것을 모두 고른 것은? (다툼이 있는 경우 판례에 의함)

□□□ ㉠ 일반적으로 인가의 기본행위는 공법적 성질을 갖는 것에 한한다.
□□□ ㉡ 인가는 보충적 행위이므로 신청을 전제로 한다.
□□□ ㉢ 조합이 사업시행계획을 재건축결의에서 결정된 내용과 달리 작성한 경우 이러한 하자는 기본행위인 사업시행계획 작성행위의 하자이고, 이에 대한 보충행위인 행정청의 인가처분이 적법요건을 갖추고 있는 이상은 그 인가처분 자체에 하자가 있는 것이라 할 수 없다.
□□□ ㉣ 주택재개발정비사업조합이 수립한 사업시행계획에 하자가 있는데 관할행정청의 사업시행계획 인가처분에는 고유한 하자가 없는 경우에도 사업시행계획의 무효를 주장하는 경우에는 곧바로 그에 대한 인가처분의 무효확인이나 취소를 구할 수 있다.

① ㉠, ㉡ ② ㉠, ㉣
③ ㉡, ㉢ ④ ㉢, ㉣

관련기출

㉢
1. 주택재건축조합이 재건축결의에서 결정된 내용과 다르게 사업시행계획을 작성하여 사업시행인가를 받았다면 인가처분이 근거조항상의 적법요건을 갖추고 있더라도 그 사업시행인가는 하자가 있는 것으로 보아야 한다. (O, ×) 2008 지방직(하) 7급

1. ×

㉠ 2008 지방직(하) 7급 ×
인가의 대상이 되는 법률행위는 공법행위인 경우(공공조합설립)와 사법행위(토지매매계약)인 경우가 모두 포함된다.

㉡ 2014 서울시 9급 ○
인가는 법률행위의 효력을 보충해 주는 행위이므로 상대방의 신청이 있어야 인가를 할 수 있으며 행정청이 주도적으로 직권에 의한 인가를 할 수는 없다.

㉢ 2020 국회직 8급 ○

> 조합이 사업시행계획을 재건축결의에서 결정된 내용과 달리 작성한 경우 이러한 하자는 기본행위인 사업시행계획 작성행위의 하자이고, 이에 대한 보충행위인 행정청의 인가처분이 그 근거조항인 「도시 및 주거환경정비법」 제28조의 적법요건을 갖추고 있는 이상은 그 인가처분 자체에 하자가 있는 것이라 할 수 없다(대판 2008. 1. 10, 2007두16691).

㉣ 2023 서울시 지적 7급 ×

> 기본행위인 주택재개발정비사업조합이 수립한 사업시행계획에 하자가 있는데 보충행위인 관할행정청의 사업시행계획 인가처분에는 고유한 하자가 없는 경우, 사업시행계획의 무효를 주장하면서 곧바로 그에 대한 인가처분의 무효확인이나 취소를 구하여서는 아니 된다(대판 2021. 2. 10, 2020두48031).

정답 11 ②

12

준법률행위적 행정행위에 관한 다음 설명 중 옳지 않은 것은? (다툼이 있는 경우 판례에 의함)

□□□ ① 확인은 특정한 사실 또는 법률관계에 관하여 의문이 있는 경우에 행정청이 그 존부 또는 정부를 판단하는 준법률행위적 행정행위이며, 그 예로는 합격증서의 발급 및 영수증의 교부 등을 들 수 있다.

□□□ ② 공증은 증명된 바에 대한 반증이 있을 때까지 일응 진실한 것으로 추정되는 효력을 가진다.

□□□ ③ 지적 소관청의 토지분할신청 거부행위는 처분이다.

□□□ ④ 수리를 요하는 신고에서의 수리와 허가제의 허가는 구별되는 개념이다.

① 2015 국가직 7급 ×

합격증서의 발급, 영수증의 교부는 확인이 아니라 공증에 해당한다.

② 2009 관세사 ○

공증은 공적 증거력(반증이 있을 때까지 일응 진실한 것으로 추정되는 효력)을 가진다.

③ 2008 지방직 7급 ○

지적 소관청의 토지분할신청에 대한 거부행위는 국민의 권리관계에 영향을 미친다고 할 것이므로 항고소송의 대상이 되는 처분이라는 것이 판례의 입장이다(대판 1993. 3. 23, 91누8968).

④ 2014 서울시 9급 ○

수리를 요하는 신고에서의 수리란 타인의 행정청에 대한 행위를 유효한 행위로서 수령하는 행위를 말하는 것으로 준법률행위적 행정행위의 일종이다. 이에 반하여, 허가제의 허가는 질서유지 · 위험예방 등을 위해 법률로써 개인의 자유를 일반적 · 잠정적으로 제한한 후 행정청이 일정한 요건이 구비된 경우에 그 제한을 해제하여 본래의 자유를 회복시켜 주는 행정행위로서 법률행위적 행정행위에 해당한다. 따라서 양자는 구별된다.

13

행정행위의 부관에 관한 다음 설명 중 옳은 것은? (다툼이 있는 경우 판례에 의함)

□□□ ① 부담은 주된 행정행위에 부가하여 상대방에게 의무를 부과하는 것이므로, 주된 행정행위가 효력을 발생하지 않더라도 부담으로 부과된 의무는 이에 영향을 받지 아니하고 효력을 발생한다.

□□□ ② 법률효과의 일부배제는 행정행위의 내용상의 제한으로서, 행정행위와 독립하여 행정소송의 대상으로 삼을 수 없다.

□□□ ③ 준법률행위에는 부관을 붙일 수 없다는 것이 전통적 견해이다.

□□□ ④ 법률행위적 행정행위에는 부관을 붙일 수 있는 것이 원칙이므로 귀화허가 및 공무원의 임명행위 등과 같은 신분설정행위에는 부관을 붙일 수 있다.

① 2007 국가직 7급 ×

부관은 주된 행정행위에 부가되는 것이어서 종속적인 지위를 가지므로 주된 행정행위에 의존하고 영향을 받게 되는바, 이를 부관의 부종성이라고 한다. 따라서 주된 행정행위가 효력이 발생하지 않으면 부관도 효력이 발생하지 않는다. 부담도 부관의 일종이므로 주된 행정행위가 효력을 발생하지 않으면 부관도 무효가 된다.

② 2008 국가직 7급 ×

영업구역의 설정 등 행정행위의 내용 그 자체를 정하는 행정행위의 내용적 제한은 부관이 아니라는 것이 일반적 견해이다. 그런데 법률효과의 일부배제에 대해서 행정행위의 내용 그 자체를 제한하는 것으로 행정행위의 내용적 제한일 뿐 부관이 아니라는 견해가 있으나, 다수설 및 판례는 법률효과의 일부배제를 행정행위의 '내용적 제한'이 아니라 '부관'의 일종으로 보고 있다. 따라서 앞의 내용은 틀린 지문이다. 다만, 뒤의 내용인 법률효과의 일부배제는 행정행위와 독립하여 행정소송의 대상으로 삼을 수 없다는 것은 맞다.

> 행정행위의 부관은 부담의 경우를 제외하고는 독립하여 행정소송의 대상이 될 수 없는 것인바, 행정청이 한 공유수면매립준공인가 중 매립지 일부에 대하여 한 국가귀속처분은 매립준공인가를 함에 있어서 매립의 면허를 받은 자의 매립지에 대한 소유권취득을 규정한 공유수면매립법 제14조의 효과 일부를 배제하는 부관을 붙인 것이므로 이러한 행정행위의 부관에 대하여는 독립하여 행정소송의 대상으로 삼을 수 없다(대판 1991. 12. 13, 90누8503).

③ 2011 국가직 9급 ○

전통적 견해는 부관을 행정행위의 효과를 제한하기 위하여 주된 의사표시에 부가된 종된 의사표시라고 정의함으로써 의사표시를 요소로 하는 법률행위적 행정행위에는 부관을 붙일 수 있으나, 의사표시를 요소로 하지 않는 준법률행위적 행정행위에는 부관을 붙일 수 없다고 한다.

④ 2010 국가직 9급 ×

귀화허가와 공무원임명행위 등과 같은 포괄적 신분설정행위는 그 성질상 부관을 붙이기가 곤란하다는 것이 일반적 견해이다.

정답 12 ① 13 ③

14

행정행위의 부관에 관한 다음 설명 중 옳지 않은 것은? (다툼이 있는 경우 판례에 의함)

□□□ ① 행정행위가 인가에 해당하면 부관의 부과가 허용되지 않는다.

□□□ ② 기속행위도 법률에서 명시적으로 부관을 허용하고 있으면 부관을 붙일 수 있다.

□□□ ③ 관할행정청은 토지분할이 관계법령상 제한에 해당되어 명백히 불가능하다고 판단되는 경우에는 토지분할 조건부 건축허가를 거부하여야 한다.

□□□ ④ 주택건축허가를 하면서 영업목적으로만 사용할 것을 부관으로 정한 경우에, 이러한 부관은 주된 행정행위의 목적에 위배된다.

① 2011 국가직 7급 ×

인가는 기속행위일 수도 있고 재량행위일 수도 있는바, 인가가 재량행위라면 부관의 부과는 법률의 명문규정이 없더라도 허용될 수 있다.

> 공익법인의 기본재산처분허가는 인가로서 이러한 경우에도 부관을 붙일 수 있다(대판 2005. 9. 28, 2004다50044).

② 2017 국가직(하) 9급 ○

기속행위에도 법률에 근거가 있다면 부관을 붙일 수 있다.

> **행정기본법 제17조【부관】** ② 행정청은 처분에 재량이 없는 경우에는 법률에 근거가 있는 경우에 부관을 붙일 수 있다.

③ 2019 국회직 8급 ○

> 행정청이 객관적으로 처분상대방이 이행할 가능성이 없는 조건을 붙여 행정처분을 하는 것은 법치행정의 원칙상 허용될 수 없으므로, 토지분할이 관계법령상 제한에 해당되어 명백히 불가능하다고 판단되는 경우에는 토지분할 조건부 건축허가를 거부하여야 한다(대판 2018. 6. 28, 2015두47737).

④ 2018 서울시 1회 7급 ○

부관은 주된 행정행위의 목적상 필요한 범위를 넘어서는 안 된다는 한계를 가진다. 지문과 같이 '주택'건축허가를 하면서 영업목적으로만 사용할 것을 부관으로 정한 경우, 이러한 부관은 주된 행정목적에 위반되는 것으로 허용될 수 없다.

> **행정기본법 제17조【부관】** ④ 부관은 다음 각 호의 요건에 적합하여야 한다.
> 1. 해당 처분의 목적에 위배되지 아니할 것

15

행정행위의 부관에 관한 다음 설명 중 옳은 것은? (다툼이 있는 경우 판례에 의함)

□□□ ① 사회복지법인의 정관변경허가에 대해서는 부관을 붙일 수 없다.

□□□ ② 주택사업계획을 승인하면서 입주민이 이용하는 진입도로의 개설 및 확장과 이의 기부채납의무를 부담으로 부과하는 것은 부당결부금지의 원칙에 반한다.

□□□ ③ 형식상 부관부 행위 전체를 소송의 대상으로 하면서 내용상 일부, 즉 부관만의 취소를 구하는 소송형태는 진정일부취소소송이다.

□□□ ④ 판례에 의하면 부담 외의 부관에 대한 일부취소소송은 인정되지 않고 부담 외의 부관이 위법한 경우 행정행위 전부를 취소한다.

관련기출

②

1. 주택사업을 승인하면서 입주민이 이용하는 진입도로의 개설 및 확장 등의 기부채납의무를 부담으로 부과하는 것은 부당결부금지의 원칙에 반한다. (O, ×) 2015 경행특채 2차

1. ×

① 2017 사회복지직 9급 ×

> 사회복지법인의 정관변경을 허가할 것인지의 여부는 주무관청의 정책적 판단에 따른 재량에 맡겨져 있다고 할 것이고, 주무관청이 정관변경허가를 함에 있어서는 비례의 원칙 및 평등의 원칙에 적합하고 행정처분의 본질적 효력을 해하지 않는 한도 내에서 부관을 붙일 수 있다(대판 2002. 9. 24, 2000두5661).

② 2008 국가직 9급 ×

주택사업계획을 승인하면서 입주민이 주로 이용할 수 있는 도로의 확장의무를 부과시키는 경우, 이러한 부관은 주택사업과 관련이 있으므로 부당결부금지원칙에 위반되지 않는다.

> 65세대의 주택건설사업에 대한 사업계획승인시 '진입도로 설치 후 기부채납, 인근주민의 기존 통행로 폐쇄에 따른 대체 통행로 설치 후 그 부지 일부 기부채납'을 조건으로 붙인 것은 위법한 부관이라고 할 수 없다(대판 1997. 3. 14, 96누16698).

③ 2014 경행특채 1차 ×

부관이 붙은 행정행위 전체를 소송대상으로 하되, 실질적으로는 부관만의 취소를 구하는 소송형태는 진정일부취소소송이 아니라 부진정일부취소소송에 해당한다. 진정일부취소소송이란 부관만을 독립하여 쟁송의 대상으로 삼아 부관만의 취소를 요구하는 일부취소소송을 말한다.

④ 2013 서울시 7급 ○

판례는 부담 이외의 부관에 대한 부진정일부취소소송을 인정하지 않고 있다. 따라서 판례에 따르면 위법한 부담 이외의 부관으로 인하여 권리를 침해당한 자는 부관부 행정행위 전체에 대해 취소소송을 제기하든지, 아니면 행정청에 부관이 없는 행정행위로 변경해 줄 것을 청구한 다음 그것이 거부된 경우에 거부처분취소소송을 제기할 수밖에 없다.

정답 14 ① 15 ④

16

행정행위의 부관에 관한 다음 설명 중 옳은 것은? (다툼이 있는 경우 판례에 의함)

□□□ ① 사도개설허가에서 정해진 공사기간은 사도개설허가 자체의 존속기간을 정한 것이라 볼 수 있으므로 공사기간 내에 사도로 준공검사를 받지 못하였다면 사도개설허가는 당연히 실효된다.

□□□ ② 기속행위 행정처분에 부담인 부관을 붙인 경우 그 부관은 무효이므로 그 처분을 받은 사람이 그 부담의 이행으로서 하게 된 증여의 의사표시 자체도 당연히 무효가 된다.

□□□ ③ 부관인 부담의 이행행위인 법률행위는 공법상의 법률행위의 성격을 갖기 때문에 부담이 무효이거나 취소가 되면, 그 이행행위인 기부채납이나 금전납부는 법률상 원인 없이 이루어진 것으로 부당이득이 된다.

□□□ ④ 건축허가를 하면서 일정 토지를 기부채납하도록 한 허가조건의 효력이 무효라고 하더라도, 무효인 허가조건을 유효한 것으로 믿고 토지를 증여하였다면 이는 동기의 착오에 불과하여 그 소유권이전등기의 말소를 청구할 수는 없다.

① 2023 국회직 8급 ×

사도개설허가를 하면서 '공사기간을 준수할 것을 명한 경우, 이러한 부관은 부담이므로 사도개설허가에서 정해진 공사기간 내에 사도로 준공검사를 받지 못한 경우라도 사도개설허가가 당연히 실효되는 것은 아니다.

사도개설허가에는 본질적으로 사도를 개설하기 위한 토목공사 등 현실적인 도로개설공사가 따르기 마련이므로 허가를 하면서 공사기간을 특정하기도 하지만 사도개설허가는 사도를 개설할 수 있는 권한의 부여 자체에 주안점이 있는 것이지 공사기간의 제한에 주안점이 있는 것이 아닌 점 등에 비추어 보면 이 사건 제1처분에 명시된 공사기간은 변경된 허가권자인 보조참가인에 대하여 공사기간을 준수하여 공사를 마치도록 하는 의무를 부과하는 일종의 부담에 불과한 것이지, 사도개설허가 자체의 존속기간(즉, 유효기간)을 정한 것이라 볼 수 없고, 따라서 보조참가인이 이 사건 제1처분의 사도개설허가에서 정해진 공사기간 내에 사도로 준공검사를 받지 못하였다 하더라도, 이를 이유로 행정관청이 새로운 행정처분을 하는 것은 별론으로 하고, 사도개설허가가 당연히 실효되는 것은 아니다(대판 2004. 11. 25, 2004두7023).

②③ 2019 서울시 2회 7급, 2014 국회직 8급 ×

판례는 부관인 부담의 이행행위인 법률행위, 예컨대 행정행위에 기부채납부담이 부가되어 토지 등을 기부채납하는 행위는 부담과는 별개의 행위로서 사법(私法)상의 법률행위로 본다. 따라서 부담에 하자가 있어 부담이 무효이거나 취소가 되더라도 부담의 이행행위인 기부채납이 당연히 무효가 되거나 그에 따른 금전납부가 부당이득이 되는 것이 아니다.

1. 기부채납의 법적 성질은 사법상의 증여계약에 해당한다(대판 1996. 11. 8, 96다20581).
2. 행정처분에 붙인 부담인 부관이 무효가 되더라도 그 부담의 이행으로 한 사법상 법률행위가 당연히 무효가 되는 것은 아니다.
   기속행위 내지 기속적 재량행위 행정처분에 부담인 부관을 붙인 경우 일반적으로 그 부관은 무효라 할 것이고 그 부관의 무효화에 의하여 본체인 행정처분 자체의 효력에도 영향이 있게 될 수는 있지만, 그러한 사유는 그 처분을 받은 사람이 그 부담의 이행으로서의 증여의 의사표시를 하게 된 동기 내지 연유로 작용하였을 뿐이므로 취소사유가 될 수 있음은 별론으로 하여도 그 의사표시 자체를 당연히 무효화하는 것은 아니다(대판 1998. 12. 22, 98다51305).

④ 2024 국회직 8급 ○

무효인 건축허가조건을 유효한 것으로 믿고 토지를 증여하였더라도 이는 동기의 착오에 불과하여 그 소유권 이전등기의 말소를 청구할 수 없다.

건축허가를 하면서 일정 토지를 기부채납하도록 하는 내용의 허가조건은 부관을 붙일 수 없는 기속행위 내지 기속적 재량행위인 건축허가에 붙인 부담이거나 또는 법령상 아무런 근거가 없는 부관이어서 무효이다.
허가조건이 무효라고 하더라도 그 부관 및 본체인 건축허가 자체의 효력이 문제됨은 별론으로 하고, 허가신청대행자가 그 소유인 토지를 허가관청에게 기부채납함에 있어 위 허가조건은 증여의사표시를 하게 된 하나의 동기 내지 연유에 불과한 것이고, 위 허가신청대행자가 건축허가를 받은 토지의 일부를 반드시 허가관청에 기부채납하여야 한다는 법령상의 근거규정이 없음에도 불구하고 위 허가조건의 내용에 따라 위 토지를 기부채납하여야만 허가신청인들이 시공한 건축물의 준공검사가 나오는 것으로 믿고 증여계약을 체결하여 허가관청인 시 앞으로 위 토지에 관하여 소유권이전등기를 경료하여 주었다면 이는 일종의 동기의 착오로서 그 허가조건상의 하자가 허가신청대행자의 증여의사표시 자체에 직접 영향을 미치는 것은 아니므로, 이를 이유로 하여 위 시 명의의 소유권이전등기의 말소를 청구할 수는 없다(대판 1995. 6. 13, 94다56883).

정답 16 ④

17

행정행위의 요건에 관한 다음 설명 중 옳지 않은 것은? (다툼이 있는 경우 판례에 의함)

□□□ ① 병역의무부과통지서인 현역입영통지서는 그 병역의무자에게 이를 송달함이 원칙이고, 이러한 송달은 병역의무자의 현실적인 수령행위를 전제로 하고 있다고 보아야 하므로, 병역의무자가 현역입영통지의 내용을 이미 알고 있는 경우에도 여전히 현역입영통지서의 송달은 필요하다.

□□□ ② 행정청이 처분을 할 때에는 다른 법령 등에 특별한 규정이 있는 경우를 제외하고는 문서로 하여야 하며, 당사자 등의 동의가 있거나, 당사자가 전자문서로 처분을 신청한 경우에는 전자문서로 할 수 있다. 다만, 공공의 안전 또는 복리를 위하여 긴급히 처분을 할 필요가 있거나 사안이 경미한 경우에는 문서가 아닌 방법으로 처분을 할 수 있다.

□□□ ③ 행정청이 문서에 의하여 처분을 한 경우 원칙적으로 그 처분서의 문언에 따라 어떤 처분을 하였는지 확정하여야 하며, 그 처분서의 문언만으로는 행정청이 어떤 처분을 하였는지 불분명하다는 등 특별한 사정이 있는 때에도 다른 사정을 고려하여 처분서의 문언과 달리 그 처분의 내용을 해석할 수는 없다.

□□□ ④ 망인에 대한 서훈취소는 유족에 대한 것이 아니므로 유족에 대한 통지에 의해서만 성립하여 효력이 발생한다고 볼 수 없고, 그 결정이 처분권자의 의사에 따라 상당한 방법으로 대외적으로 표시됨으로써 행정행위로서 성립하여 효력이 발생한다고 봄이 타당하다.

관련기출

④
1. 망인(亡人)에게 수여된 서훈을 취소하는 경우, 그 유족은 서훈취소처분의 상대방이 되지 않는다. (O, ×) 2019 서울시 2회 7급

1. O

① 2020 군무원 9급 O

병역의무부과통지서인 현역입영통지서는 그 병역의무자에게 이를 송달함이 원칙이고(병역법 제6조 제1항 참조), 이러한 송달은 병역의무자의 현실적인 수령행위를 전제로 하고 있다고 보아야 하므로, 병역의무자가 현역입영통지의 내용을 이미 알고 있는 경우에도 여전히 현역입영통지서의 송달은 필요하고, 다른 법령상의 사유가 없는 한 병역의무자로부터 근거리에 있는 책상 등에 일시 현역입영통지서를 둔 것만으로는 병역의무자의 현실적인 수령행위가 있었다고 단정할 수 없다(대판 2009. 6. 25, 2009도3387).

② 2013 지방직 9급 변형 O

행정절차법 제24조【처분의 방식】 ① 행정청이 처분을 할 때에는 다른 법령 등에 특별한 규정이 있는 경우를 제외하고는 문서로 하여야 하며, 다음 각 호의 어느 하나에 해당하는 경우에는 전자문서로 할 수 있다.
1. 당사자 등의 동의가 있는 경우
2. 당사자가 전자문서로 처분을 신청한 경우
② 제1항에도 불구하고 공공의 안전 또는 복리를 위하여 긴급히 처분을 할 필요가 있거나 사안이 경미한 경우에는 말, 전화, 휴대전화를 이용한 문자전송, 팩스 또는 전자우편 등 문서가 아닌 방법으로 처분을 할 수 있다. 이 경우 당사자가 요청하면 지체 없이 처분에 관한 문서를 주어야 한다.

③ 2012 서울교행 변형 ×

행정절차법 제24조 제1항에서 행정청이 처분을 하는 때에는 다른 법령 등에 특별한 규정이 있는 경우를 제외하고는 문서로 하도록 규정한 것은 처분 내용의 명확성을 확보하고 처분의 존부나 내용에 관한 다툼을 방지하기 위한 것인바, 이와 같은 행정절차법의 규정 취지를 감안해 보면, 행정청이 문서에 의하여 처분을 한 경우 원칙적으로 그 처분서의 문언에 따라 어떤 처분을 하였는지 확정하여야 하나, 그 처분서의 문언만으로는 행정청이 어떤 처분을 하였는지 불분명하다는 등 특별한 사정이 있는 때에는 처분 경위나 처분 이후의 상대방의 태도 등 다른 사정을 고려하여 처분서의 문언과 달리 그 처분의 내용을 해석할 수도 있다(대판 2010. 2. 11, 2009두18035).

④ 2017 지방직(하) 9급 O

서훈은 서훈대상자의 특별한 공적에 의하여 수여되는 고도의 일신전속적 성격을 가지는 것이다. …… 이러한 서훈의 일신전속적 성격은 서훈취소의 경우에도 마찬가지이므로, 망인에게 수여된 서훈의 취소에서도 유족은 그 처분의 상대방이 되는 것이 아니다. 망인에 대한 서훈취소는 유족에 대한 것이 아니므로 유족에 대한 통지에 의해서만 성립하여 효력이 발생한다고 볼 수 없고, 그 결정이 처분권자의 의사에 따라 상당한 방법으로 대외적으로 표시됨으로써 행정행위로서 성립하여 효력이 발생한다고 봄이 타당하다(대판 2014. 9. 26, 2013두2518).

정답 17 ③

18

행정행위의 효력에 관한 다음 설명 중 옳지 않은 것을 모두 고른 것은? (다툼이 있는 경우 판례에 의함)

□□□ ㉠ 공정력은 행위의 상대방은 물론 이해관계인에게도 미친다.

□□□ ㉡ 처분의 효력 유무가 당사자소송의 선결문제인 경우, 당사자소송의 수소법원은 이를 심사하여 하자가 중대 · 명백한 경우에는 처분이 무효임을 전제로 판단할 수 있고, 또한 단순한 취소사유에 그칠 때에도 처분의 효력을 부인할 수 있다.

□□□ ㉢ 조세과오납에 따른 부당이득반환청구사안에서 민사법원은 사전통지 및 의견제출절차를 거치지 않은 하자를 이유로 행정행위의 효력을 부인할 수 있다.

□□□ ㉣ 의무이행심판에 관한 재결이 있게 되면 재결기관은 그것이 위법 · 부당하다고 생각되는 경우에도 스스로 이를 취소 또는 변경할 수 없다.

① ㉠, ㉡ ② ㉠, ㉣

③ ㉡, ㉢ ④ ㉢, ㉣

㉠ 2007 국가직 9급 ○

공정력과 구성요건적 효력을 구분하지 않는 견해에 따르면 공정력은 상대방과 이해관계인뿐만 아니라 다른 국가기관에도 미친다고 본다. 한편 공정력과 구성요건적 효력을 구분하는 견해에 따르면 공정력은 상대방과 이해관계인에게 미치는 효력이라고 본다. 어느 견해에 따르더라도 공정력은 상대방과 이해관계인에게 미친다.

㉡ 2018 국가직 7급 ×

지문의 뒷부분이 옳지 않다. 행정행위의 공정력(또는 구성요건적 효력)으로 인해 취소소송의 수소법원 이외의 법원은 처분의 하자가 당연무효가 아니라 취소사유에 불과한 경우에는 그 효력을 부인할 수 없다. 당사자소송도 취소소송은 아니므로 당사자소송의 수소법원은 행정행위의 하자가 중대 · 명백하여 당연무효인 경우라면 무효임을 전제로 판단할 수 있지만 취소사유에 불과한 경우에는 처분의 효력을 직권으로 부인할 수 없으므로 그 유효를 전제로 판단하여야 한다.

㉢ 2020 국회직 8급 ×

사전통지 및 의견제출절차를 거치지 않은 하자는 취소사유에 해당한다. 조세부과처분에 취소사유가 있는 경우 공정력 때문에 민사법원이 그 효력을 부인할 수 없다(즉, 취소할 수 없다).

㉣ 2008 국회직 8급 ○

일정한 행정행위의 경우 행정행위가 행해지면 성질상 행정청 자신도 직권으로 자유로이 취소 · 변경할 수 없는 효력이 발생하는데 이러한 효력을 불가변력이라고 하는바, 행정심판의 재결은 불가변력이 발생하는 대표적인 행위이다. 따라서 재결이 있게 되면 재결을 한 기관이라도 재결을 스스로 취소 또는 변경할 수 없다.

19

행정행위의 하자에 관한 다음 설명 중 옳은 것은? (다툼이 있는 경우 판례에 의함)

□□□ ① 대법원은 사실관계의 자료를 정확히 조사하면 그 하자 유무가 밝혀질 수 있는 경우에는 하자의 명백성을 인정한다.

□□□ ② 상위법령에 근거를 두고 있지 않은 훈령에만 근거하여 발령된 침익적 행정처분은 무효인 훈령에 기초한 것으로서 당연무효이다.

□□□ ③ 「국방 · 군사시설 사업에 관한 법률」 및 구 산림법에서 보전임지를 다른 용도로 이용하기 위한 사업에 대하여 승인 등 처분을 하기 전에 미리 산림청장과 협의를 하라고 규정한 의미는 그 의견에 따라 처분을 하라는 것이므로, 이러한 협의를 거치지 아니하고서 행해진 승인처분은 당연무효이다.

□□□ ④ 침해적 행정처분을 할 때 처분의 근거법령 등에서 청문을 실시하도록 규정하고 있다면 행정절차법 등의 예외에 해당하지 않는 한 반드시 청문을 실시하여야 하며, 그러한 절차를 결여한 처분은 위법한 처분으로서 당연무효이다.

① 2012 국회(속기 · 경위직) 9급 ×

> 행정처분에 사실관계를 오인한 하자가 있는 경우 그 하자가 중대하더라도 객관적으로 명백하지 않다면 그 처분을 당연무효라고 할 수 없는바, 사실관계의 자료를 정확히 조사하여야 비로소 그 하자 유무가 밝혀질 수 있는 경우라면 이러한 하자는 외관상 명백하다고 할 수는 없을 것이다(대판 1992. 4. 28, 91누6863).

② 2012 국가직 7급 ○

> 피고가 이 사건 처분의 근거로 내세우는 위 국세청 훈령 제20조 등은 주류판매업자에 대한 관계에 있어서는 상위법령에 근거가 없어 무효라 할 것이고, 따라서 이 사건 처분은 무효인 훈령에 기초한 것으로서 그 위법의 하자가 중대하고 명백하여 당연무효라고 판단하고 있는바, 이는 적법한 사실인정과 정당한 법령해석에 따른 옳은 판단이라 할 것이고 …… (대판 1980. 12. 23, 79누382)

③ 2015 지방직 7급 ×

> 「국방 · 군사시설 사업에 관한 법률」 및 구 산림법에서 보전임지를 다른 용도로 이용하기 위한 사업에 대하여 승인 등 처분을 하기 전에 미리 산림청장과 협의를 하라고 규정한 경우 이러한 협의를 거치지 아니한 승인처분은 당연무효가 아니다(대판 2006. 6. 30, 2005두14363).

④ 2012 지방직(상) 9급 ×

행정처분의 근거법령 등에서 청문의 실시를 규정하고 있는 경우, 청문절차를 결여한 처분은 위법하여 취소사유에 해당한다는 것이 판례의 입장이다(대판 2007. 11. 16, 2005두15700).

정답 18③ 19②

20

행정행위의 하자에 관한 다음 설명 중 옳은 것은? (다툼이 있는 경우 판례에 의함)

□□□ ① 대법원은 금고 이상의 형의 선고유예를 받은 경우에 공무원직에서 당연히 퇴직하는 것으로 규정한 구 지방공무원법 제61조 중 제31조 제5호 부분에 대한 헌법재판소의 위헌결정의 효력에 대하여, 종래의 법령에 의하여 형성된 공무원의 신분관계에 관한 법적 안정성과 신뢰보호의 요청에 비하여 퇴직공무원의 권리구제의 요청이 현저하게 우월하므로, 위 위헌결정 이후 제소된 일반사건에 대하여 위 위헌결정의 소급효가 인정된다고 판시하였다.

□□□ ② 행정심판서의 재결서와 같이 법이 문서의 형식을 요하는 경우 이에 대한 위반은 철회사유이다.

□□□ ③ 신청에 의한 처분의 경우에는 신청에 대하여 일단 거부처분이 행해지면 그 거부처분이 적법한 절차에 의하여 취소되지 않는 한, 사유를 추가하여 거부처분을 반복하는 것은 존재하지도 않는 신청에 대한 거부처분으로서 당연무효이다.

□□□ ④ 선행처분인 개별공시지가결정이 위법하여 그에 기초한 개발부담금 부과처분도 위법하게 되었지만 그 후 적법한 절차를 거쳐 공시된 개별공시지가결정이 종전의 위법한 공시지가결정과 그 내용이 동일하다면 위법한 개별공시지가결정에 기초한 개발부담금 부과처분은 적법하게 된다.

① 2014 지방직 9급 ×

1. 법적 안정성의 유지나 당사자의 신뢰보호를 위하여 불가피한 경우에는 위헌결정의 소급효가 제한된다.
2. 금고 이상의 형의 선고유예를 받은 경우에 공무원직에서 당연히 퇴직하는 것으로 규정한 구 지방공무원법 제61조 중 제31조 제5호 부분에 대한 헌법재판소의 위헌결정의 소급효를 인정할 경우 그로 인하여 보호되는 퇴직공무원의 권리구제라는 구체적 타당성 등의 요청에 비하여 종래의 법령에 의하여 형성된 공무원의 신분관계에 관한 법적 안정성과 신뢰보호의 요청이 현저하게 우월하므로 위 위헌결정 이후 제소된 일반사건에 대하여 위헌결정의 소급효가 제한된다(대판 2005. 11. 10, 2005두5628).

② 2008 관세사 ×

재결서에 의하지 아니한 행정심판의 재결, 독촉장에 의하지 아니한 납세독촉 등과 같이 법률상 문서를 요건으로 하고 있는 행정행위의 경우 그 요건을 위반한 행위는 무효가 된다.

③ 2023 서울시 지적 7급 ○

행정행위의 취소라 함은 일단 유효하게 성립한 행정처분이 위법 또는 부당함을 이유로 소급하여 그 효력을 소멸시키는 별도의 행정처분을 말하고, 행정청은 종전 처분과 양립할 수 없는 처분을 함으로써 묵시적으로 종전 처분을 취소할 수도 있으나, 행정행위 중 당사자의 신청에 의하여 인·허가 또는 면허 등 이익을 주거나 그 신청을 거부하는 처분을 하는 것을 내용으로 하는 이른바 신청에 의한 처분의 경우에는 신청에 대하여 일단 거부처분이 행해지면 그 거부처분이 적법한 절차에 의하여 취소되지 않는 한, 사유를 추가하여 거부처분을 반복하는 것은 존재하지도 않는 신청에 대한 거부처분으로서 당연무효이다(대판 1999. 12. 28, 98두1895).

④ 2019 국회직 8급 ×

선행처분인 개별공시지가결정이 위법하여 그에 기초한 개발부담금 부과처분도 위법하게 된 경우, 그 후 적법한 절차를 거쳐 공시된 개별공시지가결정이 종전의 위법한 공시지가결정과 그 내용이 동일하다는 사정만으로 그 개발부담금 부과처분의 하자가 치유되어 적법하게 된다고 볼 수 없다.
선행처분인 개별공시지가결정이 위법하여 그에 기초한 개발부담금 부과처분도 위법하게 된 경우 그 하자의 치유를 인정하면 개발부담금 납부의무자로서는 위법한 처분에 대한 가산금 납부의무를 부담하게 되는 등 불이익이 있을 수 있으므로, 그 후 적법한 절차를 거쳐 공시된 개별공시지가결정이 종전의 위법한 공시지가결정과 그 내용이 동일하다는 사정만으로는 위법한 개별공시지가결정에 기초한 개발부담금 부과처분이 적법하게 된다고 볼 수 없다(대판 2001. 6. 26, 99두11592).

정답 20 ③

21

행정행위의 하자에 관한 다음 설명 중 옳은 것을 모두 고른 것은? (다툼이 있는 경우 판례에 의함)

□□□ ㉠ 부과처분에 앞서 보낸 과세예고통지서에 납세고지서의 필요적 기재사항이 제대로 기재되어 있었더라도, 납세고지서에 그 기재사항의 일부가 누락되었다면 이유제시의 하자는 치유의 대상이 될 수 없다.

□□□ ㉡ 행정행위의 흠이 치유되면 당해 행정행위는 치유시부터 흠이 없는 적법한 행정행위로서 효력이 발생한다.

□□□ ㉢ 개별공시지가결정에 대한 재조사청구에 따른 감액조정에 대하여 더 이상 불복하지 아니한 경우에는 선행처분의 불가쟁력이나 구속력이 수인한도를 넘는 가혹한 것이거나 예측불가능하다고 볼 수 없어 이를 기초로 한 양도소득세 부과처분 취소소송에서 다시 개별공시지가결정의 위법을 당해 과세처분의 위법사유로 주장할 수 없다.

□□□ ㉣ 행정행위의 위법이 치유된 경우에는 그 위법을 이유로 당해 행정행위를 직권취소할 수 없다.

□□□ ㉤ 공인중개사무소 개설등록취소처분은 공인중개사 업무정지처분을 전제로 하고 서로 결합하여 1개의 법률효과를 완성하는 경우이므로 선행처분의 하자가 후행처분에 승계된다.

① ㉠, ㉡ ② ㉡, ㉢
③ ㉢, ㉣ ④ ㉣, ㉤

㉠ 2014 지방직 9급 ×

납세고지서(현 납부고지서)에 기재사항이 누락되었더라도 과세예고통지서 등에 그러한 사항이 기재되어 있어 납세의무자에게 불이익이 없다면 하자가 치유된다.

과세관청이 과세처분에 앞서 납세의무자에게 보낸 과세예고통지서 등에 의하여 납세의무자가 그 처분에 대한 불복 여부의 결정 및 불복신청에 전혀 지장을 받지 않았음이 명백하다면, 이로써 납세고지서의 흠결이 보완되거나 하자가 치유된다고 보아야 하나 …… (대판 1998. 6. 26, 96누12634)

㉡ 2008 지방직 7급 ×

행정행위의 흠(하자)이 치유되면 당해 행정행위는 치유시가 아니라 처음부터 하자가 없는 적법한 행정행위로서 그 효력이 발생한다. 즉, 하자의 치유는 소급효가 있다.

㉢ 2017 국가직(하) 9급 ○

개별토지가격결정에 대한 재조사청구에 따른 감액조정에 대하여 더 이상 불복하지 아니한 경우, 이를 기초로 한 양도소득세 부과처분 취소소송에서 다시 개별토지가격결정의 위법을 당해 과세처분의 위법사유로 주장할 수 없다.

원고가 이 사건 토지를 매도한 이후에 그 양도소득세 산정의 기초가 되는 1993년도 개별공시지가결정에 대하여 한 재조사청구에 따른 조정결정을 통지받고서도 더 이상 다투지 아니한 경우까지 선행처분인 개별공시지가결정의 불가쟁력이나 구속력이 수인한도를 넘는 가혹한 것이거나 예측불가능하다고 볼 수 없어, 위 개별공시지가결정의 위법을 이 사건 과세처분의 위법사유로 주장할 수 없다(대판 1998. 3. 13, 96누6059).

㉣ 2015 행정사 ○

하자 있는 행정행위가 치유와 전환에 의해 적법하게 된 경우에는 직권취소가 제한된다.

㉤ 2023 서울시 연구사 ×

공인중개사업무정지처분과 업무정지기간 중의 중개업무를 사유로 한 중개사무소의 개설등록취소처분은 하자가 승계되지 않는다(대판 2019. 1. 31, 2017두40372).

정답 21 ③

22

행정행위의 취소와 철회 및 실효에 관한 다음 설명 중 옳은 것은? (다툼이 있는 경우 판례에 의함)

□□□ ① 도로관리청이 도로점용허가를 함에 있어서 특별사용의 필요가 없는 부분을 도로점용허가의 점용장소 및 점용면적으로 포함한 흠이 있고 그로 인하여 점용료 부과처분에도 흠이 있게 된 경우, 흠 있는 부분에 해당하는 점용료를 감액하는 것은 당초 처분 자체를 일부 취소하는 변경처분이 아니라 흠의 치유에 해당한다.

□□□ ② 부담적 행정행위의 철회는 원칙적으로 자유롭지 않다.

□□□ ③ 지방병무청장이 재신체검사 등을 거쳐 종전의 현역병입영대상편입처분을 보충역편입처분으로 변경한 후에 제소기간의 경과 등으로 보충역편입처분에 형식적 존속력이 생겼다면, 보충역편입처분에 하자가 있다는 이유로 이를 직권으로 취소하더라도 종전의 현역병입영대상편입처분의 효력은 회복되지 않는다.

□□□ ④ 행정행위가 그 성립상의 중대·명백한 하자가 존재한다면 이는 실효사유로서 그 효력이 소멸한다.

□□□ ⑤ 건축허가를 받은 자가 법정 착수기간이 지나 공사에 착수한 경우, 허가권자는 착수기간이 지났음을 이유로 건축허가를 취소하여야 한다.

관련기출

①

1. 도로점용허가의 일부분에 위법이 있는 경우, 도로점용허가 전부를 취소하여야 하며 도로점용허가 중 특별사용의 필요가 없는 부분에 대해서만 직권취소할 수 없다. (O, X) 2023 군무원 7급

1. X

① 2020 경행경채 X

1. 도로점용허가는 도로의 일부에 대한 특정사용을 허가하는 것으로서 도로의 일반사용을 저해할 가능성이 있으므로 그 범위는 점용목적 달성에 필요한 한도로 제한되어야 한다. 도로관리청이 도로점용허가를 하면서 특별사용의 필요가 없는 부분을 점용장소 및 점용면적에 포함하는 것은 그 재량권행사의 기초가 되는 사실인정에 잘못이 있는 경우에 해당하므로 그 도로점용허가 중 특별사용의 필요가 없는 부분은 위법하다. 이러한 경우 도로점용허가를 한 도로관리청은 위와 같은 흠이 있다는 이유로 유효하게 성립한 도로점용허가 중 특별사용의 필요가 없는 부분을 직권취소할 수 있음이 원칙이다.
2. 행정청은 행정소송이 계속되고 있는 때에도 직권으로 그 처분을 변경할 수 있다. 점용료 부과처분에 취소사유에 해당하는 흠이 있는 경우 도로관리청으로서는 당초 처분 자체를 취소하고 흠을 보완하여 새로운 부과처분을 하거나, 흠 있는 부분에 해당하는 점용료를 감액하는 처분을 할 수 있다. 흠 있는 부분에 해당하는 점용료를 감액하는 처분은 당초 처분 자체를 일부 취소하는 변경처분에 해당하고, 그 실질은 종래의 위법한 부분을 제거하는 것으로서 흠의 치유와는 차이가 있다(대판 2019. 1. 17, 2016두56721 · 56738).

② 2011 국가직 7급 X

수익적 행정행위의 철회와는 달리 부담적 행정행위의 철회는 상대방에게 이익을 가져다주는 것이므로 자유로운 것이 원칙이다.

③ 2022 국회직 8급 O

지방병무청장이 현역병입영대상편입처분을 보충역편입처분이나 제2국민역편입처분으로 변경하였다면 그후 변경된 새로운 병역처분의 성립에 하자가 있었음을 이유로 하여 이를 취소한다고 하더라도 종전의 병역처분의 효력이 되살아난다고 할 수 없다.

지방병무청장이 재신체검사 등을 거쳐 현역병입영대상편입처분을 보충역편입처분이나 제2국민역편입처분으로 변경하거나 보충역편입처분을 제2국민역편입처분으로 변경하는 경우 비록 새로운 병역처분의 성립에 하자가 있다고 하더라도 그것이 당연무효가 아닌 한 일단 유효하게 성립하고 제소기간의 경과 등 형식적 존속력이 생김과 동시에 종전의 병역처분의 효력은 취소 또는 철회되어 확정적으로 상실된다고 보아야 할 것이므로 그 후 새로운 병역처분의 성립에 하자가 있었음을 이유로 하여 이를 취소한다고 하더라도 종전의 병역처분의 효력이 되살아난다고 할 수 없다(대판 2002. 5. 28, 2001두9653).

④ 2007 국가직 7급 X

행정행위가 성립상의 중대·명백한 하자가 있는 경우 행정행위는 무효가 된다. 실효란 아무런 하자 없이 적법하게 성립한 행정행위가 일정한 사실의 발생에 의하여 장래를 향하여 당연히 그 효력이 소멸되는 것을 의미한다. 무효는 처음부터 아무런 효력이 발생하지 않는 데 비해, 실효는 일단 발생한 효력이 사후에 소멸된다는 점에서 차이가 있다.

⑤ 2018 국회직 8급 X

건축허가를 받은 자가 건축허가가 취소되기 전에 공사에 착수한 경우, 착수기간이 지났다는 이유로 허가권자가 구 건축법 제11조 제7항에 따라 건축허가를 원칙적으로는 취소할 수 없다.

구 건축법 제11조 제7항은 …… 건축허가의 행정목적이 신속하게 달성될 것을 추구하면서도 건축허가를 받은 자의 이익을 함께 보호하려는 취지가 포함되어 있으므로, 건축허가를 받은 자가 건축허가가 취소되기 전에 공사에 착수하였다면 허가권자는 그 착수기간이 지났다고 하더라도 건축허가를 취소하여야 할 특별한 공익상 필요가 인정되지 않는 한 건축허가를 취소할 수 없다(대판 2017. 7. 11, 2012두22973).

정답 22 ③

23

다음 설명 중 옳지 않은 것은? (다툼이 있는 경우 판례에 의함)

□□□ ① 가행정행위는 불가변력이 발생하지 않기 때문에 신뢰보호원칙이 적용된다고 보기 어렵다.

□□□ ② 가행정행위는 그 효력발생이 시간적으로 잠정적이라는 것 외에는 보통의 행정행위와 같은 것이므로 가행정행위로 인한 권리침해에 대한 구제도 보통의 행정행위와 다르지 않다.

□□□ ③ 도시설계는 건축물규제라는 성격과 건축법의 입법적인 경과에 비추어 볼 때 법적 구속력을 갖는 구속적 행정계획이다.

□□□ ④ 행정계획을 근거지우는 수권규범은 통상적으로 목적 - 수단프로그램이 아니라 조건 - 결과프로그램으로 이루어져 있다.

① 2008 지방직 9급 ○

가행정행위는 최종적 결정이 내려지면 새로운 행위로 대체되므로 행정행위의 효력 중 존속력(특히, 불가변력)을 갖지 못한다. 또한, 상대방은 새로운 최종적 행정행위의 발령을 예상할 수 있으므로 가행정행위에 대한 신뢰, 즉 신뢰보호의 원칙을 주장할 수 없다.

② 2019 국회직 8급 ○

가(假)행정행위란 최종적인 행정행위가 있기 전에 사실관계 또는 법률관계의 계속적인 심사를 유보한 상태에서 행정법관계의 권리 · 의무에 대해 잠정적, 임시적으로만 행정행위로서의 구속력을 가지는 행정작용을 말하는 것으로, 급부행정영역뿐만 아니라 침해행정영역에서도 인정된다. 가행정행위는 그 효력이 잠정적이라는 의미일 뿐이며 가행정행위도 행정행위로서 직접적인 법적 효력을 발생시킨다. 따라서 가행정행위로 인하여 권익의 침해를 받은 경우에는 보통의 행정행위와 동일하게 취소소송 또는 취소심판을 제기하여 권리구제를 받을 수가 있다.

③ 2008 지방직 9급 ○

> 도시설계에 의한 건축물규제의 성격과 도시설계와 관련한 건축법 규정에 비추어 보면, 도시설계는 도시계획구역의 일부분을 그 대상으로 하여 토지의 이용을 합리화하고, 도시의 기능 및 미관을 증진시키며 양호한 도시환경을 확보하기 위하여 수립하는 도시계획의 한 종류로서 도시설계지구 내의 모든 건축물에 대하여 구속력을 가지는 구속적 행정계획의 법적 성격을 갖는다(헌재 2003. 6. 26, 2002헌마402).

④ 2008 중앙선관위 9급 ×

행정계획의 근거규범은 통상 조건 - 결과프로그램이 아니라 목적 - 수단프로그램으로 이루어져 있다.

24

행정계획에 관한 다음 설명 중 옳은 것은? (다툼이 있는 경우 판례에 의함)

□□□ ① 행정계획에는 변화가능성이 내재되어 있으므로, 국민의 신뢰보호를 위하여 계획보장청구권이 널리 인정된다.

□□□ ② 이익형량을 전혀 하지 않았다면 위법하다고 볼 수 있으나, 이익형량의 고려사항을 일부 누락하였거나 이익형량에 있어 정당성이 결여된 것만으로는 위법하다고 볼 수 없다.

□□□ ③ 형량시에 여러 이익 간의 형량을 행하기는 하였으나 그것이 객관성 · 비례성을 결한 경우를 형량의 해태라고 한다.

□□□ ④ 형량의 대상 중 당연히 포함되어야 할 사항을 빠뜨린 경우를 형량의 흠결이라고 한다.

① 2016 서울시 9급 ×

행정계획의 확정 당시에는 예상하지 못했던 상황의 변화로 인한 당해 계획의 폐지 · 변경의 요청과 행정계획의 계속적 집행을 신뢰한 당사자의 신뢰보호의 요청(계획보장청구권)이 충돌하는 경우가 발생할 수 있다. 계획변경을 해야 할 이익과 기존 계획을 신뢰한 개인의 사익이 충돌하는 경우 계획변경으로 인한 이익이 개인의 사익보다 더 큰 경우가 일반적이므로 원칙적으로 계획보장청구권은 인정되기 어렵다. 다만, 예외적으로 상대방의 신뢰보호가 더 큰 경우에는 계획보장청구권이 인정될 수도 있다.

② 2016 서울시 9급 ×

행정주체가 행정계획을 입안 · 결정함에 있어서 이익형량을 전혀 행하지 아니하거나, 이익형량의 고려대상에 마땅히 포함시켜야 할 사항을 누락한 경우 또는 이익형량을 하였으나 정당성과 객관성이 결여된 경우에는 그 행정계획결정은 형량에 하자가 있어 위법하다는 것이 판례의 입장이다(대판 2006. 9. 8, 2003두5426).

③ 2014 서울시 7급 ×

형량을 하긴 하였으나 객관성 · 비례성을 결한 경우는 오형량을 말한다. 형량의 해태란, 형량을 전혀 행하지 않은 경우를 말한다.

④ 2014 서울시 7급 ○

형량의 흠결이란 형량의 고려대상에서 마땅히 포함시켜야 할 사항을 빠뜨리고 형량을 행한 경우를 의미한다.

정답 23 ④ 24 ④

25

행정계획에 관한 다음 설명 중 옳은 것을 모두 고른 것은? (다툼이 있는 경우 판례에 의함)

□□□ ㉠ 행정계획에는 행정기관 사이에서만 구속력을 가지는 계획뿐만 아니라 대외적으로 구속력을 갖는 계획도 있다.

□□□ ㉡ 법령에서 고려하도록 규정한 이익은 물론 법령에 규정되지 않은 이익도 행정계획과 관련이 있으면 모두 형량명령에 포함시켜야 한다.

□□□ ㉢ 장기성 · 종합성이 요구되는 행정계획이라 하더라도 그 계획확정 후 어떤 사정의 변동이 있다면 해당 지역주민에게는 그 계획의 변경을 청구할 권리가 인정된다.

□□□ ㉣ 「국토의 계획 및 이용에 관한 법률」상 도시 · 군계획시설결정에 이해관계가 있는 주민에 의한 도시 · 군계획시설결정 변경신청에 대해 관할행정청이 거부한 경우, 그 거부행위는 항고소송의 대상이 되는 행정처분에 해당한다.

□□□ ㉤ 국공립대학의 총장직선제 개선 여부를 재정지원 평가요소로 반영하고 이를 개선하지 않을 경우 다음 연도에 지원금을 삭감 또는 환수하도록 규정한 교육부장관의 '대학교육역량강화사업 기본계획'은 헌법소원의 대상이 된다.

① ㉠, ㉡, ㉣　　② ㉠, ㉢, ㉤
③ ㉡, ㉢, ㉣　　④ ㉢, ㉣, ㉤

관련기출

㉢
1. 도시계획이 일단 확정된 후 어떤 사정의 변동이 있다고 하여 해당 지역의 주민에게 그 계획의 변경을 청구할 권리를 인정할 수는 없다. (○, ×)
2014 국회직 8급

1. ○

㉠ 2019 경행경채 2차 ○
구속적 계획이란 국민 또는 행정기관에 대해 일정한 구속력을 가지는 일체의 행정계획을 말한다. 구속적 행정계획에는 행정기관 사이에서만 구속력을 가지는 계획과 국민에 대한 대외적 구속력을 갖는 계획이 있다. 먼저 행정기관에 대한 구속적 계획으로는 예산운용계획 등을 들 수 있다. 국민에 대한 구속적 계획으로는 도시관리계획, 지역 · 지구 · 구역(개발제한구역 등)의 지정 또는 변경에 관한 계획과 같이 국민에게 일정한 행위제한 등의 효과를 가져오는 것을 들 수 있다.

㉡ 2012 지방직(하) 9급 ○
이익형량을 함에 있어서는 법령에서 고려하도록 규정한 이익은 물론 법령에 규정되지 않은 이익도 행정계획과 관련이 있으면 모두 형량명령에 포함시켜야 한다.

㉢ 2008 지방직 7급 ×

도시계획과 같이 장기성, 종합성이 요구되는 행정계획에 있어서는 그 계획이 일단 확정된 후에 어떤 사정의 변경이 있다 하여 지역주민에게 일일이 그 계획의 변경을 청구할 권리를 인정해 줄 수도 없는 이치이므로 도시계획시설인 공원조성계획 취소신청을 거부한 행위는 항고소송의 대상이 되는 행정처분이라고 볼 수 없다(대판 1989. 10. 24, 89누725).

㉣ 2017 국가직(하) 9급 ○

「국토의 계획 및 이용에 관한 법률」 규정에 헌법상 개인의 재산권 보장의 취지를 더하여 보면, 도시계획구역 내 토지 등을 소유하고 있는 사람과 같이 당해 도시계획시설결정에 이해관계가 있는 주민으로서는 도시시설계획의 입안권자 내지 결정권자에게 도시시설계획의 입안 내지 변경을 요구할 수 있는 법규상 또는 조리상의 신청권이 있고, 이러한 신청에 대한 거부행위는 항고소송의 대상이 되는 행정처분에 해당한다(대판 2015. 3. 26, 2014두42742).

㉤ 2017 지방직 9급 ×

2012년도 대학교육역량강화사업 기본계획 중 총장직선제 개선을 국공립대 선진화 지표로 규정한 부분(이하 '2012년도 계획 부분'이라 한다), 2013년도 대학교육역량강화사업 기본계획 중 총장직선제 개선규정을 유지하지 않는 경우 지원금 전액을 삭감 또는 환수하도록 규정한 부분(이하 '2013년도 계획 부분'이라 한다)은 헌법소원의 대상이 되는 공권력행사에 해당하지 않는다.

2012년도와 2013년도 대학교육역량강화사업 기본계획은 대학교육역량강화 지원사업을 추진하기 위한 국가의 기본방침을 밝히고 국가가 제시한 일정 요건을 충족하여 높은 점수를 획득한 대학에 대하여 지원금을 배분하는 것을 내용으로 하는 행정계획일 뿐, 위 계획에 따를 의무를 부과하는 것은 아니다. 총장직선제를 개선하지 않을 경우 지원금을 받지 못하게 될 가능성이 있어 대학들이 이 계획에 구속될 여지가 있다 하더라도, 이는 사실상의 구속에 불과하고 이에 따를지 여부는 전적으로 대학의 자율에 맡겨져 있다. 더구나 총장직선제를 개선하려면 학칙이 변경되어야 하므로, 계획 자체만으로는 대학의 구성원인 청구인들의 법적 지위나 권리 · 의무에 어떠한 영향도 미친다고 보기 어렵다. 따라서 2012년도와 2013년도 계획 부분은 헌법소원의 대상이 되는 공권력행사에 해당하지 아니한다(헌재 2016. 10. 27, 2013헌마576).

정답 25 ①

26

공법상 계약에 관한 다음 설명 중 옳지 않은 것은? (다툼이 있는 경우 판례에 의함)

□□□ ① 공법상 계약은 복수당사자 간 반대방향의 의사표시 합치로 성립되는 공법행위로 동일한 방향의 의사표시 합치로 성립되는 공법상 합동행위와 구별된다.

□□□ ② 공법상 계약의 내용은 당사자 간에 합의에 의하여 정해지기도 하지만, 행정주체가 일방적으로 내용을 정하고 상대방은 체결 여부만을 선택해야 하는 경우도 인정될 수 있다.

□□□ ③ 공법상 계약에 따른 의무를 이행하지 않는 경우 법원의 판결을 받아 강제집행을 하여야 하고, 특별한 규정이 없는 한 자력집행을 할 수는 없다.

□□□ ④ 위법한 공법상 계약은 무효이므로 공법상 계약에는 원칙적으로 공정력이 인정되지 않는다.

□□□ ⑤ 행정주체가 체결하는 계약은 모두 공법상 계약이다.

관련기출

①

1. 시 · 군조합의 설립은 당사자의 의사합치로 성립한다는 점에서 공법상 계약에 해당된다. (○, ×) 2024 군무원 9급
2. 공법상 합동행위는 공법적 효과 발생을 목적으로 하는 복수당사자 간의 동일방향의 의사의 합치로 성립되는 공법행위이며, 지방자치단체조합을 설립하는 행위 등은 이에 해당한다. (○, ×) 2012 지방직(하) 7급

1. × 2. ○

③

1. 공법상 계약의 경우 상대방의 의무불이행에 대한 강제적 실행이 용이하다. (○, ×) 2013 서울시 9급

1. ×

① 2014 경행특채 2차 ○

공법상 합동행위는 동일방향의 의사합치라는 점에서, 반대방향의 의사표시의 합치인 공법상 계약과 구별된다. 시 · 군조합 등 지방자치단체조합을 설립하는 행위는 공법상 합동행위에 해당한다.

> **참조조문**
>
> **지방자치법 제176조【지방자치단체조합의 설립】** ① 2개 이상의 지방자치단체가 하나 또는 둘 이상의 사무를 공동으로 처리할 필요가 있을 때에는 규약을 정하여 지방의회의 의결을 거쳐 시 · 도는 행정안전부장관의 승인, 시 · 군 및 자치구는 시 · 도지사의 승인을 받아 지방자치단체조합을 설립할 수 있다. 다만, 지방자치단체조합의 구성원인 시 · 군 및 자치구가 2개 이상의 시 · 도에 걸쳐 있는 지방자치단체조합은 행정안전부장관의 승인을 받아야 한다.

② 2014 서울시 7급 ○

공법상 계약은 비록 계약이라고 하더라도 계약내용을 완전히 합의하여 결정하는 것이 아니라 행정주체가 일방적으로 계약내용을 정하고 상대방은 이를 받아들일 수밖에 없는 이른바 부합계약성을 띠는 경우가 많다.

③ 2010 서울시 9급 변형 ○

공법상 계약은 자력집행력이 없으므로 원칙적으로 당사자는 스스로 의무를 실현할 수는 없고 법원의 판결을 받아 계약내용을 실현할 수 있을 뿐이다. 이 점에서 의무불이행에 대한 강제적 실행은 용이하지 않다.

④ 2010 지방직 9급 ○

통설에 따르면 위법한 행정행위가 무효 또는 취소사유가 되는 것과는 달리, 위법한 공법상 계약은 무효가 된다고 본다. 따라서 위법한 공법상 계약에는 공정력이 인정되지 않는다.

⑤ 2019 사회복지직 9급 변형 ×

행정주체가 체결하는 계약이 모두 공법상 계약인 것은 아니다. 국유 또는 공유재산(잡종재산)의 임대 등은 행정주체와 사인 간의 사법상 계약을 통하여 이루어진다.

정답 26 ⑤

27

다음 기술 중 옳지 않은 것은? (다툼이 있는 경우 판례에 의함)

□□□ ① 구청장이 사회복지법인에 특별감사 결과, 지적사항에 대한 시정지시와 그 결과를 관계서류와 함께 보고하도록 지시한 경우, 그 시정지시는 항고소송의 대상이 되는 행정처분이다.

□□□ ② 영농지도, 중소기업에 대한 경영지도, 생활개선지도 등은 조성적 행정지도에 해당한다.

□□□ ③ 행정사법작용에 관한 법적 분쟁은 특별한 규정이 없는 한 민사소송을 통해 구제를 도모하여야 한다.

□□□ ④ 교육감이 학교법인에 대한 감사실시 후 처리지시를 하고 그와 함께 그 시정조치에 대한 결과를 증빙서를 첨부한 문서로 보고하도록 한 것은, 단순히 권고적 효력만을 가지는 비권력적 사실행위인 행정지도에 불과하여 항고소송의 대상이 될 수 없다.

□□□ ⑤ 교도소장의 미결수용자 이송처분은 권력적 사실행위로서 행정심판법과 행정소송법이 규정하는 처분개념인 '공권력행사'로서 처분성이 인정된다.

① 2017 지방직(하) 9급 ○

구청장이 사회복지법인에 특별감사 결과 지적사항에 대한 시정지시와 그 결과를 관계서류와 함께 보고하도록 지시한 경우, 그 시정지시는 비권력적 사실행위가 아니라 항고소송의 대상이 되는 행정처분에 해당한다는 것이 판례의 입장이다(대판 2008. 4. 24, 2008두3500).

② 2012 국가직 9급 ○

행정지도의 종류

종 류	내 용
조성적 행정지도	일정한 질서의 형성을 유도하기 위한 행정지도로서 장학지도, 생활개선지도, 중소기업기술지도, 영농지도 등이 이에 해당한다.
조정적 행정지도	경제적 이해대립과 과당경쟁을 조정하기 위하여 행하는 행정지도로서 노사분쟁의 조정, 투자 · 수출량의 조절 등을 위한 지도가 이에 해당한다. 조정적 행정지도는 규제적 행정지도에 속한다고 볼 수 있다.
규제적 행정지도	일정한 행위를 억제하기 위한 지도로서 물가억제를 위한 지도, 오물투기의 억제를 위한 지도 등이 이에 해당한다.

③ 2020 군무원 7급 ○

행정사법이란 행정기관이 사법형식에 의하여 공행정임무를 수행하는 것으로 일정한 공법적 규율을 받는 것을 말한다. 행정사법이 공법적 규율을 받더라도 그 본질은 사법작용이므로, 행정사법에 관한 법적 분쟁은 특별한 규정이 없는 한, 민사소송을 통해 권리구제를 도모해야 한다는 것이 통설적 견해이다. 판례도 전화가입계약의 해지와 관련된 사건에서 사법상 계약에 불과하므로 민사소송을 제기하여야 한다고 판시한 바 있다.

④ 2024 국회직 8급 ×

> 교육감이 학교법인에 대한 감사 실시 후 처리지시를 하고 그와 함께 그 시정조치에 대한 결과를 증빙서를 첨부한 문서로 보고하도록 한 것은, 의무의 부담을 명하거나 기타 법률상 효과를 발생하게 하는 것으로서 항고소송의 대상이 되는 행정처분에 해당한다.
>
> 피고는 원고에 대하여 이 사건 처리지시와 아울러 그 시정조치에 대한 결과를 증빙서를 첨부한 문서로써 보고하도록 명령함으로써 이 사건 처리지시의 시정조치 결과가 법 제48조에 근거한 보고명령 및 증빙서 첨부명령의 내용에 사실상 포함되어 있으므로 이 사건 처리지시에 따른 시정조치가 선행되지 않는 이상 피고의 위 보고명령 및 증빙서 첨부명령을 이행하기 어렵다고 할 것이다. 또한, 위 보고명령 및 증빙서 첨부명령을 이행하지 않는 경우 학교법인의 이사장이 형사상 처벌을 받거나 법 규정을 위반하였다는 사유로 임원 취임의 승인이 취소될 수도 있다. 이와 같은 사정에 비추어 보면, 원고로서는 위 보고명령 및 증빙서 첨부명령을 이행하기 위하여 이 사건 처리지시에 따른 제반 조치를 먼저 이행하는 것이 사실상 강제되어 있다고 할 것이므로, 이 사건 처리지시는 단순히 권고적 효력만을 가지는 비권력적 사실행위인 행정지도에 불과하다고 보기 어렵고, 원고에게 의무의 부담을 명하거나 기타 법률상 효과를 발생하게 하는 것으로서 항고소송의 대상이 되는 행정처분에 해당한다고 해석함이 상당하다(대판 2008. 9. 11, 2006두18362).

⑤ 2023 소방승진 ○

교도소장의 미결수용자 이송처분은 권력적 사실행위로서 행정쟁송법상의 처분에 해당한다.

> 피고인에 대해 A교도소에서 B교도소로 이송하는 처분은 행정처분이다(이 사건은 집행정지결정을 받아들인 판례이지만 집행정지가 되기 위해서는 처분성이 인정되어야 하므로 이송처분을 행정처분으로 보았다는 의미이다)(대결 1992. 8. 7, 92두30).

정답 27 ④

행정절차, 행정공개

1회독	2회독	3회독
/	/	/

01

행정절차와 관련된 다음 설명 중 옳은 것은? (다툼이 있는 경우 판례에 의함)

□□□ ① 행정절차는 행정의 민주화, 행정의 능률화, 사후적 행정구제 등의 기능을 수행한다.

□□□ ② 헌법재판소는 행정절차의 헌법적 근거를 민주국가원리라는 헌법원리에서 찾고 있다.

□□□ ③ 헌법 제12조 제1항 후단의 적법절차주의는 절차의 적법성뿐만 아니라 절차의 적정성까지 보장되어야 한다는 뜻으로 이해된다.

□□□ ④ 외국인의 출입국에 관한 사항은 행정절차법이 적용되지 않으므로, 미국 국적을 가진 교민에 대한 사증거부처분에 대해서도 처분의 방식에 관한 행정절차법 제24조는 적용되지 않는다.

① 2013 서울시 7급 ×

행정절차는 국민이 행정과정에 능동적으로 참여할 수 있도록 보장해 줌으로써 민주주의를 실현하는 기능을 하고, 행정의 상대방을 행정과정에 참여시킴으로써, 참여 없이 행정처분 등을 함으로 인해 사후에 발생할 수 있는 불필요한 분쟁을 최소한도로 줄여 궁극적으로 행정의 능률화에 기여하게 된다. 다만, 행정절차는 처분을 하기 전에 사전통지와 의견청취 등을 행한다는 점에서 사전적 권리구제수단으로서의 역할을 하므로 사후적 권리구제수단인 손해배상, 행정소송 등과는 구별된다.

② 2015 사회복지직 9급 ×

민주국가원리가 아니라 적법절차원리에서 찾고 있다.

> 헌법 제12조의 적법절차원리는 형사절차뿐만 아니라 입법 · 행정 등 국가의 모든 공권력작용에 적용된다.
>
> 헌법 제12조 제1항 및 제3항에 규정된 적법절차의 원칙은 일반적 헌법원리로서 모든 공권력의 행사에 적용되는바, 이는 절차의 적법성뿐만 아니라 절차의 적정성까지 보장되어야 한다는 뜻으로 이해된다. 즉, 형식적인 절차뿐만 아니라 실체적 법률내용이 합리성과 정당성을 갖춘 것이어야 한다는 실질적인 의미로 확대 해석되고 있다. 나아가 우리 헌법재판소는 이 적법절차의 원칙의 적용범위를 형사소송절차에 국한하지 않고 모든 국가작용에 대하여 문제된 법률의 실체적 내용이 합리성과 정당성을 갖추고 있는지 여부를 판단하는 기준으로 적용된다고 판시함으로써, 행정절차에도 적법절차의 원칙이 적용됨을 명백히 하고 있다(헌재 2007. 4. 26, 2006헌바10).

③ 2007 국가직 7급 ○

적법절차원리는 절차의 적법성뿐만 아니라 절차의 적정성(내용도 합리성과 정당성을 갖출 것)도 갖출 것을 내용으로 한다.

> 헌법 제12조 제1항 및 제3항에 규정된 적법절차의 원칙은 일반적 헌법원리로서 모든 공권력의 행사에 적용되는바, 이는 절차의 적법성뿐만 아니라 절차의 적정성까지 보장되어야 한다는 뜻으로 이해된다(헌재 2007. 4. 26, 2006헌바10).

④ 2020 국회직 8급 ×

> 외국인의 사증발급 신청에 대한 거부처분이 행정절차법 제24조에서 정한 '처분서 작성 · 교부'를 할 필요가 없거나 곤란하다고 인정되는 사항이 아니다. 즉, 행정절차법 제24조가 적용된다.
>
> 행정절차법 제3조 제2항 제9호, 행정절차법 시행령 제2조 제2호 등 관련 규정들의 내용을 행정의 공정성, 투명성, 신뢰성을 확보하고 처분상대방의 권익보호를 목적으로 하는 행정절차법의 입법목적에 비추어 보면, 행정절차법의 적용이 제외되는 '외국인의 출입국에 관한 사항'이란 해당 행정작용의 성질상 행정절차를 거치기 곤란하거나 거칠 필요가 없다고 인정되는 사항이나 행정절차에 준하는 절차를 거친 사항으로서 행정절차법 시행령으로 정하는 사항만을 가리킨다고 보아야 한다(대판 2019. 7. 11, 2017두38874).

정답 01 ③

02

행정절차에 관련된 다음 설명 중 옳지 않은 것은? (다툼이 있는 경우 판례에 의함)

□□□ ① 구 국적법 제5조 각호와 같이 귀화는 성질상 행정절차를 거치기 곤란하거나 거칠 필요가 없다고 인정되어 처분의 이유제시 등을 규정한 행정절차법이 적용되지 않는다.

□□□ ② 개별 세법에 납세고지에 관한 별도의 규정이 없더라도 국세징수법이 정한 것과 같은 납세고지의 요건을 갖추어야 한다는 것은 적법절차의 원칙이 과세처분에도 적용됨에 따른 당연한 귀결이다.

□□□ ③ 법인은 행정절차법상 절차의 당사자가 될 수 있지만, 법인이 아닌 사단은 당사자가 될 수 없다.

□□□ ④ 행정절차법상 처분에 관한 권리 또는 이익을 사실상 양수한 자는 행정청의 승인을 받아 당사자 등의 지위를 승계할 수 있다.

① 2023 해경간부 ○

구 국적법(2017. 12. 19, 법률 제15249호로 개정되기 전의 것, 이하 같다) 제5조 각호와 같이 귀화는 요건이 항목별로 구분되어 구체적으로 규정되어 있다. 그리고 성질상 행정절차를 거치기 곤란하거나 거칠 필요가 없다고 인정되어 처분의 이유제시 등을 규정한 행정절차법이 적용되지 않는다(제3조 제2항 제9호)(대판 2018. 12. 13, 2016두31616).

② 2013 국회직 8급 ○

개별 세법에 납세고지(현 납부고지)에 관한 별도의 규정이 없더라도 국세징수법이 정한 것과 같은 납세고지의 요건을 갖추지 않으면 안 된다는 것이고, 이는 적법절차의 원칙이 과세처분에도 적용됨에 따른 당연한 귀결이다.

헌법상 적법절차의 원칙은 형사소송절차뿐만 아니라 국민에게 부담을 주는 행정작용에서도 준수되어야 하므로, 그 기본정신은 과세처분에 대해서도 그대로 관철되어야 한다. 행정처분에 처분의 이유를 제시하도록 한 행정절차법이 과세처분에 직접 적용되지는 않지만(행정절차법 제3조 제2항 제9호, 행정절차법 시행령 제2조 제5호), 그 기본원리가 과세처분의 장면이라고 하여 본질적으로 달라져서는 안 되는 것이고 이를 완화하여 적용할 하등의 이유도 없다(대판 2012. 10. 18, 2010두12347 전합).

③ 2014 행정사 ×

행정절차법 제9조【당사자 등의 자격】 다음 각 호의 어느 하나에 해당하는 자는 행정절차에서 당사자 등이 될 수 있다.
1. 자연인
2. 법인, 법인이 아닌 사단 또는 재단(이하 '법인 등'이라 한다)
3. 그 밖에 다른 법령 등에 따라 권리 · 의무의 주체가 될 수 있는 자

④ 2014 국가직 7급 ○

행정절차법 제10조【지위의 승계】 ① 당사자 등이 사망하였을 때의 상속인과 다른 법령 등에 따라 당사자 등의 권리 또는 이익을 승계한 자는 당사자 등의 지위를 승계한다.
② 당사자 등인 법인 등이 합병하였을 때에는 합병 후 존속하는 법인 등이나 합병 후 새로 설립된 법인 등이 당사자 등의 지위를 승계한다.
③ 제1항 및 제2항에 따라 당사자 등의 지위를 승계한 자는 행정청에 그 사실을 통지하여야 한다.
④ 처분에 관한 권리 또는 이익을 사실상 양수한 자는 행정청의 승인을 받아 당사자 등의 지위를 승계할 수 있다.

정답 02 ③

03

행정절차법에 관한 다음 설명 중 옳지 않은 것은?

□□□ ① 법제처장은 입법예고를 하지 아니한 법령안의 심사요청을 받은 경우에 입법예고를 하는 것이 적당하다고 판단하는 때에는 해당 행정청에 입법예고를 권고하거나 직접 예고할 수 있다.

□□□ ② 법규명령의 제정 · 개정 · 폐지의 경우 원칙적으로 입법예고를 하여야 하는데, 누구든지 예고된 입법안에 대해 의견을 제출할 수 있다.

□□□ ③ 행정청은 필요한 처분기준을 해당 처분의 성질에 비추어 되도록 구체적으로 정하여 공표하여야 한다. 다만, 처분기준을 공표하는 것이 해당 처분의 성질상 현저히 곤란하거나 공공의 안전 또는 복리를 현저히 해치는 것으로 인정될 만한 상당한 이유가 있는 경우에는 처분기준을 공표하지 아니할 수 있다.

□□□ ④ 신청내용을 모두 그대로 인정하는 처분인 경우 이유제시의무가 면제되지만 처분 후 당사자가 요청하는 경우에는 그 근거와 이유를 제시하여야 한다.

① 2015 국회직 8급 ○

> **행정절차법 제41조【행정상 입법예고】** ③ 법제처장은 입법예고를 하지 아니한 법령안의 심사요청을 받은 경우에 입법예고를 하는 것이 적당하다고 판단할 때에는 해당 행정청에 입법예고를 권고하거나 직접 예고할 수 있다.

② 2009 관세사 변형 ○

> **행정절차법 제41조【행정상 입법예고】** ① 법령 등을 제정 · 개정 또는 폐지(이하 '입법'이라 한다)하려는 경우에는 해당 입법안을 마련한 행정청은 이를 예고하여야 한다.
>
> **제44조【의견제출 및 처리】** ① 누구든지 예고된 입법안에 대하여 의견을 제출할 수 있다.

③ 2016 경행경채 ○

> **행정절차법 제20조【처분기준의 설정 · 공표】** ① 행정청은 필요한 처분기준을 해당 처분의 성질에 비추어 되도록 구체적으로 정하여 공표하여야 한다. 처분기준을 변경하는 경우에도 또한 같다.
> ③ 제1항에 따른 처분기준을 공표하는 것이 해당 처분의 성질상 현저히 곤란하거나 공공의 안전 또는 복리를 현저히 해치는 것으로 인정될 만한 상당한 이유가 있는 경우에는 처분기준을 공표하지 아니할 수 있다.

④ 2012 국가직 9급 ×

처분을 할 때 이유제시를 하지 않아도 되는 경우라 하더라도 행정절차법 제23조 제1항 제2 · 3호의 사유로 이유제시를 하지 않았다면 처분 후 당사자가 요청하는 경우에는 이유제시를 하여야 한다. 그러나 제1항 제1호의 사유로 이유제시를 하지 않았다면 조문 해석상 처분 후 당사자가 요청하는 경우라도 이유제시를 하지 않아도 된다.

> **행정절차법 제23조【처분의 이유제시】** ① 행정청은 처분을 할 때에는 다음 각 호의 어느 하나에 해당하는 경우를 제외하고는 당사자에게 그 근거와 이유를 제시하여야 한다.
> 1. 신청내용을 모두 그대로 인정하는 처분인 경우
> 2. 단순 · 반복적인 처분 또는 경미한 처분으로서 당사자가 그 이유를 명백히 알 수 있는 경우
> 3. 긴급히 처분을 할 필요가 있는 경우
>
> ② 행정청은 제1항 '제2호 및 제3호의 경우'에 처분 후 당사자가 요청하는 경우에는 그 근거와 이유를 제시하여야 한다.

정답 03 ④

04

행정절차법에 관한 다음 설명 중 옳은 것은? (다툼이 있는 경우 판례에 의함)

□□□ ① 사전통지의무가 면제되는 경우에도 의견청취의무가 면제되는 것은 아니다.

□□□ ② 청문의 주재자는 대통령령으로 정하는 자격을 가지는 사람 중에서 선정하되, 행정청의 소속 직원은 주재자가 될 수 없다.

□□□ ③ 사회복지시설에 대하여 특별감사를 실시한 후 행한 감사결과 지적사항에 대한 시정지시는 그 성질상 당사자의 사전의견청취가 불필요하다고 볼 상당한 이유가 인정되는 경우에 해당한다.

□□□ ④ 행정청이 온천지구임을 간과하여 지하수 개발 · 이용 신고를 수리하였다가 의견제출기회를 주지 아니한 채 그 신고수리처분을 취소하고 원상복구명령의 처분을 한 경우, 행정지도방식에 의한 사전고시나 그에 따른 당사자의 자진폐공의 약속 등 사유가 있으면 의견청취절차에 해당하여 위법하지 않다.

① 2010 지방직 7급 ×

사전통지의무가 면제되는 경우에는 의견청취의무도 면제된다.

② 2014 경행특채 1차 ×

행정절차법 제28조【청문 주재자】 ① 행정청은 소속 직원 또는 대통령령으로 정하는 자격을 가진 사람 중에서 청문 주재자를 공정하게 선정하여야 한다.

③ 2022 소방간부 ○

이 사건 시정지시는 보건복지부, 서울특별시, 피고가 합동으로 원고 등에 대하여 특별감사를 실시한 후 이루어진 것으로 감사결과의 통보 및 감사기관의 의견표명의 성질도 지니고 있는데, 특별감사를 받은 원고 등은 감사과정을 거치면서 감사결과 및 그에 따른 감사기관의 의견표명이 있으리라는 점을 충분히 예상할 수 있어 별도로 사전에 통지를 한다거나 의견진술의 기회를 부여할 필요가 있다고 보기 어려운 점 …… 등에 비추어 보면, 이 사건 시정지시에 대하여는 그 성질상 당사자의 사전의견청취가 불필요하다고 볼 상당한 이유가 있는 것으로 명백히 인정되는 경우에 해당한다고 할 것이다(대판 2009. 2. 12, 2008두14999).

④ 2022 소방간부 ×

(행정청이 온천지구임을 간과하여 지하수개발 · 이용신고를 수리하였다가 행정절차법상의 사전통지를 하거나 의견제출의 기회를 주지 아니한 채 그 신고수리처분을 취소하고 원상복구명령의 처분을 하는 것은 위법하다고 판시하면서) 행정지도방식에 의한 사전고지나 그에 따른 당사자의 자진폐공(편저자 주 : 원상복구)의 약속 등의 사유만으로는 사전통지 등을 하지 않아도 되는 행정절차법 소정의 예외의 경우에 해당한다고 볼 수 없다(대판 2000. 11. 14, 99두5870).

정답 04 ③

05

행정절차법상 의견청취절차에 대한 다음 설명의 옳고(○) 그름(×)을 올바르게 조합한 것은?

□□□ ㉠ 청문은 당사자가 공개를 신청하거나 청문 주재자가 필요하다고 인정하는 경우 공개하여야 한다.

□□□ ㉡ 청문은 당사자의 공개신청이 있거나 청문 주재자가 필요하다고 인정하는 경우 이를 공개할 수 있지만 공익 또는 제3자의 정당한 이익을 현저히 해할 우려가 있는 경우에는 공개하여서는 아니 된다.

□□□ ㉢ 청문절차의 당사자 등은 참고인이나 감정인 등에게 질문할 수 있다.

□□□ ㉣ 행정청은 공청회를 마친 후 처분을 할 때까지 새로운 사정이 발견되어 공청회를 다시 개최할 필요가 있다고 인정할 때에는 공청회를 다시 개최할 수 있다.

□□□ ㉤ 당사자 등이 정당한 이유 없이 의견제출기한까지 의견제출을 하지 않은 경우에는 행정청은 의견이 없는 것으로 본다.

□□□ ㉥ 행정청은 공청회의 발표자를 관련전문가 중에서 우선적으로 지명 또는 위촉하여야 하며, 적절한 발표자를 선정하지 못하거나 필요한 경우에만 발표를 신청한 자 중에서 지명할 수 있다.

① ㉠(○), ㉡(○), ㉢(○), ㉣(×), ㉤(○), ㉥(×)
② ㉠(○), ㉡(×), ㉢(×), ㉣(○), ㉤(×), ㉥(○)
③ ㉠(×), ㉡(○), ㉢(○), ㉣(○), ㉤(○), ㉥(×)
④ ㉠(×), ㉡(×), ㉢(×), ㉣(×), ㉤(×), ㉥(○)

㉠ 2013 지방직(하) 7급 ×

행정절차법 제30조【청문의 공개】 청문은 당사자가 공개를 신청하거나 청문 주재자가 필요하다고 인정하는 경우 공개할 수 있다. 다만, 공익 또는 제3자의 정당한 이익을 현저히 해칠 우려가 있는 경우에는 공개하여서는 아니 된다.

㉡ 2008 국가직 9급 ㉠ 해설 조문 참조 ○

㉢ 2015 국회직 8급 ○

행정절차법 제31조【청문의 진행】 ② 당사자 등은 의견을 진술하고 증거를 제출할 수 있으며, 참고인이나 감정인 등에게 질문할 수 있다.

㉣ 2021 국회직 8급 ○

종전에는 청문의 재개에 관해서만 규정이 있었으나 2019년 개정법은 공청회 재개최에 관한 규정을 두고 있다.

행정절차법 제39조의3【공청회의 재개최】 행정청은 공청회를 마친 후 처분을 할 때까지 새로운 사정이 발견되어 공청회를 다시 개최할 필요가 있다고 인정할 때에는 공청회를 다시 개최할 수 있다.

㉤ 2013 국회속기직 9급 ○

행정절차법 제27조【의견제출】 ④ 당사자 등이 정당한 이유 없이 의견제출기한까지 의견제출을 하지 아니한 경우에는 의견이 없는 것으로 본다.

㉥ 2010 지방직 9급 ×

공청회의 발표자는 발표를 신청한 사람 중에서 행정청이 선정한다. 다만, 발표를 신청한 사람이 없거나 공청회의 공정성을 확보하기 위하여 필요하다고 인정하는 경우에는 행정청이 지명 또는 위촉할 수 있다.

행정절차법 제38조의3【공청회의 주재자 및 발표자의 선정】 ② 공청회의 발표자는 발표를 신청한 사람 중에서 행정청이 선정한다. 다만, 발표를 신청한 사람이 없거나 공청회의 공정성을 확보하기 위하여 필요하다고 인정하는 경우에는 다음 각 호의 사람 중에서 지명하거나 위촉할 수 있다.
1. 해당 공청회의 사안과 관련된 당사자 등
2. 해당 공청회의 사안과 관련된 분야에 전문적 지식이 있는 사람
3. 해당 공청회의 사안과 관련된 분야에 종사한 경험이 있는 사람

정답 05 ③

06

행정절차와 관련된 다음 기술의 옳고(○) 그름(×)을 올바르게 조합한 것은? (다툼이 있는 경우 판례에 의함)

□□□ ㉠ 소청심사위원회가 절차상 하자가 있다는 이유로 의원면직처분을 취소하는 결정을 한 후 징계권자가 징계절차에 따라 별도로 당해 공무원에 대하여 징계처분을 하는 경우 국가공무원법에서 정한 불이익변경금지의 원칙이 적용된다.

□□□ ㉡ 공기업 사장에 대한 해임처분과정에서 처분 내용을 사전에 통지받지 못했고 해임처분시 법적 근거 및 구체적 해임사유를 제시받지 못하였다면, 그 해임처분은 위법하지만 당연무효는 아니다.

□□□ ㉢ 기속행위의 경우에도 행정처분의 절차상 하자만으로 독자적인 취소사유가 된다.

① ㉠(○), ㉡(×), ㉢(×)
② ㉠(○), ㉡(○), ㉢(×)
③ ㉠(×), ㉡(○), ㉢(○)
④ ㉠(×), ㉡(×), ㉢(○)

㉠ 2019 국회직 8급 ×

각론에 해당하는 지문이다. 국회직 8급의 경우 각론도 시험범위에 포함되므로 총론문제에 각론의 지문이 섞여서 출제되는 경우가 있는데 총론만을 시험범위로 하는 수험생의 경우 가볍게 보고 넘겨도 무방하다.

> 소청심사위원회가 절차상 하자가 있다는 이유로 의원면직처분을 취소하는 결정을 한 후 징계권자가 징계절차에 따라 당해 공무원에 대하여 징계처분을 하는 경우, 국가공무원법 제14조 제6항에 정한 불이익변경금지의 원칙이 적용되는 것은 아니다.
>
> 국가공무원법 제14조 제6항은 소청심사결정에서 당초의 원처분청의 징계처분보다 청구인에게 불리한 결정을 할 수 없다는 의미인데, 의원면직처분에 대하여 소청심사청구를 한 결과 소청심사위원회가 의원면직처분의 전제가 된 사의표시에 절차상 하자가 있다는 이유로 의원면직처분을 취소하는 결정을 하였다고 하더라도, 그 효력은 의원면직처분을 취소하여 당해 공무원으로 하여금 공무원으로서의 신분을 유지하게 하는 것에 그치고, 이때 당해 공무원이 국가공무원법 제78조 제1항 각 호에 정한 징계사유에 해당하는 이상 같은 항에 따라 징계권자로서는 반드시 징계절차를 열어 징계처분을 하여야 하므로, 이러한 징계절차는 소청심사위원회의 의원면직처분취소결정과는 별개의 절차로서 여기에 국가공무원법 제14조 제6항에 정한 불이익변경금지의 원칙이 적용될 여지는 없다(대판 2008. 10. 9, 2008두11853 · 11860).

㉡ 2017 국가직 7급 ○

> 대통령이 甲을 한국방송공사 사장직에서 해임한 사안에서 …… 해임처분과정에서 甲이 처분 내용을 사전에 통지받거나 그에 대한 의견제출기회 등을 받지 못했고 해임처분시 법적 근거 및 구체적 해임사유를 제시받지 못하였으므로 해임처분이 행정절차법에 위배되어 위법하지만, 절차나 처분형식의 하자가 중대하고 명백하다고 볼 수 없어 역시 당연무효가 아닌 취소사유에 해당한다(대판 2012. 2. 23, 2011두5001).

㉢ 2017 국회직 8급 ○

판례는 재량행위뿐만 아니라 기속행위의 경우에도 절차하자를 독자적 위법사유로 인정한다.

> (기속행위인 과세처분과 관련하여) 납세고지서(현 납부고지서)에 필요한 사항의 기재가 누락된 경우 과세처분은 위법한 처분이다.
>
> 과세표준과 세율, 세액, 세액산출근거 등의 필요한 사항을 납세자에게 서면으로 통지하도록 한 세법상의 제 규정들은 …… 강행규정으로서 납세고지서에 그 기재가 누락되면 그 과세처분 자체가 위법한 처분이 되어 취소의 대상이 된다(대판 1984. 5. 9, 84누116).

정답 06 ③

07

정보공개에 대한 다음 설명 중 옳지 않은 것은? (다툼이 있는 경우 판례에 의함)

□□□ ① 알권리에서 파생되는 정보의 공개의무는 특별한 사정이 없는 한, 특정의 정보에 대한 공개청구가 있는 경우에 비로소 존재한다.

□□□ ② 판례는 '특별법에 의하여 설립된 특수법인'이라는 점만으로 정보공개의무를 인정하고 있으며, 다시금 해당 법인의 역할과 기능에서 정보공개의무를 지는 공공기관에 해당하는지 여부를 판단하지 않는다.

□□□ ③ 「공공기관의 정보공개에 관한 법률」에 의하면 학술·연구를 위하여 일시적으로 체류하는 외국인은 정보공개청구를 할 수 있다.

□□□ ④ 「공공기관의 정보공개에 관한 법률」에 의하면 국가의 시책으로 시행하는 공사 등 대규모의 예산이 투입되는 사업에 관한 정보는 정기적으로 공개하여야 한다.

① 2012 지방직(하) 7급 ○

정보공개의무는 특별한 사정이 없는 한 특정의 정보에 대한 공개청구가 있는 경우에야 비로소 존재한다는 것이 판례의 입장이다.

> 알권리에서 파생되는 정부의 공개의무는, 특별한 사정이 없는 한 특정의 정보에 대한 공개청구가 있는 경우에야 비로소 존재한다(헌재 2004. 12. 16, 2002헌마579).

② 2017 서울시 9급 ×

> 어느 법인이 「공공기관의 정보공개에 관한 법률」 제2조 제3호 등에 따라 정보를 공개할 의무가 있는 '특별법에 의하여 설립된 특수법인'에 해당하는가는, 국민의 알권리를 보장하고 국정에 대한 국민의 참여와 국정운영의 투명성을 확보하고자 하는 위 법의 입법목적을 염두에 두고, 당해 법인에게 부여된 업무가 국가행정업무이거나, 이에 해당하지 않더라도 그 업무수행으로써 추구하는 이익이 당해 법인 내부의 이익에 그치지 않고 공동체 전체의 이익에 해당하는 공익적 성격을 갖는지 여부를 중심으로 개별적으로 판단하되 …… 당해 법인에 대하여 직접 정보공개청구를 구할 필요성이 있는지 여부 등을 종합적으로 고려하여야 한다(대판 2010. 4. 29, 2008두5643).

③ 2015 지방직 9급 ○

> 「공공기관의 정보공개에 관한 법률 시행령」 제3조【외국인의 정보공개청구】법 제5조 제2항에 따라 정보공개를 청구할 수 있는 외국인은 다음 각 호의 어느 하나에 해당하는 자로 한다.
> 1. 국내에 일정한 주소를 두고 거주하거나 학술·연구를 위하여 일시적으로 체류하는 사람
> 2. 국내에 사무소를 두고 있는 법인 또는 단체

④ 2007 국가직 9급 ○

> 「공공기관의 정보공개에 관한 법률」 제7조【정보의 사전적 공개 등】① 공공기관은 다음 각 호의 어느 하나에 해당하는 정보에 대해서는 공개의 구체적 범위, 주기, 시기 및 방법 등을 미리 정하여 정보통신망 등을 통하여 알리고, 이에 따라 정기적으로 공개하여야 한다. 다만, 제9조 제1항 각 호의 어느 하나에 해당하는 정보에 대해서는 그러하지 아니하다.
> 1. 국민생활에 매우 큰 영향을 미치는 정책에 관한 정보
> 2. 국가의 시책으로 시행하는 공사(工事) 등 대규모 예산이 투입되는 사업에 관한 정보
> 3. 예산집행의 내용과 사업평가 결과 등 행정감시를 위하여 필요한 정보
> 4. 그 밖에 공공기관의 장이 정하는 정보

정답 07 ②

08

「공공기관의 정보공개에 관한 법률」과 관련된 다음 설명 중 옳지 않은 것은? (다툼이 있는 경우 판례에 의함)

□□□ ① 공공기관은 국민이 알아야 할 필요가 있는 정보를 국민에게 공개하도록 적극적으로 노력하여야 하며, 정보의 공개에 관한 사무를 신속하고 원활하게 수행하기 위하여 정보공개장소를 확보하고 공개에 필요한 시설을 갖추어야 한다.

□□□ ② 교도소에 수용 중이던 재소자가 담당 교도관들을 상대로 가혹행위를 이유로 형사고소 및 민사소송을 제기하면서 그 증명자료 확보를 위해 정보공개를 요청한 '근무보고서'는 공개대상정보에 해당한다.

□□□ ③ 공개될 경우 부동산 투기 등으로 특정인에게 이익을 줄 우려가 있다고 인정되는 정보는 공개하지 아니할 수 있다.

□□□ ④ 공공기관은 전자적 형태로 보유·관리하는 정보에 대하여 청구인이 전자적 형태로 공개하여 줄 것을 요청하더라도 이를 출력한 형태로 공개하는 것이 원칙이다.

관련기출

②

1. 교도관이 직무 중 발생한 사유에 관하여 작성한 근무보고서는 비공개대상정보에 해당한다. (○, ×) 2013 국가직 9급

1. ×

① 2010 지방직 7급 ○

「공공기관의 정보공개에 관한 법률」 제7조【정보의 사전적 공개 등】② 공공기관은 제1항에 규정된 사항 외에도 국민이 알아야 할 필요가 있는 정보를 국민에게 공개하도록 적극적으로 노력하여야 한다.

제8조【정보목록의 작성·비치 등】② 공공기관은 정보의 공개에 관한 사무를 신속하고 원활하게 수행하기 위하여 정보공개장소를 확보하고 공개에 필요한 시설을 갖추어야 한다.

② 2015 경행특채 1차 ○

재소자가 교도관의 가혹행위를 이유로 형사고소 및 민사소송을 제기하면서 그 증명자료 확보를 위해 정보공개를 요청한 '교도관의 근무보고서'는 비공개대상정보에 해당한다고 볼 수 없다(대판 2009. 12. 10, 2009두12785).

③ 2010 국가직 7급 ○

「공공기관의 정보공개에 관한 법률」 제9조【비공개대상정보】① 공공기관이 보유·관리하는 정보는 공개대상이 된다. 다만, 다음 각 호의 어느 하나에 해당하는 정보는 공개하지 아니할 수 있다.

8. 공개될 경우 부동산 투기·매점매석 등으로 특정인에게 이익 또는 불이익을 줄 우려가 있다고 인정되는 정보

④ 2016 경행경채 ×

「공공기관의 정보공개에 관한 법률」 제15조【정보의 전자적 공개】① 공공기관은 전자적 형태로 보유·관리하는 정보에 대하여 청구인이 전자적 형태로 공개하여 줄 것을 요청하는 경우에는 그 정보의 성질상 현저히 곤란한 경우를 제외하고는 청구인의 요청에 따라야 한다.

정답 08 ④

09

「공공기관의 정보공개에 관한 법률」과 관련된 다음 설명 중 옳지 않은 것은? (다툼이 있는 경우 판례에 의함)

① 재건축사업계약에 의하여 조합원들에게 제공될 무상보상평수 산출내역은 법인 등의 영업상 비밀에 관한 사항이 아니며 비공개대상정보에 해당되지 않는다.

② 공공기관은 정보공개의 청구를 받으면 그 청구를 받은 날부터 10일 이내에 공개 여부를 결정하여야 하나 부득이한 사유로 이 기간 이내에 공개 여부를 결정할 수 없는 때에는 그 기간이 끝나는 날의 다음 날부터 기산하여 10일의 범위에서 공개 여부 결정기간을 연장할 수 있다.

③ 한·일군사정보보호협정 및 한·일상호군수지원협정과 관련하여 각종 회의자료 및 회의록 등의 정보는 정보공개법상 공개가 가능한 부분과 공개가 불가능한 부분을 쉽게 분리하는 것이 불가능한 비공개정보에 해당하지 아니한다.

④ 공공기관은 공개청구된 정보가 공공기관이 보유·관리하지 아니하는 정보인 경우로서 「민원처리에 관한 법률」에 따른 민원으로 처리할 수 있는 경우에는 민원으로 처리할 수 있다.

관련기출

③

1. 한·일군사정보보호협정 및 한·일상호군수지원협정과 관련하여 각종 회의자료 및 회의록 등의 정보는 비공개대상정보이고 부분공개도 가능하지 않다. (○, ×) 2024 군무원 5급

1. ○

① 2017 서울시 9급 ○

아파트재건축주택조합의 조합원들에게 제공될 무상보상평수의 사업수익성 등을 검토한 자료는 구 「공공기관의 정보공개에 관한 법률」 제7조 제1항에서 정한 비공개대상정보에 해당하지 않는다(공개대상)(대판 2006. 1. 13, 2003두9459).

② 2017 국가직 9급 ○

「공공기관의 정보공개에 관한 법률」 제11조【정보공개 여부의 결정】 ① 공공기관은 제10조에 따라 정보공개의 청구를 받으면 그 청구를 받은 날부터 10일 이내에 공개 여부를 결정하여야 한다.
② 공공기관은 부득이한 사유로 제1항에 따른 기간 이내에 공개 여부를 결정할 수 없을 때에는 그 기간이 끝나는 날의 다음 날부터 기산(起算)하여 10일의 범위에서 공개 여부 결정기간을 연장할 수 있다. 이 경우 공공기관은 연장된 사실과 연장사유를 청구인에게 지체 없이 문서로 통지하여야 한다.

③ 2019 서울시 2회 7급 ×

甲이 외교부장관에게 한·일군사정보보호협정 및 한·일상호군수지원협정과 관련하여 각종 회의자료 및 회의록 등의 정보에 대한 공개를 청구하였으나, 외교부장관이 공개청구정보 중 일부를 제외한 나머지 정보들에 대하여 비공개 결정을 한 사안에서, 위 정보는 구 「공공기관의 정보공개에 관한 법률」 제9조 제1항 제2호, 제5호에 정한 비공개대상정보에 해당하고, 공개가 가능한 부분과 공개가 불가능한 부분을 쉽게 분리하는 것이 불가능하여 같은 법 제14조에 따른 부분공개도 가능하지 않다(대판 2019. 1. 17, 2015두46512).

④ 2021 지방직·서울시 9급 ○

「공공기관의 정보공개에 관한 법률」 제11조 【정보공개 여부의 결정】
⑤ 공공기관은 정보공개청구가 다음 각 호의 어느 하나에 해당하는 경우로서 「민원처리에 관한 법률」에 따른 민원으로 처리할 수 있는 경우에는 민원으로 처리할 수 있다.
1. 공개청구된 정보가 공공기관이 보유·관리하지 아니하는 정보인 경우
2. 공개청구의 내용이 진정·질의 등으로 이 법에 따른 정보공개청구로 보기 어려운 경우

정답 09 ③

10

「공공기관의 정보공개에 관한 법률」과 관련된 다음 설명 중 옳은 것은? (다툼이 있는 경우 판례에 의함)

□□□ ① 공공기관은 본래 전자적 형태로 보유 · 관리하는 정보에 대해서만 전자적 형태로 공개할 수 있다.

□□□ ② 공공기관은 전자적 형태로 보유 · 관리하지 않는 정보에 대하여 청구인이 전자적 형태로 공개하여 줄 것을 요청한 경우 특별한 사정이 없으면 그 정보를 전자적 형태로 변환하여 공개할 수 있다.

□□□ ③ 정보의 공개 및 우송 등에 소요되는 비용은 실비의 범위에서 청구인의 부담으로 한다. 다만, 그 액수가 너무 많아서 청구인에게 과중한 부담을 주는 경우에는 비용을 감면할 수 있다.

□□□ ④ 공공기관은 제3자의 비공개요청에도 불구하고 공개결정을 하는 때에는 공개결정일과 공개실시일의 사이에 최소한 20일의 간격을 두어야 한다.

① 2008 지방직(하) 7급 ×

전자적 형태로 보유 · 관리하지 아니하는 정보에 대해서도 정상적인 업무수행에 현저한 지장을 초래하거나 당해 정보의 성질이 훼손될 우려가 없는 한 그 정보를 전자적 형태로 변환하여 공개할 수 있다. 아래 ② 해설 조문 참조

② 2011 국가직 7급 ○

> 「공공기관의 정보공개에 관한 법률」 제15조【정보의 전자적 공개】② 공공기관은 전자적 형태로 보유 · 관리하지 아니하는 정보에 대하여 청구인이 전자적 형태로 공개하여 줄 것을 요청한 경우에는 정상적인 업무수행에 현저한 지장을 초래하거나 그 정보의 성질이 훼손될 우려가 없으면 그 정보를 전자적 형태로 변환하여 공개할 수 있다.

③ 2018 서울시 1회 7급 변형 ×

액수가 많은 경우가 아니라, 정보의 사용목적이 공공복리의 유지 · 증진을 위하여 필요하다고 인정되는 경우이다.

> 「공공기관의 정보공개에 관한 법률」 제17조【비용부담】① 정보의 공개 및 우송 등에 드는 비용은 실비(實費)의 범위에서 청구인이 부담한다.
> ② 공개를 청구하는 정보의 사용목적이 공공복리의 유지 · 증진을 위하여 필요하다고 인정되는 경우에는 제1항에 따른 비용을 감면할 수 있다.
> ③ 제1항에 따른 비용 및 그 징수 등에 필요한 사항은 국회규칙 · 대법원규칙 · 헌법재판소규칙 · 중앙선거관리위원회규칙 및 대통령령으로 정한다.

④ 2011 사회복지직 9급 ×

> 「공공기관의 정보공개에 관한 법률」 제21조【제3자의 비공개요청 등】
> ② 제1항에 따른 비공개요청에도 불구하고 공공기관이 공개결정을 할 때에는 공개결정이유와 공개실시일을 분명히 밝혀 지체 없이 문서로 통지하여야 하며, 제3자는 해당 공공기관에 문서로 이의신청을 하거나 행정심판 또는 행정소송을 제기할 수 있다. 이 경우 이의신청은 통지를 받은 날부터 7일 이내에 하여야 한다.
> ③ 공공기관은 제2항의 규정에 의한 공개결정일과 공개실시일의 사이에 최소한 30일의 간격을 두어야 한다.

정답 10 ②

11

정보공개와 관련된 다음 설명 중 옳지 않은 것은? (다툼이 있는 경우 판례에 의함)

□□□ ① 정보공개거부처분 후 대상정보의 폐기 등으로 공공기관이 그 정보를 보유 · 관리하지 않게 된 경우에는 특별한 사정이 없는 한 소의 이익이 없으므로 각하사유에 해당된다.

□□□ ② 정보공개를 청구한 목적이 손해배상소송에 제출할 증거자료를 획득하기 위한 것이었고 그 소송이 이미 종결되었다면, 그러한 정보공개청구는 권리남용에 해당한다.

□□□ ③ 정보공개법에 의하면 공공기관은 공개청구된 공개대상정보의 전부 또는 일부가 제3자와 관련이 있다고 인정할 때에는 그 사실을 제3자에게 지체 없이 통지하여야 하며, 공개청구된 사실을 통지받은 제3자는 그 통지를 받은 날부터 3일 이내에 해당 공공기관에 대하여 자신과 관련된 정보를 공개하지 아니할 것을 요청할 수 있다.

□□□ ④ 정보주체가 자신의 개인정보에 대한 열람을 공공기관에 요구하고자 할 때에는 공공기관에 직접 열람을 요구할 수도 있고, 아니면 개인정보보호위원회를 통하여 열람을 요구할 수도 있다.

① 2010 국회직 8급 ○

정보공개를 구하는 자가 공개를 구하는 정보를 행정기관이 보유 · 관리하고 있을 상당한 개연성이 있다는 점을 입증함으로써 족하다 할 것이지만, 공공기관이 그 정보를 보유 · 관리하고 있지 아니한 경우에는 특별한 사정이 없는 한 정보공개거부처분의 취소를 구할 법률상의 이익이 없다. …… 원심으로서는 원고들이 공개를 구하는 정보를 피고가 보유 · 관리하고 있는지 심리한 다음, 피고가 실제로 보유 · 관리하고 있지 않는 정보에 대한 공개거부처분의 취소를 구하는 부분은 이를 각하하였어야 한다(대판 2006. 1. 13, 2003두9459).

② 2019 국가직 7급 ×

구 정보공개법의 목적, 규정내용 및 취지 등에 비추어 보면, 정보공개청구의 목적에 특별한 제한이 있다고 할 수 없으므로, 피고의 주장과 같이 원고가 이 사건 정보공개를 청구한 목적이 이 사건 손해배상소송에 제출할 증거자료를 획득하기 위한 것이었고 위 소송이 이미 종결되었다고 하더라도, 원고가 오로지 피고를 괴롭힐 목적으로 정보공개를 구하고 있다는 등의 특별한 사정이 없는 한, 위와 같은 사정만으로는 원고가 이 사건 소송을 계속하고 있는 것이 권리남용에 해당한다고 볼 수 없다(대판 2004. 9. 23, 2003두1370).

③ 2022 국회직 8급 ○

「공공기관의 정보공개에 관한 법률」 제11조【정보공개 여부의 결정】③ 공공기관은 공개청구된 공개대상정보의 전부 또는 일부가 제3자와 관련이 있다고 인정할 때에는 그 사실을 제3자에게 지체 없이 통지하여야 하며, 필요한 경우에는 그의 의견을 들을 수 있다.

제21조【제3자의 비공개 요청 등】① 제11조 제3항에 따라 공개청구된 사실을 통지받은 제3자는 그 통지를 받은 날부터 3일 이내에 해당 공공기관에 대하여 자신과 관련된 정보를 공개하지 아니할 것을 요청할 수 있다.

④ 2024 군무원 9급 ○

개인정보보호법 제35조【개인정보의 열람】① 정보주체는 개인정보처리자가 처리하는 자신의 개인정보에 대한 열람을 해당 개인정보처리자에게 요구할 수 있다.
② 제1항에도 불구하고 정보주체가 자신의 개인정보에 대한 열람을 공공기관에 요구하고자 할 때에는 공공기관에 직접 열람을 요구하거나 대통령령으로 정하는 바에 따라 보호위원회를 통하여 열람을 요구할 수 있다.

정답 11 ②

행정의 실효성 확보수단

1회독	2회독	3회독
/	/	/

01

행정의 실효성 확보수단과 관련된 다음 설명 중 옳지 않은 것을 모두 고른 것은? (다툼이 있는 경우 판례에 의함)

□□□ ㉠ 전형적 과징금의 경우 실정법에서 통상 '위반행위의 내용 · 정도, 위반행위의 기간 · 횟수 이외에 위반행위로 인해 취득한 이익의 규모 등'을 고려요소로 규정하기 때문에 법령위반으로 취득한 이익이 없는 경우에는 부과할 수 없다.

□□□ ㉡ 영업정지에 갈음하는 과징금을 변형된 과징금이라 하며 변형된 과징금제도는 일반공중의 이용편의를 도모하기 위한 것이다.

□□□ ㉢ 위법한 과징금의 부과행위는 행정소송을 통하여 취소 등을 구할 수 있다.

□□□ ㉣ 행정법상 의무를 위반하거나 불이행한 자에 대하여 각종 인 · 허가를 거부할 수 있게 함으로써 행정법상 의무의 준수 또는 이행을 확보하는 직접적 강제수단을 관허사업의 제한이라 한다.

□□□ ㉤ 행정상 공표는 의무위반자의 명예나 신용의 침해를 위협함으로써 직접적으로 행정법상 의무이행을 확보하는 수단이다.

□□□ ㉥ 운행정지처분의 이유가 된 사실관계로 이미 형사처벌을 받은 바 있다고 하여도 운행정지처분을 내리는 것이 일사부재리의 원칙에 반하는 것은 아니다.

① ㉠, ㉢, ㉥　　② ㉠, ㉣, ㉤
③ ㉡, ㉢, ㉥　　④ ㉡, ㉣, ㉤

㉠ 2014 국회직 8급 ✕
과징금은 매출액이 없는 경우에도 부과될 수 있다.

> 「독점규제 및 공정거래에 관한 법률」 제8조【과징금】 공정거래위원회는 시장지배적 사업자가 남용행위를 한 경우에는 그 사업자에게 대통령령이 정하는 매출액(대통령령으로 정하는 사업자의 경우에는 영업수익을 말한다. 이하 같다)에 100분의 6을 곱한 금액을 초과하지 아니하는 범위 안에서 과징금을 부과할 수 있다. 다만, 매출액이 없거나 매출액의 산정이 곤란한 경우로서 대통령령이 정하는 경우(이하 '매출액이 없는 경우 등'이라 한다)에는 20억원을 초과하지 아니하는 범위 안에서 과징금을 부과할 수 있다.

㉡ 2013 국회속기직 9급 ○
변형된 과징금이란 의무위반행위가 그 사업의 인 · 허가 등의 철회 · 정지사유에 해당하지만 공중의 일상생활에 필요불가결한 사업인 경우 사업 자체는 존속시키면서도 그 사업활동으로 인한 수익을 박탈하기 위해 부과하는 행정제재금을 말한다. 이러한 변형된 과징금은 공공성이 강한 사업에 대해 영업정지 등의 처분이 있게 되면 일반공중의 불편을 가져올 수 있으므로 영업정지처분을 갈음하여 과징금을 부과하는 데 그 취지가 있다.

㉢ 2013 국회속기직 9급 ○
과징금 부과는 항고소송의 대상이 되는 행정처분에 해당하므로 위법한 과징금 부과처분에 대해서는 항고소송을 제기하여 다툴 수 있다. 과징금과 과태료는 구별하기 바란다.

㉣ 2010 국가직 7급 ✕
명단의 공표, 관허사업의 제한 등 행정의 실효성 확보수단 중 이른바 새로운 실효성 확보수단은 간접적 강제수단에 해당한다. 관허사업의 제한이란 행정법상의 의무위반행위가 있는 경우 이를 이유로 각종 인 · 허가를 거부 · 정지 · 철회할 수 있도록 함으로써 행정법상 의무의 준수 또는 의무의 이행을 간접적으로 강제하는 것을 말한다.

㉤ 2010 지방직 9급 ✕
명단공표는 간접적으로 행정법상 의무이행을 확보하는 수단이다. 과징금, 명단공표 등 새로운 행정의 실효성 확보수단은 간접적인 수단이다.

㉥ 2007 국가직 7급 ○
행정처분과 형사처벌은 별개의 제도로서 형사처벌을 받은 경우라도 행정처분을 할 수 있다(청소년을 고용한 유흥주점업주에 대해 영업정지와 형사처벌을 하는 경우를 생각해 보라).

> 운행정지처분의 사유가 된 사실관계로 자동차운송사업자가 이미 형사처벌을 받은 바 있다 하여 피고(서울특별시장)의 자동차운수사업법 제31조를 근거로 한 운행정지처분이 일사부재리의 원칙에 위반된다 할 수 없다(대판 1983. 6. 14, 82누439).

정답 01 ②

02

행정상 강제에 대한 다음 설명 중 옳은 것을 모두 고른 것은? (다툼이 있는 경우 판례에 의함)

□□□ ㉠ 행정청은 행정목적을 달성하기 위하여 필요한 경우에는 법률로 정하는 바에 따라 행정대집행, 이행강제금의 부과, 직접강제, 강제징수, 즉시강제 등의 조치를 취할 수 있으며, 이러한 조치는 필요한 최소범위에서 취해야 한다.

□□□ ㉡ 대집행을 결정하고 이를 실행할 수 있는 권한을 가진 자는 당해 행정청이므로 현실로 수행하는 자도 당해 행정청에 국한된다.

□□□ ㉢ 행정청의 위임을 받아 대집행을 실행하는 제3자는 대집행의 주체가 아니다.

□□□ ㉣ 대집행의 요건을 충족한 경우에 행정청이 대집행을 할 것인지 여부에 관해서 소수설은 재량행위로 보나, 다수설과 판례는 기속행위로 본다.

① ㉠, ㉡　　② ㉠, ㉢
③ ㉡, ㉢　　④ ㉢, ㉣

㉠ 2024 소방직 9급 ○

> **행정기본법 제30조【행정상 강제】** ① 행정청은 행정목적을 달성하기 위하여 필요한 경우에는 법률로 정하는 바에 따라 필요한 최소한의 범위에서 다음 각 호의 어느 하나에 해당하는 조치(편저자 주 : 행정대집행, 이행강제금의 부과, 직접강제, 강제징수, 즉시강제)를 할 수 있다. (각호 생략)

㉡ 2008 관세사 ×

대집행을 결정하고 이를 실행할 수 있는 권한을 가진 자는 당해 행정청이지만 현실로 수행하는 자는 행정청의 위임과 위탁에 의하여 다른 공공단체나 사인이 될 수도 있다.

㉢ 2013 국가직 7급 ○

대집행을 현실적으로 수행하는 자가 반드시 당해 행정청이어야 하는 것은 아니며 경우에 따라서는 행정청이 제3자에게 대집행을 위탁할 수도 있다. 그런데 대집행실행은 전형적인 공권력의 행사이므로 행정기관만이 이를 행할 수 있는 것으로 보아야 하기 때문에 대집행을 실행하는 제3자는 대집행의 주체가 아니라 행정보조자의 지위를 갖는다고 보아야 한다는 것이 일반적 견해이다.

㉣ 2021 소방직 9급 ×

대집행의 요건이 충족되는 경우에 대집행권을 발동할 것인지는 조문의 표현방식상 행정청의 재량에 속한다는 것이 다수설 · 판례의 입장이다.

> **행정대집행법 제2조【대집행과 그 비용징수】** 법률(법률의 위임에 의한 명령, 지방자치단체의 조례를 포함한다. 이하 같다)에 의하여 직접 명령되었거나 또는 법률에 의거한 행정청의 명령에 의한 행위로서 타인이 대신하여 행할 수 있는 행위를 의무자가 이행하지 아니하는 경우 다른 수단으로써 그 이행을 확보하기 곤란하고 또한 그 불이행을 방치함이 심히 공익을 해할 것으로 인정될 때에는 당해 행정청은 스스로 의무자가 하여야 할 행위를 하거나 또는 제3자로 하여금 이를 하게 하여 그 비용을 의무자로부터 징수할 수 있다.

> 건물 중 위법하게 구조변경을 한 건축물 부분은 제반 사정에 비추어 그 원상복구로 인한 불이익의 정도가 그로 인하여 유지하고자 하는 공익상의 필요 또는 제3자의 이익보호의 필요에 비하여 현저히 크므로, 그 건축물 부분에 대한 대집행계고처분은 재량권의 범위를 벗어난 위법한 처분이다(대판 1996. 10. 11, 96누8086).

03

행정대집행에 대한 다음 설명 중 옳지 않은 것은? (다툼이 있는 경우 판례에 의함)

□□□ ① 위법한 건물의 공유자 1인에 대한 계고처분은 다른 공유자에 대하여는 그 효력이 없다.

□□□ ② 대집행영장의 통지는 대집행을 실행하겠다는 단순한 사실의 통지에 불과하여 행정처분이라고 보기 어려우므로 이에 대해서는 취소소송을 제기할 수 없다.

□□□ ③ 대집행의 계고와 대집행영장에 의한 통지는 그 자체가 독립하여 취소소송의 대상이 된다.

□□□ ④ 건축법상 시정명령 불이행에 대한 이행강제금 부과의 경우 허가권자는 부과하기 전에 이행강제금을 부과 · 징수한다는 뜻을 미리 문서로써 계고하여야 한다.

① 2016 사회복지직 9급 ○

> 위법한 건물의 공유자 1인에 대한 계고처분은 다른 공유자에 대하여는 그 효력이 없다(대판 1994. 10. 28, 94누5144).

② 2010 국가직 9급 ×

대집행영장의 통지는 준법률행위적 행정행위로서 항고소송의 대상이 되는 행정처분이다.

③ 2015 지방직 7급 ○

계고는 준법률행위적 행정행위인 통지로서 처분에 해당하고, 영장에 의한 통지 또한 준법률행위적 행정행위인 통지로서 항고소송의 대상이 되는 처분에 해당한다.

④ 2014 사회복지직 9급 ○

> **건축법 제80조【이행강제금】** ③ 허가권자는 제1항 및 제2항에 따른 이행강제금을 부과하기 전에 제1항 및 제2항에 따른 이행강제금을 부과 · 징수한다는 뜻을 미리 문서로써 계고(戒告)하여야 한다.

정답 02 ② 03 ②

04

대집행과 관련된 다음 설명 중 옳은 것을 모두 고른 것은? (다툼이 있는 경우 판례에 의함)

□□□ ㉠ 무허가로 불법건축되어 철거할 의무가 있는 건축물의 경우라도 도시미관, 주거환경, 교통소통에 지장이 없는 경우에는 공익을 해칠 우려가 없다.

□□□ ㉡ 대집행의 소요비용은 행정청이 스스로 부담한다.

□□□ ㉢ 대집행비용의 납부명령은 독립하여 항고소송의 대상이 된다.

□□□ ㉣ 대집행에 요한 비용의 징수에 있어서는 실제에 요한 비용액과 그 납기일을 정하여 의무자에게 문서로써 그 납부를 명하여야 한다.

□□□ ㉤ 공유재산 대부계약이 적법하게 해지되었음에도 불구하고 공유재산의 점유자가 그 지상물을 점유하고 있는 경우, 지방자치단체의 장은 원상회복을 위해 행정대집행의 방법으로 그 지상물을 철거시킬 수는 없다.

① ㉠, ㉡　② ㉠, ㉤
③ ㉡, ㉣　④ ㉢, ㉣

㉠ 2008 국가직 9급 ×

무허가로 불법건축되어 철거할 의무가 있는 건축물을 도시미관, 주거환경, 교통소통에 지장이 없다는 등의 사유만을 들어 그대로 방치한다면 불법건축물을 단속하는 당국의 권능을 무력화하여 건축행정의 원활한 수행을 위태롭게 하고 건축허가 및 준공검사시에 소방시설, 주차시설 기타 건축법 소정의 제한규정을 회피하는 것을 사전예방한다는 더 큰 공익을 해칠 우려가 있다(대판 1989. 3. 28, 87누930).

㉡ 2013 서울시 9급 ×

대집행에 소요된 비용은 의무자가 부담한다. 행정청은 납기일을 정하여 실제에 요한 비용액에 대해 의무자에게 문서로써 납부를 명하고, 의무자가 납부하지 않을 때에는 국세징수법의 예에 의하여 강제징수할 수 있다.

㉢ 2011 국가직 7급 ○

대집행의 각 단계의 행위는 모두 행정쟁송의 대상인 처분에 속한다. 즉, '계고'와 '대집행영장에 의한 통지'는 준법률행위적 행정행위로서 통지에 속하고, '대집행의 실행행위'는 권력적 사실행위의 성질을 가지며, '비용납부명령'은 하명으로서 모두 처분에 속한다.

㉣ 2009 지방직 9급 ○

행정대집행법 제5조【비용납부명령서】 대집행에 요한 비용의 징수에 있어서는 실제에 요한 비용액과 그 납기일을 정하여 의무자에게 문서로써 그 납부를 명하여야 한다.

㉤ 2017 지방직 7급 ×

공유재산 대부계약의 해지에 따른 원상회복으로 행정대집행의 방법에 의하여 그 지상물을 철거시킬 수 있다.

지방재정법 제85조 제1항은, 공유재산을 정당한 이유 없이 점유하거나 그에 시설을 한 때에는 이를 강제로 철거하게 할 수 있다고 규정하고, 그 제2항은, 지방자치단체의 장이 제1항의 규정에 의한 강제철거를 하게 하고자 할 때에는 행정대집행법 제3조 내지 제6조의 규정을 준용한다고 규정하고 있는바, 공유재산의 점유자가 그 공유재산에 관하여 대부계약 외 달리 정당한 권원이 있다는 자료가 없는 경우 그 대부계약이 적법하게 해지된 이상 그 점유자의 공유재산에 대한 점유는 정당한 이유 없는 점유라 할 것이고, 따라서 지방자치단체의 장은 지방재정법 제85조에 의하여 행정대집행의 방법으로 그 지상물을 철거시킬 수 있다(대판 2001. 10. 12, 2001두4078).

정답 04 ④

05

이행강제금과 관련된 다음 기술의 옳고(○) 그름(×)을 올바르게 조합한 것은? (다툼이 있는 경우 판례에 의함)

□□□ ㉠ 건축법상 이행강제금은 반복하여 부과 · 징수될 수 있다.

□□□ ㉡ 공무원이 위법건축물임을 알지 못하여 공사 도중에 시정명령이 내려지지 않아 건축물이 완공되었다면 위법건축물 완공 후에는 시정명령을 할 수 없다.

□□□ ㉢ 공무원들이 위법건축물임을 알지 못하여 공사 도중에 시정명령이 내려지지 않아 위법건축물이 완공되었다 하더라도 공공복리의 증진이라는 위 목적의 달성을 위해서는 완공 후에라도 위법건축물임을 알게 된 이상 시정명령을 할 수 있다고 보아야 할 것이고 그 시정명령의 불이행에 대한 이행강제금의 부과 또한 가능하다.

① ㉠(○), ㉡(×), ㉢(○)
② ㉠(○), ㉡(○), ㉢(×)
③ ㉠(×), ㉡(○), ㉢(×)
④ ㉠(×), ㉡(×), ㉢(×)

관련기출

㉠

1. 이행강제금은 장래의 의무이행을 심리적으로 강제하기 위한 것으로서 의무이행이 있을 때까지 반복하여 부과할 수 있다. (○, ×) 2019 서울시 1회 7급

1. ○

㉠ 2020 지방직 · 서울시 9급 ○

이행강제금(집행벌)은 처벌이 아니므로 이론(理論)상 의무의 이행이 있기까지 반복적으로 부과할 수 있다. 건축법상 이행강제금도 연 2회의 범위에서 반복하여 부과할 수 있다.

> 건축법 제80조【이행강제금】⑤ 허가권자는 최초의 시정명령이 있었던 날을 기준으로 하여 1년에 2회 이내의 범위에서 해당 지방자치단체의 조례로 정하는 횟수만큼 그 시정명령이 이행될 때까지 반복하여 제1항 및 제2항에 따른 이행강제금을 부과 · 징수할 수 있다.

㉡ 2013 국회직 8급 변형 ×

㉢ 2023 해경간부 ○

> 건축법상 위법건축물 완공 후에도 시정명령을 할 수 있으며, 그 불이행에 대한 이행강제금의 부과는 헌법 제37조 제2항에 위배되지 않는다.
>
> 이행강제금은 국민의 자유와 권리를 제한한다는 의미에서 행정상 간접강제의 일종인 이른바 침익적 행정행위에 속하기는 하나, 위법건축물의 방치를 막고자 행정청이 시정조치를 명하였음에도 건축주 등이 이를 이행하지 아니한 경우에 행정명령의 실효성을 확보하기 위하여 시정명령 이행시까지 지속적으로 부과함으로써 건축물의 안전과 기능, 미관을 향상시켜 공공복리의 증진을 도모하기 위한 것이므로 그 목적의 정당성이 인정된다 할 것이고, 공무원들이 위법건축물임을 알지 못하여 공사 도중에 시정명령이 내려지지 않아 위법건축물이 완공되었다 하더라도, 공공복리의 증진이라는 위 목적의 달성을 위해서는 완공 후에라도 위법건축물임을 알게 된 이상 시정명령을 할 수 있다고 보아야 할 것이며, 만약 완공 후에는 시정명령을 할 수 없다면 위법건축물을 축조한 자가 일단 건물이 완공되었다는 이유만으로 그 시정을 거부할 수 있는 결과를 초래하게 될 것이므로 …… (대결 2002. 8. 16, 2002마1022)

정답 05 ①

06

행정상 강제징수와 관련된 다음 설명 중 옳지 않은 것은? (다툼이 있는 경우 판례에 의함)

□□□ ① 국세징수법상 압류 후 부과처분의 근거법률이 위헌으로 결정된 경우에는 압류를 해제하여야 한다.

□□□ ② 체납자가 사망한 후 체납자 명의의 재산에 대하여 한 압류는 그 재산을 상속한 상속인에 대하여 한 것으로 본다.

□□□ ③ 세무서장은 한국자산관리공사로 하여금 공매를 대행하게 할 수 있으며, 이 경우 공매는 세무서장이 한 것으로 본다.

□□□ ④ 공매에 있어서 공매재산에 대한 감정평가나 매각예정가격의 결정이 잘못되어 공매재산이 부당하게 저렴한 가격으로 공매된 경우 그 공매처분은 당연무효가 된다.

□□□ ⑤ 국세징수법상 체납액의 징수순위는 강제징수비, 국세, 가산세의 순서에 따른다.

① 2020 경행경채 변형 ○

압류해제사유인 '기타의 사유로 압류의 필요가 없게 된 때'의 개념에는 과세처분 및 그 체납처분(현 강제징수)절차의 근거법령에 대한 위헌결정으로 후속 체납처분을 진행할 수 없어 체납세액에 충당할 가망이 없게 되는 등으로 압류의 근거를 상실하거나 압류를 지속할 필요성이 없게 된 경우가 포함된다(대판 2002. 7. 12, 2002두3317).

② 2010 국가직 7급 ○

국세징수법 제27조【상속 또는 합병의 경우 강제징수의 속행 등】 ① 체납자의 재산에 대하여 강제징수를 시작한 후 체납자가 사망하였거나 체납자인 법인이 합병으로 소멸된 경우에도 그 재산에 대한 강제징수는 계속 진행하여야 한다.

② 제1항을 적용할 때 체납자가 사망한 후 체납자 명의의 재산에 대하여 한 압류는 그 재산을 상속한 상속인에 대하여 한 것으로 본다.

③ 2015 국가직 9급 ○

국세징수법 제66조【공매】 ① 관할 세무서장은 압류한 부동산 등, 동산, 유가증권, 그 밖의 재산권과 제52조 제2항에 따라 체납자를 대위하여 받은 물건(금전은 제외한다)을 대통령령으로 정하는 바에 따라 공매한다.

제103조【공매 등의 대행】 ① 관할 세무서장은 다음 각 호의 업무(이하 이 조에서 '공매 등'이라 한다)에 전문지식이 필요하거나 그 밖에 직접 공매 등을 하기에 적당하지 아니하다고 인정되는 경우 대통령령으로 정하는 바에 따라 한국자산관리공사에 공매 등을 대행하게 할 수 있다. 이 경우 공매 등은 관할 세무서장이 한 것으로 본다.

1. 공매
2. 수의계약
3. 매각재산의 권리이전
4. 금전의 배분

④ 2008 지방직 7급 ×

과세관청이 체납처분(강제징수)으로서 하는 공매에 있어서 공매재산에 대한 감정평가나 매각예정가격의 결정이 잘못되었다 하더라도, 그로 인하여 공매재산이 부당하게 저렴한 가격으로 공매된 경우라도 공매처분은 취소사유가 있는 것에 불과할 뿐 무효가 되는 것은 아니다(대판 1997. 4. 8, 96다52915).

⑤ 2013 경행특채 변형 ○

국세징수법상 체납액의 징수순위는 강제징수비, 국세, 가산세의 순서에 따른다(동법 제3조).

정답 06 ④

07

행정의 실효성 확보수단과 관련된 다음 설명 중 옳지 않은 것은? (다툼이 있는 경우 판례에 의함)

□□□ ① 직접강제와 즉시강제는 권력적 사실행위로서의 성격을 가지고 있다.

□□□ ② 행정강제는 행정상 강제집행을 원칙으로 하고, 행정상 즉시강제는 예외적으로 인정되는 강제수단이다.

□□□ ③ 감염병환자의 강제입원, 불법게임물의 폐기는 행정상 직접강제의 예이다.

□□□ ④ 「마약류 불법거래 방지에 관한 특례법」에 따른 조치의 일환으로 특정한 수출입물품을 개봉하여 검사하고 그 내용물의 점유를 취득한 행위는 사전 또는 사후에 영장을 받아야 한다.

① 2019 사회복지직 9급 ○

영업소 폐쇄(간판의 제거 등)와 같은 직접강제와 불법게임물의 수거와 같은 즉시강제는 모두 권력적 사실행위로서의 성격을 가진다.

② 2017 국가직(하) 9급 ○

행정상 즉시강제는 법치국가의 요청인 예측가능성과 법적 안정성에 반하고 기본권침해의 소지가 큰 권력작용이므로 행정강제는 행정상 강제집행을 원칙으로 하고 행정상 즉시강제는 예외적으로 인정되어야 한다는 것이 판례의 입장이다(헌재 2002. 10. 31, 2000헌가12).

③ 2015 지방직 7급 ×

지문의 예는 즉시강제의 예에 해당한다. 직접강제의 예로는 식품위생법상의 영업소 폐쇄조치, 출입국관리법상의 각종 의무를 위반한 자에 대한 강제퇴거조치 등을 들 수 있다.

④ 2022 소방간부 ○

권력적 행정조사의 경우 영장주의가 적용되는지가 문제되는바, 판례는 수사기관의 강제처분이 아니라 행정조사의 성격을 유지하는 한 영장은 요구되지 않는다고 한다. 다만, 형사책임 추궁을 목적으로 하는 조사의 경우에는 영장이 필요하다.

1. 수출입물품을 검사하는 과정에서 마약류가 감추어져 있다고 밝혀지거나 그러한 의심이 드는 경우, 「마약류 불법거래 방지에 관한 특례법」 제4조 제1항에 따라 검사의 요청으로 세관장이 행하는 조치에는 영장주의원칙이 적용된다.
2. 위 조항에 따른 조치의 일환으로 특정한 수출입물품을 개봉하여 검사하고 그 내용물의 점유를 취득한 행위가 범죄수사인 압수 또는 수색에 해당하므로 사전 또는 사후에 영장을 받아야 한다(대판 2017. 7. 18, 2014도8719).

정답 07 ③

08

행정조사와 관련된 다음 설명 중 옳지 않은 것을 모두 고른 것은? (다툼이 있는 경우 판례에 의함)

□□□ ㉠ 세무조사는 국가의 과세권을 실현하기 위한 행정조사의 일종으로서 국세의 과세표준과 세액을 결정 또는 경정하기 위하여 질문을 하고 장부·서류 그 밖의 물건을 검사·조사하거나 그 제출을 명하는 일체의 행위를 말한다.

□□□ ㉡ 헌법 제12조 제1항에서 규정하고 있는 적법절차의 원칙은 형사소송절차에 국한되지 않고 모든 국가작용 전반에 대하여 적용되는 원칙이므로 세무공무원의 세무조사권의 행사에서도 적법절차의 원칙은 준수되어야 한다.

□□□ ㉢ 세관공무원이 밀수품을 싣고 왔다는 정보에 의하여 정박 중인 선박에 대하여 수색을 하려면 비록 소유자 또는 점유자의 승낙을 얻었을지라도 이와 별개로 법관의 압수·수색영장을 발부받아야 한다.

□□□ ㉣ 행정조사기본법에 의하면, 조사목적 달성을 위한 시료채취로 조사대상자에게 손실이 발생하였더라도 행정기관의 장은 이에 대한 보상책임을 지지 않는다.

① ㉠, ㉡ ② ㉠, ㉢
③ ㉡, ㉢ ④ ㉢, ㉣

㉠ 2018 국회직 8급 ○

세무조사는 국가의 과세권을 실현하기 위한 행정조사의 일종으로서 국세의 과세표준과 세액을 결정 또는 경정하기 위하여 질문을 하고 장부·서류 그 밖의 물건을 검사·조사하거나 그 제출을 명하는 일체의 행위를 말하며, 부과처분을 위한 과세관청의 질문조사권이 행하여지는 세무조사의 경우 납세자 또는 그 납세자와 거래가 있다고 인정되는 자 등은 세무공무원의 과세자료 수집을 위한 질문에 대답하고 검사를 수인하여야 할 법적 의무를 부담한다(대판 2017. 3. 16, 2014두8360).

㉡ 2018 국가직 9급 ○

헌법 제12조 제1항에서 규정하고 있는 적법절차의 원칙은 형사소송절차에 국한되지 아니하고 모든 국가작용 전반에 대하여 적용된다. 세무조사는 국가의 과세권을 실현하기 위한 행정조사의 일종으로서 과세자료의 수집 또는 신고내용의 정확성 검증 등을 위하여 필요불가결하며, 종국적으로는 조세의 탈루를 막고 납세자의 성실한 신고를 담보하는 중요한 기능을 수행한다. 이러한 세무공무원의 세무조사권의 행사에서도 적법절차의 원칙은 마땅히 준수되어야 한다(대판 2014. 6. 26, 2012두911).

㉢ 2023 소방승진 ×

공무집행방해죄에 의한 보고의 대상은 공무원의 적법한 직무의 집행이라야 한다는 것인바 본건의 경우 세관공무원이 밀수품을 싣고 왔다는 정보에 의하여 정박중인 선박에 대하여 수색을 하려면 선박의 소유자 또는 점유자의 승낙을 얻거나 법관의 압수 수색영장을 발부 받거나 또는 관세법 212조 1항 후단에 의하여 긴급을 요하는 경우에 한하여 수색압수를 하고 사후에 영장의 교부를 받아야 할터인데 …… (대판 1976. 11. 9, 76도2703)

㉣ 2019 소방직 9급 ×

행정조사기본법 제12조 【시료채취】 ① 조사원이 조사목적의 달성을 위하여 시료채취를 하는 경우에는 그 시료의 소유자 및 관리자의 정상적인 경제활동을 방해하지 아니하는 범위 안에서 최소한도로 하여야 한다.
② 행정기관의 장은 제1항에 따른 시료채취로 조사대상자에게 손실을 입힌 때에는 대통령령으로 정하는 절차와 방법에 따라 그 손실을 보상하여야 한다.

정답 08 ④

09

행정조사기본법의 내용으로 옳지 않은 것은?

□□□ ① 행정조사는 법령 등 또는 행정조사운영계획으로 정하는 바에 따라 정기적으로 실시함을 원칙으로 하되 다른 행정기관으로부터 법령 등의 위반에 관한 혐의를 통보받은 때에는 수시조사를 할 수 있다.

□□□ ② 행정기관의 장은 행정조사의 목적, 법령준수의 실적, 자율적인 준수를 위한 노력, 규모와 업종 등을 고려하여 명백하고 객관적인 기준에 따라 행정조사의 대상을 선정하여야 한다.

□□□ ③ 조사대상자의 동의가 있는 경우 해가 뜨기 전이나 해가 진 뒤에도 현장조사가 가능하다.

□□□ ④ 행정기관의 장은 조사대상자가 신고한 내용이 거짓의 신고라고 인정할 만한 근거가 있거나 신고내용을 신뢰할 수 없는 경우를 제외하고는 그 신고내용을 행정조사에 갈음하여야 한다.

관련기출

③

1. 현장조사는 조사대상자가 동의한 경우에도 해가 뜨기 전이나 해가 진 뒤에는 할 수 없다. (○, ×) 2009 국가직 9급

1. ×

① 2018 경행경채 3차 ○

> 행정조사기본법 제7조【조사의 주기】 행정조사는 법령 등 또는 행정조사운영계획으로 정하는 바에 따라 정기적으로 실시함을 원칙으로 한다. 다만, 다음 각 호 중 어느 하나에 해당하는 경우에는 수시조사를 할 수 있다.
> 3. 다른 행정기관으로부터 법령 등의 위반에 관한 혐의를 통보 또는 이첩받은 경우

② 2014 국회직 8급 ○

> 행정조사기본법 제8조【조사대상의 선정】 ① 행정기관의 장은 행정조사의 목적, 법령준수의 실적, 자율적인 준수를 위한 노력, 규모와 업종 등을 고려하여 명백하고 객관적인 기준에 따라 행정조사의 대상을 선정하여야 한다.

③ 2017 서울시 9급 ○

> 행정조사기본법 제11조【현장조사】 ② 제1항에 따른 현장조사는 해가 뜨기 전이나 해가 진 뒤에는 할 수 없다. 다만, 다음 각 호의 어느 하나에 해당하는 경우에는 그러하지 아니하다.
> 1. 조사대상자(대리인 및 관리책임이 있는 자를 포함한다)가 동의한 경우

④ 2012 지방직(하) 9급 ×

> 행정조사기본법 제25조【자율신고제도】 ② 행정기관의 장은 조사대상자가 제1항에 따라 신고한 내용이 거짓의 신고라고 인정할 만한 근거가 있거나 신고내용을 신뢰할 수 없는 경우를 제외하고는 그 신고내용을 행정조사에 갈음할 수 있다.

10

행정법에 대한 다음 설명 중 옳은 것을 모두 고른 것은? (다툼이 있는 경우 판례에 의함)

> □□□ ㉠ 행정형벌에는 특별한 규정이 있는 경우를 제외하고는 형법총칙이 적용된다.
>
> □□□ ㉡ 행정형벌은 형사소송법이 정하는 절차에 따라 법원이 과벌하는 것이 원칙이다.
>
> □□□ ㉢ 피고인이 행형법에 의한 징벌을 받아 그 집행을 종료한 뒤에 형사처벌을 한다고 하여 일사부재리의 원칙에 반하는 것은 아니다.
>
> □□□ ㉣ 종업원의 위반행위에 대해 사업주도 처벌하는 경우, 사업주가 지는 책임은 무과실책임이다.
>
> □□□ ㉤ 과태료는 행정벌의 일종으로 형벌과 마찬가지로 형법총칙이 적용된다.

① ㉠, ㉡, ㉢ ② ㉠, ㉢, ㉤
③ ㉡, ㉢, ㉣ ④ ㉡, ㉣, ㉤

㉠ 2009 국가직 9급 ○
행정형벌은 행정법을 위반한 자에 대해 형법상의 벌인 형벌을 부과하는 것이므로 개별법에 특별한 규정이 있는 경우를 제외하고는 형법총칙이 적용된다.

㉡ 2009 국가직 9급 ○
행정형벌은 행정법을 위반한 자에 대해 형법상의 벌인 형벌을 부과하는 것이므로 그 부과절차에 대해서는 형사소송법에 정한 절차에 따라 법원이 부과하는 것이 원칙이다.

㉢ 2019 국회직 8급 ○

> 피고인이 행형법에 의한 징벌을 받아 그 집행을 종료하였다고 하더라도 행형법상의 징벌은 수형자의 교도소 내의 준수사항위반에 대하여 과하는 행정상의 질서벌의 일종으로서 형법 법령에 위반한 행위에 대한 형사책임과는 그 목적, 성격을 달리하는 것이므로 징벌을 받은 뒤에 형사처벌을 한다고 하여 일사부재리의 원칙에 반하는 것은 아니다(대판 2000. 10. 27, 2000도3874).

㉣ 2012 지방직(상) 9급 ×
종업원의 위반행위에 대한 법정대리인, 사업주의 책임은 주의 · 감독의무를 태만히 한 데 대한 과실책임의 성질을 가진다.

㉤ 2020 소방직 9급 ×
행정질서벌은 형법상의 벌이 아니므로 형법총칙은 적용되지 않으며, 질서벌의 성립요건 등과 부과 · 징수 등의 절차에 대해서는 원칙적으로 질서위반행위규제법에 의한다. 과태료는 행정벌 중 행정질서벌에 해당한다.

정답 09 ④ 10 ①

11

행정벌에 대한 다음 설명 중 옳지 않은 것은? (다툼이 있는 경우 판례에 의함)

□□□ ① 행정청의 허가가 있어야 함에도 불구하고 허가를 받지 아니하여 처벌대상의 행위를 한 경우라도, 허가를 담당하는 공무원이 허가를 요하지 아니하는 것으로 잘못 알려주어 이를 믿었기 때문에 허가를 받지 아니한 것이라면 허가를 받지 않더라도 죄가 되지 않는 것으로 착오를 일으킨 데 대하여 정당한 이유가 있는 경우에 해당하여 처벌할 수 없다.

□□□ ② 다단계판매원은 구 「방문판매 등에 관한 법률」의 양벌규정의 적용에 있어서 다단계판매업자의 사용인의 지위에 있다.

□□□ ③ 지방자치단체 소속 공무원이 지정항만순찰 등의 업무를 위해 관할관청의 승인 없이 개조한 승합차를 운행함으로써 구 자동차관리법을 위반한 경우, 해당 지방자치단체는 구 자동차관리법 제83조의 양벌규정에 따른 처벌대상이 될 수 없다.

□□□ ④ 통고처분은 행정질서벌에도 인정된다.

□□□ ⑤ 도로교통법상의 통고처분은 처분을 받은 당사자의 임의의 승복을 발효요건으로 하고 있으며, 행정공무원에 의하여 발하여지는 것이지만, 통고처분에 따르지 않고자 하는 당사자에게는 정식재판의 절차가 보장되어 있다.

① 2011 국회(속기 · 경위직) 9급 ○

행정청의 허가가 있어야 함에도 불구하고 허가를 받지 아니하여 처벌대상의 행위를 한 경우라도, 허가를 담당하는 공무원이 허가를 요하지 않는 것으로 잘못 알려주어 이를 믿었기 때문에 허가를 받지 아니한 것이라면, 허가를 받지 않더라도 죄가 되지 않는 것으로 착오를 일으킨 데 대하여 정당한 이유가 있는 경우에 해당하여 처벌할 수 없다(대판 1992. 5. 22, 91도2525).

② 2008 국가직 9급 ○

다단계판매원은 다단계판매업자의 사용인의 지위에 있다는 것이 판례의 입장이다.

다단계판매업의 영업태양 및 다단계판매업자와 다단계판매원 사이의 관계에 비추어 볼 때, 다단계판매원이 하위판매원의 모집 및 후원활동을 하는 것은 실질적으로 다단계판매업자의 관리 아래 그 업무를 위탁받아 행하는 것으로 볼 수 있어, 다단계판매업자가 상품의 판매 또는 용역의 제공에 의한 이익의 귀속주체가 된다고 할 것이므로, 다단계판매원은 다단계판매업자의 통제 · 감독을 받으면서 다단계판매업자의 업무를 직접 또는 간접으로 수행하는 자로서, 적어도 구 「방문판매 등에 관한 법률」의 양벌규정의 적용에 있어서는 다단계판매업자의 사용인의 지위에 있다고 봄이 상당하다(대판 2006. 2. 24, 2003도4966).

③ 2017 국가직(하) 7급 ○

지방자치단체 소속 공무원이 지정항만순찰 등의 업무를 위해 관할관청의 승인 없이 개조한 승합차를 운행함으로써 구 자동차관리법을 위반한 사안에서, 지방자치법, 구 항만법, 구 항만법 시행령 등에 비추어 위 항만순찰 등의 업무가 지방자치단체의 장이 국가로부터 위임받은 기관위임사무에 해당하여, 해당 지방자치단체가 구 자동차관리법 제83조의 양벌규정에 따른 처벌대상이 될 수 없다(대판 2009. 6. 11, 2008도6530).

④ 2011 지방직(하) 7급 ×

통고처분은 행정형벌의 예외적 과벌절차이다.

⑤ 2023 지방직 · 서울시 7급 ○

도로교통법상의 통고처분은 처분을 받은 당사자의 임의의 승복을 발효요건으로 하고 있으며, 행정공무원에 의하여 발하여 지는 것이지만, 통고처분에 따르지 않고자 하는 당사자에게는 정식재판의 절차가 보장되어 있다(헌재 2003. 10. 30, 2002헌마275).

정답 11 ④

12

과태료에 대한 다음 설명 중 옳지 않은 것을 모두 고른 것은? (다툼이 있는 경우 판례에 의함)

□□□ ㉠ 과태료의 부과는 서면으로 하여야 한다. 이때 당사자가 동의하는 경우에는 전자문서도 여기서의 서면에 포함된다.

□□□ ㉡ 과태료재판의 경우, 법원으로서는 기록상 현출되어 있는 사항에 관하여 직권으로 증거조사를 하고 이를 기초로 하여 판단할 수 있는 것이나, 그 경우 행정청의 과태료 부과처분사유와 기본적 사실관계에서 동일성이 인정되는 한도 내에서만 과태료를 부과할 수 있다.

□□□ ㉢ 헌법재판소는 행정형벌과 행정질서벌은 서로 다른 성질의 행정벌이므로 동일 법규위반행위에 대하여 형벌을 부과하면서 행정질서벌인 과태료까지 부과하였다고 하더라도 이중처벌금지의 기본정신에 배치되는 것은 아니라고 보고 있다.

□□□ ㉣ 질서위반행위규제법에 따르면 당사자가 과태료를 자진납부하고자 하는 경우 행정청은 과태료를 감경할 수 있고, 과태료를 체납할 경우 법원은 검사의 청구에 따라 체납된 과태료액에 상당하는 강제노역에 처할 수 있다.

□□□ ㉤ 질서위반행위규제법에 따르면 행정청은 당사자가 의견제출기한 이내에 과태료를 자진납부하고자 하는 경우에는 과태료를 감경할 수 있다.

① ㉠, ㉡　　② ㉡, ㉢
③ ㉢, ㉣　　④ ㉣, ㉤

관련기출

㉡

1. 과태료재판의 경우 법원은 기록상 현출되어 있는 사항에 관하여 직권으로 증거조사를 하고 이를 기초로 하여 판단할 수 있으나, 행정청의 과태료 부과처분사유와 기본적 사실관계에 있어서 동일성이 인정되는 한도 내에서만 과태료를 부과할 수 있다. (○, ×) 2014 국가직 7급

1. ○

㉠ 2017 국회직 8급 ○

질서위반행위규제법 제17조【과태료의 부과】① 행정청은 제16조의 의견제출절차를 마친 후에 서면(당사자가 동의하는 경우에는 전자문서를 포함한다. 이하 이 조에서 같다)으로 과태료를 부과하여야 한다.

㉡ 2016 경행경채 ○

과태료재판의 경우, 법원으로서는 기록상 현출되어 있는 사항에 관하여 직권으로 증거조사를 하고 이를 기초로 하여 판단할 수 있는 것이나, 그 경우 행정청의 과태료 부과처분사유와 기본적 사실관계에 있어서 동일성이 인정되는 한도 내에서만 과태료를 부과할 수 있다(대결 2012. 10. 19, 2012마1163).

㉢ 2012 경행특채 ×

헌법재판소는 동일한 행위를 대상으로 하여 형벌을 부과하면서 과태료까지 부과하는 것은 이중처벌금지의 기본정신에 배치될 여지가 있다고 본다(대법원과 헌법재판소의 판결의 뉘앙스가 다른 부분을 구분해서 정리하기 바란다. 다만, 그동안은 주로 대법원판결의 태도를 묻는 문제가 주류적이었다).

행정질서벌로서 과태료는 행정상 의무의 위반에 대하여 국가가 일반통치권에 기하여 과하는 제재로서 형벌(특히 행정형벌)과 목적 · 기능이 중복되는 면이 없지 않으므로, 동일한 행위를 대상으로 하여 형벌을 부과하면서 아울러 행정질서벌로서의 과태료까지 부과한다면 그것은 이중처벌금지의 기본정신에 배치되어 국가입법권의 남용으로 인정될 여지가 있음을 부정할 수 없다(헌재 1994. 6. 30, 92헌바38).

㉣ 2012 국가직 7급 ×

형벌인 벌금 또는 과료를 선고할 때에는 납입하지 아니하는 경우의 유치기간을 정하여, 벌금을 납입하지 아니한 사람은 1일 이상 3년 이하, 과료를 납입하지 아니한 사람은 1일 이상 30일 미만의 기간 동안 노역장에 유치하여 작업에 복무하게 하는 노역장유치제도가 있으나 질서벌인 과태료에는 그러한 제도가 없다. 다만, 일정한 요건을 갖춘 경우 감치를 할 수는 있다.

질서위반행위규제법 제18조【자진납부자에 대한 과태료 감경】① 행정청은 당사자가 제16조에 따른 의견제출기한 이내에 과태료를 자진하여 납부하고자 하는 경우에는 대통령령으로 정하는 바에 따라 과태료를 감경할 수 있다.

제54조【고액 · 상습체납자에 대한 제재】① 법원은 검사의 청구에 따라 결정으로 30일의 범위 이내에서 과태료의 납부가 있을 때까지 다음 각 호의 사유에 모두 해당하는 경우 체납자(법인인 경우에는 대표자를 말한다. 이하 이 조에서 같다)를 감치(監置)에 처할 수 있다.

㉤ 2012 국회(속기 · 경위직) 9급 ○

질서위반행위규제법 제18조【자진납부자에 대한 과태료 감경】① 행정청은 당사자가 제16조에 따른 의견제출기한 이내에 과태료를 자진하여 납부하고자 하는 경우에는 대통령령으로 정하는 바에 따라 과태료를 감경할 수 있다.

정답 12 ③

행정구제 1(행정상 손해전보)

1회독	2회독	3회독
/	/	/

01

국가배상과 관련된 다음 설명 중 옳지 않은 것을 모두 고른 것은? (다툼이 있는 경우 판례에 의함)

□□□ ㉠ 헌법은 배상책임자를 '국가 또는 지방자치단체'로 규정하고 있으나, 국가배상법은 배상책임자를 '국가 또는 공공단체'로 규정하고 있다.

□□□ ㉡ 국가배상법상 '직무행위'의 범위에는 원칙적으로 공법상 권력작용을 중심으로 하여 공법상 비권력적 작용을 포함하는 것이므로 준법률행위적 행정행위나 사실행위, 부작위는 포함되지 않는다.

□□□ ㉢ 검사가 공판과정에서 피고인의 무죄를 입증할 수 있는 결정적인 증거를 입수하였으나 이를 법원에 제출하지 아니하여 유죄판결을 받았다면 국가배상이 인정된다.

□□□ ㉣ 구청 세무과 소속 공무원 甲이 乙에게 무허가건물 세입자들에 대한 시영아파트 입주권 매매행위를 한 경우 외형상 직무범위 내의 행위라고 볼 수 없다.

① ㉠, ㉡　　② ㉠, ㉢
③ ㉡, ㉣　　④ ㉢, ㉣

㉠ 2007 국가직 7급 ×

헌법은 배상책임자로 '국가 또는 공공단체'를 규정하고 있으나, 국가배상법은 '국가 또는 지방자치단체'로 그 범위를 좁히고 있다.

구 분	헌 법	국가배상법
책임사	국가 또는 공공단체	국가 또는 지방자치단체
유 형	직무행위로 인한 손해배상청구권	• 직무행위로 인한 손해배상청구권 • 영조물의 하자로 인한 손해배상청구권

㉡ 2008 지방직 9급 ×

준법률행위적 행정행위, 사실행위, 부작위 모두 직무행위에 포함된다.

㉢ 2008 국회직 8급 ○

검사는 피고인의 정당한 이익을 옹호할 의무가 있으므로 무죄를 입증할 결정적인 증거를 법원에 제출하지 않은 행위는 위법한 것으로 국가배상책임이 인정된다(대판 2002. 2. 22, 2001다23447).

㉣ 2011 경행특채 ○

구청 공무원 甲이 주택정비계장으로 부임하기 이전에 그의 처 등과 공모하여 乙에게 무허가건물철거 세입자들에 대한 시영아파트 입주권 매매행위를 한 경우 이는 甲이 개인적으로 저지른 행위에 불과하고 당시 근무하던 세무과에서 수행하던 지방세 부과, 징수 등 본래의 직무와는 관련이 없는 행위로서 외형상으로도 직무범위 내에 속하는 행위라고 볼 수 없다(대판 1993. 1. 15, 92다8514).

정답 01 ①

02

행정상 손해배상과 관련된 다음 설명 중 옳지 않은 것은? (다툼이 있는 경우 판례에 의함)

□□□ ① 법관의 재판에 법령의 규정을 따르지 아니한 잘못이 있는 경우에는 이로써 바로 그 재판상 직무행위가 국가배상법 제2조 제1항에서 말하는 위법한 행위로 되어 국가의 손해배상책임이 발생한다.

□□□ ② 육군중사 甲이 다음 날 실시예정인 독수리 훈련에 대비하여 사전 정찰차 훈련지역 일대를 살피고 귀대하던 중 교통사고가 일어났다면, 甲이 비록 개인소유의 오토바이를 운전하였다 하더라도 실질적 · 객관적으로 위 甲의 운전행위는 그에게 부여된 훈련지역의 사전 정찰임무를 수행하기 위한 직무와 밀접한 관련이 있다고 보아야 한다.

□□□ ③ 과실개념을 객관화하려는 태도는 국가배상책임의 성립을 용이하게 하려는 의도를 지니고 있다.

□□□ ④ 과실의 기준은 당해 공무원이 아니라 당해 직무를 담당하는 평균적 공무원을 기준으로 한다는 견해는 과실의 객관화(과실 개념을 객관적으로 접근)를 위한 시도라 할 수 있다.

관련기출

①

1. 법관의 재판행위가 위법행위로서 국가배상책임이 인정되려면 당해 법관이 위법 또는 부당한 목적을 가지고 재판하는 등 법관에게 부여된 권한의 취지에 명백히 어긋나게 이를 행사하였다고 인정할 특별한 사정이 있어야 한다. (O, ×) 2017 국가직(하) 7급
2. 법령의 규정을 따르지 아니한 법관의 재판상 직무행위는 곧바로 국가배상법 제2조 제1항에서 규정하고 있는 위법행위가 되어 국가의 손해배상책임이 발생한다. (O, ×) 2016 지방직 9급
3. 재판행위로 인한 국가배상에 있어서 위법은 판결 자체의 위법이 아니라 법관의 공정한 재판을 위한 직무수행상 의무의 위반으로서의 위법이다. (O, ×) 2012 국가직 9급

1. O 2. × 3. O

④

1. 국가배상법상 공무원의 과실에 관하여 판례는 당해 직무를 담당하는 평균적 공무원의 주의능력을 기준으로 판단한다. (O, ×) 2015 서울시 9급
2. 국가배상청구권은 과실개념의 주관화(主觀化) 경향이 나타나고 있다. (O, ×) 2014 서울시 9급

1. O 2. ×

① 2020 군무원 7급 ×

> 1. 법관의 재판에 법령의 규정을 따르지 아니한 잘못이 있다 하더라도 이로써 바로 그 재판상 직무행위가 국가배상법 제2조 제1항에서 말하는 위법한 행위로 되어 국가의 손해배상책임이 발생하는 것은 아니다.
> 2. 국가배상책임이 인정되려면 당해 법관이 위법 또는 부당한 목적을 가지고 재판을 하는 등 법관이 그에게 부여된 권한의 취지에 명백히 어긋나게 이를 행사하였다고 인정할 만한 특별한 사정이 있어야 한다고 해석함이 상당하다(대판 2001. 4. 24, 2000다16114).

② 2016 지방직 7급 O

> 육군중사가 훈련에 대비하여 개인소유의 오토바이를 운전하여 사전 정찰차 훈련지역 일대를 돌아보고 귀대하다가 교통사고를 일으킨 경우, 오토바이의 운전행위는 국가배상법 제2조 소정의 직무집행행위에 해당한다.
>
> 위 OOO이 자신의 개인소유 오토바이 뒷좌석에 위 ×××을 태우고 다음 날부터 실시예정인 전 제대 동시 야간 훈련 및 독수리 훈련에 대비하여 사전 정찰차 훈련지역 일대를 살피고 귀대하던 중 이 사건 사고가 일어났다면, 위 OOO이 비록 개인소유의 오토바이를 운전하였다 하더라도 실질적 · 객관적으로 위 OOO의 운전행위는 그에게 부여된 훈련지역의 사전 정찰임무를 수행하기 위한 직무와 밀접한 관련이 있다고 보아야 할 것이다(대판 1994. 5. 27, 94다6741).

③ 2019 사회복지직 9급 O

국가배상책임의 성립요건과 관련하여 (고의 또는) 과실 여부가 다투어지는 경우에는 피해자인 국민이 가해공무원에게 (고의 또는) 과실이 있음을 입증하여야 할 책임, 즉 입증책임이 있다. 그런데 여기서 과실이라 함은 어떠한 사실을 인식할 수 있었음에도 불구하고 부주의(不注意)로 인식하지 못한 것을 말하는데 이러한 주의능력은 사람마다 다를 수밖에 없다. 따라서 소송에서 피해자인 국민이 가해자의 개별적인 주의능력을 기준으로 과실을 입증한다는 것은 매우 어려우므로 그 직무를 담당하는 평균적 공무원의 주의능력을 기준으로 과실을 입증하도록 할 필요가 있는바, 이를 과실의 객관화라고 한다. 즉, 과실의 객관화는 국가배상책임의 성립요건을 완화하는 개념이다.

④ 2020 군무원 7급 O

과실의 증명책임은 피해자인 원고에게 있는바, 과실을 주관적으로만 파악하여 공무원 개인의 주의능력을 기준으로 판단한다면 과실의 증명이 너무 어려워져 국민의 권익구제 측면에서 문제가 있다. 따라서 과실을 객관적으로 파악하여 과실입증을 보다 쉽게 함으로써 국가배상책임의 성립을 용이하게 할 필요성이 있는바, 이러한 경향을 과실의 객관화라고 한다. 과실을 공무원 개인의 주관적 인식을 기준으로 하는 것이 아니라 평균적(보통 일반의) 공무원의 관점에서 판단하는 것은 과실의 객관화를 위한 시도이다.

> 보통 일반의 공무원의 주의의무를 기준으로 과실을 판단한다.
>
> 공무원의 직무집행상의 과실이라 함은 공무원이 그 직무를 수행함에 있어 당해 직무를 담당하는 평균인이 보통(통상) 갖추어야 할 주의의무를 게을리한 것을 말한다(대판 1987. 9. 22, 87다카1164).

정답 02 ①

03

행정상 손해배상과 관련된 다음 설명 중 옳지 않은 것은? (다툼이 있는 경우 판례에 의함)

□□□ ① 특별한 사정이 없는 한 일반적으로 공무원이 관계법규를 알지 못하거나 필요한 지식을 갖추지 못하고 법규의 해석을 그르쳐 행정처분을 하였다면 그가 법률전문가가 아닌 행정직 공무원이라도 과실이 있다.

□□□ ② 변호인의 접견신청을 허용하지 않아 변호인의 접견교통권을 침해한 경우에는 접견 불허결정을 한 공무원에게 고의나 과실이 있다고 보기 어렵다.

□□□ ③ 행위가 실질적으로 공무집행행위가 아니라는 사정을 피해자가 알았다 하더라도 그것을 '직무를 행함에 당하여'라고 단정하는 데 아무런 영향을 미치는 것이 아니다.

□□□ ④ 행정입법에 관여한 공무원이 입법 당시의 상황에서 다양한 요소를 고려하여 나름대로 합리적인 근거를 찾아 어느 하나의 견해에 따라 경과규정을 두는 등의 조치 없이 새 법령을 그대로 시행하거나 적용하였더라도 이러한 경우에까지 국가배상법 제2조 제1항에서 정한 국가배상책임의 성립요건인 공무원의 과실이 있다고 할 수는 없다.

① 2018 지방직 7급 ○

법령에 대한 해석이 복잡 · 미묘하여 워낙 어렵고, 이에 대한 학설 · 판례조차 귀일되어 있지 않는 등의 특별한 사정이 없는 한 일반적으로 공무원이 관계법규를 알지 못하거나 필요한 지식을 갖추지 못하고 법규의 해석을 그르쳐 행정처분을 하였다면 그가 법률전문가가 아닌 행정직 공무원이라고 하여 과실이 없다고는 할 수 없다(대판 2001. 2. 9, 98다52988).

② 2023 해경간부 ×

수사기관이 법령에 의하지 않고는 변호인의 접견교통권을 제한할 수 없다는 것은 대법원이 오래전부터 선언해 온 확고한 법리로서 변호인의 접견신청에 대하여 허용 여부를 결정하는 수사기관으로서는 마땅히 이를 숙지해야 한다. 이러한 법리에 반하여 변호인의 접견신청을 허용하지 않고 변호인의 접견교통권을 침해한 경우에는 접견 불허결정을 한 공무원에게 고의나 과실이 있다고 볼 수 있다(대판 2018. 12. 27, 2016다266736).

③ 2023 해경간부 ○

(외형설에 따라) 상대방이 공무원의 직무집행행위가 아니라는 것을 알았다 하더라도 국가배상책임이 인정된다.
'직무를 행함에 당하여'라는 취지는 공무원의 행위의 외관을 객관적으로 관찰하여 공무원의 직무행위로 보여질 때에는 비록 그것이 실질적으로 직무행위이거나 아니거나 또는 행위자의 주관적 의사에 관계없이 그 행위는 공무원의 직무집행행위로 볼 것이요, 이러한 행위가 실질적으로 공무집행행위가 아니라는 사정을 피해자가 알았다 하더라도 그것을 '직무를 행함에 당하여'라고 단정하는 데 아무런 영향을 미치는 것이 아니다(대판 1966. 6. 28, 66다781).

④ 2018 국회직 8급 ○

행정입법에 관여한 공무원이 나름대로 합리적 근거를 찾아 어느 하나의 견해에 따라 경과규정을 두는 등의 조치 없이 새 법령을 그대로 시행 또는 적용하였으나 그 판단이 나중에 대법원이 내린 판단과 달라 결과적으로 신뢰보호원칙 등을 위반하게 된 경우, 국가배상책임의 성립요건인 공무원의 과실이 있다고 볼 수 없다(대판 2013. 4. 26, 2011다14428).

정답 03 ②

04

행정상 손해배상과 관련된 다음 설명 중 옳은 것은? (다툼이 있는 경우 판례에 의함)

① 시청 소속 공무원이 시장을 (구)부패방지위원회에 부패혐의자로 신고한 후 동사무소로 전보된 경우, 사회통념상 용인될 수 없을 정도로 객관적 상당성을 결여하였으므로 불법행위를 구성한다.

② 등기신청의 첨부서면으로 제출한 판결서의 일부 기재사항 및 기재형식이 일반적인 판결서의 작성방식과 다른 경우에, 담당등기관이 자세한 확인절차를 거치지 않았다면 국가배상의 책임이 인정된다.

③ 손해는 법익침해로 인한 모든 불이익을 말하며, 재산상의 손해이든 비재산적 손해(생명 · 신체 · 정신상의 손해)이든, 적극적 손해이든 소극적 손해이든 불문한다.

④ 피해자가 받은 손해에는 적극적 손해와 소극적 손해는 포함되지만, 위자료는 포함되지 않는다는 것이 판례의 입장이다.

관련기출

③

1. 사인이 받은 손해란 생명 · 신체 · 재산상의 손해는 인정하지만, 정신상의 손해는 인정하지 않는다. (○, ×) 2017 사회복지직 9급

1. ×

① 2011 경행특채 ×

> 시청 소속 공무원이 시장을 부패방지위원회에 부패혐의자로 신고한 후 동사무소로 전보된 사안에서, 그 전보인사가 사회통념상 용인될 수 없을 정도로 객관적 상당성을 결여하였다고 단정할 수 없어 불법행위를 구성하지 않는다(대판 2009. 5. 28, 2006다16215).

② 2008 국회직 8급 ×

등기관은 형식적인 심사권을 가질 뿐이므로 형식적인 심사를 다하였다면 심사의무를 위반한 것이 아니라는 것이 판례의 입장이다.

> 판결서를 첨부서면으로 한 등기신청을 접수한 등기관으로서는 등기신청에 필요한 서면이 모두 제출되었는지 여부, 그 서면 자체에 요구되는 형식적 사항이 구비되었는지 여부, 특히 확정된 판결서의 당사자 및 주문의 표시가 등기신청의 적법함을 뒷받침하고 있는지 여부 등을 제출된 서면과 등기부의 상호 대조 등의 방법으로 모두 심사한 이상 그 형식적 심사의무를 다하였다고 할 것이고, …… 판결의 효력에 어떠한 영향도 주지 않는 기재사항까지 일일이 검토하여 그것이 재판서 양식에 관한 예규 및 일반적인 작성 관행 등에서 벗어난 것인지 여부를 파악한 다음 이를 토대로 그 위조 여부에 관하여 더 자세한 확인을 하여야 할 주의의무가 있다고는 할 수 없다(대판 2005. 2. 25, 2003다13048).

③ 2020 군무원 7급 ○

손해는 가해행위로부터 발생한 일체의 손해로서 적극적 손해(치료비 등), 소극적 손해(일당 등 벌 수 있었던 금전), 재산상의 손해 또는 생명 · 신체 등 비재산상 손해 그리고 정신적 손해(위자료)를 가리지 않고 모두 포함한다.

④ 2009 지방직 9급 ×

정신적 고통에 대한 손해, 즉 위자료도 청구가 가능하다.

> **국가배상법 제3조【배상기준】** ⑤ 사망하거나 신체의 해를 입은 피해자의 직계존속(直系尊屬) · 직계비속(直系卑屬) 및 배우자, 신체의 해나 그 밖의 해를 입은 피해자에게는 대통령령으로 정하는 기준 내에서 피해자의 사회적 지위, 과실(過失)의 정도, 생계 상태, 손해배상액 등을 고려하여 그 정신적 고통에 대한 위자료를 배상하여야 한다.

정답 04 ③

05

행정상 손해배상과 관련된 다음 설명 중 옳은 것을 모두 고른 것은? (다툼이 있는 경우 판례에 의함)

ㄱ 국가배상법은 생명·신체의 침해에 대한 위자료의 지급만을 규정하고 있으므로, 재산권의 침해에 대해서는 위자료를 청구할 수 없다.

ㄴ 우편집배원이 압류 및 전부명령 결정 정본을 특별송달함에 있어 부적법한 송달을 하고도 적법한 송달을 한 것처럼 보고서를 작성하여 압류 및 전부의 효력이 발생하지 않아 집행채권자가 피압류채권을 전부받지 못한 경우 우편집배원의 직무상 의무위반과 집행채권자의 손해 사이에는 상당인과관계가 있다.

ㄷ 소방공무원들이 다중이용업소인 주점의 비상구와 피난시설 등에 대한 점검을 소홀히 함으로써 주점의 피난통로 등에 중대한 피난 장애요인이 있음을 발견하지 못하여 업주들에 대한 적절한 지도·감독을 하지 아니한 경우 직무상 의무위반과 주점 손님들의 사망 사이에 상당인과관계가 인정된다.

ㄹ 유흥주점에 감금된 채 윤락을 강요받으며 생활하던 여종업원들이 유흥주점에 화재가 났을 때 미처 피신하지 못하고 유독가스에 질식해 사망한 사안에서, 지방자치단체의 담당공무원이 위 유흥주점의 용도변경, 무허가영업 및 시설기준에 위배된 개축에 대하여 시정명령 등 식품위생법상 취하여야 할 조치를 게을리한 직무상 의무위반행위와 위 종업원들의 사망 사이에 상당인과관계가 존재한다.

① ㄱ, ㄴ ② ㄱ, ㄷ
③ ㄴ, ㄷ ④ ㄷ, ㄹ

ㄱ 2012 경행특채 ×

국가배상법 제3조 제5항에 생명·신체에 대한 침해로 인한 위자료의 지급을 규정하였을 뿐이고 재산권침해에 대한 위자료의 지급에 관하여 명시한 규정을 두지 아니하였으나 같은 법조 제4항의 규정이 재산권침해로 인한 위자료의 지급의무를 배제하는 것이라고 볼 수는 없다(대판 1990. 12. 21, 90다6033·6040·6057 병합).

ㄴ 2019 국회직 8급 ○

우편집배원이 압류 및 전부명령 결정 정본을 특별송달하는 과정에서 민사소송법을 위반하여 부적법한 송달을 하고도 적법한 송달을 한 것처럼 우편송달보고서를 작성하여 압류 및 전부의 효력이 발생한 것과 같은 외관을 형성시켰으나, 실제로는 압류 및 전부의 효력이 발생하지 아니하여 집행채권자로 하여금 피압류채권을 전부받지 못하게 함으로써 손해를 입게 한 경우에는, 우편집배원의 위와 같은 직무상 의무위반과 집행채권자의 손해 사이에는 상당인과관계가 있다고 봄이 상당하고, 국가는 국가배상법에 의하여 그 손해에 대하여 배상할 책임이 있다(대판 2009. 7. 23, 2006다87798).

ㄷ 2019 서울시 9급 ○

소방공무원들이 다중이용업소인 주점의 비상구와 피난시설 등에 대한 점검을 소홀히 함으로써 주점의 피난통로 등에 중대한 피난 장애요인이 있음을 발견하지 못하여 업주들에 대한 적절한 지도·감독을 하지 아니한 경우 직무상 의무위반과 주점 손님들의 사망 사이에 상당인과관계가 인정된다(대판 2016. 8. 25, 2014다225083).

ㄹ 2020 군무원 9급 ×

유흥주점에 감금된 채 윤락을 강요받으며 생활하던 여종업원들이 유흥주점에 화재가 났을 때 미처 피신하지 못하고 유독가스에 질식해 사망한 사안에서, 지방자치단체의 담당공무원이 위 유흥주점의 용도변경, 무허가영업 및 시설기준에 위배된 개축에 대하여 시정명령 등 식품위생법상 취하여야 할 조치를 게을리한 직무상 의무위반행위와 위 사망의 결과 사이에는 상당인과관계가 없다(대판 2008. 4. 10, 2005다48994).

정답 05 ③

06

행정상 손해배상과 관련된 다음 설명 중 옳은 것을 모두 고른 것은? (다툼이 있는 경우 판례에 의함)

□□□ ㉠ 공무원책임에 대한 규정인 헌법 제29조 제1항 단서는 그 조항 자체로 공무원 개인의 구체적인 손해배상책임의 범위까지 규정한 것으로 보기는 어렵다.

□□□ ㉡ 경과실이 있는 공무원이 피해자에 대하여 손해배상책임을 부담하지 아니함에도 피해자에게 손해를 배상하였다면 이는 법률상 원인이 없는 것으로 피해자는 공무원에 대하여 이를 반환할 의무가 있다.

□□□ ㉢ 「자동차손해배상 보장법」은 배상책임의 성립요건에 관하여 국가배상법에 우선하여 적용된다.

□□□ ㉣ 사무귀속주체와 비용부담주체가 동일하지 아니한 경우에는 사무귀속주체가 손해를 우선적으로 배상하여야 한다.

① ㉠, ㉡　　② ㉠, ㉢
③ ㉡, ㉢　　④ ㉢, ㉣

㉠ 2018 서울시 1회 7급 ○

판례는 헌법 제29조 제1항 단서에서 "공무원 자신의 책임은 면제되지 않는다."는 의미는 공무원의 구체적 책임의 범위까지 규정한 것은 아니라는 전제하에 공무원에게 고의 또는 중과실이 있는 경우에 한정하여 공무원의 배상책임을 인정하고, 경과실의 경우에는 배상책임을 부정한다.

> 헌법 제29조 제1항 단서는 공무원 개인의 구체적 손해배상책임범위까지 규정한 것으로 보기는 어렵다(대판 1996. 2. 15, 95다38677 전합).

> **헌법 제29조** ① 공무원의 직무상 불법행위로 손해를 받은 국민은 법률이 정하는 바에 의하여 국가 또는 공공단체에 정당한 배상을 청구할 수 있다. 이 경우 공무원 자신의 책임은 면제되지 아니한다.

㉡ 2021 국회직 8급 ×

> 경과실이 있는 공무원이 피해자에 대하여 손해배상책임을 부담하지 아니함에도 피해자에게 손해를 배상하였다면 그것은 채무자 아닌 사람이 타인의 채무를 변제한 경우에 해당하고, 이는 민법 제469조의 '제3자의 변제' 또는 민법 제744조의 '도의관념에 적합한 비채변제'에 해당하여 피해자는 공무원에 대하여 이를 반환할 의무가 없다(대판 2014. 8. 20, 2012다54478).

㉢ 2015 지방직 9급 ○

「자동차손해배상 보장법」과 국가배상법의 해석에 따르면 배상책임의 성립요건에 관하여는 「자동차손해배상 보장법」이 국가배상법에 우선하여 적용된다. 따라서 책임성립 여부는 「자동차손해배상 보장법」에 따라 판단하며, 동법에 따라 책임이 인정되면 구체적인 손해배상청구는 국가배상법의 절차에 따라 이루어진다.

㉣ 2016 서울시 9급 ×

사무귀속주체와 비용부담주체가 동일하지 아니한 경우에 피해자는 선택적으로 손해배상청구권을 행사할 수 있다.

> **국가배상법 제6조【비용부담자 등의 책임】** ① 제2조 · 제3조 및 제5조에 따라 국가나 지방자치단체가 손해를 배상할 책임이 있는 경우에 공무원의 선임 · 감독 또는 영조물의 설치 · 관리를 맡은 자와 공무원의 봉급 · 급여, 그 밖의 비용 또는 영조물의 설치 · 관리 비용을 부담하는 자가 동일하지 아니하면 그 비용을 부담하는 자도 손해를 배상하여야 한다.

정답 06 ②

07

국가배상법 제5조의 책임과 관련된 다음 설명의 옳고(○) 그름(×)을 올바르게 조합한 것은? (다툼이 있는 경우 판례에 의함)

□□□ ㉠ 국가배상법상 영조물이란 학문상의 공물을 뜻하며 도로 등과 같은 인공공물뿐만 아니라 동산 및 동물도 이에 포함된다.

□□□ ㉡ 주관적 요소를 고려하는 최근의 판례에 따르면 영조물의 결함이 영조물의 설치 · 관리자의 관리행위가 미칠 수 없는 상황 아래에 있는 것이 입증되는 경우 영조물의 설치 · 관리상의 하자를 인정할 수 있다.

□□□ ㉢ 집중호우로 제방도로가 유실되면서 그곳을 걸어가던 보행자가 강물에 휩쓸려 익사한 경우, 사고 당일의 집중호우가 50년 빈도의 최대강우량에 해당한다는 사실만으로도 국가배상법 제5조상의 영조물의 설치 또는 관리의 하자로 인한 손해배상책임에서의 면책사유인 불가항력에 해당한다.

□□□ ㉣ 국가배상청구소송에서 공공의 영조물에 하자가 있다는 입증책임은 피해자가 지지만, 관리주체에게 손해발생의 예견가능성과 회피가능성이 없다는 입증책임은 관리주체가 진다.

□□□ ㉤ 불가항력 등 영조물책임의 감면사유가 있는 경우에도 공무원의 과실로 피해가 확대된 경우에는 그 한도 내에서 국가배상법 제2조의 배상책임이 인정된다.

□□□ ㉥ 영조물의 설치 · 관리상의 하자로 인한 손해의 원인에 대하여 책임을 질 사람이 따로 있는 경우에는 국가 · 지방자치단체는 그 사람에게 구상할 수 있다.

① ㉠(○), ㉡(×), ㉢(×), ㉣(○), ㉤(○), ㉥(○)
② ㉠(○), ㉡(○), ㉢(○), ㉣(×), ㉤(×), ㉥(○)
③ ㉠(○), ㉡(×), ㉢(×), ㉣(○), ㉤(×), ㉥(×)
④ ㉠(×), ㉡(○), ㉢(○), ㉣(×), ㉤(○), ㉥(×)

관련기출

㉠

1. 국가배상법 제5조와 관련하여 도로나 하천과 달리 경찰견은 영조물에 포함되지 않는다는 것이 판례의 입장이다. (○, ×) 2007 국가직 9급

1. ×

㉢

1. 집중호우로 제방도로가 유실되면서 그곳을 걸어가던 보행자가 강물에 휩쓸려 익사한 경우, 사고 당일의 집중호우가 50년 빈도의 최대강우량에 해당한다면 불가항력에 기인한 것으로 볼 수 있다. (○, ×) 2012 경행특채
2. 50년 만의 최대강우량을 기록한 집중호우로 인한 제방도로 유실로 보행자가 익사한 경우라면 불가항력적 사고에 해당되어 국가배상은 인정되지 않는다. (○, ×) 2012 국회직 8급

1. × 2. ×

㉠ 2023 소방간부 ○

국가배상법 제5조에서 말하는 공공의 영조물이란 본래적 의미의 영조물이 아니라 강학상 공물(일반 공중이 사용하는 공공용물, 행정주체가 직접 사용하는 공용물, 인공공물 · 자연공물 모두 포함), 즉 직접 행정목적에 제공된 유체물 내지 물적 설비를 의미하며, 사(私)소유물이라도 국가 또는 지방자치단체가 관리하는 공물인 한, 국가배상법 제5조의 영조물에 해당한다. 이러한 공물에는 자연공물(하천 등), 인공공물(도로, 관공서의 청사 등), 동산(관용자동차 등), 부동산, 동물(경찰견 · 경찰마 등) 등이 모두 포함된다는 것이 통설 및 판례의 태도이다.

㉡ 2016 국회직 8급 ×

> 안전성의 구비 여부를 판단함에 있어서는 당해 영조물의 용도, 그 설치장소의 현황 및 이용상황 등 제반 사정을 종합적으로 고려하여 설치 · 관리자가 그 영조물의 위험성에 비례하여 사회통념상 일반적으로 요구되는 정도의 방호조치의무를 다하였는지 여부를 그 기준으로 삼아야 하며, 만일 객관적으로 보아 시간적 · 장소적으로 영조물의 기능상 결함으로 인한 손해발생의 예견가능성과 회피가능성이 없는 경우, 즉 그 영조물의 결함이 영조물의 설치 · 관리자의 관리행위가 미칠 수 없는 상황 아래에 있는 경우임이 입증되는 경우라면 영조물의 설치 · 관리상의 하자를 인정할 수 없다(대판 2001. 7. 27, 2000다56822).

㉢ 2015 사회복지직 9급 ×

> 집중호우로 제방도로가 유실되면서 그곳을 걸어가던 보행자가 강물에 휩쓸려 익사한 경우, 사고 당일의 집중호우가 50년 빈도의 최대강우량에 해당한다는 사실만으로 불가항력에 기인한 것으로 볼 수 없으므로 제방도로의 설치 · 관리상의 하자가 인정된다(대판 2000. 5. 26, 99다53247).

㉣ 2017 국가직 9급 ○

국가배상법상 배상청구권의 요건(영조물일 것, 설치 또는 관리에 하자가 있을 것, 손해가 발생할 것 등)은 배상청구권의 존재를 주장하는 피해자인 원고가 입증책임을 진다. 그러나 상대방의 권리행사를 방해하는 사실인 면책사유는 배상책임자인 영조물의 관리주체가 입증책임을 진다. 손해발생의 예견가능성과 회피가능성이 없다는 사실은 불가항력적 사실로서 면책사유에 해당하므로 관리주체가 입증책임을 진다. 따라서 하자가 있다는 입증책임은 '피해자'가, 손해발생의 예견가능성과 회피가능성이 없다는 입증책임은 '관리주체'가 각각 진다.

㉤ 2009 국가직 7급 ○

불가항력 등 영조물책임의 감면사유가 있는 경우에도 불가항력의 자연재해시 관계행정기관이 과실로 피난명령을 발하지 않은 경우와 같이 공무원의 과실로 피해가 확대된 경우에는 그 한도 내에서 국가배상법 제2조의 배상책임이 인정된다.

㉥ 2017 지방직 7급 ○

> 국가배상법 제5조 【공공시설 등의 하자로 인한 책임】 ① 도로 · 하천, 그 밖의 공공의 영조물(營造物)의 설치나 관리에 하자(瑕疵)가 있기 때문에 타인에게 손해를 발생하게 하였을 때에는 국가나 지방자치단체는 그 손해를 배상하여야 한다. 이 경우 제2조 제1항 단서, 제3조 및 제3조의2를 준용한다.
> ② 제1항을 적용할 때 손해의 원인에 대하여 책임을 질 자가 따로 있으면 국가나 지방자치단체는 그 자에게 구상할 수 있다.

정답 07 ①

08

행정상 손해배상과 관련된 다음 설명 중 옳지 않은 것은? (다툼이 있는 경우 판례에 의함)

□□□ ① 이중배상이 배제되는 군인 및 경찰공무원의 경우에도 다른 법령에 의하여 재해보상금 · 유족연금 · 상이연금 등의 보상을 지급받을 수 없을 때에는 국가배상법에 의하여 배상을 청구할 수 있다.

□□□ ② 국가배상법상 배상청구권의 시효와 관련하여 '가해자를 안다는 것'은 피해자나 그 법정대리인이 가해공무원의 불법행위가 그 직무를 집행함에 있어서 행해진 것이라는 사실까지 인식함을 요구하지 않는다.

□□□ ③ 국가배상청구에 있어서 채권자가 동일한 목적을 달성하기 위하여 복수의 채권을 갖고 있는 경우 어느 하나의 청구권을 행사하는 것이 다른 채권에 대한 소멸시효 중단의 효력이 있다고 할 수 없다.

□□□ ④ 판례에 따르면 국가배상법상 배상심의회에 의한 배상결정은 행정처분이 아니다.

① 2009 지방직(하) 7급 ○

이중배상이 배제되는 군인 및 경찰공무원의 경우에도 다른 법령에 의하여 재해보상금 · 유족연금 · 상이연금 등의 보상을 지급받을 수 없을 때에는 국가배상법에 의하여 배상을 청구할 수 있다는 것이 판례의 입장이다.

> 군인 · 군무원 등 국가배상법 제2조 제1항에 열거된 자가 전투, 훈련 기타 직무집행과 관련하는 등으로 공상을 입은 경우라고 하더라도 군인연금법 또는 「국가유공자 예우 등에 관한 법률」에 의하여 재해보상금 · 유족연금 · 상이연금 등 별도의 보상을 받을 수 없는 경우에는 국가배상법 제2조 제1항 단서의 적용대상에서 제외하여야 한다(편저자 주 : 이중배상금지가 적용되지 않으므로 손해배상청구를 할 수 있다는 의미임)(대판 1997. 2. 14, 96다28066).

② 2017 국가직 7급 ×

> 시효기간을 계산함에 있어 '손해 및 가해자를 안 날'이란 직무행위 등 불법행위의 요건을 구비하였음을 인식한 날을 의미한다.
>
> 국가배상법 제2조 제1항 본문 전단 규정에 따른 배상책임을 묻는 사건에 대하여는 동법 제8조의 규정에 의하여 민법 제766조 소정의 단기소멸시효제도가 적용되는 것인바, 여기서 가해자를 안다는 것은 피해자가 가해공무원과 국가 또는 지방자치단체 사이에 공법상 근무관계가 있다는 사실을 알고, 또한 일반인이 당해 공무원의 불법행위가 국가 또는 지방자치단체의 직무를 집행함에 있어서 행해진 것이라고 판단하기에 족한 사실까지도 인식하는 것을 의미한다(대판 1989. 11. 14, 88다카32500).

③ 2008 지방직 7급 ○

> 국가배상청구에 있어서 채권자가 동일한 목적을 달성하기 위하여 복수의 채권을 갖고 있는 경우, 어느 하나의 청구권을 행사하는 것이 다른 채권에 대한 소멸시효 중단의 효력이 있다고 할 수 없다(대판 2002. 5. 10, 2000다39735).

④ 2008 중앙선관위 9급 ○

> 국가배상심의위원회의 결정은 행정처분이 아니다.
>
> 국가배상법에 의한 배상심의회의 결정은 행정처분이 아니므로 행정소송의 대상이 아니다(대판 1981. 2. 10, 80누317).

정답 08 ②

09

행정상 손실보상과 관련된 다음 설명 중 옳지 않은 것은? (다툼이 있는 경우 판례에 의함)

□□□ ① 헌법 제23조 제3항의 규정은 보상청구권의 근거에 관하여서뿐만 아니라 보상의 기준과 방법에 관하여서도 법률의 규정에 유보하고 있는 것으로 보아야 한다.

□□□ ② 행정상 손실보상청구와 관련하여 순수 국고목적의 작용이라 하더라도 공공필요성이 인정된다는 것이 일치된 견해이다.

□□□ ③ 사업인정은 공익사업의 시행자에게 일정한 절차를 거칠 것을 조건으로 일정한 내용의 수용권을 설정하여 주는 형성행위이며, 사업시행자에게 해당 공익사업을 수행할 의사와 능력이 있어야 한다는 것도 사업인정의 한 요건이 된다.

□□□ ④ 사업시행자가 「공익사업을 위한 토지 등의 취득 및 보상에 관한 법률」에 따른 사업인정을 받은 후 해당 공익사업을 수행할 의사나 능력을 상실하였음에도 수용권을 행사하는 것은 수용권의 공익목적에 반하는 수용권의 남용에 해당하므로 허용되지 않는다.

관련기출

①

1. 헌법은 보상청구권의 근거뿐만 아니라 보상의 기준과 방법에 관해서도 법률에 유보하고 있다. (O, ×) 2012 국가직 7급

1. O

③

1. 사업시행자에게 해당 공익사업을 수행할 의사와 능력이 있어야 한다는 것도 사업인정의 한 요건이라고 보아야 한다. (O, ×) 2023 해경간부

1. O

① 2015 국회직 8급 O

> 헌법 제23조 제3항의 규정은 보상청구권의 근거에 관하여서뿐만 아니라 보상의 기준과 방법에 관하여서도 법률의 규정에 유보하고 있는 것으로 보아야 한다.
>
> 헌법 제23조 제3항의 규정은 …… 보상청구권의 근거에 관하여서뿐만 아니라 보상의 기준과 방법에 관하여서도 법률의 규정에 유보하고 있는 것으로 보아야 하고, 위 구 토지수용법과 지가공시법의 규정들은 바로 헌법에서 유보하고 있는 그 법률의 규정들로 보아야 할 것이다(대판 1993. 7. 13, 93누2131).

② 2009 관세사 ×

수용 등을 하기 위해서는 공공필요성이 있어야 하는바, 국고목적의 경우 공공필요성이 인정되지 않는다.

③ 2023 국가직 7급 O

> 사업인정이란 공익사업을 토지 등을 수용 또는 사용할 사업으로 결정하는 것으로서 공익사업의 시행자에게 그 후 일정한 절차를 거칠 것을 조건으로 일정한 내용의 수용권을 설정하여 주는 형성행위이므로, …… 해당 공익사업을 수행하여 공익을 실현할 의사나 능력이 없는 자에게 타인의 재산권을 공권력적 · 강제적으로 박탈할 수 있는 수용권을 설정하여 줄 수는 없으므로, 사업시행자에게 해당 공익사업을 수행할 의사와 능력이 있어야 한다는 것도 사업인정의 한 요건이라고 보아야 한다(대판 2011. 1. 27, 2009두1051).

④ 2019 경행경채 2차 O

> 공용수용은 헌법상의 재산권보장의 요청상 불가피한 최소한에 그쳐야 한다는 헌법 제23조의 근본취지에 비추어 볼 때, 사업시행자가 사업인정을 받은 후 그 사업이 공용수용을 할 만한 공익성을 상실하거나 사업인정에 관련된 자들의 이익이 현저히 비례의 원칙에 어긋나게 된 경우 또는 사업시행자가 해당 공익사업을 수행할 의사나 능력을 상실하였음에도 여전히 그 사업인정에 기하여 수용권을 행사하는 것은 수용권의 공익목적에 반하는 수용권의 남용에 해당하여 허용되지 않는다(대판 2011. 1. 27, 2009두1051).

정답 09 ②

10

행정상 손실보상과 관련된 다음 설명 중 옳지 않은 것을 모두 고른 것은? (다툼이 있는 경우 판례에 의함)

ㄱ 공익사업의 시행으로 토석채취허가를 연장받지 못한 경우 그로 인한 손실은 적법한 공권력의 행사로 가하여진 재산상의 특별한 희생으로서 손실보상의 대상이 된다.

ㄴ 분리이론은 재산권의 존속보장보다는 가치보장을 강화하려는 입장에서 접근하는 견해이다.

ㄷ 구제역과 같은 가축전염병의 발생과 확산을 막기 위한 도축장 사용정지 · 제한명령은 도축장 소유자들이 수인하여야 할 사회적 제약으로서 헌법상 재산권의 내용과 한계에 해당하므로 공용제한에 해당하지 아니한다.

ㄹ 어떠한 경우라도 토지의 사적 이용권이 배제된 상태에서 토지소유자로 하여금 10년 이상을 아무런 보상 없이 수인하도록 하는 것은 공익실현의 관점에서도 정당화될 수 없는 과도한 제한으로서 헌법상의 재산권보장에 위배된다고 보아야 한다.

① ㄱ, ㄴ　　② ㄱ, ㄷ
③ ㄴ, ㄷ　　④ ㄷ, ㄹ

ㄱ 2018 서울시 9급 ×

공익사업의 시행으로 토석채취허가를 연장받지 못한 경우 그로 인한 손실과 공익사업 사이에 상당인과관계는 인정되지 않으며 그 손실이 적법한 공권력의 행사로 가하여진 재산상의 특별한 희생으로서 손실보상의 대상이 되는 것도 아니다.

산림 내에서의 토석채취허가는 산지관리법 소정의 토석채취제한지역에 속하는 경우에 허용되지 아니함은 물론이나 그에 해당하는 지역이 아니라 하여 반드시 허가하여야 하는 것으로 해석할 수는 없고 허가권자는 신청지 내의 임황과 지황 등의 사항 등에 비추어 국토 및 자연의 보전 등의 중대한 공익상 필요가 있을 때에는 재량으로 그 허가를 거부할 수 있는 것이다. 따라서 그 자체로 중대한 공익상의 필요가 있는 공익사업이 시행되어 토석채취허가를 연장받지 못하게 되었다고 하더라도 토석채취허가가 연장되지 않게 됨으로 인한 손실과 공익사업 사이에 상당인과관계가 있다고 할 수 없을 뿐 아니라, 특별한 사정이 없는 한 그러한 손실이 적법한 공권력의 행사로 가하여진 재산상의 특별한 희생으로서 손실보상의 대상이 된다고 볼 수도 없다(대판 2009. 6. 23, 2009두2672).

ㄴ 2015 국회직 8급 ×

분리이론은 존속보장을 강조하는 입장이며 경계이론은 가치보장을 중시하는 입장이다. 분리이론에 따르면 어떠한 법률조항에서 재산권의 사회적 제약을 넘는 제한규정을 두면서도 이를 조정하는 보상규정을 두지 않은 경우 그러한 법률은 비례의 원칙에 위반되어 위헌이라고 본다. 따라서 사인은 동 법률에 따른 재산권 제한처분 그 자체를 다툼으로써 자신의 재산권 그 자체의 존속을 지킬 수 있다(존속보장). 이에 반하여, 경계이론에 따르면 재산권의 사회적 제약을 넘는 제한규정을 두는 경우 이는 헌법 제23조 제3항의 공용침해가 됨으로써 손실보상의 문제가 발생한다고 본다(가치보장).

ㄷ 2024 군무원 5급 ○

도축장 사용정지·제한명령은 구제역과 같은 가축전염병의 발생과 확산을 막기 위한 것이고, 도축장 사용정지·제한명령이 내려지면 국가가 도축장 영업권을 강제로 취득하여 공익 목적으로 사용하는 것이 아니라 소유자들이 일정기간 동안 도축장을 사용하지 못하게 되는 효과가 발생할 뿐이다. 이와 같은 재산권에 대한 제약의 목적과 형태에 비추어 볼 때, 도축장 사용정지 · 제한명령은 공익목적을 위하여 이미 형성된 구체적 재산권을 박탈하거나 제한하는 헌법 제23조 제3항의 수용 · 사용 또는 제한에 해당하는 것이 아니라, 도축장 소유자들이 수인하여야 할 사회적 제약으로서 헌법 제23조 제1항의 재산권의 내용과 한계에 해당한다(헌재 2015. 10. 21, 2012헌바367).

ㄹ 2024 군무원 7급 ○

입법자는 토지재산권의 제한에 관한 전반적인 법체계, 외국의 입법례 등과 기타 현실적인 요소들을 종합적으로 참작하여 국민의 재산권과 도시계획사업을 통하여 달성하려는 공익 모두를 실현하기에 적정하다고 판단되는 기간을 정해야 한다. 그러나 어떠한 경우라도 토지의 사적 이용권이 배제된 상태에서 토지소유자로 하여금 10년 이상을 아무런 보상없이 수인하도록 하는 것은 공익실현의 관점에서도 정당화될 수 없는 과도한 제한으로서 헌법상의 재산권보장에 위배된다고 보아야 한다(헌재 1999. 10. 21, 97헌바26).

정답 10 ①

11

「공익사업을 위한 토지 등의 취득 및 보상에 관한 법률」상 손실보상과 관련된 다음 설명 중 옳은 것은? (다툼이 있는 경우 판례에 의함)

□□□ ① 건물의 일부만 수용되어 잔여부분을 보수하여 사용할 수 있는 경우 그 건물 전체의 가격에서 수용된 부분의 비율에 해당하는 금액과 건물 보수비를 손실보상액으로 평가하여 보상하면 되고, 잔여건물에 대한 가치하락까지 보상해야 하는 것은 아니다.

□□□ ② 「공익사업을 위한 토지 등의 취득 및 보상에 관한 법률」상 토지에 대한 보상액은 가격시점에서의 현실적인 이용상황, 일반적인 이용방법에 의한 객관적 상황, 일시적인 이용상황 및 토지소유자나 관계인이 갖는 주관적 가치 및 특별한 용도에 사용할 것을 전제로 한 경우 등을 고려한다.

□□□ ③ 「공익사업을 위한 토지 등의 취득 및 보상에 관한 법률」상 보상액의 산정은 협의에 의한 경우에는 협의성립 당시의 가격을, 재결에 의한 경우에는 수용 또는 사용의 재결 당시의 가격을 기준으로 한다.

□□□ ④ 헌법재판소는 생업의 근거를 상실하게 된 자에 대하여 일정규모의 상업용지 또는 상가분양권 등을 공급하는 생활대책이 헌법 제23조 제3항이 규정하는 정당한 보상에 포함된다고 결정하였다.

① 2014 국가직 7급 ×

지장물인 건물의 일부가 수용된 경우 잔여건물 부분의 교환가치하락으로 인한 감가보상을 잔여지의 감가보상을 규정한 「공공용지의 취득 및 손실보상에 관한 특례법 시행규칙」 제26조 제2항을 유추적용하여 인정할 수 있다.

정당한 보상은 완전보상을 의미하는 것으로 건물의 일부가 수용되어 잔여건물 부분에 대하여 보수만으로 보전될 수 없는 가치하락이 있는 경우에는 관련규정을 유추적용하여 잔여건물의 가치하락분에 대한 보상, 즉 감가(減價)보상을 하여야 한다(대판 2001. 9. 25, 2000두2426).

② 2020 국회직 8급 변형 ×

「공익사업을 위한 토지 등의 취득 및 보상에 관한 법률」 제70조【취득하는 토지의 보상】② 토지에 대한 보상액은 가격시점에서의 현실적인 이용상황과 일반적인 이용방법에 의한 객관적 상황을 고려하여 산정하되, 일시적인 이용상황과 토지소유자나 관계인이 갖는 주관적 가치 및 특별한 용도에 사용할 것을 전제로 한 경우 등은 고려하지 아니한다.

③ 2014 사회복지직 9급 ○

「공익사업을 위한 토지 등의 취득 및 보상에 관한 법률」 제67조【보상액의 가격시점 등】① 보상액의 산정은 협의에 의한 경우에는 협의성립 당시의 가격을, 재결에 의한 경우에는 수용 또는 사용의 재결 당시의 가격을 기준으로 한다.

④ 2014 지방직 9급 ×

생활대책은 헌법 제23조 제3항에 규정된 정당한 보상에 포함되는 것이라기보다는 생활보상의 일환으로서 국가의 정책적인 배려에 의하여 마련된 제도이다(헌법재판소).

'생업의 근거를 상실하게 된 자에 대하여 일정규모의 상업용지 또는 상가분양권 등을 공급하는' 생활대책은 헌법 제23조 제3항에 규정된 정당한 보상에 포함되는 것이라기보다는 생활보상의 일환으로서 국가의 정책적인 배려에 의하여 마련된 제도이므로, 그 실시 여부는 입법자의 입법정책적 재량의 영역에 속한다. 이 사건 법률조항이 공익사업의 시행으로 인하여 농업 등을 계속할 수 없게 되어 이주하는 농민 등에 대한 생활대책 수립의무를 규정하고 있지 않다는 것만으로 재산권을 침해한다고 볼 수 없다(헌재 2013. 7. 25, 2012헌바71).

정답 11 ③

12

손실보상과 관련된 다음 설명 중 옳지 않은 것은? (다툼이 있는 경우 판례에 의함)

□□□ ① 정당한 어업허가를 받고 공유수면매립사업지구 내에서 허가어업에 종사하고 있던 어민들에 대하여 손실보상을 할 의무가 있는 사업시행자가 손실보상의무를 이행하지 아니한 채 공유수면매립공사를 시행함으로써 실질적이고 현실적인 침해를 가한 때에는 불법행위를 구성하는 것이고, 이 경우 허가어업자들이 입게 되는 손해는 그 손실보상금 상당액이다.

□□□ ② 수용대상 토지에 대한 손실보상액을 평가함에 있어서는 수용재결 당시의 이용상황, 주위환경 등을 기준으로 하여야 하는 것이고, 여기서의 수용대상 토지의 현실이용상황은 법령의 규정이나 토지소유자의 주관적 의도 등에 의하여 의제되어야 한다.

□□□ ③ 재산권에 대한 손실보상과 관련하여 토지에 대한 보상액은 가격시점에 있어서의 현실적인 이용상황과 일반적인 이용방법에 의한 객관적 상황을 고려하여 산정한다.

□□□ ④ 어느 수용대상 토지에 관하여 특정 시점에서 용도지역 등의 지정 또는 변경을 하지 않은 것이 특정 공익사업의 시행을 위한 것일 경우, 용도지역 등의 지정 또는 변경이 이루어진 상태를 상정하여 토지가격을 평가하여야 한다.

① 2018 국회직 8급 ○

구 수산업법상 어업허가를 받고 허가어업에 종사하던 어민이 공유수면매립사업의 시행으로 피해를 입게 된 경우, 손실보상청구권이 있다.

어업허가는 일정한 종류의 어업을 일반적으로 금지하였다가 일정한 경우 이를 해제하여 주는 것으로서 어업면허에 의하여 취득하게 되는 어업권과는 그 성질이 다른 것이기는 하나, 어업허가를 받은 자가 그 허가에 따라 해당 어업을 함으로써 재산적인 이익을 얻는 면에서 보면 어업허가를 받은 자의 해당 어업을 할 수 있는 지위는 재산권으로 보호받을 가치가 있고 …… 정당한 어업허가를 받고 공유수면매립사업지구 내에서 허가어업에 종사하고 있던 어민들에 대하여 손실보상을 할 의무가 있는 사업시행자가 손실보상의무를 이행하지 아니한 채 공유수면매립공사를 시행함으로써 실질적이고 현실적인 침해를 가한 때에는 불법행위를 구성하는 것이고, 이 경우 허가어업자들이 입게 되는 손해는 그 손실보상금 상당액이다(대판 1999. 11. 23, 98다11529).

② 2016 경행경채 ×

수용대상 토지에 대한 손실보상액을 평가함에 있어서는 수용재결 당시의 이용상황, 주위환경 등을 기준으로 하여야 하는 것이고, 여기서의 수용대상 토지의 현실이용상황은 법령의 규정이나 토지소유자의 주관적 의도 등에 의하여 의제될 것이 아니라 오로지 관계 증거에 의하여 확정되어야 한다(대판 1997. 8. 29, 96누2569).

③ 2010 국회속기직 9급 ○

「공익사업을 위한 토지 등의 취득 및 보상에 관한 법률」 제70조 **【취득하는 토지의 보상】** ② 토지에 대한 보상액은 가격시점에서의 현실적인 이용상황과 일반적인 이용방법에 의한 객관적 상황을 고려하여 산정하되, 일시적인 이용상황과 토지소유자나 관계인이 갖는 주관적 가치 및 특별한 용도에 사용할 것을 전제로 한 경우 등은 고려하지 아니한다.

④ 2022 소방간부 ○

어느 수용대상 토지에 관하여 특정 시점에서 용도지역 · 지구 · 구역(이하 '용도지역 등'이라고 한다)을 지정 또는 변경하지 않은 것이 특정 공익사업의 시행을 위한 것일 경우 이는 해당 공익사업의 시행을 직접 목적으로 하는 제한이라고 보아 용도지역 등의 지정 또는 변경이 이루어진 상태를 상정하여 토지가격을 평가하여야 한다. 여기에서 특정 공익사업의 시행을 위하여 용도지역 등을 지정 또는 변경하지 않았다고 볼 수 있으려면, 토지가 특정 공익사업에 제공된다는 사정을 배제할 경우 용도지역 등을 지정 또는 변경하지 않은 행위가 계획재량권의 일탈 · 남용에 해당함이 객관적으로 명백하여야만 한다(대판 2018. 1. 25, 2017두61799).

정답 12 ②

13

손실보상과 관련된 다음 설명 중 옳지 않은 것은? (다툼이 있는 경우 판례에 의함)

□□□ ① 편입토지 · 물건 보상, 지장물 보상, 잔여 토지 · 건축물 손실보상 또는 수용청구의 경우에는 원칙적으로 개별 물건에 따라 하나의 보상항목이 되지만, 잔여 영업시설 손실보상을 포함하는 영업손실보상의 경우에는 '전체적으로 단일한 시설 일체로서의 영업' 자체가 보상항목이 되고, 세부 영업시설이나 공사비용, 휴업기간 등은 영업손실보상금 산정에서 고려하는 요소에 불과하다.

□□□ ② 공익사업시행지구 밖 영업손실보상의 요건인 '공익사업의 시행으로 인한 그 밖의 부득이한 사유로 일정기간 동안 휴업이 불가피한 경우'란 공익사업의 시행 또는 시행 당시 발생한 사유로 휴업이 불가피한 경우만을 의미하는 것이 아니라 공익사업의 시행 결과, 즉 그 공익사업의 시행으로 설치되는 시설의 형태 · 구조 · 사용 등에 기인하여 휴업이 불가피한 경우도 포함된다.

□□□ ③ '공익사업을 위한 관계법령에 의한 고시 등이 있은 날' 당시 주거용 건물이 아니었던 건물이 그 이후에 주거용으로 불법용도변경된 경우에도 이주대책대상이 되는 주거용 건축물이 될 수 있다.

□□□ ④ 「공익사업을 위한 토지 등의 취득 및 보상에 관한 법률」에 따를 경우, 피수용자는 수용재결을 신청할 수 없고 사업인정고시가 있은 후 협의가 성립되지 아니한 때에는 토지소유자 및 관계인은 서면으로 사업시행자에게 재결을 신청할 것을 청구할 수 있다.

① 2021 변호사 ○

재결절차를 거쳤는지 여부는 보상항목별로 판단하여야 한다. 피보상자별로 어떤 토지, 물건, 권리 또는 영업이 손실보상대상에 해당하는지, 나아가 보상금액이 얼마인지를 심리 · 판단하는 기초 단위를 보상항목이라고 한다. 편입토지 · 물건 보상, 지장물 보상, 잔여 토지 · 건축물 손실보상 또는 수용청구의 경우에는 원칙적으로 개별물건별로 하나의 보상항목이 되지만, 잔여 영업시설 손실보상을 포함하는 영업손실보상의 경우에는 '전체적으로 단일한 시설 일체로서의 영업' 자체가 보상항목이 되고, 세부 영업시설이나 영업이익, 휴업기간 등은 영업손실보상금 산정에서 고려하는 요소에 불과하다. 그렇다면 영업의 단일성 · 동일성이 인정되는 범위에서 보상금 산정의 세부요소를 추가로 주장하는 것은 하나의 보상항목 내에서 허용되는 공격방법일 뿐이므로, 별도로 재결절차를 거쳐야 하는 것은 아니다(대판 2018. 7. 20, 2015두4044).

② 2021 변호사 ○

공익사업인 고속철도 건설사업 시행 후의 고속철도 운행에 따른 소음, 진동 등으로 인하여 고속철도 인근에서 양잠업을 영위하던 원고에게 발생한 손실에 관하여 「공익사업을 위한 토지 등의 취득 및 보상에 관한 법률」 관련규정에 따라 손실보상청구를 할 수 있다.

공익사업시행지구 밖 영업손실보상의 특성과 헌법이 정한 '정당한 보상의 원칙'에 비추어 보면, 공익사업시행지구 밖 영업손실보상의 요건인 '공익사업의 시행으로 인한 그 밖의 부득이한 사유로 일정기간 동안 휴업이 불가피한 경우'란 공익사업의 시행 또는 시행 당시 발생한 사유로 휴업이 불가피한 경우만을 의미하는 것이 아니라 공익사업의 시행 결과, 즉 그 공익사업의 시행으로 설치되는 시설의 형태 · 구조 · 사용 등에 기인하여 휴업이 불가피한 경우도 포함된다고 해석함이 타당하다(대판 2019. 11. 28, 2018두227).

③ 2011 사회복지직 9급 ×

이주대책의 대상이 되는 주거용 건축물이란 위 시행령 제40조 제3항 제2호의 '공익사업을 위한 관계법령에 의한 고시 등이 있은 날' 당시 건축물의 용도가 주거용인 건물을 의미한다고 해석되므로, 그 당시 주거용 건물이 아니었던 건물이 그 이후에 주거용으로 용도변경된 경우에는 건축허가를 받았는지 여부에 상관없이 수용재결 내지 협의계약 체결 당시 주거용으로 사용된 건물이라 할지라도 이주대책대상이 되는 주거용 건축물이 될 수 없다(대판 2009. 2. 26, 2007두13340).

④ 2014 국회직 8급 ○

「공익사업을 위한 토지 등의 취득 및 보상에 관한 법률」 제28조 【재결의 신청】 ① 제26조에 따른 협의가 성립되지 아니하거나 협의를 할 수 없을 때(제26조 제2항 단서에 따른 협의 요구가 없을 때를 포함한다)에는 사업시행자는 사업인정고시가 된 날부터 1년 이내에 대통령령으로 정하는 바에 따라 관할 토지수용위원회에 재결을 신청할 수 있다.

제30조 【재결 신청의 청구】 ① 사업인정고시가 된 후 협의가 성립되지 아니하였을 때에는 토지소유자와 관계인은 대통령령으로 정하는 바에 따라 서면으로 사업시행자에게 재결을 신청할 것을 청구할 수 있다.

정답 13 ③

14

손실보상과 「공익사업을 위한 토지 등의 취득 및 보상에 관한 법률」에 관련된 다음 설명 중 옳지 않은 것을 모두 고른 것은? (다툼이 있는 경우 판례에 의함)

□□□ ㉠ 간접적 영업손실은 특별한 희생이 될 수 없다.

□□□ ㉡ 공익사업을 시행하는 경우에는 사전보상이 원칙이나, 천재 · 지변시의 토지사용의 경우에는 사업시행자가 후급할 수 있고 이때의 지연이자는 부담하지 않는다.

□□□ ㉢ 공익사업에 영업시설 일부가 편입됨으로 인하여 잔여 영업시설에 손실을 입은 자는 재결절차를 거치지 않은 채 곧바로 사업시행자를 상대로 잔여 영업시설의 손실에 대한 보상을 청구할 수 있다.

□□□ ㉣ 중앙토지수용위원회의 재결에 이의가 있는 자는 중앙토지수용위원회에, 지방토지수용위원회의 재결에 이의가 있는 자는 해당 지방토지수용위원회를 거쳐 중앙토지수용위원회에 이의를 신청할 수 있다.

□□□ ㉤ 토지수용위원회의 수용재결에 대해 취소소송으로 다투는 경우에 행정소송법 제20조의 제소기간 규정이 적용되지 않는다.

① ㉠, ㉡, ㉢　　② ㉠, ㉢, ㉣

③ ㉡, ㉣, ㉤　　④ ㉢, ㉣, ㉤

㉠ 2019 사회복지직 9급 ×

간접적인 영업손실도 일정한 요건을 갖춘 경우 헌법 제23조 제3항에 규정한 손실보상의 대상이 된다.

간접적인 영업손실이라고 하더라도 피침해자인 수산업협동조합이 공공의 이익을 위하여 당연히 수인하여야 할 재산권에 대한 제한의 범위를 넘어 수산업협동조합의 위탁판매사업으로 얻고 있는 영업상의 재산이익을 본질적으로 침해하는 특별한 희생에 해당하고, 사업시행자는 공유수면매립면허 고시 당시 그 매립사업으로 인하여 위와 같은 영업손실이 발생한다는 것을 상당히 확실하게 예측할 수 있었고 그 손실의 범위도 구체적으로 확정할 수 있으므로, 위 위탁판매수수료 수입손실은 헌법 제23조 제3항에 규정한 손실보상의 대상이 되고 …… (대판 1999. 10. 8, 99다27231)

㉡ 2008 지방직 9급 ×

사전보상이 원칙이며, 후급하는 경우 지연이자를 부담한다.

수용에 대한 재결절차에서 정한 보상액과 행정소송절차에서 정한 보상금액의 차액이 수용시기에 지급되지 않은 이상 지연손해금(이자)이 당연히 발생한다(대판 1991. 12. 24, 91누308).

㉢ 2020 국가직 7급 ×

토지소유자가 사업시행자로부터 손실보상을 받기 위하여는 토지보상법 제34조, 제50조 등에 규정된 재결절차를 거친 다음 그 재결에 대하여 불복할 때 비로소 토지보상법 제83조 내지 제85조에 따라 권리구제를 받을 수 있을 뿐이며, 특별한 사정이 없는 한 이러한 재결절차를 거치지 않은 채 곧바로 사업시행자를 상대로 손실보상을 청구하는 것은 허용되지 않는다.

구 「공익사업을 위한 토지 등의 취득 및 보상에 관한 법률」(이하 '토지보상법'이라 한다) 제26조, 제28조, 제30조, 제34조, 제50조, 제61조, 제83조 내지 제85조의 규정내용과 입법취지 등을 종합하면, 공익사업에 영업시설 일부가 편입됨으로 인하여 잔여 영업시설에 손실을 입은 자가 사업시행자로부터 구 「공익사업을 위한 토지 등의 취득 및 보상에 관한 법률 시행규칙」 제47조 제3항에 따라 잔여 영업시설의 손실에 대한 보상을 받기 위해서는, 토지보상법 제34조, 제50조 등에 규정된 재결절차를 거친 다음 그 재결에 대하여 불복이 있는 때에 비로소 토지보상법 제83조 내지 제85조에 따라 권리구제를 받을 수 있을 뿐이다. 이러한 재결절차를 거치지 않은 채 곧바로 사업시행자를 상대로 손실보상을 청구하는 것은 허용되지 않는다(대판 2018. 7. 20, 2015두4044).

㉣ 2015 국회직 8급 ○

「공익사업을 위한 토지 등의 취득 및 보상에 관한 법률」 제83조 【이의신청】 ① 중앙토지수용위원회의 제34조에 따른 재결에 이의가 있는 자는 중앙토지수용위원회에 이의를 신청할 수 있다.
② 지방토지수용위원회의 제34조에 따른 재결에 이의가 있는 자는 해당 지방토지수용위원회를 거쳐 중앙토지수용위원회에 이의를 신청할 수 있다.

㉤ 2013 국회직 8급 ○

토지수용에 대한 불복절차에는 행정심판법 제18조상의 청구기간, 행정소송법 제20조의 제소기간에 관한 규정이 적용되지 않는다(대판 1989. 3. 28, 88누5198).

정답 14 ①

제 06 편 행정구제 2(행정쟁송)

1회독	2회독	3회독
/	/	/

01

행정구제와 관련된 다음 설명 중 옳지 않은 것은? (다툼이 있는 경우 판례에 의함)

□□□ ① 과세처분에 대한 이의신청에 따른 직권취소에도 특별한 사정이 없는 한 불가변력을 인정한다.

□□□ ② 처분의 재심사결과 중 처분을 유지하는 결과에 대해서는 행정심판, 행정소송 및 그 밖의 쟁송수단을 통하여 불복할 수 없다.

□□□ ③ 행정심판을 권리구제를 위한 필요적 전심절차로 규정하면서도 그 절차에 사법절차를 준용하지 않는 것은 헌법에 위반된다.

□□□ ④ 행정심판법은 당사자심판을 규정하여 당사자소송과 연동시키고 있다.

□□□ ⑤ 행정심판청구는 엄격한 형식을 요하지 않는 서면행위로 해석된다.

관련기출

⑤
1. 진정이라는 표현을 사용하면 그것이 실제로 행정심판의 실체를 가지더라도 행정심판으로 다툴 수 없다. (○, ×) 2016 국회직 8급
2. 행정심판청구는 엄격한 형식을 요하지 아니하는 서면행위이다. (○, ×) 2015 서울시 9급
3. 행정심판청구서의 형식을 다 갖추지 않았다면 비록 그 문서내용이 행정심판의 청구를 구하는 것을 내용으로 하더라도 부적법하다. (○, ×) 2012 지방직(하) 9급

1. × 2. ○ 3. ×

① 2011 국회직 8급 ○

과세처분에 관한 이의신청절차에서 과세관청이 이의신청사유가 옳다고 인정하여 과세처분을 직권으로 취소한 후, 특별한 사유 없이 이를 번복하여 종전 처분과 동일한 내용의 처분을 할 수는 없다(대판 2010. 9. 30, 2009두1020).

② 2024 군무원 5급 ○

행정기본법 제37조【처분의 재심사】⑤ 제4항에 따른 처분의 재심사 결과 중 처분을 유지하는 결과에 대해서는 행정심판, 행정소송 및 그 밖의 쟁송수단을 통하여 불복할 수 없다.

③ 2016 행정사 ○

헌법 제107조 제3항은 "재판의 전심절차로서 행정심판을 할 수 있다. 행정심판의 절차는 법률로 정하되, 사법절차가 준용되어야 한다."고 규정하고 있으므로, 입법자가 행정심판을 전심절차가 아니라 종심절차로 규정함으로써 정식재판의 기회를 배제하거나, 어떤 행정심판을 필요적 전심절차로 규정하면서도 그 절차에 사법절차가 준용되지 않는다면 이는 위 헌법조항, 나아가 재판청구권을 보장하고 있는 헌법 제27조에도 위반된다(헌재 2001. 6. 28, 2000헌바30).

④ 2020 지방직 · 서울시 7급 ×

행정심판법상 당사자심판은 인정되지 않는다.

행정심판법 제5조【행정심판의 종류】행정심판의 종류는 다음 각 호와 같다.
1. 취소심판 : 행정청의 위법 또는 부당한 처분을 취소하거나 변경하는 행정심판
2. 무효등확인심판 : 행정청의 처분의 효력 유무 또는 존재 여부를 확인하는 행정심판
3. 의무이행심판 : 당사자의 신청에 대한 행정청의 위법 또는 부당한 거부처분이나 부작위에 대하여 일정한 처분을 하도록 하는 행정심판

⑤ 2018 서울시 9급 ○

판례는 행정심판청구를 엄격한 형식을 요하지 않는 서면행위로 보아 청구서의 형식을 다 갖추지 않았더라도 권리 등을 침해당한 자로부터 처분의 취소 등을 구하는 서면이 제출된 경우, 표제 등을 불문하고 행정심판의 청구로 볼 수 있다는 입장이다.

행정심판청구는 엄격한 형식을 요하지 아니하는 서면행위로 해석되므로, 처분에 대한 취소를 구하는 서면이 제출된 경우 비록 진정서라는 표제하에 제출되었다 하더라도 행정심판청구로 볼 수 있다(대판 2000. 6. 9, 98두2621).

정답 01 ④

02

행정심판법에 대한 설명 중 옳지 않은 것은?

□□□ ① 행정심판청구인이 경제적 능력으로 인해 대리인을 선임할 수 없는 경우에는 행정심판위원회에 국선대리인을 선임하여 줄 것을 신청할 수 있다.

□□□ ② 법인이 아닌 사단 또는 재단으로서 대표자나 관리인이 정하여져 있는 경우에는 그 사단이나 재단의 이름으로 심판청구를 할 수 있다.

□□□ ③ 중앙행정심판위원회의 위원장은 국민권익위원회의 부위원장 중 1명이 되며, 상임위원은 위원장의 제청으로 대통령이 임명하고 그 임기는 3년이며 연임할 수 없다.

□□□ ④ 행정심판위원회는 적극적 가구제 수단인 임시처분을 직권으로 결정할 수 있다.

① 2019 국가직 9급 ○

행정심판법 제18조의2【국선대리인】 ① 청구인이 경제적 능력으로 인해 대리인을 선임할 수 없는 경우에는 위원회에 국선대리인을 선임하여 줄 것을 신청할 수 있다.
② 위원회는 제1항의 신청에 따른 국선대리인 선정 여부에 대한 결정을 하고, 지체 없이 청구인에게 그 결과를 통지하여야 한다. 이 경우 위원회는 심판청구가 명백히 부적법하거나 이유 없이 또는 권리의 남용이라고 인정되는 경우에는 국선대리인을 선정하지 아니할 수 있다.

② 2015 서울시 9급 ○

행정심판법 제14조【법인이 아닌 사단 또는 재단의 청구인능력】 법인이 아닌 사단 또는 재단으로서 대표자나 관리인이 정하여져 있는 경우에는 그 사단이나 재단의 이름으로 심판청구를 할 수 있다.

③ 2008 국가직 7급 변형 ×

중앙행정심판위원회의 상임위원은 중앙행정심판위원회 위원장의 제청으로 국무총리를 거쳐 대통령이 임명하고(행정심판법 제8조 제3항), 상임위원의 임기는 3년으로 하며 1차에 한하여 연임할 수 있다(동법 제9조 제2항).

행정심판법 제8조【중앙행정심판위원회의 구성】 ② 중앙행정심판위원회의 위원장은 국민권익위원회의 부위원장 중 1명이 되며, 위원장이 없거나 부득이한 사유로 직무를 수행할 수 없거나 위원장이 필요하다고 인정하는 경우에는 상임위원(상임으로 재직한 기간이 긴 위원 순서로, 재직기간이 같은 경우에는 연장자 순서로 한다)이 위원장의 직무를 대행한다.
③ 중앙행정심판위원회의 상임위원은 일반직 공무원으로서 국가공무원법 제26조의5에 따른 임기제 공무원으로 임명하되, 3급 이상 공무원 또는 고위공무원단에 속하는 일반직 공무원으로 3년 이상 근무한 사람이나 그 밖에 행정심판에 관한 지식과 경험이 풍부한 사람 중에서 중앙행정심판위원회 위원장의 제청으로 국무총리를 거쳐 대통령이 임명한다.

제9조【위원의 임기 및 신분보장 등】 ② 제8조 제3항에 따라 임명된 중앙행정심판위원회 상임위원의 임기는 3년으로 하며, 1차에 한하여 연임할 수 있다.

④ 2022 국회직 8급 ○

행정심판법 제31조【임시처분】 ① 위원회는 처분 또는 부작위가 위법·부당하다고 상당히 의심되는 경우로서 처분 또는 부작위 때문에 당사자가 받을 우려가 있는 중대한 불이익이나 당사자에게 생길 급박한 위험을 막기 위하여 임시지위를 정하여야 할 필요가 있는 경우에는 직권으로 또는 당사자의 신청에 의하여 임시처분을 결정할 수 있다.

정답 02 ③

03

행정심판법에 대한 다음 설명 중 옳은 것을 모두 고른 것은? (다툼이 있는 경우 판례에 의함)

□□□ ㉠ 행정심판에 있어서 사건의 심리·의결에 관한 사무에 관여하는 직원에게는 행정심판법 제10조의 위원의 제척·기피·회피가 적용되지 않는다.

□□□ ㉡ 피청구인의 경정이 있으면 심판청구는 피청구인의 경정시에 제기된 것으로 본다.

□□□ ㉢ 행정심판에는 불고불리의 원칙과 불이익변경금지의 원칙이 인정되며, 처분청은 행정심판의 재결에 대해 불복할 수 없다.

□□□ ㉣ 행정처분의 제3자는 행정심판법상 심판청구의 제기기간 내에 처분이 있음을 알았다는 특별한 사정이 없는 한 그 제척기간의 적용을 배제할 정당한 사유가 있는 때에 해당한다고 볼 수 있다.

□□□ ㉤ 행정심판의 제기는 처분청을 경유하여야 한다.

① ㉠, ㉡, ㉢　　② ㉡, ㉢, ㉤
③ ㉢, ㉣　　④ ㉣, ㉤

관련기출

㉢

1. 행정심판위원회는 필요하다고 판단하는 경우에는 심판청구의 대상이 되는 처분보다 청구인에게 불리한 재결을 할 수 있다. (○, ×) 2018 교육행정직 9급
2. 행정심판위원회는 심판청구의 대상이 되는 처분보다 청구인에게 불리한 재결을 하지 못한다. (○, ×) 2016 국가직 9급
3. 행정심판은 행정의 자기통제절차이므로 심판청구의 대상이 되는 처분보다 청구인에게 불리한 재결을 하는 것도 가능하다. (○, ×) 2013 지방직 9급

1. × 2. ○ 3. ×

㉠ 2015 지방직 9급 ×

행정심판법 제10조【위원의 제척·기피·회피】① 위원회의 위원은 다음 각 호의 어느 하나에 해당하는 경우에는 그 사건의 심리·의결에서 제척(除斥)된다. 이 경우 제척결정은 위원회의 위원장(이하 '위원장'이라 한다)이 직권으로 또는 당사자의 신청에 의하여 한다.
⑧ 사건의 심리·의결에 관한 사무에 관여하는 위원 아닌 직원에게도 제1항부터 제7항까지의 규정(편저자 주 : 제척·기피·회피에 관한 규정)을 준용한다.

㉡ 2018 서울시 1회 7급 ×

행정심판법 제17조【피청구인의 적격 및 경정】② 청구인이 피청구인을 잘못 지정한 경우에는 위원회는 직권으로 또는 당사자의 신청에 의하여 결정으로써 피청구인을 경정(更正)할 수 있다.
④ 제2항에 따른 결정이 있으면 종전의 피청구인에 대한 심판청구는 취하되고 종전의 피청구인에 대한 행정심판이 청구된 때에 새로운 피청구인에 대한 행정심판이 청구된 것으로 본다.

㉢ 2021 군무원 9급 ○

행정심판법은 불고불리의 원칙과 불이익변경금지의 원칙을 명문화하고 있다(동법 제47조 참조). 한편, 인용재결이 내려진 경우라면 재결의 기속력으로 인해 처분청은 이에 불복하여 항고소송을 제기할 수 없다는 것이 판례의 입장이다.

행정심판법 제47조【재결의 범위】① 위원회는 심판청구의 대상이 되는 처분 또는 부작위 외의 사항에 대하여는 재결하지 못한다(편저자 주 : 불고불리의 원칙).
② 위원회는 심판청구의 대상이 되는 처분보다 청구인에게 불리한 재결을 하지 못한다(편저자 주 : 불이익변경금지의 원칙).

인용재결이 있는 경우 처분청은 그러한 재결에 기속되므로 이에 불복하여 취소소송을 제기할 수 없다(대판 1998. 5. 8, 97누15432).

㉣ 2023 서울시 연구사 ○

행정처분의 직접 상대방이 아닌 제3자는 처분이 있은 날로부터 180일이 지나더라도 특별한 사정이 없는 한 정당한 사유가 있는 것으로 보아 행정심판청구가 가능하다.
행정처분의 직접 상대방이 아닌 제3자는 일반적으로 처분이 있는 것을 바로 알 수 없는 처지에 있으므로, 처분이 있은 날로부터 180일 내에 심판청구를 제기하지 아니하였다고 하더라도, 그 기간 내에 처분이 있은 것을 알았거나 쉽게 알 수 있었기 때문에 심판청구를 제기할 수 있었다고 볼 만한 특별한 사정이 없는 한, 위 법조항 본문의 적용을 배제할 '정당한 사유'가 있는 경우에 해당한다고 보아 위와 같은 심판청구기간이 경과한 뒤에도 심판청구를 제기할 수 있다(대판 2002. 5. 24, 2000두3641).

㉤ 2009 지방직(하) 7급 ×

구법에서는 처분청을 경유하도록(거치도록) 되어 있었으나, 현행법에 따르면 처분청을 거쳐서 제기하거나 직접 행정심판위원회에 제출할 수 있다.

행정심판법 제23조【심판청구서의 제출】① 행정심판을 청구하려는 자는 제28조에 따라 심판청구서를 작성하여 피청구인이나 위원회에 제출하여야 한다. 이 경우 피청구인의 수만큼 심판청구서 부본을 함께 제출하여야 한다.

정답 03 ③

04

행정심판에 대한 다음 설명 중 옳은 것을 모두 고른 것은? (다툼이 있는 경우 판례에 의함)

□□□ ㉠ 청구의 변경결정이 있으면 그때부터 변경된 청구나 이유로 행정심판이 청구된 것으로 본다.

□□□ ㉡ 당사자가 구술심리를 신청하면 당사자주의에 의하여 구술심리를 하여야 하고 서면심리를 할 수는 없다.

□□□ ㉢ 행정심판위원회는 재결을 한 후 증거서류 등의 반환신청을 받으면 청구인이 제출한 문서 · 장부 · 물건이나 그 밖의 증거자료의 원본을 지체 없이 제출자에게 반환하여야 한다.

□□□ ㉣ 형성력을 가지는 취소재결이 있는 경우 그 대상이 된 행정처분은 재결 자체에 의해 당연취소되어 소멸한다.

□□□ ㉤ 원처분에 대한 형성적 취소재결이 확정된 후에 행한 처분청의 원처분 취소처분은 항고소송의 대상이 된다.

① ㉠, ㉡, ㉢　　② ㉡, ㉢, ㉤
③ ㉢, ㉣　　④ ㉣, ㉤

㉠ 2011 국회(속기 · 경위직) 9급 변형 ×

행정심판법 제29조【청구의 변경】 ⑧ 청구의 변경결정이 있으면 처음 행정심판이 청구되었을 때부터 변경된 청구의 취지나 이유로 행정심판이 청구된 것으로 본다.

㉡ 2008 지방직 9급 ×

행정심판법은 당사자가 구술심리를 신청한 때에는 서면심리만으로 결정할 수 있다고 인정되는 경우 외에는 구술심리를 하여야 한다고 규정하고 있어 구술심리를 신청하더라도 서면심리를 할 수 있다.

행정심판법 제40조【심리의 방식】 ① 행정심판의 심리는 구술심리나 서면심리로 한다. 다만, 당사자가 구술심리를 신청한 경우에는 서면심리만으로 결정할 수 있다고 인정되는 경우 외에는 구술심리를 하여야 한다.

㉢ 2012 지방직(하) 7급 ○

행정심판법 제55조【증거서류 등의 반환】 위원회는 재결을 한 후 증거서류 등의 반환신청을 받으면 신청인이 제출한 문서 · 장부 · 물건이나 그 밖의 증거자료의 원본(原本)을 지체 없이 제출자에게 반환하여야 한다.

㉣ 2012 지방직(하) 9급 ○

처분을 취소하는 재결이 있으면 당해 처분은 행정청의 별도의 처분이 없더라도 처분시에 소급하여 효력이 소멸된다.

처분취소재결의 경우 재결의 형성력에 의해 행정처분은 별도의 처분을 기다릴 것 없이 당연히 효력이 소멸된다.

행정심판재결의 내용이 처분청에 처분의 취소를 명하는 것이 아니라 재결청이 스스로 처분을 취소하는 것일 때에는 그 재결의 형성력에 의하여 당해 처분은 별도의 행정처분을 기다릴 것 없이 당연히 취소되어 소멸되는 것이다(대판 1998. 4. 24, 97누17131).

㉤ 2012 경행특채 ×

형성적 취소재결이 행해진 경우 처분은 행정청의 별도의 조치가 없더라도 더 이상 존재하지 않는다. 따라서 존재하지 않는 처분을 대상으로 하는 행정청의 조치는 아무런 법적 의미가 없으므로 항고소송의 대상이 될 수 없다.

정답 04 ③

05

행정소송에 대한 다음 설명 중 옳지 않은 것을 모두 고른 것은? (다툼이 있는 경우 판례에 의함)

> ㉠ 민중소송 및 기관소송은 법률이 정한 자에 한하여 제기할 수 있다.
>
> ㉡ 당사자소송은 행정청의 우월적 지위에서의 공권력 행사·불행사를 다투는 소송이다.
>
> ㉢ 형식적 당사자소송의 피고적격은 취소소송의 경우와 동일하다.
>
> ㉣ 국가보훈처장 등이 발행한 책자 등에서 독립운동가 등의 활동상을 잘못 기술하였다는 등의 이유로 그 사실관계의 확인을 구하거나, 국가보훈처장의 서훈추천서의 행사·불행사가 당연무효 또는 위법임의 확인을 구하는 것은 항고소송의 대상이 될 수 없다.

① ㉠, ㉡ ② ㉡, ㉢
③ ㉢, ㉣ ④ 모두 옳음

관련기출

㉠

1. 행정소송법은 민중소송에 대해서는 법률이 정한 경우에 법률이 정한 자에 한하여 제기하도록 하는 법정주의를 취하고 있으나, 기관소송에 대해서는 이러한 제한을 두지 않아 기관소송의 제기가능성은 일반적으로 인정된다. (○, ×) 2020 군무원 7급
2. 민중소송은 법률이 규정하고 있는 경우에 한하여 제기할 수 있으나, 기관소송은 개별법률에 특별한 규정이 없어도 제기할 수 있다. (○, ×) 2012 세무사

1. × 2. ×

㉠ 2021 소방직 9급 ○

객관적 소송은 일반적으로 인정되는 것이 아니라 법률이 정한 경우에만 법률에서 정한 자에 한하여 제기할 수 있다.

> **행정소송법 제45조【소의 제기】** 민중소송 및 기관소송은 법률이 정한 경우에 법률에 정한 자에 한하여 제기할 수 있다.

㉡ 2011 세무사 ×

행정청의 우월적 지위에서의 공권력 행사·불행사를 다투는 소송은 항고소송이다.

㉢ 2010 세무사 ×

형식적 당사자소송에 속하는 보상금증감소송의 경우 처분청인 토지수용위원회를 피고로 하지 않고 토지소유자 또는 관계인, 사업시행자를 피고로 하고 있다는 점에서 취소소송의 경우와 다르다.

㉣ 2024 국회직 8급 ○

> 국가보훈처장 등이 발행한 책자에서 독립운동가 등의 활동상을 잘못 기술하였다는 등의 이유로 사실관계의 확인을 구하거나 국가보훈처장의 서훈추천권의 행사, 불행사의 당연무효 또는 부작위위법확인을 구하는 청구는 항고소송의 대상이 되지 않는다.
>
> 피고 국가보훈처장이 발행·보급한 독립운동사, 피고 문교부장관이 저작하여 보급한 국사교과서 등의 각종 책자와 피고 문화부장관이 관리하고 있는 독립기념관에서의 각종 해설문·전시물의 배치 및 전시 등에 있어서, 일제치하에서의 국내외의 각종 독립운동에 참가한 단체와 독립운동가의 활동상을 잘못 기술하거나, 전시·배치함으로써 그 역사적 의의가 그릇 평가되게 하였다는 이유로 그 사실관계의 확인을 구하고, 또 피고 국가보훈처장은 이들 독립운동가들의 활동상황을 잘못 알고 국가보훈상의 서훈추천권을 행사함으로써 서훈추천권의 행사가 적정하지 아니하였다는 이유로 이러한 서훈추천권의 행사, 불행사가 당연무효임의 확인, 또는 그 불작위가 위법함의 확인을 구하는 청구는 과거의 역사적 사실관계의 존부나 공법상의 구체적인 법률관계가 아닌 사실관계에 관한 것들을 확인의 대상으로 하는 것이거나 행정청의 단순한 부작위를 대상으로 하는 것으로서 항고소송의 대상이 되지 아니하는 것이다(대판 1990. 11. 23, 90누3553).

정답 05 ②

06

당사자소송과 관련된 다음 설명 중 옳은 것을 모두 고른 것은? (다툼이 있는 경우 판례에 의함)

□□□ ㉠ 乙이 군인연금법령에 따라 국방부장관의 인정을 받아 퇴역연금을 지급받아 오던 중 군인보수법 및 공무원보수규정에 의한 호봉이나 봉급액의 개정 등으로 퇴역연금액이 변경되어 국방부장관이 乙에게 법령의 개정에 따른 퇴역연금액 감액조치를 한 경우 乙은 퇴역연금차액지급을 구하는 당사자소송을 제기할 수 있다.

□□□ ㉡ 공무원연금법령상 급여를 받으려고 하는 자는 구체적 권리가 발생하지 않은 상태에서 곧바로 공무원연금공단을 상대로 한 당사자소송을 제기할 수 없다.

□□□ ㉢ 대법원은 석탄가격안정지원금 지급청구권은 석탄산업법령에 의하여 정책적으로 당연히 부여되는 공법상 권리이므로, 지원금의 지급을 구하는 소송은 공법상 당사자소송의 대상이 된다고 본다.

□□□ ㉣ 국가를 당사자 또는 참가인으로 하는 소송에서는 법무부장관이 국가를 대표하고, 지방자치단체를 당사자로 하는 소송에서는 지방자치단체의 장이 해당 지방자치단체를 대표한다.

① ㉠, ㉡, ㉢
② ㉡, ㉣
③ ㉢, ㉣
④ 모두 옳음

㉠ 2018 국가직 9급 ○

1. 퇴직연금결정 후의 퇴직연금청구소송은 당사자소송이나 구 군인연금법에 의한 퇴역연금 등의 급여를 받을 권리는 국방부장관의 인정으로 인해 비로소 구체적 권리가 발생하는 것이므로 국방부장관이 인정청구를 거부한 경우 항고소송을 제기하여야 한다.
2. 국방부장관의 인정에 의하여 퇴역연금을 지급받아 오던 중 군인보수법 및 공무원보수규정에 의한 호봉이나 봉급액의 개정 등으로 퇴역연금액이 변경된 경우에는 법령의 개정에 따라 당연히 개정규정에 따른 퇴역연금액이 확정되는 것이지 구 군인연금법 제18조 제1 · 2항에 정해진 국방부장관의 퇴역연금액 결정과 통지에 의하여 비로소 그 금액이 확정되는 것이 아니므로, 법령의 개정에 따른 국방부장관의 퇴역연금액 감액조치에 대하여 이의가 있는 퇴역연금수급권자는 항고소송을 제기하는 방법으로 감액조치의 효력을 다툴 것이 아니라 직접 국가를 상대로 정당한 퇴역연금액과 결정, 통지된 퇴역연금액과의 차액의 지급을 구하는 공법상 당사자소송을 제기하는 방법으로 다툴 수 있다 할 것이고, 같은 법 제5조 제1항에 그 법에 의한 급여에 관하여 이의가 있는 자는 군인연금급여재심위원회에 그 심사를 청구할 수 있다는 규정이 있다 하여 달리 볼 것은 아니다(대판 2003. 9. 5, 2002두3522).

㉡ 2018 서울시 2회 7급 ○

공무원연금법령상 급여를 받으려고 하는 자는 우선 관계법령에 따라 공무원연금공단에 급여지급을 신청하여 공무원연금공단이 이를 거부하거나 일부 금액만 인정하는 급여지급결정을 하는 경우 그 결정을 대상으로 항고소송을 제기하는 등으로 구체적 권리를 인정받아야 하고, 구체적인 권리가 발생하지 않은 상태에서 곧바로 공무원연금공단을 상대로 한 당사자소송으로 권리의 확인이나 급여의 지급을 소구하는 것은 허용되지 아니한다. 이러한 법리는 구체적인 급여를 받을 권리의 확인을 구하기 위하여 소를 제기하는 경우뿐만 아니라, 구체적인 급여수급권의 전제가 되는 지위의 확인을 구하는 경우에도 마찬가지로 적용된다(대판 2017. 2. 9, 2014두43264).

㉢ 2017 국회직 8급 ○

석탄가격안정지원금청구소송은 공법상 당사자소송이다.

석탄가격안정지원금은 석탄의 수요 감소와 열악한 사업환경 등으로 점차 경영이 어려워지고 있는 석탄광업의 안정 및 육성을 위하여 국가정책적 차원에서 지급하는 지원비의 성격을 갖는 것이고, 석탄광업자가 석탄산업합리화사업단에 대하여 가지는 이와 같은 지원금 지급청구권은 석탄사업법령에 의하여 정책적으로 당연히 부여되는 공법상의 권리이므로, 석탄광업자가 석탄산업합리화사업단을 상대로 석탄산업법령 및 석탄가격안정지원금 지급요령에 의하여 지원금의 지급을 구하는 소송은 공법상의 법률관계에 관한 소송인 공법상의 당사자소송에 해당한다(대판 1997. 5. 30, 95다28960).

㉣ 2017 서울시 7급 ○

「국가를 당사자로 하는 소송에 관한 법률」 제2조【국가의 대표자】 국가를 당사자 또는 참가인으로 하는 소송(이하 '국가소송'이라 한다)에서는 법무부장관이 국가를 대표한다.

지방자치법 제114조【지방자치단체의 통할대표권】 지방자치단체의 장은 지방자치단체를 대표하고, 그 사무를 총괄한다.

정답 06 ④

07

취소소송의 원고적격과 관련된 다음 설명 중 옳지 않은 것은? (다툼이 있는 경우 판례에 의함)

□□□ ① 공매 등의 절차로 영업시설의 전부를 인수함으로써 영업자의 지위를 승계한 자가 관계행정청에 이를 신고하여 관계행정청이 그 신고를 수리하는 처분에 대해 종전 영업자는 제3자로서 그 처분의 취소를 구할 법률상 이익이 인정되지 않는다.

□□□ ② 주택재개발정비사업 조합설립추진위원회 설립승인처분에 대한 그 구성에 동의하지 아니한 정비구역 내의 토지 등 소유자는 처분에 대한 취소소송을 제기할 원고적격이 있다.

□□□ ③ 법인의 주주가 그 처분으로 인하여 궁극적으로 주식이 소각되거나 주주의 법인에 대한 권리가 소멸하는 등 주주의 지위에 중대한 영향을 초래하게 되는데도 그 처분의 성질상 당해 법인이 이를 다툴 것을 기대할 수 없고 달리 주주의 지위를 보전할 구제방법이 없는 경우에는 주주도 그 처분에 관하여 직접적이고 구체적인 법률상 이해관계를 가진다고 보이므로 그 취소를 구할 원고적격이 있다.

□□□ ④ 토사채취로 인하여 생활환경의 피해를 입으리라고 예상되는 인근 지역 주민들의 주거·생활환경상의 이익은 토사채취허가의 근거법률에 의하여 보호되는 직접적이고 구체적인 법률상 이익이라고 할 수 있다.

① 2013 국가직 7급 ×

공매 등의 절차에 따라 문화체육관광부령으로 정하는 주요한 유원시설업 시설의 전부 또는 체육시설업의 시설기준에 따른 필수시설을 인수함으로써 그 유원시설업자 또는 체육시설업자의 지위를 승계한 자가 관계행정청에 이를 신고하여 행정청이 이를 수리하는 경우에는 종전의 유원시설업자에 대한 허가는 그 효력을 잃고, 종전의 체육시설업자는 적법한 신고를 마친 체육시설업자로서의 지위를 부인당할 불안정한 상태에 놓이게 되므로 수리처분의 취소를 구할 법률상 이익이 있다(대판 2012. 12. 13, 2011두29144).

② 2012 서울시 9급 ○

주택재개발사업의 경우 정비구역 내의 토지 등 소유자는 같은 법 제19조 제1항에 의하여 당연히 그 조합원으로 되는 점 등에 비추어 보면, 조합설립추진위원회의 구성에 동의하지 아니한 정비구역 내의 토지 등 소유자도 조합설립추진위원회 설립승인처분에 대하여 같은 법에 의하여 보호되는 직접적이고 구체적인 이익을 향유하므로 그 설립승인처분의 취소소송을 제기할 원고적격이 있다(대판 2007. 1. 25, 2006두12289).

③ 2021 군무원 9급 ○

일반적으로 법인의 주주는 당해 법인에 대한 행정처분에 관하여 사실상이나 간접적인 이해관계를 가질 뿐이어서 스스로 그 처분의 취소를 구할 원고적격이 없는 것이 원칙이라고 할 것이지만, 그 처분으로 인하여 궁극적으로 주식이 소각되거나 주주의 법인에 대한 권리가 소멸하는 등 주주의 지위에 중대한 영향을 초래하게 되는데도 그 처분의 성질상 당해 법인이 이를 다툴 것을 기대할 수 없고 달리 주주의 지위를 보전할 구제방법이 없는 경우에는 주주도 그 처분에 관하여 직접적이고 구체적인 법률상 이해관계를 가진다고 보이므로 그 취소를 구할 원고적격이 있다(대판 2004. 12. 23, 2000두2648).

④ 2022 소방간부 ○

토사채취허가지의 인근주민들에게 토사채취허가의 취소를 구할 법률상 이익이 있다(대판 2007. 6. 15, 2005두9736).

정답 07 ①

08

취소소송에 관련된 다음 설명 중 옳은 것은? (다툼이 있는 경우 판례에 의함)

□□□ ① 토지의 수용 기타 부동산 또는 특정의 장소에 관계되는 처분 등에 대한 취소소송은 그 부동산 또는 장소의 소재지를 관할하는 행정법원에 제기해야 하므로, 민사소송법상의 합의관할 및 변론관할에 관한 규정은 적용되지 않는다.

□□□ ② 부교수임용처분에 대하여 같은 학과의 기존교수는 취소소송의 원고적격이 부정된다.

□□□ ③ 대법원 판례는 사업구역을 위반하였음을 이유로 한 과징금 부과처분을 취소한 재결에 대하여 처분의 상대방 아닌 제3자도 그 취소를 구할 법률상 이익이 있다고 한다.

□□□ ④ 제재적 행정처분의 가중사유나 전제요건에 관한 규정이 법령이 아닌 행정규칙의 형식으로 되어 있다면 이는 행정청 내부의 재량준칙을 규정한 것에 불과하므로 관할행정청이나 담당공무원은 이를 준수할 의무가 없다.

① 2010 국가직 7급 변형 ×

행정소송법은 토지관할에 관하여 전속관할(특정법원만이 배타적으로 관할권을 가지는 것)을 규정하고 있지 않으므로 토지관할은 그 성격상 임의관할이 된다. 따라서 민사소송법상의 합의관할 또는 변론관할(관할권이 없는 법원에 제기된 소송임에도 피고가 법원에서 관할위반의 주장을 하지 않고 본안에 관하여 변론을 한 경우 등에 생기는 관할권)에 관한 규정이 적용될 수 있다.

② 2018 소방직 9급 ○

1. 행정처분의 직접 상대방이 아닌 제3자가 그 행정처분의 취소 · 변경을 구하기 위하여는 제3자에게 그 처분의 취소 · 변경을 구할 구체적인 법률상의 이익이 있어야 하고, 단지 간접적이거나 사실적 · 경제적 이해관계를 가지는 데 불과한 경우에는 허용되지 아니한다.
2. 국립대학 교수에게 타인을 같은 학과 부교수로 임용한 처분의 취소를 구할 법률상 이익이 없다(대판 1995. 12. 12, 95누11856).

③ 2011 경북교행 ×

면허받은 장의자동차운송사업구역에 위반하였음을 이유로 한 행정청의 과징금 부과처분에 의하여 동종업자의 영업이 보호되는 결과는 사업구역제도의 반사적 이익에 불과하기 때문에 그 과징금 부과처분을 취소한 재결에 대하여 처분의 상대방 아닌 제3자는 그 취소를 구할 법률상 이익이 없다(대판 1992. 12. 8, 91누13700).

④ 2016 국가직 7급 ×

제재적 행정처분의 가중사유나 전제요건에 관한 규정이 법령이 아니라 규칙의 형식으로 되어 있다고 하더라도, 그러한 규칙이 법령에 근거를 두고 있는 이상 그 법적 성질이 대외적 · 일반적 구속력을 갖는 법규명령인지 여부와는 상관없이, 관할행정청이나 담당공무원은 이를 준수할 의무가 있다(대판 2006. 6. 22, 2003두1684 전합).

정답 08 ②

09

취소소송의 소의 이익에 관련된 다음 설명 중 옳은 것을 모두 고른 것은? (다툼이 있는 경우 판례에 의함)

□□□ ㉠ 국립대학교 불합격처분의 취소를 구하는 소송계속 중 당해 연도의 입학시기가 지난 경우, 취소소송에서 협의의 소의 이익이 인정된다.

□□□ ㉡ 공익근무요원 소집해제신청을 거부한 후 원고가 계속 공익근무요원으로 복무함에 따라 복무기간 만료를 이유로 소집해제처분을 한 경우, 거부처분의 취소를 구할 소의 이익이 없다.

□□□ ㉢ 상등병에서 병장으로의 진급요건을 갖춘 자에 대하여 그 진급처분을 행하지 아니한 상태에서 예비역으로 편입하는 처분을 한 경우, 진급처분 부작위위법을 이유로 예비역편입처분취소를 구할 소의 이익이 있다고 할 수 없다.

□□□ ㉣ 이전고시의 효력발생으로 이미 대다수 조합원 등에 대하여 획일적 · 일률적으로 처리된 권리귀속 관계를 모두 무효화하고 다시 처음부터 관리처분계획을 수립하여 이전고시절차를 거치도록 하는 것은 정비사업의 공익적 · 단체법적 성격에 배치되므로, 이전고시가 효력을 발생한 후에는 조합원 등이 관리처분계획의 취소 또는 무효확인을 구할 법률상 이익이 없다.

□□□ ㉤ 권리보호의 필요성 유무를 판단할 때에는 국민의 재판청구권을 보장한 헌법 제27조 제1항의 취지와 행정처분으로 인한 권익침해를 효과적으로 구제하려는 행정소송법의 목적 등에 비추어 행정처분의 존재로 인하여 국민의 권익이 실제로 침해되고 있는 경우는 물론이고 권익침해의 구체적 · 현실적 위험이 있는 경우에도 이를 구제하는 소송이 허용되어야 한다는 요청을 고려하여야 한다.

① 모두 옳음　　② ㉠, ㉡, ㉤
③ ㉡, ㉢, ㉣　　④ ㉢, ㉣, ㉤

㉠ 2009 세무사 ○

대학입학고사 불합격처분의 취소를 구하는 소송계속 중 당해 연도의 입학시기가 지났다 하더라도 다음 연도의 입학시기에 입학할 수 있으므로 불합격처분의 취소를 구할 소의 이익이 있다(대판 1990. 8. 28, 89누8255).

㉡ 2013 지방직(하) 7급 ○

공익근무요원 소집해제신청을 거부한 후 복무기간이 만료되어 소집해제처분이 이루어진 경우라면 소집해제신청거부처분의 취소를 구할 소의 이익이 없다.
공익근무요원 소집해제신청을 거부한 후에 원고가 계속하여 공익근무요원으로 복무함에 따라 복무기간만료를 이유로 소집해제처분을 한 경우, 원고가 입게 되는 권리와 이익의 침해는 소집해제처분으로 해소되었으므로 위 거부처분의 취소를 구할 소의 이익이 없다(대판 2005. 5. 13, 2004두4369).

㉢ 2009 국가직 9급 ○

예비역편입처분이 취소된다 하더라도 그로 인하여 신분이 예비역에서 현역으로 복귀함에 그칠 뿐이고, 상등병에서 병장으로의 진급처분 여부는 원칙적으로 진급권자의 합리적 판단에 의하여 결정되는 것이므로 예비역편입처분의 취소를 구할 이익이 없다는 것이 판례의 입장이다.

상등병에서 병장으로의 진급요건을 갖춘 자에 대하여 그 진급처분을 행하지 아니한 상태에서 예비역으로 편입하는 처분을 한 경우, 진급처분부작위위법을 이유로 예비역편입처분취소를 구할 소의 이익이 없다(대판 2000. 5. 16, 99두7111).

㉣ 2013 국회직 8급 ○

「도시 및 주거환경정비법」상 이전고시가 효력을 발생한 후 조합원 등이 관리처분계획에 대한 인가처분의 취소 또는 무효확인을 구할 법률상 이익은 없다.
이전고시의 효력발생으로 이미 대다수 조합원 등에 대하여 획일적 · 일률적으로 처리된 권리귀속관계를 모두 무효화하고 다시 처음부터 관리처분계획을 수립하여 이전고시절차를 거치도록 하는 것은 정비사업의 공익적 · 단체법적 성격에 배치되므로, 이전고시가 효력을 발생한 후에는 조합원 등이 관리처분계획의 취소 또는 무효확인을 구할 법률상 이익이 없다고 보는 것이 타당하고, 이는 관리처분계획에 대한 인가처분의 취소 또는 무효확인을 구하는 경우에도 마찬가지이다(대판 2012. 5. 24, 2009두22140).

㉤ 2024 군무원 9급 ○

행정소송법 제12조 후문은 '처분 등의 효과가 기간의 경과, 처분 등의 집행 그 밖의 사유로 인하여 소멸된 뒤에도 그 처분 등의 취소로 인하여 회복되는 법률상 이익이 있는 자의 경우에는' 취소소송을 제기할 수 있다고 규정하여, 이미 효과가 소멸된 행정처분에 대해서도 권리보호의 필요성이 인정되는 경우에는 취소소송의 제기를 허용하고 있다. 구체적인 사안에서 권리보호의 필요성 유무를 판단할 때에는 국민의 재판청구권을 보장한 헌법 제27조 제1항의 취지와 행정처분으로 인한 권익침해를 효과적으로 구제하려는 행정소송법의 목적 등에 비추어 행정처분의 존재로 인하여 국민의 권익이 실제로 침해되고 있는 경우는 물론이고 권익침해의 구체적 · 현실적 위험이 있는 경우에도 이를 구제하는 소송이 허용되어야 한다는 요청을 고려하여야 한다. 따라서 처분이 유효하게 존속하는 경우에는 특별한 사정이 없는 한 그 처분의 존재로 인하여 실제로 침해되고 있거나 침해될 수 있는 현실적인 위험을 제거하기 위해 취소소송을 제기할 권리보호의 필요성이 인정된다고 보아야 한다(대판 2018. 7. 12, 2015두3485).

정답 09 ①

10

항고소송의 피고와 관련된 다음 설명 중 옳지 않은 것은 모두 몇 개인가? (다툼이 있는 경우 판례에 의함)

□□□ ㉠ 행정권한의 내부위임은 법률의 근거가 없이도 가능하나 행정권한의 위임은 법률의 근거를 요한다.

□□□ ㉡ 대리관계를 명시적으로 밝히지는 아니하였다 하더라도 처분명의자가 피대리 행정청 산하의 행정기관으로서 실제로 피대리 행정청으로부터 대리권한을 수여받아 피대리 행정청을 대리한다는 의사로 행정처분을 하였고 처분명의자는 물론 그 상대방도 그 행정처분이 피대리 행정청을 대리하여 한 것임을 알고서 이를 받아들인 예외적인 경우에는 피대리 행정청이 피고가 된다.

□□□ ㉢ 행정처분을 하게 된 연유가 상급행정청이나 타행정청의 지시나 통보에 의한 것이라 하여도, 취소소송에서의 피고는 원칙적으로 행정처분 등을 외부적으로 그의 명의로 행한 행정청이 된다.

□□□ ㉣ 처분청과 통지한 자가 다른 경우에는 처분청이 피고가 된다.

□□□ ㉤ 지방의회의원의 징계의결에 대해서는 지방자치단체장이 피고가 된다.

□□□ ㉥ 항고소송에서 원고가 피고를 잘못 지정하였다면 법원은 석명권을 행사하여 피고를 경정하게 하여 소송을 진행하여야 한다.

① 0개 ② 1개
③ 2개 ④ 3개

㉠ 2022 국회직 8급 ○

권한의 위임은 행정법상 위임청의 권한이 수임청에게 이전되는 것이므로 법률의 근거가 필요하지만, 권한의 내부위임은 권한이 이전되는 것은 아니므로 법률의 근거가 필요하지 않다.

㉡ 2022 국회직 8급 ○

대리권을 수여받은 데 불과하여 그 자신의 명의로는 행정처분을 할 권한이 없는 행정청의 경우 대리관계를 밝힘이 없이 그 자신의 명의로 행정처분을 하였다면 그에 대하여는 처분명의자인 당해 행정청이 항고소송의 피고가 되어야 하는 것이 원칙이지만, 비록 대리관계를 명시적으로 밝히지는 아니하였다 하더라도 처분명의자가 피대리 행정청 산하의 행정기관으로서 실제로 피대리 행정청으로부터 대리권한을 수여받아 피대리 행정청을 대리한다는 의사로 행정처분을 하였고 처분명의자는 물론 그 상대방도 그 행정처분이 피대리 행정청을 대리하여 한 것임을 알고서 이를 받아들인 예외적인 경우에는 피대리 행정청이 피고가 되어야 한다(대결 2006. 2. 23, 2005부4).

㉢ 2019 서울시 2회 7급 ○

행정처분의 취소 또는 무효확인을 구하는 행정소송은 다른 법률에 특별한 규정이 없는 한 소송의 대상인 행정처분 등을 외부적으로 그의 명의로 행한 행정청을 피고로 하여야 하는 것으로서 그 행정처분을 하게 된 연유가 상급행정청이나 타행정청의 지시나 통보에 의한 것이라 하여 다르지 않다고 할 것이다(대판 1995. 12. 22, 95누14688).

㉣ 2012 국회(속기 · 경위직) 9급 ○

처분청과 통지한 자가 다른 경우에는 처분청이 피고적격을 가진다.

㉤ 2009 세무사 ×

지방의회는 원칙적으로 강학상의 행정청이 아니므로 취소소송의 피고가 될 수 없으나 의원에 대한 징계의결, 의장불신임결의 등과 같은 행위를 하는 경우에는 지방의회도 행정청으로서 피고가 될 수 있다.

㉥ 2016 서울시 7급 ○

원고가 피고를 잘못 지정하였다면 법원으로서는 당연히 석명권을 행사하여 원고로 하여금 피고를 경정하게 하여 소송을 진행하게 하였어야 할 것임에도 불구하고 이러한 조치를 취하지 아니한 채 피고의 지정이 잘못되었다는 이유로 소를 각하한 것은 위법하다(대판 2004. 7. 8, 2002두7852).

정답 10 ②

11

항고소송의 대상과 관련된 다음 설명 중 옳은 것은? (다툼이 있는 경우 판례에 의함)

□□□ ① 도지사가 도에서 설치 · 운영하는 지방의료원을 폐업하겠다는 결정을 발표하고 그에 따라 폐업을 위한 일련의 조치를 한 경우, 폐업결정은 공권력의 행사로서 행정처분에 해당한다.

□□□ ② 「국가를 당사자로 하는 계약에 관한 법률」상 국가기관에 의한 입찰참가자격제한행위는 사법상 관념의 통지에 해당한다.

□□□ ③ 구 공원법에 의해 건설부장관이 행한 국립공원지정처분에 따라 공원관리청이 행한 경계측량 및 표지의 설치는 항고소송의 대상이 되는 처분이다.

□□□ ④ 구 「금융산업의 구조개선에 관한 법률」 및 구 상호저축은행법상 금융감독위원회의 파산신청은 취소소송의 대상이 되는 행정처분이다.

관련기출

②

1. 대법원은 지방자치단체가 공공조달계약 입찰을 일정기간 동안 제한하는 부정당업자제재는 사법상의 통지행위에 불과하다고 본다. (○, ×) 2017 국회직 8급
2. 「국가를 당사자로 하는 계약에 관한 법률」에 의하여 국가기관이 특정 기업의 입찰참가자격을 제한하는 경우 이것은 사법관계이므로 이에 대해 다투기 위하여서는 민사소송을 제기하여야 한다. (○, ×) 2016 국회직 8급
3. 「국가를 당사자로 하는 계약에 관한 법률」상 부정당업자에 대한 입찰참가자격제한조치는 취소소송의 대상이 된다. (○, ×) 2011 국가직 7급

1. × 2. × 3. ○

① 2023 소방직 9급 ○

甲도지사가 도에서 설치 · 운영하는 乙지방의료원을 폐업하겠다는 결정을 발표하고 그에 따라 폐업을 위한 일련의 조치가 이루어진 후 乙지방의료원을 해산한다는 내용의 조례를 공포하고 乙지방의료원의 청산절차가 마쳐진 사안에서, 甲도지사의 폐업결정은 항고소송의 대상에 해당하지만 취소를 구할 소의 이익을 인정하기 어렵다.

(1) 지방의료원의 설립 · 통합 · 해산은 지방자치단체의 조례로 결정할 사항이다.
(2) 피고 경상남도지사의 OO의료원 폐업결정은 행정청이 행하는 구체적 사실에 관한 법집행으로서의 공권력의 행사로서 입원환자들과 소속 직원들의 권리 · 의무에 직접 영향을 미치는 것이므로 항고소송의 대상에 해당한다.
(3) 이 사건 폐업결정 후 OO의료원을 해산한다는 내용의 이 사건 조례가 제정 · 시행되었고, 이 사건 조례가 무효라고 볼 사정도 없으므로, OO의료원을 폐업 전의 상태로 되돌리는 원상회복은 불가능하다고 판단된다. 따라서 법원이 피고 경상남도지사의 이 사건 폐업결정을 취소하더라도 그것은 단지 이 사건 폐업결정이 위법함을 확인하는 의미밖에 없고, 그것만으로는 원고들이 희망하는 OO의료원 재개원이라는 목적을 달성할 수 없으며, 뒤에서 살펴보는 바와 같이 (발생한 손해가 없으므로) 원고들의 국가배상청구도 이유 없다고 판단되므로, 결국 원고들에게 이 사건 폐업결정의 취소로 회복할 수 있는 다른 권리나 이익이 남아 있다고 보기도 어렵다. 따라서 피고 경상남도지사의 이 사건 폐업결정은 법적으로 권한 없는 자에 의하여 이루어진 것으로서 위법하다고 하더라도, 그 취소를 구할 소의 이익을 인정하기는 어렵다(대판 2016. 8. 30, 2015두60617).

② 2021 국회직 8급 ×

「국가를 당사자로 하는 계약에 관한 법률」에 따라 각 중앙관서의 장이 행하는 입찰참가자격제한조치는 사법상 관념의 통지에 불과한 것이 아니라 항고소송의 대상이 되는 처분에 해당한다. 대법원도 국가나 지방자치단체 등의 행정청이 행하는 입찰참가자격제한조치에는 처분성을 긍정하고 있다(대판 1983. 7. 12, 83누127 등).

③ 2017 지방직(하) 9급 ×

건설부(현 국토교통부)장관이 행한 국립공원지정처분에 따라 공원관리청이 행한 경계측량 및 표지의 설치 등은 공원구역의 효율적인 보호 · 관리를 위하여 이미 확정된 경계를 인식 · 파악하는 사실상의 행위로 행정처분이 아니다.

건설부장관이 행한 국립공원지정처분은 그 결정 및 첨부된 도면의 공고로써 그 경계가 확정되는 것이고, 시장이 행한 경계측량 및 표지의 설치 등은 공원관리청이 공원구역의 효율적인 보호 · 관리를 위하여 이미 확정된 경계를 인식 · 파악하는 사실상의 행위로 봄이 상당하며, 위와 같은 사실상의 행위를 가리켜 공권력행사로서의 행정처분의 일부라고 볼 수 없고, 이로 인하여 건설부장관이 행한 공원지정처분이나 그 경계에 변동을 가져온다고 할 수 없다(대판 1992. 10. 13, 92누2325).

④ 2013 지방직 9급 변형 ×

금융감독위원회의 부실금융기관에 대한 파산신청은 행정소송법상 취소소송의 대상이 되는 행정처분이 아니다.

위 파산신청으로 인하여 당해 부실금융기관이 파산절차 내에서 여러 가지 법률상 불이익을 입는다 할지라도 파산법원이 관할하는 파산절차 내에서 그 신청의 적법 여부 등을 다투어야 할 것이므로, 위와 같은 금융감독위원회의 파산신청은 행정소송법상 취소소송의 대상이 되는 행정처분이라 할 수 없다(대판 2006. 7. 28, 2004두13219).

정답 11 ①

12

항고소송의 대상과 관련된 다음 설명 중 옳지 않은 것은? (다툼이 있는 경우 판례에 의함)

□□□ ① 상급행정기관의 하급행정기관에 대한 승인 · 동의 · 지시 등은 행정기관 상호 간의 내부행위로서 항고소송의 대상이 되는 행정처분이라 볼 수 없다.

□□□ ② 대학 교원의 신규채용에 있어서 유일한 면접심사대상자로 선정된 임용지원자에 대한 교원신규채용중단 조치는 임용지원자에 대한 신규임용을 사실상 거부하는 종국적인 조치로서 항고소송의 대상이 되는 처분 등에 해당한다.

□□□ ③ (구)정부투자기관관리기본법에 따른 경제기획원장관의 정부투자기관에 대한 예산편성지침통보는 정부투자기관의 경영합리화와 정부투자의 효율적 관리를 도모하기 위한 것으로서 그에 대한 감독작용에 해당하므로 행정처분으로 보아야 한다.

□□□ ④ 금융기관의 임원에 대한 금융감독원장의 문책경고는 항고소송의 대상이 되는 행정처분에 해당한다.

관련기출

①

1. 상급행정기관의 하급행정기관에 대한 승인 · 동의 · 지시 등 행정기관 상호 간의 내부행위는 항고소송의 대상이 되는 처분이다. (○, ×) 2011 경행특채

1. ×

④

1. 금융기관 임원에 대한 금융감독원장의 문책경고는 상대방의 권리 · 의무에 직접 영향을 미치지 않으므로 행정소송의 대상이 되는 처분에 해당하지 않는다. (○, ×) 2018 지방직 9급
2. 금융감독원장으로부터 문책경고를 받은 금융기관의 임원이 일정기간 금융업종 임원선임의 자격제한을 받도록 관계법령에 규정되어 있는 경우, 금융기관 임원에 대한 문책경고는 상대방의 권리 · 의무에 직접 영향을 미치는 행위이므로 행정처분에 해당한다. (○, ×) 2016 국가직 9급

1. × 2. ○

① 2017 사회복지직 9급 ○

상급행정기관의 하급행정기관에 대한 승인 · 동의 · 지시 등은 행정기관 상호 간의 내부행위로서 국민의 권리 · 의무에 직접 영향을 미치는 것이 아니므로 항고소송의 대상이 되는 행정처분에 해당한다고 볼 수 없다(대판 1997. 9. 26, 97누8540).

② 2009 국회직 8급 ○

대학 교원의 신규채용에 있어서 유일한 면접심사대상자로 선정되어 심사단계 중 대부분의 단계를 통과한 경우 이러한 자는 임용신청권이 있으므로 임용거부조치는 행정처분에 해당한다(대판 2004. 6. 11, 2001두7053).

③ 2008 중앙선관위 9급 ×

행정청의 정부투자기관에 대한 예산편성지침통보는 내부행위로서 행정처분이 아니다.

정부투자기관관리기본법 제21조의 규정에 따른 경제기획원장관(현 기획재정부장관)의 정부투자기관에 대한 예산편성지침통보는 정부투자기관의 경영합리화와 정부투자의 효율적 관리를 도모하기 위한 것으로서 그에 대한 감독작용에 해당할 뿐 그 자체만으로는 직접적으로 국민의 권리 · 의무가 설정 · 변경 · 박탈되거나 그 범위가 확정되는 등 기존의 권리상태에 어떤 변동을 가져오는 것이 아니므로 이를 행정소송의 대상이 되는 행정처분이라고 할 수 없다(대판 1993. 9. 14, 93누9163).

④ 2015 경행특채 1차 ○

금융기관의 '임원'에 대한 금융감독원장의 문책경고는 항고소송의 대상이 되는 행정처분에 해당한다.

금융기관의 임원에 대한 금융감독원장의 문책경고는 그 상대방에 대한 직업선택의 자유를 직접 제한하는 효과를 발생하게 하는 등 상대방의 권리 · 의무에 직접 영향을 미치는 행위로서 항고소송의 대상이 되는 행정처분에 해당한다(대판 2005. 2. 17, 2003두14765).

정답 12 ③

13

항고소송의 대상과 관련된 다음 설명 중 옳지 않은 것은? (다툼이 있는 경우 판례에 의함)

□□□ ① 금융감독원장이 종합금융주식회사의 전 대표이사에게 재직 중 위법·부당행위 사례를 첨부하여 금융 관련법규를 위반하고 신용질서를 심히 문란하게 한 사실이 있다는 내용으로 '문책 경고장(상당)'을 보낸 행위는 처분성이 인정된다.

□□□ ② 코로나바이러스감염증-19의 예방을 위해 음식점 및 PC방 운영자 등에게 영업시간을 제한하거나 이용자 간 거리를 둘 의무를 부여하는 서울특별시고시는 처분성이 인정된다.

□□□ ③ 구 농지법상 농지처분의무의 통지는 통지를 전제로 농지처분명령 및 이행강제금 부과 등의 일련의 절차가 진행되는 점에서 독립한 행정처분이다.

□□□ ④ 항공노선에 대한 운수권 배분은 항고소송의 대상이 되는 행정처분에 해당한다.

① 2024 국회직 8급 ×

금융감독원장이 종합금융주식회사의 '전 대표이사'에게 '문책경고장'을 보낸 행위는 항고소송의 대상이 되는 행정처분이 아니다.

금융감독원장이 종합금융주식회사의 전 대표이사에게 재직 중 위법·부당행위 사례를 첨부하여 금융관련법규를 위반하고 신용질서를 심히 문란하게 한 사실이 있다는 내용으로 '문책경고장(상당)'을 보낸 행위가 항고소송의 대상이 되는 행정처분에 해당하지 아니한다(대판 2005. 2. 17, 2003두10312).

② 2024 국회직 8급 ○

코로나바이러스감염증-19의 예방을 위하여 음식점 및 PC방 운영사 등에게 영업시간을 제한하거나 이용자 간 거리를 둘 의무를 부여하는 심판대상고시는 관내 음식점 및 PC방의 관리자·운영자들에게 일정한 방역수칙을 준수할 의무를 부과하는 것으로서, 항고소송의 대상인 행정처분에 해당한다.

1. 코로나바이러스감염증-19의 예방을 위하여 음식점 및 PC방 운영자 등에게 영업시간을 제한하거나 이용자 간 거리를 둘 의무를 부여하는 심판대상고시는 관내 음식점 및 PC방의 관리자·운영자들에게 일정한 방역수칙을 준수할 의무를 부과하는 것으로서, 항고소송의 대상인 행정처분에 해당한다. 대법원도 심판대상고시와 동일한 규정형식을 가진 피청구인의 대면예배 제한 고시(서울특별시고시 제2021-414호)가 항고소송의 대상인 행정처분에 해당함을 전제로 판단한 바 있다(대결 2022. 10. 27, 2022두48646 참조).
2. 심판대상고시의 효력기간이 경과하여 그 효력이 소멸하였으므로, 이를 취소하더라도 그 원상회복은 불가능하다. 그러나 피청구인은 심판대상고시의 효력이 소멸한 이후에도 2022. 4.경 코로나19 방역조치가 종료될 때까지 심판대상고시와 동일·유사한 방역조치를 시행하여 왔고, 향후 다른 종류의 감염병이 발생할 경우 피청구인은 그 감염병의 확산을 방지하기 위하여 심판대상고시와 동일·유사한 방역조치를 취할 가능성도 있다. 그렇다면 심판대상고시와 동일·유사한 방역조치가 앞으로도 반복될 가능성이 있고 이에 대한 법률적 해명이 필요한 경우에 해당하므로 예외적으로 그 처분의 취소를 구할 소의 이익이 인정되는 경우에 해당한다(헌재 2023. 5. 25, 2021헌마21).

③ 2017 국회직 8급 ○

시장 등 행정청은 위 제7호에 정한 사유의 유무, 즉 농지의 소유자가 위 농업경영계획서의 내용을 이행하였는지 여부 및 그 불이행에 정당한 사유가 있는지 여부를 판단하여 그 사유를 인정한 때에는 반드시 농지처분의무통지를 하여야 하는 점, 위 통지를 전제로 농지처분명령, 같은 법 제65조에 의한 이행강제금 부과 등의 일련의 절차가 진행되는 점 등을 종합하여 보면, 농지처분의무통지는 단순한 관념의 통지에 불과하다고 볼 수는 없고, 상대방인 농지소유자의 의무에 직접 관계되는 독립한 행정처분으로서 항고소송의 대상이 된다(대판 2003. 11. 14, 2001두8742).

④ 2012 지방직(상) 9급 ○

정부 간 항공노선의 개설에 관한 잠정협정 및 비밀양해각서와 건설교통부(현 국토교통부) 내부지침에 의한 항공노선에 대한 운수권 배분처분은 항고소송의 대상이 되는 행정처분에 해당한다(대판 2004. 11. 26, 2003두10251·10268).

정답 13 ①

14

항고소송의 대상과 관련된 다음 설명 중 옳지 않은 것을 모두 고른 것은? (다툼이 있는 경우 판례에 의함)

□□□ ㉠ 사업자등록의 말소는 폐업사실의 기재일 뿐만 아니라 그에 의해 사업자로서의 지위에 변동을 가져오는 점에서 과세관청의 사업자등록 직권말소행위는 불복의 대상이 되는 행정처분으로 볼 수 있다.

□□□ ㉡ 부당한 공동행위의 자진신고자가 한 감면신청에 대해 공정거래위원회가 감면불인정 통지를 한 것은 항고소송의 대상인 행정처분으로 볼 수 없다.

□□□ ㉢ 한국환경산업기술원장이 환경기술개발사업협약을 체결한 甲 주식회사 등에게 연차평가 실시결과 절대평가 60점 미만으로 평가되었다는 이유로 연구개발 중단조치 및 연구비 집행중지조치를 한 사안에서, 연구개발 중단조치 및 연구비 집행중지조치는 항고소송의 대상이 되는 행정처분에 해당한다.

□□□ ㉣ 구청장이 사회복지법인에 특별감사 결과, 지적사항에 대한 시정지시와 그 결과를 관계서류와 함께 보고하도록 지시한 경우, 그 시정지시는 항고소송의 대상이 되는 행정처분에 해당하지 아니한다.

□□□ ㉤ 농지처분의무통지는 단순한 관념의 통지에 불과하다고 볼 수 없고, 상대방인 농지소유자의 의무에 직접 관계되는 독립한 행정처분으로서 항고소송의 대상이 된다.

① ㉠, ㉡, ㉣　　② ㉠, ㉢, ㉤
③ ㉡, ㉢, ㉣　　④ ㉢, ㉣, ㉤

관련기출

1. 구청장이 사회복지법인에 특별감사 결과 지적사항에 대한 시정지시와 그 결과를 관계서류와 함께 보고하도록 지시한 경우, 그 시정지시는 항고소송의 대상이 되는 처분에 해당한다. (○, ×) 2017 지방직(하) 9급

1. ○

㉠ 2023 국회직 9급 ×

부가가치세법상의 사업자등록은 과세관청으로 하여금 부가가치세의 납세의무자를 파악하고 그 과세자료를 확보케 하려는 데 입법취지가 있는 것으로서, 이는 단순한 사업사실의 신고로서 사업자가 소관 세무서장에게 소정의 사업자등록신청서를 제출함으로써 성립되는 것이고, 사업자등록증의 교부는 이와 같은 등록사실을 증명하는 증서의 교부행위에 불과한 것이며, 부가가치세법 제5조 제5항에 의하면 사업자가 폐업하거나 또는 신규로 사업을 개시하고자 하여 사업개시일 전에 등록한 후 사실상 사업을 개시하지 아니하게 되는 때에는 과세관청이 직권으로 이를 말소하도록 하고 있는데, 사업자등록의 말소 또한 폐업사실의 기재일 뿐 그에 의하여 사업자로서의 지위에 변동을 가져오는 것이 아니라는 점에서 과세관청의 사업자등록 직권말소행위는 불복의 대상이 되는 행정처분으로 볼 수가 없다(대판 2000. 12. 22, 99두6903).

㉡ 2014 국가직 9급 ×

구 「부당한 공동행위 자진신고자 등에 대한 시정조치 등 감면제도 운영고시」 제14조 제1항에 따른 시정조치 등 감면신청에 대한 감면불인정 통지는 항고소송의 대상이 되는 행정처분에 해당한다(대판 2012. 9. 27, 2010두3541).

㉢ 2020 국회직 8급 ○

한국환경산업기술원장의 연구개발 중단조치 및 연구비 집행중지조치는 처분이다.

한국환경산업기술원장이 환경기술개발사업협약을 체결한 甲 주식회사 등에게 연차평가 실시결과 절대평가 60점 미만으로 평가되었다는 이유로 연구개발 중단조치 및 연구비 집행중지조치(이하 '각 조치'라 한다)를 한 사안에서, 각 조치는 甲 회사 등에게 연구개발을 중단하고 이미 지급된 연구비를 더 이상 사용하지 말아야 할 공법상 의무를 부과하는 것이고, 연구개발 중단조치는 협약의 해약 요건에도 해당하며, 조치가 있은 후에는 주관연구기관이 연구개발을 계속하더라도 그에 사용된 연구비는 환수 또는 반환 대상이 되므로, 각 조치는 甲 회사 등의 권리 · 의무에 직접적인 영향을 미치는 행위로서 항고소송의 대상이 되는 행정처분에 해당한다(대판 2015. 12. 24, 2015두264).

㉣ 2020 군무원 9급 ×

구청장이 사회복지법인에 특별감사 결과 지적사항에 대한 시정지시와 그 결과를 관계서류와 함께 보고하도록 지시한 경우, 그 시정지시는 비권력적 사실행위가 아니라 항고소송의 대상이 되는 행정처분에 해당한다.

시정지시에 따른 시정조치의 이행이 사실상 강제되어 있다고 할 것이고, 만일 이를 이행하지 않는 경우 시정명령을 받거나 법인설립허가가 취소될 수 있고, 자신이 운영하는 사회복지시설에 대한 개선 또는 사업정지명령을 받거나 그 시설의 장의 교체 또는 시설의 폐쇄와 같은 불이익을 받을 위험이 있다(대판 2008. 4. 24, 2008두3500).

㉤ 2021 소방직 9급 ○

구 농지법상 농지처분의무의 통지는 통지를 전제로 농지처분명령 및 이행강제금 부과 등의 일련의 절차가 진행되는 점에서 독립한 행정처분이다.

시장 등 행정청은 구 농지법 제10조 제1항 제7호에 정한 사유의 유무, 즉 농지의 소유자가 위 농업경영계획서의 내용을 이행하였는지 여부 및 그 불이행에 정당한 사유가 있는지 여부를 판단하여 그 사유를 인정한 때에는 반드시 농지처분의무통지를 하여야 하는 점, 위 통지를 전제로 농지처분명령, 같은 법 제65조에 의한 이행강제금 부과 등의 일련의 절차가 진행되는 점 등을 종합하여 보면, 농지처분의무통지는 단순한 관념의 통지에 불과하다고 볼 수는 없고, 상대방인 농지소유자의 의무에 직접 관계되는 독립한 행정처분으로서 항고소송의 대상이 된다(대판 2003. 11. 14, 2001두8742).

정답 14 ①

15

취소소송의 대상과 관련된 다음 설명 중 옳지 않은 것을 모두 고른 것은? (다툼이 있는 경우 판례에 의함)

□□□ ㉠ 세무서장의 법인세 과세표준결정행위는 항고소송의 대상으로 인정된다.

□□□ ㉡ 국세환급금 충당의 법적 성격과 관련하여 국세환급금의 충당은 납세의무자가 갖는 환급청구권의 존부나 범위 또는 소멸에 구체적이고 직접적인 영향을 미치는 처분이라기보다는 국가의 환급금 채무와 조세채권이 대등액에서 소멸되는 점에서 오히려 민법상의 상계와 비슷한 것이다.

□□□ ㉢ 사립학교 교원 징계처분에 대한 교원소청심사위원회의 결정은 행정심판의 재결이다.

□□□ ㉣ 취소소송은 처분 등을 대상으로 하나, 재결취소소송은 처분 및 재결 자체에 고유한 위법이 있음을 이유로 하는 경우에 한한다.

□□□ ㉤ 행정처분에 대한 행정심판의 재결에 이유모순의 위법이 있다는 사유는 재결처분 자체에 고유한 하자로서 재결처분의 취소를 구하는 소송에서는 그 위법사유로서 주장할 수 있으나, 원처분의 취소를 구하는 소송에서는 그 취소를 구할 위법사유로서 주장할 수 없다.

① ㉠, ㉢, ㉣　　② ㉡, ㉢, ㉤
③ ㉢, ㉣, ㉤　　④ ㉣, ㉤

관련기출

㉤
1. 행정처분에 대한 행정심판의 재결에 이유모순의 위법이 있다는 사유는 원처분의 취소를 구하는 소송뿐 아니라 재결처분의 취소를 구하는 소송에서도 그 취소를 구할 위법사유로 주장할 수 있다. (O, ×) 2014 지방직 7급

1. ×

㉠ 2014 지방직 7급 ×

법인세 과세표준결정이나 손금불산입 처분이 항고소송의 대상이 되는 행정처분이 아니다.
법인세 과세표준결정이나 손금불산입 처분은 법인세 과세처분에 앞선 결정으로서 그로 인하여 바로 과세처분의 효력이 발생하는 것이 아니고 또 후일에 이에 의한 법인세 과세처분이 있을 때에 그 부과처분을 다툴 수 있는 방법이 없는 것도 아니므로, 법인세 과세표준결정이나 손금불산입 처분은 항고소송의 대상이 되는 행정처분이라고는 할 수 없다(대판 1996. 9. 24, 95누12842).

㉡ 2020 지방직 · 서울시 7급 ○

국세환급금의 충당은 납세의무자가 갖는 환급청구권의 존부나 범위 또는 소멸에 구체적이고 직접적인 영향을 미치는 처분이라기보다는 국가의 환급금 채무와 조세채권이 대등액에서 소멸되는 점에서 오히려 민법상의 상계와 비슷하고, 소멸대상인 조세채권이 존재하지 아니하거나 당연무효 또는 취소되는 경우에는 충당의 효력이 없는 것으로서 이러한 사유가 있는 경우에 납세의무자로서는 충당의 효력이 없음을 주장하여 언제든지 이미 결정된 국세환급금의 반환을 청구할 수 있다(대판 2019. 6. 13, 2016다239888).

㉢ 2020 경행경채 ×
사립학교 교원 징계처분에 대한 교원소청심사위원회의 결정은 원행정처분이지 행정심판의 재결이 아니다.

사립학교 교원에 대한 징계처분의 경우에는 학교법인 등의 징계처분은 행정처분성이 없는 것이고 그에 대한 소청심사청구에 따라 위원회(편저자 주 : 교원소청심사위원회)가 한 결정이 행정처분이고 교원이나 학교법인 등은 그 결정에 대하여 행정소송으로 다투는 구조가 되므로, 행정소송에서의 심판대상은 학교법인 등의 원징계처분이 아니라 위원회의 결정이 되고, 따라서 피고도 행정청인 위원회가 되는 것이며, 법원이 위원회의 결정을 취소한 판결이 확정된다고 하더라도 위원회가 다시 그 소청심사청구사건을 재심사하게 될 뿐 학교법인 등이 곧바로 위 판결의 취지에 따라 재징계 등을 하여야 할 의무를 부담하는 것은 아니다(대판 2013. 7. 25, 2012두12297).

㉣ 2020 소방직 9급 ×
재결취소소송은 '처분 및 재결' 자체에 고유한 위법이 아니라 '재결' 자체에 고유한 위법이 있음을 이유로 하는 경우에 한한다. 처분에 고유한 위법이 있으면 처분에 대한 취소소송을 제기하여야 한다.

행정소송법 제19조【취소소송의 대상】 취소소송은 처분 등을 대상으로 한다. 다만, 재결취소소송의 경우에는 재결 자체에 고유한 위법이 있음을 이유로 하는 경우에 한한다.

㉤ 2020 군무원 9급 ○

원처분의 취소를 구하는 소송에서 재결 자체의 고유한 위법사유를 주장할 수는 없다.
행정처분에 대한 행정심판의 재결에 이유모순의 위법이 있다는 사유는 재결처분 자체에 고유한 하자로서 재결처분의 취소를 구하는 소송에서는 그 위법사유로서 주장할 수 있으나, 원처분의 취소를 구하는 소송에서는 그 취소를 구할 위법사유로서 주장할 수 없다(대판 1996. 2. 13, 95누8027).

정답 15 ①

16

취소소송의 제소기간에 관련된 다음 설명 중 옳은 것을 모두 고른 것은? (다툼이 있는 경우 판례에 의함)

□□□ ㉠ 처분이 있음을 안 날 기준과 처분이 있은 날 기준이 모두 경과하여야 제소기간이 종료된다.

□□□ ㉡ 개별공시지가의 결정에 이의가 있는 자가 행정심판을 거쳐 취소소송을 제기하는 경우 취소소송의 제소기간은 그 행정심판재결서 정본을 송달받은 날부터 또는 재결이 있은 날부터 기산한다.

□□□ ㉢ 처분의 상대방이 아닌 제3자가 소송을 제기하는 경우에는 제소기간의 제한이 적용되지 않는다.

□□□ ㉣ 원고가 행정소송법상 항고소송으로 제기해야 할 사건을 민사소송으로 잘못 제기한 경우에 수소법원이 그 항고소송에 대한 관할을 가지고 있지 아니하여 관할법원에 이송하는 결정을 하였고, 그 이송결정이 확정된 후 원고가 항고소송으로 소변경을 하였다면, 그 항고소송에 대한 제소기간의 준수 여부는 원칙적으로 처음에 소를 제기한 때를 기준으로 판단하여야 한다.

□□□ ㉤ 법원은 취소소송의 제소기간을 확장하거나 단축할 수 없으나 주소 또는 거소가 멀리 떨어진 곳에 있는 자를 위하여 부가기간을 정할 수 있다.

① ㉠, ㉡, ㉣　　② ㉠, ㉢, ㉤
③ ㉡, ㉢, ㉤　　④ ㉡, ㉣, ㉤

㉠ 2012 국회(속기 · 경위직) 9급 ×
두 기간 중 어느 하나의 기간이라도 먼저 경과하면 취소소송을 제기할 수 없다. 따라서 비록 처분이 있은 날로부터 1년이 경과하지 않은 경우라 하더라도 처분이 있음을 안 날로부터 90일이 경과하였다면 취소소송을 제기할 수 없다.

㉡ 2018 지방직 7급 ○
행정심판을 거쳐 취소소송을 제기하는 경우 취소소송은 재결서의 정본을 송달받은 날로부터 90일 이내에 제기하여야 하고 재결서의 정본을 송달받지 못한 경우에는 재결이 있은 날부터 1년 이내에 제기하여야 한다. 이는 개별공시지가에 대하여 이의가 있는 자가 행정심판을 거쳐 취소소송을 제기하는 경우에도 마찬가지이다.

> 개별공시지가에 대하여 이의가 있는 자가 행정심판을 거쳐 행정소송을 제기하는 경우 제소기간의 기산점은 행정심판재결서 정본을 송달받은 날부터 기산한다(대판 2010. 1. 28, 2008두19987).

㉢ 2011 세무사 ×
제3자효적 행정행위에도 취소소송의 제소기간이 적용된다.
참고 다만, 제3자는 일반적으로 처분이 있음을 바로 알 수 없는 처지에 있으므로 행정소송법 제20조 제2항이 적용될 것이며 이 경우 특별한 사정이 없는 한 정당한 사유가 있는 경우에 해당한다고 볼 수 있다. 따라서 1년을 경과하더라도 제기할 수 있는 경우가 많을 것이다.

㉣ 2023 군무원 9급 ○

> 행정소송법 제8조 제2항은 "행정소송에 관하여 이 법에 특별한 규정이 없는 사항에 대하여는 법원조직법과 민사소송법 및 민사집행법의 규정을 준용한다."라고 규정하고 있고, 민사소송법 제40조 제1항은 "이송결정이 확정된 때에는 소송은 처음부터 이송받은 법원에 계속된 것으로 본다."라고 규정하고 있다. 한편 행정소송법 제21조 제1항, 제4항, 제37조, 제42조, 제14조 제4항은 행정소송 사이의 소 변경이 있는 경우 처음 소를 제기한 때에 변경된 청구에 관한 소송이 제기된 것으로 보도록 규정하고 있다. 이러한 규정 내용 및 취지 등에 비추어 보면, 원고가 행정소송법상 항고소송으로 제기해야 할 사건을 민사소송으로 잘못 제기한 경우에 수소법원이 그 항고소송에 대한 관할을 가지고 있지 아니하여 관할법원에 이송하는 결정을 하였고, 그 이송결정이 확정된 후 원고가 항고소송으로 소 변경을 하였다면, 그 항고소송에 대한 제소기간의 준수 여부는 원칙적으로 처음에 소를 제기한 때를 기준으로 판단하여야 한다(대판 2022. 11. 17, 2021두44425).

㉤ 2013 지방직 9급 ○
행정소송법 제8조에 의해 준용되는 민사소송법 제172 · 173조에 따르면 주소 또는 거소가 멀리 떨어진 곳에 있는 사람을 위하여 부가기간을 정할 수 있고, 당사자가 그 책임을 질 수 없는 사유로 말미암아 불변기간을 지킬 수 없었던 경우에는 그 사유가 없어진 날부터 2주 내에 게을리한 소송행위를 추후에 보완할 수 있다.

정답 16 ④

17

행정심판전치주의에 관련된 다음 설명 중 옳지 않은 것을 모두 고른 것은? (다툼이 있는 경우 판례에 의함)

> □□□ ㉠ 특허법상 특허거절결정에 불복하는 심판청구에 대한 특허심판원의 심결은 행정소송법 제18조에서 규정하는 '다른 법률에 당해 처분에 대한 행정심판의 재결을 거치지 아니하면 취소소송을 제기할 수 없다는 규정이 있는 때'에 해당한다.
>
> □□□ ㉡ 행정처분의 상대방에게 행정심판전치주의가 적용되는 경우라도, 제3자가 제기하는 행정소송의 경우 제3자는 행정처분의 존재를 알지 못하고 행정심판에 대한 고지도 받지 못하게 되므로 행정심판전치주의가 적용되지 않는다.
>
> □□□ ㉢ 부작위위법확인소송에 대해서는 행정심판전치주의에 관한 규정이 준용되지 않는다.
>
> □□□ ㉣ 판례에 의하면 둘 이상의 심판절차가 규정된 때에는 특별한 규정이 없는 한 모든 심판절차를 거쳐야 한다.
>
> □□□ ㉤ 행정청의 처분의 변경으로 인한 소(訴)의 변경의 경우 변경된 처분이 필요적 행정심판전치의 대상이더라도 행정심판을 거칠 필요가 없다.

① ㉠, ㉡, ㉣ ② ㉠, ㉢, ㉤
③ ㉡, ㉢, ㉣ ④ ㉢, ㉣, ㉤

㉠ 2021 경행경채 ○

> **특허법 제186조【심결 등에 대한 소】** ⑥ 특허취소를 신청할 수 있는 사항 또는 심판을 청구할 수 있는 사항에 관한 소는 특허취소결정이나 심결에 대한 것이 아니면 제기할 수 없다.

㉡ 2014 국회직 8급 ×

처분의 상대방이 아닌 제3자가 제기하는 행정소송의 경우에도 행정심판전치주의는 적용된다.

㉢ 2010 세무사 ×

행정소송법 제18조(행정심판과의 관계)는 부작위위법확인소송에도 준용된다.

> **행정소송법 제38조【준용규정】** ② 제9조, 제10조, 제13조 내지 제19조, 제20조, 제25조 내지 제27조, 제29조 내지 제31조(편저자 주 : 제29 · 30 · 31조를 의미함. 조문에서 '내지'는 동일하게 해석할 것), 제33조 및 제34조의 규정은 부작위위법확인소송의 경우에 준용한다.

㉣ 2010 세무사 ×

관계법령이 하나의 처분에 대해서 2단계 이상의 행정심판절차를 규정하고 있는 경우 통설은 예외적 행정심판전치제도의 취지가 행정청에 자기반성의 기회를 주는 데 있으므로 특별한 규정이 있는 경우를 제외하고는 하나만 거치면 족하다고 본다.

㉤ 2008 국회직 8급 ○

행정소송법에 따르면 행정청의 처분변경으로 인한 소(訴)의 변경의 경우 변경된 처분이 필요적 행정심판전치의 대상이더라도 행정심판을 거친 것으로 보게 되므로 행정심판을 또다시 거칠 필요는 없다.

> **행정소송법 제22조【처분으로 인한 소의 변경】** ③ 제1항의 규정에 의하면 변경되는 청구는 제18조 제1항 단서(필요적 행정심판전치에 관한 규정)의 규정에 의한 요건을 갖춘 것으로 본다.

정답 17 ③

18

행정소송법상 집행정지에 관한 다음 설명 중 옳은 것은? (다툼이 있는 경우 판례에 의함)

□□□ ① 행정소송은 민사소송과는 달리 본안소송이 법원에 계속되어 있음을 요하므로 행정소송제기와 동시에 집행정지를 신청할 수 없다.

□□□ ② 유흥접객영업허가의 취소처분으로 5,000여 만원의 시설비를 회수하지 못하게 된다면 생계까지 위협받을 수 있다는 등의 사정이 집행정지를 인정하기 위한 회복하기 어려운 손해가 생길 우려가 있는 경우에 해당하지 아니한다.

□□□ ③ 과세처분의 취소를 본안으로 하는 경우에 통상적으로 집행정지가 인용된다.

□□□ ④ 집행정지결정의 효력은 정지결정의 대상인 처분의 발령시점에 소급하는 것이 원칙이다.

□□□ ⑤ 집행정지결정이 있더라도 당사자인 행정청과 그 밖의 관계행정청에 대하여 법적 구속력은 발생하지 않는다.

관련기출

⑤

1. 행정소송법상 집행정지결정은 판결이 아니므로 기속력은 인정되지 않다. (O, ×) 2016 국가직 9급

1. ×

① 2008 중앙선관위 9급 ×

행정소송법상의 집행정지는 민사소송법상의 가구제와 달리 본안소송이 계속되어 있어야 하지만, 본안소송의 제기와 동시에 집행정지를 신청하는 것은 허용된다.

② 2014 국가직 9급 ○

> 유흥접객영업허가의 취소처분으로 5,000여 만원의 시설비를 회수하지 못하게 된다면 생계까지 위협받게 되는 결과가 초래될 수 있다는 등의 사정이 행정처분의 효력이나 집행을 정지하기 위한 요건인 '회복하기 어려운 손해'가 생길 우려가 있는 경우에 해당하지 않는다(대판 1991. 3. 2, 91두1).

③ 2011 세무사 ×

> 과세처분에 의하여 입은 손해는 만일 본안소송에서 과세처분이 무효임이 확정되거나 또는 그 처분이 취소되었을 때에는 신청인이 이미 지급한 납세액의 배상을 청구할 수 있을 것이므로 이와 같은 경우에는 과세처분을 정지함에 회복할 수 없는 손해를 피하기 위하여 긴급한 사유가 있는 경우에 해당한다고 볼 수 없을 것이다(대결 1971. 1. 28, 70두7).

④ 2018 서울시 2회 7급 ×

집행정지결정의 효력은 정지결정대상인 처분의 발령시점에 소급하는 것이 아니라 원칙적으로 집행정지결정시점부터 장래에 향하여 효력을 발생한다. 따라서 집행정지결정 전에 이미 집행된 부분에 대해서는 아무런 영향을 미치지 아니한다(대판 1957. 11. 4, 4290민상623).

⑤ 2015 교육행정직 9급 ×

취소판결의 기속력에 관한 규정은 집행정지결정에도 준용되므로 집행정지결정의 효력은 신청인과 피신청인에게 미치며, 당사자인 행정청뿐만 아니라 그 밖의 관계행정청도 기속한다.

> **행정소송법 제23조【집행정지】** ⑥ 제30조 제1항의 규정은 제2항의 규정에 의한 집행정지의 결정에 이를 준용한다.
>
> **제30조【취소판결 등의 기속력】** ① 처분 등을 취소하는 확정판결은 그 사건에 관하여 당사자인 행정청과 그 밖의 관계행정청을 기속한다.

정답 18 ②

19

취소소송의 심리와 판결에 관한 다음 설명 중 옳지 않은 것을 모두 고른 것은? (다툼이 있는 경우 판례에 의함)

> □□□ ㉠ 법원은 소송제기가 없는 사건에 대하여 심리 · 재판할 수 없다.
>
> □□□ ㉡ 당초 행정처분의 근거로 제시한 이유가 실질적인 내용이 없는 경우에도 행정소송의 단계에서 행정처분의 사유를 추가할 수 있다.
>
> □□□ ㉢ 행정처분의 이유로 제시한 수개의 처분사유 중 일부가 위법하면, 다른 처분사유로써 그 처분의 정당성이 인정되더라도 그 처분은 위법하다.
>
> □□□ ㉣ 구 「과징금 부과 세부기준 등에 관한 고시」의 위반행위에 대한 시정조치 횟수를 근거로 공정거래위원회가 부과한 과징금 부과처분에 대한 취소소송의 계속 중 위반행위 자체가 존재하지 않는다는 이유로 시정조치의 취소판결이 확정된 경우, 시정조치에 대한 취소판결의 확정으로 해당 위반행위가 위반 횟수 가중을 위한 횟수 산정에서 제외되더라도 그 사유가 과징금 부과처분에 영향을 미치지 아니하여 처분의 정당성이 인정되는 경우라면 그 처분을 위법하다고 할 수 없다.

① ㉠, ㉡　　　② ㉠, ㉢
③ ㉡, ㉢　　　④ ㉡, ㉣

㉠ 2014 국가직 9급 ○

취소소송의 경우에도 원칙적으로 불고불리의 원칙이 적용되어 법원은 소제기가 없는 사건에 대하여 심리 · 재판할 수 없으며, 소제기가 있는 사건에 대하여도 당사자의 청구범위를 넘어서 심리 · 재판할 수 없다.

㉡ 2018 지방직 9급 ×

> 행정처분의 취소를 구하는 항고소송에서는 처분청이 당초 처분의 근거로 제시한 사유와 기본적 사실 관계에서 동일성이 없는 별개의 사실을 들어 처분사유로 주장할 수 없다. 피고는 이 사건 소송에서 '이 사건 산업단지 안에 새로운 폐기물시설부지를 마련할 시급한 필요가 없다.'는 점을 이 사건 거부처분의 사유로 추가하였다. 그러나 <u>피고가 당초 처분의 근거로 제시한 사유가 실질적인 내용이 없다고 보는 이상, 위 추가사유는 그와 기본적 사실관계가 동일한지 여부를 판단할 대상소차 없는 것이므로, 결국 소송단계에서 처분사유를 추가하여 주장할 수 없다</u>(대판 2017. 8. 29, 2016두44186).

㉢ 2018 국가직 7급 변형 ×

> 행정처분에 있어 수개의 처분사유 중 일부가 적법하지 않다고 하더라도 다른 처분사유로써 그 처분의 정당성이 인정되는 경우에는 그 처분을 위법하다고 할 수 없다(대판 2013. 10. 24, 2013두963).

㉣ 2022 국회직 8급 변형 ○

> 공정거래위원회가 과징금 산정시 위반횟수 가중의 근거로 삼은 위반행위에 대한 시정조치가 그 후 '위반행위 자체가 존재하지 않는다는 이유로 취소판결이 확정된 경우', 그 시정조치를 위반횟수 가중을 위한 횟수 산정에서 제외하더라도, 그 사유가 과징금 부과처분에 영향을 미치지 아니하여 처분의 정당성이 인정되는 경우라면, 그 처분은 위법하지 아니하다(대판 2019. 7. 25, 2017두55077).

정답 19 ③

20

취소소송의 판결과 관련된 다음 설명 중 옳지 않은 것을 모두 고른 것은? (다툼이 있는 경우 판례에 의함)

□□□ ㉠ 원고가 사정판결에 불복하면 상소할 수 있다.

□□□ ㉡ 사정판결은 원고의 주장을 기각하는 판결이므로 당해 처분은 적법한 처분으로 인정된다.

□□□ ㉢ 사정판결을 함에 있어서 법원은 원고에 대하여 상당한 구제방법을 취하거나 피고행정청에 상당한 구제방법을 취할 것을 명하여야 한다.

□□□ ㉣ 공정거래위원회가 여러 개의 위반행위에 대하여 하나의 과징금 납부명령을 하였으나 여러 개의 위반행위 중 일부 위반행위에 대한 과징금 부과만이 위법하고 소송상 그 일부 위반행위를 기초로 한 과징금액을 산정할 수 있는 자료가 있는 경우에 그 일부 위반행위에 대한 과징금액에 해당하는 부분만을 취소하여야 한다.

① ㉠, ㉡, ㉣　　② ㉡, ㉢
③ ㉢, ㉣　　④ 없음

㉠ 2008 관세사 ○
사정판결은 원고패소판결이므로 원고는 상소할 수 있다.

㉡ 2009 지방직 9급 ×
사정판결은 처분이 위법함에도 공공복리를 이유로 원고의 청구를 기각하는 판결로서 당해 처분은 여전히 위법한 것으로 인정된다.

㉢ 2008 국회직 8급 ×
사정판결을 함에 있어 원고는 피고인 행정청이 속하는 국가 또는 공공단체를 상대로 손해배상, 제해시설의 설치, 그 밖에 적당한 구제방법의 청구를 당해 취소소송 등이 계속된 법원에 병합하여 제기할 수 있다(행정소송법 제28조 제3항). 지문은 행정심판법상 사정재결에 관한 내용과 유사한 내용이다.

> **행정심판법 제44조【사정재결】** ① 위원회는 심판청구가 이유가 있다고 인정하는 경우에도 이를 인용하는 것이 공공복리에 크게 위배된다고 인정하면 그 심판청구를 기각하는 재결을 할 수 있다. 이 경우 위원회는 재결의 주문(主文)에서 그 처분 또는 부작위가 위법하거나 부당하다는 것을 구체적으로 밝혀야 한다.
> ② 위원회는 제1항에 따른 재결을 할 때에는 청구인에 대하여 상당한 구제방법을 취하거나 상당한 구제방법을 취할 것을 피청구인에게 명할 수 있다.

㉣ 2021 경행경채 ○

> 공정거래위원회가 위반행위에 대한 과징금을 부과하면서 여러 개의 위반행위에 대하여 외형상 하나의 과징금 납부명령을 하였으나 여러 개의 위반행위 중 일부의 위반행위에 대한 과징금 부과만이 위법하고 소송상 그 일부의 위반행위를 기초로 한 과징금액을 산정할 수 있는 자료가 있는 경우에는, 하나의 과징금 납부명령일지라도 그 일부의 위반행위에 대한 과징금액에 해당하는 부분만을 취소하여야 한다(대판 2019. 1. 31, 2013두14726).

정답 20 ②

21

취소소송의 판결의 효력과 관련된 다음 설명 중 옳지 않은 것은? (다툼이 있는 경우 판례에 의함)

□□□ ① 기속력은 일단 판결이 확정된 때에는 동일한 사항이 다시 소송상 문제되었을 때 당사자와 법원은 이에 저촉되는 주장이나 판단을 할 수 없는 효력을 의미한다.

□□□ ② 거부처분의 취소판결이 확정된 경우에 그 처분을 행한 행정청은 종전 처분 후에 발생한 새로운 사유를 내세워 다시 거부처분을 할 수 있다.

□□□ ③ 위법성 판단기준시점인 처분시 이후에 생긴 새로운 사실관계나 개정된 법령과 같이 새로운 처분사유를 들어 동일한 내용의 처분을 하는 것은 가능하다.

□□□ ④ 취소소송에서 소송의 대상이 된 거부처분을 실체법상의 위법사유에 기초하여 취소하는 확정판결이 있는 경우에는 당해 거부처분을 한 행정청은 원칙적으로 신청을 인용하는 처분을 하여야 하고, 사실심변론종결 이전의 사유를 내세워 다시 거부처분을 하는 것은 기속력에 반하여 허용되지 아니한다.

□□□ ⑤ 신청에 따른 처분이 절차의 위법을 이유로 취소되는 경우에는 판결의 취지에 따라 다시 이전의 신청에 대한 처분을 하여야 한다.

관련기출

②

1. 甲이 관할행정청으로부터 영업허가취소처분을 받았고, 이에 대해 취소소송을 제기하여 취소판결이 확정된 경우, 취소판결이 확정된 이후에는 다른 사유를 근거로 하더라도 다시 영업허가를 취소하는 처분을 할 수 없다. (○, ×) 2016 국회직 8급
2. 판례에 의하면 처분의 위법함을 인정하는 청구인용판결이 확정된 경우에도 처분시점 이후에 생긴 새로운 사유나 사실관계를 들어 동일한 내용의 처분을 하는 것은 무방하다. (○, ×) 2008 국가직 9급

1. × 2. ○

① 2010 국가직 9급 ×

판결이 확정되면 동일한 사항이 다시 소송상 문제되었을 때 당사자와 법원은 이에 저촉되는 주장이나 판단을 할 수 없는 효력은 기판력을 의미한다.

② 2016 국가직 7급 ○

거부처분에 대해 이를 취소하는 확정판결이 있은 후에도 처분 당시 이후 발생한 새로운 사유를 이유로 처분청이 다시 거부하는 것은 기속력에 위반되지 않는다. 왜냐하면 기속력의 시간적 범위는 처분시를 기준으로 하기 때문이다.

> 1. 종전 처분 후 발생한 새로운 사유를 내세워 다시 거부처분을 하는 것은 처분 등을 취소하는 확정판결의 기속력에 위배되지 않는다(대판 2011. 10. 27, 2011두14401).
> 2. 거부처분취소의 확정판결을 받은 행정청이 거부처분 후에 법령이 개정·시행된 경우 이를 새로운 사유로 내세워 다시 거부처분을 한 것은 기속력에 반하는 처분이 아니다(대결 1998. 1. 7, 97두22).

③ 2014 국회직 8급 ○

기속력의 내용 중 반복금지의무는 법원이 위법이라고 판단한 것과 동일한 이유나 자료를 바탕으로 동일인에 대하여 동일행위를 하는 것을 금할 뿐, 별도의 이유나 자료를 바탕으로 동일한 처분 등을 하는 것은 상관없다. 따라서 처분시 이후에 생긴 새로운 사실관계나 개정된 법령과 같이 새로운 처분사유를 들어 동일한 내용의 처분을 하는 것은 가능하다.

④ 2017 국회직 8급 ○

> 취소소송에서 소송의 대상이 된 거부처분을 실체법상의 위법사유에 기하여 취소하는 판결이 확정된 경우에는 당해 거부 처분을 한 행정청은 원칙적으로 신청을 인용하는 처분을 하여야 하고, 사실심변론종결 이전의 사유를 내세워 다시 거부처분을 하는 것은 확정판결의 기속력에 저촉되어 허용되지 아니한다(대판 2001. 3. 23, 99두5238).

⑤ 2015 서울시 7급 ○

> **행정소송법 제30조【취소판결 등의 기속력】** ② 판결에 의하여 취소되는 처분이 당사자의 신청을 거부하는 것을 내용으로 하는 경우에는 그 처분을 행한 행정청은 판결의 취지에 따라 다시 이전의 신청에 대한 처분을 하여야 한다.
> ③ 제2항의 규정은 신청에 따른 처분이 절차의 위법을 이유로 취소되는 경우에 준용한다.

정답 21 ①

22

다음 중 옳지 않은 것을 모두 고른 것은? (다툼이 있는 경우 판례에 의함)

□□□ ㉠ 처분 등을 취소하는 판결에 의하여 권리 또는 이익을 침해받은 제3자는 소송에 참가하지 못함으로써 판결의 결과에 영향을 미칠 공격 또는 방어방법을 제출하지 못한 때에는 그 귀책사유 여부와 관계없이 확정된 종국판결에 대하여 재심의 청구를 할 수 있다.

□□□ ㉡ 행정소송법 제18조 제1항 단서에 따라 행정심판전치주의가 적용되는 경우에도 무효확인의 소를 제기함에 있어서는 행정심판을 거쳐야 하는 것은 아니다.

□□□ ㉢ 동일한 행정처분에 대하여 무효확인소송을 제기하였다가 그 후 그 처분의 취소를 구하는 소송을 추가적으로 병합한 경우에 주된 청구인 무효확인소송이 적법한 제소기간 내에 제기되었다면 추가로 병합된 취소소송도 적법하게 제기된 것으로 보아야 한다.

□□□ ㉣ 지방자치단체 상호 간의 권한쟁의는 행정법원의 관할에 속한다.

① ㉠, ㉡　　② ㉠, ㉣
③ ㉡, ㉢　　④ ㉢, ㉣

㉠ 2015 국회직 8급 ×

귀책사유가 있으면 재심을 청구할 수 없다는 것이 행정소송법의 태도이다.

> **행정소송법 제31조【제3자에 의한 재심청구】** ① 처분 등을 취소하는 판결에 의하여 권리 또는 이익의 침해를 받은 제3자는 자기에게 책임 없는 사유로 소송에 참가하지 못함으로써 판결의 결과에 영향을 미칠 공격 또는 방어방법을 제출하지 못한 때에는 이를 이유로 확정된 종국판결에 대하여 재심의 청구를 할 수 있다.

㉡ 2016 국회직 8급 ○

무효등확인소송에는 행정심판전치에 관한 규정이 준용되지 않으므로 행정심판전치가 적용되는 경우에도 무효확인의 소를 제기함에 있어서는 행정심판을 거치지 않아도 된다.

> **행정소송법 제18조【행정심판과의 관계】** ① 취소소송은 법령의 규정에 의하여 당해 처분에 대한 행정심판을 제기할 수 있는 경우에도 이를 거치지 아니하고 제기할 수 있다. 다만, 다른 법률에 당해 처분에 대한 행정심판의 재결을 거치지 아니하면 취소소송을 제기할 수 없다는 규정이 있는 때에는 그러하지 아니하다.
>
> **제38조【준용규정】** ① 제9조, 제10조, 제13조 내지 제17조, 제19조, 제22조 내지 제26조, 제29조 내지 제31조 및 제33조의 규정은 무효등확인소송의 경우에 준용한다(편저자 주 : 제18조를 준용하지 않음).

㉢ 2021 경행경채 ○

> 동일한 행정처분에 대하여 무효확인의 소를 제기하였다가 그 후 그 처분의 취소를 구하는 소를 추가적으로 병합한 경우, 주된 청구인 무효확인의 소가 적법한 제소기간 내에 제기되었다면 추가로 병합된 취소청구의 소도 적법하게 제기된 것으로 볼 수 있다(편저자 주 : 한편, 이러한 병합은 예비적 병합으로만 가능하다. 병합 부분 참조)(대판 2005. 12. 23, 2005두3554).

㉣ 2009 국가직 7급 ×

국가기관 상호 간, 국가기관과 지방자치단체 간 및 지방자치단체 상호 간의 권한쟁의심판은 헌법재판소의 관장사항으로서, 행정소송으로서의 기관소송에서 제외된다.

> **헌법재판소법 제2조【관장사항】** 헌법재판소는 다음 각 호의 사항을 관장한다.
> 4. 국가기관 상호 간, 국가기관과 지방자치단체 간 및 지방자치단체 상호 간의 권한쟁의에 관한 심판

정답 22 ②

박준철 교수

약 력

고려대학교 법과대학 법학과 졸업
고려대학교 법과대학원 행정법 전공
現. 공단기 행정법 대표 강사
소방단기 행정법 대표 강사
前. 남부고시학원 7·9급 행정법 대표 강사
KG패스원(웅진패스원) 7·9급 행정법 대표 강사

주요 저서

써니 행정법총론
7급 써니 행정법각론
써니 행정법총론 기출문제집
7급 써니 행정법각론 기출문제집
써니 행정법총론 행정법으로의 초대
써니 행정법총론 핵심집약
7·9급 써니 행정법총론 단원별 모의고사
써니 행정법총론 소방 단원별 모의고사
7·9급 써니 행정법총론 실전동형 모의고사
써니 행정법총론 소방 실전동형 모의고사
써니 행정법총론 오답노트
7·9급 써니 행정법총론 SOS
코드에 맞는 행정법총론
7·9급 써니 행정법총론 판례집
7·9급 써니 행정법총론 판례특강
써니 행정법총론 오답노트 하프모의고사

2025
써니 행정법총론 기출문제집
| 완성편

9판 1쇄 발행 2024년 9월 20일
9판 4쇄 발행 2024년 10월 11일

편저자 박준철
발행인 김지연

등 록 제319-2011-41호
발행처 (주)도서출판 지금(http://www.papergold.net)
주 소 06924 서울특별시 동작구 장승배기로 128, 305호(노량진동, 동창빌딩)
교재공급처 (02)814-0022 FAX (02)872-1656
유튜브 SunnyLawTV_써니로
학습문의처 cafe.naver.com/sunnylaw(써니 행정법)
ISBN 979-11-6018-399-3 14360(세트)

정가 44,000원(전 2권)